1 MONTH OF
FREE
READING

at

www.ForgottenBooks.com

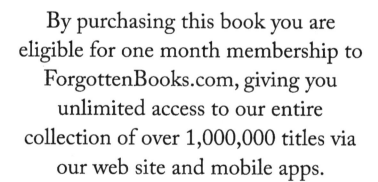

By purchasing this book you are
eligible for one month membership to
ForgottenBooks.com, giving you
unlimited access to our entire
collection of over 1,000,000 titles via
our web site and mobile apps.

To claim your free month visit:

www.forgottenbooks.com/free463085

ISBN 978-0-331-94615-4
PIBN 10463085

ARCHAEOLOGISCH-EPIGRAPHISCHE

MITTHEILUNGEN

AUS

OESTERREICH-UNGARN

HERAUSGEGEBEN

VON

O. BENNDORF UND E. BORMANN

JAHRGANG IX

MIT 6 TAFELN

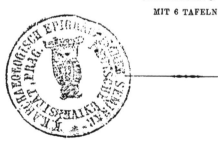

WIEN

DRUCK UND VERLAG VON CARL GEROLD'S SOHN

1885

INHALT

	Seite
Domaszewski Inschriften aus Kleinasien	113—132
Frankfurter Epigraphischer Bericht aus Oesterreich	135—144 u. 250—268
Gregorutti Inschriftfunde in dem Gebiet von Aquileja	248—250
G. Hirschfeld Das Gebiet von Aperlai	192—201
O. Hirschfeld und Schneider Bericht über eine Reise in Dalmatien	1—84
Klein Bathykles	145—191
Petersen Die Irisschale des Brygos	85—87
Schuchhardt Die römischen Grenzwälle in der Dobrugea	87—113
Wälle und Chausseen im südlichen und östlichen Dacien	202—232
Szanto Zur Sammlung Millosicz	132—134
Téglás und Domaszewski Inschriften aus Dacien	237—248
Torma Das Amphitheater zu Aquincum (Auszug)	233—237

Bericht über eine Reise in Dalmatien

I. Inschriften

Auf einer Reise, die ich im Auftrage der Akademie der Wissenschaften in Berlin behufs Sammlung des Materials für den in Aussicht genommenen Supplementband zu *Corpus inscriptionum Latinarum III* im September und October des vergangenen Jahres gemeinsam mit Herrn Custos Dr. Robert Schneider gemacht habe, hatte ich Gelegenheit, neben der Revision der überaus zahlreichen, seit dem Abschluss des dritten Corpus-Bandes gefundenen Inschriften, die theils in der *Ephemeris Epigraphica* (II und IV), theils in dem von Glavinić und Alačević im Jahre 1877 begründeten, von Bulić im Vereine mit dem Letzteren fortgeführten *Bullettino di archeologia e storia Dalmata* publicirt worden sind, zahlreiche bisher unbekannte Inschriften zu copiren, von denen eine Auswahl*) bereits hier vorzulegen angemessen erscheint, da die Publication des Supplementbandes erst in einigen Jahren erfolgen dürfte. Die mitgetheilten Copien sind bis auf n. 37 und n. 42, die ich Herrn Dr. Schneider verdanke, von mir gemacht worden; zahlreiche Abklatsche hat mir Herr Director Bulić freundlichst zugehen lassen.

Den Hauptertrag hat selbstverständlich wiederum der Boden von Salona ergeben, der Jahr für Jahr, auch ohne systematische Ausgrabungen, eine unverächtliche Ausbeute gewährt. Aber doch wäre in hohem Grade zu wünschen, dass nach Abschluss der Ausgrabung der altchristlichen Basilica, deren reiche und wichtige Aufschlüsse bietende Resultate von Bulić mit Beiträgen von Mommsen

---

*) Einige kurz vor meiner Ankunft gefundene und im August- und September-Heft des *Bullettino Dalmato* publicirte Inschriften habe ich ebenfalls aufgenommen, da dieselben in den epigraphischen Bericht von Dr. Frankfurter (vgl. diese Mittheilungen Bd. VIII S. 104 ff.) keine Aufnahme mehr finden konnten. In den später erschienenen Heften des *Bullettino Dalmato* sind inzwischen die unten folgenden grossentheils von Herrn Director Bulić nach den von uns gemeinsam genommenen Copien publicirt worden.

Archäologisch-epigraphische Mitth. IX.

und de Rossi in dem *Bullettino Dalmato* veröffentlicht worden sind*), die Regierung sich veranlasst finden möge, eine Ausgrabung in grösserem Stil, die vor allem der Aufdeckung des Theaters von Salona zu gelten hätte, zu unternehmen. In zweiter Linie würde als dankbares Ausgrabungsobject Narona (bei dem kleinen Orte Viddo) ins Auge zu fassen sein, das, bereits in republikanischer Zeit eine blühende Stadt, als Hauptort und Eingangspunkt in das fruchtbare, jetzt freilich vom Fieber verödete Narenta-Thal, auch in der Kaiserzeit eine Bedeutung behalten hat, die sich in den mehr noch qualitativ, als quantitativ bedeutenden Funden aus diesem mit antiken Scherben besäeten Boden wiederspiegelt. Neben diesen Hauptcentren römischen Lebens in Dalmatien fehlt es natürlich nicht an interessanten, noch kaum berührten Fundstätten; es mag hier genügen, auf den noch wohlerhaltenen Mauerring von Asseria, auf Burnum mit den imposanten *archi di Kistanje*, schliesslich auf Aequum hinzuweisen, wo in den letzten Jahren von den Franziskanern in Sinj, deren Sammlung bereits wichtige Fundobjecte aus diesem Boden aufzuweisen hat, ein bedeutender wohl der besten Kaiserzeit angehöriger Gebäudecomplex blosgelegt worden ist**).

Die excentrische Lage von Dalmatien und die Armuth des Landes hat eine energische Erforschung desselben in bedauerlicher Weise gehemmt und wenn auch in dem letzten Decennium durch die liberale Unterstützung der Regierung und unter Mitwirkung berufener und thatkräftiger Männer im Lande selbst die antiquarischen Forschungen einen erfreulichen Aufschwung genommen haben, so bleibt doch noch ein reiches Feld der Thätigkeit in diesem bedeutendsten Fundgebiete der österreichisch-ungarischen Monarchie der Zukunft vorbehalten.

Vor allem aber wird man so bald als möglich dafür Sorge tragen müssen, das Museum von Spalato zu einer centralen archäologischen Sammelstätte zu erheben. Allerdings sind die Zeiten glücklicherweise vorüber, in denen Eitelberger und Mommsen über die gänzliche Verwahrlosung dieses Museums bittere Klage führen mussten; durch die umsichtige Mühewaltung der Herren Alačević, Glavinić und seines Nachfolgers Bulić, die sich um die Conservirung und Veröffentlichung der heimischen Alterthümer bedeutende

---

*) Eine genaue Aufnahme und Publication der wohlerhaltenen Reste der Basilica steht freilich noch aus.
**) Vgl. den Bericht von Bulić im *Bull. Dalm.* 1885 p. 7 ff., der eine Thermenanlage annimmt.

Verdienste erworben haben, ist wenigstens die vorläufige Bergung der immer reichlicher zuströmenden Funde ermöglicht worden. Dennoch wird man sich der Ueberzeugung nicht verschliessen können, dass auch der jetzige Zustand sowohl für die Conservirung als für die wissenschaftliche Benutzung der Denkmäler ein äusserst ungünstiger ist. Nicht allein dass die Fundstücke, abgesehen von den in Salona selbst befindlichen, in drei getrennten Sammlungen in Spalato haben deponirt werden müssen, sind zwei derselben: das eigentliche Museum und insbesondere das früher als Salzdepôt benutzte Magazin Katalinić so feucht, dass die Monumente bereits wesentlich gelitten haben und z. B. Inschriften, die noch von Mommsen, der freilich auch bereits über die Feuchtigkeit des Museums klagt, vor zwanzig Jahren gelesen wurden, in dem Museum Katalinić heutzutage fast gänzlich zu Grunde gegangen sind. Dazu kommt die in beiden Orten herrschende Dunkelheit, die in Verbindung mit der durch die räumliche Beschränkung des Museums gebotenen Zusammendrängung der Objecte ein Studium derselben in hohem Grade erschwert. Nur die von Director Bulić seit kurzem im Erdgeschoss des Gymnasiums deponirten Stücke sind vor Feuchtigkeit geschützt und wenigstens erträglich beleuchtet.

Dringend geboten erscheint daher die Erbauung eines eigenen Musealgebäudes in Spalato. Wenn dasselbe, wie bereits dem Vernehmen nach in Aussicht genommen ist, mit dem jetzt in einem gemietheten Locale befindlichen Gymnasium combinirt werden würde, so könnte man ohne grosse Kosten den bereits vorhandenen und stets wachsenden Bedürfnissen in ausreichender Weise Rechnung tragen. Aber rasche und definitive Hilfe ist unerlässlich, denn *senatu deliberante monumenta pereunt* und auch mit einer provisorischen Massregel ist nicht geholfen, da jeder neue Transport den schwer beweglichen und grossentheils bereits gebrochenen Steinen verderblich wird.

Unabweislich ist ferner eine erhebliche Erhöhung der Dotation des Spalatiner Museums, um dasselbe in den Stand zu setzen, wenigstens die wichtigeren in Salona und Umgegend gemachten Funde zu erwerben und die Verschleppung derselben ins Ausland durch die zahlreichen Besucher der Ruinen von Salona, die alle gern ein Andenken nach Hause zu bringen wünschen, zu verhindern. Verschlingt doch allein der Transport der oft gewaltigen Inschriftblöcke schon einen grossen Theil der kleinen Dotation, so dass für die Erwerbung der einen grösseren Kunstwerth repräsentirenden Objecte, selbst von den weniger auf locale Vereinigung angewiesenen Münzen und den massenhaft in Salona sich findenden geschnittenen Steinen abgesehen, die Mittel in keiner Weise ausreichen.

Bei der Fürsorge, welche von Seiten der Regierung und der Central-Commission seit einer Reihe von Jahren Dalmatien und insbesondere Spalato zu Theil geworden ist, darf man wohl auf eine baldige und befriedigende Erledigung dieser dringenden Desiderien hoffen. Dieselben an dieser Stelle hervorzuheben, erschien mir nicht allein als eine wissenschaftliche Pflicht, sondern auch als ein Gebot der Dankbarkeit für die an antike Zeiten erinnernde Gastfreundschaft, die ich und mein Reisegenosse überall in Dalmatien gefunden haben, insbesondere aber für die liebenswürdige und energische Förderung, die uns wie von den Behörden des Landes, so von den einheimischen Gelehrten zu Theil geworden ist, vor Allem von den um die Wiederbelebung der Alterthumsstudien in ihrem Heimatlande wohlverdienten Männern: Michele Glavinić in Zara, Giuseppe Alačević und Francesco Bulić in Spalato, Giuseppe Gelcich in Ragusa.

1. Steinbasis, h. 0·80, br. 0·56; Popović (in der Nähe von Karin, in der Kirche St.-Michael eingemauert; ohne Zweifel in der Nähe des Aufbewahrungsortes gefunden (ungenau publicirt im *Bull. Dalm.* II p. 146, vgl. V p. 65, daraus Frankfurter Mittheilungen VIII S. 159 n. 235).

```
     ℓX·EDICTV·P·COR
     NELI · DOLABELE · LEG
     PRO·PR·DETERMIN        p. Ch. 14 seq.
     ΛTI · FINES · GEMINVS
  5  PRI · POSTERIOR · LEG
     VII · INTER · NEDITAS
     ET·CORINIENSES
     RESTITVTI · IVSSV · A
     DVCENI·GEMINI
 10  LEG · AVGVSTI · PR · PɌ
     PER · A · RESIVM mA
     XIMVM · Ɔ · LEG XI
     C·P·F·PR·POSTERIOR
     ET · Q·AEBVTIVM
 15  LIBERALEM·ASTAT
     POSTERIORE · LEG
     EIVSDEM
```

Z. 13 zwischen o und s, r und ı wegen Schaden im Stein kleines Spatium.

Vgl. das ähnliche Exemplar C. I. L. III 2883 (mit der Bemerkung Mommsen's über Ducenius Geminus, dessen Vorname Aulus erst durch diese Inschrift gesichert) wird, während Marini und Borghesi ihm mit Unrecht den Vornamen Gaius vindiciren wollten) und über Dolabella: Mommsen zu n. 1741. Dass Q. (nicht D., wie hier und n. 2883 gelesen worden ist) Aebutius Liberalis der Zeit nach (Ducenius Geminus muss unter Nero Statthalter von Dalmatien gewesen sein) mit dem Lugudunenser Aebutius Liberalis, an den Seneca seine Bücher *de beneficiis* gerichtet hat, identisch sein könne, habe ich bereits bei Frankfurter a. a. O. bemerkt, doch bieten die Angaben Senecas für eine Identification keinen Anhalt.

[e]x edictu (sic) *P. Corneli Dolabel(la)e leg(ati) pro pr(aetore) determinati fines Geminus pri(nceps) posterior* (für *a Gemino principe posteriore*) *leg(ionis) VII inter Neditas et Corinienses, restituti iussu A. Duceni Gemini leg(ati) Augusti pr(o) p[r(aetore)]] per A. Resium [M]aximum centurionem leg(ionis) XI C(laudiae) p(iae) f(idelis) pr(incipem) posterior(em) et Q. Aebutium Liberalem (h)astat(um) posteriore(m) leg(ionis) eiusdem.*

2. Meilensäule, h. 1·62, Durchm. 0·30, mit schlechter Schrift; gef. im Jahre 1879 in Buković (zwischen Benkovac und Podgradje) im Felde unterhalb des Hauses des Tade Reljić; liegt noch daselbst. Die flacher eingehauenen Buchstaben links und die Buchstaben rechts in Z. 4 und 5 gehören nicht zu der Hauptinschrift, sind aber ebenfalls nicht aus älterer Zeit (nicht genau publicirt *Bull. Dalm.* 1879 p. 162, daraus Frankfurter a. O. n. 218).

```
              D N F ʟ
    V A.     C O S T A N E       sic
    A N      I N I  M A xı
    A ı C    M ı  V ı C To  Aᴠ
 5  X ı ᴍ E  R ı S  S E M     /R
    P E T V  E R A V G V
             S T ı / / / ı S
             E X / / / / /
             / / / / / / / /
10           / / / / / / / /
             / / / / / / / /
             ɔ ᴧ ı / ; / / / /
             D N M F ʟ A
```

Z. 7 a. E. ıs nicht sicher. Interessant ist die sonst meines Wissens nicht bezeugte Formel in der letzten Zeile; die Lesung ist ganz sicher. Die Meilensäule gehört zu der Strasse, die von Jader über Nedinum und Asseria nach Burnum ging.

D(omini) n(ostri) Fl(avii) Costan[t]ini maximi victoris semper Augusti . . . . . d(evotus) n(umini) m(aiestatique) Fla(viorum).

3. Traù, seit langer Zeit im Kloster der Benedictiner, hoch in die Mauer eingelassen (= *Bull. Dalm.* 1885 p. 27).

	ΕΠΙΙΕΡΟΜΝΑΜΟΝΟΣ	ἐπὶ ἱερομνάμονος
	ΕΥΑΡΕΟΣ	Εὐάρεος
	ΤΟΥΤΕΙΜΑΣΙΩΝΟΣ	τοῦ Τειμασίωνος
	ΛΟΓΙΣΤΑΝΔΑΦΝΑΙΟΥ	λογιστᾶν Δαφναίου
5	ΟΛΤΙΩΝΟΣΣΑΛΛΑ	Ὀλτίωνος Σάλλα
	ΘΑΡΣΥΝΟΝΤΟΣΛΥΣΙΑ	Θαρσύνοντος Λυσία
	ΓΡΑΜΜΑΤΕοΣΑΡΙΣΤοΦΑΝΕοΣ	γραμματέος Ἀριστοφάνεος

Die Inschrift stammt allem Anschein nach aus Lissa, vgl. C. I. Gr. n. 1834, wo sowohl der barbarische Name Σάλλα wiederkehrt, als auch Logisten erwähnt werden, die freilich von diesen λογισταὶ Δαφναίου (wohl ein dem Apollo oder der Artemis, vgl. C. I. Gr. 1837, heiliger Ort) zu unterscheiden sein werden. Ueber die ἱερομνάμονες vgl. Müller Dorier II S. 163 fg. und Index zu C. I. Gr. p. 37 s. v.

4. Meilensäule, Höhe 0·76, Durchm. 0·21; Traù im Hause des Conte Fanfogna; Fundort unsicher (= *Bull. Dalm.* 1885 S. 43).

IMP PER

PETVO

AVG

XII

5. Ara mit schlechter Schrift; Salona im Hause von Dojmi Katić, angeblich seit langer Zeit (= C. I. L. III n. 3157 nach einer schlechten Copie aus Lanza's Papieren.)

<pre>
            H E R ⁞ A V G / / /
            V A L · VA L E N S / / /
            E X 𐤉 L I Her- M I T E
            P V B ·   cules   P R Æ
   5   C V stehend, auf O B
            D E C d. l. Arm das A V F
            G A L L Löwenfell, L E C
            S V O · I N I mit der / / /
            A P E R V I T R. die / / /
  10   I M C o M Cⁿ Keule / / /   179 p. Ch.
            E T M A R auf die / / /
            V E R O Schulter / /
            C o S · V I legend / /
            M A /
</pre>

Z. 1 scheint HER, nicht HERC gestanden zu haben. — Z. 5 scheint der mir von Bulić gesandte Abklatsch nach cv nach ein etwas kleineres s zu bieten, das ich in meiner Copie nicht notirt habe; doch schreibt mir Bulić, der auf meine Bitte den Stein einer genauen Nachvergleichung unterzogen hat, dass das s nicht sicher ist. — Z. 13. 14 dürfte *VI* [*kal(endas)*] *Ma*[*i(as)*] zu ergänzen sein; es ist der Geburtstag des Kaisers Marcus.

Zu einer befriedigenden Ergänzung der Inschrift bin ich nicht gelangt. Ich hatte an *v*[*et(eranus)*] *ex centurione limite*[*m*] *pub(licum)* .... *ob* [*hon(orem)*] *dec(urionatus)* ...... *leg*[*it(ima) de*] *suo in*[*lata*] *aperuit* gedacht; anders urtheilt über die Herstellung von Z. 5—8 Mommsen, dem ich die schwierige Inschrift zur Prüfung unterbreitet habe. Derselbe schreibt mir darüber Folgendes: 'Die Vorfrage für die Inschrift selbst ist, ob es sich um eine militärische oder eine bürgerliche Anlage handelt, und, was damit zusammenhängt, ob der Bau von dem Centurio oder dem *veteranus ex centurione* ausgeführt ist. Mir scheint *limitem publicum aperuit* (vgl. Velleius 2, 121; Röm. Gesch. V, 112), wie unzweifelhaft verbunden werden muss, nur in der ersten Weise genommen werden zu können, die Erwähnung also des Baues nicht auf diese Dedication bezüglich, sondern commemorativ zu sein. Ob das Datum auf das *aperire* des *limes* oder auf das Setzen der Ara bezogen wird, ist natürlich nicht zu entscheiden, zumal da Z. 9 am Ende defect ist. Rathen könnte man etwa: *limite*[*m*] *pub(licum) prae*[*c(epto) du*]*cu(m) ob dec(essum) Auf*[*idi*] *Gall(i) leg*[*ato*] *suo ini*[*unctum*] *aperuit*. Das *praeceptum ducum* wäre die allgemeine, wohl mit dem Markomanen-krieg zusammenhängende Instruction von Seiten des Generalstabs. Diese betraf auch eine Provinz, in welcher Aufidius Gallus Statthalter war; in dessen Abwesenheit fiel die Ausführung dem Legaten derjenigen Legion zu, in welcher Valens diente, und so kam die Leitung des Wegebaues an ihn. Möglicherweise könnten auch die mittleren Worte in Verwirrung gerathen sein und etwa so zurecht-zurücken: *prae[c(epto)] Auf[idi] Gall(i) c(larissimi) v(iri) leg[ati] su[i] ob dec(essum) (sibi) ini(unctum)*; dann erhielte man das einfachere Verhältniss, dass der Legat die Vollendung des von ihm begonnenen Baues bei seinem Weggang dem Centurio übertrug. Ein sicheres Ergebniss ist hier nicht zu gewinnen.'

Her(culi) Aug(usto) [sac(rum)]. Val(erius) Valens v[et(eranus)] ex centurione limite[m] pub(licum) .... aperuit ... im(peratore) Com(m)o[do ii] et Mar[tio] Vero [ii] co(n)s(ulibus) VI [kal(endas)] Ma[i(as)].

6. Ara, h. 0·44, br. 0·27, d. 0·26; gef. in Salona auf einer 'Jankovača' genannten Wiese zusammen mit n. 10 und n. 12, für das Museum von Spalato erworben (= *Bull. Dalm.* 1884 p. 133):

```
      IOVI AETERNO
      FLAVIVS APOL
      EIVEROCIAMA
      RCELLA ETFILIA
   5  EORVM ET AP
      VLEIA MARCEL
      LA · V · L · S ·
```

Z. 2. 3 wohl eher *Apol(eius)* (statt *Apuleius*) des Namens der Tochter wegen zu lesen, als EI für verhauen statt ET anzusehen. — Z. 5 ist ET überschüssig, vielleicht sollte es Z. 3 vor VEROCIA stehen.

7. Fragment eines architravartigen Steins mit guter Schrift; gef. im J. 1883 in Salona nicht weit vom Baptisterium, jetzt daselbst im Hause des Johann Dropulić.

```
      LARIBVS|
      FAMILIA PVL|
      PVBL·VALENI·
```

Laribus.... familia P(ublii) Ul[pii..] Publ(ilia) Valenti[s] oder *Valenti[ni]*.

8. Marmortafel; Salona, im Haus von Joseph Bubić hoch in die Mauer über dem Fenster eingelassen (= *Bull. Dalm.* 1885 S. 38).

```
        D ·    I N V    M ·
      L · CORN · AP A.A/s
      TVS · PRO · S · M · VIVI
      CRESTI!· AMIC · KÆISS ·
5             E X O T O  P ·
```

Z. 3: *pro s(alute)*.

9. Salona, in der Treppe des Hauses des Georg Katić; die rechte Seite ganz abgescheuert (= *Bull. Dalm.* 1885 S. 38).

```
      D E O M ithrae invicto?
      CETERISque dis dea-
      BVSQVe immor-
      TALIBVs //// aure-?
5     LIVS//////////////
      AMILITiis ///////
```

10. Ara von Kalkstein, h. 0·49, br. 0·27, d. 0·18; gefunden in Salona, für das Museum in Spalato erworben (*Bull. Dalm.* 1884 S. 132).

```
        PETRE
        GENE
        TRICI
```

Vgl. Majonica: Mithras Felsengeburt in diesen Mittheilungen II S. 33 ff.

11. Architrav, lang 1·36, br. 0·37, mit schöner Schrift. Gef. im August 1884 in Salona auf einem Grundstück von Girolamo Cambj in einer Mauer, jetzt im Museum von Spalato (= *Bull. Dalm.* 1884 p. 118).

```
SILVANO · AVG · SACR · VOTO · SVSCEPTO · PRO · SALVE
IMP · CAESARIS · NERVAE · TRAIANI · OPTIMI · AVG · GER · DAC · Ñ
TROPHIMVS · SER · AMANDIANVS · DISPENS
A SOLO · FECIT · ET ·· AQVAM · INDVXIT · L · D · D · D
```

12. Ara, gef. in Salona zusammen· mit n. 10; für das Museum von Spalato erworben (= *Bull. Dalm.* 1884 p. 133):

```
          SOLI · DEO
          SEX · CORNEL
          ANTIOCHVs
          STELLAM ////
    5     ET  FRVCTI
          FER · EX VIS ·
          LIB · POS ·
```

Z. 4—6 *stellam* (nach м ist der Stein etwas abgestossen, doch fehlt nichts) *et fructifer(um?) ex vis(u)*. Die Weihgeschenke sind wahrscheinlich aus Silber oder Gold zu denken; unter *fructifer(um)* ist wohl ein Fruchthalter zu verstehen.

13. Votivstein, später als flacher Deckel eines Sarkophags benutzt, mit guter, nicht später Schrift (= *Bull. Dalm.* 1884 p. 146); gef. im J. 1884 bei der Basilica von Salona.

```
P · CLOELIVS  MILES · CHO · CAMPANAE · CVSTOS · TRAGVRI
          V   ·   S   ·   L · M
```

Ueber diese Inschrift schreibt Mommsen an Bulić (*Bull. Dalm.* p. 146): 'sull' epiteto *campana* o *campestris* dato a certe coorti (Ephem. epigr. V p. 248) non siamo finora bene al chiaro. La mia opinione pero è, che questo cognome è riserbato, il perchè non saprei, alle coorti dei voluntarii cives Romani e perciò questa *cohors campana* la credo l'ottava dei voluntarî, stanziata in Dalmazia. Il *custos Traguri* è nuovo nelle lapidi militari....' Deve essere il soldato, a cui fu affidato il porto di Traù (cf. Plinius ad Traian. ep. 72; Ephem. epigr. IV n. 70: *stationarius Ephesi*).'

14. Meilensäule, gef. in Biač, jetzt im Museum (Gymnasium) von Spalato; der obere Theil stark zerstört.

```
          //////////
          / H I // PP ////
          IR POT /////
          F/O COS ET
    5     // V L · PHiLiPPVS
          NOB · CAES · COS ·        p. Chr. 247
          CVR · CI. · HEREN
          NIANO · V · C · LEG
          AVGO · PR · PR
```

[Imp. Caes. M. Jul. P]hi[li]pp[us Aug.] tr. pot. [cos. p. p.] p[r]o-
cos. et [M. J]ul. Ph[i]lippus nob(ilissimus) Caes(ar) co(n)s(ul), cur(ante)
Cl(audio) Herenniano v(iro) c(larissimo) leg(ato) Augustorum pr(o)
pr(aetore).

Die Inschrift fällt in das Jahr 247, in dem Philipp der Sohn
Consul wird und zwar vor Verleihung des Augustus-Titels (vgl.
über die Zeit dieser Verleihung Eckhel d. n. VII p. 336) oder
wenigstens bevor dieselbe in Dalmatien bekannt war. Nach den
Raumverhältnissen scheint die Zahl bei der *tribunicia potestas* und
dem Consulat des Vaters, wie auch in anderen Inschriften gefehlt
zu haben*).

15. Sarkophag, gef. im November 1883 ausserhalb der Basilica von Salona (*vicino l'abside principale: Bull. Dalm.* 1884 p. 145).
Die Schrift dürfte dem 4. Jahrhundert angehören.

```
         ANT · TAVRO EX D V  A
         R V S · C · DVCENAR I O
         POST FACTO Q V I  V I
         X I T  A N I  S · ⟨V ·        sic
    5    A E L · SATVRNINA · C · F
         MARITO BENIG NIS
         S I M O
```

Z. 1. 2 sind die Buchstaben D V A und R V S durch Spatien
getrennt; ob dadurch angedeutet werden sollte, dass hier *litterae*
singulares zu verstehen seien, ist umso zweifelhafter, als auch in
Z. 2 RIO, Z. 3 a. E. VI, Z. 4 S von ANI und Z. 6 NIS von dem vorhergehenden Theile des Wortes abgetrennt ist. Eine sichere Erklärung dieser Buchstaben wird schwerlich gelingen; mir scheint
die Annahme eines Irrthums des Steinmetzen am wahrscheinlichsten.
Nach den folgenden Worten *ducenario post facto* zu schliessen, muss
ein Amt oder ein Titel vorausgegangen sein; vielleicht wird man
demnach *c(entenario)* zu ergänzen haben. — Z. 4 ist ⟨ = L.

---

*) Im *Bullettino Dalmato* 1884 S. 167, wo die Inschrift nach meiner Copie
veröffentlicht ist, ist der hier genannte Claudius Herennianus durch einen Irrthum
meinerseits (in Verwechslung mit der von mir gleichzeitig abgeschriebenen Probus-
Inschrift — s. unten S. 29) mit dem als Feldherr des Probus genannten (*vita Probi*
c. 22, vgl. *vita Claudi* c. 17) Herennianus identificirt, was selbstverständlich nicht
angeht.

Ant(onio) Tauro ex du[cen]ar[ii]s (?), ducenario post facto, qui vixit an(n)is LV; Ael(ia) Saturnina c(larissima) f(emina) marito benignissimo.

16. Architravfragment; Spalato im Museum (Gymnasium).

.... *ascl*|EPIADE · DOMES| *tico*

17. Cippus, gute Schrift des ersten Jahrhunderts; gef. in Biač, jetzt in Salona im Museum der Eisenbahnstation.

Rose im Giebel

L · PESCENN Vs

L · F · FAL · SATVR

NINVS · VET · LEG

VI·C·P·F·V·F·SIBI·ET

5 MARIAE · SP · F · QVN

TAE · CON iugi et

P · F

17a. Cippus mit guter Schrift des ersten Jahrhunderts; Salona im Hause Japirko-Grubić.

ƆH · VI · ʡ

S · PV

SARIN

Z. 1 c]oh. VI. v[ol(untariorum), während sonst die VIII voluntariorum in zahlreichen Inschriften dieser Gegend auftritt. Die Lesung ist sicher.

18. Cippus von Stein, h. 0·45, br. 1·35, im Museum von Spalato, wohl aus Salona stammend. Die Schrift weist auf das erste Jahrhundert hin; die metrische Inschrift in sehr kleinen und gedrängten Buchstaben, theilweise verwittert. Zwischen den einzelnen Hexametern, resp. Pentametern, ist ein kleines Spatium freigelassen.

D E C E Q V I T · PT · C O H .

III · ALPINAE · ET · Q ⟩ NNIO SEVER /
───
ANN XV FECIT·LVTATIAVENER IA

VIRO · ET · FILIO

ORBAQVERORGENETRIXMISERIPOSTFVNERANATI /ΛΡΙΑ////|/DIEΛ I//MEMEΛΣ//Λ SOROIIII   INTRA TER QVINOS INFELIX OCCIDIT ΛNNOS

SICILLICONIVNX·SIC·TOGΛ·PVRΛ·DATAESı NV//ΛQVEFΛ////OMΛNIBVSSVCCEPT//ΛRENTIS   NVLLVS HONOS FASCES IN MEA ΤECTA TVLIT

OMNIΛ DITIS HABET PRAETERQVAM NOMEN EO RV   NEC COMITEM NATI ME SINITESSE MEI   O GENITOR FELIX QVI NEC TVΛ FVNERA VIDIT

NECFIIIV   ⌐RI   II

Z. 6. 7 DIEΛ und NV//ΛQVEFΛ hat Dr. v. Domaszewski auf dem Abklatsch zu erkennen geglaubt; doch ist die Lesung (mit Ausnahme von ΛQVE) nicht ganz sicher. — TOGA PVRΛ hat Mommsen scharfsinnig vermuthet und der Abklatsch bestätigt; das O ist nicht ganz ausgeführt und eher einem C ähnlich.

.....dec(urioni) equit(um), p]raeposito (?) c]oh(ortis) III Alpinae et Q. Ennio Sever[o] ann(orum) XV; fecit Lutatia Veneria viro et filio.

orba queror genetrix miseri post funera nati

..............me mea c[ar]a soror;

intra ter quinos infelix occidit annos,

sic illi coniunx, sic toga pura data est

m[ll?]aque fa....o, manibus sucepta [p]arentis;

nullus honos fasces in mea tecta tulit.

omnia Ditis habet praeterquam nomen eoru(m)

nec comitem nati me sinit esse mei.

o genitor felix qui nec tua funera vidit

nec fili[m] f[i]l]h[am? ....

19. Aschenurne von Stein; Schrift des 4. oder 5. Jahrhunderts. Gef. im J. 1884 in Salona, jetzt im Museum (Gymnasium) von Spalato (= *Bull. Dalm.* 1885 p. 20).

```
        TORENTIᴖSIG · QVI
        VIXᴖANᴖXXVᴖPIIᴖ
        CATVLVS·SPATA
        RIO · SVO
     5        POSIT
```

Z. 1 fraglich ob sic oder sic; an *sig(niferi)* ist nicht zu denken. Mommsen vermuthet *sig(no)*: ʻes ist wohl zu lesen *Torenti sig(no)*, nach Analogie von VIII, 9520: *signo Thaumanti;* III, 2296: *signu Simplici;* III, 2706: *sig. Equitii.* Da in der letzten Inschrift das Signum von dem eigentlichen Namen getrennt ist (ähnlich auch in der griechischen III, 1422), so ist es nicht so gar auffallend, dass es einmal allein steht mit Weglassung des Namens. Die Endung auf *ius* passt zum Signum; auch steht dies oft so im Genitivʼ. — Z. 2 a. E. *pii;* zwischen ᴘ und ɪɪ kleines Spatium. — Ein Catulus *clarissimae memoriae vir* bei Symmachus epp. X, 48 ed. Seeck; doch liegt für eine Identification kein Anhalt vor. — Zu *spatario* vgl. C. I. L. VI 9043. 9898.

20. Marmortafel, in mehrere Stücke gebrochen; Schrift etwa dem Ende des zweiten oder Anfang des dritten Jahrhunderts angehörig. Gef. 1884 in dem Altar der Kapelle San Giorgio im Castell Sućurac; jetzt im Museum von Spalato (= *Bull. Dalm.* 1885 p. 16).

```
          D͞   ͞M
      ·P·AEL·RASTORIANᴏ
      EQ-P·DECVR·ĪĪVIRO
        ET·QQ·MVNIC
        TVATIVM·DIS
        VITAT·NARON
      Q·MVNICIP PAZINᴀ
      SPLONISTARVM·AR
      ET·AELɪAE·PROCILɪ
   10        DLɪVNCɪ·ANN
      ALBIA·CRISɪ
      INCOMPARAˡ
      LIAE·INFELICISSIM
        ·ET·ɪ  Sɪ    Bɪ
```

Z. 4. 5 der Name des Municips nicht mit Sicherheit zu er-
gänzen; vielleicht [Bu]tuatium (vgl. C. I. L. III add. p. 1026; an
Bistua denkt Bulić a. O.), da man eine dalmatinische Stadt er-
wartet und daher an Nantuates nicht zu denken ist. *Pazinum*
(Z. 7 a. E.) identificirt Bulić a. O. mit Recht mit der *civitas Pasini* bei
Plinius *n. h.* III, §. 140, die nach seiner Ansicht bei dem Orte Stare
Padžene oder Pagjine zwischen Kistanje und Knin zu suchen sein
dürfte. Ueber die *res publica Splonistarum* vgl. Mommsen zu C. I. L.
III n. 2026 und über die *dispunctores* Mommsen ibid. addend. p. 1030
zu derselben Inschrift.

D(is) m(anibus) P. Ael(io) Rastoriano eq(uo) p(ublico), decu-
r(ioni), II viro et q(uin)q(uennali) munic(ipii) [? Bu]tuatium, dis[p(unc-
tori) ci]vitat(is) Naron[ens(ium)], q(uaestori) municip(iorum) Pazina[tium]
Splonistarum Ar[upin(orum)?] et Ael[i]ae Procili[anae?] defunct(ae)
ann[or(um)...]; Albia Crisp[ina? coni(ugi)] incompara[b(ili) et fi]liae
infelicissim[ae] et sibi.

21. Grosser Cippus mit schöner Schrift, gef. im J. 1884 zusammen mit der folgenden in einer Mauer (nach Bulić vielleicht
die Stadtmauer) auf einem Grundstück der Erben von Girolamo
Cambj in Salona; jetzt im Museum von Spalato (= *Bull. Dalm.*
1884 p. 116).

P · BENNIO
SABINO
IпI VIR · IVRE · DIC
AVGVRI · IпI VIR · I · D
5   QVINQVENNAL · FLAM
AVGVSTALI · PRAEFECT
COHORT · Ⅱ · LVSITANOR
EQVITATAE

22. Grosser Cippus mit guter Schrift, gef. 1884 in Salona zusammen mit der vorhergehenden; jetzt im Museum von Spalato
(= *Bull. Dalm.* 1884 S. 117).

D · CAMPANIO
L · F · TRO · VARO
AEDILI · IпI VIRO · I · D
IпI · VIRO IVRE · DICVND
5   QVINQVENNALI
AVGVRI · FLAMINI
PRAEFECTO · FABRVM

PVBLICE

23. Stele, schlechte Schrift; Vragnizza im Hause des Jacob Grgić; für das Museum von Spalato gekauft (*Bull. Dalm.* 1885 p. 22).

	Blatt	Rose im Giebel	Blatt
	D		M
	AELIAE SOTERE OP		
sic	SETRICI DEF AN ⅩⅤ		

Z. 2. 3 *ops(t)etrici.*

24. Salona, in der Basilica gefunden; jetzt in der Station aufbewahrt.

```
 SILuIANVS · ANN · X
PVG · VII · DE SVO · SIBI ·
            CVI DOLET
            POSVIT
```

Z. 2 *pug(narum) VII.* Der links ausgehöhlte Raum war für das (nicht ausgeführte) Relief des Gladiators bestimmt.

25. Marmorstempel mit guter Schrift, Inschriftfläche br. 10·5 Cent., lang 22 Cent. (das ganze Stück nach Bulić's Angabe 27 Cent. lang, 21 Cent. br., 6 Cent. dick), gef. Mai 1884 in Salona auf dem Grundstück des Giovanni Mikelić; jetzt im Museum von Spalato (= *Bull. Dalm.* 1884 S. 165).

		Buchstaben umgekehrt		
	Gladiator mit	MISCENIVS	Gladiator mit	
Palme	Helm, Schild	AMPLIATVS	Helm, Schild	Palme
	und Dolch	FACIT	und Dolch	
		SALONAS		

Wahrscheinlich ist Miscenius Ampliatus Lieferant für die Gladiatoren des Amphitheaters von Salona gewesen und der Stempel vielleicht für Brode bestimmt (vgl. die Bemerkung Mommsen's im *Bull. Dalm.* a. O.). *Mescenii* (hier *Miscenius*) sind in Salona und Narona inschriftlich bezeugt. *Salonas* möchte ich für das Ethnicon von *Salonae* = *Salonitanus* halten; die Wortstellung entspricht den bekannten Gefässen mit der Aufschrift: *L. Canoleios L. f. fecit Calenos* (C. I. L. X 8054, 2. 3).

26. Grabciste, schlechte Schrift; gef. in Salona beim Haus von Giovanni Michelić, jetzt im Museum von Spalato (= *Bull. Dalm.* 1885 p. 14).

```
sic    G CᴸO POPIIIANVS ꝗI
       CV SOR CONIVGI DVLCIS
       SIME QVE VIXIT CON COIVG|E
       SVO ANNOS XII DEFVNCT
   5   ANNORVM XXII BENEME
       RENT POSVIT
```

Z. 1. 2 *G(aius) Clo(dius) Popi[l]ianus qui* (nicht *Quirina*) *Cu(r)sor;* das ʀ ist nicht eingehauen, aber ein Spatium zwischen v und s gelassen.

27. Stele mit ziemlich schlechter Schrift; gef. September 1884 in Salona beim Amphitheater in einem Grundstück des Giovanni Mandić, angekauft für das Museum in Spalato (= *Bull. Dalm.* 1884 p. 163).

```
      Delphin  Muschel  Delphin
      F V L L ∘ N ı Æ
      A M A R Y L ᴸ
          D I
      AEQVIVS · HVNC · FVE
  5   RAT·TITVLVM·ME·PONERE
      MATRI· QVEM MISERÆ· MATER ILLA
      MIHI · POSVIT BIS TERNOS DENOS COM
      PLEVI MENSIBVS ANNOS PARCAE CRV
      DELES NIMIVM PROPERASTIS RVM
 10        PERE ·  FATA ·  MEA
```

Fulloniae Amaryllidi.
aequius hunc fuerat titulum me ponere matri,
    quem miserae mater illa mihi posuit.
bis ternos denos complevi mensibus annos,
    Parcae crudeles nimium properastis rumpere fata mea.

Im Pentameter des ersten Distichons ist *illa* für den wohl nicht in den Vers passenden Namen der Mutter gesetzt. — In dem letzten Pentameter ist *nimium properastis* überschüssig; wahrscheinlich ist diese metrische Grabschrift aus einem etwas längeren Original verkürzt.

28. Sarkophag; Salona, gef. 1884 in der Basilica.

DEPOSITIO FL· TALASSI EX COR
NICVLARIO DIE X KAL · IANVAR·
POST CONS · LVCI VC·   p. Ch. 414

Auffallend ist die Datirung durch das Postconsulat an Stelle der im J. 414 fungirenden Consuln, um so mehr als der orientalische Consul Lucius in occidentalen Inschriften sonst kaum erscheint (cf. de Rossi: *inscr. Christ.* I p. 599).

29. Platte von Kalkstein, schlechte Schrift wohl des 5. Jahrhunderts; gef. im J. 1884 in Salona beim Hause Gaspić, jetzt im Museum von Spalato (= *Bull. Dalm.* 1884 S. 179, vgl. Mommsen ibid. 1885 S. 44).

```
        AVR · SECVNDVS
        QVI CVNPARABID ABAV
        ALEXSIO PISCINA AT DVA
        CORVRA DEPoNENDA ME
   5    VM ET COIVGE MEAM RE
        NATA · ET NEFAs QVADRARIT
        NOBIS PARENTIB · VT PVREREW
 sic    FILIAA NOSTRAA · INACPISCI
        NA SANE COrIVRABII VT SV
  10    PRA BIROINIAMSVANVI
```

Aur(elius) Secundus qui cunparabid (= *comparavit*) *ab Au(relio) Alexsio piscina(m) at dua corpura deponenda, meum et coiuge(m) meam Renata(m), et nefas quadrarit nobis parentib(us) ut pureremu(s)* (= *poneremus*) *filiam nostram in* (h)*ac piscina. Sane coniurabi[t]* (*coniuravit*) *ut supra biroiniam* (wohl sicher verhauen für *birginiam* = *virginiam*, nämlich *uxorem*) *sua(m) nu[llum aliud corpus superponatur?]*.

30. Vorderseite eines grossen Sarkophags, dient jetzt als Bank vor dem Hause von Jacob Benzon in Vragnizza (auch von Benndorf bereits im J. 1878 copirt).

```
ΕΝΘΑΚΑΤΑΚΙΤΕ
ΙΟΥΣΤΙΝΟΣ ΤΡΙ
ΒΟΥΝΟΣΒΑΛΕΝ
ΤΙΝΙΑΝ·ΝCΙΟΥW
5  ΝΕΟΦWΤΙCΤΟΣ
```

ἔνθα κατάκιτε
Ἰουστῖνος τρι-
βοῦνος Βαλεν-
τινιανηνσίουμ
νεοφώτιστος

Vgl. Notit. Occ. VII 47 und 61: *Valentinianenses (intra Illyricum cum viro spectabili comite Illyrici).* — Z. 5 νεοφώτιστος = ein neu zum Christenthum Bekehrter, vgl. Stephanus s. v.

31. Steintafel mit schlechter Schrift; Spalato im Museum (Gymnasium).

Im Giebel:
Blatt   Rose   Blatt

```
              ΚΕ
       ΒΑCΙΛΙΔΗCΚΑΛΛΙΓο
       ΝΗ ΤWΓΛΥΚΥΤΑΤWΤΕΚΝ
       WΒΑCΙΛΙCCΗΖΗCΑCΑΕΝΙ
       ΑΥΤΟΝΚΑΙΜΗΝΑCϚΛΥ
5      ΠΗCΑCΑ ΓοΝΙCΚΑΙ ΑΔΕΛ
       ΦΙΑ CΤΗCΑΜΕΝCΤΗ ΑΗ
       Ν ΜΝΗΜΗC ΧΑΡΙΝ
       ΧΕΡΕ ΠΑΡοΔΙΤͅα
```

Βασιλίδης κὲ Καλλιγό-
νη τῷ γλυκυτάτῳ τέκν-
ῳ Βασιλίσσῃ Ζήσασα ἐνι-
αυτὸν καὶ μῆνας ἓξ λυ-
πήσασα γονῖς καὶ ἀδέλ-
φια· στήσαμεν στήλη-
ν μνήμης χάριν·
χέρε παροδῖτ[α]

Z. 1 ΚΕ (= καί) mit kleinerer Schrift nachträglich zugefügt. Z. 4 ϛ = VI.

32. Steincippus, gute Schrift; Clissa, im Hause des Božo Pleština in die Mauer eingelassen (= *Bull. Dalm.* 1885 p. 32).

```
         ︵  ︵ ℒ ︶
       C IVL THRDAΙS F
       DEC · ALA · ΡΑRΤΗο        sic
       AN XXVI DOM
5      ROM · H · S · E
       SEX · COELIVS
           ︶ ℧ ︶
```

Z. 2. 3 *C. Jul(i) Thrida[ti]s* (wohl *ts*) *f(ilius) dec(urio) ala Phartho(rum).* Eine *ala 1 Aug(usta) Parthor(um)* stand im Anfange des 3. Jahrhunderts in Mauretania Caesariensis (C. I. L. VIII 9827. 9828); Präfecten der *ala Parthorum* (ohne Zusatz) werden erwähnt VIII 9371. X 3847. Zur Zeit der Notitia stand die *ala prima Pa[r]-thorum* in *Resai[n]a* in Mesopotamien: Not. Orient. c. XXXV, 30.

— Auf das erste Jahrhundert weist sowohl die Schrift hin, als die Namen C. Julius; ob der hier genannte C. Julius Thridates mit dem zu den Römern im J. 724 geflohenen Partherkönige Tiridates (Mommsen r. g. d. A. [2] S. 136) in irgend einem verwandtschaftlichen Verhältniss steht, ist zweifelhaft.

33. Meilensäule, h. 1·33, Umfang 1·07, Durchm. 0·31; gef. im J. 1879 im Dugopolje (zwischen Vojnic und Clissa) im Acker des Dolac-Grubiša; liegt noch daselbst, ist aber für das Museum von Spalato bestimmt (= *Bull. Dalm.* 1885 p. 32).

> D N FL CONSTANTIO NoB
> CAES · FILIO DN CONSTANTINI
> MAXIMI VICTORIS AC PER
> PETVI SEMPER AVG

Die Säule, auf die ich von Herrn Conte Paulović in Sinj aufmerksam gemacht worden bin, befand sich offenbar an der grossen Römerstrasse von Salonae nach Delminium, die über Clissa nach Gardun führte. Es sollen von derselben in der Nähe von Dugopolje noch bedeutende Ueberreste zu erkennen sein.

34. Stobrec, im Fussboden der alten Kirche (= *Bull. Dalm.* 1885 S. 42).

> Rose
> im Giebel
> _____
>
> VIPSANAE
> L V P A E
>
> V I V I V S · H Y L A
> F · B · M · P ·

35. Ara von Kalkstein, h. 0·63, br. 0·25; Insel Brazza, ½ Stunde oberhalb Splitska, unter der Ortschaft St.-Andrea, an dem Orte 'Plate'; nach Spalato in's Museum geschafft. Der erst wenige Tage vor unserer Ankunft (September 1884) gefundene Stein trägt folgende, dem Schriftcharakter nach wohl der zweiten Hälfte des 3., möglicherweise selbst dem Anfange des 4. Jahrhunderts angehörige Inschrift:

```
      HERCVLI Ⱥ G
      SAC · VⱢ VⱢ E
      RIANVS  MIL
      CVM  INSIST
   5  EREM AD CAP
      ITELLA COLV
      MNARVM AD TE
      RMAS LICINAN          sic
      S Q̲ A SE IVNES
  10  IRMI V · L S
```

Bei dem Fundorte und in der Nähe sind noch deutliche Spuren der antiken Steinbrüche zu erkennen. Unfern des mitgetheilten Steines lagen Cippen und Aren mit Ornamenten versehen, aber ohne Inschrift; ferner ein abbozzirter Kopf, so dass hier unzweifelhaft das Atelier eines Steinmetzen gewesen sein muss, wie ja solche sich in der Regel bei den antiken Brüchen befanden (vgl. Benndorf bei Büdinger: Untersuchungen z. R. Kaisergesch. III S. 342 A. 1). Der Stein von Brazza wird noch jetzt vielfach zu Bauten verwendet; aus den Gruben bei Splitska soll angeblich das Material für den Diocletianspalast gewonnen worden sein (vgl. Fortis *viaggio in Dalmatia* II S. 185, wogegen Adam *ruins of the palace of Diocletian* S. 20 u. 22 das Material als aus Traù stammend bezeichnet).

Die Inschrift ist gut erhalten und die Lesung vollständig sicher; fraglich ist nur, ob am Ende von Z. 9 ES oder FS zu lesen ist. Zweifelhaft bleibt die Erklärung dieser Zeile; vielleicht kann man an die Auflösung *s(ingularis) Q. Ase(llii) Jun(ioris?) f(actus)* denken, wenn auch bei den *singulares* sonst nie der Name des Statthalters, sondern nur der Titel (*consularis*) hinzugefügt wird. Mommsen schreibt mir darüber: 'In der Brazza-Inschrift möchte ich nicht die militärische Charge am Schluss suchen, die doch bei *miles* oder statt dessen stehen müsste, sondern die Determinirung des Baus; *Sirmi* verlangt eine nähere Bestimmung und diese kann nur hierin stecken und auch, da sonst nur reguläre Abkürzungen begegnen, nicht wohl durch eine Gruppe von unverständlichen Initialen angegeben sein. Also beispielsweise: *thermas Licin[i]an[a]s q(u)as* oder vielmehr *q(u)a[e] fiun[t] Sirmi*. Vielleicht heissen die Thermen vom Kaiser; vgl. Anonym. Vales. 16: *Licinius* ...... *pervolavit ad Sirmium; sublata inde uxore ac filio et thesauris tetendit ad Daciam*'. Demnach lautet

die Inschrift folgendermassen: *Herculi Aug(usto) sac(rum)*. *Val(erius)*
Valerianus mil(es) cum insisterem ad capitella columnarum ad t(h)er-
mas Licin(i)an(as) s q̩ a s e ɪ v n f *Sirmi v(otum) l(ibens) solvi)*.

Die Inschrift bietet eine merkwürdige Parallele zu der von
Wattenbach ans Licht gezogenen und seitdem von verschiedenen
Gelehrten commentirten *passio sanctorum IV coronatorum,* die bekanntlich in ihrem ersten Theil in den Steinbrüchen Pannoniens und
zwar allem Anschein nach in den Brüchen der Fruschka-Gora bei
Sirmium (vgl. Karajan in Wiener Sitz.-Berichte 10, 1853, S. 136)
spielt. Ausdrücklich wird in dieser *passio* in Uebereinstimmung mit
unserer Inschrift die Bearbeitung von Säulenkapitellen neben anderen
Aufträgen den Arbeitern überwiesen, vgl. §. 1 (S. 325 der Ausgabe Wattenbach's bei Büdinger: Untersuchungen z. röm. Kaiser-
geschichte Bd. III): *Dioclitianus Augustus .. praecepit ut ex metallo*
porphyretico columnas vel c a p i t e l l a c o l u m n a r u m ab artificibus in-
ciderentur und ebenda: *desidero per peritiam artis vestrae columnas*
vel c a p i t e l l a c o l u m n a r u m ex monte porphyretico incidi, vgl. §. 4
p. 330: *volo mihi fieri columnas et c a p i t a f o l i a t a.*

Valerius Valerianus hat ohne Zweifel nicht zu den Arbeitern
gehört, sondern zu dem Militär-Detachement, das sich in der Regel
bei den kaiserlichen Bergwerken zur Beaufsichtigung der Arbeiter
und der Arbeiten (dazu passt das hier gebrauchte *insistere*) und
Aufrechterhaltung der Sicherheit befand (vgl. C. I. L. XI, 1322 =
Donati 176, 1; Letronne *recueil* I S. 167 ff. und S. 430 und meine
Verwaltungsgeschichte I S. 80). — Sowie in der *passio* die Auf-
träge vielleicht für eine grössere Thermenanlage (an die Diocletians-
thermen denkt Benndorf bei Büdinger a. O. S. 355; in dem zweiten
in Rom spielenden Theile der *passio* §. 9 werden eigenthümlicher
Weise die *thermae Traianae* genannt) bestimmt sind, so werden in
unserer Inschrift ausdrücklich die *thermae Licinianae* genannt. Man
kann zweifelhaft sein, ob dieselben (wie Mommsen annimmt) in
Sirmium zu suchen seien, so dass *ad* local zu fassen wäre. Ich
möchte eher die in Rom befindlichen, in den Mirabilia als *thermae*
Licinii oder *Licinianae* bezeichneten, darunter verstehen, die schwerlich, wie Donat annahm und Jordan (Topographie II S. 221 ff., 518)
unentschieden lässt, mit den *thermae Surae* identisch sein werden;
vielmehr dürften dieselben, wozu der Schriftcharakter unserer Inschrift passen würde, von dem Kaiser P. Licinius Valerianus herrühren und vielleicht eine Erweiterung der Thermen des Decius
gewesen sein.

Wie dem auch sei, die Inschrift bietet jedesfalls einen Beleg
für die Bearbeitung der Marmorbrüche bei Sirmium noch in der
Mitte des 3. oder im Anfang des 4. Jahrhunderts und eine interessante Bestätigung der Glaubwürdigkeit der *passio*, deren Verfasser
nachzuweisen de Rossi in seiner lehrreichen Abhandlung: *i santi
quattro coronati* (*Bullett. cristiano* 1879 S. 45 ff.) gelungen ist. Un-
erklärt ist bis jetzt der Name derselben geblieben; denn dass *coronati* hier einfach als Märtyrer zu fassen sei, scheint mir, selbst nachdem sich de Rossi dafür ausgesprochen hat*), nicht gerade wahrscheinlich, und noch weniger wird man geneigt sein, wie ein anderer
Gelehrter thut, mit einer späten Ueberlieferung an eine 'noch über
die allgemeine Krönung mit dem Martyrium hinausgehende Aus-
zeichnung' zu denken. Zunächst ist unzweifelhaft und jetzt wohl
auch allgemein anerkannt, dass dieser Name sich nicht auf die fünf
pannonischen Märtyrer beziehen kann, sondern nur auf die in dem
zweiten, eigentlich nicht zugehörigen Theile der *passio* genannten
vier ursprünglich namenlosen *cornicularii*. Diese *cornicularii* werden
nun, so viel ich sehe, von den Gelehrten, die sich mit der Erklärung
der *passio* beschäftigt haben, immer als Soldaten **) gefasst und allerdings führen sie diesen Namen auch in der *passio* selbst (§. 9 p. 337):
*iussit ut omnes militiae venientes ad simulacrum Asclepii sacri-
ficiis seu ad turificandum compellerentur, maxime autem urbanae
praefecturae milites*. Aber militärische Beamte im eigentlichen
Sinn kommen natürlich dem Stadtpräfecten dieser Epoche nicht zu;
dagegen werden in derselben bekanntlich die Officialen der höheren
Beamten in Rom und in den Provinzen, entsprechend ihren militärischen Titeln, technisch als *milites* bezeichnet ***). Unter diesen
nimmt der *cornicularius*, wie in den Officien der übrigen Beamten,
so auch in dem Bureau des Stadtpräfecten (*Notit. Occ.* IV, 20) die
zweithöchste Stelle ein. Freilich liegt ein Irrthum vor, wenn die
passio von vier *cornicularii* spricht, da stets nur ein solcher in jedem
Bureau sich findet, und wir werden demnach unter den vier Märtyrern
den *cornicularius* mit drei anderen Officialen zu verstehen haben, die
verkehrterweise insgesammt mit dem Titel des vornehmsten unter

---

*) *Bull. Crist.* 1879 p. 84: *l' appellazione generica e convenzionale di co-
ronati allude alla corona simbolica del martirio, non alla corona militare o civica.*
**) E. Meyer in den Forschungen z. D. Gesch. 18 S. 577 ff. übersetzt nach
dem Vorgang Karajan's regelmässig 'Flügelmänner'.
***) Vgl. Bethmann-Hollweg: Civilprocess III S. 135 und die dort angeführten
Stellen.

ihnen bezeichnet worden sind. Es werden nun aber in einer neuerdings in dem alten Thamugadi in Numidien gefundenen merkwürdigen Inschrift aus der Zeit des Kaisers Julianus, deren Bedeutung Mommsen durch seinen ausführlichen Commentar (*Ephem. epigr.* V S. 629 ff.) dem Verständnisse erschlossen hat, die zur Salutation des Statthalters von Numidien Berechtigten in folgender Ordnung aufgeführt:

> *primo: senatores et comites et ex comitibus et admin[ist]ratores;*
> *secundo: princeps, cornic[ul]ar[ius, Pa]latini;*
> *ter[t]io: coronati . . . . ;*
> *? quart]o: promoti officiales, . . . tus cum ordi . . . ni;*
> *[? quinto: offi]ciales ex ordine.*

Die erste Classe können wir hier bei Seite lassen; dann folgen die beiden *primates officii:* der *princeps* und der *cornicularius* nebst den *Palatini*, d. h. den Officialen der höchsten Magistrate. Zweifelhaft ist die Bedeutung der *coronati*, die ich keineswegs, wie de Rossi will, mit den *sacerdotes provinciae* für identisch halten kann. Denn abgesehen von den bereits von Mommsen hervorgehobenen Bedenken ist es deutlich, dass hier in der 2. 4. und 5. Categorie nur die Officialen des Statthalters aufgeführt werden und zwar in der 2. Categorie die höchsten, in der 4. und 5. die niederen Chargen. Demnach liegt die Annahme nahe, dass auch unter den in der 3. Categorie Genannten Officialen, und zwar die im Range dem *cornicularius* folgenden, also der *commentariensis, adiutor* und etwa noch der *numerarius* zu verstehen seien, während unter den *promoti officiales* die *ab actis* und *a libellis*, unter den an letzter Stelle erwähnten *officiales* die *exceptores et ceteri cohortalini* einbegriffen sein dürften. Der Titel *coronati* würde demnach die höheren Officialen, vielleicht mit Einbegriff der obersten Chargen bezeichnen, da in der Lücke nach *coronati* (Z. 10) möglicherweise *reliqui* gestanden haben kann. Diese Bedeutung scheint mir aber auch für den von Mommsen angeführten Erlass im Codex Theodosianus*) wohl zu passen, während eine Identification mit den *sacerdotes provinciae* mir besonders wenn man die Eingabe der Bischöfe, auf welche dieser Bescheid erfolgt, ins Auge fasst, ausgeschlossen erscheint.

---

*) Cod. Theod. XVI, 2, 38: *hoc ipsis (ecclesiis et clericis) praecipuum ac singulare deferimus, ut, quaecumque de nobis, ad ecclesiam tantum pertinentia, specialiter fuerint impetrata, non per c o r o n a t o s, sed per advocatos, eorum arbitratu, et iudicibus innotescant et sortiantur effectum.*

Die Bedeutung des den Christen verliehenen Privilegs besteht eben darin, dass ihnen eigene Advocaten zur Vertretung ihrer Interessen vor Gericht zugestanden werden, während sie früher gezwungen waren, ihre Angelegenheiten auf dem sicherlich langwierigen und kostspieligen *) Wege durch das Officium des Statthalters vor Gericht zu bringen.

Sind demnach unter den *coronati*, vielleicht eines ihnen verliehenen Abzeichens wegen, die höheren Officialen zu verstehen, so erklärt sich die Benennung der vier namenlosen *cornicularii* oder richtiger Officialen des Stadtpräfecten mit dem ihnen zukommenden Amtstitel als *quattuor coronati* in einfacher und befriedigender Weise.

36. Gef. in Splitska auf Brazza, jetzt im Museum von Spalato (nicht ganz genau *Bull. Dalm.* VII p. 72, daraus Frankfurter Mittheilungen VIII p. 170 n. 268).

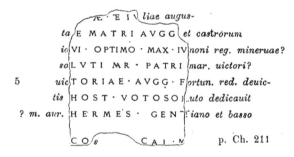

p. Ch. 211

Am Anfang ist etwa *dominis nostris M. Aurelio Antonino et P. Septimio Get]ae* (das Æ am Anfang scheint allerdings nicht eradirt) zu ergänzen, vgl. die gleichzeitige und ähnliche Inschrift C. I. L. III n. 5935. Das zweite G in AVGO (Z. 2 und 5) ist eradirt. Am Schluss hat möglicherweise *cal(endis)* (statt des gewöhnlichen *kal.*) *Martiis* gestanden; die Inschrift würde dann kurz nach dem Tode des Severus bei der Rückkehr der Kaiser aus Britannien gesetzt sein. Die Gottheiten sind wesentlich dieselben, denen die Vota der Arvalen im J. 101 bei dem Auszug des Traianus in den dacischen Feldzug und im J. 213 wegen des germanischen Sieges des Caracalla gelten (vgl. Henzen *acta* p. 125). Der Dedicant dürfte ein

---

*) Ueber die Sporteln dieser *officiales* handelt der zweite Theil der erwähnten Inschrift; vgl. Mommsen a. O. S. 638 ff. und die von ihm citirten Erlässe gegen die von den Officialen begangenen Erpressungen. Ueber die Rolle der Officialen bei den Processen vgl. Bethmann-Hollweg III S. 157 ff.

kaiserlicher Freigelassener sein, vielleicht identisch mit dem in einer Salonitaner Inschrift (C. I. L. III 2077) genannten *M. Aurel. Augg. lib. Hermes proc(urator)*.

37. Basis mit guter Schrift des ersten Jahrhunderts, gef. im J. 1884 auf Lesina bei Abtragung eines Privathauses, jetzt befindlich bei Gregor Bučić (Copie nach einem Abklatsch bei Hrn Inspector Glavinić in Zara und einem für mich in Lesina von Hrn. Dr. Schneider angefertigten; = *Bull. Dalm.* 1885 S. 42).

```
L ᴑ R V S T I V S ᴑ  P I C E Nₛ
  T R ᴑ  M I L ·  V O V Iₜ
  P R A E F · E Q· F E Cᵢₜ
```

Z. 1 a. E. *Picen[s]*.

38. Cippus, gef. um 1880 bei Viddo in dem 'Bare' genannten Grundstück, jetzt Viddo in der Mauer des Hauses Ilić (= *Bull. Dalm.* 1884 p. 180).

```
      Q ·   M A I|||
    S E R G · I T A L Iₜₐ
    S I O N I F E R · L eg. xi..?
    A N N O R · N A T · X X
  5   S T I P E N D I O R V M · X
```

39. Steintafel mit guter Schrift des ersten Jahrhunderts; gef. etwa 1860 in Viddo, seitdem dort im Hause von Stephan Suton eingemauert (= *Bull. Dalm.* 1885 p. 24).

```
    Q · T V R E L I O · Q· L
      A C V T O · IꟾꟾꟾꟾI · V I R
    T V R E L I A E · Q· L · H I L A R A E
    L · T V R E L I O · Q· F · F E R O C I  NN · X X I I
  5   S E X · T V R E L I O · Q· F · V E L O C I · DE
```

Z. 5 a. E. fraglich ob D; vielleicht *de[c(urioni)]*.

40. Grabciste von Stein, Schrift des 2. oder 3. Jahrhunderts; gef. um 1880 bei Viddo in dem 'Bare' genannten Grundstück, von mir gesehen in Viddo im Hause des Johann Siljek; jetzt nach Spalato ins Museum geschafft (= *Bull. Dalm.* 1884 p. 180).

```
    Q · V E T V R I O  S E C V N D I
    N O · D E C  C O L · N A R · Q V I VI
    X I T · A N N · X L V I I I · L I V I N I A · FC
    R T V N A T A · M A R I T O · I N C O
  5   N P A R A B I L I · P O S V I T
```

41. Bigeste bei Humac, eingemauert in der zweiten (von Humac aus) Trebisat‑Brücke (nicht genau im *Bull. Dalm.* 1883 p. 3, daraus Frankfurter a. O. n. 18).

```
VANAIVS· VENIC
DOMO⋄BODION t. e ꟼ COH
ꟾꟾꟾ ALP· AN· Lꟾꟾꟾ s t i P· XXV·
H· S· E· VALERI a n A· E T·
5    MARCELLA·      P ꞏ
```

Z. 1 ist der keltische Name des Vaters *Venic*. ... nur unvollständig erhalten. — Z. 2 *Bodion*[*t*(*icus*)] bereits von Mommsen *Ephem. epigr.* V p. 240 richtig ergänzt. — |ꟼ ist sicher = ꞯ, also *eq*(*ues*).

42. Žanjca, gef. 1880, liegt am Gestade bei der Kirche San Nicolò; Copie und Abklatsch des Herrn Dr. Robert Schneider, schlecht publicirt im *Slovinac* III (1880) p. 56, daraus Frankfurter Mittheilungen VIII S. 250).

```
 L AELIO
 L VRELOCOM
 M ODO· IMP·
  CAESARIS T· ÆLI
5     ᴖ RIANI
```

L. Aelio Aurelio Commodo imp(*eratoris*) *Caesaris T. Aeli* [*Ha*]*driani* [*Antonini Aug. p. p. f.* Die Inschrift ist dem L. Verus bei Lebzeiten des Pius gesetzt.

43. Zwei Cippen in der Mauer des Gemeindehauses von Perasto:

a)
```
MOYKIA EPIKꟼ
CIC ΠOTIOΛANο /
IΔIΩ ANΔPI KAI
EAYTHKATECKEY
5  ΛCE MNHMEIO NE /
ꟼEITICBAΛEIAΛ
ΟCΩMA ΔΩCEI
ΞIC THN ΠOΛIN
   ✳ Φ
```

Μουκία Ἐπίκτη-
σις Ποτιολανὸ[ς
ἰδίῳ ἀνδρὶ καὶ
ἑαυτῇ κατεσκεύ-
5 ασεν μνημεῖον ε[ἰς
ὃ εἴ τις βαλεῖ ἄλ-
λ]ο σῶμα δώσει
εἰς τὴν πόλιν
   ✳ φ

b)
```
AIKINNIO I
ANΘIMAC KAI
AΛEΞANΔPOC
```

Λικίννιοι
Ἄνθιμας καὶ
Ἀλέξανδρος

```
      KATECKEYACANZΩℕE
  5   EAYTOICKAIΓYNAIΞI
      IΔIAIC· EPMIONH· KAI
      EΠIKAPΠIA
```

κατεσκεύασαν ζῶντε
5 ἑαυτοῖς καὶ γυναιξὶ
ἰδίαις Ἑρμιόνη καὶ
Ἐπικαρπίᾳ

Von den zahlreichen Nachträgen zu den bereits im C. I. L. oder in der *Ephemeris epigraphica* publicirten Inschriften mögen hier nur einige wenige eine Stelle finden:

Perasto. Die Inschriften C. I. L. III 1721. 1727—1732, die Mommsen aus Copien von Zmajevich (vgl. add. p. 1026 ff.) und dem Manuscript des Niseteo kannte, befinden sich noch in Perasto in dem jetzt ganz verfallenen Hause des Bischofs Zmajevich, innen und aussen eingemauert. Ich bemerke hier nur, dass n. 1727 (Urne), wie bereits Mommsen add. p. 1028 gesehen hat, eine ungeschickte Fälschung ist (vgl. die ähnliche Fälschung bei Gelcich *memorie di Cattaro* p. 27 aus Ballovich *fasti di Perasto* = Frankfurter a. O. S. 105 n. 5); dieselbe lautet so:

Z. 1 a E. scheint F aus R gemacht.

Von demselben Fälscher rührt n. 1731 (vgl. add. p. 1028) her; ebenfalls eine Steinurne:

```
      SEXTVS
      BVBVLCVS
      ANLVI
```

Z. 3 ist v nur ganz leicht eingeritzt.

Viddo (Narona). Die republikanische Inschrift n. 1820 (= C. I. L. I n. 1471) befindet sich noch in Viddo im Hause des Gregor Eres; die Lesung ist correct, nur ist die Disposition der Buchstaben etwas verschieden und in der letzten Zeile nach TVR der Stein etwas beschädigt, doch scheint ein zweites R nicht zu Grunde gegangen zu sein.

n. 1846 ist Z. 6 ff. zu lesen:

```
MACVLAM NON ABVI QV | EI
VS BENEFICIO ME EXPORTAVI | SA
LONA ET AB OMNIBVS MEIS DV | NC
          TATEM FACERE
```

= *maculam non (h)abui, queius* (= *cuius*) *beneficio me expor-*
tavi (wanderte ich aus?) *Salona et ab omnibus meis dunc* (= *tunc*)
...... [*potes*]*tatem facere*....

Ljubuški. n. 6364 (vgl. *Bull. Dalm.* 1883 p. 81, daraus Frankfurter a. O. S. 108):

```
     · L · HERENNI
     VS · L · F · PAP
     M VLIADE
     VET · LEG · VII
5    AN · LX · STI
     XXX · HSE
```

Dass Z. 3 MVLIADE (MVLIADES liest fälschlich Alačević *Bull.*
Dalm. a. O.) zu lesen sei, habe ich bereits früher (bei Kubitschek
Tribus Anm. 724) vermuthet.

Salona. add. p. 1030 ad n. 1980 steht Z. 4' wie Mommsen
vermuthet hatte, II · PIAE und Z. 5 ϟ FRV auf dem Stein.

n. 6374 ist Z. 5, wie Bulić gelesen hatte: COH · II (nicht I).

Ephem. epigr. II n. 525 ist zu lesen:

```
     imp. caes. m. aur. pro
     ─────────────────────
     BO · P · F · INVIC
     TO · AVG P M
     T · P · II · COS · P · P        p. Ch. 277
     PROCOS
5    AVR · MARCI
     ANVS · VP · PR
     AES · PROV · DEL
     D · N · MϟEbVS
```

n. 6375 ist zu lesen:

```
    uictor|IAE FRANCI
  cae d. n|FL · CON       p. Chr. 342
   etanti|S VICTORIS
  ac trium|FATORIS SEM

       per|AVG
```

n. 3198*a* am Anfang:

```
            V
(ESAR · DIVI · AVGVSTI · F
```

n. 3198*b* Z. 2:

MONTEM DITIONVM

Sinj. Die in *Ephem. epigr.* IV n. 347 als unleserlich bezeichneten Verse sind im *Bull. Dalm.* 1880 p. 163 (daraus Frankfurter
a. O. n. 189) aus dem sehr verwitterten Stein entziffert worden;
doch ist Z. 3 für das sinnlose QVAMVIS AVE · VIATOR zu lesen: QVAMVIS
LASSE VIATOR und Z. 8 CANONIS für GANONIS.

n. 2830: In der wichtigen, von Mommsen zuerst entzifferten
Inschrift des Julius Severus in Kistagne steht Z. 1 sicher: SEMM MINICIO
nicht VNICIO, wie bereits Mommsen (*auctar. addit.* p. 1059) nach
einem Abklatsch bemerkt hat. — Z. 5 a. E. ist nach GEMINAE noch
Raum für zwei Buchstaben (P · F oder M · V?), doch lässt sich nicht
sicher sagen, ob der Raum beschrieben war. — Z. 7 a. E. nicht
P*l*EB, sondern PB; Z. 16: .... |*I*CTORE..... CAES.

n. 6418 habe ich nach einem vorzüglichen, von Herrn Dr.
Monti in Knin (der mit dem von Mommsen als Anonymus Kninensis
bezeichneten übrigens identisch ist) verglichen; die Lesung ist bis
auf einige Kleinigkeiten (über die Zeile ragende Buchstaben) durchaus richtig; insbesondere ist unzweifelhaft Z. 7. 8: SECVS · TITVM·
(nicht TITIVM, wie die besseren Handschriften des Plinius haben)
FLV|MEN zu lesen.

n. 3117, früher im Garten Galzigna, jetzt in einem Fenster
des Hauses Bolković in Arbe eingemauert; erhalten ist nur:

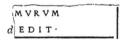

Demnach ist die Zeilenabtheilung Farlatis falsch.

n. 3121 befindet sich noch in Arbe an dem angegebenen Orte
(bei der Kirche St. Giustina); Z. 2. 3 ist so zu lesen:

M · AVRELIO · SEVE
RO · ALEXANDRO

Die eradirten Buchstaben sind bis auf AND sicher erkennbar.

Wien O. HIRSCHFELD

II. Ueber die bildlichen Denkmäler Dalmatiens

Indem ich an den vorstehenden Bericht den meinen knüpfe, stellt sich mir die einander so unähnliche Lage des Epigraphikers und des in Dalmatien reisenden Archäologen deutlich vor Augen. Findet der erstere zwar aller Orten zu berichtigen, zu ergänzen, zu vermehren, indess auch Anhalt und Geleite in der grossen Sammlung der Inschriften, welche ihm sein Gebiet geordnet und gesichtet überschauen lässt, so entbehrt der andere jeder umfassenderen Vorarbeit und hat, um seinen Bereich zu ermessen, gleichsam mit dem Ausstecken der ersten Pflöcke zu beginnen. Seit den Tagen Jacques Spon's und George Wheler's (1675) betraten, von antiquarischen Interessen geführt, wohl manche Reisende die Küsten des merkwürdigen Landes, aber die ihrem Verständnisse näher liegenden Inschriften und die ungleich bedeutenderen Reste der Architektur haben von den beinahe niemals den provinziellen und späten Ursprung verleugnenden plastischen Denkmälern fast völlig ihre Aufmerksamkeit abgezogen. Nur dürftige Ausbeute gewähren hinsichtlich dieser die zahlreichen Reisebeschreibungen, und was dieselben über Alterthümer zu sagen wissen, ist zudem selten so verständig und zuverlässig wie die leider nur spärlich verstreuten, sie betreffenden Angaben in dem Buche des Abate Fortis (1774). Auch das bis heute noch nicht ersetzte Werk des englischen Architekten Robert Adam über den diokletianischen Palast (1764) gibt von Skulpturen nur weniges und dieses noch weit ungenauer, als bei alten Kupferwerken zu erwarten steht. Cassas, welcher seine Reise 1782 im Auftrage einer Gesellschaft von Wiener Kunstfreunden unternommen hat, entlehnt meist die Abbildungen Adam's, setzt sie nur in seine Manier um und ergänzt sie willkürlich. Was die Fremden unterliessen, haben die Einheimischen nicht nachgeholt. Sie wandten ihr Augenmerk bisher fast ausschliesslich den inschriftlichen Denkmälern zu und es blieb den bildlichen selbst die Beachtung versagt, welche ihnen als Complement zu jenen unzweifelhaft zukommt. So hat die von Conze herausgegebenen Sarkophage [1]) ausgenommen, kein einziges die angemessene wissenschaftliche Behandlung erfahren.

---

[1]) Römische Bildwerke einheimischen Fundorts in Oesterreich, I. Heft (aus den Denkschriften der Akademie der Wissenschaften, Band XXII).

Diese Vernachlässigung eines nicht unbeträchtlichen Fundgebietes hat mich bestimmt, der Aufforderung meines verehrten
Reisegefährten folgend, Dalmatiens Vorrath an Bildwerken, soweit
er mir bekannt geworden ist, im Nachfolgenden zu verzeichnen.
Es war an Ort und Stelle nicht meine Absicht gewesen, die vor
den Monumenten niedergeschriebenen Bemerkungen unmittelbar zu
veröffentlichen. Sie werden deshalb nebst allen übrigen Mängeln,
wie sie gedrängte Arbeit mit sich bringt, gewiss viele Lücken aufweisen. Solche einigermassen zu füllen, will ich gelegentlich auch
das von anderen gesehene, was mir entgangen ist, erwähnen, ohne
es jedoch mit dem selbst untersuchten zu vermengen, und hoffentlich wird dies die folgenden Blätter dem zukünftigen Reisenden
um so nützlicher machen. Dagegen liegt es mir nicht im Sinn,
den ganzen Bestand des Museums von Spalato aufzunehmen, da
gerade die dort aufbewahrten Monumente verhältnissmässig die
bekanntesten sind und die Herausgabe eines Katalogs dieser unter
der Obhut Francesco Bulić' sich beständig vermehrenden Sammlung
von einem Mitgliede des archäologisch-epigraphischen Seminars
vorbereitet wird. Förderlich war es mir, die Notizen Conze's,
dessen 1872 unternommene Reise den antiquarischen Studien in
Dalmatien so nachhaltende Anregung gegeben hat, einsehen zu
können. Hier ist oft der mit wenigem treffenden Skizze das be-
zeichnende Wort gesellt. Leider beziehen sie sich aber nur auf
den nördlichen Theil des Landes (Zara, Kistanje, Salona, Spalato,
Traù). Wo es anging, habe ich den Beschreibungen eigenhändige
Umrisse der Denkmale angefügt, die nicht als Publicationen, nur
als Erläuterungen gelten wollen. Für einige der Abbildungen
konnten Photographien benützt werden.

Dem flüchtigen Blicke stellen sich die dalmatinischen Bildwerke als zeitlich geschlossene Masse dar, der es selbst an aus-
gesprochener lokaler Färbung zu gebrechen scheint. Vorwiegend
dem Boden Salona's entstammend, tragen sie das Gepräge der ge-
alterten Kunst an sich, und nur einige Werke aus Narona und
Aequum weisen in die erste Kaiserzeit zurück. Unter dieser römischen Fundschichte sind allerdings spärliche Reste griechischer
Kunstübung zu entdecken. Ausser den Inschriften legen vor allem

die Münzen der griechischen Colonien [2]) und der illyrischen Könige [3])
für die Ausbreitung und den Einfluss hellenischer Cultur und Sitte
an diesen Küsten in vorrömischer Zeit Zeugniss ab. Aber Issa allein,
die unter dem Schutze Dionysios' von Syrakus 390 gegründete
Ansiedlung der Parier, kann als rein griechisches Gebiet gelten.
Nur auf dieser Insel sind neben den unteritalischen verwandten
Terracotten [4]) Vasen apulischen Stiles in grösserer Menge zum
Vorschein gekommen [5]), und eine hier gefundene Grabstele im

----

[2]) Simeone Gliubich, *Numografia Dalmata* 1851 (aus dem 11. Bande des
Archivs f. Kunde öst. Geschichtsquellen) und jüngst — leider ohne diese Arbeit
und die Sammlungen im Lande selbst zu kennen — Imhoof-Blumer in der Numismatischen Zeitschrift Bd. XVI (1884) S. 246—261.

[3]) Arth. J. Evans, *on some recent discoveries of Illyrian coins*, Numismatic
Chronicle, new ser. vol. XX p. 269—302.

[4]) Paciaudi, *monumenta Peloponnesia* (1761) vol. II p 170. 6. *Collezione
Nani* tav. 412. Ohne nähere Angabe des Fundortes sind die Terracotten bei Paciaudi II, 169 f., 202, 261, 269.

[5]) Der auf Lissa gefundenen griechischen Thongefässe gedenkt schon Fortis
viaggio in Dalmazia (Venedig 1774) vol. II p. 167. Sie wurden vorwiegend in
Gradina, unfern der Banda piccola, mit Münzen und geschnittenen Steinen zusammen ausgegraben, Gliubich *studi archeologici sulla Dalmazia* (Archiv f. Kunde
öst. Geschichtsquellen, Bd. XXII S. 270). · Mehrere sind im Besitze der Familie
Doimi in Lissa geblieben, andere — zwei Oinochoen und zwei Amphoren — sah
ich bei Frau Ipsić in Makarska (erw. in den Mitth. d. Centr.-Comm. N. F. Bd. IV. S. XCII,
bull. dalm. I p. 188). Eine Sammlung von sechzehn Stücken, sämmtlich auf Lissa
gefunden, schenkte 1846 der Abate Gliubich dem k. Antikenkabinet. Die besseren
darunter zeigen die eleganten Formen der apulischen Vasen (Formen 39 und 61
in Jahn's Vasenkatalog), sind wie diese schwarz, am Bauche gerieſelt, und am
Halse und zuweilen an einem glatt gelassenen, ringsum laufenden Streifen in der
Mitte mit gelb, rothbraun oder weiss gemalten vegetabilischen Ornamenten, an
ersterer Stelle auch mit menschlichen Figuren oder Vögeln geziert, doch ist ihr
Fiiniss matt und die Töpferarbeit wenig exact. Einige Exemplare derselben Herkunft besitzen ferner die Sammlungen in Zara (Neigebaur, die Süd-Slaven S. 185)
und Agram, sowie die Bibliothek des Conte Fanfogna in Traù. Von vier Vasen
des Museo Nani, zwei Krügen, einem Skyphos und einem Aryballos mit rother
Palmette am Bauche (*Collezione di tutte le antichità etc.* tav. 326) und zwei Ge-
fässdeckeln mit rothen Frauenköpfen aus dem Museo Obizzi auf Schloss Cataio,
jetzt in der modenesischen Sammlung in Wien, ist nur im allgemeinen die dalmatinische Provenienz bezeugt. Indess dürften im übrigen Lande griechische Gefässe
bisher selten zum Vorschein gekommen sein. Ich weiss nur von einem lampenför-
migen Askos, oben mit einem Satyrkopfe in Relief geschmückt, welcher mit noch
zwei Gefässen zu Carina bei Risano gefunden worden ist (*Archaeologia* vol XLVIII,
pl. II, pag. 44 f.). Ausserdem soll auch ein im naturhistorischen Museum zu
Ragusa aufbewahrter Krug (Form CVI des Vasenkatalogs vom brit. Mus.) in nach-
geahmt korinthischem Stile mit einem Thierfries (Vögel und Raubthiere), 0·22
Archäologisch-epigraphische Mitth. IX. 3

Museum zu Spalato darf dem Charakter ihrer Inschriften zufolge vielleicht noch in das zweite vorchristliche Jahrhundert gesetzt werden [5a]). Dass sich das griechische Element im Lande wenigstens sporadisch hier und dort auch später erhalten hat, beweist mit anderen inschriftlichen Denkmälern der unten zu erwähnende Grabstein aus Risano.

Trotz seiner scheinbar so vollständigen Romanisirung lässt sich ein gewisser Zusammenhang Dalmatiens mit dem östlichen Culturgebiete nicht verkennen. Ihn verleugnet selbst der Palast des Kaisers Diocletian weder in seinen constructiven noch decorativen Formen. Ohne Zweifel ist derselbe die Schöpfung griechischer Werkmeister, die neben der officiellen Baukunst des römischen Kaiserreiches ihre Traditionen zu erhalten und auszubilden wussten, um sie im gegebenen Augenblicke an die Stelle jener zu setzen [6]). Was dieser

---

hoch, aus Blatta auf Curzola stammen; doch kann ich nicht sagen, ob dieser Angabe unbedingt zu trauen ist. Auf die Einfuhr griechischer Töpferwaare in die illyrischen Länder weisen Theopompos fr. 140 ed. Müller *fragm. hist. gr.* vol. I (Strabo VII p. 488 A. B) und Pseudo - Aristoteles περὶ θαυμασίων ἀκουσμάτων cap. 104. Wie in den letzten vorchristlichen Jahrhunderten, so bezieht noch heutzutage Dalmatien sein Töpfergeschirr aus Apulien, Petter, Dalmatien Bd. I S. 136. — Schon der römischen Zeit scheinen die beiden grossen Fischbehälter anzugehören, welche Vice-Admiral Frh. v. Millosicz im Hafen von Lissa auf dem Meeresgrunde entdeckt und der kaiserlichen Sammlung zum Geschenk gemacht hat; sie messen 1·575 im Durchmesser bei 1·340 Höhe (Kenner, Beiträge zu einer Chronik der arch. Funde IX S. 218 im Archiv f. Kunde öst. Geschichtsquellen Bd. XXXVIII). Fortis spricht *viaggio* vol. II p. 123 u. 180 von einer grossen Menge römischer Gefässe, welche man unter dem Meeresspiegel bei Cap S. Giorgio auf Lesina sieht.

[5a]) Dieselbe ist schon 1857 von Gliubich im *Bull. dell' Inst.* 1857 p. 45 und später in den *Studi archeologici sulla Dalmazia* (Archiv für Kunde österr. Geschichtsquellen Bd. XXII) Taf. 4 edirt worden; später von Glavinić in den Mittheilungen der Central-Commission 1875 pag. I; neuerdings von Bulić im *Bullettino di archeologia e storia dalmata*, VIII pag. 29.

[6]) Hauser, Spalato und die römischen Monumente Dalmatiens S. 40 f. — Schon Adam, *ruins of the palace of the emperor Diocletian* p. 31 nennt die Kapitäle *raffled more in the grecian than the roman style*, und meint, *that Dioclesian brought his artificers from Greece to Spalatro, with an intention to vary the execution of his orders of architecture in this palace, from those he had executed at his baths at Rome, which are extremely different both in their formation and execution.* Ueber die Construction der Kuppel, welche in gleicher Art an der Grabeskirche des heil. Demetrios zu Saloniki wiederkehrt, siehe Choisy, *l'art de bâtir chez les Byzantins* p. 69; vgl. ferner ibid. p. 153: *comme ornements, le palais de Salone n'offre guère que des profils en biseau recouverts d'une gravure au trépan, ou bien des moulures inscrites dans un épannelage rectangulaire d'un cachet profondément byzantin.*

bedeutendste Ueberrest klassischer Kunst der ganzen Küste entlang von Pola an bis zum Peloponnese so nachdrücklich bezeugt, bestätigt ihrerseits eine Gruppe unscheinbarer Monumente, die sich bestimmt von der Masse der übrigen sondert, mit kaum geringerem Gewichte. Es sind den zum Theil erhaltenen Inschriften nach dem Silvanus oder ihm und den Nymphen gemeinsam geweihte Votivbilder, welche in Relief gehauen auf Aren oder Platten aus heimischem Kalkstein diesen Gott entweder allein oder mit den Nymphen im Reigen verbunden darstellen. Zwar von bäurischer Arbeit entbehren diese ländlichen Gebilde, so dürftig und ungeschlacht sie auch sind, doch nicht der charakteristischen Züge und muthen uns gleichsam mit der frischen Unbefangenheit eines echten Volksliedes an. Unter dem Namen des Silvanus tritt uns aber hier nicht der italische Waldgott, sondern der griechische bockfüssige Pan entgegen[7]). Gesellt sich auch der Hund zu dem einen wie zu dem andern als wachsamer Begleiter, so trägt statt der Falx und des Pinienzweiges des erstern der dalmatinische Gott Syrinx und Pedum, und als dem Schützer der Heerden steht ihm die Ziege zur Seite. Das Thierfell, an der rechten Schulter geknüpft und im Schurze mit Früchten beladen, kommt beiden Göttheiten zu und nähert sie wieder einander, so verschieden sie sonst auch sind. Die Darstellungen der Nymphen folgen gleichfalls griechischem Typus, nur erscheint hier als ihr Chorführer niemals wie auf den attischen Reliefs Hermes, sondern immer nur Pan[8]). Sie selber schreiten im Reigentanze einer oder sie stehen ruhig neben einander mit Schilfstengeln in den Händen oder mit verschränkten Armen; einmal halten sie nach römischer Weise Muscheln vor dem Schoosse. Macht sich vielleicht auch hierin, und wie Pan den Fruchtschurz von dem Silvanus übernimmt, der rückwirkende Einfluss

---

[7]) Ueber den Unterschied des Silvanus und des Pan vgl. Reifferscheid in den *Annali dell' Instituto* vol. XXXVIII (1866) S. 214 f.

[8]) Auf Darstellungen aus andern römischen Provinzen steht der echte Silvanus an der Seite der Nymphen (Silvanae), so z. B. in kurzgeschürztem Chiton, mit Chlamys und phrygischer Mütze, den Fichtenzweig in der Rechten und das Gartenmesser in der Linken auf einer Votivtafel aus Aquincum im Museum zu Budapest (Arch.-epigr. Mitth. aus Oesterr. Jahrg. VII S. 86 n. 2, abgeb. in *Archaeologiai Értesitö* 1881 S. 170) oder nackt mit gesenktem Stocke (?) auf dem sehr verstümmelten Fragmente aus Scharfenegg a. d. Leitha in der Sammlung des unteren Belvedere (Sacken und Kenner's Katalog S. 50 n. 243; C. I. L. III 4534 mit der unrichtigen Beschreibung: *Silvani quattuor, quorum unus nudus*). Vgl. dagegen den Votivaltar aus Aquincum, Desjardins *monuments épigr. du musée national hongrois* pl. XI n. 76.

römischer Vorstellungen geltend, und gehören die noch vorhandenen
Reliefs auch einer vorgerückten Zeit an, so kann es doch nicht
zweifelhaft sein, dass die griechische Kunstform des Pan früher als
der römische Name des Silvanus im Lande eingebürgert war. Pan
ist so recht der Herr dieser felsigen und kahlen Inseln und Gestade,
der weitausgedehnten Bergweiden Dalmatiens, die nur Ziegen karge
Nahrung gewähren. Im nahen Apollonia wurde er neben den
Nymphen verehrt und hatte seinen heiligen Hain, aus dem, wie die
Sage ging, die Klänge seines Flötenspiels bis in die 5000 Schritte
entfernte Stadt drangen[9]). Wie diese den Nymphenreigen bei dem
flammenden Berge auf ihre Münzen gesetzt hat[10]), so wählten für
die ihren die Pharier und Issaer den Ziegenbock als bezeichnendes
Symbol ihrer neuen Heimat. Offenbar haben die illyrischen Stämme,
welche von jeher dem Hirtenleben überwiegend anhingen, von den
griechischen Colonisten den bockfüssigen Pan als das passende Bild
ihrer Gottheit erhalten. Diese konnte in römischer Zeit ihren
Namen wechseln, nicht aber die überlieferte Form. Wie kein
andres haftet Pans Götterbild an dem dalmatinischen Boden. Länd-
liche Einfalt rettet es aus den heidnischen Zeiten in die christlichen hinüber. Nicht vereinzelt scheinen die Beispiele, dass es
versteckt unter dem Namen eines Heiligen als Gegenstand aber-
gläubischer Verehrung sich noch lange erhalten hat[11]), und an dem

---

[9]) Ampelius *liber memorialis* c. VIII, 1: *ab Apollonia ... milia passus quin-
que in monte Nymphaeo: ibi ignis est et de terra exit flamma. In silva Panis sym-
phonia in oppidum auditur.* cf. Rohden *de mundi miraculis quaestiones selectae*
(Bonn 1875) p. 15 sq.

[10]) Eckhel *doctrina numorum veterum* pars I, vol. II p. 153 sq.

[11]) Glavinić erzählt Mitth. d. Central-Comm. N. F. IV (1878) p. XCII, *Bull. dalm.*
I p. 190, dass in Zaostrog vor Zeiten eine Statue des Pan gefunden wurde, die ein
Bischof zertrümmern liess, weil die Dorfbewohner in ihr den heiligen Johannes
den Täufer verehrten. Aehnliches berichtet Fortis *viaggio* vol. II p. 140: *Non
molto lontano dalla fonte di Drasnize àvvi una Cappella dedicata a S. Rocco, dove
per lungo tempo fu onorato un bassorilievo antico, che poi passò a Venezia non à
molti anni. Egli rappresenta un Satiro (d. h. ein Pan) mezzo coperto d'un
mantello di pelle di capra, col suo bastone in mano, e'l cane dap-
presso; qualche parte del di lui corpo è da Custode d'orti. Una inferriata, che
gli era stata posta dinanzi difendealo dalle mani troppo profane, ma non impediva
che le buone donne, e le fanciulle del vicinato vi avessero una gran divozione, come
a una rappresentazione di S. Rocco. Fu questo sconvenevole oggetto di superstizione
levato di notte dalla sua nicchia: il popolo di Drasnize ebbe a sollevarsi quando se
n' avvide, ed appena fu tenuto in dovere dall' aver rilevato, che il preteso Santo era
stato asportato per comando d'una rispettabile Magistratura.*

Portale vom Dome in Traù, der Inschrift aus dem Jahre 1240 nach ein Werk des Künstlers Raduanus [12]), begegnen wir nebst manchen andern Anklängen der Antike: einem Kentauren, einer Nereide auf dem Seestiere, auf Gladiatorendarstellungen zurückgehenden Thierkämpfen — und zwar an einem der beiden Säulchen, welche aus dem Bihaczer Schlosse herrühren sollen — nochmals der Figur des ziegenfüssigen Hirtengottes. Er ist hier nicht mehr ithyphallisch und weder von Ziege noch Hund begleitet; àuch hält er statt Syrinx und Pedum in jeder Hand einen grossen Blumenstrauss. Zottig am ganzen Leibe und mit langen Hörnern am Kopfe gleicht er indess doch im übrigen seinen antiken Vorbildern und bezeugt, wie zähe die Erinnerung des Volkes dieselben festgehalten hat [13]).

Ich lasse das Verzeichniss der mir bekannten P a n - u n d N y m p h e n b i l d e r dalmatischer Herkunft folgen. Manche derselben sind weithin — bis nach Avignon und Berlin — verschleppt worden.

Erste Gruppe: Pan allein.

Kleine Ara aus Salona im Museum zu Spalato, 0·35 hoch, 0·265 breit, bekrönt von einem Kreissegmente und rechts und links

von Voluten, die seitlich als walzenförmige, in der Mitte eingeschnürte Polster sich darstellen. Auf der Vorderseite die Figur des Pan, deren Oberfläche sich leider derart abgeblättert hat,

---

[12]) Eitelberger, die mittelalterlichen Kunstdenkmale Dalmatiens im IV. Band seiner kunsthistorischen Schriften S. 199 f.
[13]) Ich finde dies bereits von Conze, Heroen- und Göttergestalten der griechischen Kunst, S. 40 f., hervorgehoben, während Eitelberger a. a. O. S. 207 nur von einer „Art Waldteufel, behaart, mit Menschengesicht und zwei Hörnern" spricht.

dass kaum mehr als die Umrisse ührig geblieben sind; sie zeigt den Oberkörper von vorne, die Beine aber nach l. gestellt. Das Pedum hat sich in der Linken des Gottes erhalten. Er blies die Syrinx, die er mit der Rechten an den Mund hielt, wie ich einer Notiz Conze's, welcher noch 1871 das Relief in fast unverletztem Zustande gesehen hat, entnehme. Auf der Nebenseite rechts (1·195 breit) eine nach l. stehende Ziege (Kopf abgestossen), auf der links ein nach r. gewandter sitzender Hund. Die Rückseite ist flach.

Reliefplatte im Museum zu Spalato, 0·42 hoch, 0·40 breit; die Oberfläche fast völlig abgeblättert. Pan en face schreitet nach l. und hält in der Linken den geschulterten Hirtenstab, in

der vorgestreckten erhobenen Rechten die Syrinx. Die Hörnchen sind noch erhalten, während die grossen Spitzohren abgestossen sind. Links steht eine Ziege nach l., rechts liegt ein Hund mit nach l. zurückgewandtem Kopfe. Oben rund abgeschlossen. Der Rand war mit einem gerade aufsteigenden Zweige geziert. Abgebildet in Zaccaria *marmora Salonitana* (Farlati *Illyrici sacri* vol. II) p. IX.

Relief auf einem unregelmässig behauenen Blocke, 0·33 hoch, 0·54 breit, 0·17 dick, gefunden vor etwa zwölf Jahren im Garten

des Dionisio Staffileo zu Traù, im Besitze des Conte Gian Domenico Fanfogna Garagnin, welcher es in der Loggia am Platze aufzustellen gedenkt. In der Mitte steht Pan, dessen spitzig zulaufende Ohren wagrecht abstehen. Er hält das Pedum in der gesenkten Linken und mit der Rechten die Syrinx an die Brust. Rechts sitzt ihm zugekehrt ein Hund mit umgewandtem Kopfe; links steht ein Baum (Eiche?), dessen Blätter eine Ziege hinaufspringend zu erhaschen sucht.

Reliefplatte, einst im Arcivescovado zu Spalato, jetzt in dem zum Museum gehörigen Magazin Kattalinić, 0·46 hoch, 0·32 breit; oben abgerundet. Es fehlt der ganzen Höhe nach ein Stück links und das Eckstück rechts; die Oberfläche ist verwittert. In vollständiger Erhaltung gibt es Zaccaria *marmora Salonitana* pag. VIII n. XI, und auch Conze sah es noch 1871 in besserem Zustande.

Pan mit lang zugespitzten Ohren und Hörnern im aufstehenden Haare, den Kopf dem Beschauer zuwendend, schreitet nach r. und legt gleich einem Tragholze das mit der Linken gefasste Pedum auf die Schulter, an dessen (jetzt fehlenden) gekrümmten Ende ein Korb od. dgl. hing. In der erhobenen (ganz abgestossenen) rechten Hand hielt er eine (nicht mehr erkennbare) Syrinx. Ihm voran gingen eine Ziege und ein Hund; erstere wandte den Kopf zurück. Nur der Hintertheil des Hundes ist erhalten. Unter der Ziege stand in regelmässig abgegrenztem Felde die Inschrift (C. I. 1970): *M. Coelius Senilis et Publicia Ingenua posuerunt.*

Bruchstück eines Reliefs im Museum zu Spalato, 0·22 hoch, 0·26 breit; rechts und unten gebrochen, mehrfach abgestossen. Pan bis etwa zu den Lenden erhalten, schritt nach rechts, erhebt die Linke mit dem Pedum und senkt die Rechte. Sein wie gewöhnlich spitz zulaufender Bart ist in Spirallocken künstlich gedreht. Links sieht man den nach r. blickenden Kopf einer Ziege und dar-

über einen Baum mit lanzettförmigen Blättern. Vielleicht ist dieses
Fragment identisch mit dem nur leicht skizzirten in Zaccaria's

monumenta Salonitana I 83 (über dem Grabsteine C. I. 2472 angebracht).

Relief, wohl aus Salona, früher im Hause des Vincenzo Solitro
zu Spalato, jetzt im Museum zu Agram, 0·385 hoch, 0 18 breit
(soweit erhalten). Rechts fehlt ein Stück, das Mommsen (C. I. L.
1960) im Museum von Spalato gesehen hat, von mir aber dort ver-

geblich gesucht worden ist. Im eingerahmten Felde schreitet Pan,
das linke Bein vorsetzend, den Oberkörper dem Beschauer zuwendend nach l. Er hielt in der fehlenden gesenkten Linken das Pedum
und hebt mit der Rechten eine Traube in die Höhe; ein aufspringender Ziegenbock sucht letztere zu erreichen. Ueber dem rechten
Arm hängt im Felde die Syrinx. Die auf dem Agramer Fragmente
nur zum Theil erhaltene Inschrift lautete vollständig:

SIL · AVG| SAC
C·POPILLIVS·eXPEDITVS
EX   VIS·V

Relief im Museum zu Spalato, 0·44 hoch, 0·34 breit, links unten beschädigt; mit einem breiten glatten Rande. Pan ithyphallisch, von dicken Körperformen, mit ziemlich grossen Hörnern und rund zugeschnittenem Barte steht in Vorderansicht, trägt über dem linken Vorderarm, dessen Hand abgebrochen ist, ein Pardelfell und

in der gesenkten Rechten eine Traube. Links am Fusse eines Baumes mit kolbenförmigen Blättern sitzt eine Ziege (Vordertheil abgestossen), rechts steht ein kleiner Hund. Beide Thiere sind nach aussen gewandt; der Hund blickt zurück. Die Ziege trägt um den Leib eine Binde gleich den Opferthieren, der Hund ein Halsband. Rechts oben ist mittelst einer Schnur die Hirtenflöte an einem Nagel aufgehängt.

Relief aus Salona, im Museum zu Agram, 0·50 hoch, 0·22 breit, die Ecken links abgebrochen. Pan ithyphallisch, mit grossen

Bockshörnern über der Stirne steht en face und hält in der gesenkten Rechten das Pedum. Seine Nebris ist an der rechten Schulter geknüpft und birgt Früchte in dem den linken Arm versteckenden

Schurze. Rechts ein Baum mit gebogenem Stamme und vor demselben ein nach r. aufspringendes Böcklein mit zurückgewandtem
Kopfe; links ein auf Pan blickender Hund.

Nach Steinbüchel Dalmatien S. 12 (im Anzeigeblatt der Wiener
Jahrbücher der Literatur Band XII, 1820) ist „in dem hohen steilen
Gebirge hinter Salona, und dann bei Klissa an einem Felsabhange
(wo sich der kleine Bach herabstürzt) zweimal der stehende Silvan
mit Bockfüssen und mit dem begleitenden Hunde" in den Felsen
eingehauen. Ein Relief aus Bucovich (bei Asseria), 0·28 hoch, 0·25
breit, *„rappresentante il dio Silvano coi suoi relativi emblemi"* und
der Inschrift (C. I. L. 2848):

T ÇAPER

S I Λ V A

S L M

erwähnt Gliubich *studi archeologici sulla Dalmazia* (Archiv für Kunde
öst. Geschichtsquellen vol. XXII) p. 257 [14]).

Zweite Gruppe: Pan und die Nymphen.

Relief aus Salona, erst in der Casa Geremia zu Spalato, wurde
1761 als Geschenk des Rectors des erzbischöflichen Seminars daselbst, Clemente Grubissich, in das Museo Nani nach Venedig gebracht, jetzt im Musée Calvet zu Avignon. Abgebildet in Adam
ruins of the palace of Diocletian pl. LIV (danach in Cassas *voyage de
l'Istrie et de la Dalmatie* pl. 60), G. F. Zanetti *osservazioni sopra un antico
bassorilievo votivo del Museo Nani in Vinegia, Calogerà nuova raccolta
d'opuscoli scientifici e filologici* to. IX (1762) p. 299 — 321, *Collezione
di tutte le antichità del Museo Nani* 39. Vgl. Stark Städteleben, Kunst
und Alterthum in Frankreich S. 581, Bursian im archäologischen
Anzeiger 1853 p. 396. — In eingerahmtem Felde stehen links
neben einander die drei Nymphen in gegürtetem Chiton und im
Himation, das um die Beine und über die linke Schulter geschlagen
ist. Jede fasst mit der gesenkten Linken das Gewand und hält in
der erhobenen Rechten einen Schilfstengel. Rechts steht Pan mit
einer an der rechten Schulter geknüpften, im Bausche mit Früchten

---

[14]) Ein Votiv an Pan, den die begleitende Inschrift abermals Silvanus nennt,
aus Prjepolje (Sandschak Novibazar) lerne ich aus dem noch nicht gedruckten,
sehr gewissenhaften Berichte des k. k. Hauptmannes vom Geniestabe, Herrn Rudolf
Rukavina, über seine Ausgrabungen im Limgebiete kennen. Es dürfte sich überhaupt verlohnen, den Spuren des Pancultes auf der Balkanhalbinsel und in den
unteren Donauländern nachzugehen.

gefüllten Chlamys und dem Pedum in der Linken. Mit der Rechten fasst er einen springenden Ziegenbock an den Hörnern. Unter demselben liegt ein Hund. Auf dem Rahmen oben und innerhalb des Bildfeldes zwischen der äussersten Nymphe rechts und Pan steht die Inschrift (C. I. L. 1974, Eph. epigr. IV 255):

PRO SALVTE · D · N ·

· GA · I

PO · S

Pro salute d(omini) n(ostri) Gai pos(uit).

Relief aus Narona, ehemals im Museo Nani zu Venedig, jetzt im Musée Calvet zu Avignon. Abgebildet in Passeri *osservazioni sopra l'avorio fossile e sopra alcuni monumenti greci e latini etc.* (Venedig 1759), pag. XXXVIII sq., wo mit Unrecht behauptet wird, das Relief sei links gebrochen und es wäre dort ein zweiter Pan gestanden, ferner Paciaudi *monumenta Peloponnesia* I pag. 230 = *Collezione Nani* 24. Millin *galerie mythol.* pl. LVI, 328. Vgl. Stark und Bursian a. a. O. — Links stehen der Reihe nach die drei Nymphen in gegürtetem Chiton mit Ueberschlag. Die rohe Arbeit lässt die Hände der mittleren nicht erkennen (nach Bursian liegen sie auf den Schultern der beiden anderen); die zur Rechten und zur Linken hält in jeder Hand einen langen Schilfstengel. Rechts schreitet Pan, dem Beschauer das Antlitz zuwendend, nach r.; in der Rechten hält er eine Traube, in der Linken das geschulterte Pedum, an dessen Ende ein Kymbalon hängt. Zwischen seinen Füssen liegt ein zusammengekauerter Hund. Unter den Nymphen steht die Inschrift (C. I. L. 1795, Eph. epigr. IV 231):

n INFIS · AVG · S · I · M P

essedarivs (wie Hirschfeld vermuthet)

Relief, wohl aus Salona, früher in einem Hause zu Vranitza eingemauert und davon noch jetzt mit einer dicken Mörtelschichte bedeckt, seit kurzem im Museum zu Spalato (Dépôt im Gymnasium), links gebrochen, 0·43 hoch, 0·51 lang. Auf der Rückseite sieht man noch einen Wulst, etwa den Torus einer Säule, was auf eine frühere Verwendung des Steins an einem Gebäude hinweist. Das Relief in profilirtem Rahmen. Links drei mit gegürtetem Aermelchiton bekleidete Nymphen im Reigenschritte sich an den Händen fassend. Die zwei äusseren halten in ihrer freien Hand einen Stengel. Rechts ist ein Bocksbein des Pan und sein rechter Vorderarm, dessen Hand

eine Traube emporhält, noch erhalten. Letztere zu erhaschen, springt ein Böcklein (es fehlt der Kopf desselben) in die Höhe.

Relief aus Gardun, seit 1862 im Museum zu Berlin (Bötticher's Nachtrag zu Gerhards Kataloge S. 27 n. 1002), 0·24 hoch, 0·25 breit (soweit erhalten); rechts gebrochen. Links steht Pan fast en face (nur wenig nach rechts gewendet), mit herabhängendem (?) Gliede; er nähert die mit der Rechten gehaltene Syrinx dem Munde und stützt mit der Linken einen Knüttel auf den Boden. Rechts die Nymphen, von welchen die äusserste rechts weggebrochen ist. Die beiden andern sind in gegürtetem Chiton (den auch wohl die fehlende trug) und reichen sich die Hände. Die zur Linken erhebt die freie Rechte, als ob sie einen Stengel hielte, der möglicherweise gemalt war. [Ich verdanke die Bestätigung meiner dieses Stück betreffenden Notizen aus dem Jahre 1880 der bewährten Güte Dr. Puchstein's].

Vier Fragmente eines Reliefs im Besitze des Conte Alberto Paulović zu Sinj. Das *Bullettino di arch. e storia dalm.* VIII p. 26 n. 79 gibt an, dieselben wären 1884 in Bajagić (am linken Ufer der Cettina, Čitluk gegenüber) zum Vorschein gekommen, während sie nach der bestimmten Aussage des Besitzers in Bernace (1 Kilometer von Sinj an der Strasse nach Spalato und Trilj), wo eine warme Quelle zu Tage tritt, gefunden worden sind. Die grössere rechte Hälfte des Reliefs wird aus drei aneinanderpassenden, zusammen 0·32 hohen und 0·30 breiten Bruchstücken gebildet. Pan steht rechts mit dem geschulterten Pedum in der Rechten, der Syrinx in der vorgestreckten Linken. Er ist mit besonders grossen, in horizontaler Richtung gewundenen Hörnern ausgestattet; sein Bart ist nicht erkennbar. Zu seinen Füssen sitzt rechts zu ihm aufblickend ein Hund (mit heraushängender Zunge?); links steht eine Ziege nach l. mit zurückgewandtem Kopfe. Auf diesen Bruchstücken ist ferner fast vollständig die rechts stehende der drei Nymphen erhalten, während das vierte, ungefähr 0·183 hohe und 0·16 breite, mit den andern nicht zusammenhängende Fragment den Obertheil der letzten Nymphe links zeigt. Beide sind mit dem Chiton und, wie es scheint, auch mit einem rückwärts herabfallenden Mantel bekleidet und halten in einer Hand — die eine in der Linken, die andre in der Rechten — einen Blätterbüschel empor. Von der mittleren Nymphe, welche ohne Zweifel dem gewöhnlichen Schema zu Folge den andern die Hände reichte, ist nichts vorhanden. Das Gefälte der Kleider ist in rohester Weise durch horizontale und vertikale Furchen angedeutet. Auf der oberen und unteren Rahmenleiste steht die Inschrift (nach Hirschfeld's Lesung):

nymphi|S · ET SILVANO
(A N ᴅ S · V · L · P ·

Der fünfte Buchstabe in der zweiten Zeile eher o als c.

Relief, eingemauert im Hause des Francesco Tomasich (Café Aurora) in Capo d' Istria, 0·35 hoch, 0·36 lang. Indem ich es hier aufnehme, überschreite ich zwar die mir gesteckten Grenzen, doch fügt sich das Stück völlig in die Reihe der angeführten und es ist nicht undenkbar, dass dasselbe von der dalmatinischen Küste hieher verschleppt worden ist. Der bockfüssige, deutlich bärtige Pan zur Linken des Beschauers verbindet sich hier mit den drei

rechts stehenden Nymphen inniger als sonst, indem alle vier Figuren (was freilich die rohe Arbeit nur andeutet) untereinander an den Händen sich fassen. Pan hält, wie die letzte Nymphe rechts, eine Blume in der erhobenen freien Hand. Die zwei Figuren zur R. wenden das Gesicht nach l., die zur L. nach r. Die Nymphen sind im gegürteten Chiton und tragen das Haar im Nacken aufgebunden. Ueber und unter der Darstellung die Inschrift:

PRIMIGENIVS . A . . . VISI .

V   L   M   S

Da der letzte erkennbare Strich der ersten Zeile deutlich gerade
ist, scheint die Lesung (*ex*) *vis*(*u*) ausgeschlossen.

Zwei Fragmente eines Reliefs aus Salona, gefunden in der
Nähe der Station, jetzt im Museum zu Spalato. Sie passen aneinander und sind zusammen 0·45 lang; das eine ist 0·15, das andre
0·28 hoch. Das erstere zeigt die Köpfe und Büsten der zwei rechts
stehenden Figuren des Pan und einer Nymphe, das andere die zwei
links stehenden Nymphen ohne Kopf, so dass aus den beiden Bruchstücken das vollständige Bild leicht reconstruirt werden kann. Pan
wendet den Kopf in Profil nach l. und nähert die Linke dem
spitzbärtigen Kinne. Die drei Nymphen standen in gegürtetem
Chiton neben einander, mit beiden Händen eine Muschel vor dem
Schoosse haltend.

Fragment eines Reliefs, 0·23 hoch, 0·21 breit, im Museum zu
Spalato. Es zeigt die Figuren der zwei links stehenden Nymphen
ohne Köpfe nebst einem Vorderarm der dritten. Sie sind beschuht
und im gegürteten Aermelchiton mit Ueberschlag und Kolpos. Auf-
gelöstes Haar ist an den Schultern der am Rande stehenden
sichtbar. Dieselbe fasst mit der rechten Hand die Rechte der zweiten
und reicht die Linke der dritten.

Sämmtliche im vorstehenden beschriebenen Votive stellen den
Pan bärtig und mit Ziegenbeinen dar, sowie es im späteren Alterthum gäng und gäbe gewesen ist. Um so merkwürdiger ist
ein Relief (0·495 hoch, 0·30 breit), welches am Kukalj bei Karin
gefunden, erst dick mit Oelfarbe überstrichen über der Thür eines
Hauses in Benkovać eingemauert war und durch die Vermittlung des Hauptmanns Herrn Schauer von Schreckenfeld in die
Sammlung des unteren Belvedere gelangt ist (Conze in der Zeitschrift
für bildende Kunst 1872 Seite 66). In einfach eingerahmtem Felde
steht ein Jüngling von schlanken Körperformen in Vorderansicht,
nur mit einer kleinen, an der linken Schulter genestelten Nebris
bekleidet und geschmückt mit einem Fichtenkranze im langen Haar.
Er hält die Syrinx in der etwas vorgestreckten Rechten und das Pedum
in der Linken. Zu seiner Rechten sitzt nach l. ein Hund, der
den Kopf umwendend zu seinem Herrn aufblickt. Der Fichtenkranz
auf dem Haupte des Jünglings mahnt zwar an den römischen
Silvanus, die übrigen Attribute jedoch bezeichnen auch ihn als

Pan, der hier einmal völlig menschlich selbst ohne Hörnchen und zugespitzte Ohren gebildet ist. So hat sich auch in diesem entlegenen Landstriche die edlere Bildung des Gottes neben der populären des Aegipan bis in späte Zeiten erhalten.

Ich habe die Votivbilder des Pan und der Nymphen an die Spitze meines Berichtes gestellt, weil sie gleichsam die am meisten charakteristischen Denkmäler Dalmatiens sind. Die übrigen Bildwerke, welche von mir auf meiner Reise gesammelt wurden, lasse ich nun in topographischer Anordnung von Norden nach Süden fortschreitend folgen. Wohl mit gutem Rechte darf ich mit A g r a m beginnen, in dessen Museum (sowie im vorigen Jahrhunderte nach Venedig, im Beginne des unseren nach Wien) viele Monumente dalmatinischer Herkunft durch die Bemühungen des Abate Gliubich namentlich in der dem neuen Aufschwunge des Spalatiner Museums unmittelbar vorausgehenden Zeit gelangt sind.

Meine Bemerkungen über den Besitz dieser Sammlung beschränken sich indess für jetzt nur auf drei Stücke, und zwar zunächst auf die im Säulenhofe stehende S t a t u e d e s A p o l l o n aus Salona

(ehedem im Besitze V. Solitro's, gest. 1850), welche Löwy im 3. Jahrgange dieser Zeitschrift S. 165 beschrieben hat (vgl. Conze in der Zeitschrift für bildende Kunst 1872 S. 260). Herr J. Kršnjavi erklärt sie in den Jahrbüchern der südslavischen Akademie Band LV (1881) p. 207—220 für ein *pasticcio;* ihm zu Folge ist der Körper aus zwei nicht aneinander passenden Stücken verschiedenen Stiles

zusammengefügt, und gehört der Kopf weder zu dem einen noch zu
dem andern Fragmente. Ueber den ersten Punkt vermochte ich mir
kein Urtheil zu bilden, da die Statue während meines Besuches
des Museums in einer Bretterverschalung steckte. Den damals
allein sichtbaren Kopf gebe ich in einer Skizze. Dass derselbe
seiner Wendung nach dem Körper nicht entspricht, ist deshalb kaum
von Belang, weil er ja überhaupt weiblich ist und den Typus der
Aphrodite unverkennbar an sich trägt.

Auch der gleichfalls im Säulenhofe aufgestellte Torso einer
Panzerstatue aus Marmor (1·18 hoch) stammt nach gütiger Mittheilung Herrn Dr. Ivan v. Bojničić' aus Salona (nach einer Photographie auf Taf. II abgebildet). Der sorgfältigen Beschreibung
Löwy's Mitth. III S. 166 möge hier nur weniges ergänzend und
berichtigend angefügt werden. Die Pteryges, welche wohl metallen
und in drei- oder viergliedrigen Charnieren beweglich zu denken
sind, zeigen auf der Rückenseite ähnlichen Reliefschmuck wie auf
der Vorderseite, und zwar die erste Pteryx rechts vom Rückgrate
eine Rosette mit doppeltem Blätterkranze, die zweite eine vier-
blättrige Rosette, die dritte eine bärtige Maske alterthümlichen Ge-
präges mit hinabgezogenen Enden des Lippenbartes, die vierte
einen Widderkopf nach r. Dann reihen sich die auf der Tafel
sichtbaren und a. a. O. beschriebenen an. Auf der Pteryx an der
linken Hüfte gewahrt man abermals eine Rosette. Die zwei folgenden Pteryges wurden von dem gesenkten linken Arme bedeckt. Hinten folgen noch zwei, die eine mit einem Elephanten-
kopfe im Profil, die andre mit einem Widderkopfe, beide nach r.
gewendet. Die untere Reihe der Pteryges zeigt durchaus dasselbe
stilisirte Blitzbündel, von einer Pteryx abgesehen, die mit einer
Rosette geschmückt ist. — Die Victorien auf der Brust sind schwung-
voll gezeichnete und anmuthige Figuren. Sie haben die Schilde
eben auf das Tropaion gehängt; der links ist eckig, der rechts
oval, und dementsprechend sitzt am Fusse des Kreuzesstammes der
Gefangene zur Linken ebenfalls auf eckigem, der zur Rechten auf
ovalem Schilde (die Ränder des letzteren sind verstossen; in der
Mitte ein Omphalos). An dem Helme unter denselben bemerkt
man deutlich Backenklappen und Nackenschirm. Die Gefangenen
sind mit einer auf der Brust geknüpften, hinten herabfallenden
Chlamys bekleidet. — Mit dem verschlungenen Bande auf der rechten
Brust war das Achselband befestigt, das auf der rechten Schulter
zu fehlen scheint, denn wäre es nur vom Paludamentum bedeckt,

so müsste die Masche doch wenigstens zum Theil sichtbar werden. Der Panzer besteht aus zwei aneinander gefügten Hälften — einer vorderen und einer hinteren — wie dies in den jederseits von der Achselgrube bis zu den Lenden sich herabziehenden Furchen erkennbar ist. An den Lederstreifen aussen am rechten Oberschenkel gewahrt man die Spur des neben der Statue auf die Basis gesetzten Tronkes. — Näher oder entfernter ähnlichem Panzerschmucke wie an diesem Torso begegnen wir öfter, so an einer Statue aus Gabii im Louvre (Clarac 338, 2414), einer in Madrid (Clarac 916 B, 2504 A, Hübner die ant. Bildwerke in Madrid n. 81), einer dritten im Palazzo Colonna (Braun antike Marmorwerke 2. Dek. Taf. 9, Matz-Duhn ant. Bildwerke in Rom I n. 1355) etc. Diesen Statuen mangelt indess der ihnen ursprünglich zugehörige Porträtkopf, wogegen eine im Capitol den des Marc Aurel (*Mus. Capitol.* III pl. 58, Clarac 953. 2447) noch bewahrt hat. Ein Panzertorso (ca. 0·88 hoch), welchen im Anfange des vorigen Jahrhunderts Antonio Nani aus Morea nach Venedig gebracht hat, und den ich nebst anderen Resten der Sammlung seines Hauses 1878 in der Casa Businelli in Legnaro bei Padua gesehen habe, zeigt gleich der capitolinischen Statue zwei Victorien einen Schild an ein Tropaion hängend (Passeri *osservazioni sopra l'avorio fossile etc.* sezione 3 pag. XLIV, Museo Nani 221). Er wird für uns um so werthvoller, als sich die dazu gehörige Inschrift (C. I. L. III 501) erhalten hat, der zu Folge die Statue dem Kaiser Antoninus Pius 138 n. Chr. gesetzt worden ist. Mit dem Exemplare in Agram sollen Münzen des Kaisers Hadrian ausgegraben worden sein. Ob die angeführten Thatsachen zu dem Schlusse berechtigen, dass dieser Torso, gleichwie die andern ähnlich geschmückten und noch unbestimmten, irgend einem Kaiser der hadrianisch-antoninischen Zeit angehört habe, könnte freilich erst nach eingehendem Studium dieser Panzerstatuen mit grösserer Bestimmtheit entschieden werden.

Aus den übrigen Denkmälern dalmatinischen Fundorts im Agramer Museum sei nur noch der G r a b c i p p u s d e s A s i d o n i u s A g a t o p u s, den die Inschrift als „*ceriolarius*" bezeichnet, und seiner Gattin Aurelia Luxuria hervorgehoben (C. I. L. 2112. 2113). Der Cippus ist sammt seiner kegelförmigen Bekrönung 0·76 hoch, zeigt an seiner 0·27 breiten, mit einem Giebel ausgezeichneten Vorderseite die Grabschrift, auf den beiden Nebenseiten (0·255 br.) Darstellungen in Relief und zwar einerseits (rechts) den Mercur, anderseits (links) das Ehepaar bei handwerklicher Verrichtung. Mercur in Vorderansicht mit dem Flügelhute auf dem Haupte und der auf der rechten Schulter genestelten Chlamys, hat rechtes Standbein, hält in der Linken den Caduceus geschultert, und in der Rechten den Beutel; rechts zu seinen Füssen ein Hahn. Schwer verständlich ist das Gegenbild. In der Mitte auf dem Boden steht ein Kessel, der Form nach einem Kalathos nicht unähnlich, und links der „ceriolarius" nach r. gewandt, mit geschorenem Haare und bartlosem Antlitz, in kurzer, bis zu den Knieen reichender, ungegürteter Tunica. Er hält in der vorgestreckten Rechten an dem oberen Ende einen unten kolbenförmig verdickten Stab (vielleicht ein Pistill) über dem Gefässe. Rechterhand tritt eine Frau herzu (den Kopf en face) in langem Gewande mit weiten Aermeln (ich weiss nicht bestimmt ob auch mit verhülltem Hinterhaupte). Sie hält in der erhobenen Rechten einen nicht kenntlichen Gegenstand (sicher kein „vasculum quadratum") und mit der Linken wahrscheinlich den gleichen wie der Mann. Ich gestehe, den Vorgang nicht völlig zu verstehen: doch bleibt einen bescheidnen Gewinn auch aus dem nur halbverstandenen Bilde zu ziehen nicht versagt. Es stellt jedenfalls die Bearbeitung des Wachses dar und man kann demnach wohl nicht zweifeln, dass „ceriolarius" den Verfertiger von Kerzen und nicht von Leuchtern bezeichnet (vgl. Blümner Technologie und Terminologie der Gewerbe und Künste bei Griechen und Römern Band II S. 162 Anm. 1).

A r b e. In dem schönen Palaste de Dominis aus dem 15. Jahrhundert ist eine colossale M a s k e d e s Z e u s eingemauert mit grossen Augen und offnem Munde, und ein zweiter Z e u s k o p f aus weissem Marmor (?) über der Thüre der Cappellina di S. Pietro Apostolo (beim Dome). Letzterer ist ebenfalls überlebensgross, von ziemlich flachen Formen, öffnet weit die Augen und richtet den Blick nach l. Das über der Stirne aufstehende, in Locken herabfallende Haar ist gleich dem Barte mit dem Bohrer bearbeitet. Die Augensterne sind angedeutet, die Nasenspitze verstossen.

Z a r a. 1. In einer kleinen Exedra des 1829 angelegten Giardino pubblico sind nebst Inschriftsteinen und unbedeutenden Fragmenten folgende Reliefs eingemauert; einiges soll aus Narona hiehergebracht worden sein.

H e r c u l e s u n d M e r c u r, aufrecht stehend unter zwei Arkaden, deren Archivolten von glatten Pilastern mit blattförmigen

Kapitälen getragen werden. Hercules unter der Arkade links, bartlos, mit linkem Standbein, nackt bis auf den erhobenen linken
Arm, über welchem die Chlamys herabhängt, hält in der Linken
die Keule geschultert und in der der Hüfte genäherten Rechten
den Bogen. Mercur unter der Arkade rechts, mit rechtem Standbein,
die lange Chlamys auf der rechten Schulter geknüpft und den
Petasos auf dem Haupte, hält das Kerykeion in der Linken und einen
Stab in der gesenkten Rechten.

Bruchstück, links und unten gebrochen, 0·56 hoch, 0·62 breit,
bekrönt mit einem Sima: Zwei Kinder männlichen Geschlechts,
von welchen das zur Linken, die Beine übereinander schlagend
und den Kopf nach r. wendend, sich auf das andre lehnt und
den linken Arm auf dessen Nacken legt. Das letztere stemmt die
rechte Hand gegen den Körper des ersteren und schreitet nach l.
aus. Jenes senkt mit der Rechten eine Fackel, dieses erhebt eine
solche mit der nach r. ausgestreckten Linken. Das erstere trägt
einen wulstförmigen Kranz im lockigen Haare und um den Hals;
ein Gewand mit flatternden Zipfeln um den rechten Vorderarm
gewickelt, fällt rückwärts herab und ist über die Oberschenkel geworfen. Die Füsse beider Figuren fehlen.

Relief, 0·42 hoch, 0·28 breit, in reich verziertem Rahmen:
tanzende Mänade in langem faltigen Gewande mit losgegürtetem
Ueberschlage, den Kopf mit dem flatternden Haare zurückwerfend,
fasst mit den gesenkten Händen die Zipfel ihres Mäntelchens. Das
Gesicht und der linke Arm sind abgestossen.

Relief mit der Darstellung des stieropfernden Mithras, oben
und rechts gebrochen; links steht der Knabe mit der erhobenen
Fackel, darüber der aufsteigende Sonnenwagen. Auf dem aufgeblähten Mantel des Mithras sitzt ein Rabe.

2. In S. Donato. Maske des Ammon, 0·56 hoch ͵ auf der
Basis eines Pilasters. Das Gesicht ist von breiten Formen, der
Bart kurz; zwei von der Stirne aufstehende Locken bedecken die
Wurzeln der Widderhörner. Vgl. eine ganz ähnliche Maske eben-
falls auf dem Postamente eines Pilasters im Museum zu Pola. [Conze
notirte 1871 in ein Haus eingesetzt „vom Walle gleich beim Dampf-
schiffslandungsplatze rechts" eine Ammonsmaske von sehr roher
Arbeit.]

Ebendort wird ein bei S. Giovanni vor den Mauern Zara's
gefundener Grabcippus (ca. 0·76 hoch) aufbewahrt. Der cylindri-
sche, nach oben sich verjüngende, unten mit einer ringsum-

laufenden Rinne versehene Körper, auf dem die Inschrift (arch.-epigr. Mitth. VIII S. 163 n. 245) unter einem plastisch gebildeten Feston angebracht ist, wird von einem einfachen Gesimse und einem Dache in Form eines abgestumpften Kegels bekrönt. Die Spitze derselben ist zum Aufnehmen eines Holzbalkens zubearbeitet worden, da der Stein früher als Stütze einer Bank in einem Hause im Borgo Erizzo gedient hat. Diese Art von Grabmälern scheint Zara und der umliegenden Landschaft eigenthümlich gewesen zu sein. Zwei ähnliche sah ich in Nadin; bei dem einen derselben (1·23 hoch, 0·51 im Durchm.) mit der Inschrift Mitth. VIII S. 158 n. 229 in eingerahmtem Felde ist das Dach mit aufwärts stehenden Schuppen (nach Art eines Pinienzapfens) verziert; der andre ist völlig schmucklos. Ein dritter ohne Dach liegt bei der Kirche zu Podgradje (Asseria), 0·86 hoch, ca. 0·65 im unteren Durchmesser (C. I. L. 2850); die Kehlleiste seiner Basis ist mit Blättern verziert. Cassas (*voyage* n. 28 cf. pag. 88) zeichnete zu Zara einen vierten aus Nona, dessen Inschrift (C. I. L. 2980) auf einer dem Cippus vorgestellten, mit einem Giebel abgeschlossenen Stele eingemeisselt ist.

3. Kleinere Anticaglien — Vasen, Fibeln, Instrumente aus Bronze, Ringe mit Gemmen — werden in der naturgeschichtlichen Sammlung des Gymnasiums verwahrt, u. a. der Inhalt eines aus Ziegeln errichteten, im Borgo Erizzo aufgedeckten Grabes: eine Lampe mit CRESCES, eine Amphora und eine Schale aus Thon und zwei Glasgefässe. Im Ganzen ist wenig erwähnenswerth. So etwa eine 9 Ctm. hohe Bronzestatuette eines jugendlichen Satyrs mit Thierohren und über der Stirne aufstehendem Haare, linkem Standbeine, dem geschulterten Pedum in der Rechten, und einer auf der rechten Schulter genestelten Nebris, deren mit Früchten gefüllter Schurz von der linken Hand unterstützt wird. Die Statuette ist hinten flach zubearbeitet und war deshalb wohl an irgend einem Geräthe befestigt. — Ein auf der Insel Brazza gefundener Grabstein aus Kalkstein, 0·62 hoch und 0·37 breit, mit einem zackenförmigen Abschluss oben und einem Einsatzzapfen unten, zeigt über einer unverständlichen Inschrift in überaus rohem Reliefe einen Mann in Vorderansicht mit kugeligem Kopfe, unförmlichen Ohren, quadratischem, diagonal durchfurchtem Körper und dünnen Armen. Er schwingt in der Rechten eine Harpune gegen einen Delphin. Die Beine der Figur sind plastisch nicht ausgedrückt. Ich zweifle nicht, dass dieses barbarische Bildwerk altslavischen Ursprungs ist.

Kistanje. Auf dem Platze sind auf Veranlassung des Herrn Giorgio Sundičić mehrere römische Sculpturen aufgestellt worden, welche dem alten Burnum (*Archi romani*) entstammen. [Ueber die Reste dieser antiken Ansiedlung vgl. Gliubich *studi archeologici nella Dalmazia* im Archiv für Kunde österr. Geschichtsquellen Bd. XXII S. 259 f., *Bull. dalm.* II p. 83 f.] Es sind darunter Säulenfragmente, Gesimsstücke und dgl. Ein colossaler Kopf des Jupiter aus Marmor, über 0·60 hoch, und ein andrer bärtiger Kopf aus Kalkstein sind von roher Arbeit und ohne Belang. Dagegen sind einige der in die Mauer um die öffentliche Cisterne eingelassenen Reliefs aus Kalkstein von eigenartigem Interesse.

Das merkwürdigste darunter ist ein Bruchstück (etwas über 1·00 lang und 0·89 breit) mit dem Bilde der Juno. Die Göttin sitzt nach r. und ist mit dem Chiton, der von der linken Achsel herabgleitet, und mit dem Epiblema, das um die Beine geschlagen ist, bekleidet. Trügt ein Rest an der Schulter nicht, so fiel ein Schleier von ihrem Hinterhaupte herab. Sie hält in der nachlässig in den Schooss gelegten Linken das Zepter. Mit einer gewissen, für die späte und provincielle Kunstübung charakteristischen Aufdringlichkeit steht auf dem Knie des aufgestellten linken Beines der Göttin ihr heiliger Vogel, der Pfau, der den Kopf seiner Herrin zugewandt ein Rad mit dem Schwanze schlägt. Die Schwanzfedern zeigen an ihren Enden tief gebohrte runde Löcher. Das Relief ist links gebrochen; der Kopf der Figur, ihr rechter Arm und ein grosses Stück der Draperie fehlen. Rechts ein senkrechter, etwa 0·45 breiter Streifen mit Ornamenten, die aus Weinranken gebildet sind. Buchstabenähnliche Zeichen im Bildfelde schienen mir modern.

Auf einem anderen Fragmente (0·37 hoch) sieht man den jugendlichen Kopf des Helios, von Strahlenkranz und scheibenförmigen Nimbus umgeben, den gesenkten Blick nach l. richtend. Eine dünne Leiste in der Höhe des Mundes weiss ich nicht zu deuten.

Ein drittes Fragment (0·88 hoch, 1 M. breit) zeigt drei weibliche Figuren. Nur die mittlere ist vollständig erhalten. Sie steht aufrecht in Vorderansicht und ist mit dem Chiton und dem Himation, welch' letzteres Hinterhaupt und Arme verhüllt, bekleidet. Von der Figur links ist nur der linke Arm und der mit der Hand gehaltene Kalathos auf der Schulter übrig. Jene rechts mit nacktem Oberkörper und gekreuzten Beinen, welche das Gewand bedeckt,

berührt mit der R. eine auf einer Säule liegende Kugel, ist also
Urania. Es fehlen der Kopf und der linke Arm derselben. Weder
Stil noch Grössenverhältnisse lassen das Stück einem Sarkophage
zusprechen.

Auf zwei Reliefs sind Oelbäume dargestellt; auf dem einen
derselben kriecht unten aus hohlem Stamm eine Schlange, während oben auf einem Zweige ein Vogel sitzt. — In dieselbe
Mauer ist der der zweiten Hälfte des ersten Jahrhunderts
angehörige Grabstein eines Soldaten der XI. Legion, L.
Cassius Martialis aus Aquae Statiellae in Liburnien (C. I. L.
2833) eingesetzt. Unter dem Inschriftfelde sind Richtscheit
(oder Massstab), Winkelmass und Zirkel abgebildet, und
zwischen beiden letzteren das räthselhafte beistehend skiz-
zirte Geräth.

In einem Privathause zeigte man mir nebst anderen kleinen
Anticaglien, welche in der Umgebung ausgegraben wurden, zwei
geflügelte Aeonbilder aus Bronze.

Muć (Andetrium). An der Landstrasse in der Nähe der Kirche
ist der Grabstein des Servius Ennius, Soldaten der achten
Cohorte (Arch.-epigr. Mitth. VIII S. 151 n. 198) aufgestellt. Von
beträchtlicher Höhe — bei 0·91 Breite 2·37 hoch, wovon 1·12
auf den oberen Theil fällt — zeigt er über dem eingerahmten In-
schriftfelde die Kniebilder des Verstorbenen und seiner Frau Fulvia
Vitalis in Relief zwischen zwei Halbsäulen, deren Schäfte mit nach
oben gerichteten schuppenähnlichen Blättern verziert sind. Dieselben stützen ein Gebälke, das ursprünglich wohl einen Giebel
getragen hat. Zur Rechten steht der Soldat, bartlosen Antlitzes,
mit in die Stirne gekämmtem Kopfhaare. Er trägt über der Tunica
die geschlitzte, um den Hals mit dem Sinus versehene Paenula,
nähert die Rechte der Schulter und hält in der Linken eine Schriftrolle. An seiner rechten Seite ein langes Schwert; an dem Cingulum
drei herabhängende Riemen mit Metallbeschlägen und blattförmig
geschnittenen Enden. Links steht die Frau, deren Haar in Strähnen
nach hinten gestrichen ist, mit der Palla über dem Untergewande, die
rechte Hand an ihre Brust, die Linke auf die linke Schulter ihres
Gemales legend.

In der Nähe liegt ein zweiter Grabstein, dessen Inschrift bis
auf wenige Buchstaben zerstört ist. Unter derselben sieht man
noch den Ueberrest eines Winkeleisens, ein Bleiloth an einer Schnur,

die zum grösseren Theile um ein Stäbchen aufgewickelt ist, und einen Zirkel, dessen eine Spitze das Bleiloth berührt.

Sinj. Im Hofe des Franciskanerklosters sind mehrere Inschriftsteine eingemauert, darunter der Grabstein˙ des Burrius Trebucus (Ephem. epigr. vol. IV 357). Die in einem oberen Stockwerke des Klosters untergebrachte Lehrmittelsammlung des Gymnasiums bewahrt folgende aus dem alten Aequum stammende **F r a g m e n t e e i n e r c o l o s s a l e n S t a t u e d e s j u n g e n H e r a k l e s**:

1. K o p f aus weissem Marmor, der unter dem Einflusse der Feuchtigkeit fleckig geworden ist, 0·44 hoch sammt dem Bruchtheile des Halses; Gesichtslänge 0·245, Stirnhöhe 0·06, Nasenlänge 0·085, innere Augenweite 0·10, äussere 0·17.

. Gefunden nach den von Director F. Bulić gütig eingezogenen Erkundigungen im Mai 1860 zu Jazvinke bei Čitluk. Erwähnt als *„testa di un Pankratiasta"* im *Bull. di archeol. e storia dalm.* VIII p. 7. Abgebildet von zwei Seiten auf Taf. I. Durch das freundliche Entgegenkommen der PP. Franciskaner, welche den Kopf nach Wien gesandt haben, war es möglich, Gipsabgüsse desselben herstellen zu lassen.

Es fehlt links ein Theil des Gesichtes mit dem Ohr; das Auge und ein grosses Stück der Wange ist aber vollständig erhalten, und der entsprechende, getrennt gefundene Theil des Hinterhauptes jetzt angefügt. Die Brüche scheinen nicht in Folge eines gewaltsamen Eingriffes, sondern natürlich entstanden zu sein. Alles vorhandene ist von glücklichster Erhaltung, auch die Nasenspitze unverletzt. Der Kopf war nur sehr wenig nach rechts geneigt. Die Formen desselben sind überaus kräftig. Die durch parallel verlaufende Falten quer getheilte Stirne ist über der Braue stark eingesunken und schwillt gegen die Nasenwurzel hin an. Der Nasenrücken ist ungemein breit. Die Augenlider sind tief eingeschnitten, die Brauen leicht eingeritzt. Der Mund ist etwas geöffnet, so dass die oberen Zähne sichtbar werden, das Kinn voll und prall. Das Ohr zeigt die Missbildung der Pankratiasten. Das dichte, kurzgelockte Haar steht über der Stirne auf und ist mit einer schmalen, ringsumlaufenden Tänie geschmückt. Eine vor dem Ohre herabfallende Locke schmiegt sich der Wange an. An dem erhaltenen Bruchstücke des Halses ist der Kopfnicker stark entwickelt, die Drosselader in ihrem Verlaufe unter der Haut deutlich erkennbar. Vortrefflich ist die Modellirung von Stirne, Auge und Wangen, und schön gezeichnet sind die Conturen der Augen und Lippen. Die Gesichtstheile sind durchaus leicht polirt. Vernachlässigt ist dagegen das Ohr und ungleich geringer die Ausführung des Haares. In seinem Schädelbau und den Gesichtszügen erinnert der Kopf an den lysippischen Apoxyomenos. Man darf ihn wohl in die frühe Kaiserzeit setzen, welcher auch die meisten Inschriften aus Aequum angehören. Die unten zu erwähnende, mit einer Keule bewehrte Hand verräth, dass er zu einer Statue des Herakles gehört hat, der gleichfalls bartlos auf dem S. 50 beschriebenen Relief und den Münzen der illyrischen Stadt Heraklea dargestellt ist [15]).

2. Fragment vom Rücken, 0·47 lang, von dreieckigem Durchschnitte und von ziemlich regelmässigen Bruchflächen begrenzt, die durch natürliche Sprünge im Marmor veranlasst zu sein scheinen. Es zeigt einen Theil des tief gebetteten Rückgrates und ein Stück der linken Schulter.

3. Die rechte Hand, an derselben Stelle wie der Kopf im Frühjahre 1860 gefunden, 0·27 lang (das ganze Fragment 0·35) 0·23 breit. Der Bruch geht vom Ballen des kleinen Fingers quer bis zum *Processus styloideus radii;* nur wenig an Knöcheln und Fingerspitzen verstossen. Die Hand war gesenkt, Finger und Daumen legen sich leicht (ohne es jedoch zu fassen) an das dünnere Ende der offenbar aufgestützten Keule, von der ein 0·25 langes Stück (Durchm. 0·085) erhalten ist. Die dicke Haut, unter welcher Sehnen und Geäder sich deutlich verfolgen lassen, bildet schwielige Polster an den Gelenken der Phalangen. Die Nägel sind schmal und kurz geschnitten. Zwischen den zwei letzten Fingern ist eine Stütze geblieben. Die Arbeit ist tüchtig und spricht für das anatomische Wissen des Meisters.

4. Die zwei oberen Phalangen des Mittelfingers der linken Hand, 0·1 lang.

---

[15]) *Scylacis Caryandensis periplus* 22 (*Geographi graeci minores* ed. C. Müller vol. I). Μετὰ δὲ Λιβυρνούς εἰσιν Ἰλλυριοὶ ἔθνος, καὶ παροικοῦσιν οἱ Ἰλλυριοὶ παρὰ θάλατταν μέχρι Χαονίας τῆς κατὰ Κέρκυραν τὴν Ἀλκινόου νῆσον. Καὶ πόλις ἐστὶν Ἑλληνὶς ἐνταῦθα, ᾗ ὄνομα Ἡράκλεια, καὶ λιμήν. Schon P. Nisiteo (Gliubich *numogr. dalm.* p. 32) hat auf diese Stelle als der einzigen, die der Stadt Heracleia Erwähnung thut, hingewiesen. Sie ist den übrigen Numismatikern ebenso entgangen, als dem Herausgeber der *Geographi minores* die namentlich auf Lesina so zahlreich zum Vorschein gekommenen Münzen, welche die Existenz dieser griechischen Ansiedlung ausser Zweifel setzen, unbekannt geblieben sind.

[Im nahen Čitluk habe ich vergeblich die Votivara des Hercules (*Bull. dalm.* VII p. 38, 'Arch. - epigr. Mitth. VIII S. 150 n. 196) gesucht. Auf der einen Seite derselben soll dargestellt gewesen sein („*alquanto battuto*") *un albero di pomo col dragone, che dovrebbe rappresentare la fatica di Ercole nell' orto delle Esperidi.* Ueber die Ausgrabungen daselbst vgl. *Bull. di arch. e storia dalm.* III p. 36, 71, VIII p. 7—9.]

Kožute. Bei der Casa Knexovich der Grabstein C. I. L. 2712, 1·70 hoch. Er ist mit einem Giebel bekrönt, in dessen Feld die von zwei Spiralsäulchen getragene Nische einschneidet. In derselben das Brustbild des M. Elvadius Macrinus, der — bartlos und in den Mantel eingehüllt — die Rechte auf die Brust und die Linke auf das Gesimse legt. Es folgt das Inschriftfeld und darunter die Darstellung eines mit kurz geschürzter Tunica und Mantel bekleideten jungen Mannes, der mit der Rechten ein gesatteltes Pferd am Zügel nach r. führt, während er in der Linken eine Gerte hält. Vor ihm rechts ein freier Raum. Das Inschriftfeld sowohl wie das Relief darunter sind rechts und links von Halbsäulchen eingeschlossen; die Schäfte der einen sind mit aufstehenden Blättern geschmückt, die der andern mit Canneluren. — Ausserdem C. I. L. 2723 mit den dort erwähnten unverständlichen Gegenständen an der Protome des Verstorbenen.

Traù. In der Bibliothek des Conte Fanfogna-Garagnin: ein überlebensgrosser weiblicher Kopf von effectvoller Arbeit (Nase und Kinn abgestossen); der Kopf eines Kindes mit einer von der Stirne zum Scheitel ziehenden Flechte; ein Attisköpfchen (mit phrygischer Mütze); der unterlebensgrosse Torso einer nackten männlichen Figur. Ferner einige Thonfiguren und Gefässe.

Im Garten des Grafen Fanfogna ausserhalb der Stadt: ein überlebensgrosser Torso einer Statua togata aus Kalkstein. Kopf, Füsse und linke Hand fehlen. Die nackte Rechte ist gesenkt und fasst die Falten des Sinus. Rechts unten ein Scrinium.

Der viereckige Cippus des T. Statilius Maximus (C. I. L. 2052) — mit stark ausladendem Gesimse und einem Giebel bekrönt — zeigt auf jeder der Nebenseiten einen schreitenden geflügelten Knaben, der mit der erhobenen Hand einen auf den Kopf gestellten Korb hält, und in der gesenkten einen Hasen.

Sette Castelli. In der Casa Capo Grosso in Castel
Vitturi ein grosser christlicher Sarkophag aus schön polirtem
Marmor; in der Mitte das Kreuz in einem kreisrunden Felde; rechts
und links ein Lamm.

In Castel Cambio liegt nahe bei der Kirche ein Kalksteinblock, 0·58 hoch, 0·54 breit, 0·21 dick, rechts und unten gebrochen,
mit der Figur eines Jünglings, der Personification einer Jahres-
zeit (des Herbstes) in Relief. Dieselbe ist bis unter den Bauch
erhalten. Bekleidet mit einer an der rechten Schulter genestelten,
hinten herabfallenden Chlamys (nach den eingekerbten Rändern
zu schliessen ein Fell), schreitet sie nach r., unterstützt mit
der erhobenen Linken einen auf die Schulter gestellten Korb, der
mit Früchten gefüllt ist, und hält in der gesenkten Rechten einen
Büschel. Der Korb sowohl als der Kopf, an dem nur eine auf
die Schulter fallende Locke erkennbar ist, sind abgestossen. Das
Bild ist in einem reich mit Pflanzenornamenten gezierten Rahmen.
Der Arbeit nach noch aus besserer Zeit (1. Jahrhundert?).

In Castel Abadessa, an der Ecke des Hauses Pavlav,
ein überlebensgrosser bärtiger Kopf (Jupiter?) aus Kalkstein (sehr
verstossen); in der Casa Curlin die linke Hälfte des Giebels eines
Grabmals, mit zwei (concentrischen) Kränzen in der Mitte und einem
denselben zugekehrten liegenden Greifen.

An einem Hause in Castel Susuraz zwei Architekturfragmente (0·36 hoch, 0·51 und 0·60 lang) mit reichem Rankenwerke,
an dessen Trauben Vögel picken; an einem anderen Hause das
Fragment einer in Stein gehauenen Thüre in viereckige Felder getheilt, mit kreisrunden Beschlägen in den oberen, Thürklopfern in
den unteren Füllungen.

Salona. 1. Im Dépôt des Spalatiner Museums im Bahnhofe
befinden sich folgende zwei Reliefs:

Fries mit Ornamenten, 0·46 hoch, 1·78 lang; in der Nähe
des Baptisteriums innerhalb der antiken Mauern vor etwa zwanzig
Jahren gefunden, früher in der Casa Poljak. Eine kleine, etwa
ein Drittel der Höhe des Frieses einnehmende Amphora steht auf dem
Boden in der Mitte zwischen zwei einander im Profil zugewandten
bärtigen Tritonen, von denen der eine (links) die Leier spielt,
der andere (rechts) die Flöte bläst. Die Fischflossen, in welche
die schlangenartig gewundenen Unterkörper derselben auslaufen,
sind gleich den Blättern, die an den Hüften den Uebergang der

menschlichen in die thierische Form verhüllen, ornamental behandelt. Rechts und links von dieser Mittelgruppe sind in symmetrischer Anordnung je zwei von einander nach abwärts gekehrte Delphine und zwischen denselben unten je eine Amphora angebracht. Ueber die Schwanzenden der Fische ist beiderseits ein flatterndes Band gelegt, dessen dem Kopfe des Triton genähertes Ende blattförmig gebildet ist. Das Relief wird oben und unten von einem Leistchen und einer Hohlkehle und zu beiden Seiten von einem breiten, etwas vortretenden Pilaster eingefasst. Jeden Pilaster ziert in Relief eine hockende, zur Mitte gewandte, geflügelte Sphinx, welche die Vorderpfote über eine (etwas tiefer stehende) Amphora hält. Schwunglos in der Zeichnung und flau in der Erfindung, ist der Fries nicht ohne handwerkliche Sorgfalt ausgeführt; nur die Sphinxe auf den Pilastern sind roher.

Windspiel, Relief, 0·75 hoch, 1·14 breit; vom Amphiteater. Der Hund sitzt auf den Hinterbeinen nach l. und leckt die linke erhobene Vorderpfote. Ihm gegenüber spärliche und undeutliche Spuren einer zweiten Figur. Der lebensvollen Auffassung des Thieres nach gehört das Relief einer früheren Zeit an. Einen Hund derselben Rasse (Kopf und Schultern) zeigt ein in Dalmatien (bei Kistanje?) gefundenes Bruchstück, Rödlich Skizzen des physisch-moralischen Zustandes Dalmatiens und der Buchten von Cattaro (Berlin 1811) Taf. 6. Vgl. ferner die Statuen in Vienne (Delorme *description* p. 123 n. 1, *Gazette archéologique* 1880 pl. 10), aus Gabii im Louvre (Clarac 350. 2595), vom Monte Cagnolo im Vatikan (*Sala degli Animali* n. 116), im britischen Museum (*Synopsis etc.: dep. of greek et roman ant.* p. II n. 54, *Ancient Marbles* part X vignette) etc.

2. Gleichfalls für das Museum in Spalato sind folgende, beim Custoden Giovanni nahe beim Bahnhofe (*Osteria alla stazione*) aufbewahrten Stücke bestimmt.

Torso einer Apollonstatue (oder Bacchus?), vielleicht vom nahen Theater, Marmor, 0·93 hoch, von der Halsgrube zum Nabel 0·49. Die rechte Hüfte ist ausgebogen, beide Arme waren erhoben. Auf die Schultern fallen Locken herab. Am Rücken ein vertieftes trapezoidförmiges Feld. Trockene Arbeit.

Fragment eines Reliefs, weisser Marmor, ungefähr 0·43 hoch, allseitig gebrochen. Erhalten ist der Untertheil einer nach l. sitzenden männlichen Figur von etwas über dem Nabel an. Ihr nackter Oberkörper war zurückgelehnt und der linke Arm aufge-

stützt. Die Beine sind in den Mantel gehüllt, der rechte (abgebrochene) Fuss war vorgestellt, der linke ist zurückgezogen. Das ge-
schweifte Stuhlbein endigt in einen Pantherkopf und über dem Sitz-

brette bängt ein Thierfell herab. Die Figur ist demnach wohl
Bacchus. Gute Arbeit.

3. Einige hundert Schritte von der Bahnstation, an der Strasse
nach Trau, liegt die kleine Cappella di S. Caio, erbaut von Kaiser
Franz II. zum Schutze des während seiner Anwesenheit 1818 in
Salona entdeckten, in den Felsen gehauenen Sarkophages (0·85 hoch,
2·85 l.) mit der Darstellung dreier Heraklesthaten, der nun als
Altartisch dient; abgebildet sachlich richtig, im Stile aber verfehlt
Steinbüchel Dalmatien (Wiener Jahrbücher der Literatur XII. Bd.
Anzeigeblatt Nr. XII) Taf. I Fig. 3, und Lanza *monumenti Saloni-
tani inediti* (Denkschriften der Akad. d. Wissensch. VII. Bd.) tav. II
Fig. 1. Ueber dem Herakles im mittleren Bilde fliesst aus einer
Oeffnung eine Heilquelle.

4. In Salona selbst und den zerstreuten Gehöften bis gegen
Klissa hin [16]) findet man an den Häusern eingemauert zahlreiche
Architekturfragmente und Reste antiker Sculpturen, die alle zu verzeichnen mir trotz wiederholter Besuche dieses Ortes nicht möglich
war. Die grosse Anzahl unbedeutender Bruchstücke bei Seite
setzend, hebe ich folgende zwei Stücke heraus:

Gruppe zweier Ringer, Relief an dem Hause bei der Brücke
über den Jader, rechts und links gebrochen, 0·82 hoch, 1·04 br.
Der eine (rechts) nach l ausschreitend, das Gesicht dem Beschauer
zugewandt und den Oberkörper stark vorgeneigt, hat mit beiden

___

[16]) Nach Procopius *de bello gothico* I 7, pag. 38 ed. Dindorf, reichten die
Vorstädte Salona's bis zu dem Engpasse von Klissa.

Armen seinen Gegner (links) auf die Kniee und Ellenbogen zu Boden gedrückt. Beide Ringer sind nackt und von plumpen Körperformen.

Ara, 0·98 h., 0·46 br., im Hause des Doimo Katić, s. Hirschfelds Bericht S. 6 n. 5. Dieselbe dürfte ursprünglich weder für die Sculptur noch die Inschrift bestimmt gewesen sein, da die eine wie die andere in die oben und unten abschliessenden architektonischen Gliederungen übergreift. Inmitten der Inschrift steht in Vorderansicht Herakles (l. Standbein) mit geschulterter Keule in der erhobenen Rechten und dem Löwenfell über dem gesenkten linken Vorderarm. Die Oberfläche ist ganz zerstört.

Vranjića. Drei Fragmente einer überlebensgrossen weiblichen Gewandstatue aus Marmor liegen vor der Casa Bulić. Zwei davon passen aneinander und bilden die untere Hälfte der Statue (1·15 hoch), ein drittes (ca. 0·50 hoch) ist ihr rechtes Schulterstück. Die Frau war mit dem langen Aermelchiton und mit einem darüber geworfenen, mit Fransen besetzten Himation bekleidet; ein Zipfel desselben hing über die linke Schulter. Der rechte Oberarm war gesenkt. Standbein ist das rechte. Der Kopf war in einem tiefen, rauh geriefelten Becken eingesetzt. Die Arbeit ist in Hinblick auf ihre provinzielle Entstehung vortrefflich, die Rückseite der Figur aber vernachlässigt.

Mercur, Relief an einem benachbarten Hause. Der Gott mit dem Petasos auf dem Haupte ist mit der Chlamys bekleidet, hält in der R. den Beutel, in der L. den Caduceus. Der untere Theil fehlt. Vgl. die S. 49 und 50 beschriebenen Reliefs. Ein andres mit dem Bilde des Gottes in Kljake (Magnum) ist im *Bull. dalm.* III S. 114 beschrieben.

Genius des Herbstes, Relief an der Casa Benzon am Ufer. Der geflügelte nackte Knabe geht, das rechte Bein zurücksetzend, nach l.; sein Kopf in Vorderansicht. Er trägt mit der erhobenen Rechten einen mit Früchten vollgefüllten Korb auf dem Nacken und hält in der gesenkten Linken ein Häschen. Der Rahmen ist reich verziert, mit Akanthosornamenten der äussere breite Rand, mit Blättern die innere Hohlkehle. Vgl. die Reliefs im Giardino Fanfogna zu Traù und in Castell Cambio (S. 58), sowie den Sarkophag mit der Darstellung der vier Jahreszeiten im Museum zu Spalato, abgeb. Lanza *monumenti Salonitani inediti* tav. VII Fig. 2.

Fragment eines Reliefs, Marmor (?), 0·17 hoch, 0·33 breit, an der Casa Belzon. Erhalten ist der im Profil nach r. gewandte bärtige Kopf und die Brust einer Figur sammt dem Obertheile ihres vorgestreckten linken und der Schulter des nach hinten gestreckten rechten Armes (Zeus?).

Marmorplatte von einem altchristlichen Sarkophage an der Gartenmauer der Casa Belzon gegenüber; rechts gebrochen. Sie ist mit einem profilirten Stabwerk eingerahmt und war in der Mitte mit einem zum grösseren Theile erhaltenen Monogramme Christi in einem umschriebenen Kreise geziert, in dessen Centrum an der Kreuzungsstelle der Buchstaben ein Medaillon mit der winzigen Protome des Gestorbenen angebracht ist. Ein langer gewundener Stengel mit einem Epheublatte an der Spitze ging jederseits unten von der Peripherie des Kreises zur Ecke der Platte; nur der links ist vollständig erhalten. In der linken Ecke darüber ist in einem besonders eingerahmten rechteckigen Felde (0·43 hoch, 0·18 breit), dem rechterhand ein gleiches entsprochen haben muss, die Darstellung des guten Hirten. Derselbe, in kurzgegürteter Tunica, steht in Vorderansicht auf einer felsigen Anhöhe und stellt — nach r. sich beugend — den Stab auf ein emporragendes Felsstück. Unter ihm stehen, von einander abgekehrt, mit zurückgewandten Köpfen zwei Schafe. Darstellungen des guten Hirten nach verschiedenem Typus begegnet man auch auf anderen Sarkophagen aus Salona, so auf einem im Museum zu Spalato (Conze, römische Bildwerke einheimischen Fundorts in Oesterreich Taf. II) und auf einem zweiten im Flure der Mädchenschule daselbst.

Bruchstück eines Reliefs von Marmor, an der Casa Benzon Prete. Man sieht das vom Himation bedeckte, eingezogene rechte Bein einer nach r. sitzenden Gestalt und das mit einem nach vorne gewandten Pantherkopf gezierte Bein des Thrones. Vgl. das Relief bei der *Osteria alla stazione* in Salona S. 60.

Linker unterer Theil eines Reliefs, 0·13 hoch, 0·19 breit, aus Marmor, an demselben Hause. Erhalten ist der Leib und drei Beine eines nach r. schreitenden Esels oder Maulthiers, das nach l. gewandte Bein des Reiters (vielleicht des verkehrt auf den Esel gesetzten Silen) und der untere Theil einer dem Thiere folgenden bekleideten weiblichen Figur. Auf dem glatten Rande unten:

SORIANVS CO
LIBE

Kopf eines Windgottes, rechte obere Ecke einer umränderten Reliefplatte aus Kalkstein, 0·26 hoch, 0·21 breit, ebenfalls

an der Casa Benzon Prete. Der Kopf (unter dem Halse abgeschnitten) in Profil nach l. ist bartlos und jugendlich, mit kurzem
Haare. Ein Flügel über dem Ohre und der plastisch gebildete,
aus seinem Munde kommende Windhauch bezeichnen ihn als Wind-
gott. Vor demselben ist im Reliefgrunde eine schräge Furche gezogen. Nach Benndorf's ansprechender Vermuthung rührt das Bruchstück von einer Sonnenuhr her.

[Nicht gesehen habe ich die „in einem frei emporstehenden
Felsen eingehauenen Brustbilder einer römischen Familie", welche
Steinbüchel Dalmatien S. 12 erwähnt, desgleichen nicht die Sarko-
phage, welche nach demselben Autor S. 14 „an der äussersten
Spitze der Insel, wenn man sie hart am Lande in einem Kahn um-
fährt", im Meeresgrunde sichtbar sind.]

Spalato. 1. Aus dem reichen Besitzstande des Staats-
museums und seiner Dépôts im sog. Magazine Kattalinić, im
Gymnasium und der Mädchenschule, sei hier einer kleinen Gruppe
von der Göttin Diana geweihten Votivreliefs gedacht, welche
ähnlich den Pan- und Nymphenbildern für das Land, dem sie
entstammen, besonders eigenthümlich zu sein scheinen. Auch für
den Cultus dieser Gottheit dürften griechische Einflüsse massgebend
gewesen sein. Das Bild der Artemis findet sich nämlich auf auto-
nomen Münzen von Rhizon (Evans im *Numismatic Chronicle* vol. XX
p. 292), auf Münzen des Königs Ballaios (*a Catalogue of the greek
coins in the British Museum: Thessaly etc.* p. 81) und vielleicht auch
auf Münzen von Issa (Imhoof-Blumer in der Numismatischen Zeitschr.
XVI S. 250). Die thessalische Artemis Pheraia nennt die auf Lissa
gefundene Basis eines Weihgeschenks (C. I. Gr. 1837). Ein Heka-
taion in der modenesischen Sammlung zu Wien, nach Mommsen's
sehr berechtigter Vermuthung (C. I. L. 3156a) gleichfalls dalmatinischer Herkunft, ist der Diana Kelkaia gesetzt (Arch.-epigr.
Mitth. aus Oesterreich Bd. IV Taf. 5, vgl. Bd. V S. 22; über
ein andres Hekatebild aus Salona im unteren Belvedere ebd. S. 72).
Ein Heiligthum der Diana (*ad Dianam*) am Berge Marian bei Spalato kennt man aus der *Tabula Peutingeriana* (Segment V ed. Desjardins); es entspricht dem Dianion des Anonymus von Ravenna
(p. 380, 10 ed. Pinder und Parthey) und dürfte wohl eine vor-
römische Gründung sein. Hiemit mag es zusammenhängen, dass
von den vier Votiven an Diana, die das Spalatiner Museum besitzt,
drei in der Umgebung der Stadt gefunden worden sind.

Platte aus alabasterähnlichem weissem Marmor, 0·38 hoch,
0·37 breit; unten gebrochen, die Oberfläche theils corrodirt. Diana
— bis etwa zu den Knieen erhalten — den Oberkörper stark
(nach l.) zurückgeneigt, den Kopf in dreiviertel Profil, in eiligem
Laufe nach r. Sie ist mit dem gegürteten Chiton bekleidet.
Ein schärpenartig zusammengefalteter Mantel ist unter dem Gürtel
und dem Köcherbande gezogen, über die linke Schulter geworfen

und flattert mit dem freien Ende im Winde. Auf dem Rücken
trägt die Göttin den geschlossenen Köcher und in der vorgestreckten
Linken den Bogen, von dessen abgebrochenem oberen Horn der
Ansatz am Baumstamme rechts sichtbar ist. Der rechte Vorderarm
fehlt, die Hand war in die Hüfte gesetzt. Rechts eine Eiche. Das
Relief ist von völlig ungleicher Erhebung (bis zu 0·063) und rein
malerischer Behandlung; der Baum und der wehende Mantelzipfel
greifen in den profilirten Rahmen ein. Aus Salona.

Rechte obere Ecke einer Reliefplatte aus Kalkstein, 0·12 hoch,
0·15 breit. Der Bruch geht quer unter dem Kopfe zum rechten
Ellenbogen. Erhalten ist der mit einem Diadem geschmückte Kopf
in Vorderansicht und der erhobene rechte Vorderarm, dessen Hand
den Köcher (?) umfasst. Ländlich rohe Arbeit. Gleichfalls aus
Salona.

Untere Hälfte eines Reliefs aus Kalkstein, 0·105 hoch, 0·125
breit. Erhalten sind bis nahe zum Knie die mit dem Chiton bedeckten Beine der nach r. eilenden Göttin; rechts läuft ein Hase
nach r.; links steht ein Hund mit umgedrehtem aufblickendem
Kopfe und einem Bande um den Hals. Ueber dem Ohr des Hasen
vielleicht ein Rest des Bogens. Aus Salona [17]).

17) Ein andres Bruchstück des Museums, 0·175 hoch, 0·18 breit, zeigt in
ähnlicher Weise die Beine einer mit dem kurzgeschürzten Chiton bekleideten Figur;

Block aus Kalkstein, von trapezförmigem Grundrisse, 0·35 hoch, 0·17 breit oben, 0·19 unten; Reliefhöhe 0·04. Die Abbildung nach einer Photographie. Die Göttin steht in Vorderansicht, wendet den Kopf in dreiviertel Profil nach r., ist mit dem doppelgegürteten Chiton, einem schärpenartig zusammengelegten, im Winde flattern-

den Mäntelchen und kurzen Jagdstiefeln bekleidet und mit dem Bogen, den sie in der Linken hält, und dem Köcher bewehrt. Sie nähert die erhobene Rechte dem letzteren, um einen Pfeil herauszuziehen. Rechts ein sitzender Hund nach r. mit zurückgewandtem erhobenem Kopfe. — Gefunden 1883 im Torre Badnjevica di Postranje (Distretto d' Imoski) *„fra un mucchio di ciottoloni accumulato dalle acque torrentizie, lungo la china di una pendice ripidissima"* (*Bull.*

hinten hängt ein Mantel herab. Den Stock rechts hielt dieselbe offenbar in der Linken. Links steht ein Hund nach l. mit zurückgewandtem Kopf und einem Halsbande. Die Figur scheint mir männlich.

di storia ed arch. dalm. VI p. 65). Vgl. Arch.-epigr. Mitth. VIII
S. 109 n. 22, wo auch die Inschrift.

[Ein fünftes Relief, 0·205 hoch, 0·16 breit, befindet sich in
der Sammlung des unteren Belvedere, Sacken u. Kenner's Katalog
S. 43 u. 74 n. 193, abgebildet in H. F. Rödlich's Skizzen des phy-
sischen und moralischen Zustandes Dalmatiens und der Buchten
von Cattaro Tafel 6. Diana, abermals in der Linken den Bogen
haltend und mit der erhobenen Rechten nach dem am Rücken hängenden Köcher greifend, läuft nach r.; Kopf und Oberkörper en face.
Sie ist mit dem gegürteten Doppelchiton und mit einem vom Winde
aufgebauschten Mantel bekleidet und trägt über der Stirne ein Diadem. Rechts läuft nach r. ein Hase. Rohe Arbeit. Unter dem Bilde
die Inschrift (C. I. L. 3156 *b*):

MAXIMIANVS BO *t*

VM SOLB It

Nach Rödlich a. a. O. S. 3 bei Kistanje gefunden, seit 1805 in der
kaiserl. Sammlung].

Den übrigen Skulpturen des Museums entnehme ich nur noch
ein Relief mit einer historischen Darstellung, abgebildet
auf Tafel III (nach einer von Hofr. Benndorf zur Verfügung gestellten Photographie mit Zuhilfenahme einer Skizze). Es ist rechts,
links und unten vollständig, oben aber gebrochen, und misst gegenwärtig 0·395 in der Höhe bei 0·609 Breite. Die Figuren erheben
sich bis 0·06 vom Hintergrunde und ragen hier und dort über die
einrahmenden Leisten hinaus. — Links (die grössere Hälfte der
Bildfläche einnehmend) sprengt ein Reiter nach r. Der Kopf, der
rechte Arm und der rechte Vorderfuss desselben fehlen, ebenso der
Kopf und das rechte vordere Bein des Pferdes. Der Reiter ist mit
der kurzgeschürzten Tunica, zurückgeschlagenem Mantel und bis
über die Knöcheln reichenden Stiefeln bekleidet. Sein rechter Arm
war erhoben. Ihm folgend läuft neben dem Pferde eine weibliche
Figur, in welcher trotz der ihr mangelnden Flügel Victoria kaum
zu verkennen ist. Ihr Kopf ist weggebrochen und ihr rechter Arm
beschädigt. Sie ist beschuht und im Doppelchiton, dessen Gürtel
ein aufgeblähtes Mäntelchen aufnimmt (an dem flatternden Zipfel
desselben ein Quästchen), und erhebt den rechten Arm, als hätte
sie in der jetzt fehlenden Hand einen Kranz gehalten. Unter dem
Pferde sitzt eine Sphinx in Vorderansicht mit ausgebreiteten Flügeln.
Man gewahrt einen nach ägyptischer Weise stilisirten Bart unter

dem Kinne derselben. Zwei Bänder sind kreuzweise über ihre Brust gebunden. Rechts hart an den Hufen des sprengenden Pferdes steht die Figur eines gepanzerten Kriegers en face, das (abgestossene) Gesicht nach l. dem Reiter zuwendend. Sein Panzer schmiegt sich den Körperformen an und ist mit halbrunden Pteryges, herabhängenden Lederstreifen in doppelter Reihe übereinander und befransten Aermeln versehen. Das über die linke Schulter geworfene Paludamentum ist an der rechten genestelt. Ausserdem trägt die Figur einen Helm mit niedriger Crista und kleinem Nackenschirm auf dem Haupte, Beinschienen und Schuhe. An letzteren sind deutlich der Lederstreifen auf dem Riste, darüber eine wohl metallen gedachte Löwenmaske und jederseits über den Knöcheln herabhängende Lappen erkennbar. Die Vorderarme fehlen. An dem rechten Beine des Kriegers ringelt sich eine Schlange empor (grösstentheils weggebrochen). Weiter rechts sieht man zwei nach r. eilende männliche Figuren über einander, völlig gleich mit kurzgeschürzter Tunica und über beide Schultern zurückgeschlagenem Mantel bekleidet. Die eine sich duckend, bartlos, mit kurzgeschnittenem Haare, legt die Linke auf das Knie, erhebt die Rechte, die Handfläche dem Beschauer weisend, wie adorirend oder erstaunend, und wendet das aufblickende Haupt zurück nach dem Krieger. Die andere in gestreckter Haltung hält in der erhobenen Linken eine Rolle; der Kopf fehlt. Ob in dem Gürtel ihrer Tunica rechts ein Dolch steckt, vermochte ich nicht bestimmt zu erkennen. — Es ist klar, dass der gepanzerte Krieger ein Imperator und somit die wesentlichste Figur der ganzen Darstellung ist. Der Reiter trägt dieselbe Tracht wie die beiden Figuren links und wird wohl nur als Bote oder dergl. zu fassen sein. Daraus folgt, dass Victoria nicht ihn bekränzen will, sondern dem Imperator zueilt. Da das Antlitz des letzteren aber fehlt und die dargestellte Persönlichkeit deshalb auch nicht annähernd zu bestimmen ist, wäre es bedenklich, die Deutung des Vorgangs weiterführen zu wollen. Die Sphinx weist nach Aegypten. Dem Stile nach kann das Relief bestenfalls in das zweite Jahrhundert gesetzt werden. Die Proportionen der Figuren sind kurz; die Arbeit bei grosser Deutlichkeit und Ausführlichkeit in Einzelheiten ist trocken, stellenweise selbst roh.

Dr. E. v. Bergmann's Güte setzt mich in die Lage, folgende Lesung und Erklärung der Inschriften an der im Museum aufbewahrten Sphinx Amenophis III. hier mittheilen zu können·

„Gerne komme ich der Aufforderung meines Collegen nach, die Inschriften der Kalksteinsphinx Amenophis III. (XVIII. Dynastie, ca. 1450 v. Chr.) in Spalato, die bereits im ersten Jahrgange (S. 95—97) dieser Zeitschrift von fachmännischer Seite besprochen worden sind, nochmals zu publiciren und meine mehrfach abweichende Lesung derselben nach den mir freundlichst zur Verfügung gestellten Papierabklatschen und der Abbildung bei Adam pl. LX, welche die Texte vollständiger gibt, als sie sich gegenwärtig präsentiren, hier vorzulegen. Von der Beschreibung des Denkmales, das sich in nichts von anderen Königssphinxen unterscheidet, glaube ich Umgang nehmen zu können und bemerke nur, dass der abgebrochene Kopf der Sphinx, welchen Prof. Conze im Jahre 1877 über einer Hausthüre in Spalato eingemauert sah, nach Dr. Schneider's Mittheilung sich noch dermalen am gleichen Orte befindet.

Inschrift auf der Brust der Sphinx:

1) „Der gute Gott Ra neb mat (Vorname Amenophis III.), der Lebensspender", 2) „geliebt von Amon-Ra, dem Herrn von Nes (taui), dem Herrn des Himmels".

Inschrift auf der Vorderseite des Sockels*):

---

*) Die eingeklammerten Hieroglyphen sind gegenwärtig in Folge Verwitterung des Steines zerstört und nach der Abbildung bei Adam ergänzt, in der die am Schlusse der Randcolumnen stehenden Zeichen undeutlich sind. Die oben gegebene Lesung derselben wird aber durch die Parallelstellen ✶🐦🦅▭🏺▨ (Denkm. III. 49 a) und ✶🐦▭🏺⌐〰 (l. c. III. 49 b) indicirt.

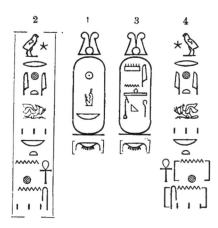

1) Ra neb mat; 2) Adoration (seitens) aller edlen Menschen, welche leben; 3) Amonhotep, der Fürst von Theben; 4) Adoration (seitens) aller edlen Menschen, welche leben.

Die Gegenüberstellung der Namensschilder und der Legende: „Adoration aller edlen weisen Menschen, welche leben", deutet augenfällig an, dass die Huldigung der letzteren sich an die Person des Pharao als des obersten Schutzherrn aller wohlgesinnten und getreuen Unterthanen richtet. In dieser Eigenschaft wird er häufig in den Inschriften verherrlicht, die ihn bald „eine Mauer, die den Schatten schlägt für die edlen Menschen, welche sitzen in ihrem Umkreise"

(Dümichen, hist. Inschr. II 46 l. 67), bald „den Schattenspender der edlen Menschen" (Chabas, rech. p. 70) oder auch den „Ra" oder das „Leben der edlen Menschen" (grosse Inschrift Ramses II. in Abydos l. 77 u. 116) etc. nennen.

Neben der Schriftcolumne 4 ist die Gruppe in zweimaliger Wiederholung noch sichtbar. Sie bildete vordem in dreimaliger Uebereinanderstellung die Randeinfassung zu beiden Seiten der eben besprochenen Inschriften.

Noch sei bemerkt, dass die Doppelfeder mit dem Discus über den beiden Königsschildern und das Zeichen unter denselben sich an gleicher Stelle nur selten finden; andere Beispiele hiefür bei Lepsius, Denkm. III 78b und 82d.

Inschrift auf der rechten Seite des Sockels:

„Der gute Gott, der Berg von Gold, über dessen Anblick die Menschen in Taumel gerathen, der Grosse, das Leben des Ra, der Erleuchter der beiden Länder (Aegypten) mit seinen Schönheiten ..."

Die Ergänzung am Schlusse des noch erhaltenen Textes ist durch die Hammamat-Stele (Denkm. III. 219) gesichert, auf welcher der König ebenfalls den Titel ⟨hieroglyphs⟩ führt. In ⟨hieroglyphs⟩, einem ἅπαξ λεγόμενον, liegt die durch Verdoppelung des zweiten Radicals erweiterte Form des bekannten Verbums ⟨hieroglyphs⟩ „trunken sein, in Taumel gerathen" (vgl. ⟨hieroglyphs⟩ für ⟨hieroglyphs⟩) vor. Die Bezeichnung des Pharao als „Berg von Gold", ein seltsamer Tropus, basirt auf dem Vergleiche des Glanzes, den der Herrscher um sich verbreitet, mit einem Berge von Gold.

Inschrift auf der linken Seite des Sockels:

⟨hieroglyphs⟩ „Der gute Gott, welcher das Antlitz öffnet wie Ptah, der klugen Sinnes wie der Herr von Hermopolis M. (i. e. Thot), der Grosse von zahlreichen und erstaunlichen Denkmälern [deren gleichen vordem nicht gemacht worden], der Sohn der Sonne Amenophis, der Fürst in Theben, der Herr aller Länder, welcher spendet Leben, Fortdauer und Gedeihen wie Ra." —"

2. Das Gerüste, mit dem der Campanile des Domes gegenwärtig umgeben ist, erlaubte mir das in demselben eingemauerte römische Relief, abgebildet in Steinbüchel's Dalmatien Fig. 2 (danach Lanza *dell' antico palazzo di Diocleziano* tav. XII Fig. 2; willkürlich entstellt bei Adam pl. LIX und Cassas pl. 38; C. I. L. 1972) genauer zu betrachten. Es ist 1·34 lang, 0·75 hoch mit Rand, 0·54 ohne denselben. Die Figur in der Mitte über dem Altare, nur mit Kopf und Brust sichtbar, ist ohne Zweifel Mercur. Er trägt auf dem Haupte den Petasos, dessen Flügel zwar abgestossen sind, aber unverkennbare Spuren hinterlassen haben.

Auf seiner rechten Schulter ist mit einem Knopfe die Chlamys befestigt. Trotz seiner Stellung im Centrum der Composition ist
Mercur hier doch nur als Gefolgsmann des links stehenden Jupiter
aufgefasst, und deshalb andeutungsweise in sehr flachem Relief gebildet. Zwischen den beiden Figuren rechts, Mars und Kybele,
stehen zwei Beinschienen auf dem Boden.

3. Im Kreuzgange des Klosters S. F r a n c e s c o (Borgo Grande)
steht wohlverwahrt und durch ein Gitter vor Beschädigungen geschützt der altchristliche Sarkophag mit der Darstellung des
Durchzugs der Israeliten durchs rothe Meer, am besten abgebildet bei
Eitelberger die mittelalterlichen Kunstdenkmale Dalmatiens, Jahr-
buch der k. k. Central-Commission zur Erforschung und Erhaltung
der Baudenkmale Bd. V Taf. XVIII (sehr verkleinert in den kunsthistorischen Schriften Bd IV S. 287). Die Wiederholungen dieser
Darstellung auf Sarkophagen ersehe man aus Le Blant *étude sur
les sarcophages chrétiens antiques de la ville d'Arles* p. 50 [hiezu
Grousset *étude sur l'histoire des sarcophages chrétiens, catalogue* n. 74
und 98]; verwandt sind Mosaikbilder (Ciampini *vetera monimenta*
vol. I tab. LIX) und byzantinische Miniaturen (Bordier *description
des peintures et autres ornemens contenus dans les manuscrits grecs de la
bibliothèque nationale* p. 77 u. 113). Die drei Figuren in halbliegender
Stellung unter den Pferden und dem Wagen des Pharao sind Per-
sonificationen der Localität, von welchen aber nur jene mit dem
Ruder der Legende einer Miniatur aus dem zehnten Jahrhundert
(Bordier a. l. c. p. 113) zu Folge mit voller Sicherheit als ἐρυθρὰ
θάλασση gedeutet werden kann.

4. Im Hofe des Hauses Geremia bei S. Spirito ist an der
Freitreppe eine Sarkophagplatte mit der Darstellung des Kampfes

der Lapithen und Kentauren eingemauert, 0·98 hoch, 1·97 lang; rechts gebrochen. Die Erhebung des Reliefs ist gering; die Arbeit mittelmässig. Beistehende Skizze zeigt die aus der griechischen Kunst fast rein übernommenen Motive der Composition. Links sieht man von der Darstellung der anstossenden Nebenseite des Sarkophages die Reste eines Kentaurenkörpers. Er ist in höherem Relief als die Figuren der erhaltenen Platte, woraus zu folgen scheint, dass die letztere die hintere Wand des Sarges gebildet hat. Die Abbildung bei Adam *ruins of the Palace of Diocletian* pl. LVIII ist ein Beispiel mehr der völlig willkürlichen Wiedergabe der Monumente in diesem Buche. An Stelle des im Himation gehüllten Verstorbenen an der Ecke rechts (nur zur Hälfte vorhanden) ist ein bockfüssiger Pan gesetzt. Wie meist copirt Cassas pl. 38 auch diesmal seinen Vorgänger. Lanza *dell' antico palazzo di Diocleziano* tav. XII Fig. 1 bessert wenigstens den erwähnten gröbsten Fehler aus, weshalb er pag. 21 die „*esattezza*" seines Bildes zu rühmen nicht vergisst. Man bemerke an dem steinschleudernden Kentauren rechts das Schwänzchen am Kreuzbeine.

5. An der Casa Plasibat sah ich gleich links von der Thüre ein Votivrelief (0·29 hoch, 0·46 breit) aus Kalkstein eingemauert mit der Darstellung der Lares Augusti. Es ist seitdem vom Museum erworben worden. In der Mitte steht ein Altar mit der Inschrift: LAR·AVG. Rechts und links nähert sich demselben im Tanzschritt je ein Lar. Beide sind in herkömmlicher Weise mit Schuhen und kurzer Tunica bekleidet; als Gürtel dient ihnen ein um die Hüften geschlungenes Mäntelchen, dessen Ende frei im Winde flattert. Sie erheben die eine Hand und halten in derselben ein Rhyton, während sie mit der gesenkten andern aus einer Patera in die Flamme des Altars spenden. Den Raum über dem Altar zwischen beiden Figuren füllt die Inschrift C. I. L. 1950. Die Figuren gleich dem vorragenden Rande des Steines sind an mehreren Stellen verletzt.

6. Im Garten der Casa Eredi Rossignoli: Fragment eines Sarkophages aus weissem Marmor, an drei Seiten gebrochen, 0·85 hoch, 0·35 breit. Erhalten ist, von kleineren Beschädigungen abgesehen, eine nach r. sitzende weibliche Figur, welche mit der Rechten in die Saiten der im Schoosse ruhenden Lyra greift und die Linke auf das Joch derselben legt, bis zur Mitte der Oberschenkel, und der Oberkörper und der ebenfalls nach r. blickende, gesenkte Kopf einer hinter ihr stehenden zweiten Frau. Erstere

ist mit dem unmittelbar unter den Brüsten gegürteten Chiton und dem über die linke Schulter geworfenen, die Beine einhüllenden Himation, letztere mit dem gegürteten Chiton mit Ueberschlag bekleidet. Links über dem Kopfe der Lyraspielerin wird ein Stück

eines vom Winde aufgeblähten Gewandes sichtbar, das wohl einer fehlenden Figur angehört hat. Oben ein unversehrtes Stück des glatten Randes; darunter Akanthusornamente. Die Ausführung ist ungewöhnlich gut, von gleicher Güte etwa wie das schöne Bruchstück im Museum mit den Köpfen des Pan und Daphnis.

7. In Casa Carminatti im Borgo Pozzobuon: Relief auf schmaler Kalksteinplatte: eine w e i b l i c h e F i g u r en face steht auf besonderem Boden. Sie ist in langem gegürteten Chiton (mit Ueberfall) und trägt auf dem Kopfe einen Kantharos, dessen Henkel sie mit der hoch erhobenen Rechten fasst, während ihre gesenkte Linke eine Falte des Gewandes ergreift. Wohl identisch mit der von Wilkinson *Dalmatia and Montenegro* vol. I p. 142 erwähnten „*draped figure of a woman bearing a vase on her head*". Eine ähnliche Figur auf einem Relief im Museum zu Pola.

8. Am Hause des Don Antonio K a t i ć auf dem Wege nach dem Convento dei Paludi sind folgende Reliefs eingemauert:

K a n e p h o r e auf schmaler Kalksteinplatte, unten gebrochen. Die Figur bis zu den Beinen erhalten, von schmächtigen Körperformen, steht in Vorderansicht, und ist mit dem Chiton, der über dem Ueberschlag mit einem breiten Gürtel gebunden ist, und einem über die rechte Schulter geworfenen Mäntelchen bekleidet. Sie hält mit der hocherhobenen Rechten den auf das Haupt gestellten Kalathos, während sie mit der (jetzt fehlenden) Linken wohl eine Falte ihres Gewandes ergriffen hatte. Ihr langes Haar fällt in Locken auf die Schultern. Rohe Arbeit.

Grabstein des Aurelius Pontianus (C. I. L. 2010), nach der Angabe des Besitzers etwa 50 M. westlich vom Amphitheater in Salona gefunden. Ueber der Inschrift ist in vertieftem Felde (0·30 hoch, 0·18 breit) das Bild des Verstorbenen angebracht. Er steht en face, hat linkes Standbein, ist bartlos, trägt das kurze Haar in die Stirne gestrichen und ist mit der kurz geschürzten Aermeltunica und der Chlamys, die an der rechten Schulter genestelt und über den linken Oberarm zurückgeschlagen ist, bekleidet. In der Linken hält er eine Rolle. Ein kleiner Dolch steckt rechts in dem breiten Gürtel, der vorne eine runde Schnalle zeigt. Das (spitz zulaufende?) Ende desselben scheint der Soldat in der Rechten zu halten.

Fragment eines Sarkophages aus weissem Marmor. Erhalten ist die Figur eines Kindes bis zu den Knieen. Es eilt nach l., ist mit einer vorne auf der Brust genestelten Chlamys bekleidet und trägt mit der Rechten zwei auf die Schulter gelegte Speere; seine gesenkte Linke hielt vielleicht ein Leitseil oder dgl. Links unten ist der nach rechts aufblickende Kopf eines Jagdhundes, darüber der linke Arm des voranschreitenden, rechts die erhobene rechte Hand des nachfolgenden Knaben sichtbar. Das Bruchstück gehört ohne Zweifel zu einer Jagdscene und vielleicht zu demselben Sarkophage, wie ein Fragment im öffentlichen Museum (0·47 hoch, 0·54 breit). Auf dem letzteren sieht man in der Mitte einen geflügelten Knaben nach r., der das rechte im Knie gebogene Bein erhebt und die Arme (der linke zur Hälfte gebrochen) senkt, wie um einen Bogen zu spannen. Ihm voran schreitet links zurückgewandten Hauptes ein Knabe in der Chlamys mit geschulterter Keule in der Linken. Rechts der gesenkte, in dreiviertel Profil nach l. gewandte Kopf eines dritten Knaben. Das auf der oben abschliessenden Leiste und der hinter den Köpfen der Figuren sich hinziehenden Hohlkehle angebrachte vegetabilische Ornament stimmt bei diesem Bruchstücke mit dem der Casa Katić völlig überein; beide Fragmente sind auch von gleich guter Arbeit.

Makarska. Im Magazine des Herrn Paulović-Lučić: zwei **Friesplatten** aus weissem Marmor, aus Viddo (Narona) hiehergebracht, früher in der Kapelle des Hauses eingemauert (Glavinich in den Mittheilungen der Central - Commission N. F. Bd. IV [1878] p. XCII = *Bull. dalm.* I p. 187), noch während meines Aufenthalts in Dalmatien vom Museum in Spalato erworben. Sie sind 0·46 hoch und oben und unten mit einem vorstehenden Rand versehen. Die eine ist 1·28 lang, die andere 0·955. Das Relief erhebt sich bis 0·04. Erhalten sind auf der längeren beiderseits gebrochenen Platte vier **weibliche Figuren im Reigen** nach r. schreitend und links ein Stück des Gewandes von einer fünften; auf der kürzeren, rechts gebrochenen, drei Tänzerinnen, von welchen zwei nach r., die dritte nach l. sich bewegt und ein kleiner Gewandrest einer vierten. Dieselben einzeln zu beschreiben, überhebt mich beistehende Abbildung. Mannichfaltig sind die Motive in den Stellungen und Bewegungen der schlanken Figuren und der Wechsel in der Drapirung ihrer Mäntel und hochgegürteten Untergewänder. Dem Reichthume der Erfindung, der Anmuth der Zeichnung und der sorgfältigen Ausführung nach stehen die beiden Friese völlig vereinzelt unter den antiken Bildwerken Dalmatiens. Ihr fast griechischer Charakter weist auf gute Zeit zurück. Leider sind durchwegs Köpfe und Arme der Figuren weggebrochen. Bemerkenswerth ist, dass letztere und ebenso zwei Köpfe aus besonderen Marmorstücken gearbeitet und in viereckige, fast 0·03 tiefe, aus der Abbildung ersichtliche Löcher eingefügt waren.

[Den nach l. gewendeten „sehr schönen" jugendlichen Frauen-
kopf aus weissem Marmor in Basrelief, welchen Glavinich a. a. O.
erwähnt, habe ich nicht gesehen.]

Fort Opus. In der Mauer der Cisterna comunale (errichtet
1847 vom Bezirkshauptmanne Vidovich) sind nebst architektonischen
Fragmenten (darunter ein schönes Composita-Capitäl) folgende aus
Viddo (Narona) stammenden Skulpturen eingesetzt (kurz aufgezählt
von Glavinich Mitth. der Central-Commission N. F. IV [1878] p. XCII):

Torso einer Imperatorenstatue aus Marmor, 1·13 hoch.
Erhalten ist nur der Theil des Panzers unterhalb der Brust, die Pteryges
in doppelter Reihe und die herabhängenden befransten Lederstreifen
sowie ein kleines Stück des linken Beines. Der Panzer ist mit
Ornamenten in halberhobener Arbeit geziert. In der Mitte steht
auf drei in Thierklauen endigenden Füssen eine zweihenklige Vase,
aus welcher, wie es scheint, der Schaft eines Kandelabers herausragt
und rechts und links davon einander zugekehrt je ein löwenköpfiger
Greif in symmetrischer Haltung, die eine Vordertatze erhebend.
Unter denselben füllen Akanthosornamente und Rankenwerk den
Raum. Auf den Pteryges sind folgende Reliefs angebracht: zwei
kreuzweise gelegte Barbarenschilde, darüber ein eingeritztes Pal-
mettenornament — Adler nach r., mit einem Kranz im Schnabel
— zwei quer übereinander gelegte Füllhörner — Adler nach l. mit
einem Kranz, daran ein flatterndes Band — Eros im Profil nach
l. aufrecht stehend (l. Standbein) hält ein aufspringendes Hündchen
an den Vorderpfoten, darüber Palmetten in Relief. — Die Pteryges
der unteren Reihen zeigen Palmettenzierate, nur die letzte rechts
zwei Schilde; eine andere ist ausgebrochen. Erwähnt von Wilkinson *Dalmatia and Montenegro* vol. II p. 14.

Weibliche Gewandstatue, überlebensgross. Der Kopf
fehlt. Die Figur hat l. Standbein und ist mit dem langen Chiton
und dem Himation bekleidet. Letzteres hüllt den rechten Arm ein,
dessen abgebrochene Hand dem Kinne genähert war. Die gleichfalls
abgebrochene Linke war vorgestreckt. Wilkinson vol. II p. 15.

Rechter Unterschenkel einer Statue aus Marmor, 0·61 hoch,
auf ca. 0·07 hoher Basis; der Fuss tritt mit ganzer Sohle auf. Daneben ein Baumstamm.

Fragmentirte Gruppe eines Knäbchens mit einem
Hunde, Marmor, 0·30 hoch. Es fehlen Kopf und Beine des ersteren
und der Kopf des Thieres. Das Knäbchen sitzt auf dem Boden; wahr-

scheinlich war das r. Bein weggestreckt, im Knie stark gebeugt und aufgestellt. Das Kind umfasst mit beiden Armen den zottigen Hund, mit dem es Unzucht treibt. Auf Befehl eines Pfarrers verstümmelt.

Viddo (Narona). In der Casa Illić über der Thüre ein Relief, 0·32 hoch, 0·31 breit, unten und links gebrochen, war von einer glatten Leiste (oben mit spärlichen Resten einer Inschrift) und einer Hohlkehle umrahmt. Ein Jüngling sitzt nach l. in einem Lehnstuhle gesenkten Hauptes und hält in beiden Händen eine kleine Ara. Er ist mit der Aermeltunica und einem Ueberwurfe, der um die Beine geschlagen ist, bekleidet. Sein Haar ist kurzgeschnitten. 1880 in einem nahen Sumpfe gefunden.

Im Dorfe trifft man auf Tritt und Schritt ansehnliche architektonische Fragmente, die auf prächtige Bauwerke weisen und in gute Zeit zurückreichen. Das schönste darunter ist ein gewaltiger Architrav beim Hause Plečas. Zwischen den Consolen sind an der Hängeplatte Casetten angebracht, zwei derselben sind mit wohl gearbeiteten Rosetten geziert und die mittleren mit zwei kreuzweise übereinander gelegten ovalen Schilden. Beim Hause des Giovanni Illić liegt ein Stück einer reich ornamentirten casettirten Decke mit Rosetten in den quadratischen, aufs Eck gestellten Feldern und Vögeln in den dreieckigen Zwickeln. Ein andres Fragment über der Thüre der Casa Don Eres. Der obere Theil (0·245 hoch, 0·90 lang) eines Grabsteins oder dgl. ist über einem Fenster des Hauses des Antonio Vučić eingesetzt. In dem unten abgebrochenen Friese stehen zwei Tritone einander symmetrisch gegenüber, mit geschultertem Pedum in der einen Hand und einem von der andern gehaltenen mit Früchten gefüllten Korb auf der Schulter; ihre schlangenförmig gewundenen, mit Flossen bedeckten Leiber füllen den Raum bis zu den Rändern. Bekrönt wird der Stein von vier mit Rosetten geschmückten Scheiben, von welchen je eine rechts und links, zwei aber in die Mitte gesetzt sind und eine Palmette tragen. Die Verbindungsstücke zwischen letzteren und ersteren sind oben concav eingezogen und mit nach aussen gewandten hundeköpfigen Seeungeheuern geschmückt. Gleichzeitig mit diesem Stücke wurden nach der Angabe des Besitzers aus demselben Sumpfe zwei seitdem verkaufte Köpfe eines Jünglings und einer Frau gezogen, welche wohl mit einem von Glavinich im Herbst 1874 gesehenen „sehr schönen“ und „mit Ausnahme einer kleinen Beschädigung

am Petasus" gut erhaltenen Mercurkopf und einem „roh gearbeiteten" weiblichen Kopf (Mitth. der Central - Comm. N. F. IV
S. XIV) identisch sind.

Ljubuski (Herzegowina). Grabstein des Andamionius,
Reiters der ersten Cohorte der Lucenses, 1·23 hoch, 0·44 breit, ge-
funden beim Hause Mandić im Jänner 1880 am rechten Ufer des
Trebisat östlich von Humać, eingesetzt in die Mauer des serbischen
Kirchhofs. Ueber der Inschrift (*Bull. dalm.* VI pag. 17 n. 4, Arch.-
epigr. Mitth. VIII S. 108 n. 17, *Archaeologia* vol. XLVIII pag. 74
Fig. 7a) ist das jetzt sehr zerstörte Bild des Reiters (nach r.) angebracht. Das Pferd hebt das linke Vorderbein. Der Reiter hält in
der Linken einen länglichen Schild nach vorne und trägt auf dem
Haupte wie es scheint eine Helmkappe. Seine Rechte ist gesenkt,
wie wenn sie einen Speer hielte, der plastisch aber nicht ausgedrückt
ist. Ebensowenig ist der Boden unter dem Pferde angedeutet.
Sattel und Zügel sind noch erkennbar. Zwei Säulen, deren Schäfte
mit aufstehenden Schuppen bedeckt und dreimal mit einem Bande
umwickelt sind, begrenzen das Bildfeld rechts und links und tragen
den Architrav und einen mit Lotoskelchen und Palmetten geschmückten Fries. Das Ganze bekrönt ein (rechts gebrochener)
Giebel; in dessen Mitte ein Gorgoneion.

Città vecchia (Insel Lesina). Auf dem Platze ist ein (Grab-?)
Cippus, vorne mit der Figur eines geflügelten Knaben in Relief aufgestellt. Dieselbe steht auf besonderem Boden mit gekreuzten Beinen
und nach l. gesenktem Haupte, legt die Linke auf die rechte
Schulter und stützt sich auf eine umgekehrte Fackel, die sie sammt
einer Traube mit der Rechten hält. Die oben und unten abschliessenden architektonischen Glieder sind mit Pflanzenornamenten geschmückt; auf dem untersten in der Mitte ein vegetabilischer Zierat
und jederseits eine Gans.

Im Kirchthurme ist innen ein schon von Fortis (*viaggio* vol. II
p. 175) erwähntes Relief (0·67 hoch, 0·72 breit) aus Marmor eingemauert, „*che rappresenta una barca a vela, col timone alla destra
della poppa, e il piloto che lo governa*" (links). Ganz ähnlich ein Relief
im Garten des erzbischöflichen Palastes zu Narbonne.

Im Hause des Pietro Nisiteo liegt nebst anderen Inschriftsteinen der Grabstein des L. Statius Marcellus (C.
I. L. 3089) aus Verbagno mit eigenartigem Reliefschmucke. In der

Mitte zwischen den herabhängenden Enden eines Festons die Protome des Verstorbenen (der Kopf fehlt), der mit der erhobenen Rechten vor die Brust ein krummes Messer und mit der gesenkten Linken eine Lanze in wagrechter Richtung hält. Unter der letzteren eine Amphora, rechts davon ein Hirsch mit zurückgewandtem Kopfe, links eine Hindin (?). Den Rändern entlang zu beiden Seiten laufende Hunde, welche fliehendes Wild verfolgen, in winzigen Figuren. Solche späte Erzeugnisse einer lokalen Kunstübung mögen zunächst die Vorbilder für die so zahlreichen altslavischen Grabsteine Dalmatiens und der Herzegowina geworden sein.

[L i s s a. Im Garten des Podestà Cav. Doimi-Delupis befindet sich eine kopflose S t a t u a t o g a t a, welche mit dem vortrefflichen Porträtkopfe des Vespasian der Sammlung Millosicz (Arch. - epigr. Mitth Jahrg. I S. 16 n. 22) zusammen unter dem Meeresspiegel im Hafen gefunden worden ist und wahrscheinlich auch zu demselben gehört (vgl. Mitth. d. Central-Comm. N. F. V p. VII). Leider erlaubte mein allzu kurzer Aufenthalt in Lissa mir nicht, die Statue zu sehen und daraufhin zu untersuchen.]

R a g u s a v e c c h i a. An der Casa des Conte Pozzo, Marina Nr. 72, links von der Thüre, ist das an allen vier Seiten gebrochene F r a g m e n t e i n e s R e l i e f s (0·605 hoch, 0·51 breit) eingemauert; es ist von ziemlich roher Arbeit. Die Darstellung ist mir unverständlich. Linkerhand steht in schräger Richtung, fast die ganze

Breite des Bruchstücks einnehmend, ein zweirädriger Wagen mit einer nach vorne ansteigenden abgerundeten Brüstung; man sieht in das Innere des Wagenkastens. Die Räume zwischen den Radspeichen sind nicht bis zur Tiefe des Reliefgrundes ausgehöhlt. Hinter dem Rade

rechts, ungefähr in der Mitte des Fragments steht eine weibliche Figur
(ihr Kopf fehlt) in Vorderansicht mit aneinander geschlossenen Beinen.
Ein Mantel, den sie mit der jetzt fehlenden Linken emporgehalten
hat, fällt hinten herab und hüllt die Beine von den Knieen abwärts ein. In der nach l. vorgestreckten Rechten hält sie zwischen
Daumen und Fingern einen runden Gegenstand, der am meisten
einem Apfel gleicht. Den rechten Arm schmückt ein breiter Reif.
Man darf in der Figur wohl V e n u s erkennen. Rechts unten gewahrt man zwei Beine zweier nach r. heftig ausschreitender Figuren.
Das eine ist von einem Himation bedeckt, an dem andern erkennt
man die Falten eines Chitons: das erstere wird demnach einer
männlichen, das zweite einer weiblichen Figur zuzusprechen sein.
— Völlig falsch in Kohl's Reise nach Istrien, Dalmatien und Montenegro Th. 2 S. 39 beschrieben; erwähnt auch von Evans *through
Bosnia and the Herzegovina* p. 386, welcher in der Hauptfigur Amphitrite vermuthet.

Im Hofe des Hauses Letunich-Nardelli in einer der höher gelegenen Strassen des Ortes ist ein Relief aus Kalkstein (0·81 hoch,
0·47 breit) mit dem Bilde eines S i g n i f e r eingemauert. Man
findet es in Evans' *Antiquarian Researches in Illyricum* (*Archaeologia*
vol. XLVIII) p. 7 in einem übel gerathenen, aus desselben Verfassers Buche über Bosnien (p. 387) wiederholten Holzschnitte, der
aber weder den Stil noch die lehrreichen Einzelheiten des Denk-
mals erkennen lässt. Letztere genau zu sehen ist allerdings stellenweise schwierig, denn das Relief ist schlecht erhalten und überdies
mit Mörtel und rother Farbe dick bestrichen. Es zeigt uns zwischen zwei Eckpilastern mit aus Blättern gebildeten Kapitälen
die aufrecht stehende, 0·62 hohe Figur des Signifers in Vorderansicht. Derselbe ist bekleidet mit der nach Soldatenart kurz geschürzten Tunica, der geschlitzten, rücklings herabfallenden Paenula
und mit den Caliga, deren Riemen wie bei den Römern auf der
Trajanssäule viermal unter der Wade um das Bein gewickelt ist.
Ueber dem oberen gebauschten Theile der Paenula um den Hals
hängt das dreieckige Ende ihres darunter hervorgezogenen Vorder-
lappens herab. Ein Thierfell, dessen Zipfel frei auf den Schultern
liegen, bedeckt den Kopf des Soldaten, der das Signum in der
Rechten, die Parma in der Linken hält. Sein Schwert ist links,
ein Dolch rechts an dem erzbeschlagenen Cingulum befestigt. An
der 0·46 langen, unten spitz auslaufenden Stange des Signums sind
oben das Querholz mit den herabhängenden Bändern, darunter die

Corona und etwas tiefer ein Medaillon mit einer bärtigen Büste (Jupiter) angebracht. Was dem letzteren folgte weiss ich nicht: aus den spärlichen Resten des hier stärker verletzten Reliefs vermochte ich keine verständliche Form zu gewinnen. [Siehe Domaszewski, die Fahnen im röm. Heere S. 73, wo auch eine Skizze dieses Reliefs mitgetheilt ist.]

[Ein Relief. eingemauert in einem Hause an der Lände „*a Cupid*“ und „*on a column in another part of the town a comic head of good workmanship*“ (Evans *through Bosnia and the Herzegovina* p. 386) habe ich nicht gesehen.]

Ungefähr eine Viertelstunde vom Orte entfernt, auf dem Colle S. Giorgio, ganz nahe der diesem Heiligen geweihten griechischen Kirche, trifft man in den lebenden Fels eingehauen die conventionelle Darstellung des stieropfernden Mithras. Das stark verwitterte, oben unvollständige Relief (ca. 0·80 breit, und in einer Höhe von ca. 0·50 erhalten) im regelmässig begrenzten, etwa 0·07 vertieften Felde zeigt Mithras mit flatterndem Mantel in der gewohnten Weise auf dem Stier knieend. Beiderseits steht je ein Knabe in kurzem Rocke und mit gekreuzten Beinen; der zur Linken senkt die Fackel, der zur Rechten erhebt sie. Ueber die Auffindung dieses Monumentes spricht Evans *through Bosnia etc.* p. 387, über seine Lage und Umgebung *Researches etc.* p. 19. In dem letzteren Werke ist p. 21 Fig. 7 auch ein ähnliches Relief über der Mündung der Kalksteingrotte „Tomina Jama“ bei Mocici (Canali), von besserer Erhaltung und mit reicherem Beiwerke abgebildet.

R i s a n o (Rhizon). Charakteristisch ist die Form einiger hier gefundener Grabsteine. Auf würfelförmigem Sockel, der an der Stirnseite in eingerahmtem Felde die Inschrift trägt, erhebt sich ein in der Mitte anschwellender Kegel mit einem ringsumlaufenden Leistchen oder Kranze unterhalb der abgestumpften Spitze. Er erinnert an die phallischen Gräbersymbole Vorderasiens (Weber, *le Sipylos et ses monuments* pl. II). Drei solcher Grabsteine habe ich in Risano gesehen (C. I. L. 1725; *Ephem. epigr.* 6360, ca. 0·70 hoch, 0·30 breit; Arch.-epigr. Mitth. VIII S. 105 n. 4, nach Evans *researches* p. 47 *found in the campagna of Paprenica*). Der Untersatz (0·34 hoch, 0·25 breit) eines vierten ist im naturhistorischen Museum zu Ragusa.

P e r a s t o. Im Hause des Conte Martino Viscovich, eingemauert im Hofe: Fragment eines Grabsteins aus weissem Marmor, 0·447 lang,

0·30 hoch. Zwei Pilaster tragen den mit einer Rosette geschmückten Giebel und den Architrav mit der Inschrift:

	(sic)			(sic)
(sic) ZOP₁KIΩI	ΗΓΗΣΙΑΣ	MENEBPATHΣ		
ΦΙΑΩΝΟΣ	ΘΕΩΝΟΣ	MENEK		

im Bildfelde: (sic) XAIPETE

Ζορικίῳ Φίλωνος   Ἡγησίας Θέωνος   Μενεκράτης Μενεκ[ράτους
[Χορικίῳ?]   χαίρετε

Vom Relief zwischen den Pilastern sind nur die (etwas verstossenen) Köpfe der drei Verstorbenen antik, die Körper der Figuren aber in Gips übel genug ergänzt. Links das verschleierte Haupt der nach r. sitzenden Frau in Profil (sie hielt einen noch erhaltenen Spiegel in der Hand); in der Mitte der Kopf des Hegesias, rechts der des Menekrates. Ersterer ist der jüngere, letzterer der ältere; beide in Vorderansicht und bartlos; ihr Haar ist in die Stirne gestrichen. Gefunden wurde das Bruchstück in Risano, was nach Herrn Gelcich's freundlicher Mittheilung in A. Ballovich-Dentali's „*i fasti di Perasto*", einem Manuskripte aus dem 17. Jahrhundert in der Bibliothek Viscovich (jetzt in Sulina), bezeugt wird. G. Gelcich, *memorie storiche sulle bocche di Cattaro* (Zara 1880) S. 11 n. 4; H. Cons, *la province romaine de Dalmatie* (Paris 1882) p. 250.

Cattaro. Auf dem Platze die Basis C. I. L. 713, 1·14 hoch, vorne (0·82 breit) die Inschrift, am Rande ringsum Gewinde; auf der Schmalseite rechts: männliche Figur in kurz gegürtetem Chiton, mit gesenkter Rechten, links davon ein aufspringender Hund; auf der Schmalseite links: Figur mit überschlagenen Beinen und verschränkten Armen, mit rückwärts herabfallendem Mantel — wohl ein Gefangener. Die Köpfe beider Figuren fehlen.

Es bliebe in meinem Berichte eine ungefüllte Lücke, würde ich nicht wenigstens mit ein par Worten der grossen Menge geschnittener Steine gedenken, welche auf dalmatinischem Boden unaufhörlich zum Vorschein kommen. Man findet sie allerorten, wo antike Ansiedlungen gestanden, in Podgradje und Kistanje, in Sinj und Gardun, in Viddo und Ragusa vecchia und auf den Inseln. Schier aber in überschwänglicher Fülle bieten sie sich auf dem Boden Salonas bei jedem Spatenstiche dem Grabenden dar. Man schloss aus ihrer Menge auf ihre ausgedehnte Verwendung an der

Tracht der alten Dalmater, bei welchen die Lust am Schmucke
sich wohl in demselben Maasse wie heutzutage bei den Morlaken
und Canalesen bethätigt hat, und der massenhafte Bedarf dieser
Steinchen legt es nahe, den Sitz ihrer Production im Lande selbst
zu vermuthen. Es sind meist Intaglios in Carneol, Jaspis, Amethyst
oder Onyx von mehr oder minder flüchtiger, selten von wirklich
vorzüglicher Ausführung. Irre ich mich nicht, so treffen sie in der
Arbeit wie in dem Kreise ihrer Vorstellungen mit den in Aquileja
gefundenen zusammen, weshalb vielleicht auch dort die Stätte ihrer
fabriksmässigen Erzeugung zu suchen wäre. Sie sind seit jeher in
alle Länder verstreut und verkauft worden, und so kann es nicht
befremden, dass die einheimischen Gemmensammlungen nicht im
Einklange zur Ergiebigkeit des Bodens stehen. Es ist bezeichnend,
dass das Museum in Spalato in dem langen Zeitraum von 1818
bis 1873 nicht mehr als 47 geschnittene Steine zusammengebracht
hatte, in den nächsten fünf Jahren deren Zahl aber verzehnfachen
konnte. Kleinere Sammlungen sah ich beim Cav. Antonio Comaretto
in Benković, bei Girolamo Marincovich in Sebenico und bei Antonio
Rossi in Makarska, dessen früheren Besitz an Gemmén das Museum
in Spalato erworben hat. Die Katalogisirung der ihrer lokalen
Herkunft nach gesicherten Intaglien wäre keine undankbare Aufgabe, und würde diese kleinen Denkmäler der wissenschaftlichen
Forschung, welche denselben bisher aus dem Wege zu gehen
scheint, wieder zurückgewinnen können. Kritischer Sichtung bedürfte
das Materiale allerdings um so mehr, als das unzweifelhaft Echte
und Gute vielfach untermischt mit modern italienischer Waare ist,
die noch heutzutage namentlich bei den Canalesen starken Absatz
findet. Ein begonnenes Verzeichniss der geschnittenen Steine des
Museums in Spalato im *Bullettino di arch. e stor. dalm.* vol. II p. 131,
147, 163, vol. III p. 5, wurde leider vorzeitig unterbrochen.

Nur beispielshalber seien hier einige Stücke genannt. Der
schönste aller im Lande bisher gefundenen Steine ist der oben abgebildete Cammeo aus Onyx mit einer oberen weissen, einer mitt-

leren rosenfarbigen und einer unteren dunklen Schichte (20 Mill.
hoch und 16 br.). Er zeigt zwei gepaarte, nach links blickende,
mit einer Tänie geschmückte Porträtköpfe eines Mannes und einer
Frau. In dem ersten wollte man den illyrischen König Ballaios
erkennen, wohl ohne einen Schein des Rechtes (man vgl. dessen
Bildniss in Imhoof-Blumer, Porträtköpfe auf antiken Münzen hellenischer und hellenisirter Völker Taf. II 19). Der Camee ist
nicht gerade von sehr feiner Arbeit, schien aber auch mir griechischen Ursprungs. Er befand sich früher im Besitze des Antiquars
V. Solitro, von dessen Erben Conze ihn erwarb und dem Spalatiner
Museum schenkte. Vgl. *Bullettino dalm.* vol. II p. 132 n. 5.

Die zweite Abbildung gibt einen vertieft geschnittenen Carneol
desselben Museums mit dem widdergehörnten Kopfe Alexander des
Grossen. Er wurde in Salona gefunden (1873 erworben).

Häufig, wie es bei einem seefahrenden Volke nicht befremden
kann, sind die Darstellungen der Dioskuren. Ich notirte folgende:

Carneol in der Sammlung Comaretto. Castor und Pollux
stehen neben einander mit zurückgewandtem Haupte nach r., halten
in der Linken den Speer, in der Rechten, die sie in die Hüfte
setzen, das Schwert. Sie sind nackt, nur über den rechten Vorderarm hängt eine Chlamys. Ueber jedem ein Stern.

Carneol ebendas. Die Dioskuren stehen mit zurückgewandtem
Kopfe von einander abgekehrt, halten in der erhobenen einen Hand
den Speer, während um den andern in die Hüfte gestemmten Arm
die Chlamys gewickelt ist. Ueber jedem ein Stern.

Carneol im Museum zu Spalato. Desgleichen.

Carneol in der Sammlung Comaretto. Die Dioskuren zu Pferde
einander gegenüber. Sie sind mit dem Speere bewehrt und mit
flatternder Chlamys bekleidet. Ueber jedem ein Stern, dazwischen
die Mondsichel.

Carneol im Museum zu Spalato. Die Dioskuren, mit dem
Speere bewaffnet, stehen neben ihren Pferden von einander abgekehrt, die Köpfe zurückwendend. Ueber jedem ein Stern, dazwischen die Mondsichel.

[Carneol aus Salona in der kais. Antikensammlung (n. 1405).
Einer der Dioskuren, durch den Stern über seinem Haupte gekenn-
zeichnet, mit dem Speere in der erhobenen Linken steht bei seinem
Pferde nach links.]

Wien   ROBERT SCHNEIDER

Die Irisschale des Brygos

Das köstliche Bild des Brygos (*Monumenti inediti dell' Inst.* IX 46 und Wiener Vorlegeblätter VIII Taf. VI), Iris darstellend, welche flüchtigen Laufes der zudringlichen Begier zweier Satyrn zu entgehen sucht, die sie schon an Armen und Gewand zu halten suchen, und eines dritten, der nicht minder flüchtigen Laufes als Iris selbst, sie zu fassen eilt, während der bärtige Dionysos am Altar stehend mit Stab und Kantharos ruhig zuschaut, dies Bild gab nur vollständiger, charakteristischer und geistreicher, was man schon auf zwei früher bekannten, falsch gedeuteten Vasenbildern (Welcker Alte Denkmäler III Taf. XVI S. 243) gesehen hatte. Neu und überraschend war aber, von einem gleichzeitigen Vasenmaler Iris in der nämlichen Weise von Kentauren angefasst und angehalten zu sehen: *Journal of hellenic studies* I pl. III. Der Herausgeber Sidney Colvin hat für dies neue Bild die directe Quelle nicht genauer anzugeben gewusst, als man sie für Iris und die Satyrn ermittelt hatte, indem man an eine einigermassen ähnliche Scene in den Vögeln des Aristophanes und an das Vorkommen der Iris in Satyrspielen des Sophokles und Achaios, hier gar als Hauptperson, erinnerte.

Es ist wohl möglich, ja wahrscheinlich, dass Satyrspiel oder Komödie die Anregung zu dem einen wie dem andern Bild gegeben, aber wenn wir diese nächste 'Quelle', um mich dieses Ausdrucks zu bedienen, jener Darstellungen nicht kennen, so können wir dagegen die Quelle dieser Quelle, wie ich meine, mit Bestimmtheit in einer vorliegenden Dichtung nachweisen, welche Iris zwar weder von Satyrn noch Kentauren umworben darstellt, aber von Wesen denen Satyrn und Kentauren allem Anschein nach von Ursprung her gleich waren, nämlich von den Winden. Ilias 23, 194, da der Scheiterhaufen des Patroklos nicht brennen will, ruft Achilleus Boreas und Zephyros zu Hilfe. Iris überbringt das Gebet den Winden:

οἱ μὲν ἄρα Ζεφύροιο δυσαέος ἀθρόοι ἔνδον
εἰλαπίνην δαίνυντο· θέουσα δὲ Ἶρις ἐπέστη
βηλῷ ἔπι λιθέῳ· τοὶ δ'ὡς ἴδον ὀφθαλμοῖσιν
πάντες ἀνήιξαν κάλεόν τέ μιν εἷς ἓ ἕκαστος
ἡ δ' αὖθ' ἕζεσθαι μὲν ἀνήνατο, εἶπε δὲ μῦθον
Οὐχ ἕδος u. s. w. sie wolle zu den Aithiopen zum Opferfest.

Diese Stelle, deren Beziehung zu dem Bilde des Brygos mir schon seit langem klar war, ist kürzlich von H. E. Meyer in seinem trefflichen Buch über die Gandharven-Kentauren S. 196 auf die von Matz in der Archäol. Zeitung 1875 Taf. 4 veröffentlichte Reliefdarstellung angewandt, um die von Matz abgelehnte Deutung der weiblichen Gestalt zwischen zwei Windgöttern auf Iris zu stützen. Er mag Recht haben, aber indem die Windgötter dort nur ihrem Blasen ergeben sind, die Läuferin ungehindert weiter eilt, fehlt eben die charakteristische Begehrlichkeit der Winde gegenüber der Iris, wie sie in der Ilias ausgesprochen, in jenen Vasenbildern dargestellt ist, allerdings auf Satyrn und Kentauren übertragen. Man wird ja nicht das geltend machen wollen, dass dort nicht gesagt wird, dass die Winde die Iris anfassen und dass die Begehrlichkeit der Iris gegenüber in der Ilias bei ihrer Ankunft, vor Ausrichtung des Auftrags, in den Bildern bei dem Forteilen hervorbricht: im Bilde musste dies aus jenem werden, das εἰς ἓ ἕκαστος aber ist in den Bildern nach Möglichkeit wiedergegeben.

Dass nun Kentauren und Satyrn (Seilene) nach Form und Wesen verwandt, dass die einen und die anderen nur localverschiedene Ausprägungen derselben Urvorstellungen sind, ist oft genug und namentlich in neuerer Zeit ausgesprochen und ausgeführt; dass die Kentauren mythisch die Wolkenstürme sind, das hat Mannhardt (Wald- und Feldculte II, besonders S. 100 f., allerdings mit starker Betonung ihrer Waldnatur) gezeigt o h n e die Identität mit den Gandharven anzuerkennen, das hat m i t Anerkennung und sichrerer Begründung dieser Identität H. E. Meyer erwiesen, und Niemandem entgeht es, dass gerade an jener Stelle der Ilias die im Verein drinnen — in einer Grotte oder einem Palast? — zechenden oder schmausenden, beim Anblick des Weibes dann begehrlich auffahrenden, hernach ἠχῇ θεσπεσίῃ νέφεα κλονέοντε davonstürmenden Winde den Satyrn und Kentauren zum Verwechseln ähnlich sehen, namentlich wenn man die nicht an dieser aber wohl an anderen homerischen Stellen hervortretende Rossnatur der Windgötter dazuhält.

Auch das Gegenstück, welches Brygos auf derselben Schale gemalt, und wie es scheint hatte auch der Florentiner Kentaurenskyphos ein andres Kentaurenbild als Gegenstück: Hera vor ähnlicher, doch etwas mehr zurückhaltender Zudringlichkeit der Satyrn durch Herakles' Energie und Hermes' Ermahnungen geschützt, führt uns in denselben Zusammenhang. Denn wer erinnert sich nicht, dass Hera wie von Giganten — auch sie ja nur eine andere Mythisirung gleichartiger Naturerscheinungen — so auch namentlich von Ixion dem Stammvater der Kentauren mit brünstigem Begehren verfolgt wird.

Prag
E. PETERSEN

Die römischen Grenzwälle in der Dobrugea*)

Zwei Besuche in der Dobrugea, der eine im September des vorigen Jahres, der andere Anfang Januar des laufenden unternommen, setzen mich in den Stand eine eingehende Beschreibung der dortigen Römerwälle zu liefern. Was wir bisher über diese Anlagen wussten, war höchst dürftig. Moltke widmet ihnen in seinen türkischen Briefen gelegentlich eine Seite und einiges Nähere brachten v. Vincke in dem Aufsatze über das Karasuthal (Monatsber. d. Berl. Ges. f. Erdk. 1839/40) und Peters in seiner Geologie und Geographie der Dobrugea (Wien 1867). Aber für alle diese Männer hatten die Wälle nur ein nebensächliches Interesse, und wie sehr man es vermeidet sich in diesen Gegenden mit Nebendingen aufzuhalten, das weiss Jeder, der einmal dort war. Es sind eben immer noch die *loca felici non adeunda viro* des verbannten Ovid, baumlos, wasserlos, die reine Steppe, unerträglich heiss im Sommer und unerträglich kalt im Winter, der ärgste Fieberherd von ganz Rumänien. Da erklärt es sich wohl, dass v. Cohausen in seinem grossen Werke über den römischen Grenzwall in Deutschland, das vorigen Sommer erschien, alle möglichen Anlagen ähnlicher Art, die römischen Befestigungen in Britannien, ferner österreichische,

---

*) In der Schreibung der Ortsnamen herrscht grosse Verwirrung. Jeder sucht ihre Aussprache mit seinen eigenen Lauten darzustellen und verändert dabei das Wort oft so, dass es nicht wiederzuerkennen ist. Namen, für die wir keine besondere deutsche Form haben, belassen wir am besten in ihrer heimischen Orthographie, besonders wenn deren Aussprachsregeln uns nahe liegen. Es fällt niemandem ein, italienische Städte, wie Reggio und Civita vecchia, auf deutsch etwa Redschio und Tschivita wekia zu schreiben. Demnach sollte man der nächsten Schwestersprache des Italienischen nachgerade dieselbe Gerechtigkeit widerfahren lassen und mit Schreibungen wie Dobrudscha und Tschernawoda, die sich noch auf allen Karten finden, aufhören. Die Aussprache des c und g ist im Rumänischen genau dieselbe wie im Italienischen.

russische, böhmische, argentinische Grenzwehren zur Vergleichung heranziehen konnte, nur die Dobrugeawälle nicht, obgleich gerade diese ihm das interessanteste Seitenstück hätten liefern können.

An der Donau zwischen Rasova und Cernavoda beginnend, laufen die Wälle in gerader östlicher Richtung bis nach Küstenge am Schwarzen Meere. Sie haben damit jene Linie gewählt, die schon als kürzeste Verbindung zwischen Fluss und Meer von Bedeutung ist, aber durch ihre besondere Naturbeschaffenheit sich noch auffallender hervorthut. Von Cernavoda aus zieht nämlich ein breites, tiefes Thal in's Land, das sich nur wenig über den Donauspiegel erhebt, zum grossen Theil von Sumpfseen bedeckt ist und erst $^3/_4$ Meilen vor Küstenge sein Ende erreicht. Schon in den dreissiger Jahren unseres Jahrhunderts dachte man daran, hier einen Canal anzulegen, um den grossen Umweg, den der Schiffsverkehr über Braila und Galaz nach Sulina macht, zu vermeiden, gab aber wegen des felsigen Grundes, der besonders vor Küstenge in ziemlicher Höhe (161 Pariser Fuss) abzutragen wäre, den Plan wieder auf und baute 1862 die Eisenbahn.

Dieser Strecke also haben die Römer die wichtige Rolle einer Grenzmark übertragen, und zwar verfuhren sie dabei in der Weise, dass sie das sumpfige Thal gegen den Feind hin vor sich liessen und dicht dahinter ihre Befestigungen anlegten. Nicht e i n e n, wie der volksthümliche Name „Trajanswall" vermuthen lassen sollte, auch nicht zwei, wie unsere Karten gewöhnlich angeben, sondern drei stattliche Wälle sehen wir auf dem südlichen Höhenrücken entlang ziehen. Zwei davon sind aus Erde aufgeworfen, aber von ganz ungleicher Höhe und Stärke, zur Herstellung des dritten waren Steine mit in Verwendung gekommen. Und so verschieden wie die Construction dieser Wälle ist, so verschieden ist auch ihre Befestigungskette von Wachthäusern, Lagern, Castellen, sowie der Weg, den jeder einzelne durch das vielverzweigte Hügelland einschlägt. Diese Selbständigkeit der einzelnen Wälle nöthigt uns, bei ihrer Beschreibung jeden für sich zu verfolgen und somit eine dreimalige Begehung vom Schwarzen Meere bis zur Donau vorzunehmen, wie ich sie auch in Wirklichkeit habe ausführen müssen. Bevor wir uns aber hierzu anschicken, noch ein Wort über die Hülfsmittel, auf denen die beigegebenen Skizzen vom Verlauf und Profil der Wälle beruhen.

Mein erster Aufenthalt in der Dobrugea umfasste acht Tage. In dieser Zeit beging ich die Strecke des südlichen kleinen Erdwalls

von Küstenge bis Murfatlar und die des grossen Erdwalls von
Küstenge bis Megidie zu Fuss; verfolgte zu Pferde den Steinwall von Murfatlar bis Cernavoda, den grossen Erdwall von der
Donau bis zum See und den kleinen weiter bis Murfatlar. Zwei
Rasttage in Küstenge machten mich mit Tomi und seiner Umgebung vertraut. In den drei Januartagen meines zweiten Besuches
konnte ich schon auf der Eisenbahnfahrt von Cernavoda nach
Küstenge manches nachprüfen und ritt dann vom Meere bis Murfatlar, sowie von Megidie bis kurz vor Cernavoda am Steinwall entlang. Das erste Mal stand mir nur die österreichische
Generalstabskarte (Masstab 1:300.000) zu Gebote, die die Wälle nicht
nur äusserst lückenhaft, sondern auch häufig falsch angibt und in
der Terrainzeichnung Alles zu wünschen übrig lässt. Nachher
bekam ich durch die Güte Mommsens russische Generalstabs-
aufnahmen aus dem Petersburger Kriegsministerium, und mit deren
Hilfe bin ich nun im Stande, den ganzen Weg der Wälle, wie er
sich von Hügel zu Hügel fortsetzt, darzustellen. Die Topographie
dieser Karte ist ausgezeichnet und durchaus zuverlässig. In Bezug
auf die Wälle weist auch sie freilich grosse Lücken auf, wie
z. B. der Steinwall nur von Küstenge bis Alakap darauf steht;
aber wo sie ein Stück zeichnet, kann man auch immer sicher sein,
dass es so läuft wie sie es zeichnet. Ich habe die Art der Terrainzeichnung sowie auch den Masstab dieser russischen Karte beibehalten.

Meine Profile sind in nicht sehr kunstgerechter, aber wie ich
glaube praktischer und auch genügend verlässlicher Weise aufgenommen. Einen 8 M. langen Bindfaden hatte ich durch Knoten in ganze
und halbe Meter abgetheilt und mit einem Ende an einen Pflock
befestigt. Diesen Pflock steckte ich oben auf dem Wall in die Erde
und ging nun mit dem Bindfaden abwärts, bis er in wagerechter
Spannung meinen Scheitel erreichte. Auf die Länge, die der
Faden bis hierher auswies, konnte ich dann eine Absenkung des
Walles von 1·75 M. notiren; für besondere Fälle war natürlich
der Meterstab zur Hand. Freilich konnte ich mit dieser Methode
immer nur abwärts messen, ging also erst von der einen und dann
von der andern Seite bis zur Grabensohle herunter: v. Cohausen
meint (p. 5), „man wird in den meisten Fällen ein paar passend
stehende Bäume finden, die das Geschäft erleichtern", aber da diese
edle Naturgabe unserer Strecke nur in einem einzigen Exemplar,
einer grossen Akazie vor dem Bahnhof in Murfatlar, zu Theil geworden ist, so musste ich mir schon allein zu helfen suchen.

Die Richtung des Walles habe ich, besonders so lange ich zu Fuss ging, genau nach dem Compass verzeichnet und damit ein viel detaillierteres Bild von dem Verlaufe der Linie gewonnen, als es sich auf der beigegebenen kleinen Karte darstellen lässt. Die Entfernungen sind nach Minuten und Schritten gemessen, 1 Minute zu 50 Doppelschritten, gleich 75 M. gerechnet. Auch die Pferdeschritte lassen sich nach demselben Satze in Meter umrechnen, da das Thier, wie ich aus der Nachmessung grösserer Strecken gesehen habe, bei ruhigem Gang genau so weit ausschreitet wie der Mensch; nur geht es stets rascher als dieser, und das Verhältniss seiner Schritte zur Minute wird dadurch ein anderes.

Da in der Einöde ausser den spärlichen durchschneidenden Chausséen alle Wahrzeichen fehlen, nach denen man irgend einen Punkt des Walles bestimmen könnte, so habe ich, so oft eine Ortschaft in Sicht kam, die Richtung, in welcher dieselbe erschien, verzeichnet.

Die Wälle beginnen alle drei ein Stück südlich von Küstenge, das von den Rumänen jetzt wieder mit seinem unverdorbenen Namen Constanza genannt wird. Die Stadt liegt auf einer Landzunge und verdankt jedesfalls den im S. und N. sie begrenzenden Meereseinschnitten ihren alten Namen Τόμοι. Der grössere südliche Golf, in dem sich auch der Hafen befindet, bildet an seiner Westseite zwei stumpfe Winkel, den einen dadurch, dass die von S. herlaufende Küstenlinie sich nach NO. wendet, den andern, indem diese nordöstliche Richtung in eine rein östliche übergeht. An dem ersteren Punkte beginnt der grosse Erdwall und der Steinwall, an dem zweiten der kleine Erdwall. Beide Stellen sind von einander, und die der Stadt zunächstliegende wieder von dieser, d. h. vom Bahnhofe, 1 Kilom. entfernt.

Der Steinwall und grosse Erdwall laufen dicht neben einander geradeaus nach W., 2½ Kilometer vom Meere kreuzt sie der kleine Erdwall, der sich nach S. wendet und bis zur Donau hin immer oben auf der Hochebene bleibt. Die beiden anderen halten sich noch eine Weile bei einander, dann aber gehen sie, der Steinwall nach S., der Erdwall nach N., ihre eigenen Wege und kommen erst 1 Stunde hinter Alakap wieder zusammen. Hinter Megidie hört der grosse Erdwall auf, und der Steinwall läuft allein auf dem Südrande des Thales weiter, bis er am Ende des letzten Sees, 1½ Stunden von Cernavoda, direct zur Donau hin abbiegt. Etwas

vorher beginnt an demselben See ein neues Stück des grossen
Erdwalls, das sich gleich in's Land hineinwendet und nach seiner
Vereinigung mit dem kleinen Erdwall den Fluss erreicht.

Verfolgen wir jetzt diese Schicksale der Wälle im Einzelnen,
und fangen mit der einfachsten und isoliertesten Linie an.

Der kleine Erdwall

An der beschriebenen nördlichen Biegung der hier 50 M. hoch
schroff aus dem Meere aufsteigenden Küste ist ein 3 M. hoher
rasenbewachsener Erdaufwurf sichtbar, der trotz der vielfachen
Zerrissenheit des Terrains sich unverkennbar als Anfang des Walles
kundgibt. Aber schon nach 87 M. verschwindet er wieder, denn es
schneidet in breiter Linie Chaussée und Eisenbahn durch, und
drüben hat in bunt zusammengewürfelten Hügelgruppen das Wasser
so viele Veränderungen angerichtet, dass sich der Zug des Walles
nicht mehr aufzeigen lässt. Erst bei einer weiterhin kreuzenden Fahrstrasse, nach einer Unterbrechung von 450 M., erscheint der Vermisste wieder, freilich in weit schwächerer Gestalt, die jedoch, wie
sich bald herausstellt, seine gewöhnliche ist. Profil 1, das gleich
hinter dem Fahrwege aufgenommen ist, stellt somit ungefähr die

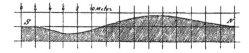

Fig. 1.

Durchschnittsform dar. Zugleich wird an dieser Stelle klar, was
in der unregelmässigen Ufergegend noch zweifelhaft sein konnte, dass
der Graben an der Südseite liegt, damit also die Vertheidigungsfront des Walles nicht, wie man erwarten sollte und wie es auch
bei den anderen Linien der Fall ist, gegen N., gegen das Barbarenland, sondern gegen Süden, gegen der Römer eigenes Gebiet
gerichtet ist. Von einer ähnlichen Erscheinung in England spricht
v. Cohausen p. 309.

Man sieht unsern Wall nun in westsüdwestlicher Richtung das
langsam ansteigende Feld hinaufziehen und sich den beiden andern
allmählich nähern Auf dieser Strecke sind, 1¹/₂ Kilom. vom Meere
entfernt, neun moderne Schanzen schräg in seine Krone eingeschnitten. Solche Anlagen, die fast immer aus dem letzten russisch-

türkischen Kriege stammen, finden sich weiterhin noch öfter; Fig. 2
stellt den Zustand an unserer Stelle dar. Einen Kilometer später
schneidet die Eisenbahn den Wall, und nach einem weiteren Kilometer findet die Kreuzung mit den zwei anderen Wällen statt, deren
Verhalten bei dieser Gelegenheit ein interessantes Licht wirft auf
das Altersverhältniss der beiden Theile. Die vereinigte Linie von

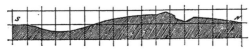

Fig. 2.

Steinwall und grossem Erdwall zieht nämlich in voller Breite und
ohne dass ihr Schanz- und Grabenwerk im mindesten angetastet
würde, über diese Stelle hin, hat somit den kleinen Erdwall rück-
sichtslos durchbrochen: derselbe hört vor dem Graben des grossen
Erdwalles auf und fängt erst hinter der Abdachung des Steinwalles
wieder an. Wären die Wälle alle zu gleicher Zeit entstanden, so
begriffe man wohl überhaupt nicht, dass sie sich schneiden; sind
sie aber ungleichen Alters, so ist klar, dass der kleine Erdwall
zuerst da war und nachher, als Mächtigere kamen, Platz machen
musste.

Bis zum Kreuzungspunkte sah man rechts und links keinerlei
Anbau, sondern nur Weide, hinter demselben aber beginnen jetzt
Kornfelder, und der Wall, dessen Erdmasse unter dem Pfluge des
Landmannes auseinander geflossen ist, zeigt hier ein sehr flaches

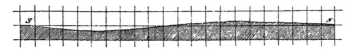

Fig. 3.

Profil (vgl. Fig. 3). Allmählich erhebt er dann seinen Rücken wieder
und nachdem die Bahn zum dritten Male durchgegangen ist, 1·5
Kilom. hinter dem Kreuzungspunkte, wird er so stattlich wie sonst

Fig. 4.

nur selten (Fig. 4). Der Getreidebau setzt sich auch hier an beiden
Seiten fort, aber er hat den Wall selbst unberührt gelassen.

Beim vierten Bahndurchschnitt kreuzt zugleich die grosse südlich nach Jedi Oluk (a. d. russ. K. Hasdorlük) führende Heerstrasse. Hier trennen sich Bahn und Wall auf Nimmerwiedersehen, denn nun beginnt mit einer leichten Einsenkung das Karasuthal, das der Eisenbahn ihren natürlichen Weg weist, während der Wall es auf die Höhen abgesehen hat. In westsüdwestlicher Richtung zieht er eine Erhebung hinauf, die auch der Steinwall mitsteigt. Während dieser aber nach einer kurzen Probe auf die Hügelwanderung verzichtet, bleibt der kleine Erdwall seinem Vorhaben getreu und schreitet in fortwährendem Auf und Nieder unverdrossen über den dornigen Rücken der Hochebene hin. Es ist keine beneidenswerthe Aufgabe, diese Wanderung mitzumachen; sie gehört zu den schlimmsten Erinnerungen meines Lebens. Anstrengender Marsch, glühende Hitze, die eben so glühenden Durst hervorruft, der mitgenommene Vorrath längst erschöpft, auf dem ganzen Wege aber kein Tropfen Wasser und kein menschliches Wesen zu entdecken: es genügt, um einen zur Verzweiflung zu bringen.

2·25 Kilom. nach dem Verlassen der Bahn ist der Wall auf der ersten Anhöhe (A) angelangt. Man sieht hier den Steinwall ganz nahe nebenherziehen und grosse behauene Blöcke neben ihm umherliegen. Auch auf unserer Linie zeigen sich hier plötzlich Steine. Schon 300 M. zurück waren einige Brocken zu sehen gewesen; auf dem höchsten Punkte fand ich jetzt mehrere grössere Stücke wie zum Feststecken einer Fahnenstange zusammengelegt und daneben im Graben ein paar Erlenbüsche gepflanzt; fröhliche Schnitter schienen vor kurzem dort gelagert zu haben. Wieder 300 M. weiter aber war das ganze Feld mit Steinen übersäet. Alle zeigten unregelmässige Bruchformen, die stärksten einen Durchmesser von 20—30 Ctm. Sie bestanden aus grauem und gelbem Kalk und waren durch den Pflug weit verstreut, so dass sich von einer bestimmten Anlage keine Spur mehr erkennen liess

Die Erhebung des Walles ist hier sehr schwach, nur der Graben hat seine gewöhnliche Tiefe behalten (vgl. Fig. 5); weiterhin

Fig. 5.

sieht man auch diesen vom Kornbau geebnet und die Linie nur durch eine kaum wahrnehmbare Schwellung der Ackerkrume fort-

geführt. Einen Kilometer hinter *A* wurde im WNW. das Dorf
Hasangea sichtbar. In der Senkung, die der Wall dann durch-
schreitet, verschwindet er auf eine Strecke von 100 M. völlig, so
stark hat ihm hier der Ackerbau zugesetzt. 850 M. weiter, 3 Kilom.
hinter *A*, hat er eine zweite Höhe (*B*) erklommen, von der aus
man Hasangea jetzt im NNW. liegen sieht und 500 M. dahinter
finden sich abermals viele Steine, darunter diesmal auch einige behauene, doch ohne dass sich weitere Anhaltspunkte ergäben. Nach
600 M. schneidet dann ein nach Hasangea führender Fahrweg
und wieder nach demselben Zwischenraum ein zweiter, der gleich
nördlich in den vorigen einmündet.

Neun Minuten später, also 2·20 Kilom. von *B* entfernt, befinden wir uns auf einer dritten Höhe *C*. Der Wall lässt hier dicht
zu seiner Linken einen Tumulus liegen, der auf seiner Spitze einen
grossen Muschelkalkblock trägt. Hasangea erscheint fast rein im
Norden, mit 10⁰ Abweichung nach Osten.

Nach längerem ebenen Fortziehen und Durchschreiten einer
Senkung, einem Wege von im Ganzen 2·5 Kilom., folgt Höhe *D*,
von der man nördlich Omurgea erblickt; 300 M. weiter, direct
vor dem steilen Abstieg in's Thal, liegen wieder eine Menge Steine
zerstreut.

Ich bin noch mit dem Wall über die nächste Erhebung ge-
stiegen (3 Kilom.), dann aber in der durchschneidenden Thalsenkung
nach Murfatlar abgebogen (bei *E*). Die folgende Partie von 6 Kilom.
habe ich somit nicht selbst gesehen, denn der Ritt, den ich einige
Tage später von der Donau her unternahm, endigte südwestlich von
„Turk Murfat" — so unterscheidet das Volk dies Dorf nach seiner
Einwohnerschaft von dem dreiviertel Stunden weiter östlich am
Bahnknie gelegenen „Tartar Murfat" — aber die Uebereinstimmung
der österreichischen und russischen Karte lässt keinen Zweifel
darüber, dass der Wall hier in aller Ordnung seinen Weg fortsetzt.

Wo der Fahrweg von Megidie nach Jeski Bilbiler schneidet,
steht östlich eine Windmühle auf dem Wall; an dieser Stelle beginnen wieder meine eigenen Erfahrungen. Von hier aus bin ich
gerades Wegs in 20 Minuten nach Turk Murfatlar geritten: die Entfernung beträgt also beinahe 2 Kilom., wie auch die russische Karte
richtig angibt, während die österreichische den Wall in unmittelbare
Berührung mit dem Dorfe bringt. Aehnlich verhält sich's mit der
Lage von Karakiöi (50 Min. weiter), das sich nach der österreichischen Karte südlich vom Walle befinden soll, während es nach

der russischen und in Wirklichkeit nördlich in einer Thalsenkung verborgen liegt. Der Fehler der österreichischen Angabe besteht darin, dass sie den Wall auf dieser Strecke zu weit nach Norden gerückt hat; die Ortschaften selbst stehen an ihrem richtigen Platze.

Auch die nun folgende grosse Lücke ist nur auf der russischen Karte richtig verzeichnet. 2 Kilom. hinter Karakiöi nämlich hört der Wall plötzlich mitten im Felde auf, ohne seinen weiteren Lauf auch nur durch die leiseste Spur zu verrathen. Es bleibt uns also nichts übrig, als führerlos über die unwegsame Steppe weiter zu reiten und das Wiederauftauchen des launigen Reisegefährten in Geduld zu erwarten. Ein Glück war es dabei, dass ich von Westen kam und nur in der zuletzt verfolgten Richtung weiter zu reiten brauchte, um die Fortsetzung gleich an der richtigen Stelle aufzufinden; wäre ich von Osten gekommen, wo der Wall gleich zu Beginn des verlorenen Stückes seinen nordwestlichen Lauf in einen rein westlichen umgewandelt hat, so hätte ich wohl lange suchen können.

Einen Kilometer vor der letzten der grossen Heerstrassen, die Megidie mit dem Süden verbinden, fängt der Wall dann ebenso unvermittelt wie er aufgehört wieder an. Die ganze Unterbrechung beträgt 6 Kilom., aber sie lässt sich gerade an dieser Stelle leicht erklären durch die Nähe von Megidie, dieser einst mächtigen Stadt, die einen weitberühmten Markt besass und damals wohl auch die Alles ebnende Cultur des Bodens weit genug um sich her betrieb, um mit den störenden Ueberbleibseln der Vergangenheit aufzuräumen.

Der Wall hält sich jetzt mit mehrfachen Windungen auf der Wasserscheide zwischen dem Cernawodaer und dem Kokerlener Thale. 5·5 Kilom. hinter der letztgenannten Heerstrasse kreuzt er den einfachen, von Megidie nach Rasova gehenden Fahrweg an einem hochgelegenen Punkte, von dem aus sich vier Tumuli auf einer Seitenerhebung nach Norden hinziehen. Nach 15 Minuten erreicht er einen anderen Tumulus, den er dicht zur Rechten liegen lässt ("neue Colonie" im N.), wendet nun direct nach NW., biegt aber nach 30 Minuten wieder ab, um einen links liegenden Tumulus zu umgehen; von diesem aus sieht man die neue Colonie am Nordufer des grössten Karasu-See's im NNO. (20°) liegen. Der Wall ist nachher ein Stück weit verwischt, wird aber 20 Minuten hinter der eben beschriebenen Stelle, bei einem Tumulus über der Südspitze des Kokerlener See's wieder sichtbar, trägt hier einige moderne Schanzen auf seinem Rücken und überschreitet die folgende sanfte Ansteigung, um bald darauf mit dem vom See herüberziehenden neuen Stück des grossen Erdwalls zusammenzutreffen. Die eigenthümlichen Bedingungen dieser Vereinigung jedoch und den Zug der gemeinschaftlichen Linie bis zur Donau verfolgen wir am besten bei der Besprechung des grossen Erdwalles, zu der wir uns nunmehr wenden.

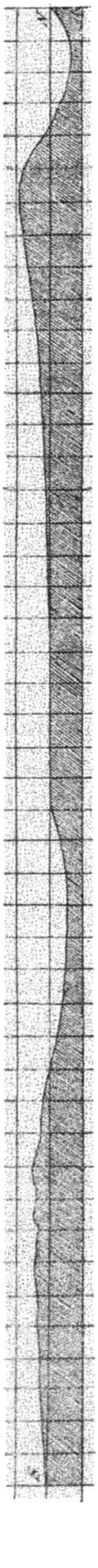

Der grosse Erdwall

Einen Kilometer südlich vom Anfangspunkte des kleinen Erdwalles beginnt der grosse, und noch 75 M. weiter der Steinwall. Diese beiden sind also ganz nahe zusammen, und in einiger Entfernung vom Ufer nähern sie sich einander noch mehr. Aber im Anfang ihres Laufes befindet sich weder der eine noch der andere in normalem Zustande: der Steinwall bildet die Nordgrenze einer grossen Gärtnerei und ist für diesen Zweck stark zugeschnitten; der Erdwall hat zwar an Höhe nichts eingebüsst, aber sein nördlich vorliegender Graben ist durch den Wasserlauf unzähliger Jahre zu einer jähen Schlucht ausgerissen, die direct in's Meer hinunterführt. In dieser Schlucht sah Moltke „die zierlichen Reste eines römischen Hauses", die auch von v. Vincke (1839) erwähnt werden. Bei meinem ersten Besuch hatte ich von dieser Notiz noch keine Kenntniss und beachtete daher die Schlucht nicht weiter, das zweite Mal aber machte tiefer Schnee jede Nachforschung unmöglich.

Beide Wälle sind hier durch eine eigenthümliche Befestigungslinie verbunden: oben am Uferrande entlang zieht sich eine 8 M. breite und $1/_2$ M. hohe Erderhebung mit drei kurzen, nach Innen vorspringenden Ausläufern. Ich habe Aehnliches nirgend gefunden; aber das Profil der Erhebung hat zu viel Aehnlichkeit mit den kleinen Lagerwällen, die wir gleich kennen lernen werden, als dass ich an seinem römischen Ursprung zweifeln möchte. Vielleicht ist die Linie der letzte Rest eines Lagers, das hier hinter dem Walle lag.

Fig. 6.

350 M. vom Meere schneidet die grosse Chaussée Küstenge-Mangalia; nun sind Steinwall und grosser Erdwall einander so nahe gekommen, dass sie eine zusammengehörige Linie zu bilden scheinen. Der grosse Erdwall zeigt in Folge seiner langsamen südlichen Abdachung eine ausserordentliche Breite (s. Fig. 6). Die Linie durch seinen Vorgraben bis auf die Höhe misst 12 M., die Abdachung 26 M., die Bärme von da bis vor den Graben des Steinwalles 12 M. Die Höhe des Walles beträgt von der Grabensohle aus 3 M. Ein Loch von 4 M. Breite und $1^1/_2$ Meter Tiefe, das sich 1 Minute vom Meere in den Wall eingebohrt findet, sowie zwei weitere, 3 Minuten vor dem Kreuzungspunkte mit dem kleinen Erdwall, die sogar 2·5 M. tief sind, beweisen, dass das Innere wirklich durch und durch aus Erde besteht.

In dieser Gestalt und in steter Fühlung mit seinem Genossen zur Linken läuft der Wall noch $1^1/_2$ Kilom. über den genannten Kreuzungspunkt hinaus — beim Bahndurchschnitt ist ein Wärterhäuschen an ihn angelehnt — dann aber macht sich der Steinwall los, und unser Erdwall ändert nun sein Aussehen insofern, als er nach Norden wie nach Süden hin rascher abfällt und sich jetzt auch

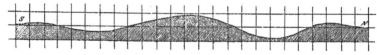

Fig. 7.

an der hinteren Seite einen kleinen Graben zugesellt; jedoch ist dieser bedeutend schmäler und flacher als der nördliche und verdankt sein Dasein wohl nur dem Bedürfniss, die Erde zur bequemeren Aufschüttung des Walles von beiden Seiten auszuheben. Als Abschluss der ganzen Linie bemerkt man zuweilen jenseits der Gräben noch eine leichte Bodenschwellung (Fig. 7).

Allerhand Gethier hat sich in dieser Wildniss angesiedelt, im Graben sah ich einen Fuchs laufen, und mehrere etwa kopfgrosse Schildkröten krochen träge über meinen Weg. Zehn Minuten nach der Abtrennung des Steinwalles zieht sich eine grosse Melonengärtnerei am Südhange des Walles hin; an ihrem Ende bemerkte ich die deutlichen Erdwälle eines viereckigen Lagers, und schon acht Minuten weiter zeigte sich ein eben solches, dessen Fläche sich bei der Umgehung als ein Quadrat von 124 M. Seitenlänge herausstellte. Die Umwallung hatte die Form wie Fig. 8 sie

darstellt. Gespannt auf die Wiederkehr dieser Erscheinungen
schritt ich weiter und fand nach 13 Minuten richtig ein drittes
Viereck von 124 M. und dann nach 11 Minuten eins von 135 M.

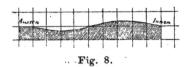

.. .Fig. 8.

Längsseite. Von nun an durfte ich nach einer Wanderung. von
durchschnittlich · 10 Minuten jedesmal links das bewusste Lager
erwarten. Gleich das folgende, Nr. 5, konnte daher, obgleich nur
die hintere Langseite noch in einer Erhebung von 20 Ctm. existierte,
die Breitseiten aber dem Pfluge völlig gewichen waren, mit Sicherheit constatiert werden: der Ort war genau 10 Minuten von dem
vorigen entfernt und wieder 10'Minuten weiter lag Nr. 6. Jenes fünfte
Castrum gehörte übrigens zu den grössten dieser Linie, es hatte
eine Fläche von 186 : 152 M.

Nr. 6 zeigt eine Länge von 160 M. Gleich hinter ihm
kam das Dorf Hasangea im SSW. (210⁰) in Sicht; Nr. 7 liegt
9 Minuten hinter dem sechsten und hat eine Länge von 140 M.;
Nr. 8, das nach 10 Minuten folgt, eine solche von 141 M. Ich
habe gewöhnlich nur die Langseite im Vorbeischreiten gemessen,
eine jedesmalige Umgehung hätte zu lange aufgehalten und auch
wenig genützt, da die Lager durchweg die gleiche Form haben,
nämlich in der Breite einige Meter weniger zählen als in der Länge.

Das neunte Castrum zeigt sehr schwache Spuren der einstigen
Umwallung, nur wenige Centimeter erhebt sich die Bodenwelle;
aber da dieser Punkt von Nr. 8 wie von Nr. 10 je acht Minuten
entfernt ist, so genügen die leisen Unebenheiten, um das Lager
festzustellen. In dem folgenden, Nr. 10, finden wir zum ersten
Male ein hinter dem Walle zurückliegendes Castrum; es zeigt eine
Fläche von 180 : 162 M. und ist mit der vorderen Seite 105 M.
vom Walle entfernt. An seiner Ostseite läuft ein auch den Wall
durchschneidender Fahrweg, der nach Omurgea führt; man sieht
diesen Ort im SSW. (220⁰).

Nach 10 Minuten folgt Nr. 11, und wieder nach 10 Minuten
Nr. 12. Ersteres ist 136 M. lang, letzteres liegt wie Nr. 10 wieder
ein Stück vom Walle ab und zwar 120 M. weit; zugleich ist es
das kleinste Lager, das ich auf dieser Linie gefunden, seine Lang-

seite misst nur 105 M. Neben beiden Lagern, bei 11 im Osten, bei 12 im Westen, schneidet ein Fahrweg nach Omurgea durch den Wall. Nr. 13, das nach 12 Minuten folgt und 162 M. Länge hat, liegt schon an einer nach Murfatlar führenden Landstrasse.

Mit Nr. 14 steht es ähnlich wie mit Nr. 9: die Spuren der Wälle sind sehr schwach, aber die passende Entfernung von 13 (10 Min.) macht dieselben zu genügenden Zeugen.

Acht Minuten von da schneidet eine grosse Fahrstrasse nach Alakap, auf der man den Ort direct im W. liegen sieht, und nach weiteren 10 Minuten folgt eine zweite Chaussée dorthin, die das Dorf im SO. zeigt. Auf dieser ganzen Strecke ist kein Lager zu entdecken, aber wohl nur deshalb nicht, weil die Lage von Alakap die schwachen Wälle eines Castrums verwischt haben muss. Neben der ersten Chaussée liegt ein grosses Gehöft mit Viehställen und Getreideschobern dicht am Wall: gerade hier dürfte sich ein Lager befunden haben, denn die Querwege durch den Wall, die gewöhnlich alt sind, lassen immer ein solches vermuthen. Ebenso wird daher bei der zweiten Chaussée nach Alakap eines gewesen sein.

Von da ab finden wir wieder einige Befestigungen in regelmässigem Abstand von einander. Neun Minuten hinter dem Hauptwege Nasargea-Alakap liegt Nr. 15 mit 155 M., nach 12 Minuten folgt Nr. 16 mit 150 M., und nach sieben Minuten Nr. 17 mit 160 M. Langseite.

Dann aber erscheint eine Zeit lang nichts derartiges mehr. Das Terrain wird sehr niedrig, ja sumpfig, die Eisenbahn braucht einen tüchtigen Damm, um durchzukommen, und der Ackerbau hat so stark aufgeräumt, dass der Wall an drei Stellen auf 75, 45 und 264 M. unterbrochen ist.

Gleich hinter der Eisenbahn überschreitet der Erdwall den Steinwall, hält sich dann aber dicht an dessen Südseite und steigt mit ihm zusammen einen hohen Hügel hinauf. Diese Thatsachen sind indess mehr aus dem nachherigen Laufe der beiden zu erschliessen, als an dieser Stelle selbst zu erkennen. Die Wälle sind schon vor ihrem Zusammentreffen beide völlig verwischt, nur eine unbestimmte Bodenwelle sieht man den Hügel hinaufsteigen, und droben lassen sich zwar deutlich zwei Linien unterscheiden, die in leiser Curve der Bergform folgen, aber welches davon der Steinwall und welches der Erdwall sei, bleibt ein Räthsel. Da sie eben nicht gerade über den Hügel, sondern seitlich an seiner Kuppe entlang ziehen, hat das abfliessende Regenwasser sie fast ganz weggewaschen. Einen Kilometer beträgt dieser Weg, dann folgt ein tiefer Wasserdurchriss und hinter demselben stehen plötzlich in der genauen Fortsetzung ihrer bisherigen Linie die Wälle unversehrt neben einander, aber der Erdwall links, der Steinwall rechts. Der stets sich gleich bleibende Abstand auf der zurückgelegten Hügelpartie und das nunmehrige genau entsprechende Wiederbeginnen lässt die Annahme nicht zu, dass die Linien sich erst an dieser ausgerissenen Stelle gekreuzt hätten; die Ueberschneidung muss also schon vor dem Aufstieg zum Hügel stattgefunden haben und in der Verlängerung der schrägen Richtung liegen, mit der man dort den Erdwall auf den Steinwall zulaufen sieht.

Uebrigens zieht auch die Telegraphenleitung, die vorher schon auf dem Steinwalle Fuss gefasst, mit über den Hügel, während die Eisenbahn denselben in weitem Bogen umgeht. Die Wälle bleiben von jetzt ab bis zum Aufhören des Erdwalles neben einander, wenn auch nicht so streng geschlossen wie im Anfang ihrer Laufbahn.

Auf der Höhe des ersten Hügelabschnittes liegt ein Lager hinter dem Erdwall (Nr. 18), leider sah ich dasselbe erst nach dem Ueberschreiten jener Partie und habe es also nicht gemessen. Neun Minuten hinter dem Durchriss folgt, nachdem die Wälle sich auf etwa 50 M. getrennt haben, Lager Nr. 19 mit 138 M. und 14 Minuten später Nr. 20 mit 114 M. Langseite. Nach 12 Minuten ist dann der Fuss des Hügels erreicht, die Bahn biegt wieder ein und parallel mit den Wällen läuft eine wohlgehaltene Chaussée nach Megidie, das wir nun in einer halben Stunde erreichen. Unser Wall hat auf dieser Strecke noch zwei Lager hinter sich (21. 22).

Um nach Megidie hineinzukommen, müssen wir eine kleine Anhöhe ersteigen, an deren weit nach Süden gedehntem Hange sich das grosse Trümmerfeld eines zerstörten Ortes befindet. Unzählige Häuserfundamente ragen aus der Erde auf und eine Masse Steine, theils in regelmässiger Schichtung, theils in wirren Haufen, bedecken den Boden. Es sind die Ruinen von Karasu, das dem ganzen langen Thale und den Seen seinen Namen gegeben hat.

Die Wälle hören dicht vor jenem Trümmerfelde auf und fangen unmittelbar hinter Megidie wieder an; sie liefen also mitten durch das einst und jetzt bewohnte Terrain. Ihr Weg führt, wie schon die letzte Zeit vor der Stadt, über ein gleichmässig hohes, aber durch mehrfache breite Wasserläufe querdurchschnittenes Plateau. Während der Steinwall sich am Rande desselben hält, läuft der Erdwall 2—300 M. weiter oben und zeigt hier ein starkes, weithin sicht-

bares Profil (s. Fig. 9). Auch eine bisher noch nicht dagewesene
Erscheinung hat er in dieser Gegend aufzuweisen. Bei jeder der
drei Wasserrinnen, die sich zur ersten Lagune hinabziehen, liegt

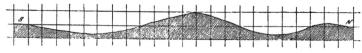

Fig. 9.

östlich über der Schlucht ein kleines Befestigungsviereck von
30 : 15 — 20 M. Grösse (Nr. 23, 24, 25), dessen flache, aber breite
Wälle denen der sonstigen Lager dieser Linie entsprechen und
dessen Bestimmung jedenfalls die war, den durch die Schlucht
heraufführenden Weg durch einen besonderen Posten besetzt zu
halten. Es sind das dieselben Lager, die sonst Meilen- oder auch
Manipularcastelle genannt werden und von denen v. Cohausen (p. 311)
sagt: „Sie liegen bei uns und eigentlich auch in England da, wo
der Grenzwall durch ein Thal oder einen Bergpass durchschnitten
wird."

Ein Stück hinter dem Walle, mit dem Rücken an die grosse
nach SW. führende Chaussée gelehnt, liegen umfangreiche russische
oder türkische Verschanzungen. Sie bestehen aus mehreren an
einander stossenden Vierecken von 120 : 90, 110 : 105, 105 : 30 M.
Fläche und zeigen eine sehr schmale und von der Grabensohle aus
1·2 M. hohe Einhegung.

Einige hundert Schritte westlich davon stösst ein einzelner
Wall auf den grossen Erdwall. Derselbe ist seinem Profile nach
römisch und bildete vielleicht die Seite eines Lagers; von den zwei
anderen, die sich dann daneben finden müssten, war indessen keine
Spur zu entdecken.

Südlich von dem breiten Landstrich, der den ersten See vom
zweiten trennt, sinkt unsere Hochebene stark ein, die Wälle nähern
sich einander und beim Aufstieg zu dem folgenden weit nach Norden
vorspringenden Hügel lenkt der Erdwall in den Steinwall ein. Die
Profile beider sind hier ähnlich verwaschen wie bei dem Hügelauf-
stieg zwischen Alakap und Megidie. Von unserem Wall aber ist
forthin nichts mehr zu sehen. Es wäre ja denkbar, dass er auch
auf der folgenden Strecke ursprünglich vorhanden gewesen und
später in den Steinwall verwandelt worden wäre; das müsste dann
aber an der grösseren Erdmasse, die den Erdwall überall vor dem

Steinwall auszeichnet, noch zu erkennen sein, der letztere müsste
ein höheres oder wenigstens breiteres Profil aufweisen als bisher.
Von alledem ist jedoch nichts zu bemerken, der Steinwall zieht
weiter, ohne an seiner Gestalt das Geringste zu ändern, und es
ist somit klar, dass der grosse Erdwall an dieser Stelle wirklich
aufhört.

Das Thal bekommt nun einen immer schärferen Schnitt; auf
beiden Seiten steigen die Ufer 15—20 M. schroff empor, und der
Erdwall — verausgesetzt, dass er älter ist als der Steinwall —
wurde wohl deshalb, sei es vorläufig, sei es endgültig, nur bis hieher
geführt, weil man auf der folgenden Strecke in dem scharfen Uferrande eine Grenzlinie von genügender Deutlichkeit zu erblicken
glaubte. Erst wo die Grenze das Thal verlässt, bei der fast rechtwinkligen Biegung des letzten Sees nach NNW. ist ein neues Wallstück angelegt, das mitten durch's Land auf geradem Wege zur
Donau läuft. Dieses und mit ihm das Ende des kleinen Erdwalls
bleibt uns jetzt noch zu verfolgen.

Das neue Stück erscheint, wie eben beschrieben, dicht neben
dem Steinwallager 18; dass die österreichische Karte es schon
am Ostende des Sees, südlich von der „Neuen Colonie" beginnen
lässt, ist ein grober Fehler: ich bin an dem Wall entlang geritten
und habe vom See bis zu seinem Zusammentreffen mit dem kleinen
Erdwall (bei Lager 26) genau 35 Minuten gebraucht, während es
nach der österreichischen Karte eine Strecke von $1\frac{1}{2}$ Stunden
sein müsste. Aber die neue Anlage ist nicht eine einfache Wie-
dererweckung des hinter Megidie entschlafenen grossen Erdwalls,
sondern hat in mehrfacher Beziehung eine neue Gestalt ange-

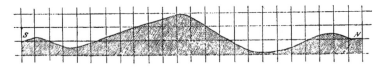

Fig. 10.

nommen, wie das Profil Nr. 10, das ich gleich bei seinem Anfang
am See aufgenommen habe, deutlich machen kann. Der Hauptarm
in der Mitte ist grösser geworden, und die Seitenerhebungen hinter
den Gräben, welche früher sehr häufig gar nicht, wenn aber wirklich, dann doch immer äusserst bescheiden auftraten (vgl. Profil 7),
sind jetzt so herangewachsen, dass sie allein es mit gar vielen

Stellen der alten Befestigung aufnehmen könnten. Die neue erscheint darnach durchaus als ein dreifacher Wall; ihr mittlerer Arm erhebt sich 5 M., die beiden seitlichen $1\frac{1}{2}$—2 M. über die Grabensohle. Die Profile sowohl der Gräben wie der Wälle sind schmal und scharf; Peters hatte wohl diese Anlage vor Augen, als er schrieb (p. 142): „Die römischen Wälle sind aller Orten so wohl erhalten, dass der Beschauer hie und da im Zweifel sein mag, ob er nicht moderne Befestigungswerke vor sich habe."

Auf der ersten Strecke dieses neuen Walles habe ich keine Lager bemerkt. Es wäre aber sehr sonderbar, wenn nie welche dagewesen wären; wahrscheinlich sind sie durch den Ackerbau, den ich hier überall eifrig betrieben sah, verwischt worden. Weiter zum kleinen Erdwall hin finden sich mehrere Castra, ganz nach Art der früheren. Zu den ersten beiden (26. 27) ist der kleine Wall als Hintergrund benutzt, das dritte (28) ist wieder ein Meilen- oder Manipularcastell, mit doppeltem Wall und Graben. Es ist etwa halb so breit als lang und liegt in einer Senkung des Terrains.

Der Wall steigt von da gleich wieder hinauf, um in der nun folgenden Tiefe, in der er zugleich scharf nach SW. umbiegt, sich mit dem kleinen Erdwall zu verschmelzen. Zu verschmelzen sage ich, denn man hat es hier nicht gemacht wie an anderen Stellen, wo zwei Wälle zusammentrafen, dass man sie selbständig neben einander herlaufen liess: der grosse Erdwall setzt sich geradezu an Stelle des kleineren und lässt diesen völlig verschwinden, indem er ihn in seine eigenen weiten Gewänder mit aufnimmt. Der kleine Wall hat auf der letzten Strecke sein gewöhnliches Aussehen gehabt, etwa wie in Profil 1, fortan bildet er den Grundstock für den Hauptarm der neuen Linie. An mehreren Stellen sind noch Streifen sichtbar, welche die Grenze zwischen dem alten Bestandtheil und der jungen Aufschüttung anzeigen. Das höhere Alter des kleinen Erdwalls wird durch diese Umwandlung ausser Zweifel gestellt.

In derselben Senkung, in der diese Vereinigung vor sich geht, liegt ein Lager hinter dem neuen Wall (29), acht Minuten weiter auf der Höhe wieder eines (30), beide mit den gewöhnlichen breiten Erdwällen. Das zweite wird von der Chaussée durchschnitten, welche diesem und weiter östlich dem kleinen Erdwall folgt. Auf der Höhe findet eine Biegung nach NNW. statt, links liegen mehrere Windmühlen und 15 Minuten später erreicht der Wall, nicht in der weiten Bucht, wie die österreichische Generalkarte meint, sondern auf dem nördlich davon liegenden Hügelrücken die Donau.

Wenn man zu Schiffe an dieser Stelle vorbeifährt, kann man den auffälligen Vorsprung hübsch überschauen und bekommt den Eindruck, dass für eine solche Anlage gute strategische Gründe massgebend waren, denn der Wall hält sich genau auf dem Kamme der breiten Erhebung, welche das Kokerlener von dem Cerna- vodaer Thale trennt. Diese Taktik kommt natürlich auf Rechnung des kleinen Erdwalls, der ja bei seinem ganzen Laufe sich auf der Höhe, womöglich auf der Wasserscheide, zu halten sucht, während die beiden anderen vor der Hochebene, am Rande des Thals, die Grenze aufrichten.

Der Steinwall

Die dritte Befestigungslinie, die stärkste und interessanteste von allen, beginnt 75 M. südlich vom grossen Erdwall. Ueber diesen Anfangspunkt schreibt v. Vincke (p. 184): „Da wo der süd- liche Wall an das Meer stösst, befindet sich ein von den Spuren eines alten Walles eingeschlossenes Viereck — wahrscheinlich ein römisches Castrum — dessen Nordseite 530 Schritt (einfache Schritt = 247 M.) der Hauptwall selbst bildet, während die Westseite 330 Schritt (225 M.) lang und die Südseite 250 Schritt (187 M.) lang, von besonderen Wällen eingeschlossen, die vierte, die Ost- seite, aber durch das hohe, in senkrechten Felsen abstürzende Meeresufer geschützt war." Heutzutage liegt hier ein grosser Garten, zu dessen Einhegung man im Norden den Steinwall benutzt hat, indem man eine etwa 2 M. dicke Schicht von diesem stehen liess und sie mit einer Lage kleiner Kalksteinstücke krönte. Im W. und S. aber geht der Garten über das von v. Vincke angegebene Lager- gebiet hinaus, so dass sich von dieser ersten Befestigung des Stein- walles jetzt keine Spuren mehr vorfinden. Um so dankbarer be- grüssen wir es, dass gerade von diesem verlorenen Lager uns genaue Messungen aufbewahrt sind.

Hinter der grossen Mangalia - Constanzer Chaussée zeigt der Wall zuerst seine regelrechte Gestalt. Er ist weit niedriger und schmäler als der grosse Erdwall (s. Fig. 6); nur 1 M. erhebt sich sein Kamm über den ebenen Boden, der nördlich vorliegende Graben ist ungefähr eben so tief; im Süden dacht er sich langsam ab, ohne hier mit einem zweiten Graben versehen zu sein. Die Krone des Walles ist in ihrer ganzen Länge aufgewühlt und die Berau- hung, die hier stattgefunden hat, so vollständig durchgeführt, dass nur noch winzige Steinsplitter umherliegen. Erst bei der weiteren

Begehung bekommen wir Aufschluss über das Material, das einst hier verborgen, und die Art, wie es verwandt war.

Zwanzig Minuten vom Meere liegt südlich am Walle ein Lager (II), dessen Innenraum von O. nach W. 266 M., von S. nach N. 184 M. misst. Die Umringung, wie auch die Fläche selbst, ist vielfach durchwühlt, Steine und Ziegelstücke liegen überall umher, und an der Südseite fand ich zwei grosse Marmorkapitelle von etwa 70 Ctm. Horizontaldurchmesser. Beide waren mit Blattornamenten verziert; die des einen zeigten ziemlich sorgfältige Meisselung, die des anderen auffällig viel Bohrerarbeit. An derselben Seite lagen noch zwei ungefähr meterlange Säulenstämme, der eine glatt, der andere mit einigen Längsstreifen versehen, und schliesslich mehrere grosse Quaderblöcke aus Muschelkalk. Einen Ziegelstempel zu finden, wollte mir trotz allen Suchens nicht gelingen. Die Lagerwälle müssen hoch gewesen sein, denn die durch die Grabungen auseinander geworfene Erde nahm eine ziemliche Breite ein. An der Westseite zieht sich ein Fahrweg hin, der auch den Wall durchschneidet.

Zehn Minuten von hier kommen wir an den Punkt, wo der kleine Erdwall von N. nach S. herübergebt, und 20 Minuten weiter trennt sich der Steinwall vom grossen Erdwall, um in westsüdwestlicher Richtung ein Stück Hochebene zu überschreiten. Auf diesem Wege folgte ich ihm im Januar zum ersten Male.

Von der Abzweigung des grossen Erdwalls bis zum Bahndurchschnitt ritt ich (Schritt) 25 Minuten; es sind also etwa 2 Kilom. Auf der Mitte dieser Strecke, $3^1/_2$ Kilom. von II entfernt, liegt ein Lager (III) mit doppelter Umwallung, dessen Nordseite, durch den Steinwall selbst gebildet, 210 M. lang ist. Der innere Ring ist aufgewühlt, muss also begehrenswerthes Material enthalten haben; es stand demnach wohl auf diesem die Mauer und der äussere war ein Vorwall.

Etwa 3 Kilom. weiter, auf der Höhe, findet sich wieder ein Lager (IV) mit einfachen Wällen und 165 M. Länge. Dann folgt bis hinter Hasangea keine Befestigung mehr.

Auf diesem ganzen Zuge aber kann man, wie sonst nirgend, einen Einblick bekommen in die ursprüngliche Bauart des Walles. Hier auf der abgelegenen Höhe ist die Ausbeutung noch nicht bis zum letzten Punkte vorgeschritten, sondern befindet sich gerade in einem für uns sehr lehrreichen Stadium: der Wall ist überall aufgegraben, aber in den Gruben und daneben am Boden sieht man noch die Steine der Fortschaffung harren. Es sind Blöcke von stattlicher Grösse und sorgfältig in rechten Winkeln behauen. Sie haben meistens eine flache Gestalt, indem ihre Dicke etwa die Hälfte der Breite beträgt. Die Fläche selbst aber zeigt ungefähr Briefbogenform, mit einer Länge von 50—80, ja oft 100 Ctm. Das Material ist ein harter, grauer Kalkstein, wie er bei Omurgea und Murfatlar an den Abhängen der südlichen Höhenzüge zu Tage tritt. Von Mörtel sah ich nirgends eine Spur. Die noch nicht ausgehobenen Blöcke lagen auf ihrer flachen Seite und fanden sich nur auf etwa 3 Meter Breite im Mittelstrich des Walles, nicht unter den Seitenhängen. Dieser Umstand sowie die regelmässige Form der Steine lässt darauf schliessen, dass dieselben nicht zur blossen Fütterung oder Verkleidung des Erdaufwurfes dienten, sondern auf dessen Höhe eine freistehende Mauer bildeten, ähnlich der Teufelsmauer in Baiern, nur dass diese auf ebenem Boden steht und auch keinen Graben vor sich hat. Dass das ganze reiche Material einer solchen Anlage bis auf so kärgliche Reste verschwunden ist, kann nicht Wunder nehmen, wenn man sieht, zu welchen tausenderlei Zwecken die Steine noch in unseren Tagen verwandt sind und verwandt werden. Ganze Dörfer sind davon gebaut worden: Hasangea, Omurgea, Murfatlar, Alakap; in allen Häusermauern, in jedem Schweinestall erkennt man dort die unverkennbaren Wallquadern, auf allen türkischen Kirchhöfen wimmeln sie, die Eisenbahn verdankt ihnen ihren sichern Weg, und was nach alledem noch überschüssig ist, kommt in den Handel: bei Hasangea sah ich neben der Bahn mehrere hundert Schritt lang Steine aufgeschichtet, die für Küstenge bestimmt waren und von da weiter expediert werden sollten.

Nachdem der Wall mit schwacher nördlicher Wendung wieder in das Thal herabgestiegen ist, schneidet er zwischen Hasangea und Omurgea die Bahn, und, während diese noch dicht neben ihm entlang läuft, hebt sich hinter ihm ein viereckiger Raum aus dem Terrain heraus, den die Bahn durchschneidet und den man nach seiner Grösse — er ist 180 M. lang — gern für ein Lager ansehen möchte. Aber eine Sonderbarkeit macht die Sache zweifelhaft: es sind keine eigentlichen Wälle sichtbar, sondern das ganze Viereck liegt 40—50 Ctm. höher als die Felder umher.

Etwas weiter befindet sich links vom Wall ein türkischer Kirchhof, auf dem ich eine wohlerhaltene griechische Inschrift entdeckte. Ein G. Pontios Likinnianos setzt seinen Brüdern G. Pontios Phoibianos und G. Pontios Markianos ein Denkmal.

Dicht bei Omurgea, an der Strasse nach Horoslar liegt ein
Lager (V) mit doppelten Wällen. Der ganze Umfassungsgürtel hat
eine Breite von 45 M. (s. Fig. 11). Der innere Wall ist aufgewühlt

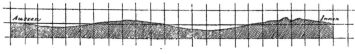

Fig. 11.

und auch im Lagerraume vielfach gegraben. Nicht weit von der
Südwestspitze sah ich ein grosses Kapitell aus Muschelkalk von
etwa 1 Kubikm. Masse, weiter im Felde lagen noch eine Menge
grosser Blöcke verstreut.

Kurz vor Alakap findet sich wieder ein Lager (VI), dieses
anscheinend sogar mit dreifacher Umwallung: vor dem äussersten
Graben erhebt sich nämlich noch eine kleine Wölbung, ähnlich wie
zu äusserst vor den Gräben des grossen Erdwalles, so dass der
ganze Befestigungsring besteht aus: Wall, Graben, Wall, Graben,
Wall. Dieselbe Erscheinung kehrt gleich beim zweitfolgenden Lager
wieder. Nachdem nämlich der Wall im Westen von Alakap die
Eisenbahn überschritten hat, dort durch ein Lager (VII) mit einfacher, aufgegrabener Umringung verstärkt ist und nur mit sehr
schwacher Erhebung, aber desto tieferem Graben (2 M.), in der Enge
zwischen Bahn und Höhenrand hinzieht, liegt hinter ihm an der
Stirn eines Hügels ein grosses Castrum (VIII), welches durch seine
eigenthümliche Lage und Gestalt weithin die Blicke auf sich zieht
Schon v. Vincke spricht von der „auffallend zirkelrunden Form"
desselben; in der Nähe gesehen aber stellt sich das „zirkelrund"
vielmehr als achteckig heraus. Die drei obersten Seiten dieser
Figur sind freilich durch die Wölbung der Höhe für den Unten-
stehenden verdeckt, aber es ist nicht anzunehmen, dass die Linien,
die vorn auf ein klares Achteck angelegt sind, hinten plötzlich ein
anderes System einschlagen sollten. Weshalb an dieser Stelle von
der gewöhnlichen Form abgegangen wurde, erklärt sich ohne Zweifel
daraus, dass bei der allseitigen starken Rundung des Hügels die
Ecken eines Viereckes sehr herabgehängt haben würden, wogegen
die geschlossenere Form ein einheitlicheres Terrain ausschneidet.
Dieses Lager hat gleichfalls eine dreifache Umringung, die in ihrem
äussersten Gliede sehr schwach ist, im zweiten und dritten aber
stetig wächst. In der Mitte der Vorderseite sieht man noch den

ebenen Weg der *Porta decumana* durch Wälle und Gräben hindurch-
ziehen.

Zwei Kilometer weiter, da wo der Erdwall schon ganz nahe
ist, liegt am Ausgang einer Thalsenkung ein Lager mit einfachen
Wällen (IX), südlich davon ein türkischer Kirchhof und westlich
dicht am Wall ein paar bulgarische Hirtenhütten. Dann beginnt
gemeinschaftlich mit dem grossen Erdwall der schon bei der Beschreibung des letzteren geschilderte Uebergang über den Berg.
Am Ende dieses beschwerlichen Weges finden wir neben der Chaussée
ein 204 M. langes Lager (X) mit einfachen aber 1½ M. hohen,
steinigen Wällen, deren Profil sich sehr scharf erhalten hat.

Bis Megidie und darüber hinaus theilt unser Wall die Schicksale des grossen Erdwalles, ohne selbst etwas Bemerkenswerthes
zu bieten. Er hält sich beständig am Rande, während der Erdwall
weiter oben über die Höhe zieht. Die dritte der hinter Megidie
durchschneidenden Wasserrinnen trägt auf ihrem Westrande einen
2 M. hohen starken Wall, welcher denen des letztbeschriebenen
Lagers X ähnlich ist und den Steinwall mit dem Erdwall verbindet.
Ich vermuthete auch hier ein Lager, zu dessen hinterer Seite dann
der Erdwall benutzt worden wäre, fand aber für die westlich zu
suchende vierte Seite keinerlei Anhaltspunkte.

Der Wall hat schon auf seinem bisherigen Wege von den
durchziehenden Wasserläufen viel zu erdulden gehabt, weiterhin
geht es ihm noch schlimmer. Er hält sich auch hier mit wenigen
Ausnahmen dicht an dem hohen Uferrande und ist an vielen Stellen
mit sammt diesem Rande verschwunden. Die Sohle des Karasu-
thales liegt nur wenig höher als der Donauspiegel, bei jedem hohen
Wasserstande ist der Fluss früher hier hereingefluthet, hat die
breite Niederung ausgefüllt und an den steilen Rändern Scholle um
Scholle zu Fall gebracht. Seit dem Bau der Eisenbahn ist das
anders geworden; zu deren Sicherung musste das Thal bei Cernavoda durch einen grossen Steindamm geschlossen werden. Die
Seen, die vorher das ganze Thal bedeckten, sind nun sehr zusammen-
geschrumpft und fristen ihr Dasein nur noch durch das Grundwasser;
das hohe Röhricht ist mehr und mehr durch fruchtbaren Graswuchs
verdrängt, ja stellenweise sieht man sogar geackerte Fluren.

Der Steinwall überschreitet nach dem Aufhören des grossen
Erdwalles den ersten grösseren Hügel dieser Uferstrecke und hat
auf dessen Westseite ein einfach umringtes Lager (XI), dessen

hinterer mit dem Steinwall parallel laufender Wall über das Viereck hinaus bis an den seitlichen Abfall des Hügels verlängert ist.

Dann folgt eine längere Unterbrechung durch ein breites Thal, in welchem in einiger Entfernung mehrere Hütten stehen, weiterhin wieder ein hoher Hügel, und dann nach abermaligem Durchriss auf einer niedrigen Platte ein Lager mit doppelten Wällen (XII).

Weiter überschreitet der Wall eine stärkere, rund auslaufende Höhe, dahinter eine flache Platte und hat alsdann auf einer zweiten solchen ein dreieckiges Lager aufzuweisen (XIII). Ich habe diese Beobachtung schon auf meiner ersten Fahrt gemacht und, nachdem ich inzwischen v. Cohausen's Misstrauen gegen solche Abnormitäten kennen gelernt, sie auf der zweiten noch einmal nachgeprüft: man kann das Lager wirklich mit gutem Gewissen dreieckig nennen, seine westliche Seite ist ganz gerade, die östliche, die sich an jene im rechten Winkel ansetzt, läuft erst 150 M. gerade aus und macht dann einen kleinen Knick, um nach weiteren 30 M. in den Wall einzumünden. Da v. Cohausen sagt (p. 335), dass er niemals dreieckige Lager gefunden, noch auch durch Beschreibungen aus England oder Frankreich von solchen gehört habe, so ist das hiesige wohl ebenso wie das achteckige (VIII) bei Alakap für ein Unicum anzusehen. Dass die dreieckige Anlage durch das Terrain geboten gewesen sei, lässt sich nicht gerade sagen: auf derselben Platte ist weiter westlich noch Platz genug für ein Viereck. Aber im Osten zieht hinter dem Lagerwall ein Einschnitt vom Thal herauf, in dem jetzt ein Fahrweg entlang läuft, und wohl deshalb wurde in diese Ecke, wo man gleich halbe Rückendeckung fand, die Befestigung hineingeschoben. Die Wälle sind, wie gewöhnlich auf dieser Linie, von scharfem Profil und haben 1½ M. Höhe.

Hinter der Spitze des Lagers liegt ein türkischer Kirchhof, auf dem ich vergeblich nach Inschriften suchte. Die Lage des Dorfes Celebikiöi bestimmte ich von hier aus als NNO. (20⁰).

Abermals folgt ein breiter Durchriss, dann eine Platte, auf deren Ostecke ein Lager (XIV) liegt, mit einfacher Umfassung, aber so hohen Wällen, dass ich den grossen Erdwall wieder auferstanden glaubte.

Hier biegt der Wall scharf nach SW. ab, um einen bequemeren Aufstieg zu dem nächsten Hügel zu gewinnen, dem höchsten und breitesten in der ganzen Kette. Sein Gipfel gewährt einen vortrefflichen Ueberblick über die vielfachen Verwirrungen, die da folgen, speciell über die interessanten Beziehungen des Walles zu den nächsten drei Hügeln, die alle durch Lager stark befestigt sind. In den Niederungen zwischen ihnen ist der Wall jedesmal unterbrochen.

Auf dem ersten Hügel liegt ein Lager (XV), das seine beiden rechtwinklig auf den Wall stossenden Seitenwände nach vorn hinaus verlängert und bis an den steilen Rand des Hügels geführt hat. Es entsteht somit ein Viereck vor, und eins hinter dem Walle. Beide sind ziemlich von gleicher Grösse und wie VI und VIII von einem dreifachen Gürtel umschlossen; nur vorn am Hügelsaume entlang zieht sich eine einfache Erhebung. Wahrscheinlich war auch hier einst die Einfassung dreifach, ist aber zugleich mit dem Rande, auf dem sie stand, der Zerstörung anheimgefallen.

Auf dem folgenden Hügel befinden sich zwei Lager; das eine (XVI) schliesst sich regelrecht an den Wall, das andere (XVII) liegt frei davor und ist schief gestellt, um sich der westlichen Rundung des Hügels anzupassen; es hat gleichfalls mit dem abgestürzten Rande seinen vorderen Theil eingebüsst. Beide Lager haben einfache Wälle.

Der dritte Hügel mit dem Lager XVIII ist so sehr von den Fluthen benagt worden, dass die ganze Partie, auf welcher der Steinwall entlang lief, abgestürzt, der Wall selbst damit von Lager XVII an bis hinter die Senkung, in der der neue Erdwall beginnt, unterbrochen ist und nur der hintere Theil des Lagers sich auf dem beschädigten Hügel erhalten hat. Da wir in einer benachbarten Hütte Rast machten, erstieg ich diese Höhe und fand, dass die Lagerwälle 1¹/₂ M. hoch und zweifellos mit Steinen durchsetzt sind; aus ihrer spitzen Krone gucken überall die Muschelkalkstücke hervor.

Das Thal hat sich jetzt nach NNW. gewandt, der Steinwall überschreitet noch mehrere Hügelplatten, ohne die Spur eines Lagers aufzuweisen, und biegt dann direct westlich zur Donau ab. Ob sich hier mitten im Lande noch eine Befestigung findet, vermag ich nicht anzugeben, da ich diese Strecke nicht mehr begangen, sondern den Wall nur noch an der Stelle gesehen habe, wo der Fahrweg von Cernavoda nach Rasova ihn schneidet. Von da aus kann man bis zur Donau hinsehen, aber das Resultat dieses Blickes ist ein wenig ergiebiges: das Terrain ist so bunt zerrissen, dass man den Lauf des Walles wohl verfolgen, von weiteren Befestigungen aber nichts mehr entdecken kann. Er bleibt auch hier seiner Gewohnheit getreu, immer am Seitenhang der Hügel hinzulaufen, und erreicht vor einer langen grünen Insel die Donau.

Die Stadt Küstenge (Tomi) ist, wie man sieht, nicht in das durch die Wälle geschützte Gebiet miteinbezogen. Für sie findet sich eine besondere Umringung in Gestalt eines 1 M. tiefen Grabens und eben so hohen Walles, der gleich hinter der Stadt die Landzunge abschneidet. Die Anlage scheint von Moltke und v. Vincke für römisch gehalten zu sein, sie zeigt aber sonderbarer Weise gar keinen Rasenbewuchs, sondern überall lockere Erde, und ist ausser-

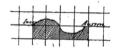

Fig. 12.

dem so schmal (7 M. durch Wall und Graben), dass ich sie lieber für türkisch ansehen möchte. Fig. 12 zeigt das Profil dieser eigenthümlichen Schutzwehr.

Um aber das Verhältniss, in dem die drei Grenzwälle zu einander stehen, klarer hervortreten zu lassen, seien ihre Haupteigenthümlichkeiten hier noch einmal kurz nebeneinander gestellt.

Der kleine Erdwall besteht aus einem einfachen, 1½ M. hohen und jetzt 15—18 M. breiten Erdaufwurf mit südlich davorliegendem Graben. Auf seinem ganzen Zuge finden sich keine Lager, sondern nur an gewissen Stellen Steintrümmer, die etwa auf Wachthäuser schliessen lassen.

Der grosse Erdwall zeigt in seinem ersten Theile eine 2—3 M. hohe Erhebung mit einem tiefen Graben im Norden, einem flacheren im Süden und gelegentlich einer schwachen Bodenerhebung jenseits beider Gräben. Sein zweites Stück, vom See bis zur Donau, hat diese letzten Erhebungen noch zu besonderen Wällen ausgebildet und weist somit eine dreifache Linie auf, die in ihrem mittleren Grat eine Höhe von 4—5 M. (über der Grabensohle) erreicht. Am grossen Erdwall findet sich durchschnittlich auf alle 850 M. ein Lager von einfachen Erdwällen und gewöhnlich 120 : 135 M. Fläche.

Der Steinwall endlich hat hinter seinem Graben heute nur eine 1—1½ M. hohe Erderhebung, die den eifrig nachgrabenden Anwohnern grosse Quadersteine geliefert hat und früher wahrscheinlich eine Mauer trug. Seine Befestigung bilden auf alle 2—3 Kilom. Lager von starker, oft zwei- und dreifacher Umwallung und verschiedenem, aber den der Erdwallager stets übertreffenden Flächeninhalte.

Das wäre in Kurzem das Material, welches meine Bereisung zu Tage gefördert hat. Schlüsse daraus zu ziehen über Zeit und Urheber der Wälle möchte ich heute noch unterlassen. Nur einige Bemerkungen, die sich aus dem Beschriebenen direct ergeben, sollen nicht unterdrückt werden.

Auch die römischen Wälle in Deutschland zeigen verschiedene Construction: das Stück von Rheinbrohl über den Taunus nach Gross-Krotzenburg am Main, sowie das weitere von Miltenberg bis Lorch in Württemberg ist Erdwall, und erst von da durch Baiern findet sich die eigentliche Teufelsmauer. Die Ungleichheit erklärt sich aus der späteren Anlage der baierischen Partie (vgl. Cohausen p. 349 f.). Wird also schon dadurch der Gedanke nahe gelegt, dass auch in der Dobrugea die verschiedene Bauart auf eine verschiedene Entstehungszeit zurückzuführen sei, so benimmt ein Blick auf den Verlauf unserer Wälle hierüber jeden Zweifel Wären dieselben zu gleicher Zeit und zu gemeinsamem Zusammenwirken angelegt worden, sollten sie also eine vorderste, mittlere und letzte Schutzwehr gegen den Feind bilden, wie konnte man dann den kleinen Erdwall erst nördlich von den beiden anderen beginnen, dann aber über diese hinweg unabsehbar nach Süden hin verschwinden lassen, und wie durfte der grosse Erdwall beliebig bald rechts, bald links vom Steinwall laufen?

Nein, jeder Wall ist für sich angelegt worden und jeder einzelne stellt einen besonderen Versuch dar, die römische Grenze in möglichst praktischer und sicherer Weise abzustecken.

Dass der kleine Erdwall zuerst da war, haben wir schon gesehen. Um das Altersverhältniss der beiden andern zu ermitteln, ist massgebend einmal der Vergleich mit den Wällen in Deutschland, bei denen der gemauerte der jüngste ist, dann aber auch das in der Sache selbst liegende Moment, dass man wohl nicht darauf gekommen wäre, noch einen Erdwall anzulegen, wenn der Steinwall mit seiner starken Schutzlinie von Mauer und Lagern schon existiert hätte, dass vielmehr umgekehrt der Steinwall gerade deshalb gebaut wurde, weil der Erdwall, zumal mit seiner grossen Lücke in der Mitte, nicht mehr genügte. Wir erhalten somit die Reihenfolge: kleiner Erdwall, grosser Erdwall, Steinwall.

Die Erkenntniss dieser zeitlichen Verschiedenheit der Wälle ist, wie ich glaube, das wichtigste Ergebniss meiner Untersuchungen. Noch der kürzlich erschienene kleine Aufsatz von Herrn M. C. Sutzu

in Bukarest über den Trajanswall*) leidet an dem Grundfehler der
Annahme einer einheitlichen Befestigungslinie. Sutzu sucht die
Entstehung „des Walles" in die Zeit des Theodosius zu verschieben.
Die Inschriften, sagt er, welche bei Constanza am Walle selbst gefunden wurden, seien weit später als Trajan, und die in dem Gebiete nördlich vom Wall zu Tage gekommenen gehen sogar bis in
die Zeit des Constantin und Valens herunter; folglich könne auch
der Wall, der ja diese Gegenden vom Reiche ausschliesse, nicht
vor Valens angelegt sein. Die Angabe der späten römischen Ge-
schichtschreiber aber, dass der Limes von einem General dieses
selben Kaisers, dem Comes T r a i a n u s angelegt worden sei, nennt
Sutzu mit Recht einen werthlosen Versuch, den Namen Trajanswall
zu erklären. Die Generale des Valens, fährt er fort, haben gar
nicht Zeit gehabt, ein solches Riesenwerk auszuführen, dazu gehöre
voller Friede und der sei dem Reiche erst unter Theodosius nach
der Beruhigung der Gothen zu Theil geworden. Demnach sei
Theodosius als Erbauer der Wälle anzusehen.

Ohne jetzt auf Näheres einzugehen, möchte ich doch glauben,
dass wir den Ursprung dieser Wälle in weit früherer Zeit zu
suchen haben. In welcher, darüber wird eine genaue Vergleichung
der Bau- und Befestigungsart anderer Linien, besonders der in
Bessarabien, die ich Ostern zu besuchen gedenke, hoffentlich einiges
Licht bringen.

Epureni bei Berlad in der Moldau, 1. März 1885.

C. SCHUCHHARDT

Inschriften aus Kleinasien

Ancyra

Meine Hauptaufgabe in Ancyra musste die Revision der
grossen Inschrift bilden. Kaum hatte ich den lateinischen Text
zu Ende verglichen, als ich der Einwirkung des Klimas erlag und
so schwer am Fieber erkrankte, dass weder an eine Vergleichung

*) „*Valul lui Trajan*" in Tocilescu's *Revista Istorie, Archeologie si pentru Filologie,* Bukarest 1883.

des griechischen Textes noch an eine vollständige Aufnahme der übrigen Inschriften zu denken war. Doch gelang es mir durch Humann's Vermittlung eine Anzahl guter Abklatsche zu erhalten; ferner erwarb Humann ein türkisches Manuscript*), welches eine grössere Zahl unedirter Inschriften enthielt; endlich überliess mir Dr. Mordtmann in Constantinopel eine Reihe Photographien des Russen Ermakow. Ich gebe zunächst die unedirten und revidirten Inschriften nach den Abklatschen und Photographien, dann die unedirten Inschriften des Manuscriptes.

65. Nach einem Abklatsch.

¦ΙΤΑοΥΙΑΝωΕΥΧΗΝ	Δι]ὶ Ταουιανῷ εὐχὴν
ΛΑΝΚΙΟϹΚΡ͏ΑΤΕΙΝΟ Ϲ	Π]λάνκιος Κρατεῖνος

Das berühmte Heiligthum des Zeus in Tavium, der Hauptstadt der Trokmer, erwähnt Strabo 12, p. 567: Τάουιον — ὅπου ὁ τοῦ Διὸς κολοσσὸς χαλκοῦς καὶ τέμενος αὐτοῦ ἄσυλον. Vgl. auch C. I. L. III, 860 u. 1088.

66. Nach einer Photographie.

ΥΡΗΑΙΟΣ ✦	Α]ὐρήλιος
ΙΘΡΙΔΑΤΙΚΟΣ	Μ]ιθριδατικὸς
⳨ ΛΕΓΙΟΝΟΣ·Γ·	(ἑκατόνταρχος) λεγιόνος γ˙
ΓΑΛΛΙΚΗΣ ✦	Γαλλικῆς
5 ΑΛΕΞΑΝΔΡΑ	Ἀλεξάνδρᾳ
ΤΗΙΔΙΑΓΥΝΑΙΚΙ	τῇ ἰδίᾳ γυναικὶ
✦ΕΥΝΟΙΑΣ ✦	εὐνοίας
ΚΑΙΜΝΗΜΗΣ	καὶ μνήμης
✦ ΧΑΡΙΝ۵	χάριν

---

*) Das Manuscript enthält 138 griechische und lateinische Inschriften, beinahe alle aus Ancyra selbst. Die Copien sind so fehlerhaft, dass sie für anderweitig bekannt gewordene Inschriften keinerlei Werth besitzen. Ich habe daher dem Manuscripte nur Unedirtes entnommen. Der anonyme Verfasser ist ohne Zweifel der ancyranische Apotheker Leonardi. Denn die Copie der unter Nr. 87˙ publicirten Inschrift, welche Herr Mordtmann von Leonardi aus Ancyra erhalten hatte, stimmt in der Form der Handschrift genau mit der Handschrift des Manuscriptes. Die Uebersetzung des türkischen Textes verdanke ich der Güte Seiner Hochwürden des Pater Leo am Mechitaristenkloster in Wien.

67. Nach einem Abklatsch.

CΑCΚΑΙΤΑCΤΟΥΟΛΚΟΥΚΑΜΑΡΑCΤΑCΠΑΡΑΚΙΜΕΝΑCΤΩΠΟΛΥΕΙΔΩ ΚΑΙΤΟΥCΕΝΒΟΛΟ
ΕΡΗΜΟΝΕCΤΩΤΑΟΡΟΦΩCΑCΚΑΙΤΟΝΟΛΚΟΝΑΥΤΟΥΚΑΤΑCΚΕΥΑCΑC ΠΕΡΙCΩCΑCΚΑΙ
ΟΙΚΟΝΤΟΥΧΙΜΕΡΙΟΥΔΗΜΟCΙΟΥΛΙΓΟΝΤΑΑΥΤΟCΑΝΕΝΕΩCΕΝCΥΝΤΗΜΑΡΜΑΡΩ C
CΙΚΑΙΤΩΛΟΙΠΩΚΟCΜΩΚΑΤΑCΚΕΥΑCΑC ΚΑΙΤΗΝCΤΕΓΗΝΑΠΑCΑΝΤ8ΠΡΟΤ8ΠΑΛΑΤΙ8
ΠΙΜΕΛΗΘΕΙCΚΑΙΤΟΥΔΗΜΟCΙΟΥΦΡΟΥΡΙΟΥ ΚΑΙΤΟΥΥΔΡΑΓΩΓΙΟΥΚΑΙΥΔΡΙΟΥΤΟΥ
ΟΥΘΕΟΔΟΤΟΥΑΒΑΤΟΝΟΥCΑΝΑΥΤΟCΚΑΤΕCΚΕΥΑCΕΝ ΤΑCΕΝΔΙΛΙΜΝΙΑ ΚΑΙ
ΟΡΘΩCΑΜΕΝΟCΤΗCΠΟΛΕΩCΚΑΙΕΤΕΡΑΚΤΙCΜΑΤΑ ΕΝΧΡΟΝΟΙCΤΗCΥΠΑΤΙΑC
CΥΓΙΤWΝΠΛΑΙΟΝWΝΕΙΓWΝΙW΄ΙΙΙΙΟΥCΙ..ΧΙΚΟΥΤΟΕΠΙΚΛΗΝΑΝΑΤΕΛΛΟΝ

...σας καὶ τὰς τοῦ ὁλκοῦ καμάρας τὰς παρακιμένας τῷ Πολυείδῳ· καὶ τοὺς ἐνβόλο[υς...
...ἔρημον ἑστῶτα ὀροφώσας καὶ τὸν ὁλκὸν αὐτοῦ κατασκευάσας· περιώσας καὶ...
...οἶκον τοῦ χιμερίου δημοσίου λι[π]όντα αὐτὸς ἀνενέωσεν σὺν τῇ μαρμάρῳ σ...
...σι καὶ τῷ λοιπῷ κόσμῳ κατασκευάσας· καὶ τὴν στέγην ἅπασαν τοῦ πρὸ τοῦ παλατίου...
...ἐ]πιμεληθεὶς καὶ τοῦ δημοσίου φ[ρ]ουρίου· καὶ τοῦ ὑδραγωγίου καὶ ὑδρίου τοῦ...
...τ]οῦ Θεοδότου ἄβατον οὖσαν αὐτὸς κατεσκεύασεν τὰς ἐν Διλιμνίᾳ? καὶ...
κατ]ορθωσάμενος τῆς πόλεως καὶ ἕτερα κτίσματα ἐν χρόνοις τῆς ὑπατίας...
...]υν τῶν πλειόνων ἔργων Ἰω[άνν]ου...χικου τὸ ἐπίκλην Ἀνατέλλον[τος ...

Z. 1 vgl. C. I. Gr. III 4015 Ancyra: τὸ τοῦ Πολυείδου γυμνάσιον καθῃρημένον ἐπισκε[υ]άσαντα
Z. 8. Der mittlere Theil ist schwer lesbar, doch scheinen die Reste sicher.

68. Meine Copie.

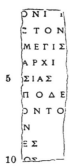

Die Inschrift ist wohl auf Antoninus Pius und das Jahr 138 zu beziehen und in Z. 1 — 8 so zu ergänzen:

... Σεβα]στὸν, ‖ [ἀρχιερέα] μέγισ‖[τον, δημ]αρχι‖κῆς ἐξου]σίας, ‖[ὕπατον ἀ]ποδε ‖ [δειγμέν]ον τὸ ‖ [δεύτερο]ν.

69. = C. I. Gr. 4079 b. Meine Copie; in der Nähe des Thores beim Tscharsi sehr hoch eingemauert und daher schwer lesbar.

[Γ]αῖα μεν ἥδε δέμας κεύθει κλείνοιο ◡_◡
βωμὸς [δ'] ἀργύφ[ε]ος λείψ[α]ν[α] φωτὸς ἔχει.

Der Raum zwischen Zeile 3 und 4 war zur Aufnahme des Namens bestimmt, doch sicher nie beschrieben.

70. Nach einer Photographie.

ΑΚΥΛΕΙΝΑΑΡΧΕΔΗΜΟΥΤΕΚΝΟΙΣΓΛΥΚΥΤΑΤΟΙΣΘΕΟΤΕΙΜΩΚΑΙ⚹

ΠΑΥΛΩ ⚹ ⚹ ΤΟΗΡΩΟΝΕΑΥΤΗΤΕΚΑΙΤΩ ΑΝΔΡΙΜΟΜΜΩΝΙΚΑΙΤΟΙΣΟΥΕΙΕ

ΤΗΣΤΕΚΝΟΙΣΕΚΤΩΝΙΔΙΩΝΚΤΗΣΑΜΕΝΗΚΑΙΕΠΙΣΚΕΥΑΣΑΣΑ ΤΗΝ ΕΞΕΔΡΑΝ ΚΑΙ ΤΟ ΠΕΡΙ

ΦΡΑΓΜΑΑΠΕΚΑΤΕΣΤΗΣΕΝ ΜΝΗΜΗΣ ΧΑΡΙΝ

’Ακύλεινα ’Αρχεδήμου τέκνοις γλυκυτάτοις Θεοτείμῳ καὶ
Παύλῳ τὸ ἡρῶον ἑαυτῇ τε καὶ τῷ ἀνδρὶ Μόμμωνι καὶ τοῖς οὖσι ἐ[αυ-]
τῆς τέκνοις ἐκ τῶν ἰδίων κτησαμένη καὶ ἐπισκευάσασα τὴν ἐξέδραν καὶ
τὸ περί-
φραγμα ἀπεκατέστησεν μνήμης χάριν

71. Nach einer Photographie.

Θ С Ϥ   θ..σ?

|ΑΙΡΕΤΑΙ   χ]αίρετ[ε]

ΡΩСΔΑΜΑ   ε]ρως Δαμα-
ΙΤΗΙΔΙΑСΥΝ   ρέτῃ] τῇ ἰδίᾳ συν-
5   ΩΜΝΗΜΗС   βί]ῳ μνήμης
ΧΑΡΙΝ   χάριν
· ΚΑΙ   καὶ
СΥ   σύ

Die beiden letzten Zeilen in einem Kranze.

72. Nach Abklatsch und Photographie = Perr. 126 = C. I. Gr. III, 4025.

ΤΙ ΙΟΥΛΙΟΝΙΟΥСΤΟΝΙΟΥΝΙ   Τι. Ἰούλιον Ἰοῦστον Ἰουνι-
ΑΝΟΝΓΑΡΧΙΕΡΕΑΚΤΙСΤΗΝ   ανὸν γ´ ἀρχιερέα, κτίστην
ΤΗСΜΤΡΟΠΟΛΕΩСΠΟΡΦΥΡΑ   τῆς μητροπόλεως, πορφύρᾳ
ΚСΤΕΦΑΝΩΙΔΙΑΒΙΟΥΤΕΤΙΜΗ   κὲ στεφάνωι διὰ βίου τετιμη-
5   ΜΕΝΟΝΦΙΛΟΠΑΤΡΙΝΑСΑΙС   5   μένον, φιλόπατριν, πάσαις
ΔΙΕΝΕΓΚΟΝΤΑΦΙΛΟΤΙΜΙ   διενεγκόντα φίλοτιμί-
ΑΙСΚΕΝΤΕΔΙΑΝΟΜΑΙСΠΛΟΥ   αις, κὲ ἔν τε διανομαῖς πλου-
ΤΙСΑΝΑΤΗΝΠΑΤΡΙΔΑΕΡΓΟΙС   τίσαντα τὴν πατρίδα ἔργοις
ΤΕΓΕΡΙΚΑΛΛΕСΤΑΤΟΙСΚοСΜΗ   τε περικαλλεστάτοις κοσμή-
10   СΑΝΤΑΚΜΟΝΟΝΤΩΝΡΟΑΥ   10   σαντα, κὲ μόνον τῶν πρὸ αὐ-
ΤΟΥΔΙΟΛΗСΕΛΑΙΟΘΕΤΗСΑΝ   τοῦ δι᾽ ὅλης ἐλαιοθετήσαν-
ΤΑΤΗСΗΜΕΡΑСΕΠΙΜΕΛΗΘΕΝ   τα τῆς ἡμέρας, ἐπιμελ ηθέν-
ΤΑΔΕΚΕΤΗСΚΑΤΑСΚΕΥΗС   τα δὲ κὲ τῆς κατασκευῆς
ΤΟΥΒΑΛΑΝΕΙΟΥΦΥΛΗΔΙ   τοῦ βαλανείου· φυλὴ Δι-
15   ΟСΤΑΗΝΟΥΕΤΙΜΗСΕΝ   15   ὸς Ταηνοῦ ἐτίμησεν

73. = C. I. Gr. III, 4026 (Photographie) Zeile 1: ΑΡΧΗΞΑΝΙΑ;
Z. 8 ΑΙΣ ΠΟΛΛΑΚ (das ΙΣ war sicher nie vorhanden);
Z. 10 ΙΕΡΑΒΟΥΛΛΙΑ (sic).

74. = C. I. Gr. III, 4028 (Photographie).

ΡΑΒΟΥΛΑΙΑΑΝΕСΤΗ   [φυλὴ ἐνάτη ἱε]-
ΣΕΝΕΚΤΩΝΕΑΥ   ρὰ βουλαία ἀνέστη-
ΤΗСΕΥΝΟΙΑСΕ   σεν ἐκ τῶν ἑαυ-
                       τῆς εὐνοίας ἔ-

5 Ν Ε Κ Ε Ν Α Ν Α Γ Ο   νεκεν ἀναγο-
  Ρ Ε Υ Θ Ε Ν Τ Α Ε Ν Ε   ρευθέντα ἐν ἐ-
  Κ Λ Η Σ Ι Α Υ Π Ο Τ Ε   κλησίᾳ ὑπό τε
  Β Ο Υ Λ Η Σ Κ Α Ι Δ Η   βουλῆς καὶ δή-
  Μ Ο Υ Φ Υ Λ Α Ρ Χ   μου φυλαρχ(οῦντος)
10 Ν Ε Ι Κ Η Φ Ο Ρ Ο Υ   Νεικηφόρου ['Ἀ-
  Λ Ε Ξ Α Ν Δ Ρ Ο   λεξάνδρο[υ

75. Nach einem Abklatsch = C. I. Gr. 4033.

    Π Σ Ε Ο Υ Η Ρ Ο Ν
    Β Α Σ Ι Λ Ε Ω Ν Κ Αι
    Τ Ε Τ Ρ Α Ρ Χ Ω Ν
    Α Π Ο Γ Ο Ν Ο Ν
5   Μ Ε Τ Α Π Α Σ Α Σ Τ Α Σ Ε Ν
    Τ Ω Ι Ε Θ Ν Ι Φ Ι Λ Ο Τ Ι Μ Ι Αϲ
    Κ Α Τ Α Τ Α Γ Ε Ν Α Ε Ι Σ Τ Ο Υϲ
    Δ Η Μ Α Ρ Χ Ο Υ Σ Υ Π Ο Θ Ε Ου
    Α Δ Ρ Ι Α Ν Ο Υ Π Ρ Ε Σ Β Ε Υ Σ Αν
10 Τ Α Ε Ν Α Σ Ι Α Ι Ε Ξ Ε Π Ι Σ Τ Ο Λ Η Σ Κ´ε)
    Κ Ω Δ Ι Κ Ι Λ Λ Ω Ν Θ Ε Ο Υ Α Δ Ρ Ι ΑΝου
    Η Γ Ε Μ Ο Ν Α Λ Ε Γ Ε Ω Ν Ο Σ Δ̄ Σ Κυ
    Θ Ι Κ Η Σ Κ Δ Ι Ο Ι Κ Η Σ Λ Ν Τ Α Τ Α Ε Ν
    Σ Υ Ρ Ι Α Ι Π Ρ Α Γ Μ Α Τ Α Ι Ν Ι Κ Α Π Ο Υ Βλι
15 Κ Ι Ο Σ Μ Α Ρ Κ Ε Λ Λ Ο Σ Δ Ι Α Τ Η Ν Κ Ι Ν Η
    Σ Ι Ν Η Ν Ι Ο Υ Δ Α Ι Κ Η Ν Μ Ε Τ Α Β Ε Β Κ Ει
    Α Π Ο Σ Υ Ρ Ι Α Σ Α Ν Θ Υ Π Α Τ Ο Ν Α Χ Α
    Ι Α Σ Π Ρ Ο Σ ι Ε̄ Ρ Α Β Δ Ο Υ Σ · Π Ε Μ Φ Θ Εν
    Τ Α Ε Ι Σ Β Ε Ι Θ Υ Ν Ι Α Ν Δ Ι Ο Ρ Θ Ω Θ ν
20 Κ Α Ι Λ Ο Γ Ι Σ Η Ν Υ Π Ο Θ Ε Ο Υ Α Δ Ρια
    Ν Ο Υ Ε Π Α Ρ Χ Ο Ν Α Ι Ρ Α Ρ Ι Ο Υ Τ Ο Υ
    Κ Ρ Ο Ν Ο Υ Υ Π Α Τ Ο Ν Π Ο Ν Τ Ι Φ Ι Κα
    Ε Π Ι Μ Ε Λ Η Τ Η Ν Ε Ρ Γ Ω Ν Δ Η Μο
    Σ Ι Ω Ν Τ Ω Ν Ε Ν Ρ Ω Μ Η Η Γ Ε Μο
25 Ν Α Π Ρ Ε Σ Β Ε Υ Τ Η Ν Α Υ Τ Ο Κ Ρ Α Το
    Ρ Ο Σ Κ Α Ι Σ Α Ρ Ο Σ Τ Ι Τ Ο Υ Α Ι Λ Ι Ο Υ
    Α Δ Ρ Ι Α Ν Ο Υ Α Ν Τ Ω Ν Ε Ι Ν Ο Υ Σ Ε
    Β Α Σ Τ Ο Υ Ε Υ Σ Ε Β Ο Υ Σ · Γ Ε Ρ Μ Α Ν Ι
    Α Σ Τ Η Σ Κ Α Τ Ω · Μ · Ι Ο Υ Λ Ι Ο Σ
30 Ε Υ Σ Χ Η Μ Ω Ν Τ Ο Ν Ε Α Υ Τ Ο Υ
    Ε Υ Ε Ρ Γ Ε Τ Η Ν

76. = C. I. Gr. 4035 (Abklatsch): Z. 1 Π·ΠΟΜΠΩΝΙΟΝ — Z. 5 Ι٥ΑΙΑ٥ΜΑΚΕΔΩΝ٥

77. = C. I. Gr. 4050 (Abklatsch): Z. 4 ΧΡΗΣΙΜΗΤΑ — Z. 5 ΠΟΛΙ — Z. 6 ٥ΓΕΓΟΝΕΝ٥

78. = C. I. Gr. 4067 (Abklatsch): Z. 2 ΣΕΡ̊Η̊Υ̊ΝΙΑ

79. = C. I. Gr. 4072 nach einer Photographie.

ΚΛΑΥΔΙΟΙΣ	Κλαυδίοις
ΣΤΑΤΕΙΛΙΩ	Στατειλίῳ
ΚΔΗΙΟΤΑΡΙ	κὲ Δηιοταρι-
ΑΝΩΚΛΑΒΡ	ανῷ Κλα(υδία) Βρ-
5 ΕΙΣΗΙΣΜΝΗΜΗΣ	εισηὶς μνήμης
⫼ΑΡΙΝ	[χ]άριν

79a. = C. I. Gr. 4074 (Abklatsch): Z. 2 ΤΗΕΔΙΑΜΗΤΡΙΑΕΣΤΗ

80. C. I. Gr. 4075 nach einer Photographie verglichen, auf welcher die letzte Zeile fehlte, sonst wie im Corpus.

81. Nach einem Abklatsch = Perr. 123.

```
            ⌐ ⌐ ⌐ O Y L I A ⌐
        Ο Υ Τ Ο Δ Α Ν Ε Θ Η Κ Α Ν
       ᚈΗΛΗΚΑΙΤΑΟΝΟΜΑΤΑΗΓΕ
      ᚊΕΥΟΝΟΣΠΑΛΦΙΟΥΜΑΞΙΜΟ
5     ΑΡΧΙΕΡΩΜΕΝΟΥΜΠΑΠΙΡΙΟΥΜΟΝ
      ΤΑΝΟΥΣΕΒΑΣΤΟΦΑΝΟΥΣΗΣΚΛΒΛ
      ΒΕΙΝΗΣΝΕΩΤΕΡΑΣΙΕΡΟΦΑΝΟΥΝΟΣ
      ΔΙΑΒΙΟΥΙΟΥΛΙΟΥΑΙΛΙΟΥΙΟΥΛΙΑΝΟΥ
                          ΑΣΚΛΗΙΟΣΕΒΟΥΡΙΑΝΟΥ
10    ΤΙΒ ΚΛ ΒΟΚΧΟΣ        ΤΙΒΚΛΕΥΚΙΟΣ
      ΜΠΑΠΙΡΑΛΕΞΙΓΡΕΕΒ     ΑΣΚΛΗΠΙΟΣΛΟΥΚΙΟΥ
      ΜΠΑΠΙΡΑΛΕΞΝΕΩΤ       ΡΟΥΦΟΣΡΟΥΦΟΥ
      ΠΙΟΥΛΑΝΕΜΝΑΤΟ        ΑΦΡΟΔΙΣΙΟΣΜΕΝΑΝΡ
      ΦΛ ΚΛΑΥΔΙΑΝΟΣ        ΡΟΥΦΟΣΕΡΜΕΙΟΥ
15    ΦΛ ΓΑΛΛΟΣ            ΑΠΟΛΛΩΝΙΟΣΝΕΙΚΟΧ
      ΤΙΣΕΟΥΕΡΙΑΝΑΛιۛΜ     ΦΡΟΝΤΩΝΒΑΣΙΛΟΥ
      ΑΝΘΕΣΤΙΟΣΑΣΙΑΤΙΚΟΥ   ΔΙΟΦΛΝΟΣΕΡΜΕΙΟΥ
      ΣΤΑΤΕΙΛΙΟΣΜΑΤΛΟΡ     ΕΡΜΕΙΑΣΑΡΕΜΙΔΩΟ
      ΠΟΜΠΩΝΙΟΣ ΙΟΥΛΙΟΥ    ΠΑΝΤΑΓΑΘΟΖΩΣΙΜΟ
20    ΤΙΒΚΛΣΤΡΑΤΟΝΙΚΟΣ     ΓΑΛΛΑΗΣΑΛΕΞΑΔΡΟΥ
      ΤΙΚΑ ΠΡΟΚΛΟΣ         ΑΘΗΝΟΔΩΡΟΣΑΡΙΣΤΩΝ
      ΣΑΤΟΥΡΝΕΙΝΟΣΔΟΡΥΦΟΡ  ΠΟΣΤΟ      ⌐ΗΣΙ
      ΜΑΞΙΜΟΣΕΥΑΝΓΕ//ΟΚ·ΜΛΙΟΥ ΓΑΙΟΣ Ε
      ΑΜΑΜΟΣΕΥΑΝΓΕΛΟΥ      ΑΣΚΛΕ /      ⌐ΚΛ
25    ΛΟΥΚΙΟΣΗΡΑΚΛ         ΗΛΙΟΣ Α
      ΑΚΥΛΑΣΓΑΙΟΥ
```

ΑΝΕΜΝΑΤΟΣΑΣΚΛΗΠΙΟΥ   ΙΤΑΛΟΣΘΕΜΙΣΩΝΟΣ

ΣΕΛΕΥΚΙΑΝΟΣΑΛΕΞΑΝΔ   ΠΡΟΚΛΟΣ ΑΛΕΞΑ

ΑΝΘΕΣΤΙΟΣΣΤΑΤΕΙΛΙΟΥ

30   ΒΟΚΧΟΣΠΟ///ΝΙΟΥ   ΑΚΥΛΑΣ ΑΠ ΝΑΡοΥ ΟΛΛΩ

ΓΑΙΟΣΑΜΥΝΤΟΥ   ΑΚΥΛΛΕΛΕΩΝΙΔΟΥΛΩΝΙΟΥ

ΛΟΥΤΑΤΙΟΣΒΑΣΙΛΟ/   ΑΓΑΘΩΝΥΜΟΣΠΑΝ

ΛΟΥΤΑΤΙΟΣΛΟΥΚΙΟ/   ΚΥΡΙΛΛΟΣΛ ΤΑΓΑΘοΥ ΕΩΝΙΔΟΥ

ΜΕΛΙΤΩΝΞΕΙΜΑΡΧΟΥ

35   ΣΑΒΕΙΝΟΣΚΑΡΙΣ/ΑΝΙΟ

ΛΟΥΚΙΟΣ ΟΥΙΤΛΟΥΙΟΥΝΙΟ   ΟΥΑΛΕΡΙΟΣΓΑΙΟΥ

ΗΛΙΟΣΛΟΥΚΙΟ/////   ΚΛΗΕΝ'

ΓΛΥΚΩΝΟΜΟΥ//;/   ΟΚΑΙΠΑ

ΞΙΡΙΔΑΤΣΑΛΕΞΑΝΔΡΟΥ

40   ΝΞΙΚΟΣΤΡΑΤΟΣΑΝΔΡΕΟΥ   ΤΙΚΛΣ

ΟΚΑΙΡΟΥΦΟΣ   ΙΟΥΛΙΑΝΣ

ΚΑΠΙΤΩΝΚΑΠΙΤΩΝΟΣ   ΑΣΚΑΗΠΙΟΣΜΗΝΑ

ΑΝΤΩΝΙΟΣΣΕΟΥΗΡΟΣ   ΑΣΚΛΗΠΙΑΔΙΣΑΒΕΙΝοΥ

ΑΝΤΩΝΙΟΣΚΕΛΕΡ

45   ΔΗΜΟΣΘΕΝΗΣΔΗΟΣΘΕ   ΙΟΥΛΙΑΝΟΣΜΑΡΚΕΛΟΥ

ΛΕΩΝΙΔΗΙΟΥΑΡΟΥ

ΙΑΝΟΑΡΙΟΣΒΑΣΙΛΟΥ   ΠΟΣΤΟΥΜΙΟΣΔΙΟΣ

ΔΕΙΟΣΑΦΡΕΙΝΟΥ   ΕΒΟΥΡΙΑΝΟΣ ΑΚΥΛΟΥ

ΓΑΙΟΣΓΑΙΟΥΜΗΝΑ   ΓΕΜΕΛΛΙΑΝΟΣΜΑΞΙΜΟΣ

50   ΑΣΚΛΗΠΙΟΣΕΡΜΟΥ   ΠΑΣΙΚΡΑΤΣΑΠΩΛΛΩΝΙΟΥ

ΑΣΚΛΗΠΙΔΗΣΙΛΟΥΑΝΟΥ   ΑΝΝΙΟΣ ΑΝΝΙΟΥ

ΜΑΡΚΕΛΛΟΣΒΟΙΘΗΓΟΣ   ΝΞΙΙΗΣ ΤΕΙΜΑΡΧΟΥ

//ΟΚΛΗΙΟΣ ΡΟΥΦΟΥ   ///////////////////////

ΠΑΥΛΟΣΑΠΕΛΛΙΩΝΟΣ   ///////////////////////

55   ΒΑΡΒΙΛΛΟΣΕΥΤΥΧΟΥ   ΚΛΩΔΙΟΣ/////////////

ΑΠΟΛΛΩΝΙΟΣΚΑΡΠΙΟΥ ΤΙΒΚΛΑΥΔΙΟΣΣΚΑΠΛΑΣ

ΑΣΙΑΤΙΚΟΣΦΙΛΗΤΟΥΑΛΕΞΑΝΔΡΟΣΜΕΡΚΟΥΡΙΟΥ

ΦΙΛΙΠΠΟΣΟΥΑΛΕΡΙΟΥΣΤΑΤΩΡΙΑΝΟΣΣΤΑΤΩΡΙ

ΣΤΑΤΩΡΙΟΣΑΛΚΙΜΟΥΑΚΥΛΑΣΑΛΕΞΑΝΔΡΟΥ

60   ΤΗΝΕΙΚΟΝΑΤΟΥΚΥΡΙΟΥΣΕΒΑ

ΣΤΟΥΚΑΙΤΟΝΤΙΤΛΟΝΣΥΝΤΑΙΣ

ΓΡΑΦΑΙΣΤΟΙΣΙΕΡΟΥΡΓΟΙΣ ✿

sic   ΓΙΒΚΣΤΡΑΤΟΝΕΙΚΟΣΕΚΤΩΝ

✿ΙΔΙΩΝΑΝΕΣΤΗΣΕ✿

Die zahlreichen Ligaturen von ΟΥ, ΟΣ, ΟΝ konnten im Druck nicht ersichtlich gemacht werden. Ebenso wäre die wechselnde Grösse der Schrift in der zweiten Columne nur durch ein Facsimile wiederzugeben.

Da sich unter den Kaisergentilicia der Inschrift wohl ein *Aelius* aber keine *Aurelii* finden, so wird man die Inschrift nicht später als Marc Aurel setzen dürfen. Die Erwähnung des vierten Consulates, welches weder Hadrian noch Marc Aurel bekleidet haben, führt dann nothwendig auf Antoninus Pius. Man wird demnach etwa zu ergänzen haben:

[Ἐπὶ Αὐτοκράτορος Καί-
σαρος Τ. Αἰλίου Ἀντω-
νίνου εὐσεβοῦς ἀρχ-
ιερέως μεγίστου δημ-
αρχικῆ]ς ἐξουσίας [τὸ.
ὑπάτ]ου τὸ δ' ἀνέθηκαν
τὴν σ]τήλην καὶ τὰ ὀνόματα ἡγε-
μον]εύοντος Π. Ἀλφίου· Μαξίμο(υ),
5 ἀρχιερωμένου Μ. Παπιρίου Μον-
τάνου, σεβαστοφαντούσης Κλ. Β(α)λ-
βείνης νεωτέρας, ἱεροφαντοῦντος
διὰ βίου Ἰουλίου Αἰλίου Ἰουλιανοῦ

                  Ἀσκληπιὸς Ἐβουριανοῦ

10 Τιβ. Κλ. Βόκχος	Τιβ. Κ. Λεύκιος
Μ. Παπίρ. Ἀλεξ. πρεσβ.	Ἀσκληπιὸς Λουκίου
Μ. Παπίρ. Ἀλεξ. νεωτ.	Ροῦφος Ῥούφου
Π. Ἰουλ. Ἀνέμνατο[ς]	Ἀφροδίσιος Μενάνδρ.
Φλ. Κλαυδιανὸς	Ροῦφος Ἑρμείου
15 Φλ. Γάλλος	Ἀπολλώνιος Νεικοχ.
Τι. Σεουεριαν. Ἀλκ[ί]μ.	Φρόντων Βασίλου
Ἀνθέστιος Ἀσιατικοῦ	Διόφαντος Ἑρμείου
Στατείλιος Ματλορ.?	Ἑρμείας Ἀρτεμιδώ(ρ)ο(υ)
Πομπώνιος Ἰουλίου	Παντάγαθος Ζωσίμο(υ)
20 Τιβ. Κλ. Στρατόνικος	Γαλάτης Ἀλεξ(άν)δρου
Τι. Κλ. Πρόκλος	Ἀθηνόδωρος Ἀρίστων.
Σατουρνεῖνος Δορυφόρ.	Ποστο[ύμιος ...]ης
Μάξιμος Εὐαγγέ[λλ.] ὁ κ(ὲ) Μάγου	Γάϊος Ἑ....
Ἄμαμος Εὐαγγέλου	Ἀσκλε[πιὸς Ἀσ]κλ.
25 Λούκιος Ἡρακλ.	Ἥλιος Ἀ.....
Ἀκύλας Γαΐου	
Ἀνέμνατος Ἀσκληπιοῦ	Ἰταλὸς Θεμίσωνος
Σελευκιανὸς Ἀλεξάνδ.	Πρόκλος Ἀλεξάνδρου
Ἀνθέστιος Στατειλίου	Ἀκύλας Ἀπολλω⟨λω⟩νίου
30 Βόκχος Πο[μπω]νίου	Ἀκύλας [Λ]εωνίδου
Γάϊος Ἀμύντου	Ἀγαθώνυμος Παν-
Λουτάτιος Βασίλο[υ]	ταγάθου
Λουτάτιος Λουκίο[υ]	Κύριλλος Λεωνίδου
Μελίτων Τειμάρχου	

35 Σαβεῖνος Καρισ[τ]ανίο(υ) Οὐαλέριος Γαΐου
 Λούκιος Οὐίτλου (?) Ἰουνίο(υ) Κλημεντῖ[νος.....
 Ἥλιος Λουκίο[υ....   ὁ καὶ Πα....
 Γλύκων Ὁμού[λλου]   Τι. Κλ. Σ...... .
 Τειριδάτης Ἀλεξάνδρου Ἰουλιανὸ[ς.......
40 Νεικόστρατος Ἀνδρέου
  ὁ καὶ Ῥοῦφος   Ἀσκληπιὸς Μηνᾶ
 Καπίτων Καπίτωνος   Ἀσκληπιάδης [Σ]αβείνου
 Ἀντώνιος Σεουῆρος   Ἰουλιανὸς Μαρκέλ(λ)ου
 Ἀντώνιος Κέλερ
45 Δημοσθένης Δημοσθέ. Ποστούμιος Δῖος
 Λεωνίδη[ς] Οὐάρου   Ἐβουριανὸς Ἀκύλου
 Ἰανοάριος Βασίλου   Γεμελλιανὸς Μαξίμο[υ]
 Δεῖος Ἀφρείνου   Πασικράτης Ἀπολλωνίου
 Γάϊος Γαΐου Μηνᾶ   Ἄννιος Ἀννίου
50 Ἀσκληπιὸς Ἑρμοῦ   Νει[κή]της Τειμάρχου
 Ἀσκληπίδης Σιλουανοῦ
 Μάρκελλος Βοιθηγὸς ....
 [Πρ?]οκλήιος Ῥούφου ....
 Παῦλος Ἀπελλίωνος   Κλώδιος........
55 Βάρβιλλος Εὐτύχου   Τιβ. Κλαύδιος Σκάπλας
 Ἀπολλώνιος Κάρπου   Ἀλέξανδρος Μερκουρίου
 Ἀσιατικὸς Φιλήτου
 Φίλιππος Οὐαλερίου   Στατωριανὸς Στατωρί.
 Στατώριος Ἀλκίμου   Ἀκύλας Ἀλεξάνδρου

60 τὴν εἰκόνα τοῦ κυρίου Σεβαστοῦ καὶ τὸν τίτλον σὺν ταῖς
 γραφαῖς τοῖς ἱερουργοῖς
 [Τ]ιβ. Κ. Στρατόνεικος ἐκ τῶν
 ἰδίων ἀνέστησε.

82. Nach einem Abklatsch = Mordtm. *Marmora Ancyrana*
p. 15 n. 4.

```
ΙΥΛΛΟΥΑΡ
ΙΠΠΗΡΩΜΑΙΣ
ΡΑΒΑΣΙΛΕΩΝΤΕΙ
ΜΕΝΟΝΔΙΗΓΕ
```
5 ```ΙΑΙΕΡΕΑΔΙΑΒΙΟΥΘΕΣ```
```ΚΛΗΠΙΘΥΠΑΤΕΡΑΚΠ```
```ΤΙΚΩΝΙΡΟΣΤΑΤΗΝΤΙΟ```
```ΑΡΧΙΕΡΕΑΤΟΥΚΟΙΝ```
```ΚΤΙΣΤΗΝΤΛΟΥΤ```
10 ```ΙΡΟΦΟΝΒ```

. . . .
. . . ἱππῇ Ῥωμαίω[ν. . . .
. . . πα]ρὰ βασιλέων τει[μαῖς τε-
τειμη]μένον διη[νεγ]κ[έσιν . .
5 . . . . . .]ια, ἱερέα διὰ βίου θευ[ῦ σωτῆρος Ἀσ]κληπιοῦ, πατέρα κὲ π[άππον
συνκλη]τικῶν, προστάτην τῆς [μητρο-
πόλεως,] ἀρχιερέα τοῦ κοιν[οῦ τῶν Γα-
λατῶν,] κτίστην πλου[τιστὴν τῆς πό-
10 λεως?, σύντ]ροφον β[ασιλέων?, τὸν εὐ-
εργέτη]ν κὲ πᾶσα[ν πολιτείαν ἐνδό-
[ξως καὶ μεγαλοπρεπῶς πολιτευ-]
[σάμενον?

Mordtmann las am Anfange von Zeile 2 noch ein o; in Z. 4
ΜΕΝΟΝΔΙΗΓ..Κ. Die übrigen Abweichungen seiner Abschrift werden
durch den Abklatsch widerlegt. Den Schriftzügen nach fällt die
Inschrift in die zweite Hälfte des dritten Jahrhunderts n. Chr., ist
also etwa gleichzeitig mit der im *Bull. de Corr. hell.* VII p. 16 n. 13
publicirten Inschrift aus Ancyra, welche für die Ergänzung eine
wesentliche Stütze bildet *).

83. Nach einem Abklatsch, der in Z. 5 u. 6 am Anfang unvollständig ist = Mordtm. M. A. p. 20 = *Bull. de corr. hell.* VII
p. 20.

ΟΝΔΗΜΟΥΡΩΜΑΙΩΝΠΡΑΙ   . . . .
                            . . . ον δήμου Ῥωμαίων πραι-
ΤΟΡΑΑΠΟΔΕΔΕΙΓΜΕΝΟΝ   τορα ἀποδεδειγμένον
ΣΕΜΠΡΩΝΙΑΡΩΜΑΝΑΘΥΓΑΤΗΡ   Σεμπρωνία Ῥωμανὰ θυγάτηρ
ΣΕΜΠΡΩΝΙΟΥΑΚΥΛΟΥΓΕΝΟΜΕ   Σεμπρωνίου Ἀκύλου γενομέ-
5 ΟΥΕΠΙΕΠΙΣΤΟΛΩΝΕΛΛΗΝΙΚΩΝ   ν]ου ἐπὶ ἐπιστολῶν Ἑλληνικῶν
Β·ΤΟΝΓΛΥΚΥΤΑΤΟΝΑΝΔΡΑ   Σε]β. τὸν γλυκύτατον ἄνδρα

Z. 1: δήμου Ῥωμαίων scheint zu πραίτορα zu gehören, wie in
der Inschrift *Bull. de corr. hell.* VII p. 25 n. 17 στρατηγὸν δή[μου
Ῥωμαίων].

*) Τὸν κράτ(ιστον) Καικίλ(ιον) Ἑρμιανὸν τὸν πρῶτον τῆς ἐπαρχείου
βουλογραφ(ήσαντα) τὸ β′, πολειτογραφ(ήσαντα) τὸ ι′,
Γαλ[ατ]άρχην, κ[τί]στην, [π]ᾶσαν [π]ολε[ιτ]είαν ἐνδόξως καὶ μεγαλοπρεπῶς
πολειτ[ευ]σάμενον, προστάτην τῆς μ[η]τροπόλεως β′ νεωκόρ[ου] Ἀνκύρας,
πατέρα καὶ πάππον συνκλ[ητ]ι[κῶν], δουκηνά[ριο]ν, ἐπὶ συμβουλίου
τοῦ Σεβ(αστοῦ), φυλὴ Α′ τὸν πάτρωνα.

84. Nach einem Abklatsch = Mordtm. M. A. p. 21.

```
ΤΡΕΙ ΟΥΛΙΑΙΑΤΡΙΝΗΖΩϹΑΦΡΟΝΟ Υ Ϲ Α
ΚΑΤΕϹΚΕΥΑϹΑΤΟΠΕΡΙΦΡΑ Γ Μ Α Ε Α Υ Ħ
ΚΑΙΑΙΛ·ΑΓΑΘΗΜΑΜΜΗΚΑΙΑΙΛ·ΠΩϹΦΟ
ΡΙΔΙΜΗΤΡΙΚΑΙϹΤΑΤΩΡΙΩΓΑΙΟ Υ Π Α Π Π Ω
ΚΑΙΑΙΛ·ΛΕΩΝΙΔΑΑΝΔΡΙ Κ Α Ι Μ Ε Τ Α Τ Ο
ΕΜΕΚΑΤΑΤΕΘΗΝΑΙ ΠΑ Ρ Ο Ρ ΙΖ Ω Μ Η Δ Ε ᴺᴬ
ΕΧ Ε Ι Ν Ε Ξ Ο Υ Ϲ Ι Α Ν Ε Π Ι Ϲ Ε Ν Ε Γ Κ Α Ι Ε ΤΕΡοᴺ
ϹΩΜΑΕΑΝΔΕΤΙϹΤΟΛΜΗϹΕΙΤΩΤΑΜΕΙΩΔΩϹΕΙ
ϪΜΥΡΙΑͰΕΝͰΑΚΙϹΧΙΛΙΑ
```
5 (line 5)

Τρε[β?]ουλία Ἰατρινὴ ζῶσα φρονοῦσα‖κατεσκεύασα τὸ περίφρα-
γμα ἑαυτῇ ‖ καὶ Αἰλ(ία) Ἀγάθη μάμμη καὶ Ἀἰλ(ία)
Πωσφό‖ριδι μητρὶ καὶ Στατωρίῳ Γαίου πάππῳ ‖
καὶ Αἰλ(ίῳ) Λεωνίδᾳ ἀνδρὶ καὶ μετὰ τὸ‖ἐμὲ κατατε-
5 θῆναι παρορίζω μηδένα ‖ ἔχειν ἐξουσίαν ἐπισενέγκαι
ἕτερον ‖ σῶμα· ἐὰν δέ τις τολμήσει τῷ ταμείῳ δώσει‖
ϫ μύρια πεντακισχίλια

85. Nach einem Abklatsch = *Bull. de corr. hell.* VII p. 17.

ΑΓΑΘΗΙΤΥΧΗΙ	Ἀγαθῆι τύχηι
ΟΙΑΠΟΤΗϹΟΙΚΟΥ	οἱ ἀπὸ τῆς οἰκου-
ΜΕΝΗϹΠΕΡΙΤΟΝΔΙ	μένης περὶ τὸν Δι-
ΟΝΥϹΟΝΚΑΙΑΥΤΟ	όνυσον καὶ Αὐτο-
5 ΚΡΑΤΟΡΑΤΡΑΙΑ	κράτορα Τραια-
ΝΟΝΑΔΡΙΑΝΟΝΚΑΙ	νὸν Ἀδριανὸν Καί-
ΓΑΡΑϹΕΒΑϹΤΟΝΤΕ	σαρα Σεβαστὸν τε-
ΧΝΕΙΤΑΙΙΕΡΟΝΕΙ	χνεῖται ἱερονεῖ-
ΚΑΙϹΤΕΦΑΝΕΙΤΑΙ	καὶ στεφανεῖται
10 ΚΑΙΟΙΤΟΥΤΩΝϹΥΝ	καὶ οἱ τούτων συν-
ΑΓΩΝΙϹΤΑΙΟΥΛΠΙοᴺ	αγωνισταὶ Οὔλπιον
ΑΙΛΙΟΝΠΟΜΠΗΙΑΝοᴺ	Αἴλιον Πομπηιανὸν
ΤΟΝΕΛΛΑΔΑΡΧΗΝΚΑΑΡ	τὸν ἑλλαδάρχην κα[ὶ] ἀρ-
ΧΙ//ΕΑΑΝΕϹΤΗϹΑΝ	χι[ερ]έα ἀνέστησαν·
15 ΤΥΧΗΙ ΑΓΑΘΗΙ	τύχηι ἀγαθῆι

86. = Ms. Nr. 1. Von dem Blatte, auf welchem die Inschrift
steht, fehlt die rechte Hälfte; doch ist oben die Angabe des Bruches
erhalten.

```
. . . . . . . . ιΣΑιΣ
ειΜιΑιΣ ΚΑι
ι Η Ν ι Π Α ΤΡιΔΑΠ
ι Ο ι Σ Τ Ε ι ΕΡιΚΑΛι
5      Μ ΗΣ Α Ν΄ Α Κ Π Α Ν
ΛΗΣΕΛΑιΟΘΕΉΣΑΝ΄
ΝΕ Λ Η Θ Ε Ν΄ Α ΔΕΚΉΣΚΑ
ΒΑΛΑΝΣιΟ ν Φ Υ Λ Η Σ ΕΒΑΛ
```

In Zeile 5 ist in Rasur unter πα, μο erkennbar.

Die Inschrift ist zu ergänzen nach den gleichlautenden Decreten anderer Phylen C. I. Gr. 4025 a; b; c (= ob. Nr. 72); — π]άσαις [διενεγκόντα φιλο‖τ]ειμίαις, καὶ [ἔν τε διανομαῖς]‖[τ]ὴν πατρίδα π[λουτίσαντα ἔρ]‖[γ]οις τε [π]ερικαλ[λεστάτοις κοσ]‖μήσαντα, κὲ [μόνον τῶν πρὸ αὐτοῦ δι᾽ ὅ]‖λης ἐλαιοθετήσαντα [τῆς ἡμέρας· ἐπι]‖μεληθέντα δὲ κὲ τῆς κα[τασκευῆς τοῦ]‖ βαλανείου φυλὴ Σεβασ[τὴ? ἐτίμησεν].

Πλουτίσαντα muss wie im Exemplar a nach πατρίδα gestanden haben.

87. Nach einer Copie von Leonardi, die ich von Hrn. Mordtmann erhielt; diese Copie ist, wie oben bemerkt, identisch mit der dritten Inschrift des Manuscriptes; doch ist letztere jetzt rechts verstümmelt.

```
      ΤΟΡΟΣ  ΤΙΤΟΥΑΙΛΙΟΥΚΑΙΣΑΡΟΣ
      ΑΝΤΟΝΣΙΝΟΥΑΝΘΥΠΑΤΩΙΑΧΑΙΑΣ
      ΗΓΕΜΟΝΙ ΛΕΓΕΩΝΟΣΔ Σ Κ Υ Θ Ι Κ Η Σ
      ΣΡΑΤΗΓΩΙ ΔΗΜΑΡΧΩΙΤΑΜΙ Α Ι Ε Π Α Ρ
5     ΧΕΙΑΣ ΒΑΒΤΙΚΗΣ ΧΕΙΛΙΑΡ Χ Ω Π Λ Α Τ Υ
      ΣΗΜΩΙΛΕΓ Ϡ ΑΙΔΥΜΟ ΕΥΤΥΧΟΥΣ α

        Κ Λ Φ  Μ Α Φ  ⩲   Ι Μ Ο Σ
```

Die Inschrift ist zu ergänzen nach C. I. Gr. 4022.

[Γ. ᾽Ιουλίῳ Σκάπλᾳ, ὑπάτῳ ἀποδεδειγμένῳ, πρεσβευτῇ καὶ ἀντιστρατήγῳ αὐτοκράτορος Τραιανοῦ ᾽Αδριανοῦ Σεβαστοῦ, πατρὸς πατρίδος, ἀρχιερέως μεγίστου, καὶ αὐτοκρά]τορος Τίτου Αἰλίου Καίσαρος‖᾽Αντ[ω]νείνου, ἀνθυπάτωι ᾽Αχαίας,‖ἡγεμόνι λεγεῶνος δ᾽ Σκυθικῆς,‖στρατηγῶι, δημάρχωι, ταμίαι ἐπαρ-‖χείας Βα[ι]τικῆς, χιλιάρχῳ πλατυ‖σήμωι λεγ. [ζ᾽] [Δ]ιδύμο[υ] Εὐτυχοῦς ‖ Κλ. Μά[ξ]ιμος

88. Das Fragment einer dritten auf diesen Mann bezüglichen Inschrift gebe ich nach einem Abklatsch = C. I. Gr. 4023.

```
              ⌐ΠＡＮ⌐
             |ΡΕΣΒΕΥΤΗΝ Φ
             |ΟΡΟΣ ΤΡΑΙΑΝΟΥ
             |Ο Σ Π Α Τ Ρ Ι Δ Ο Σ
        5    |ΤΟ Κ Ρ Α Τ Ο Ρ Ο Σ
             |Τ Ω Ν Ε Ι Ν Ο Υ
             |ΝΑΛΕΓ Ι Ω Ν Ο Σ Δ̄
             |ΧΟＮＡΜΙΑΝ
             |ΡΧΟＮ Ι Λ Α Τ Υ
        10   |ΟΥΕΥΤΥΧΟΥΣ
```

89. = Ms. Nr. 14.

ΡΟΤ//	. . . .
ι ζ Ε Μ Ν Ο //	. . . . σεμνό[τ-
ϛ Ο Ν Κ-Δ Ι Κ Α Ι Ο	α]τον κέ δικαιό- · ·
ι Α Γ Ο Ν Η Γ Ε Μ Ο . .	[τ]α[τ]ον ἡγεμό[να] · ʹ
ϭ Λ Ι Β Ι Ν Η Ι Ο Σ	Λιβινήιος
Π Ο Μ Π Ω Ν Ο	Πόμπών[ι]ο[ς]
Ο Κ Ο Ρ Ν Ι Κ Ο Υ Λ Α Ρ Ι	ὁ κορνικουλάρι-
Ο Σ	ος
Τ Ο Ν Π Α Τ Ρ Ω Ν Α	τὸν πάτρωνα

90. = Ms. Nr. 45. „Auf dem Friedhof der katholischen Armenier". Ist mir bis auf wenige Worte unverständlich geblieben.

```
        . . . Ο Ν Κ Α Λ Ο Ν Η Δ . . .
        . . . Ϲ Π Ρ Ο . Β Ο Κ Α Τ
        . . . . Ρ Υ Υ Ε Ϲ Μ Α Ρ Α . . .
        . . Ν Ο Α Δ Ε Μ Ο ι . . .
    5   . . . Χ Α Χ Ο Ϲ Π Ι ω Τ . . .
        . . . Θ Ε Ν Ε Ι Τ Α Ϲ Δ ω . . .
        . . . ω Μ Ο Ϲ Ε Δ Ο Υ Α . . .
        . . . Ϲ Τ Υ Γ Ε Ρ Η Ν Μ Η . .
        . . . ω Ε Ν Α Ι Α Υ Θ Ι Ϲ ʋ . . .
    10  . . . Ι Ε Ν Ο Ϲ Δ Ε Θ Α . . .
        . . . Ο Ι Ϲ Π Α Ρ Ο Ϲ Ο Ρ . . .
        . . . Κ Λ Α Υ Δ Ι Ο Π . . .
        . . . Ϲ Ρ Ι Ϲ Θ Α Ψ έ ʹ . .
        . . . Α Ο Μ Ν Ι Κ . . .
```

91. = Ms. Nr. 46. „Ebendort".

ΘΕΟΙΣΚ	Θεοῖς κ[ατ-]
ΑΧΘΟΝΙ	αχθονί[οις]
ΙΛΟΖΕΝΟ	[Φ]ιλόξενο[ς]
ΑΚΥΛΟΥ	Ἀκύλου
ΩΝΚ·ΦΡΟ	[ζ]ῶν κὲ φρο[νῶν]
ΑΥΤΩΚ·ΤΟΙΣ	[ἑ]αυτῷ κὲ τοῖς
ΔΙΟΙΣΜΝΗΜ	[ἰ]δίοις μνήμ[ης]
ΧΑΡΙΝ	χάριν

92. = Ms. Nr. 51. „In der Nähe des katholischen Friedhofes;
im Hofe eines Tscherkessenhauses in der Wand zwischen zwei
Zimmerthüren gegenüber dem Strassenthore eingemauert".

```
       ΚΑΒΑΛΒΕΙΝΑΝ
     ΤΗΝ ΕΚΠΡΟΓΟ
     ΝΩΝ ΒΑΣΙΛΙΣ
     Γ.ΑΝ Κ·ΠΡΩΤΗΝΤΙΣ
  5  ΕΠΑΡΧΙΑΣ ΓΥΝΑΙ
     ΚΑ ΚΛ ΑΡΡΙΑΝΟΥ
     ΣΥΝΚΛΗΤΙΚΟΥ
     ΜΗΤΕΡΑ ΤΗΣ ΜΗ
     ΤΡΟΠΟΛΕΩΣΥΙΕΡ..
 10  ΑΛΟΜΕΝ·ΝΙΑΝ..
     ..ΣΤΟΥΣΚΑΘΕ...
     ΥΙΗΝΤΑΙΣΕΙΣ ΤΝ Γ.
     ΡΙΔΑ ΦΙΛΟΤΙΜΙΑΙΣ
     ΦΥΛΗΕ..ΔΙ...ΡΑΤΕ
 15  ΥΛΑΡ..ΧΜΦΛΑ...
```

Κ[λ]. Βαλβείναν ‖ τὴν ἐκ προγό‖νων βασιλισ‖σαν κὲ πρώτην τῆς |
ἐπαρχίας, γυναῖ‖κα Κλ. Ἀρριανοῦ ‖ συνκλητικοῦ,‖ μητέρα τῆς
μη‖τροπόλεως, ὑ[π]ερ[β]‖αλομένην [π]άν[τ‖α]ς τοὺς καθ' ἑ[α‖-
υ[τ]ὴν ταῖς εἰς τ[ὴ]ν [πατ]‖ρίδα φιλοτιμίαις· ‖φυλὴ ε'
Δι[αγέζων?] ‖ [φ]υλαρχ(οῦντος) Μ. Φλ. Α....

93. = Ms. Nr. 63. „In der Nähe des Hauses von Doctor
Aristazes." Ist mir unverständlich geblieben.

```
....ΗΓΗΤΗΙΜΑΤΩΝLΙ....
ΤΙΜΗΕΣΜΑΚΑΙΙΣΙΑΕΟΝΤΙΟΣΙ..
ΕΡΝΕΣΙΝΕΥΤΙΕΙΑΛΟΙΣ ΧΩΡΟΝ...
```

94. = Ms. Nr. 64. An demselben Orte wie n. 92.

ΤΡΕΗΙШΔΗΜΟ	Τρε[β]ίῳ Δημο·
.ΤΡΑΤШΜΝΗΜΕ	[σ]τράτῳ μνήμης
◊ ΧΑΡΙΝ ◊	χάριν

95. = Ms Nr. 89. „Am Grabe des Dschelali-Baba."

⅃ΗΚШΙΣ	. . . .
ΛΙΣШΤΗΡΣΙΛΚ	σωτῆρσι
ΣΕΟΥΗΡΙΑΝΟΙ◊	Σεουηριανοὶ
ΟΛΥΜΕΙΙΟΣΚΑΙ	Ολύμ[π]ιος καὶ
5 ΕΛΙΚΩΝ	Ἑλίκων

96. = Ms. Nr. 136. „In einem Thurme der Festungsmauer."

```
        ΕΠΙ ΑΥΡΔΙΝΥΣΙΟ
        ΑΡΓΑΕΙΝΟΥ
        ΤΟΥ ΛΑΜΠΡΟΤΤ
        ΑΡΞΑΜΕΝΟΥΚ
    5   ΠΛΙΕΡΟΣΛ. . .Σ
```

Eine zweite gleichlautende Inschrift findet sich unter Nr. 100 = C. I. Gr. 4051.

```
        ΕΠΙ ΑΥΙΗΛΔΙ..
        ΣΙΟΥΑΡΓΑΕΙΝ.
        ΛΑΜΠΡΟΤΑΤΟ
        ΜΕΝΟΥ ◊ Κ· ◊
    5   ΣΥΝΠ
        ΛΘΗΣΑΝΤΟΣ
```

Die Inschrift dürfte demnach etwa so herzustellen sein:

$$
\begin{aligned}
&\text{Ἐπὶ Αὐρ. Δι[ο]νυσίο[υ]}\\
&\text{Ἀργαείνου}\\
&\text{τοῦ λαμπροτ[ά]τ[ου]}\\
&\text{ἀρξαμένου κ[αὶ συμ-]}\\
5\;&\text{πλ[η]ρ[ώ]σα[ντο]ς....}
\end{aligned}
$$

und sich auf denselben Mauerbau beziehen wie C. I. Gr. III, 4053.

97. = Ms. Nr. 103. „An der Ostseite der Festungsmauer". Ich gebe unter a) die Copie des Manuscriptes; b) die Abschrift, welche ich nach einer sehr schlechten Photographie gemacht habe; c) die Abschrift Mordtmanns M. A. p. 18 n. 6.

a)

ΑΓΑΘΗΙ ΤΥΧΗΙ
ΤΗ... ΚΒΑΣΙΛΕ
ΟΝΥΡΟΥΗΝΙ
ΑΝΚΟΘΥΤΑΝ
5 ΚΟΡΝΗΛΙΑΝΚΑΛ
ΠΟΥΡΝΙΑΝΟΥΑΛΕ
ΑΝΕΕΚΟΥΝΔΑΝΚΟ
ΤΙΑΝΠΡΟΚΙΛΛΑΝΓΡΘΡ
ΚΙΑΝΛΟΥΟΥΑΛΑΝΛο
10 ΑΝΤΩΝΑΝΛΟΠΙΟΙΕϹΟϹ
ΡΙΑΝοΥΠΕΙΟΥΟΥΓΑΤΙΡΑΕΚ
ΝΗΙΙΑΟΙΚΑΔΥΛΔΙΟΥΚΙ..ΟΠΛ..
ΓΥΝΑΚ..ΔϹΓΕΙΟΗΝΗΝ
ϹΠ-ΛΠΟΥΡΜίοΥ.....ΙΛ.
15 ΚΟΡΝΗΛΙΑΝΟΥοΤΙΓΙΓ
ΚΟΥΡΩΜΟΘΙΕΑΝοΝ
ΚΛΗϹΙΛΥΠοΤΕΒοΥΑΠΟ
ΛΗΟΟΝΠ..ΗϹΑΙΕΤΗΟϹ
ΓΕΧΦΥΛΗΖΤΩΑΓΑΛΙΙΙ
20 ΤΙΕΤ...ϹΕΝΦΥΛΑΡΧΟ
ΝΤΟϹ ϹϋΟΥΡΗΡΙΑΝΕ
ΕΙΑΕΟΥ

b)

ΑΓΑΘΗΙ ΤΥΧΗ
ΓΗΝϹΚΒΑϹΙΛΕ
ΩΙϹϹϽΟΥΗΝΙ
ΑΝΚΟ ΟΫΤΑΝ
5 ΚΟΡΝΗΛΙΑΝΚΑΛ
ΠΟϽΝ ΟϽΑΛΕΙ
ΑΙϹΕΚΟΥΝΔΑΝΚΟ
ΚΙ ΛΑΝΙΙΕΒ
ΛΑΝΛΟ
10 ΕΟ
ΡΙ ΟΥ ΕίΟ ΘΥΙ ⁻
ΟΥ
ΠΟ ΙΛ
15 ϽΙΑΝΟΥ ΙΙ
ΚΟΥ.ϹίΜΗΘΕΙϹΑΝ
ϽΗϹΙΑΥ.Ο..ΒΟΥΛΗϹ
ΟΥ
ΝϹ ΦΥΛΗΖ
20 ΦΥΛΑΡ
ϹΕΟΥΗΡΙΑΝΟ
ΕΙ ΕΟΥ

c)

ΑΓΑΘΗΙ ΤΥΧΗΙ
ΠΡΟΚΒΑϹΙΛΕ
ΩΝ ΡΟΥΗΝΙ
ΑΝΚΟ ΤΑΝ
5 ΚΟΙΝΗΜΑΝΚΑΛ
Π ΙΝ ΝΟΥΑΛΕΙ
ΑΝΕΕΚΘΥΝΔΑΝΚΟ
ΤΑ ΡΟ ΛΑΝΠΕΒ
ΛΑΝΔΟ
10 ΝΝ Ο ϹΟ
ΤΟΥΘΥΓΑΤΕΡΑϹΚ

3 Zeilen zerstört

15 ΚΟ ΟΥϹ
ΚΟΥ ΑΝΕΝ

Etwa herzustellen:

Ἀγαθῆι τύχηι
τὴν [ἐ]κ βασιλέ-
[ων] Σ[ερ]ουηνί-
αν Κο[ρν]οῦταν
5 Κορνηλίαν Καλ-
που[ρ|ν|ίαν] Οὐαλε[ρ-]
[ί]αν Σεκοῦνδαν Κο-
τίαν Πρόκιλλαν...
....Λου[κ]οὔλλαν...
10 ....
.......θυγατέρα....
....
γυνα[ῖ]κ[α] δὲ γε[ν]ο[μέ]νην
15 Π. [Κα]λπουρ[ν]ίου [Πρόκ]λ[ου?]

KΛHCEAYT BOYΛHΘ   Kορ[ν]ηλιανοῦ [συνκλητι-]
    OYN   κοῦ [τ]ειμηθεῖσαν [ἐ]ν
    AN   [ἐκ]κλησίᾳ ὑπό τε βουλῆς
20   ΦΥΛΑΡΧ   20 [κ(ὲ) δ]ή[μ]ου [τ]ῆς ἀ[γνό]τη[τ]ος
HNTOCCOY AN   [ἔ]νε[κεν] φυλὴ ζ´ τῷ ἀγάλ[μα-]
        τι ἐτ[είμη]σεν φυλαρχο[ῦ-]
        ντος Σεουηριανο[ῦ]
....

98. = Ms. Nr. 138. „Gefunden bei der Fundamentirung des Magazines, welches Bajzade Jussuf Effendi in der Strasse Saraijol gebaut hat."

ΑΓΑΘΗΤΥΧΗ
ΨΗΦΙΣΜΑ ΤΩΝ ΑΠΟ ΤΗΣ ΟΙΚΟΥΜΕΝΗΣ ΙΙΕΡΙ
ΤΟΝ ΔΙΟΝΥΣΟΝ ΚΑΙ ΑΥΤΟΚΡΑΤΟΡΑ ΤΡΑ
ΙΑΝΟΝΑ ΑΔΡΙΑΝΟΝ ΣΕΒΑΣΤΟΝ ΚΑΙΣΑΡΑ
5 ΝΕΟΝ ΔΙΟΝΥΣΟΝ ΤΕΧΝΕΙΤΩΝ ΙΕΡΟΔΙ
ΚΩΝ ΣΤΕΦΑΝΕΙΤΩΝ ΚΑΙ ΤΟΝ ΤΟΥ ΤΟΝ
ΑΓΩΝΙΣΤΩΝ ΚΑΙ ΤΩΝ ΝΕΜΟΝΤΩΝ ΤΗΝΙΕΡΑΝ
ΘΥΜΕΛΙΚΗΝΣΥΝΟΔΟΝ ΕΠΕΙΔΗ ΠΡΟΤΑΝ
ΘΕΙΣ ΥΠΟΤΗΣ ΙΕΡΩΤΑΤΗΣ ΒΟΥΛΗΣ ΟΥΛΠΙΟΣ
10 ΑΙΛΙΟΣ ΠΟΜΠΕΙΑΝΟΣ ΑΓΩΝΟΘΕΤΗΣΑΣ ΤΟΝΑ
ΓΩΝΑ ΤΩΝ ΜΥΣΤΙΚΟΝ ΔΟΘΕΝΤΑ ΥΠΟ ΤΟΥ ΑΥ
ΤΟΚΡΑΤΟΡΟΣ ΕΝ ΟΛΙΓΑΙΣ ΤΗ ΠΟΛΕΙ ΤΗΤΕ ΧΕΙ
ΡΟΤΟΝΙΑ ΤΑΧΕΩΣ ΥΠΗΚΟΥΣΕΝ ΚΑΙ ΤΩΝ ΑΓΩ
ΝΑ ΔΙΑΦΑΝΩΣ ΕΠΕΤΕΛΕΣΕΝ ΕΚΤΩΝ ΒΛΥΤΟΝ
15 ΜΗΔΕΜΙΑΣ ΑΠΟΛΕΙΦΘΕΙΣ ΛΑΜΠΡΟΤΗΤΟΣ ΚΑΙ ΜΕΓΑ
ΛΟΨΥΧΙΑΣ ΑΜΑΤΗΝΤΕ ΕΥΣΕΒΕΙΑΝ ΤΗΣ ΠΑΤΡΙΔΟΣ
ΕΙΣ ΑΜΦΟΤΕΡΟΥΣ ΤΟΥΣ ΘΕΟΥΣ ΕΠΕΨΗΦΙΣΕΝ
ΚΑΙ ΤΑΣ ΕΠΙΔΟΣΕΙΣ ΠΑΣΑΣ ΔΕ ΑΕΦΕΙΔΩΣ ΕΠΟΙΗΣΑ
20 ΤΟ ΠΡΟΣ ΜΗΔΕΜΙΑΝ ΔΑΠΑΝΗΝ ΑΝΑΔΥΣ ΚΑΙ ΤΩ ΤΕ
ΤΑΧΕΙ ΤΗΣ ΣΠΟΥΔΗΣ ΟΔΕΥΟΝΤΑΣ ΗΔΗ ΤΟΥΣ ΑΓΩΝΙ
ΣΤΑΣ ΑΝΕΚΑΛΕΣΑΤΟ ΚΑΙ ΠΑΝΤΙΜΕΡΕΙ ΤΟΥ ΜΥΣΤΗΡΙ
ΟΥ..

21—54 „als unleserlich nicht gelesen".

Ἀγαθῇ τύχῃ ‖ Ψήφισμα τῶν ἀπὸ τῆς οἰκουμένης περὶ ‖ τὸν Διόνυσον καὶ Αὐτοκράτορα Τρα‖ϊανὸν Ἀδριανὸν Σεβαστὸν Καίσαρα ‖ νέον Διόνυσον τεχνειτῶν ἱερο[νε]‖κῶν στεφανειτῶν καὶ τ[ῶ]ν τούτ[ω]ν [συν-]‖αγωνιστῶν καὶ τῶν νεμόντων τὴν ἱερὰν ‖ θυμελικὴν σύνοδον·

Ἐπειδὴ προτα[χ]‖θεὶς ὑπὸ τῆς ἱερωτάτης βουλῆς Οὔλπιος ‖ Αἴλιος Πομ-
π[η]ιανὸς ἀγωνοθετήσας τὸν ἀ‖γῶνα τ[ὸ]ν μυστικὸν δοθέντα ὑπὸ τοῦ Αὐ‖-
τοκράτορος ἐν ὀλίγαις τῇ πόλει τῇ τε χει‖ροτονίᾳ ταχέως ὑπήκουσεν καὶ
τὸν ἀγῶ‖να διαφανῶς ἐπετέλεσεν ἐκ τῶν ἑαυτο[ῦ]‖μηδεμιᾶς ἀπολειφθεὶς
λαμπρότητος καὶ μεγα‖λοψυχίας, ἅμα τήν τε εὐσέβειαν τῆς πατρίδος ‖εἰς
ἀμφοτέρους τοὺς θεοὺς ἐπεψήφισεν ‖ καὶ τὰς ἐπιδόσεις πάσας δὲ
ἀ[φ]ειδῶς ἐποιήσα‖το πρὸς μηδεμίαν δαπάνην ἀναδὺς καὶ τῷ τε ‖τάχει
τῆς σπουδῆς ὁδεύοντας ἤδη τοὺς ἀγωνι‖στὰς ἀνεκαλέσατο καὶ παντὶ
μέρει τοῦ μυστηρί‖ου....

Zwischen Ancyra und Samsun

99. = Ms. 137. „Akardja in der Nähe des Salzsee's an einem
Brunnen."

ΛΓΑΘΗ ΤΥΧΗ	[Ἀ]γαθῇ τύχῃ
ΜΑΝΤΝΝΙΟΝ ᵒ	Μ. Ἀντ[ω]νῖ[ν]ον
ΘΕΙΟΤΑΤΟΝ ΑΥΤ	θειότατον αὐτ[ο-]
Κ-ΡΑΤΟΡΑΤΟΝΕΚΘΕ	[κ]ράτορα τὸν ἐκ θε-
5 ΩΝ ΝΗΝΩΝΑΡ	ῶν...........
ΧΟΝΣΟΝΟΥΛΗΔΗ	.....[β]ουλὴ δῆ-
ᵒ ΜΟΣ ᵒ	μος

100. Nefez-kiöi, nach einer Photographie.

+	
ΕΝΘΑΚΑ	Ἔνθα κα-
ΤΑΚΙΤΕΗ	τακῖτε ἡ
ΔΟΥΛΗ	δούλη
ΤΟΥΘΥΘ	τοῦ θ(εοῦ) Θ-
ΕΟΔΩΡΑ	εοδώρα

101. Meine Copie. Zwei Stunden vor Merziwan, an einem
Brunnen.

ΠΣΥΛΠΙ	
ΚΙΟΣΓΕ	
ΡΜΑΝΟΣ	Π(ούπλιος) Συλπίκιος
ΥΕΤΡΑΝ	Γερμανὸς Υετρανὸς ἐνθάδε κεῖται
5 ΟΣΕΝΘ	
ΑΔΕΚΕΙ	
ΤΑΙ	

102. Meine Copie. An einem Brunnen eine Stunde vor Merziwan. Kalkstein, h. 1·15, br. 0·51.

ΠΡΟΚΛΑΝΟϹ
ΠΡΟΚΛΟΥ   Προκλανὸς Πρόκλου ἐτ(ῶν) ιη′
ᴓ ΕΤ · ΙΗ ᴓ

103. Meine Copie. Ebendort. Kalkstein, h. 1, br. 0·55.

  ΑΒΕΙΝΙΑ ιι   Γ]αβεινίᾳ
  ΧΡΗΤΗΑΔΕΛΦ   τῇ ἀδελφ[ῇ
  ΓΑΒΕΙΝΙΟϹΕΡΕΙ   Γαβείνιος Ἑρει
  ΝΙΑΝΟϹ ΜΝΗΜΗϹ   νιανὸς μνήμης
5 ΧΑΡΙΝ · Κ ΕΤΟΥϹ   χάριν κ(ατεσκεύασεν?) ἔτους
      Ρ͞Ξ͞Ε   ρ͞ξε

v. 6 wahrscheinlich 159 p. Chr., vgl. Marquardt Staatsv. II² S. 359.

Wien   A. v. DOMASZEWSKI

Zur Sammlung Millosicz

Die Sammlung des Viceadmirals Georg Freiherrn von Millosicz, von welcher Gurlitt im ersten Bande dieser Zeitschrift einen Katalog veröffentlicht hat, enthält ausser den dort verzeichneten noch zwei unpublicirte Inschriften von einigem Interesse.

Die erste findet sich auf einem Marmorfragment, welches oben, unten und links abgebrochen ist. Länge 0·34, Br. 0·26, Dicke 0·025, Buchstabenhöhe 0·014. Der Buchstabencharakter weist in die Kaiserzeit, jedoch nicht über das zweite Jahrhundert. Die Enden aller Buchstaben sind mit Hasten versehen, dergestalt, dass alle Horizontalbalken an ihren Enden zwei Verticalstriche, alle Verticalbalken oben und unten Horizontalstriche tragen. Lambda, Alpha und Delta tragen überdies auf der oberen Spitze eine Horizontalhaste. Ypsilon hat den durch den Verticalbalken gehenden Querstrich, Rho und Beta setzen den oberen Halbkreis mit geschwungener Linie an.

```
 \ E ∠
 ıⁿ Π Ρ Ε Π Ο Ν
 ıl Α Ν Ε Ν Κ Ε Χ Ε Ι Ρ Ι Σ (
                    ⎯
 5    < Α Τ Η Θ Υ Σ Ι Α Β Ρ Ε Ι Σ Ε Ι
      ⸗Ι Α Σ Τ Ο Υ Α Υ Τ Ο Κ Ρ Α Τ Ο Ρ Ο Σ
      ˥Ο Λ Ε Ω Σ Η Μ Ω Ν · Η Σ Ι Ε
      Ε Ι Σ Τ Ο Ι Σ Τ Ε Χ Ν Ε Ι Τ Α Ι Σ
      ˉΚ Α Ι Σ Υ Ν Ε Λ Θ Ο Ν Τ Α Σ
10    ꓸΟ Σ Π Ρ Ο Ν Ο Ο Υ Μ Ε Ν Ο Υ
      ˉΙ Ο Υ
      ∟Β Α Σ Τ Ω Ν Ε Ν Ι Α Υ Σ Ι
      ˉΗ Σ Π Ο Λ Ε Ω Σ Ε Ψ Η
      \ Ι Σ Ε Κ Τ Ω Ν Δ Η
15    ˉΙ Α Σ Τ Ο Υ Τ Α Μ Ι Ο Υ
      ꓸΥ Λ Α Μ Π Α Δ Α Ρ
      ꞌΒ Ι Ο Υ
```

$$
\begin{array}{ll}
\lambda]\epsilon\sigma & \\
\nu\ \pi\rho\epsilon\pi o\nu[\tau & \\
\chi\rho\epsilon]\acute{\iota}\alpha\nu\ \acute{\epsilon}\nu\kappa\epsilon\chi\epsilon\iota\rho\acute{\iota}\sigma[\theta\alpha\iota & \\
\epsilon & \\
\kappa\alpha\tau\eta\ \theta\upsilon\sigma\acute{\iota}\alpha\ \mathrm{B}\rho\epsilon\iota\sigma\hat{\epsilon}\hat{\iota} & 5 \\
\epsilon\iota\alpha\varsigma\ \tau o\hat{\upsilon}\ \alpha\grave{\upsilon}\tau o\kappa\rho\acute{\alpha}\tau o\rho o\varsigma & \\
\pi\acute{o}\lambda\epsilon\omega\varsigma\ \acute{\eta}\mu\hat{\omega}\nu\cdot\ \hat{\eta}\varsigma\ \acute{\iota}\epsilon\text{-} & \\
\rho\ldots]\sigma\iota\varsigma\ \tau o\hat{\iota}\varsigma\ \tau\epsilon\chi\nu\epsilon\acute{\iota}\tau\alpha\iota\varsigma & \\
\epsilon]\ \kappa\alpha\grave{\iota}\ \sigma\upsilon\nu\epsilon\lambda\theta\acute{o}\nu\tau\alpha\varsigma & \\
\epsilon\grave{\iota}\varsigma\ \tau\grave{\eta}\nu\ \sigma\acute{\upsilon}\nu o\delta o\nu\ \ldots\rho]o\varsigma\ \pi\rho o\nu o o\upsilon\mu\acute{\epsilon}\nu o\upsilon & 10 \\
\ldots]\acute{\iota}o\upsilon & \\
\acute{\upsilon}\pi\grave{\epsilon}\rho\ \tau\hat{\eta}\varsigma\ \acute{\upsilon}\gamma\iota\epsilon\acute{\iota}\alpha\varsigma?\ \tau\hat{\omega}\nu\ \sigma\epsilon]\beta\alpha\sigma\tau\hat{\omega}\nu\ \acute{\epsilon}\nu\iota\alpha\upsilon\sigma\acute{\iota}\text{-} & \\
\ldots\ldots\ \theta\upsilon\sigma\acute{\iota}\ldots\ldots\ldots\ldots\tau]\hat{\eta}\varsigma\ \pi\acute{o}\lambda\epsilon\omega\varsigma\ \acute{\epsilon}\psi\eta\text{-} & \\
\phi\acute{\iota}\sigma\alpha\tau o\ldots\ldots\ldots\acute{\eta}\ \pi\acute{o}]\lambda\iota\varsigma\ \acute{\epsilon}\kappa\ \tau\hat{\omega}\nu\ \delta\eta\text{-} & \\
\mu o\sigma\acute{\iota}\omega\nu\ \ldots\ldots\ldots\ \epsilon]\iota\alpha\varsigma\ \tau o\hat{\upsilon}\ \tau\alpha\mu\acute{\iota}o\upsilon & 15 \\
\tau o]\hat{\upsilon}\ \lambda\alpha\mu\pi\alpha\delta\acute{\alpha}\rho\text{-} & \\
\chi o\upsilon\ldots\ldots\ldots\ldots\ \upsilon]\beta\iota o\upsilon &
\end{array}
$$

Die Inschrift bezieht sich, wie aus Βρεισεῖ (Z. 5) und τεχνεί-
ταις (Z. 8) ersichtlich ist, auf dionysische Künstler u. zw. die des
Dionysos Breseus, dessen Cult in S m y r n a, woher die Inschrift
vermuthlich stammt, nachgewiesen ist. Dort bestand ein Collegium
der Techniten und Mysten des Gottes. Das Nöthige hat darüber

Böckh zu C. I. Gr. n. 3173 zusammengestellt (über Βρησεύς vgl. jetzt auch v. Wilamowitz Philol. Unters. VII p. 409). — C. I. Gr. n. 3176 findet sich ein Schreiben M. Aurel's aus dem J. 147, welches den Dank an die Synode der Techniten des Dionysos Breseus für ihre an ihn gerichtete Beglückwünschung zur Geburt eines Sohnes ausspricht (vgl. Mommsen Herm. VIII p. 205 f. und Dittenberger *syll. inscr. Gr.* n. 289). Da somit ein Bezug des Technitencollegiums des Dionysos Breseus zu Marc Aurel feststeht, so glaube ich auch hier einen solchen als möglich hinstellen und σε]βαστῶν (Z. 12) auf ihn und L. Verus deuten zu können, zumal die Buchstaben eine spätere Zeit kaum zulassen. Allerdings steht Z. 6 der Singular τοῦ αὐτοκράτορος in anscheinendem Widerspruche mit σεβαστῶν, beides in getrennten Theilen des Decretes. Der letzte erhaltene Theil, in welchem eben σεβαστῶν steht, ist offenbar ein Beschluss der Stadt, für die Kosten der jährlichen Opfer zu Ehren der Kaiser aufzukommen. Man wird dabei an die gerade regierenden Kaiser gerne denken wollen, doch lassen sich immer noch Combinationen denken, bei denen der Plural zu erklären wäre, ohne dass an eine Zeit, in der zwei Kaiser regierten, gedacht werden müsste.

Z. 5: κατη θυσία. Hier kann nur Ἑ]κάτη oder ..δε]κάτη gestanden haben. Das Letztere ist wohl das Wahrscheinlichere, obgleich nicht klar ist, in welchem Zusammenhange das Wort stand.

Z. 17. Der Rest vor βιου scheint auf ein Υ schliessen zu lassen. Wahrscheinlich steckt ein Name dahinter.

Die zweite Inschrift steht auf einem Marmorfragment, welches in der Weise abgebrochen ist, dass dasselbe im Durchschnitt annähernd die Figur eines auf der Spitze aufgestellten Quadrates darstellt. L. 0·23, Br. 0·22, Dicke 0·35, Buchstabenhöhe 0·018.

ΑΖ	σεβ]ασ[τῷ
ΕΓΙΣΤΣ	ἀρχιερεῖ μ]εγίστω[ι
ΑΥΤΟΚΡΑΤΟΙ	αὐτοκράτορ[ι
ΓΑΤΡΙΠΑΤΡΙΔΟΣ	πατρὶ πατρίδος
5 ΤΟΥΠΡΟΓΟΛ ΩΣ	ἱερέως] τοῦ πρὸ [π]όλ[ε]ως [Διονύσου?]
ΤΙΤΟΥΦΛΑΟΥΙΟ	Τίτου Φλαυΐου
῀ΦΑΝΗΦΟΡΟΥΤϹ	στε]φανηφόρου τὸ
ϽΥΤΟΒΓ·	ου τὸ β, [π..
ΙΙΑΙϹ	παιο

Die Inschrift ist wegen der Bezeichnung πρὸ πόλεως interessant, worüber C. I. Gr. ad n. 2963*b* zu vergleichen ist und Le Bas III (*explications*) n. 1601 p. 373 (sammt den dort citirten Stellen des Corpus).

Wien   EMIL SZANTO

Epigraphischer Bericht aus Oesterreich *)

(Fortsetzung)

PANNONIA INFERIOR

Petrovci.

Revidirte Inschriften. Ad C. I. L. III p. 417:

n. 3222, 3224, 3226 existiren nicht mehr,

n. 3223 nicht mehr in Kraljevci.

Ljub. *Viestn.* V p. 39 u. 41.

Zu C. I. L. III n. 3220 = Arch.-epigr. Mitth. aus Oest. IV p. 109:
Die Abschrift Brunšmid's unzulänglich.

Z. 2 der letzte Buchstabe R

Z. 3 vor IVS fehlt etwas.

Z. 4 am Anfang wahrscheinlich noch zwei Buchstaben, die jetzt abgenutzt sind, am Schluss PF

Z. 5 PO VOTM

Ljub. *Viestn.* p. 41 u. 69.

Zu C. I. L. n. 3225 = Arch.-epigr. Mitth. IV p. 113 n. 5:

Z. 2 der erste Buchstabe deutlich: T

Z. 3 die Buchstaben nur zur Hälfte sichtbar, doch deutet, was man sieht, auf SVR|IO

Ljubić *Viestnik* V p. 33 ff. u. p. 69.

Zur Inschrift Mittheil. IV p. 112 n. 1:

Z. 2 PROCV

Z. 3 DE/ also *Decurio* und nicht *Duovir*, wie Brunšmid vermuthete.

Z. 4 COL·BASS^I// d. i. BASS'AN, wie auch in der Inschrift Mitth. IV p. 114 n. 1.

Ljub. *Viestn.* V p. 37.

Zu Mittheil. IV p. 112 n. 2:

```
        I   O   M   AE
        P O S V E R VT
        GEMELLIN'S
        ET VLFALES
    5   L I B I E N S      sic
        V O T O  S V O
```

Ljub. *Viestn.* V p. 40 n. 1.

Z. 1 J(ovi) o(ptimo) m(aximo) ae(terno).

---

*) Zu den in Agram befindlichen Inschriften dieses Theiles des Berichtes konnte ich noch nach Beendigung des Satzes Abschriften von Dr. v. Domaszewski benützen, die derselbe vor Kurzem von den Originalen genommen und mir freundlichst überlassen hat.

Zu Mittheil. IV p. 112 n. 3:

> Z. 2 D I I S O M
> NIBVSQVE
> Z. 5 S · V · POSVIT

Ljub. *Viestn.* V p. 40 n. 2.

Z. 5 *s(uo) v(oto)* oder auch *s(oluto) v(oto)*.

Von der Inschrift p. 112 n. 4 (h. 1·69, br. 0·59, d. 0·42) ist nur zu lesen:

> CORNEL'AE
> SALONIN Æ
> AVG
> CONIVGI///
> 5 AVG/////

Ljub. *Viestn.* V p. 40 n. 3.

314. Gef. auf dem Friedhofe, jetzt im Agramer Museum:

Ljub. *Viestn.* p. 38.

315. Gef. auf dem Friedhofe; h. 0·22, br. 0·57, d. 0·25; jetzt im Agramer Museum:

> ⌐NE
> VIX AN XXV
> ⊥OSIMVS
> P_____M

Nach Domaszewski's Lesung, ungenau publ. von Ljub. *Viestn.* V p. 40 n. 4.

316. Ausgegraben auf dem östl. Rande des Mauerwerkes; der obere Theil fehlt. Schrift ziemlich gut. H. 1·05, br. 0·60, d. 0·775. Schrifthöhe 0·05, in Z. 3: 0·07.

> DAСMENVS· FILI'
> ET · HEREDES ·
> POSVER

Ljub. *Viestn.* V p. 40 n. 6.

317. Im Hofe des Miko Popović, h. 0·33, br. 0·70, d. 0·20. Rechts ganz abgenutzt.

> VD . . . . . .
> A MIb . . . . .
> FILIAB . . . .
> MAE . . . .
> 5 IO

Ljub. *Viestn.* V p. 40 n. 5.

Dobrinci. Revidirte Inschrift.

Zu Arch.-epigr. Mitth. III p. 175; 'diese Abschrift von Bojničić ist richtiger als die von Brunšmid von derselben Inschrift Mitth. IV p. 114 n. 1 gegebene Lesung, doch muss es Z. 6 heissen: COL·BASS'AN'
Ljub. *Viestn.* V p. 38.

Zu Mitth. IV p. 115; vgl. Mitth. III p. 175 (= *Viestn.* II p. 31):

Z. 3 in.: AVR

Z. 4: Das R vor VALENTINA sicher und wahrscheinlich auch hier AVR zu lesen. — Alle O klein.

Ljub. *Viestn.* V p. 66 n. 2.

318. Gef. auf dem Friedhof, für das Museum erworben, doch jetzt nicht zu finden, wahrscheinlich vernichtet. H. 0·95, br. 0 63, d. 0·32. Gebrochen.

```
        S I L V A N O
          S A C R
       V R I N E R A T I V S
       E T  N I G R I N V S
     5   D E C   C O L · E T
       S A B I N V S · E T
         Q V I N T I O
       P O S V E R V N T
```

Ljub. *Viestn.* V p. 66 n. 1.

Mitrovica. 319. Viereckige Ara aus weissem Marmor mit Basis, gef. 1883 im Hofe des Wirthes Baljen; jetzt im Hause desselben in der Palankagasse. Auf der rechten Seitenfläche ein Adler mit ausgebreiteten Flügeln, auf der linken eine Schildkröte oder ein Scorpion.

```
        I     O      M
        L  D I D I V S
          H E R C V
          L A N V S
     5     V   S  L  M
```

Ljub. *Viestn.* VJ p. 75 n. 2
Revidirte Inschrift.
Ad C. I. L. III p. 1040 n. 6438; Z. 4 nach Miler's Abklatsch:

```
          S A C L R
```

Ljub. *Viestn.* IV p. 59.

Viestn. VII p. 15 = Mittheil. IV p. 117; jetzt im Agramer Museum (nach Ljubić Z. 3: VIVS Z. 4: MP, nach Domaszewski Z. 1: O·ORDN Z. 3: VIVS Z. 4: AP).

320. Platte, jetzt im städtischen Parke; h. 0·82, br. 0·6, d. 0·29, bestehend aus drei Feldern, im obersten in Relief zwei Figuren von verschiedener Grösse; im mittleren ein dreibeiniger Tisch, an welchem eine Person sitzt, die r. von einer weiblichen, l. von einer männlichen bedient wird; im unteren die zum Theil zerstörte Inschrift:

```
        D      M
     AVR · SIMPLICIVS
     . . . . . . ANNVIIɪ
     . . . . . . . . . . . .
```

Ljub. *Viestn.* IV p. 59.

321. Platte, gef. im Jahre 1878, von Abt Miler dem Agramer Museum geschenkt. H. 0·31, br. 0·55, d. 0·7, links beschädigt.

```
              ιΛΕ ʊ IN PACE
    quae u ιʌIT ANNOS VΠII
    men SES ʊ QVATTVOR
         ʊIOVINVS
```

Nach einem von Bojnićić an Prof. Hirschfeld geschickten Abklatsch; vgl.
Ljub. *Viestn.* II p. 44 n. 5.

Ljub. *Viestn.* II p. 43 n. 4 = Arch.-epigr. Mitth. IV p. 101.

322. Sarkophag und eine Platte, gelegentlich eines kurzen Aufenthaltes im
Hofe hinter dem Hause des Hrn. Savo Simatković entdeckt von S. Ljubić.

```
         α   ·ʀ    ω
    ego aur/ELIA · AMINIA Po
    sui ɪɪTIVLVMVIROMEO
    f/ʟSANCTOEX·N·IOV·PRTEC
5      BENEMERITVSQVIVIXIT
       ANN · PL · M L·QVI EST DEFVNC
       TVS CIVIT · AQVILEIA TιTVLVM
sic    POSVIT AD BEATV SYNEROTιMA
sic    RTVRE ETINFANEFILIAM
10     SVAM NOMINE VRSICINA
       QVI VIXIT ANNIS · N · III
```

Nach Domaszewski's Lesung, schlecht publ. von Ljub. *Viestn.* V p. 19, VII p. 18.

Z. 4 [*F*]*l*(*avio*) *Sancto ex n*(*umero*) *Jov*(*ianorum*) *pr*(*o*)*tect*(*or*), wie Domaszewski
vermutet, vgl. Mommsen *Eph. epigr.* V p. 123 n. 30. Z. 9 *infan*(*t*)*e*(*m*).

323. Die Inschrift der Platte:

```
      A      ✗ᴾ    ω
    EGO ARTEMIDORA FE
    CI VIVA ME MEMORI
    AM ʊ AD DOMNVM        sic
5   SYNEROTEMʊINTE
    RANTEM AD DEXTE
    RAM INTER FORTVNA
    TANEM ETDISIDERIVM    sic
    A ◊    ✗ᴾ ◊  ω
```

Nach Domaszewski's Abschrift, die die Lesung von Ljub. *Viestn.* V p. 19 u. VII p. 17 bestätigt. Während *Syneros* hier nur das Epitheton *dom(i)nus* führt, wird er in n. 322 *beatus martyr* genannt. Zu beachten ist die ängstlich genaue Bezeichnung der Grabstelle; *interantem ad dexteram* wohl nur zu verstehen „rechts vom Eintritt neben Syn.", der des Latein wenig kundige Concipist setzte den Accus. wegen des vorausgehenden; die barbarische Form *interare* bis nun ohne Beleg.

324—326. Gef. von Abt Miler und dem Agramer Museum geschenkt:

324.

A ☧ ω
IN PACE QVIESCET
MACARIVS DIACO
N V S C V E A N
5 RONTIAC

325.

ET · AVRE
DOROT

5

326.

ΠΑΤ
ΟΥΝ
ΚΟΝ
ΜΑ
ΤΟΝ
ωΔΕ
ΖΑΝ

Ljub. *Viestn.* V p. 70. n. 324 wurde im Sommer 1884 von Prof. Hirschfeld revidirt, Aω in den Winkeln des Kreuzes, das ganze von einem Kreise umschlossen. Von 326 befindet sich ein Abklatsch von Bojničić im Seminar.

327. Ebenda. Nur oben und links vollständig, in zwei Theile gebrochen; von Abt Miler dem Agramer Museum geschenkt.

IN PACE AV
LLAE VIR·Q
XII ♂ ET AVLMA
Q VIXIT AN ЧET A
5   TINA SORORQ
HANC MEMOI *iam fecerunt?*

Nach Domaszewski's Abschrift, ungenau publ. von Ljub. *Viestn.* VII p. 16 n. 37. Z. 1 und 4 fin. zu ergänzen *Au[l]*.

Ausserdem eine Anzahl kleinerer Fragmente zum Theil mit Facs. Ljub. *Viestn.* VII p. 14 ff. u. Tafel IV, die bereits von Brunšmid in den Mittheil. IV p. 117 ff. publicirt worden sind; die geringfügigen Varianten anzugeben unterlasse ich.

Surduk (Rittium) bei Putinci.

328. Zwei Halbwürfel, auf der oberen Seite eine Vertiefung zur Aufnahme einer Statue, auf der Vorderseite dieselbe Inschrift verschieden vertheilt:

I · O · M · D · ET · DEO · PAŦRN
COM GEN · M · A̸R · APOL
li NRIS · DEC · M · MVR
SELENSIM · V · S · L · M

Ljub. *Viestn.* V p. 69. — Z. 3 in. überl. N

329. Säule, entzwei geschlagen. Jetzt im Besitze des Svetozar Sečanski daselbst.

I·O·M·D·E·DEO·PAÊRN
COMAGENO·M·AⱤ·AP
OLLinARIS·DEC·M·ⱮVR
SELENSIVM·V·S·L·M

Ljub. *Viestn.* I p. 98 vgl. *Viestn.* V p. 69.

Z. 1 *J(ovi) O(ptimo) M(aximo) D(olicheno).* — Z. 3 in. überl. OLIHN — *dec(urio) m(unicipii).* Das *Municipium Murselensium* scheint nicht mit dem bekannten in *Pannonia superior* gelegenen, sondern mit dem von Ptolemaeus II, 15, 7 und im Itin. Hierosolym. *Mursella,* sonst auch (Tab. Peut. u. Geogr. Rav.) *Mursa minor* genannten *Mursella* in *Pannonia inferior* (vgl. Mommsen C. I. L. III p. 423) identificirt werden zu müssen. Dass dieser Ort Municipium gewesen, würde zuerst aus dieser Inschrift hervorgehen; im Itin. wird er als *mutatio* bezeichnet. Zu beachten ist noch die Schreibung mit einem *l.*

330. Ausgegraben in **Essegg**, jetzt im dortigen Museum (die Inschr. links und unten mit versteinerter Erde bedeckt, doch so, dass man die Buchstaben erkennen kann), h. 0·23, br. 0·45, d. 0·10.

D·M·
AⱤELIÆSABIMEQDCO   *sic*
NIVGI ARABELLQN V·F·I
QVE NXIT ANN XXX·AⱤ   *sic*
5 ELI GRATVS FE GRATA F
ILI HEREDES MATRI B
ENERENIFECERVNT CV   *sic*
RANE AVR SABINO TVT
ORE PP SS H Ɱ N S

Ljub. *Viestn.* III p. 84.

Z. 2: *q(uon)d(am).* Z. 4 NXIT Steinmetzfehler statt VIXIT

Z. 3 das Q deutlich, daher die Lesung *Arabellonis* nur möglich bei Annahme eines Steinmetzfehlers. — *v(iva) f(ieri) i(ussit).*

Z. 9: wie Prof. Bormann meint, wohl *p(uerorum) s(upra) s(criptorum),* Ljubić will auflösen: *p'arenti) p(ientissimae)* oder *p(ro) p(ietate) s(upra) s(criptae).*

Essegg. Die von F. Maixner *Viestn.* I (1879) p. 55 n. I mitgetheilte, 1878 gef. Inschrift bereits veröffentlicht von Kubitschek in diesen Mittheilungen III p. 155 (vgl. auch Bojničić ebda. p. 175). — n. III ebda. p. 58 Kubitschek Mitth. III p. 156 (= Bojničić ebda. p. 176).

Duna Pentele (Intercisa). Revidirt.

C. I. L. III n. 3336; ohne Bruchlinien, die Inschrift rechts vollständig, die Buchstaben in der letzten Zeile ganz.

Ljub. *Viestn.* V p. 37.

Instrumentum

Petrovci. 331. Ziegel mit der Aufschrift:

| LEG II AD | | ƨIƨC |

Ljub. *Viestn.* V p. 68.

332. Leuchter, gelb glasirt, mit dem Stempel:

PVLLI

Ljub. *Viestn.* V p. 68.

Mitrovica. 333. Stempel auf einem Bruchstücke eines bleiernen Sarkophags, jetzt in Agram:

| DEИE·ƨTBEFLI |

Ljub. *Viestn.* VII p. 18.

334. Ziegel mit undeutlichem Stempel, h. 0·15, l. 0·15.

ЦCANI AVЦ PEIAЦ

Nach Mittheilung von Abt Miler in Mitrov. Ljub. *Viestn.* I p. 127.

335. Ziegel, gef. in Mitrov., jetzt im Agramer Museum:

a) | LEG IIII FLPC |

b) | LEG VII CLPF |

c) | CORSARI | Aufschrift nicht deutlich. Lesung unsicher, nach Doma-szewski CORSAPI

d) Q CLOb   *e)* s|OLON|*a*   *f)* ʍBRO die drei beschädigt, ausgegraben in Siljevica bei St. Jacob im kroat. Küstenlande. Ljub. *Viestn.* II p. 74 f. *b)* auch *Viestn.* IV p. 58. Nach Domaszewski das letzte Zeichen sicher cursives F.

Ausserdem eine Anzahl Ziegelinschriften, die bereits genauer in diesen Mittheil. IV p. 119 f. publicirt sind (zu *Viestn.* VII p. 13 u. Taf. IV vgl. Mitth. IV p. 119, wo ein besseres Facsim. und eine richtigere Lesung gegeben ist).

Essegg. Ziegel, publ. von Maixner *Viestn.* II p. 58 n. II = Kubitschek Mittheil. III p. 156 *b* (= Bojničić ebda. p. 176 n. VII).

St. Andreas bei Budapest. 336. Zwei Ziegel, gef. 1882, der eine mit dem schon bekannten Stempel (vgl. C. I. L. III p. 473): FRIGEɪ (= *Frigeridus*), der andere mit: VPPIVV....COK.. (nach d. Abklatsch) vgl. Eph. ep. IV 131. Despinić in einem Briefe an Ljub. *Viestn.* V p. 23.

PANNONIA SUPERIOR

337. **Stein** bei Preserje, zwischen Igg und Ober-Laibach.

A

VIVA · F · S

*con*IVGI · CA

ILIO · VRSI

Müllner, Central-Comm. 5 (1879) p. CXXXVII.

338. Ebda. gef. Fragment eines Grabsteines, ober der Inschrift zwei Büsten, einen Mann und eine Frau darstellend.

D · M · S

VRSIO · ERTIL ⊖ N · L

AVITA A . . . VIII · F

Müllner, Central-Comm. 5. 1879, S. CXXXVII.

Wernegg an der Save. Revidirte Inschrift zu C. I. L. III n. 3897.

Marmor, h. 0·55, br. 0 37, d. 0·165, ringsum beschädigt. Bisher nur nach einem Abklatsch bekannt und unrichtig gegeben, nach Müllner lautet sie:

G E N I O

R T I A N I N

u|OTO · SVS|*cepto*

? *e*|V CARPVS · V|

5   PIVLEIANV\

Müllner Mitth. d. Central-Comm. 5 (1879) p. CXXXVII.

St. Johann im Tomišel. Zu C. I. L. III n. 3816. Die dort im Kirchenpflaster befindliche Inschrift lautet richtig wie folgt:

TERTIVS EP̣P̣OIV̇S

BOᴋERNI·F·VI·F·S·E

COI · PVSIIE · SE · A · XX

XX

Müllner Mitth. d. Central-Comm. 5 p. CXXXVII.

Schloss Mokrlc.

339. Im Gemäuer der Schutzmauer der Burg bei Adaptirungsarbeiten entdeckt; vom Hrn. Grafen Gustav Auersperg eingefriedet. Oben links abgebrochen; h. 0·60, br. 0·17 (ursprünglich wahrscheinlich 1 M. u. 1·55).

. . . .

ad census ACCIPIENDOS *leg. aug. pr. pr.*

*prou. ge*RM·INEER·LEG·AVG·PR·PR

*prouin*C·HISP·XV·VIR·S·F·LATOBICI

*publi*CE·PATRONNO·D·D   *sic*

Die Ergänzungen nach Pichler (Central-Comm. 5 [1879] S. CXXXVII), der jedoch Z. 1 nur *leg. Aug.* und Z. 2 *pr. pr.* ergänzt, statt dessen dürfte wohl wie oben nach Analogie von Z. 2 und 3 zu ergänzen sein. Ueber das *Municipium Latobicorum* vgl. Mommsen C. I. L. III p. 496.

340. Mitten entzwei gesägt, wobei in jeder Zeile je zwei Buchstaben verloren gingen; die Sculptur bis auf das Niveau der Inschrift abgemeisselt. H. 1·20, br. 0·665 (0·78), d. 0·30. Aus einem Gestein, das nur 1 Km. vom Schlosse bricht.

```
        FIRMID io FIRMID
      IAE · LIBER to · VEREC
        VNDO anN XXXV
       MARCIVS    VARIVS
  5    ET · ACCE pt A · FILIO
       PIENT issIMO · ET
       SIBI · VI ui FEC
```

Die Ergänzungen von Pichler Central-Comm. 5 (1879) S. CXXXVII. — Z. 4 wohl [*Jan*]*uarius.*

Petrioja. Revidirt.

Ad C. I. L. III n. 3938. Viereckige Ara, oben abgeschlagen, jetzt in Agram h. 0·48, br. 0·32, d. 0·25.

```
           Z. 2  LICIN V S
           Z. 4  ꓷ ·
```

Ljub. *Viestn.* II (1880) p. 74 n. 9.

Topusko (ad fines). Revidirt.

Ad C. I. L. III n. 3939 und *Ephem. epigr.* II n. 823 befindet sich im Hofe des Badearztes in Topusko:

Z. 2 das letzte s kleiner in der Mitte.

Z. 4 das s unter V (diese gleich gross mit den übrigen Buchstaben).

Ad C. I. L. III n. 3940, handschriftlich erhalten von Milić in seiner „Skizze aus· der Geschichte Topusko's":

Ohne SACR in Z. 2 und ohne V in Z. 7. — Z. 4: SATVRN.

Ad C. I. L. III Falsae p. 20* n. 200*; die Inschrift mit Unrecht von Mommsen angezweifelt, sie existirt, wurde in Topusko gefunden und befindet sich jetzt in Agram.

Ad C. I. L. III n. 3941 jetzt nicht zu sehen, vielleicht ist der Stein mit Mörtel überdeckt oder hat ihn Dr. Hinterberger, ehemals Badearzt in Topusko, nach Steiermark mitgenommen.

Von der Inschrift *Ephem. epigr.* II p. 413 n. 827 jetzt keine Spur mehr vorhanden.

Ephem. epigr. II n. 825. Viereckige Säule, h. 0·70, br. 0·22, d. 0·27, die Inschrift lautet vollständig:

```
                    M
               AXIM V
         uot  V M   S O
         lui  T C V M
   5         AN I B V
```

Nach Domaszewski's Abschrift, mangelhaft publ. von Ljub. *Viestn.* II p. 6. Z. 1 vielleicht J(*ovi*) o(*ptimo*)] m(*aximo*).

Ad *Ephem. epigr.* II n. 826; die Buchstaben fast ganz abgenutzt und lang;
h. 0·32, br. 0·51, d. 0·28.

Nach Domaszewski's Abschrift, ganz falsch publ. von Ljub. *Viestn.* II p. 9
n. 8. Zu ergänzen etwa: *pro salute imp. M. Aurelii] Antonini Pii Felicis Aug(usti)
[et] Juliae Aug(ustae) matris Aug(usti) [n(ostri) et c]a[s]tr[o]rum . . [Aurel]ius Verus (centurio)
leg(ionis)* . . . .*[A]ntoninianae*

341. Viereckige Säule, h. 0·82, br. 0·52, d. 0·34, befindet sich in der griech.-
orientalischen Kirche des S. Salvator in Gredjani in der Nähe von Topusko. Die
Buchstaben abgenützt und mit Mörtel bedeckt.

```
        MARTIAVG
      //NA//////
      ESIPI/////
      SVA///////
5     /////////
      CANDI///VSLM
```

Ljub. *Viestn.* II p. 8 n. 4.

342. Ara mit schlechter Schrift des ausgehenden 3. Jahrhunderts; h. 0·85,
br. 0·41, t. 0·33, auf der linken Seitenfläche *urceus*, auf der rechten Schale (*patera*);
wann und wo ausgegraben, unbestimmt, wahrscheinlich in Topusko. Eine Zeit lang
lag sie in der Kirche S. Salvator am Berge in Gredjani, jetzt im Museum in Agram.

```
        I · O · M
      SENAM · SAC
      AVR · VINDI
      C I A N V S
5     CO · SVIS
      V · S · L · M
```

Nach einer Abschrift Prof. Hirschfeld's, die derselbe mir freundlichst zur
Verfügung gestellt hat und einem Abklatsch von Bojničić, vgl. Ljub. *Viestn.* II
p. 6 n. 1. Am Schlusse noch einige Buchstaben, die wohl mit Hirschfeld für
moderne Kritzelei zu halten sind.

343. Der obere Theil einer Säule im Hofe des Badearztes in Topusko.

```
        IOMS
```

Ljub. *Viestn.* II (1880) p. 7 n. 3.

(Schluss folgt)

Wien   S. FRANKFURTER

Bathykles

Der Meister, der zu Amyklä den Thron geschaffen hat, in dem das alte Apollobild stand, ist trotz seines stolzen Namens für die moderne und, fügen wir es nur gleich hinzu, auch für die antike Geschichtschreibung der griechischen Kunst von geringem Interesse gewesen. Er ist ganz hinter dieses sein Hauptwerk (wie wir vermuthen müssen) zurückgetreten und Pausanias, der demselben eine lange, aber freilich etwas geschäftsmässige Beschreibung gewidmet hat, verweigert über die Persönlichkeit des Künstlers ausdrücklich jede Auskunft. Andere Zeugnisse aber hat man, so viel ich sehe, bisher nicht auftreiben können und sich daher begnügt, den schönen Namen mit dem erhaltenen Ethnikon und der üblichen runden Olympiadenzahl in das Verzeichniss der griechischen Künstler einzutragen und im übrigen den amykläischen Thron zu restauriren, so weit und so gut es eben gehen wollte. Die Aufgabe, die ich mir in dieser Untersuchung gestellt habe, ist nun die, jenes schwierige Problem einer erneuten Betrachtung zu unterziehen, dann aber auch der kunstgeschichtlichen Stellung des Meisters selbst genauer nachzuforschen. Es muss doch endlich an der Zeit sein, den Bann zu lösen, der ihn zwingt, mit seinen Genossen fortwährend auf dem Throne herum zu tanzen, den er schuf.

Wenn wir uns zunächst bezüglich des ersten Theiles unserer Aufgabe an unseren Periegeten wenden, so scheint es, als ob er gleich auf die allererste Frage, die wir an ihn zu richten haben, die nach dem Material des Werkes, keine Antwort geben wollte. Er erwähnt wohl nebenbei, dass das Apollobild selbst aus Erz gewesen sei, wie, dass eine Thüre in der Basis aus gleichem Stoffe war, aber über den Thron selbst fehlt es an einer solchen Angabe. Da hat man sich denn aufs Rathen verlegt. So hat ihn Rühl als Marmorarbeit reconstruirt, während Otf. Müller an Toreutik gedacht hat; gewiss mit Recht, doch schliessen jene Detaillirungen gerade das Erz aus, auf welches wir sonst als das nächstliegende toreutische Material verfallen müssten. Sie haben aber gar keinen Sinn und auch bei ihm keine Analogie, wenn Pausanias nicht voraussetzen durfte, dass das Ganze klar sei, und machen vielmehr den Eindruck, dass er sich keiner Unterlassungssünde bewusst wäre. Das ist auch in der That der Fall. Er hat die nöthige Materialangabe gemacht, aber in einer Weise und in einem Zusammenhange, der zu Missdeutungen Anlass gab.

Wenige Capitel vor der Beschreibung des amykläischen Apollobildes (III 10, 10), bei Erwähnung des Heiligthumes des Apollo Pythaeus auf dem Berge Thornax, weist Pausanias auf den amykläischen Apoll hin und fügt hinzu: Λακεδαιμονίοις γὰρ ἐπιφανέστερά ἐστι τὰ ἐς τὸν Ἀμυκλαῖον, ὥστε καὶ τὸν χρυσὸν ὃν Κροῖσος ὁ Λυδὸς τῷ Ἀπόλλωνι ἔπεμψε τῷ Πυθαεῖ, τούτῳ ἐς κόσμον τοῦ ἐν Ἀμύκλαις κατεχρήσαντο ἀγάλματος. Die Annahme Otfried Müllers, man habe mit Kroesos Golde dem Apolloidol das Gesicht überzogen, beruht wohl nur auf einer falschen Erklärung der folgenden Worte des Pausanias: ὅτι γὰρ μὴ πρόσωπον αὐτῷ καὶ πόδες εἰσὶν ἄκροι καὶ χεῖρες, τὸ λοιπὸν χαλκῷ κίονί ἐστιν εἰκασμένον, mit denen der Perieget, wie aus dem Zusammenhange deutlich hervorgeht, nur die Gestalt desselben schildern will, und eine Betrachtung der Replik auf den Münzen von Sparta erweist diese Schilderung als völlig zutreffend [1]). Jener allzu bescheidenen Annahme Müllers liegt aber die völlig berechtigte Anschauung zu Grunde, dass jene Gabe des Kroesos als eine Naturalleistung und nicht, wie es moderner Weise näher läge, etwa als eine zu bestimmtem Zweck zu verwendende Goldsumme aufzufassen sei. Wir sind nicht genöthigt, durch eine eingehende Betrachtung des wirthschaftlichen Standpunktes jener Tage diese Auffassung zu verfechten, für welche die Stiftungen des Kroesos überhaupt, namentlich aber die Säulen zum Artemision in Ephesos die nächstliegenden Analogien bieten würden. Herodot erzählt uns die Geschichte, die Pausanias andeutet, und eben darum nur andeutet [2]).

Die Spartaner schicken nach Sardes, um dort Gold für ihr Apollobild auf dem Berge Thornax einzukaufen, Krösos aber gibt es ihnen als Geschenk. Warum aber nun die Spartaner auf dem Thornax eine simple Copie ihres sehr simplen amykläischen Apolls

---

[1]) Gardner *Types of Greek coins* Tf. XV 23.
[2]) I 89.

aufstellen und mit dem Golde für jenen diesem einen kostbaren
Thron errichten, dafür liesse sich kaum ein anderer Grund aus-
denken, als der Wunsch des Gottes selber. Freilich wäre es aber
auch möglich, dass die Geschichte von der ursprünglichen Bestimmung des Goldes ihre Entstehung der erstaunten Frage einer späteren Generation verdankt, welche es sonderbar fand, dass das
kostbare Material nicht für das Götterbild, sondern für seinen
Thron aufgewendet wurde, während doch ein solches Bedenken
jener fr001harchaischen Periode nicht gut in den Sinn kommen konnte.

Doch was es nur immer für eine Bewandtniss damit habe,
der goldene Thron des amykläischen Apolls ist an und für sich
keiner besonderen Erklärung bedürftig. Galten doch dem frommen
Glauben der Hellenen die Götter als χρυσόθρονοι und dass man
sich ihre Hochsitze mit allem Zauber der Kunst geschmückt dachte,
dafür zeugt das Gebet der Sappho:

Ποικιλόθρον' ἀθάνατ' 'Αφρόδιτα.

Solche dichterische Vorstellungen wirken aber nicht auf die bildende
Kunst, sondern werden von ihr erwirkt. Goldene Throne waren
nicht allzuweit von der Heimat unseres Meisters und lange vor
ihm geschaffen worden.

Vom goldnen Baal auf goldnem Thron und all der Herrlich-
keit um ihn erzählt Herodot I 81 und wiederum I 14 vom Thron
des Midas, den er im korinthischen Thesauros zu Delphi als ἐόντα
ἀξιοθέητον neben den sechs grossen goldenen Krateren des Gyges
erwähnt. Er hält ihn ohneweiters für den wirklichen Königsthron,
den Midas dem Gotte weihte, und dieser Name wie seine Umgebung
scheinen genügende Bürgschaft dafür zu bieten, dass wir ihn uns
nur aus purem Golde gebildet denken dürfen. Besonders nahe
aber liegt es, an den ganz goldenen Gnadenstuhl zu denken, den
Belzael nach Moses 2, 37, 6 für die Stiftshütte machte, dessen
goldüberkleidete Lade aus Föhrenholz uns wieder an die Kypsele
der Kypseliden mahnt. Die Zeugnisskraft dieser Beispiele reicht
jedoch nicht so weit aus, das Werk des hellenischen Meisters als
ein massiv goldenes zu erweisen, dazu sind sie doch zu barbarischer
Art. Aus dem Schatze unserer archaischen Monumente, wie dem
der literarisch bezeugten Parallelen, könnten wir, abgesehen von
anderen sich selbst aufdrängenden Erwägungen zur Ueberzeugung
gelangen, dass es nur ein goldenes Kleid war, was der Meister von
Magnesia über ein Gerüste zog, welches kaum anders als von Holz
gebildet gedacht werden kann.

Den Thron stützten auf allen vier Seiten je zwei Gestalten. Vorn und rückwärts fungirte je eine Charis und eine Hore als Karyatide, links trugen Echidna und Typhos, rechts Tritonen den Aufbau. Diese Dreizahl von Gestaltungen ist bedeutsam, die Himmlischen weisen nach oben, die Schlangenfüssler nach altem künstlerischen Sprachgebrauch zur Erde, während die fischleibigen Tritonen auf das Meer hindeuten.

ʼΕν μὲν γαῖαν ἔτευξ᾽, ἐν δ᾽ οὐρανόν, ἐν δὲ θάλασσαν.

Eine neue Fassung des alten Gedankens, dessen verschiedene Ausdrucksweise wir im homerischen Achillesschild wie auf Vettersfelder Schildzeichen bewundert haben. Es gibt zu denken, dass die antike Kunst gleich in ihren ersten Tagen die Idee des Kosmos in so deutlichen Zügen auf ihre Fahne schreibt und unter diesem ihren Zeichen wollen wir nun zuversichtlich an die wirre Fülle von Einzeldarstellungen herangehen, die uns Pausanias von diesem Werke herabgelesen [3]).

Wir wollen uns aber doch erst an den kleineren Theil der Aufgabe machen und treten daher mit dem Periegeten zwischen den Tritonen in das Gestühl.

Es sind vierzehn Bilder, die da dem Beschauer entgegenblinkten, ich zähle sie zunächst einfach auf:

1. Kalydonische Eberjagd
2. Herakles tödtet die Aktoriden
3. Die Boreaden verjagen die Harpyen
4. Theseus und Peirithoos rauben Helena
5. Herakles würgt den nemeischen Löwen
6. Apoll und Artemis schiessen Tityos
7. Herakles und der Kentaur Oreios

---

[3]) Das alte Demeterbild von Phigalia ist schon darum nicht apokryph, weil der kosmische Gedanke daran in aller Schärfe zu Tage tritt. Die Taube und der Fisch in den Händen, die Schlangen und das übrige Gethier um das Haupt bezeichnen wieder die drei Elemente. Mit einer Sintfluth und Noah, wie Conze will, hat das nichts zu thun. Ueber die Typik vergleiche ausser dem von Milchhöfer Anfänge der Kunst in Griechenland S. 60 vorgebrachten, die Medusa der rhodischen Schale Journ. of hell. stud. 1884 Tf. 43. Noch eines solchen Kunstwerkes will ich hier erwähnen, weil es den alten Satz von der Ausnahme, die die Regel bestätigt, neu erweist. Demetrios Poliorketes liess sich nach Plutarch 41 eine Chlamys machen, die unser Gewährsmann ein ἔργον ὑπερήφανον, εἴκασμα τοῦ κόσμου καὶ τῶν κατ᾽ οὐρανὸν φαινομένων beschreibt. Demetrios ist auch hier eine Copie Alexanders des Grossen und sein Rock eine solche von dessen Rocke. Alexander schlug seine Schlachten in einem uralten cyprischen Mantel des Meisters Akesas von Salamis.

8. Theseus und der Minotaur
9. Herakles ringt mit Acheloos
10. Heras Lösung
11. Leichenspiele zu Ehren des Pelias

12. Menelaos und Proteus
13. Admets Gespann
14. Troer bringen dem Hector Grabesspenden

Pausanias bemerkt ausdrücklich, dass die Exegese im Ganzen keine Schwierigkeit bereite. Inschriften waren wohl sicherlich angebracht, woher wüsste sonst unser Gewährsmann, dass der Kentaur auf Nr. 7 Oreios hiess, woran erkannte er den sonst unbezeugten Giganten Thurios, woran Anaxis und Mnasinous, Megapenthes und Nikostratos auf den Aussenseiten?[4]) Dass die Form Βίρις auf der Thronbasis für Ἶρις auf der Inschrift beruht, bemerkt Trendelenburg *Bull.* 1871 p. 127, doch kann ich ihm nicht völlig beistimmen. Er meint nämlich, Pausanias schreibe so „*senza dubbio perchè egli trovò questa forma dorica iscritta sull' altare*“. Nun ist jedoch Βίρις weder als dorisch noch sonst als griechisch nachweisbar und die Annahme dorischer Inschrift auf dem Werke der ionischen Meister doch kaum statthaft. Mir scheint die nächstliegende Annahme unausweichlich, dass Pausanias das Digamma vor dem ι noch fand, das wir ja noch Ilias II 786. XXIV 188 constatiren können, und es einfach transcribirte. Wir werden jedoch von vornherein schon annehmen dürfen, dass die inschriftliche Bezeichnung nicht consequent überall durchgeführt war. Das Beispiel der Kypseliden-Kypsele, wie der Klitiasvase und anderer erhaltener Monumente beweist zur Genüge, wie entfernt die archaische Kunst von jeder Aengstlichkeit in dieser Richtung geblieben ist.

Aber trotzdem Pausanias diesmal so zuversichtlich auftritt, können wir ihm gerade hier Dinge von der Art nachweisen, die in archäologischen Seminarübungen allgemeine Heiterkeit zu erwecken nie verfehlen.

So ist Nr. 14 καὶ οἱ Τρῶες ἐπιφέροντες χοὰς Ἕκτορι sonderbarerweise bisher stets für haare Münze genommen worden. Noch jüngst hat Furtwängler[5]) von dieser Scene behauptet, ihr Stoff scheine aus dem letzten Buche der Ilias genommen zu sein. Ich meine doch, der Umstand, dass sie nicht darin steht, ist ein genügender Gegengrund solcher Vermuthung. Sie steht überhaupt nirgends,

---

[4]) Dagegen Stephani *Mél. greco-rom.* Tom. I p. 128.
[5]) Histor. u. philol. Aufsätze, E. Curtius gewidmet p. 179 ff.

bei keinem alten Dichter wie bei keinem alten Künstler und jedermann frägt sich im Stillen, warum denn dieses Unicum statt der durch das alte Epos der Kunst so geläufigen „Hectors Lösung". Vergegenwärtigen wir uns das bekannte Schema dieser: Ausser den Hauptpersonen, Achill der über dem Leichnam des Hector lagert und Priamos, der vor ihm steht, gehört noch eine kleine oder grössere Reihe von troischen Dienern des Priamos dazu, die Gefässe tragen, welche das Aequivalent für die Auslieferung des Leichnams bilden. Das sind die Τρῶες ἐπιφέροντες χοάς des Pausanias. Eine äussere Bestätigung dieser Vermuthung wäre bei ihrer inneren Evidenz leicht zu vermissen, sie bietet sich indess von selbst. Wir werden bei der Anordnung der Bildwerke sehen, dass die Scene der Lösung Hectors derjenigen mit der Lösung der Hera entspricht. Darnach sind die Bemerkungen Furtwänglers in der citirten Schrift S. 8 und 9 über die Typengeschichte der Ἕκτορος λύτρα zu berichtigen.

Ein zweites Unicum ist das Bild vom Abenteuer des Menelaos mit Proteus „nach der Odyssee". Der Beisatz ruft eine wenig Zutrauen erweckende Erinnerung wach. Auf der Kypsele hat Pausanias Odysseus und Kirke mit ihren Dienerinnen genau nach der Odyssee, ferner Nausikaa auf ihrem Wagen gesehen. Beide Bilder sind jetzt als ganz andere Darstellungen erklärt worden und das wirft vielleicht auch seinen Schatten auf die zwei absonderlichen Odysseebildwerke, die der Thron enthielt. Von Demodokos mit dem Chore der Phaiaken werden wir noch handeln, für jetzt beschränken wir uns auf das Proteus-Abenteuer.

Nehmen wir an, die Figur, die Pausanias als Proteus galt, war inschriftlich so bezeichnet, dass unserem Exegeten sofort die Episode der Odyssee einfallen musste. Dann stand neben ihr „ἅλιος γέρων". Auf dieses Stichwort präsentirt sich unserem Gedächtniss sofort die bekannte olympische Bronzeplatte mit dem Kampfe des Herakles mit dem Meergreis. Wir finden auf ihr Nichts, was diesen Irrthum des Pausanias nur im Geringsten ausschlösse, und wenn der modernen Hermeneutik der gleiche Fehler glücklicherweise erspart war, so ist auch das parallel zum vorigen Falle. Welche Beweiskraft der olympischen Platte als einem zeitgenössischen Zeugnisse zukomme, kann gar nicht zweifelhaft sein. Es reisst unser Bild aus seiner Vereinzelung heraus und stellt sich mit ihm an den Anfang einer langen Typenreihe, aber auch auf dem Throne selbst macht es seinen Platz besser. Die Darlegung der Anordnung der

Bildwerke wird ergeben, dass jetzt erst eine Theseusthat mit einer herakleischen gepaart ist, wie das auf dem Throne bei den übrigen Theseusthaten nach den Regeln der archaischen Kunst geschah.

Damit sind wir nun mit der Recension der Bilder im Throne fertig und wenden uns zur Aufzählung der auf der Aussenseite befindlichen. Erst nach dem Ueberblick über die gesammte Masse des Dargestellten können wir die Frage nach der Vertheilung zu beantworten versuchen. Es ist genau doppelt so viel, was wir da finden. Die 28 Bilder sind:

1. Zeus und Poseidon rauben die Töchter des Atlas
2. Atlas
3. Herakles und Kyknos
4. Kentaurenschlacht bei Pholos
5. Theseus und der marathonische Stier
6. Phaiakenchor u. Demodokos
7. Perseus und die Medusa
8. Herakles und Thurios
9. Tyndareos Kampf mit Eurytos
10. Raub der Leukippiden
11. Hermes mit dem Dionysoskinde
12. Herakles Einzug in den Olymp
13. Peleus übergibt Achill dem Chiron
14. Hemera raubt den Kephalos
15. Hochzeit der Harmonia
16. Achill und Memnon
17. Herakles und Diomedes
18. Herakles und Nessos
19. Parisurtheil
20. Adrast und Tydeus aufgehobener Zweikampf
21. Hera und Io
22. Athena und Hephaistos
23. Herakles und die Hydra
24. Herakles und Kerberos
25. Anaxis und Mnasinous
26. Megapenthes u. Nikostratos
27. Bellerophon u. die Chimaira
28. Herakles und die Rinder des Geryoneus

Auch die vorstehende Aufzählung ist gleichfalls einer Recension bedürftig. Nr. 2 ist von Brunn, dessen Scenenordnung die Grundlage der späteren Versuche geblieben ist, aus der Reihe der selbstständigen Bilder gestrichen worden, deren Zahl dadurch auf 27 herabgesetzt ward. Mit den Worten ἐπείργασται δὲ καὶ Ἄτλας soll Pausanias die Anwesenheit des Vaters bei der Scene des Raubes seiner Töchter bezeichnen. Einer unbefangenen neuen Betrachtung des Textes hält eine solche Exegese freilich nicht Stand. An diesen Atlas sind mit einem weiteren καί noch die Nrn 3 und 4 angehängt, die in die Scene der frauenraubenden Götter einzuzwängen Niemandem beikommen kann, die aber ohne das Prädicat völlig in der Luft schweben. Pausanias eröffnet seine Aufzählung mit den folgenden entschuldigenden Worten: τὰ δὲ ἐπειργασμένα καθ᾽ ἕκαστον ἐπ᾽ ἀκριβὲς διελθεῖν ὄχλον τοῖς ἐπιλεξομένοις παρέξειν ἔμελλεν. ὡς δὲ δηλῶσαι συλλαβόντι ἐπεὶ μηδὲ ἄγνωστα τὰ πολλὰ ἦν. Er fügt als erstes der ἐπειργασμένα dieser Einleitung die Scene eins an und darnach mit dem ἐπείργασται δὲ καὶ Scene zwei und drei. Nach diesem Typus, der bei der Beschreibung der Bildwerke der Athena Chalkioikos im Capitel vorher schon in Anwendung kam, wo er mit den Worten beginnt: ἐπείργασται δὲ τῷ χαλκῷ, πολλὰ μὲν τῶν ἄθλων Ἡρακλέους, ist seine ganze summarische Katalogisirung gebaut.

Auch dass Pausanias Atlas allein erwähnt, ist kein Gegengrund. Man kann daraus höchstens den Schluss ziehen, dass nicht sein Abenteuer mit Herakles, wie auf der Kypsele, dargestellt war. Auf einer bekannten Vase des Museo Gregoriano, Gerh. A. V. 86, ist er mit Prometheus gepaart, und ihn allein seine Himmelskugel tragen zu lassen, kann einer Kunst doch unmöglich fremd sein, die die kosmische Idee so gern versinnlicht.

Zur Scene 5 ist zu bemerken, dass sie gewöhnlich als Theseus und der Minotaur gefasst wird. Die Worte des Pausanias: τὸν δὲ Μίνω καλούμενον ταῦρον οὐκ οἶδα ἀνθ᾽ ὅτου πεποίηκε Βαθυκλῆς δεδεμένον τε καὶ ἀγόμενον ὑπὸ Θησέως ζῶντα lassen etwas Absonderliches vermuthen. Doch Theseus und der Minotaur war ja bereits im Inneren des Thrones dargestellt und eine solche Wiederholung an den Aussenseiten müsste schon an und für sich in nicht geringem Grade befremden, völlig unmöglich macht sie jedoch die Wendung, die uns hier scheinbar berichtet wird.

Stephani hat die Behauptung aufgestellt, dass Pausanias hier den Irrthum begangen habe, eine Darstellung des marathonischen Stieres für die des Minotaurus zu halten. Ich stimme mit ihm darin überein, dass hier eine solche Verwechslung stattgefunden habe. Es hat sich derselben aber nicht Pausanias schuldig gemacht, sondern seine Erklärer. Das τὸν δὲ Μίνω καλούμενον ταῦρον geht auf den marathonischen Stier, der doch aus Kreta und von Minos her nach Attika kam. Der gezierte Ausdruck deutet daselbst eine euhemeristische Weisheit an, die aber mit der Sache selbst nichts weiter zu thun hat. Auffällig bleibt dabei der Umstand, dass Pausanias der dargestellte Gegenstand befremdete, während doch die Fesselung des marathonischen Stieres durch Theseus sowohl wie durch Herakles ein sehr beliebter Typus der archaischen Kunst war. Doch löst sich bei näherem Zusehen auch diese Schwierigkeit. Aus dem Wortlaut des Textes geht ja klar hervor,

dass nicht die Fesselung sondern der Transport des gefesselten
Thieres dargestellt war. Der Held trug es auf dem Rücken, während die Gruppe, der Pausanias I 27, 10 auf der Akropolis Erwähnung thut, ihn glauben machte, dass er es vor sich her getrieben habe. Wir kennen diesen Typus vom „kalbtragenden
Hermes" der Akropolis her, dem ich hiemit seinen rechten Namen
zu revindiciren hoffe. Der Fundort legt ein gewichtiges Wort für
ihn ein und der Meister hat sich rechtschaffen Mühe gegeben, den
Stier als solchen zu charakterisiren. Die kurzen Hörner, das absichtlich recht deutlich gemachte Geschlechtstheil hätten eine Miss-
deutung verhindern sollen.

Die sechste Scene soll Demodokos singend im Chortanz der
Phaiaken dargestellt haben. Warum ich diese Vermehrung des
Typenschatzes der Odysseebildwerke so zweifelnd registrire, wird
nach den Erfahrungen, die gerade in letzter Zeit auf diesem Gebiete gemacht wurden, kaum Wunder nehmen. Wir können uns
nicht mehr auf Odysseus und Kalypso, noch auf die Nausikaa der
Kypseliden-Kypsele, noch auf den Menelaos und Proteus unseres
Monumentes berufen und die Vermuthung, dass auch bei dieser
Scene die Sachen kaum anders stehen als bei ihren nächsten Analogien, lässt sich doch kaum abweisen. Den Chortanz der Magneten mit Bathykles, bei dem sich die Bedenken von selbst auf-
drängen, lassen wir wohl für jetzt am besten ganz ausser Spiel,
er ist ein Unicum, das wir uns später noch besehen wollen. Typisch
bildet die Scene keine Schwierigkeit. Die Chortänze finden sich
am homerischen wie am hesiodeischen Schild und dort verweist der
Dichter auf das Vorbild des Choros der Ariadne von Dädalos.
Diesem Choros der Ariadne, vermuthe ich, glich auch unser Phaiakenchor zum Verwechseln. Es kann doch ernstlich gar nicht fraglich
sein, dass hier Theseus mit der Leier weit besser am Platze war
als Demodokos, vermuthlich war es nur der Bart des attischen Heros,
der ihn hier für Pausanias unkenntlich gemacht hat.

Eines näheren Eingehens bedarf noch die an eilfter Stelle angeführte Scene, die unser Perieget mit einer anderen, scheinbar
folgenden in engsten Zusammenhang bringt. Er berichtet: Διόνυσον
δὲ καὶ Ἡρακλέα, τὸν μὲν παῖδα ἔτι [ὄντα] ἐς οὐρανόν ἐστιν Ἑρμῆς
φέρων, Ἀθηνᾶ δὲ ἄγουσα Ἡρακλέα συνοικήσοντα ἀπὸ τούτου θεοῖς.
Gegen diese Deutung, die das Geschick der beiden Zeussöhne in
so epigrammatischer Zuspitzung parallelisirt, sind schon lange Einwendungen erhoben worden. Zuerst hat Stephani an dieser Zu-

sammenstellung Anstoss genommen und eine Aenderung vorgeschlagen, die so viel ich weiss nirgends Zustimmung gefunden hat.
Darnach soll Hermes nicht den Dionysosknaben aufwärts tragen,
sondern das εἴδωλον des Herakles in die Unterwelt geleiten, während der echte seine Apotheose feiert[6] Auf Brunn geht die jetzt
allgemein angenommene Vermuthung zurück, dass Hermes den
Dionysosknaben zur Erde, den nysaeischen Nymphen bringend,
gedacht war. Dasselbe Vasenbild, auf das sich Stephani berufen
zu können glaubte[7] — es stellt Hermes vor, der das Herakles-
kind durch die Luft trägt — zeugt für die Brunn'sche Deutung,
denn auf der Rückseite des Gefässes erscheint Chiron zur Uebernahme des Pfleglings. Der Typus der Münchner Vase ist aber
kaum für Herakles erfunden. Der Kentaur entstammt dem Bild
von der Uebergabe des jungen Achill und der Typus des Hermes
mit dem Dionysoskinde, der seine eigene an Ehren reiche Geschichte
hat, gab das Vorbild für die Hauptscene. Das Verfahren des
Vasenmalers, durch Zerschneiden und Zusammensetzen den vorhandenen Typenschatz zu mehren, bietet hier eine schlagende Parallele zur Entstehung des dargestellten Mythos.

Stellen wir uns nach Massgabe dieses Bildes die Scene am
amykläischen Throne vor, dann begreifen wir den Irrthum des
Pausanias. Völlig unbegreiflich aber müsste er bleiben, wenn die
Uebergabe des Dionysoskindes an die Nymphen geschildert gewesen
wäre, wie die allgemeine Annahme lautet. In dem höchst kunstvoll
aufgebauten Responsionssysteme, das nach Brunn die Bildwerke
des Thrones bilden, war eine solche Auffassung nöthig, weil dies
Bild über sieben dazwischen liegende mit dem Parisurtheil (10) zu
stimmen war. Aber über der künstlichen Gleichung in der Ferne,
Hermes mit drei Göttinnen und Hermes mit Nymphen, wurde eine
wirklich überlieferte in nächster Nähe völlig übersehen, die Uebergabe des Achill von Peleus an Chiron (13), und dass diese Typen
auch äusserlich als zusammengehörige behandelt wurden, lehrt ja
gerade die Münchner Amphora. Auch Pausanias hat die Zusammengehörigkeit dieser beiden Scenen verkannt. Seine verkehrte
Deutung ist gerade dadurch hervorgerufen worden, dass er sie zu
jener Nachbarscene zog, mit der sie in keinem besonderen Verhält-

---

[6] Der Kampf zwischen Theseus und Minotaurus S. 65. Dagegen Jahn Arch.
Beitr. S. 257 f., worauf Stephani *Mel. graeco.* I S. 129 erwiedert hat.
[7] München 611 abg. A. Z. 1876 Tf. 17.

nisse stand, und diese Beziehung so betont, dass die Aufeinander-
folge der Scenen in Unordnung gerathen ist. Es ist klar, dass sie
so zusammengehören: a) Herakles Einzug in den Olymp, b) Dionysos
als Kind und c) Achilleus als Kind. Der Text des Pausanias
spricht nicht dagegen, von den beiden fälschlich gepaarten ist
Dionysos nur voraufgestellt, weil das umgekehrte die epigramma-
tische Spitze nicht so scharf hätte herausheben lassen. Ich will
nur gleich hinzufügen, dass diese wie ich glaube wohl begründete
und mit der Ueberlieferung völlig verträgliche Umstellung allerdings auch eine Forderung meines Reconstructionsprincipes ist,
hoffentlich ohne sie dadurch zu verdächtigen.

Eine andere Art von Irrthum als die bisher behandelten Fälle
zeigen, können wir Pausanias bei der Beschreibung der 26. Scene
nachweisen, wo er sich einen evidenten Sehfehler hat zu Schulden
kommen lassen. Er beschreibt sie mit Nr. 25 zusammen folgendermassen: Ἄναξις δὲ καὶ Μνασίνους, τούτων μὲν ἐφ᾽ ἵππου καθήμενός
ἐστιν ἑκάτερος. Μεγαπένθην δὲ τὸν Μενελάου καὶ Νικόστρατον ἵππος,
εἷς φέρων ἐστίν. Für eine solche an die Haimonskinder erinnernde
Art, zu zweien auf einem Pferde zu sitzen, wird man wohl umsonst
nach Parallelen innerhalb der archaischen Kunst suchen. Da ist
ja gerade das Umgekehrte zum regelrechten Typus geworden, auf
einen Reiter kommen zwei Pferde. Das zweite verschiebt sich allerdings oft so hinter dem ersten, dass es bei flüchtiger Betrachtung
leicht unbemerkt bleibt. Ich citiere als besonders charakteristisches
Beispiel Urlichs Beiträge zur Kunstgeschichte Taf. 7 und bitte, dasselbe mit Taf. 3 ebenda zu vergleichen. Offenbar entsprachen sich
beide Scenen genau bis auf die beigeschriebenen Namen und eine
stärkere Verschiebung der beiden Pferde von Nr. 26.

So wären wir nun mit der Recension des Bildtextes vorläufig
wenigstens zu Ende. Dass sie ein reicheres Erträgniss hat, als
man erwarten mochte, erklärt sich daraus, dass Pausanias im Irrthum war, wenn er glaubte sich die Sache hier leichter machen
zu dürfen als bei der Kypsele oder den polygnotischen Gemälden.
Wir wollen darüber nicht weiter mit ihm rechten, legen doch gerade seine Fehler hier ein gültiges Zeugniss gegen seine Ankläger
ab, und wenden uns nun zur nächstdringlichen Aufgabe, das Problem der Vertheilung neuerdings in Erwägung zu ziehen.

Wir haben an der Innerseite des Thrones 14 und an der
Aussenseite das Doppelte, nämlich 28 Darstellungen aufgezählt.
Die Siebenzahl bietet sich ungesucht als Grundlage der Theilung

und Anordnung. In ihr werden wir die höhere Einheit in demselben Sinne suchen dürfen, wie wir sie in der Zwölfzahl für die Kypseliden-Kypsele gefunden haben. An und für sich ist dieser Gedanke keineswegs neu, vor dem Erscheinen der Brunn'schen Arbeit war diese Annahme ebenso allgemein gang und gäbe, als sie nach derselben als beseitigt betrachtet wurde, und die Ursache dieser Wandlung ist nicht ohne einiges Interesse. Diese Zahl hat einen symbolischen Beigeschmack, der sie für jene Periode, da die archäologische Forschung noch mühsam nach einer festen Methode rang, zu einer gar oft bösen Sieben gemacht hat. So hat man denn diesen leichten Fund nur dazu benützt, um die Siebenzahl auch an den Bildwerken der Basis des Apollobildes zu postuliren, wo dafür gar kein Anlass vorhanden war, und eine Zahlensymbolik zu ahnen, die der erste Hauch gesunder Forschung hinwegfegen musste. Die Reaction gegen solches Treiben liess nicht lange auf sich warten, nur schoss man dann mit ebenso grosser Hartnäckigkeit ziemlich gleich weit übers Ziel hinaus, als man dasselbe vorher fehlte. Die Siebenzahl musste auch dort hinaus, wo sie gar nicht auf Conjectur beruhte und ein kunstreicher Aufbau voll der schlagendsten Parallelen und schönsten Responsionen, ganz im Stile der Dissen'schen Pindar-Zergliederungen und ähnlicher philologischer Architecturen, erhub sich dort, wo kurz vorher noch mystisches Dunkel gelagert war.

Die Baukosten hat natürlich Pausanias zu tragen. Wenn die erste Scene nun auch den Atlas enthalten soll, dann muss auch in die entsprechende Leukippos hinein, den weiteren Zuwachs dreier Nymphen haben wir bereits kennen gelernt. Die Scenen 17 und 18 passen zu ihren Parallelen, wenn man sie umstellt, d. h. dann passt 18 (mit einiger Nachhilfe) zu 13, 17 aber wieder nicht zu seiner Nummer. In der zweiten Scene nimmt Herakles, der die Heerde der Geryoneus vor sich hintreibt, so wenig Rücksicht auf Amphiaraos und Lykurgos gestörten Zweikampf, dass er dazu verhalten werden muss, noch einmal mit dem dreileibigen Scheusal zu kämpfen, wobei dann die Rinder des Geryoneus nebensächlich behandelt erscheinen. Nachträglich hat dann Overbeck zur Hebung der Responsion der Innenbilder zwei weitere kleine Umstellungen hinzugefügt und 4 vor 3 und 10 vor 9 geschoben.

Als Schlussresultat dieser Bemühungen erscheint ein System übereinander geordneter Klammern, das die einzelnen Theile des wohlgeordneten Ganzen fest zusammenhält und den schönsten

Klammersystemen der philologischen Literatur ebenbürtig zur Seite steht. Wer sich aber an dem imponierenden äusseren Eindruck nicht genug sein lässt und nach der Zusammengehörigkeit der aneinander gefesselten Scenen fragt, der wird es wohl vergeblich thun, und ebenso vergeblich wird er unter den erhaltenen archaischen Monumenten auch nach einer ungefähren Analogie suchen.

Wir haben bisher eine Anzahl von Bildwerken zur Seite gelassen, welche sich an der Aussenseite des Thrones als Abschluss befanden. Es sind abermals sieben und glücklicherweise kann ihre Anordnung gar nicht zweifelhaft sein. Der Bericht lautet: Τοῦ θρόνου δὲ πρὸς τοῖς ἄνω πέρασιν ἐφ' ἵππων ἑκατέρωθέν εἰσιν οἱ Τυνδάρεω παῖδες, καὶ σφίγγες τέ εἰσιν ὑπὸ τοῖς ἵπποις καὶ θηρία ἄνω θέοντα, τῇ μὲν πάρδαλις, κατὰ δὲ τὸν Πολυδεύκην λέαινα. ἀνωτάτω δὲ χορὸς ἐπὶ τῷ θρόνῳ πεποίηται, Μάγνητες οἱ συνειργασμένοι Βαθυκλεῖ τὸν θρόνον [8]). Daraus ergibt sich das folgende graphische Schema, das ich vorläufig mit VII bezeichne:

VII

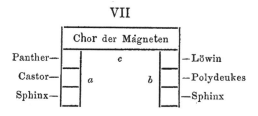

Der Vergleich desselben mit dem Texte lehrt, dass die beiden parallelen Seiten a und b auch umgekehrt angeordnet werden können, der ganze Aufbau aber völlig klar angegeben ist, wenn auch zuerst $a_2 b_2$, dann $a_1 b_1$, dann $a_3 b_3$ und zum Schluss c aufgezählt wird. Es muss nun von vornherein als wahrscheinlich gelten, dass die sechs übrigen Bildgruppen von je sieben Darstellungen nach dem Muster dieser siebenten anzuordnen sein werden. Ich bin nicht im Stande, im Texte des Pausanias einen Anhaltspunkt zu finden, der uns ermöglichte, diese letzte Bildgruppe von

---

[8]) Zum Chor des Bathykles mit seinen Genossen vergleiche man das Selbstporträt des Theodoros, über welches zuletzt Löschcke Arch. Misc. gehandelt hat, und das des Kreters Cheirisophos. Auf eine überraschende Analogie aus der Renaissance werde ich von befreundeter Seite aufmerksam gemacht. In ganz ähnlicher Weise hat Meister Filarete sich mit seinen Gesellen auf dem von ihm gearbeiteten Hauptportal von S. Pietro verewigt.

den übrigen zu trennen und erst durch ihre Hinzuziehung erscheint das den Bildschmuck beherrschende System als ein abgeschlossenes.

Der endgültige Beweis bleibt dem Experiment vorbehalten, und ich werde nun in der Reihenfolge der bisherigen Aufzählung die graphische Anordnung versuchen. Zunächst setze ich also die zwei Gruppen der Bildwerke im Innern her:

I

		1 Kalydonische Jagd			
Herakles tödtet die Akto-riden	2	1	c	1	5	Herakles und der nem. Löwe
Boreaden u. die Harpyen	3	2 a		b 2	6	Apoll u. Artemis schiessen Tityos
Theseus und Peirithoos rauben Helena	4	3		3	7	Herakles und der Kentaur Oreios

II

Theseus u. der Minotaur	1	5	Herakles u. d. Halios Geron
Herakles und Acheloos	2	6	Admets Gespann
Heras Lösung	3	7	Hectors Lösung
	4 Leichensp. d. Pelias		

Die in die Felder eingeschriebenen Zahlen bezeichnen die Reihenfolge der Aufzählung bei Pausanias. Die graphische Anordnung hält dieselbe ein, doch darf daraus der Schluss nicht gezogen werden, dass sich I und II, wie es den Anschein hat, umgekehrt zu einander verhalten. Das beweist VII, welches nach der ausdrücklichen Angabe der Anordnung wie I zu stellen war, während, wenn wir der Zählung allein hätten folgen müssen, ebenso gut II hätte heraus kommen können. Man kann sich an dem Schema I leicht vergegenwärtigen, in wie mannigfacher Weise es durchgezählt werden kann, je nachdem die Langseite an erster, vierter oder letzter Stelle mitzählt. Eine bestimmte Nöthigung, es so oder so durchzuzählen, wird schwerlich zu denken sein. Wenn also für Responsionsversuche noch immer ein kleines, aber wie ich glaube, nicht recht dankbares Feld bleibt, so bleibt für die Anordnung im Grossen die Stellung der Langseite als Kriterium. Weder bei I noch bei II ist ein Zweifel möglich, welcher der sieben Scenen die Langseite einzuräumen sei. I₁ ist nothwendiger Weise friesförmig gestreckt zu denken, während wir für jedes der sechs anderen Bilder eine Analogie aus den metopenartigen Feldern der Kypseliden-Kypsele aufweisen können. II$_4$ nahm am selben Denkmal den Raum von sechs Scenen ein. Geht man nun dieser Analogie nur einen Schritt weiter nach, so kommt man zu folgendem überraschendem Schluss. Wir brauchen die Langscenen nur nach diesem Vorbild mit 6 zu 1 zu bewerthen, um das Septimalsystem hier in das Duodecimalsystem jener aufzulösen, ja wir brauchen uns nur zu erinnern, wie die sieben Darstellungen der untersten Reihe der Kypsele zu zwölf Scenen wurden, um die Behauptung wagen zu dürfen, dass es ein und dasselbe ordnende Princip ist, das in zwei gleichberechtigten Variationen die beiden nahverwandten Werke der archaischen Kunst beherrscht[9]).

Ich gehe nun zur Anordnung der übrigen Bildwerke der Aussenseite über, indem ich die weiteren graphischen Schemata gebe.

III

	4 Kentaurenschlacht		
Herakles u. Kyknos	3	5	Theseus und der Stier
Atlas	2	6	Choros des Theseus (?)
Zeus u. Poseidon rauben die Atlantiden	1	7	Perseus und Medusa

[9]) Gegen die angenommene Bewerthung der Langseite auf die Summe der übrigen Scenen des Schemas wird man vielleicht II 7 als Gegengrund anführen. War die Lösung Hectors nicht mit jener prägnanten Kürze dargestellt, wie sie uns die olympische und die Berliner Bronzeplatte zeigen, sondern folgte den Hauptpersonen noch die Schaar der Gefässe tragenden Diener, dann lässt sich diese Scene auf den geforderten Raum nicht zusammen drängen. Dies ist ohne Weiteres zuzugeben, es folgt daraus aber nur, dass weder das eine noch das andere dargestellt war. Es war bloss der Zug der Troer mit den Gefässen zu sehen, wofür schon der Irrthum des Pausanias spricht, dessen Entstehung anders ja kaum begreiflich wird, und unter dieser Voraussetzung gewinnen wir für die Typengeschichte der Lösung Hectors eine klarere Anschauung. Aus dem friesartigen Zuge, der das ganze Ereigniss ausführlich erzählte, bilden sich durch Spaltung zwei kleinere Scenen heraus, die eine Zeit lang ein eigenthümliches Leben führen, jedoch ohne sich auf die Dauer gegen den alten Typus halten zu können. Eine völlig ähnliche Erscheinung bietet der Typus von der Ermordung des Troilos wie vom Kampf des Herakles mit Geryoneus, wie ich Euphronios S. 41 auseinandergesetzt habe. Wie die Geryoneusschale dieses Meisters auf ihrer Aussenseite zwei ursprünglich zusammengehörige Scenen wieder vereinigt, so erscheint auf einer Münchner Memnonsschale (404) den Troern, welche Geschenke zur Lösung bringen, die eine Aussenseite eingeräumt, als letzter Nachhall der ehemaligen Selbstständigkeit dieser Scene.

Dass die Kentaurenschlacht bei Pholos den Anspruch auf die Langseite hat, ergibt sich wiederum aus dem Vergleich mit der Kypsele, wo sie ebenfalls gleich sechs Scenen anzusetzen war. Aus demselben Kunstwerk lässt sich auch ein Gegengrund gegen eine etwa rivalisirende Stellung von III_6 entnehmen. Haben wir die Scene richtig gedeutet, so zeigt die Klitiasvase, wie sie zugförmig ausgedehnt, jenes Monument hinwiederum, wie sie auf den kleinsten Raum zu einer Scene von zwei Figuren herabgedrückt werden konnte. Da es, so viel ich sehe, an einem genauer zutreffenden Analogon fehlt, so möchte ich auf das Minotaurosbild der Berliner Vase 1698 (unbezeichneter Exekias) verweisen, das durch vier Jünglinge den Chor der geretteten Opfer andeutet.

Bezüglich des nun folgenden Schemas kann ich auf früher Gesagtes verweisen.

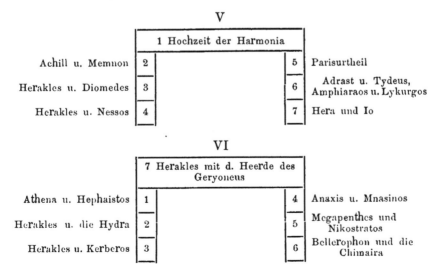

IV

		4 Herakles Einzug in d. Olymp		
Leukippidenraub	3		5	Hermes mit dem Dionysoskinde
Tyndareos u. Eurytos	2		6	Peleus übergibt Achill dem Chiron
Herakles u. Thurios	1		7	Eos und Kephalos

und kann nun gleich die beiden noch übrigen anfügen:

V

		1 Hochzeit der Harmonia		
Achill u. Memnon	2		5	Parisurtheil
Herakles u. Diomedes	3		6	Adrast u. Tydeus, Amphiaraos u. Lykurgos
Herakles u. Nessos	4		7	Hera und Io

VI

		7 Herakles mit d. Heerde des Geryoneus		
Athena u. Hephaistos	1		4	Anaxis u. Mnasinos
Herakles u. die Hydra	2		5	Megapenthes und Nikostratos
Herakles u. Kerberos	3		6	Bellerophon und die Chimaira

Auch bezüglich dieser kann es meines Erachtens gar nicht zweifelhaft sein, welcher der Scenen die Langseite einzuräumen sei. Die Ansprüche von V_1 sind unbestritten, für VI_7 genügt es, statt auf die bisher herangezogenen Geryoniebilder, auf *Mon. d. Inst.* V 25, *Annali* 1851 *tv. d'agg.* A zu verweisen.

Der Vollständigkeit wegen haben wir auch auf den Bildschmuck der Basis der Apollostatue einzugehen. Sie hatte nach der Angabe des Pausanias die Gestalt eines Altars, der zugleich als das Grab des Hyakinthos galt, und an dessen linker Seite eine eherne Thür angebracht war [10]). Ringsherum zog sich eine Reihe von Figuren. Es werden aufgezählt: Iris, Amphitrite und Poseidon, Zeus im Gespräch mit Hermes, daneben Dionysos, Semele und Ino, dann Demeter, Kore, Pluton, dann die Moiren und Horen, Aphrodite, Athena und Artemis, die Hyakinthos und seine Schwester Polyboia in den Himmel einführen; ferner war auch die Himmelfahrt des Herakles unter der Assistenz Athenas und der anderen Götter zu sehen. Schliesslich werden noch erwähnt die Tochter des Thestios, die Musen und Horen.

Ueber die Anordnung dieser Figuren hat Trendelenburg *Bull.* 1871 S. 124 ausführlich gehandelt. Seine Auseinandersetzungen haben, so weit ich sehe, allgemeine Zustimmung gefunden. Die Grundzüge derselben sind folgende: Es waren drei Aufnahmen in den Olymp dargestellt, indem die ersten acht Figuren die Erhebung des Dionysos zum Range eines Olympiers ausdrücken sollen. Diesen drei einander innerlich verwandten Scenen waren drei Seiten der Basis eingeräumt, die vierte enthielt die drei Thestiaden und die neun Musen [11]). Ferner wird die Anzahl der Figuren jeder Seite auf zwölf bestimmt, mit Ausnahme der zuerst erwähnten, wo die Thüre den Raum von vier Personen für sich in Anspruch nimmt. Gegen diese Hypothese lassen sich eine Reihe von Einwendungen erheben, von denen ich nur die augenfälligsten zur Sprache zu bringen mir gestatten möchte. Warum soll denn die Thüre gerade den symmetrischen Ausbau der Götterversammlung, die doch die Hauptseite einzunehmen hatte, stören, zumal ihr Pausanias den Platz

---

[10]) Vergl. Paus. II 22, 2: Πέραν δὲ τοῦ τάφου χαλκεῖόν ἐστιν οὐ μέγα, ἀνέχει δὲ αὐτὸ ἀγάλματα ἀρχαῖα Ἀρτέμιδος καὶ Διὸς καὶ Ἀθηνᾶς, und 4: ἑτέροις δέ ἐστιν εἰρημένον ὀστᾶ ἐν τῷ χαλκείῳ κεῖσθαι Ταντάλου.

[11]) Die Horen, die ihnen folgen, sind von Siebelis als gedankenlose Wiederholung des Abschreibers, der vorher Μοῖραί τε καὶ Ὧραι las, verdächtigt worden.

auf der linken anweist, was auf eine Nebenseite zu deuten scheint.
Ungeschickter konnte sie nirgends zu stehen kommen, während es
sehr nahe lag, sie so anzubringen, dass sie statt zu stören unter-
stützend in die Handlung eingriff. Liess sie der Meister als Ausgangspunkt des Zuges, der Hyakinthos in den Olymp führt, erkennen, so kam sie ihm ganz trefflich zu statten. Wäre ferner die
Zahl der Figuren deutlich überliefert, so würde ihre so schematisch
gleichmässige Vertheilung noch immer nicht unbedenklich sein. Ich
kenne wenigstens kein Beispiel dafür, welches die Figuren in der
archaischen Kunst etwa den Silben der gebundenen Rede gleich-
stellen möchte. Ihre Symmetrie ist anderer Art. Aber wie erhält
denn Trendelenburg seine dreimal zwölf Figuren? Die neun Musen
und die Thestiaden, wenn man diese, was ich vorläufig zugeben
will, mit drei ansetzt, geben allerdings so viel, und der Horen kann
man sich ja mit Siebelis entledigen. Aber was die zwölf Figuren
unter einander anfangen sollen, kann man sich kaum denken. Trendelenburg deutet auf eine Todtenklage um Hyakinthos nach Art
der der Nereiden um Achill, als ob dieser Fall in irgend einer
Weise vor den üblichen Todtenklagen herausragte und so als
Analogon zu der zu construirenden dienen könnte. Die Tanten
Achills thun nicht mehr für ihn, als sonst Tanten für einen verstorbenen Neffen zu thun pflegen. Dass die Thestiaden, Musen
und Horen hier, den Moiren und Horen der Hyakinthosscene entsprechend, zu Herakles' Einzug gehören, ist doch von vornherein
zu wahrscheinlich, als dass es ernstlich hätte bestritten werden
sollen. Die Heraklesscene wächst dadurch freilich sofort über das
vorgeschriebene Maass. Der Hyakinthoszug soll nur zwei Moiren
und ebensoviel Horen enthalten dürfen, während die Klitiasvase
bekanntlich vier Moiren und drei Horen enthält, dafür dürfen aber
auch Demeter, Kore und Pluton mit, die in der Götterversammlung
nicht Platz haben, somit wären ja elf, die Thüre aber kann vier
suppliren. Und warum diese Götterversammlung die Aufnahme des
Dionysos bedeuten soll, kann ich am wenigsten begreifen. Daraus,
dass der bakchische Kreis mit drei Personen ganz in gleicher Weise
wie die Meer- und die Unterweltsmächte in derselben vertreten ist,
folgt doch nur das hohe Ansehen des Gottes im Lakonischen, das
ja gut bezeugt ist. Auffällig bleibt nur, dass Zeus mit Hermes
allen übrigen je zu drei gruppirten Göttern nachsteht und das
Fehlen der Hera besonders betont zu sein scheint. Auch was Zeus
und Hermes mit einander sprechen, wüssten wir gerne, und der

Künstler muss es doch durch die Situation zum Ausdruck gebracht haben. Denkbar wäre es auch freilich, dass der letztere so wie auf der bekannten altattischen Athenageburtvase nur sein Ἑρμῆς εἰμι Κυλλήνιος sagt.

Doch bescheiden wir uns vorläufig damit, die drei Scenen, die uns die Ueberlieferung des Pausanias erkennen lässt, anzuordnen, so scheint mir vor allem Folgendes gegeben. Der Götterversammlung, die den Mittelpunkt bildet, streben von beiden Seiten zwei Züge zu: der eine bringt Hyakinthos, der andere Herakles den Olympischen. Rein formal betrachtet, sieht das wie eine Vorahnung des Parthenonfrieses aus. Es würde nun scheinbar das Nächstliegende sein, beide Züge auch von gleichem Ausgangspunkte beginnen zu lassen und diesen in die Mitte der Rückseite zu verlegen. Eine leise Analogie mit einem altjonischen Werke, dem thasischen Nymphenrelief, die freilich nur darin besteht, dass eine Composition zu beiden Seiten einer Thür gleich vertheilt erscheint, möchte diese Vorstellung unterstützen. Indess die Thür gehört zu bestimmt der Hyakinthosscene an, und was die Frage, wie mich dünkt, entscheidet, sie ist auf der linken Seite angegeben, die Götterversammlung kann aber nur die anstossende Hauptseite eingenommen haben, es bleiben daher sowohl die rechte Seite wie die Rückseite ganz allein für den Einzug des Herakles, er muss also den doppelten Raum des Hyakinthoszuges einnehmen.

Auch eine flüchtige Betrachtung des Textes des Pausanias lehrt nicht bloss die Statthaftigkeit, sondern geradezu die Nothwendigkeit dieser Annahme. Haben wir dort Aphrodite, Athena und Artemis von den olympischen Göttern, so werden hier neben Athena noch die „andern Götter" angeführt. Dort erscheinen die Moiren und Horen, die wohl je zu dreien um den Wagen, der Hyakinthos und Polyboia trug, anzuordnen sein werden, hier haben wir ausser dem räthselhaften Dreiverein (der Ausdruck scheint mir erlaubt, auch wenn er gelegentlich arithmetischen Bedenken unterliegt) der Thestiaden und dem der Horen noch die drei Dreivereine der Musen. Aber gerade da beginnt die Schwierigkeit. Was sollen denn — nach den Töchtern des Thestios wollen wir später fragen — hier die Musen? Rufen schon die fünf Dreivereine äusserlich die Erinnerung an den Quadrigenzug der Peleus- und Thetishochzeit auf der Klitiasvase wach, den die Musen, Horen und Moiren, sechzehn an der Zahl, umgeben, so weisen die auf der Hyakinthosscene fehlenden Musen deutlich darauf hin, dass nicht Herakles'

Einzug in den Olymp, sondern seine Hochzeit mit Hebe dargestellt
war, die Musen haben hier nur so einen guten Sinn und die „anderen Götter" auch. Ihre Kraftprobe wird diese Hypothese dadurch ablegen, dass sie die vorgefundenen Schwierigkeiten zu bewältigen haben wird. Die Abwesenheit der Hera auf der Hauptseite erklärt sie sofort. Die Brautmutter hat im Zuge ihren Platz und Hebe's Fehlen merken wir erst jetzt, obgleich die anderen drei Götterpaare je eine rangniedrigere weibliche Gottheit und nur Zeus eine männliche Bedienung hat. Das Gespräch mit Hermes bezieht sich auf dessen Obliegenheit; er übernimmt das Amt, das bisher Hebe verwaltet hat. Auch Sappho hatte seiner in der Schilderung der himmlischen Hochzeit nicht vergessen.

Aber die Töchter des Thestios? Wer sie immer sein mögen, sie müssen in die Versammlung der Musen und Horen hineinpassen und etwas ähnliches sein. Die, von denen die Mythologien alter und neuer Zeit sprechen, waren es keinesfalls, und wenn ich Trendelenburg die drei Thestiaden nachgesprochen habe, so habe ich an Leda, Althaea und Hypermnestra nicht gedacht, sondern an einen Dreiverein im früher erwähnten Sinn. Denn wenn sich auch diese drei Namen bei Apollodor I 7, 8 zusammenfinden, so bilden sie darum doch mythisch keine Einheit und ein Zusammenhang mit Herakles ist vollkommen unerfindlich. Dagegen treten die fünfzig Töchter des Thestios, die Apollodor II 7, 8 zum Unterschiede gegen die des Thespios namentlich anführt, als solche auf, und ihre intimen Beziehungen zu Herakles, dem sie Anlass zum dreizehnten Athlos geben, sind weiteren Kreisen durch Göthe's Götter Helden und Wieland bekannt genug [12]). Selbstverständlich bleiben auch diese hier völlig ausgeschlossen und so sind wir denn genöthigt, die Existenz des Thestiaden auf dem amykläischen Thron kurzweg zu läugnen. Die Annahme einer Corruptel im Texte werden wir füglich abweisen, denn der Abschreiber, der gefehlt hat, ist offenbar Pausanias selbst.

Das hier einzuschlagende Verfahren der Monumentalconjectur, wenn das Wort gestattet ist, haben wir an den Thronreliefs mehrfach mit vollem Erfolge angewendet. Was wir an der Stelle der Töchter des Thestios hier erwarten müssen, das habe ich bereits

---

[12]) Vergl. Paus. 9, 27, 6; Herodotos bei Athenäus XIII 556 als Thespiaden; Apoll. 2, 4, 10; Diodor 4, 29 und Hygin. fab. 162, der nur zwölf Thespiadensöhne kennt.

gesagt; es erübrigt mir noch hinzuzufügen, dass dieser Dreiverein nach der Art, wie er aufgeführt wird, ziemlich an die Spitze des Zuges zu stehen käme.

Wir werfen noch einen Blick auf die Klitiasvase, die uns ja den monumentalen Anlass zur Umnennung unserer Scene gegeben hat. Auch dort treffen wir an der entsprechenden Stelle einen Dreiverein. Alle Namen sind beigeschrieben, wir lassen die der beiden Seitenfiguren ΔEM(ετερ) und ǂΑΡΙΚΙΟ für einen Augenblick verlöschen und neben der Mittelfigur glänzt ΘΕSΤΙΑ allein. Wer FIPIS früher Βιρις las, wird mit gleicher Consequenz Θεστια buchstabiren und daraus erklärt sich alles Weitere zur Genüge.

Ich glaube demnach, die Hypothese hat ihre Kraftprobe voll bestanden und damit aufgehört eine solche zu sein. Dass sie nebenbei noch ein anderes Hinderniss beseitigt hat, dessen wir gar nicht erwähnten, wie dass der Einzug des Herakles in den Olymp auf dem Throne ausführlich erzählt ist, und seine Wiederholung hier also wenig Sinn hatte, war schon durch ihre Aufstellung mitbestimmt.

Die einzelnen Werkstücke, die wir in unseren sieben schematischen Figuren reconstruirt haben, fügen sich leicht zu einem Ganzen zusammen, das uns ein Stück vom Schema des Thronbaues wiedergibt.

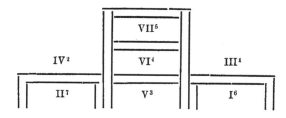

Pausanias dürfte mit der Schilderung der Aussenbilder dort angefangen haben, wo er mit denen der Innenbilder begann, von den Tritonen her, also rechts. Da kam zuerst die rechte Armlehne daran, dann die linke, dann die Rückseite und zum Schluss die inneren Bildwerke, deren Platz nur an den beiden Armlehnen gewesen sein kann. Die Rückseite bedurfte im Innern keines Figurenschmuckes, weil der Coloss sie deckte. Eine ornamentale Verzierung, etwa Thierstreif, bleibt dabei keineswegs ausgeschlossen. Diesen Gang der Beschreibung sollen die arabischen Ziffern neben den römischen versinnlichen.

Das Schema gibt uns nicht mehr als eine ungefähre Skizze des hinter dem goldenen Figurenschmucke verborgenen Holzgerüstes. Von dem Eindruck, den das Werk selbst durch die Fülle des plastischen Schmuckes, der in der ganzen Scala von der Reihe der rund gearbeiteten Karyatiden bis zum flach getriebenen Ornament vertreten war, durch das herrliche Material und seine zweifellos malerische Behandlung, durch bunte Einlagen (man braucht sich nur an die typische Weise der alten Dädalidengoldtechnik und zurück an die mykenischen Schwerter zu erinnern), von alle dem gibt es nichts. Aber die eine Thatsache, die es lehrt, ist doch wissenswürdig: es sagt uns, dass der amykläische Thron trotz seiner gewaltigen Dimensionen, trotz seines Reichthums von Bildwerken ebenso gut ein Sessel war, wie der des olympischen Zeus. Das will freilich nur den bisherigen ganz ernstgemeinten Restaurationsversuchen von Pyl und Ruhl gegenüber etwas sagen [13]).

Von dem ihm angebotenen Platze macht der Gott keinen Gebrauch, er stand mit Lanze und Bogen im Gestühl, das sonderbarer Weise eine Anzahl von Sitzen enthielt. Für welche σύνθρονοι sind die gewesen, da ja eine praktische Verwendung hier völlig ausgeschlossen ist? Die Frage, wie Bathykles auf eine solche durch kein Bedürfniss postulirte Form kam, erledigt sich, wenn man bedenkt, dass der Götterthron an Thronen der Erde sein Vorbild gehabt haben muss. Da wird diese Form begreiflich, wenn der Herrscher im Rathe von Mitfürsten seine Macht ausübt, wie denn die Stammfürsten der Perser gleich dem Grosskönig die Krone tragen.

Zeitlich nicht allzuweit und auch räumlich durch die Herkunft seines Meisters näher, als es im ersten Augenblick scheint, steht der Thron von Amyklä dem der Perserkönige aus dem Hause der Achämeniden, dessen Bild die Felsengräber von Nagsh-i Rustem und Persepolis uns in authentischer Weise vorführen [14]). Siebenmal erscheint dort dasselbe nur in kleinen Details variirte Schema. Zu unterst eine Façade, die wie man allgemein und mit gutem Grund angenommen hat, jener verlorenen des Palastes des Darius in grossen Zügen entspricht, darüber ein Thronbau und zu höchst der König auf einem Bathron, den Bogen in der Linken, während die Hand-

---

[13]) Arch. Ztg. 1852. 1854.
[14]) Stolze, Persepolis I Tf. 70—73, II Tf. 106—111; Dieulafoy *l'art antique de la Perse* III Tf. 2—4 und I Tf. 10.

haltung der Rechten die Ergänzung eines Speeres ermöglicht. Die Inschrift auf dem von Darius errichteten Grab gibt uns zugleich die authentische Interpretation des Thrones als solchen und eine Erklärung der Figuren auf und neben demselben. Nur die ersteren interessiren uns hier, die darauf bezügliche Stelle lautet: „Und wenn du also sprichst: wie vielfach (?) waren diese Länder, deren Gesammtheit der König Darius regierte, so blicke an meines Thrones Träger, da wirst du sie erkennen (?), (so) alsdann wird dir bekannt werden (?), dass des persischen Mannes Lanze fernhin gedrungen ist"[15]).

Diese Thronträger sind auch aus einem anderen Grunde der Betrachtung werth. Sie rufen uns den Chor des Bathykles mit seinen Genossen in Erinnerung, den wir nach diesem Vorbild als thronstützend reconstruiren könnten. Wenn ich darauf verzichtet habe, so muss ich doch kurz die Gründe dagegen anführen. Es schien mir bedenklich, nur das oberste Stück des Rahmenwerkes zu stützen, und dann liegen doch andere Analogien hier näher. Doch wie dem immer sei, es bleiben noch weit wichtigere Vergleichspunkte. Die persischen Reliefs geben erst einen verständlichen Sinn, wenn ihr Uebereinander in ein Nacheinander verwandelt wird, das, weil es plastisch undarstellbar war, so zum Ausdruck gebracht werden musste. Dann steht der Thron im Innern des Palastes und der König im Thron, dessen Ausdehnung die Bezeichnung Gestühl rechtfertigen würde. Wie er in demselben sitzt, darüber geben, ebenso gelesen, zwei Pfeilerreliefs der Hundertsäulenhalle Auskunft, die ihn auf einem Sessel zeigen, der auf dem Throne steht, also in denselben hineinzudenken ist. Bezüglich des altarförmigen Grabes bedarf es kaum des Hinweises auf das sogenannte Kyrosgrab zu Murgab[16]). Wenn in später Zeit Altar und Sarkophag einander oft gar so ähnlich sehen, so kommt darin nur die ursprüngliche Identität von Grab und Altar zum Ausdruck, die wir hier nicht weiter verfolgen wollen, als um daran zu erinnern,

---

[15]) Bezold Die Achaemenideninschriften S. 35. Die Uebersetzung bei Spiegel Die altpersischen Keilinschriften (2. Aufl.) S. 57 und bei Oppert *Les inscriptions des Achéménides* geben keine erwähnenswerthen Varianten.

[16]) Wenn dasselbe bei Benndorf und Niemann Reisen in Lykien und Karien S. 109 kurz als „Tempelbau von Murgab" angeführt wird, so bezieht sich das nur auf die Gestalt, denn Tempel kannten ja die Perser nicht.

dass von diesem Standpunkte aus auch andere Göttergräber als das des vergötterten Hyakinthos verständlich werden.

Leicht und ungezwungen hat sich die Fülle der einzelnen Bildwerke in ein einfaches tektonisches Ganze eingefügt, und es erübrigt noch zu fragen, ob nicht auch ein innerer Zusammenhang nachzuweisen sei, der sie zu einem geistigen Ganzen vereinigt. Dass man auch bei eingehendem Studium umsonst nach einer Beziehung der Einzelscenen innerhalb eines Schema's wie einer solchen der Schemata zu einander, suchen wird, glaube ich aussprechen zu dürfen. Auch um den Gott, dessen Thron sie schmücken, kümmern sich die Bildwerke merkürdig wenig, sie melden bloss eine That von ihm, die er gemeinsam mit seiner Schwester vollbracht hat. Doch wir haben gar nicht nöthig, innerhalb der Bildwerke nach mehr als gelegentlichen Beziehungen zu spähen, denn ehe wir an diese selbst herantreten, konnten wir aus dem Munde des Meisters vernehmen, was ihre Fülle zu bedeuten habe. Die Thronstützer haben jenes homerische Motto monumental wiederholt, soll das hier nichts weiter sein als ein Ueberbleibsel aus alter Zeit? Der Achillesschild war seiner Form nach zu einem Weltbilde wie geschaffen, die künstlerische Ausschmückung vollzog nur die weitere Ausführung und Detaillirung des in der Form gegebenen Grundplanes. Anders ist das Weltbild, das uns der Schmuck des amykläischen Thrones bietet. Will der Künstler dort uns die Welt real auf einer Karte vorführen, so will Bathykles hier ihre Geschichte erzählen, die im Sinne und Herzen dieser Zeit natürlich nur die mythische sein kann. Dort ist der Mythos völlig ausgeschlossen, hier ist er alleinherrschend, denn der Choros des Meisters und seiner Genossen hat nur als monumentale Künstlerinschrift ihre Berechtigung. Und das kosmische Princip ist auch hier gewahrt. So stehen den Thaten des Herakles auf der Erde, sein Einzug in den Olymp, sein Eindringen in die Unterwelt und sein Kampf mit dem Halios Geron zur Seite, so haben die Göttergeschichten neben der Heldensage ausreichende Vertretung gefunden. Aber Amyklä bleibt der Mittelpunkt der Welt, ob auch Apoll nicht auf seinem Omphalos dasteht, die Tyndaridensage ist nächst der herakleischen am besten vertreten, und als besonders bezeichnend mag es erwähnt werden, dass auch eine kleine Reihe von Tyndaridenporträts auch der weiblichen Linie vorgeführt werden, während die gleiche Ehre sonst nur dem Weltenträger ·Atlas widerfuhr.

Ganz besonders nahe scheinen die Bilder der Bronzeplatten, mit denen der Innenraum der Athena Chalkioikos zu Sparta belegt war, denen des bathykleischen Thrones gestanden zu haben. Leider ist das Verfahren des Pausanias hier ein so summarisches, dass eine klare Vorstellung nicht zu gewinnen ist. Zuerst erwähnt er πολλὰ μὲν τῶν ἄθλων Ἡρακλέους, πολλὰ δὲ καὶ ὧν ἐθελοντὴς κατώρθωσε, was ebensogut auf die vierzehn Heraklesdarstellungen des Thrones passen möchte. Das nachfolgende Τυνδάρεω δὲ τῶν παίδων ἄλλα τε καὶ ἡ τῶν Λευκίππου θυγατέρων ἁρπαγή könnte gleichfalls im selben Sinne angewandt werden und dann Ἥφαιστος τὴν μητέρα ἐστὶν ἀπολύων τῶν δεσμῶν findet sich dort ebenfalls. Drei weitere Darstellungen, die Pausanias noch erwähnt, Perseus, der von den Nymphen Tarnkappe und Flügelschuhe erhält, die Geburt der Athena und Amphitrite und Poseidon (vielleicht die Hochzeit?) entbehren der bathykleischen Gegenstücke und bezüglich des Restes, den Pausanias verschweigt, sind Conjecturen überflüssig. Bedenkt man aber noch, dass Gitiadas, der Spartaner, der die Statue der Chalkioikos und die Bilder der Bronzeplatten schuf, auch in Amyklä selber zwei reichgeschmückte Dreifüsse gearbeitet hat, so wird man der Annahme eines Abhängigkeitsverhältnisses der beiden Meister kaum ausweichen können [17]). Die bisherige Geschichtschreibung der griechischen Kunst war einer solchen Nöthigung nur dadurch überhoben, dass sie das Zeitalter des Gitiadas aus der fabelhaften Nachricht bei Pausanias, ·dass seine beiden Dreifüsse und der dritte des Kallon aus der Beute des ersten messenischen Krieges geweiht seien, direct oder indirect erschliessen zu können glaubte. Für die Datirung des letzteren haben wir jetzt durch die auf der Akropolis gefundene Inschrift sicheren Boden unter den Füssen. Ihre Buchstabenform weist auf das Ende des sechsten Jahrhunderts hin. Damit ist auch für diesen ein fester Halt gewonnen und jene Annahme muss nun einer näheren Erwägung unterzogen werden. Alles spricht dafür, dass Gitiadas der empfangende Theil gewesen sei. Er, der ein geborener Spartiate, kann doch dem hochberühmten Meister, der aus dem fernen Osten zu grossen Werken mit seiner

---

[17]) Paus. III 18, 5: ὑπὸ μὲν δὴ τῷ πρώτῳ τρίποδι Ἀφροδίτης ἄγαλμα ἑστήκει, Ἄρτεμις δὲ ὑπὸ τῷ δευτέρῳ· Γιτιάδα καὶ αὐτοὶ τέχνῃ καὶ τὰ ἐπειργαομένα.

Genossenschaar herbeizog, nicht zum Vorbild gedient haben, und wenn die Dädaliden gerade in Sparta eine blühende Kunstschule aus der Ferne ins Leben riefen, so wird auch die Thätigkeit der grossen jonischen Meister an Ort und Stelle an den lakedaimonischen Techniten nicht ganz spurlos vorübergegangen sein. Für die kunstgeschichtliche Stellung der Reliefe des Gitiadas ist das Bild der Ausrüstung des Perseus durch die Nymphen besonders lehrreich, als das einzige, das wir uns genauer vergegenwärtigen können. Es ist bekanntlich eine chalkidische Vase, welche denselben Typus wiederholt.

Aber Dorier ist Gitiadas doch geblieben. Die Art, wie er das Uebernommene umgedichtet hat, weist wieder deutlich in die Richtung der Kypsele hin. Wir haben, als wir von jener handelten, seiner als eines bezeugten Vertreters jener alten anfänglichen Personalunion von Poesie und Bildkunst gedacht, jetzt dürfen wir noch hinzufügen, dass sein grosses Reliefwerk im Athenatempel nur ein monumentales Gegenstück seines ὕμνος ἐς τὴν θεόν, von dem uns Pausanias berichtet, gewesen sein kann.

Die Darstellung der Geburt der Göttin spricht für sich allein schon dafür, dass der figürliche Schmuck zur Person der Gottheit hier in einem ganz anderen Verhältnisse stand, als am amykläischen Throne, und die Thaten der Heroen, vor allem des Herakles und Perseus, widerstreben einem solchen Bezug um so weniger, als sie ja nur unmittelbare Thaten jener selbst, mittelbar aber Athenas Werke sind. Und wie ein solcher Zusammenhang bei dem Bilde von Heras Lösung denkbar wäre, das zeigt uns wiederum die Klitiasvase, die mit bewundernswerther poetischer Kraft den Triumph Athenas über die Niederlage des verhassten Ares schildert. Mehr als solche Andeutungen zu geben, lässt der trümmerhafte Zustand der Ueberlieferung nicht zu. Ebenso sehr wie da, müssen wir das Schweigen des Pausanias über zwei Werke beklagen, über die mehr zu vernehmen für den ganzen Complex von Fragen, die uns hier beschäftigen, von besonderer Wichtigkeit wäre. Ich meine die beiden ehernen Thalamoi, die Myron und der Demos der Sikyonier in ihrem Thesauros zu Olympia aufgestellt haben. Ihre sichere Datirung nach dem Wagensiege des Tyrannen in der 33. Olympiade und die bestimmte Angabe, dass der eine dorischer, der andere jonischer Arbeit war, geben diesen Thalamoi Anspruch auf besondere Bedeutung. Pausanias hat uns aus dem Epigramm, das der kleinere trug, das Erzgewicht und die Stifter genannt, sonst beschäftigt ihn noch die Angabe der elischen Localperiegetik, ob das Erz wirkliches tartessisches sei.

Der Wortlaut des Epigramms hat aber in dem Stile der Berichterstattung deutliche Spuren hinterlassen. Der Ausdruck θάλαμος für ein Geräth ist poetischer und nicht periegetischer Sprachgebrauch und die Nichtbeachtung der Herkunft desselben hat dazu geführt, dass man in Olympia lange vergeblich nach den zwei Zimmern des Schatzhauses der Sikyonier gesucht hat[18]). Die Angabe des Baustiles hat diese nun glücklich beseitigte Auffassung wesentlich unterstützt, man vergleiche nur z. B. die bezügliche Darstellung in Curtius griechischer Geschichte, während sie jetzt geradezu befremden muss. Bei Pausanias, der nur sehr selten für Tempel, wo wir sie doch fordern dürften, solche Angaben macht, steht sie völlig vereinzelt da. Soll man ihm denn wirklich zutrauen, dass er, die kunsthistorische Bedeutung der Thatsache wie durch höhere Eingebung erkennend, sich gedrungen fühlt von ihr Zeugniss zu geben? So viel ich sehe, gibt es auch eine andere einfachere Erklärung dieser überraschenden Thatsache, sie hat aber den grossen Nachtheil, dass sie dem kunstgeschichtlichen Werthe der beiden Thalamoi wesentlichen Eintrag thut. Wir gelangen zu ihr auf einem kleinen Umweg, indem wir uns zuerst die Vorfrage stellen, warum denn anlässlich des einen Sieges zwei Thalamoi gestiftet wurden. Ein Stück der Antwort gibt uns Pausanias. Es waren ja auch zwei Stifter, der Tyrann von Sikyon und der Demos der Sikyonier, und hinter diesem Dualismus blickt die Stammesverschiedenheit beider deutlich hervor. Die Orthagoriden und mit ihnen der Stamm der herrschenden Aegialen waren Ionier, der übrige Demos Dorier. Der eine Thalamos war also dorischen, der andere jonischen Ursprungs, und fand dieser Umstand im Dedicationsgedicht, wie wir kaum zweifeln können, seinen Ausdruck, dann hatte Pausanias billige Gelegenheit eine Dummheit zu machen. Soll er sie unbenützt gelassen haben? Mich kostet es weit weniger Ueberwindung eine solche anzunehmen, als zu glauben, dorischer und jonischer Stil seien um 648 an Werken der Tektonik als gemessener Ausdruck nationaler Eigenart gebräuchlich gewesen, wo-

---

[18]) Ich habe während eines flüchtigen Besuches des olympischen Ausgrabungsfeldes im Jahre 1880 Gelegenheit genommen, den Leitern der Expedition diese meine Anschauung auszusprechen. Die Fundthatsachen und der officielle Bericht haben mir später schweigend Recht gegeben.

gegen beiläufig gesagt die ganze alte Kunstgeschichte spricht, am lautesten die Dädaliden in Sikyon und die Ionier in Sparta. Wir können uns das relativ nahe Verhältniss jener beiden Mächte am besten vergegenwärtigen durch einen eingehenderen Vergleich des Kypselebildschmuckes mit jenem des Thrones. Ich erinnere zuvörderst daran, dass ich schon oben die Identität des beiden zu Grunde liegenden Principes der Anordnung gezeigt habe. Dann möchte ich noch darauf hinweisen, dass auch andere alte Dädalidenwerke ihrem Vorwurf nach ein Anrecht haben, mit bathykleischen verglichen zu werden. So die grosse Dioskurengruppe des Dipoinos und Skyllis, in welcher auch Anaxis und Mnasinous nicht fehlten, dann Herakles und Acheloos von Dontas und Dorykleidas, und Herakles und Atlas im Hesperidengarten von Hegylos und Theokles. Völlig gleiche Vorwürfe begegnen wir auf beiden Kunstwerken nur sechsmal. Es sind:

1. Die Leichenspiele des Pelias   4. Achill und Memnon
2. Die Kentaurenschlacht   5. Herakles und die Hydra
3. Parisurtheil   6. Phineus und die Boreaden

In anderer Fassung wiederholen sich die gleichen Vorwürfe:

Thron	Kypsele
1. Atlas	1. Atlas und Herakles
2. Perseus und Medusa	2. Die Verfolgung des Perseus
3. Herakles und die Rinder des Geryoneus	3. Kampf des Herakles mit Geryoneus
4. Theseus und der Minotaur	4. Theseus Siegeslied
5. Raub der Helena durch Theseus und Peirithoos	5. Befreiung der Helena durch die Tyndariden

Das Verhältniss der beiden Columnen zu einander ist in keiner Weise ein gegensätzliches, sie ergänzen sich vielmehr gegenseitig aufs beste und weisen stets auf einen gemeinsamen Ursprung zurück. Doch ist auch mit dieser Aufzählung die Sachlage noch nicht erschöpfend geschildert. Theseus' Siegeslied hat, wie ich früher zu zeigen versucht habe, sein Gegenstück in dem sogenannten Phaiakenchoros des Thrones, und zum Kampf mit dem dreileibigen Geryoneus fand sich auch hier eine typisch nahverwandte Darstellung. Neben den vielen Vasenbildern des gleichen Inhaltes habe ich den einmal und dazu spät vorkommenden Typus des Kampfes des Herakles mit einem zweileibigen Unhold für eine Variation des ersteren angesprochen. Diesem Typus begegnen wir auf dem Throne wieder. Die zwei zusammengewachsenen Söhne des Aktor hier zeugen dafür, dass der so sehr für den Dorismus reclamirte dreileibige Geryoneus mit seiner Wurzel in gemeinsamem Boden ruht. Ein typischer Zusammenhang der Hochzeit der Harmonia am Throne mit der Peleus- und Thetishochzeit der Kypsele steht von vornherein fest.

Ich breche hier ab, so verlockend es auch wäre, den Faden weiterzuspinnen und den Gang durch dies Labyrinth fortzusetzen, um mich nach dem Ausgangspunkte zurück zu wenden.

II

Der zweite Theil der Aufgabe, welche die vorliegende Studie sich gestellt hat, besteht in dem Versuche, unser Wissen über die Person des Meisters von Magnesia zu erweitern. Der Thronbau zu Amyklä allein bietet eine volle Rechtfertigung des stolzen Namens, dessen Klang die ganze hellenische Welt erfüllte, und lässt das Selbstgefühl begreiflich erscheinen, mit welchem er von sich zeugte. Ausser seinem schon besprochenen Selbstporträt im Choros kommen noch die Werke in Betracht, von denen Pausanias sagt, sie seien ἀναθήματα ἐπ' ἐξειργασμένῳ τῷ θρόνῳ gewesen, die Statuen der Chariten und der Artemis Leukophryne, deren Bild sich bekanntlich auf den Münzen von Magnesia am Mäander wiederfindet. Man kann diesen Ausdruck ebensogut auf den Choros mit anwenden und diese Reihe von Kunstwerken spricht dann eine ebenso deutliche Sprache, als die Thronstützen. Es wäre nicht allzuschwer, das monumentale Epigramm in ein litterarisches aufzulösen, in welchem der Name des Meisters, seine Heimat, seine Genossen und die Hülfe der Chariten in ein zierliches Versepaar archaischer Art eingeschlossen sein müssten. Dass es der Meister selbst unterliess, ein solches zu machen, beweist nur wiederum, dass die ποίησις nicht von allem Anfang reine Poesie gewesen ist.

Ich will nur noch nebenbei hervorheben, dass wir keinen Grund haben, die plastischen Arbeiten des Meisters auf jene Anathemata zu beschränken, und zwar schon darum nicht, weil wir keinen Grund haben, ihm die Statue des amykläischen Apoll mit Pausanias abzusprechen, dem sie neben dem Thronschmuck zu alt und kunstlos für Bathykles erschien. Aber Pausanias, der der Erfindung des Erzgusses durch die Samier Rhoikos und Theodoros so oft gedenkt, berichtet in sehr respectwidriger Weise über die eherne Nyx des Rhoikos und den Zeus des Klearchos von Rhegion, der gleichfalls ein Samier gewesen ist. Wir können es immer von Neuem sehen, dass die Werke der Kleinkunst jener Tage die Bewunderung derselben nachfolgenden Geschlechter immer wieder hervorriefen, deren Augen fast achtlos an den statuarischen Werken jener Zeit abglitten.

Ob ein anderes Werk der Kleinkunst, von dem wir jetzt handeln wollen, wirklich von unserem Meister herrührt, wie die Sage behauptet, oder ob es völlig apokryph ist, woran man kaum zweifeln wird, ist für unseren Zweck eine müssige Frage. Die Nichtbeachtung und Nichtausnützung der Sage selbst muss, ganz abgesehen von solcher Erwägung, ein Anklagepunkt mehr gegen die landläufige Historiographie der griechischen Kunst bleiben. Es ist die bekannte Geschichte von dem goldenen Dreifuss, der von Fischern aus dem Meere gezogen, auf Geheiss des delphischen Orakels nach und nach zu allen sieben Weisen wandert, bis er schliesslich dem Gotte zufällt. Plutarch fügt seinem Berichte noch folgenden Anhang bei [19]: Ταῦτα μὲν οὖν ὑπὸ πλειόνων τεθρύληται, πλὴν ὅτι τὸ δῶρον ἀντὶ τοῦ τρίποδος οἱ μὲν φιάλην ὑπὸ Κροίσου πεμφθεῖσαν, οἱ δὲ ποτήριον Βαθυκλέους ἀπολιπόντος εἶναι λέγουσιν. Es kommen also zwei Preisgefässe in Concurrenz, das eine stiftet Krösos, dem die Frage, wer der Weiseste zu nennen sei, ebensogut zuzutrauen ist, wie die parallele nach dem Glücklichsten, und das andere stammt aus dem Nachlasse eines Sonderlings, der auf die Beantwortung der Frage jedenfalls nicht neugierig war. Und da ein solcher Schätzer der Weisheit doch irgendwo zu Hause gewesen sein musste, so setzte man ihn nach Arkadien. Dieser Arkadier Bathykles ist weitaus bekannter geworden, als sein Namensvetter aus Magnesia [20] oder sagen wir lieber, als Arkadier ist der

---

[19] Solon 4.

[20] Plutarch *sept. sap. Conv.* 13; Diog. Laert. I 7; Athen. XI 781 d. Als Vorbild für die Localisirung mag folgendes Epigramm gelten, das auf dem Grabmal eines Arkadiers aus Phigalia stand und Athenäus XI 465 nach dem Lepreaten Harmodios überliefert:

Πυθέα μνῆμα τόδ' ἔστ', ἀγαθοῦ καὶ σώφρονος ἀνδρός,
ὃς κυλίκων ἔσχεν πλῆθος ἀπειρέσιον
ἀργυρέων χρυσοῦ τε καὶ ἠλέκτροιο φαεινοῦ,
τῶν προτέρων πάντων πλείονα πασάμενος.

Der Stil des Epigramms, vor Allem die Formel ἀγαθοῦ καὶ σώφρονος ἀνδρός weist bestimmt auf das 6. Jahrhundert, vergl. Kaibel *Ep. gr.* 2—4: — Auch die Sache

grosse Künstler aus Magnesia bekannter geworden. Denn so sicher, wie die φιάλη des Krösos dem ποτήριον des Bathykles zum Verwechseln ähnlich sah, war auch der Arkader dem Magneten, um einen plinianischen Ausdruck zu gebrauchen, *facie quoque indiscreta similis*. Die ursprüngliche Fassung der Bechersage blickt deutlich genug durch alle ihre Carricaturen hindurch, eine hellenische Form der Mähr vom König in Thule. Der König in Thule ist Krösos, den goldenen Becher hinterliess ihm scheidend sein kunstreicher Unterthan, und weil man später weder den Grund des Scheidens noch den Zusammenhang mehr kannte, so liess man diesen unbequemen Mann einfach sterben. Aus der früher erwähnten Erzählung des Herodot aber lassen sich die ursprünglichen Umrisse weiter ergänzen. Wenn die Spartaner für ihr Anathem das Gold von Krösos geschenkt erhalten, wenn der Meister, der diesem Golde die Form gibt, aus dem Reich, ja vom Hofe des Krösos nach Sparta kommt, da liegt ja nichts näher, als anzunehmen, dass jene spartanische Gesandtschaft zugleich mit dem Golde auch Bathykles als ein gleich kostbares Geschenk des Königs nach Hause brachte. Damit ist jener Moment gegeben, den die Sage brauchte, um ihren Becher, dem sie das kostbarste Material und den grossen Künstler freigebig verlieh, noch die letzte Weihe zu ertheilen, die ihn für den Rundgang bei den sieben Weisen tauglich machte[21].

Man hat schon früher Bathykles mit Krösos in Verbindung gedacht und zwar einerseits auf Grund jenes Goldgeschenkes des Krösos an die Spartaner und andererseits der Heimat des Künstlers. Doch meinte man den Grund der Auswanderung unseres Meisters in dem Sturze des lydischen Reiches suchen zu sollen. Gerade dagegen spricht nun die Bechersage, welche auf einer anderen, völlig mit der herodoteischen Ueberlieferung stimmenden Voraussetzung beruht. Wenn also demnach der Beginn der Thätigkeit

---

selbst erklärt sich aus den ökonomischen Verhältnissen dieser Zeit heraus, in der das verarbeitete Edelmetall noch grossentheils die Rolle des gemünzten spielt. Der Reichthum des Maiandrios von Samos, mit dem er in Sparta prunkt, besteht gleichfalls in seiner Bechersammlung, Herod. III 148.

[21] Dieser letzte Zug ist freilich eine starke Abweichung von dem Schema des Thulebechers, der gar keinen würdigen Erben finden kann — während das hier nur bedeutende Schwierigkeiten hat — und deswegen ins Meer muss. Aber was für einen Sinn hat denn die andere Version, dass das Ehrengeschenk aus dem Meere heraufgeholt wird? Sie wird sofort als ein anpassendes Fragment kenntlich, sobald man diese nach ihrem Typus ergänzt.

des Bathykles in Sparta nach Olymp. 55, 1 und vor Olymp. 58, 3 anzusetzen ist, so kann noch ein bedeutender Theil seines Wirkens in Kleinasien sich unter Alyattes abgespielt haben; dann haben wir für seine Zeitbestimmung den ungefähren Ansatz vom Ende der 40er bis zu dem der 50er Olympiaden gewonnen. Das wäre ziemlich gleichbedeutend mit dem von uns früher gefundenen Zeitansatz für Dipoinos und Skyllis. Bathykles ist aber nicht der einzige Vertreter der jonischen Kunst in dieser Zeit, wohl aber trotz seines Magnetenchores der einzige Festländische unter lauter Nesioten. Glaukos von Chios mag vielleicht etwas älter gewesen sein, wie man aus den ζῳδάρια καὶ ἄλλα τινὰ ζῴφια καὶ φυτάρια seines delphischen Hypokraterions schliessen kann, die den sogenannten orientalisirenden Vasen mit ihren Thierfiguren und Pflanzenornamenten entsprach, seine Zeit muss aber doch nach Alyattes und nicht mit Eusebios Chron. auf Olymp. 22 angesetzt werden. Von der Generation der chiotischen Marmorbildhauer gehört Archermos bestimmt dieser Periode an, von den Naxiern wird Byzes und sein Sohn Euergos von Pausanias nach Alyattes fixirt. Von der samischen Künstlerfamilie ist hier der Rhoikos und Theodoros voraufgehenden Generation zu gedenken, des Philaios und Telekles. Der letzte Name klingt in diesem Zusammenhang gar bedeutsam, sein Zusammenstimmen mit dem unseres Meisters kann kaum Zufall sein. Bathykles und Telekles, das hört sich an wie Polyklet und Periklet, wie Lysippos und Lysistratos, und der Hochklang seines Namens weist ja schon von Haus aus auf ein ahnenstolzes Künstlergeschlecht. Im Dienste des Krösos treffen wir neben Bathykles vor allem die Samier und in Sparta treffen wir in alter Zeit neben der Dädalidenschule ausser unserem Meister nur zwei Jonier, Theodoros von Samos und Klearchos von Rhegion, und dass auch dieser ein Samier war, hat sich uns bereits bei früherer Gelegenheit klar gezeigt. Die Schwierigkeit, die das Ethnikon des Bathykles dem Versuch entgegenstellt, ihn in die samische Künstlerfamilie einzureihen, ist lange nicht so gross, als die, ihn ausser allem Zusammenhang, nur aus sich heraus erfassen zu wollen, und wie wenig sie eigentlich besagen will, lehrt fast jedes Blatt unserer Künstlergeschichte. Ich sehe zu ihrer Lösung zwei Wege führen. Man kann die Annahme nicht allzu kühn finden, dass die Samier, die sich mit den Ephesiern in den Besitz des zwischen ihnen liegenden Strandgebietes theilten (Strabo XIV p. 639), die Erzlager des so nahe gelegenen Magnesia ausgebeutet haben, ihre so hoch entwickelte

Metallindustrie war ja darauf direct angewiesen; man könnte aber auch umgekehrt annehmen, dass jene grosse Künstlerfamilie, die gerade in der Entwicklung der Metalltechnik eine so hervorragende Rolle einnimmt, vom Festlande herstamme und erst durch die grossen Aufgaben, die ihr Samos gestellt habe, dort heimisch geworden sei. Wahrscheinlicher aber dürfte die Lösung in der zuerst angedeuteten Richtung liegen, auf die auch anderweitige Erwägungen hinweisen. Ich will nicht allzuviel Werth darauf legen, dass der Name des Bathykles im Verzeichniss der berühmten Magneten bei Strabo XIV 1, 41 fehlt, wohl aber darauf hinweisen, dass Magnesia zu dieser Zeit in der Gewalt der Ephesier gewesen ist, wie Strabo mit Berufung auf die Dichtungen des Kallinos und Archilochos XIV 1, 40 und ausser ihm noch Athenäus p. 525 und Diogenes Laertius I 117 u. 118 berichten. Mit Ephesos aber stand die altsamische Künstlerschule in guter Beziehung. Wenn ich auch die Geschichte vom weisen Rath, den Theodoros bezüglich der Fundamentirung des Artemisions gab, für eine Sage halten möchte, so gut wie die von der Entdeckung des Steinbruches durch den Hirten Pixodaros oder von dem nächtlichen Wunder, das am grossen Thürbalken geschah, und auch die Nachricht, dass Theodoros die eine Hälfte seines samischen Apolls in Ephesos gemacht habe, nicht nutzen will, so bezeugt dies doch die eherne Nyx des Rhoikos im Artemision deutlich genug. In welch anderem Licht erscheint unter dieser Annahme der Scherz des Schicksals, welches das Gegengeschenk an Krösos für die Gabe zum amykläischen Thronbau, das grosse eherne Mischgefäss mit verziertem Lippenrand, den Samiern in die Hände gespielt hat[22]). Wie es sich mit dieser bedenklichen Acquisition auch verhalten haben mag, des einen glaube ich sicher zu sein, dass die Samier dieses Prachtstück nicht als eine Probe „altspartanischer Erzbildnerei" ins Heraion gestellt haben, wie es in unseren Handbüchern aufgeführt wird. Es gehörte in gewissem Sinne zur Gruppe jener Werke, die als ἀναθήματα ἐπ’ ἐξειργασμένῳ τῷ θρόνῳ erwähnt werden, und mag leicht von denselben Händen herrühren, jedenfalls war es ein Product der Thätigkeit der samisch-jonischen Erzarbeiterschule in Lakonien.

Wir müssen nun die samische Künstlerschule, in welche wir unseren Meister Bathykles einreihen, ein wenig näher ins Auge fassen. Der heftige Streit, der hier um die Grundfragen geführt

---

[22]) Herod. I 70 u. III 74, vergl. Urlichs rh. Mus. X S. 18.

wird, mag zum Betreten dieses Gebietes nicht gerade einladen, indess scheint er sich doch seinem Ende zu nahen, und die Hauptumrisse eines sicheren Ergebnisses beginnen allgemach aus dem Nebelgewirre von Hypothesen herauszutreten. Wir kennen die Trümmer zweier samischer Künstlergenerationen. Ich habe an anderer Stelle darauf hingewiesen, dass der Gemmenschneider Mnesarchos, der Vater des Philosophen Pythagoras, und der muthmassliche Vater des Bildhauers Pythagoras Klearchos einem Geschlechte angehören, von dem zweiten kennen wir die beiden engverbundenen Namen des Rhoikos und Theodoros und ihrer Väter Philaios und Telekles, während die Art der Verbindung dieser wie jener hypothetisch bleibt. Möglich wäre auch die Annahme, dass dies Trümmer eines einzigen Stammbaumes seien, es muss aber genügen, darauf hinzuweisen, dass ein geistiges Band sie beide umschlingt. Dass der Vater des grossen samischen Philosophen Gemmen schnitt, glaubte eine spätere Zeit damit entschuldigen zu müssen, dass er es mehr der Ehre als des Geldes wegen gethan habe, Theodoros aber, den man den Ring des Polykrates im Alterthum wie in neuerer Zeit aus gleichem Grunde nur fassen liess, hat sich, wie man jetzt weiss, in seinem Selbstporträt mit einer Gemme in der Hand dargestellt. Und die Geistesrichtung des Sohnes des Mnesarchos, sie wird genetisch erst vollbegreiflich, wenn man sich erinnert an das alte Kunstbüchlein, die ἡ τοῦ νεὼ ποίησις, das unter Theodoros Namen ging, und die verwandte architektonische Literatur. Von Maass und Zahl, von Harmonie und Ordnung ist hier die Rede gewesen und von manch anderem, was an die Lehre, ja sogar an den Lehrsatz des Pythagoras angeklungen haben mag.

Ueber jenes alte Kunstbüchlein und seinen muthmaasslichen Autor möchte ich mir noch ein paar Worte erlauben. Es wird von Pollux X 188 mit den Worten erwähnt: ἡ τοῦ νεὼ ποίησις, ἣν ἢ Φίλων ἢ Θεόδωρος συνέθηκε. Von beiden Autoren kannte das Alterthum authentische Schriften. In der Vorrede zum 7. Buch zählt Vitruv von Theodoros ein Buch über den samischen Tempel und von Philon zwei Werke auf: *de aedium sacrarum symmetriis* und *de armamentario quod fecerat Piraeei portu.* Wäre aber ein Schwanken zwischen diesen beiden Namen möglich gewesen, so hätte eine Entscheidung leicht gefällt werden können, aber es ist doch kaum zu übersehen, dass eine solche Fragestellung geradeso denkbar ist, als etwa eine Controverse, ob irgend eine Figur von Dipoinos oder dem jüngeren Kephisodot herrühre. Das Widersinnige dieser Alternative hat Brunn gewiss empfunden, als er ihr die Frage anfügte: Sollte also etwa Philo einen solchen Commentar zu den Regeln des Theodoros geschrieben haben? Aber heute erscheint uns diese Zumuthung wohl recht seltsam. Weit eher wäre doch daran zu denken, dass der Name des Meisters der piräischen Hoplothek, der ja dem des alten Samiers nicht voraufgehen kann, einfach verdorben ist. Und die Verbesserung liegt so nahe. Theodoros erscheint so oft in der Verbindung mit Rhoikos, dem Sohne des Philaios. Für diesen letzteren treffen alle Bedingungen zu, die für Philo fehlen und die Aenderung ist gewiss unbedenklich. Schade nur, dass wir von Philaios gar nichts weiter wissen, er gehört zu jenen Künstlern, deren Name nur im Genitiv vorkommt. Ich glaube aber, das ist doch auch ein wenig unsere Schuld, denn so viel ich sehe, ist von ihm bei Vitruv die Rede, jetzt freilich nur mehr im kritischen Apparat, aber früher stand er unerkannt im Texte selbst. Im 12. Capitel des ersten Buches führt Vitruv für seine Auseinandersetzung über die Nothwendigkeit der gründlichen Bildung eines Architekten eine Autorität an, die durch ihr Alter dem Leser imponiren soll, wenn er selbst ihr auch nicht ganz beistimmt: *ideoque de veteribus architectis Pytheos, qui Prienae aedem Minervae nobiliter est architectatus, ait in suis commentariis architectum omnibus artibus et doctrinis plus oportere posse facere quam qui singulas res suis industriis et exercitationibus ad summam claritatem perduxerunt* Als *antiqui architecti*, welche gegen den dorischen Stil aufgetreten seien, bezeichnet er IV 3 Tarchesios Pytheus und Hermogenes [23]).

---

[23]) Dass man den erstgenannten mit Recht mit dem VII praef. 12 genannten Angelios, der über die korinthische Ordnung schrieb, identificirt hat, möchte ich bezweifeln, denn dass schlechte Handschriften an unserer Stelle die Leseart *archesius* bieten, ist doch von keiner Bedeutung. Bezüglich der Zeitbestimmung des Hermogenes hat Brunn Kstl. II 359 den *terminus post quem* aus der Notiz bei Strabo über die Verlegung der Stadt Magnesia erschliessen wollen, da der Tempel der Leukophryne, den Hermogenes erbaut hatte, in der Neustadt lag, die erst in nachthemistokleischer Zeit entstanden war. Ich halte den Schluss, so naheliegend er scheint, für sehr wenig zwingend. Der Tempel konnte von Anfang an ebenso gut weit ab von der Stadt angelegt worden sein, als das Astemision von Ephesos, das nach der Angabe Herodots (I 26) 7 Stadien von der Altstadt lag und ebenso gut wie da die Neustadt (Strabo XIV p. 640) zum Tempel hinrückte, mochte Neu-Magnesia seinem Haupttheiligthume nachrücken. Was wir sonst von diesem berühmten Architekten erfahren, der nach Vitruv den Pseudodipteralbau erfunden haben soll, lässt ihn am besten neben Rhoikos und Theodoros, neben Chersiphron und

In der Einleitung zum 7. Buche kehrt der Meister des Tempels zu Priene wieder, da heisst es aber: *de fano Minervae quod est Prienae jonicum Phileos (edidit volumen)*. Eine Entscheidung über die richtige Leseart, auf diese drei Stellen beschränkt, würde zu Gunsten der letzteren ausfallen müssen. Sie ist die schwerere, als Ausgangspunkt der beiden anderen voll begreifliche. Nun hat man aber den Namen unseres Meisters in der letzterwähnten Stelle noch einmal finden wollen. Nachdem Vitruv noch den Iktinos und Karpion erwähnt, diesem den Theodoros von Phokis, dann Philon Hermogenes und Argelius anfügt, nennt er die Meister des Mausoleums Satyros und Phiteus, und preist sie, dass sie in der Blüthezeit der Kunst gelebt haben. Dass dieser Pytheus mit dem Pythis vom Mausoleum (Plin. 36, 31) identisch ist, kann man kaum bezweifeln. Schwer verständlich aber bleibt es, wie man hier an eine Identificirung mit dem oben genannten Phileos denken konnte. Die Dedicationsinschrift des Athenatempels von Priene, die Alexander den Grossen als Stifter nennt, führt zeitlich freilich nicht allzuweit vom Mausoleum ab [24]). Aber Vitruv's Phileos kann ja der Meister des alten

---

Metagenes begreiflich erscheinen. Der Cult der Artemis Leukophryne in Magnesia mit seinem dem ephesischen so völlig ähnlichen Bilde scheint direct von diesem abhängig zu sein, ein Umstand, den die politische Abhängigkeit ungesucht erklären würde. Seine alte Bedeutung beweist ausser dem Anathem des Bathykles auch das Gedicht des Anakreon Bergk. 1. Strabos Bewunderung des magnesischen Artemisions, er stellt es als Kunstwerk im selben Sinne über das ephesische, wie er die Hera Polyklets über die Meisterwerke des Phidias stellt, wird bei dem frühen Zeitansatze nur erklärlicher. Ein Neubau ist kaum vorauszusetzen, da Magnesia beim jonischen Aufstand nicht betheiligt erscheint und wohl ebensowenig ins Mitleiden gezogen ward als Ephesos.

Für die Datirung des zweiten von Vitruv erwähnten Werkes, des Monopteros, den Hermogenes zu Teos schuf und gleichfalls beschrieb, scheint die Auswanderung der Teier nach Abdera in Folge der Eroberung Vorderasiens durch die Perser einen Anhaltspunkt zu bieten. Gleich ihnen verliessen auch die Phokäer die Heimat, deren Athenatempel von Harpagos in Brand gesteckt und halb zerstört noch in späten Zeiten als ein Wunderwerk galt (Paus. II 31, 9. VII 5, 2). In jene Periode der höchsten nationalen Blüthe Joniens, an welcher die Heimat Anakreons ihren vollen Antheil hatte, passt dieser kühne Bau (über seine Anordnung Lorentzen Ann. 1855 S. 72) besser hinein als in irgend welche andere. Gerade da wird die Jonisirung des zum dorischen Bau hergerichteten Materials (ein sicherer, gewiss vom Meister in seiner Schrift überlieferter Zug) erst voll verständlich.

[24]) Es ist für die Art, wie die griechische Kunstgeschichte derzeit gemacht wird, scharf bezeichnend, dass die Sculpturenreste des Tempels von Priene bei Overbeck 3. Aufl. S. 101, dieser Hypothese zu Liebe völlig mit denen vom Mausoleum zusammenstimmen, mit denen sie gar nichts gemein haben, vergl. Furtwängler Arch. Ztg. 1881 S. 306.

im jonischen Aufstand zertörten Tempels sein. Dass er kein geringerer als der Vater des Rhoikos ist, der als Φίλεω bei Herodot und als Φιλαίου bei Pausanias erscheint, dünkt mich kaum zweifelhaft. Sein Buch über den Tempel von Priene wird aber die ἡ τοῦ νεὼ ποίησις gewesen sein.

An jene Fülle gewaltiger Tempelbauten, die das 6. Jahrhundert an der kleinasiatischen Küste hervorrief und die trotz alledem, was über sie hinweggegangen war, noch in späte Tage als mächtige Denkzeichen einer Vorzeit hineinragten, deren Grösse und Kühnheit sie versinnlichten, schloss sich eine Literatur an, die als Begleiterscheinung jenes grossen Phänomens unser volles Interesse beanspruchen darf. Ihre Entstehung verdankt sie zunächst dem praktischen Bedürfniss. Der Bauplan musste in allgemeinen Zügen erst festgestellt werden, ehe das Werk begonnen ward. Er musste sichergestellt werden, um allenfalls auch seinen Urheber überleben zu können. Er vertrat zunächst die Rolle des Hülfsmodells und wie in jener Epoche der Sphyrelatonplastik der Holzkern seine Rolle nicht ausgespielt hatte, wenn seine Formen dem Erze aufgehämmert waren, so hatte der Bauplan mit der Erfüllung seines nächsten Zweckes seine Existenzberechtigung nicht verloren. Die Ueberlieferung bedurfte seiner, sie konnte ja den Monumentalbau selbst nicht von Hand zu Hand weiter geben, und andererseits musste der Meister, dem hier die Signatur versagt blieb, das Mittel der Veröffentlichung ergreifen, um nicht hinter seinem Werk zu verschwinden. Der Choros des Bathykles und was wir dabei mit betrachtet haben, konnte uns zeigen, wie empfänglich die alten Meister gerade für solche Erwägung waren.

Als ein in der Hauptsache völlig mit jenen Tempeleditionen Zusammenzuhaltendes möchte ich das Bild nennen, welches der Samier Mandrokles ins Heraion zur Erinnerung an seine Ueberbrückung des Bosporus geweiht und mit gar stolzen Versen versehen hatte. Dass dies ephemere Werk einer solchen Sicherung mehr bedurfte, braucht dabei nicht übersehen zu werden. Der Meister war ein jüngerer Zeitgenosse des Theodoros. Sein Name ruft vielleicht nicht auffällig die Erinnerung an einen anderen sprichwörtlich berühmten hervor, der für die samische Metallindustrie nicht gleichgültig ist[25]).

---

[25]) Mandrobulos, der Entdecker der samischen Erzlager. Sein Weihgeschenk für den Fund, ein goldener, ein silberner und ein eherner Widder, hatten

Was wir noch von Fragen, die die samische Kunstschule be-
treffen, zu erörtern haben, können wir am einfachsten an eine Besprechung der Nachrichten über Theodoros und seine Werke an-
knüpfen. In ihm gipfelt die ganze Schule und die Meister, die
neben ihm erscheinen, erscheinen so gut wie nie für sich allein.
Ich muss in der Aufzählung seiner Thaten zunächst mit seinen
Erfindungen beginnen, die freilich mehr der Künstlersage als der
Kunstgeschichte angehören, ihm aber doch in derselben [26]) das Prädicat des erfindungsreichen verschafft haben. Wie Plinius dazu
kam, die Erfindung der Thonplastik Rhoikos und Theodoros allein
zuzuschreiben, wissen wir; auf welche Autoritäten hin er sich be-
wogen fand, dem Theodoros das Patent für Winkelmaass, Setzwage,
Zirkel und Schlüssel zu ertheilen, interessirt uns hier sehr wenig.
Von der Entdeckung des Verfahrens, einen feuchten Grund auszu-
trocknen, habe ich schon gesprochen, und so bleibt uns demnach
nur noch von der ihm mit Rhoikos gemeinsamen Erfindung des
Erzgusses zu handeln. Vor allem steht die Thatsache fest, dass
derselbe viele Jahrhunderte vor den beiden samischen Meistern
schon erfunden war, er brauchte nur aus dem Orient herüberge-
nommen zu werden. Nun haben ja nach der schönen Geschichte
von den zwei Hälften des samischen Apollobildes Theodoros und
Telekles ihre ganze plastische Kunst aus Aegypten her bezogen,
sonderbarer Weise aber sind sie gerade im Punkte des Erzgusses
so ziemlich auf dem alten Standpunkt geblieben.

Pausanias ist der einzige, der diese Erfindung ausdrücklich
erwähnt, dass er es dreimal thut, bezeugt, dass er felsenfest daran
glaubt und das ist um so anerkennenswerther, als er doch zugleich
mit grossem Freimuthe gesteht, dass er von Theodoros kein Erz-
werk kennt und dass das einzige von Rhoikos, welches er selbst
gesehen, zu dem allerprimitivsten gehöre, was es nur gebe [27]). Dazu
passirt es ihm noch, dass er sich in ganz ähnlicher Weise über

---

doch wohl ursprünglich den Sinn, für die sämmtlichen gefundenen Metalle zu re-
präsentiren. Die populär gewordene Auffassung, die sie für ein Sinnbild der all-
mähligen Verschlechterung auffasste, geht auf Ephoros zurück. Vergl. Müller *Fr.
hist. gr.* I p. 276. Bei Aelian *Hist. Anim.* XII 40 wird für das goldene Thier eine
andere Dedicationsursache nach Aristoteles erzählt: Ein Schaf habe auf die Spur
zur Wiederauffindung von gestohlenem Golde geführt, was nichts weiter als eine
Verballhornung des echten Fundberichtes ist.

[26]) Brunn II 388.
[27]) X 38, 6. Dennoch datirt er nach dieser Erfindung IX 41, 1.

den spartanischen Zeus des Klearchos äussert, ohne zu wissen, dass er in diesem Meister einen Nachfolger jener samischen Erz- giesser vor sich hat[28]). Plinius hat die Nachricht von der Erfin- dung wohl gehört, ihm fehlt aber der Glaube und er macht daher lieber etwas ganz unsinniges daraus, dennoch hilft er dem Pausanias aus der Noth, indem er das erzgegossene Selbstporträt des Theo- doros erwähnt. Dies Selbstporträt, das wir uns kaum anders als eine Kleinbronze denken werden, lehrt doch nur soviel, dass sie den Erzguss neben der Sphyrelatontechnik, die doch immer noch die führende Rolle spielte, bereits angewandt haben, aber gerade dieses Nebeneinanderleben und Zusammenwirken der beiden Tech- niken ist auf hellenischem Boden so alt, dass es kaum angeben dürfte, es erst von Rhoikos und Theodoros an zu datiren.

Wie ganz anders ist die σιδήρου κόλλησις als persönliche Er- findung des Glaukos von Chios bezeugt. Herodot, der doch von der Kunst des Theodoros eine hohe Vorstellung hat und trotzdem von dieser epochemachenden That nichts weiss, sagt bezüglich des Glaukos: ὃς μοῦνος δὴ πάντων ἀνθρώπων σιδήρου κόλλησιν ἐξεῦρε. Man möchte bestimmt glauben, dass Glaukos durch ein Epigramm im Stile derjenigen des Euergos und Kleoitas für die Erhaltung seines sprichwörtlich gewordenen Ruhmes gesorgt habe. Worin seine Erfindung bestand, wissen wir seit Michaelis Auseiander- setzung Arch. Ztg. 1877 S. 156 genauer. Darnach kann sie nicht mehr als Vorstufe zur Erzgusstechnik betrachtet werden, sondern als ein vereinzelt gebliebenes Verfahren, das den Erzguss sicherlich eher voraussetzte als ihn vorbereitete. Es scheint jedoch, man hat sich schon im Alterthum bezüglich der Bedeutung dieser Γλαύκου τέχνη geirrt und dann nach den Erfindern der scheinbar jüngeren Technik gefragt. Solche Fragen bleiben nie lange unbeantwortet und über der Antwort wird der Chiote dann selbst zum Samier.

Gehen wir nun zur Aufzählung der dem Theodoros zuge- schriebenen Werke über, so beginnen wir billig mit seinen Bauten. Sein Antheil am Bau des samischen Heratempels ist sonderbarer Weise direct gar nicht bezeugt und dennoch unzweifelhaft. Herodot erwähnt Rhoikos ausdrücklich als den ersten Architekten des He- raions; dass sein Genosse sein Nachfolger war, geht aus der Notiz des Vitruv, Theodoros habe über dieses Bauwerk geschrieben, klar hervor. In eigenthümlicher Weise hilft Plinius diesem Mangel ab:

---

[28]) III 17, 6.

er nennt Rhoikos und Theodoros und mit ihnen als dritten Smilis, den Schöpfer des Tempelbildes, aber als Erbauer des lemnischen Labyrinthes. Die Ungereimtheiten und Seltsamkeiten, die er von diesem erzählt, haben schon Urlichs dazu gebracht, das Ganze für eine Fabel zu erklären, während Förster den Ausweg noch offen hält, „geradezu eine Verwechslung der Baumeister des lemnischen Labyrinthes mit denen des samischen Heraions" anzunehmen. Allein der wirkliche Thatbestand blickt durch alle Verwirrungen so deutlich durch, dass seine Aufzeigung, wie mir wenigstens scheint, völlig im Bereiche der Möglichkeit liegt. Im 36. Buche (90) berichtet Plinius in seinem Bericht über die Weltwunder in unmittelbarem Anschlusse an das ägyptische Labyrinth: *et de Cretico labyrintho satis dictum est. Lemnius similis illi columnis tantum CL memorabilior fuit, quarum in officina turbines ita librati pependerunt ut puero circumagente tornarentur. architecti fecere Smilis et Rhoecus et Theodorus indigenae exstantque adhuc reliquiae eius.*

Nun sind Rhoikos und Theodoros, auf die sich das *indigenae* bezieht, bekanntlich keine Lemnier. Der Ausdruck erinnert aber an die Notiz Herodots über Rhoikos als den ersten Baumeister des samischen Heraions, den er als ἐπιχώριος bezeichnet. Aber schon vorher, im 34. Buche (83), hat Plinius von diesem Labyrinth vorläufige Kunde gegeben, aber da ist es nicht in Lemnos, sondern in Samos. *Theodorus qui labyrinthum fecit Sami ipse se ex aere fudit* und dann folgt die nähere Beschreibung des Selbstporträts, deren schwere Missverständnisse durch die scharfsinnigen Erörterungen Benndorfs und Löschckes ihre erheiternde Lösung gefunden haben. Bezüglich der Discrepanz mit der späteren Ortsangabe hat man sich seit Otfried Müller durch ein Komma vor *Sami* geholfen. Man dachte damals noch anders von unserem Autor, aber ganz abgesehen davon, dass diese Art der Ortsangabe zum Selbstporträt nicht passen will, da für ein solches keineswegs monumentales Werk die Angabe, wo es gemacht wurde, nicht die, wo es sich befand, vertreten kann, muss doch hier eine nähere Bestimmung des Labyrinthes, von dem ja noch gar nicht die Rede war, verlangt werden. In den Schriftquellensammlungen ist das freilich nicht nöthig, da kann man beide Stellen in umgekehrter Folge bequem nebeneinander stellen. Plinius hat sich also an der späteren Stelle geirrt. Das Labyrinth, das die einheimischen Meister gebaut haben und dessen Reste noch zu seiner Zeit bestanden, war zu Samos. Die drei Meisternamen aber weisen auf die Möglichkeit einer Identification des Heraions mit jenem Labyrinth. Die Nennung des Heraions erwarten wir hier, wie durfte es unter den Weltwundern neben dem ephesischen Artemision fehlen? Ich citire zur Erhärtung dieses Anspruches die Worte, mit denen Herodot die Beschreibung des ägyptischen Labyrinthes einleitet.[29]): Εἰ γάρ τις τὰ ἐξ Ἑλλήνων τείχεά τε καὶ ἔργων ἀπόδεξιν συλλογίσαιτο, ἐλάσσονος πόνου τε ἂν καὶ δαπάνης φανείη ἐόντα τοῦ λαβυρίνθου τούτου· καίτοι ἀξιόλογός γε καὶ ὁ ἐν Ἐφέσῳ ἐστὶ νηὸς καὶ ὁ ἐν Σάμῳ und diesen letzteren nennt er bekanntlich μέγιστος πάντων νηῶν τῶν ἡμεῖς ἴδμεν. Herodot aber bekennt Plinius im Index zum 36. Buche und daselbst 79 als einen seiner Autoren und neben ihm Duris von Samos, auf den die baugeschichtliche Fabel zurückgehen mag. Aber die Trümmer des Labyrinthes? Sie zeugen am deutlichsten für unsere Auffassung. Wie hätten diese, die doch nicht unbemerkt bleiben konnten, nicht Anlass geben müssen, vom samischen Labyrinth mehr zu berichten, und wir hören sonst nichts, als was wir bei Plinius fanden. Gegen das Heraion zeugen sie aber nicht, das lehrt uns folgende Aussage des Pausanias[30]): Δύο δὲ ἄλλους ἐν Ἰωνίᾳ ναοὺς ἐπέλαβεν ὑπὸ Περσῶν κατακαυθῆναι, τόν τε ἐν Σάμῳ τῆς Ἥρας καὶ ἐν Φωκαίᾳ τῆς Ἀθηνᾶς· θαῦμα δὲ ὅμως ἦσαν καὶ ὑπὸ τοῦ πυρὸς λελυμασμένοι.

Das zweite Bauwerk, das wir als Schöpfung des Theodoros noch zu erwähnen haben, ist die Skias in Sparta. Wir haben bereits früher den Gesichtspunkt betont, von dem aus diese unser Interesse in Anspruch nimmt, sie führt den Sohn des Telekles die gleichen Wege, die wir Bathykles ziehen sahen. Wenn wir damit und mit der nochmaligen Erwähnung seiner literarischen Bethätigung von den Thaten des Architekten Theodoros Alles berichtet haben, was wir zuverlässig wissen, so dürfen wir doch auch hinzufügen, dass wir uns der Lücke in unserem Wissen darum nicht minder klar bewusst sind. Sie durch die Künstlersage auszufüllen, muss uns verwehrt bleiben, aber in dem Bestreben dieser Sage, den Meister zum Erfinder der Hauptstücke des Architekten-Werkzeuges zu machen, ihm die Grundlegung jenes Artemisions zuzuschreiben, an dem sie den jonischen Stil erstehen liess, können wir doch mehr sehen als chronologische Harmlosigkeit. Dass er zum Heros der altjonischen Kunst werden konnte, will doch auch etwas bedeuten.

---

[29]) II 148.

[30]) VII 5, 2.

Was uns an Trümmern von den Bauten jenes heroischen Zeitalters des jonischen Stiles verblieb, ist gerade nur zu viel, um davon gänzlich zu schweigen. Wir aber wollen hier nur eines in der Ferne seltsam nachhallenden Echos gedenken, das bis zu uns schon gedrungen ist, der persischen Kunst der Achämenidenzeit. Haben wir ja für Bathykles Thron von ihren Anklängen zu nutzen gesucht.

Die eigenthümliche Basis der Säulen des Heraions, nach deren Analogie wir auf hellenischem Boden vergeblich suchen, hat sich in Pasargadä wiedergefunden[31]) und die Einhorncapitälle der persepolitanischen Säulenhallen sind eine persische Uebersetzung der Stiercapitälle desselben Baues. Durch die Eroberung Lydiens war Persien in die Machtsphäre der hellenischen Kunst gerathen. Eine Fülle von Kunstwerken fiel dem Sieger zu und er frug wohl zunächst nicht darnach, ob sie von Dipoinos und Skyllis oder von Rhoikos und Theodoros herrührten. Von einer directen Beschäftigung griechischer Künstler durch die Grosskönige hören wir, will man nicht etwa den Brückenbau des Mandrokles hiefür verwerthen, nichts, und der jonisirende Stil der erwähnten Bauten ist so reich an Dingen, die wie versteinerte Missverständnisse der Originale aussehen, dass wir eher an ein Vorwiegen der literarischen Bautradition als der monumentalen denken möchten.

Wir wenden uns nun zur Besprechung zweier plastischer Werke, die unsere Ueberlieferung von Theodoros kennt. An jene labyrinthisch irre Nachricht über das Heraion knüpft Plinius die Beschreibung seines erzgegossenen Selbstporträts an. Der Baumeister hat sich hier, wie aus den früher erwähnten Deutungen mit Sicherheit hervorgeht, als Metalltechniker und Edelsteinschneider, die Feile in der Rechten, eine Gemme in der Linken, abgebildet und damit ein authentisches Zeugniss für die Identität des Architekten, Bildhauers, Toreuten und Graveurs Theodoros gegeben, den die moderne Forschung ähnlich in zwei Theile zerlegen zu müssen glaubte, wie es die antike mit seinem Apoll im Pythion zu Samos that. Dieses Werk hat auch allem Anschein nach den Anstoss zu dieser Zweitheilung gegeben. Es war von Theodoros im Verein mit seinem Vater Telekles gearbeitet, und so wenig Ueberraschendes für uns in diesem Zusammenwirken liegt, die sagenbildende Kraft des Namens unseres Meisters hat sich auch an diesem Bilde bewährt.

---

[31]) Vergl. Dieulafoy S. 43 u. 44.

Es soll in zwei Hälften an zwei verschiedenen Orten gemacht worden sein, so berichtet uns Diodor, die beiden Hälften haben aber beim Zusammenpassen fugenlos gepasst, und das sei daher gekommen, weil die Meister den ägyptischen Kanon studirt und befolgt hatten. Dass diese zwei Meister Brüder sein müssen, versteht sich fast von selbst, und wenn man sich nun für Theodoros um einen anderen Vater umschauen muss, wer passte für diese Rolle besser als Rhoikos, sein Vorgänger am Heraion, mit dem er doch so oft zusammengenannt war[32]). Die Geschichte mit dem ägyptischen Kanon enthält zugleich ein Kunsturtheil in sich, das Diodor ausdrücklich zu melden nicht verfehlt. Es liegt hier sehr nahe, eines anderen Apollo Pythios zu gedenken, den Pausanias zu Megara neben einem Dekatephoros und einen Archegetas sah, alle drei ebenhölzern; die beiden ersteren werden als ägyptischen Werken vergleichbar, der dritte als ein Werk des äginetischen Stiles bezeichnet. Ganz so muss sich der samische Pythios neben der samischen Hera des Aegineten Smilis ausgenommen haben[33]).

Smilis, Endoios und neben ihnen Dipoinos und Skyllis, sie erscheinen unter den Meistern der kleinasiatischen Jonier als Vertreter einer fremden Kunstweise. Die Sage nennt die einen Söhne, den andern Schüler und Smilis den Rivalen des Dädalos. Wenn er nach Pausanias' Ausspruch jenem an Ruhm nicht gleichkam, so will das zusammengehalten werden mit einer anderen Aeusserung desselben Autors, dass man von den Reisen des Smilis nur die nach Samos und Elis wisse. Er vermisste offenbar einen Bericht über einen kretensischen Aufenthalt bei Dädalus. Nicht jeder war so glücklich wie Cheirisophos, der in seiner Heimat vielleicht gar mit dem Altmeister 'selbst zusammentraf, aber jedenfalls die Früchte seiner kretensischen Thätigkeit mit einheimste. Endoios musste dem Meister nachziehen. Smilis bleibt mit dem Verdachte behaftet, dieses unterlassen zu haben. Für uns ist das freilich kein Grund, ihn weniger für einen Dädaliden zu halten, als Endoios oder selbst Dipoinos und Skyllis.

---

[32]) Die Rechte der Kritik an der verwirrten Ueberlieferung hat Brunn schon in seiner Künstlergeschichte geltend gemacht. Wenn seine klaren Auseinandersetzungen doch so wenig Anklang gefunden haben und eine Fehde von besonderer Hartnäckigkeit hervorriefen, so mag das wohl daran liegen, dass man die Fragen mit der Erbauungszeit des Artemisions und den daran hängenden verquickte, die damit nichts zu schaffen haben.

[33]) Overbeck, Schriftquellen zu 428.

Ein völliges Gegenstück zu diesem Wirken der Dädaliden in
Jonien und für den lydischen Hof ist das Auftreten des Bathykles
und seiner Genossen, wie des Theodoros und Klearchos in Sparta.
Die Wechselbeziehungen jonischer und dorischer Kunstübung treten
uns hier förmlich greifbar entgegen. Die Dädaliden haben die
führende Rolle auf dem Gebiete der Plastik. Sie verdanken diesen
Sieg nicht ihrer althergebrachten Technik, die sie vielmehr in diesem
Wettkampfe aufgeben, sondern dem Zeichen, unter dem sie kämpfen,
dem Princip des lebenden Bildwerkes, das sie Jahrhunderte lange
verfechten, als die Offenbarung, die ihnen ihr Ἥρως κτιστής ver-
kündigt hat. Die Ueberlegenheit ihrer Gegner macht sich auf dem
Gebiet der Architektur und Tektonik geltend. Im Anschluss an
jene ersteht früh eine Steinsculptur, deren Schwerpunkt von Chios
sich nach der Paronaxia hin verrückt; die Tektonik entwickelt
sich gleichfalls im Dienste des Cultus und im engsten Zusammenhang mit dem grossartigen Aufschwung der Tempelarchitektur. Ihr
wird die Aufgabe zu Theil, mit ihren Gefässen und Geräthen die
Räume zu füllen, die jene umspannt. Die Metalltechnik erstarkt
an der Bewältigung derselben zu selbständiger Bedeutung. Das
Sprichwort von der Kunst des Glaukos, die Legende von der Erfindung des Erzgusses durch Rhoikos und Theodoros sprechen recht
eindringlich von dieser Thatsache. Aber wo sie über das Gebiet
der Tektonik in jenes der Plastik übergreift, da zeigt sie sich den
neuen Anforderungen zunächst noch nicht gewachsen. Erst als die
Dädaliden das Schnitzmesser aus der Hand legen und sich mit
voller Energie dem Erzguss zuwenden, wird sie auch diesen gerecht.

Doch ich vergesse über diesen Erwägungen allgemeinerer Art
fast meinen Vorsatz, vom Verzeichniss der Werke des Theodoros
zu handeln. Es ist noch der Arbeiten in Silber, Gold und Edelstein
zu gedenken, die ihm gelegentlich die Bezeichnung als Benvenuto
Cellini des Alterthums eingetragen haben. Jede dieser Materien ist in
unserem Verzeichniss nur durch ein Einzelwerk vertreten. Ein
mächtiger silberner Krater, den Herodot I 51 als delphische Stif-
tung des Krösos aufführt, ein goldener, von dem uns Amyntas bei
Athenäus XII p. 514 F erzählt, dass er im Schlafgemach der Perserkönige zu Susa neben den hochberühmten Reichskleinodien der
goldenen Platane und Rebe gestanden habe, und der Ring des
Polykrates, dem die allbekannte Erzählung Herodots zu unster-
blichem Ruhme verhalf. Das ist aber auch Alles, denn wenn man
hier neben jenem Kleinod des samischen Tyrannen die bereits er-

wähnten Kleinode der Perserkönige schwer vermissen muss, von denen uns ja Himerius die Rebe wenigstens ausdrücklich als Werk des Theodoros bezeugt, so glaubte ich doch ihnen den Platz nur unter den Apokryphen unseres Meisters beim lemnischen Labyrinth und ephesischen Tempelbaurath anweisen zu können. Himerius' Aussagen sind für uns absolut werthlos, so sorglich man noch immer deren Verwerthung anstrebt und hier, wo er den Artaxerxes statt des Dareios anführt, bloss weil dieser bereits seinen Palast πρὸς φιλοτιμίαν erhalten hat und eines neuen Declamationsopfers bedarf, sollen wir auf ihn schwören. Der Künstlername stammt bei ihm aus der Notiz des Amyntas, die gegen die Urheberschaft des Theodoros spricht, für ihn ist sie aber Anlass einer Conjectur, die er aber nicht als solche gibt. Eine chronologische Schwierigkeit, die an und für sich nicht allzuviel sagen möchte, spielt hier noch mit. Platane und Rebe wird für König Darius gemacht, dessen Regierung sich von Ol. 64, 4—73, 4 (521—485) erstreckt[34]). Der Meister hat schon vor Ol. 58, 1 (548) in den Diensten des Krösos gestanden, da dessen delphische Weihgeschenke beim Brande in diesem Jahre beschädigt wurden. Wenn er also auch beim Regierungsantritt des Darius am Leben gewesen sein wird, so dürfen wir ihn ohne Noth doch nicht viel weiter hinabrücken. Aus den gesicherten Daten können wir die Bahn des Meisters nicht sehr genau bestimmen. Er taucht für unser Auge am Hofe des Krösos auf, an dem er auch nach dem Weggang des Bathykles verbleibt. Der Sturz des lydischen Reiches wird für ihn der Anlass

---

[34]) Die älteste Ueberlieferung über diese beiden Kostbarkeiten bietet Herodot VII 27. Er erzählt, dass sie Pythios der Sohn des Atys, ein Lyder, dem Dareios geschenkt habe, der zu Kelaenae Xerxes und sein ganzes Heer fürstlich bewirthet und dem König seine ungeheuren Schätze zur Verfügung stellt, über die er ihm genauen Bericht erstattet. Cap. 38 nimmt dann sein Freundschaftsverhältniss zu Xerxes ein tragisches Ende. Plinius erwähnt gleichfalls 33, 137 das Geschenk des Pythis, den er einen Bithynier nennt, an Darius, im selben Buche 51 lässt er aber irrthümlich Kyros die Rebe und Platane aus dem Schatz des Krösos erbeuten. Urlichs sucht zwischen diesen beiden Ueberlieferungen zu vermitteln. Er macht Pythis zum Enkel des Krösos und lässt diesen sein Privatvermögen (eine für jene Zeit viel zu feine juristische Unterscheidung) ungestört auf jenen vererben. Von alledem weiss zwar die Ueberlieferung nichts, aber die Zeit des Theodoros passt dann für Krösos. Zur ersten Stelle citirt jedoch Urlichs selber die Berichte aus dem Alterthum, die Pythios' Reichthum aus dem Besitz von Goldbergwerken ableiten, wodurch doch alle Nöthigung, ihn zu Krösos' Erben zu machen, wegfällt.

gewesen sein, dem älteren Meister nach Sparta nachzufolgen [35]).
Wann er von da und auf welchen Umwegen er etwa in die Heimat
zurückgekehrt sei, wissen wir nicht näher. Unter Polykrates
62, 1(?)—64, 4 (532(?)—521) hat er am Ruhme desselben thätigen
Antheil genommen [36]).

Die hellenische Kunst an den Tyrannenhöfen, dies ist der
legitime Name jenes Capitels der griechischen Kunstgeschichte,
welches uns die ersten historisch erkennbaren Künstlergestalten
vorführt. Die lydischen Mermnaden stehen da in einer Reihe mit
den Kypseliden, Orthagoriden und Pisistratiden, deren Höfe völlig
vergleichbar mit denen der Gewaltherrscher der italienischen Renaissance Centren einer nationalen Cultur geworden sind, und da ist
es denn so wundersam nicht, wenn die Schicksale der Künstler
sich aufs innigste verflechten mit denen jener Dynastien, deren
Nachruhm sie für alle Zeiten gefestet haben. Was die Poesie, was
die Wissenschaft, was Handel und Wandel diesen an Pflege ver-

---

[35]) Herodot berichtet I 51 von zwei περιρραντήρια, einem goldenen und
einem silbernen, die Krösos nach Delphi gestiftet hatte; das goldene wurde dort
fälschlich den Lakedämoniern zugeschrieben, von denen ein Knabenbild herrühre,
δι' οὗ τῆς χειρὸς ῥέει τὸ ὕδωρ. Dies Bild gehört seinem Motiv nach sicher
zu einem der beiden Periranterien und die Ueberschreibung erklärt sich damit.
Der Vorgang wird noch begreiflicher, wenn man annimmt, einer der Künstler,
die von Krösos Hofe nach Sparta kamen, habe sein früher begonnenes Werk von
Sparta aus vollendet.

[36]) Welchen Antheil Theodoros an den Ἔργα Πολυκράτεια (Aristot. Pol.
p. 225, 1) hatte, kann nicht näher festgestellt werden; dass er nicht gering war,
gibt uns die Ringsage zu verstehen, die dieses Kleinod zum köstlichsten Prunk-
stück seines Besitzers macht. Das Heraion mag er damals vollendet haben. Auffällig erscheint es immerhin, dass das zweite der von Herodot VI 60 erwähnten
Wunderwerke von Samos, die jetzt wiederaufgedeckte Wasserleitung des Eupalinos
(Athen. Mitth. IX S. 165), die man wohl mit Recht unter die Ἔργα Πολυκράτεια
rechnet, von einem megarischen Baumeister geschaffen wurde. Hirt hat in seiner
Geschichte der Baukunst I S. 226 auf die Wasserleitung des Tyrannen Theagenes
in Megara hingewiesen und ihren Bau gleichfalls für Eupalinos reclamirt. Das
würde die Berufung dieses Meisters nach Samos begreiflich machen, doch sprechen
chronologische Schwierigkeiten entschieden dagegen, da Theagenes noch dem
7. Jahrhundert angehört. Dennoch glaube ich, ist es kein Zufall, wenn wir in
der Heimat des Erbauers der samischen Wasserleitung ein so merkwürdiges Vorbild nachweisen können und möchte die Vermuthung immerhin wagen, dass der
Sohn des Naustrophos seinen Beruf vom Vater ererbte, den als Meister jenes
Werkes anzunehmen, die Chronologie weit eher gestatten würde.

Das dritte der drei samischen Wunderwerke, der grosse Hafendamm, kann
wegen seines Zusammenhanges mit der Seemachtstellung von Samos nur Polykrates seine Entstehung verdanken.

dankt, das ist schon lange nach Gebühr gewürdigt worden, bezüglich der bildenden Kunst sind nur die ersten Ansätze zu einer richtigen Erkenntniss vorhanden. Die landläufige und handbücherliche Auffassung geht einer historischen Betrachtung noch ängstlich aus dem Weg und thut so, dass man glauben könnte, es wäre die hellenische Kunst im Kloster erzogen und unter Perikles in Staatsdienst eingetreten.

In gleich innige Verbindung, in die die Bechersage Bathykles mit Krösos, bringt die Ringsage Theodoros mit Polykrates. Sie sieht fast wie eine Variation jenes Themas aus. Und dennoch ist sie etwas ganz anderes. Ihre leichte poetische Umhüllung birgt einen festen historischen Kern. Die Erzählung Herodots III 40 klingt wohl märchenhaft und die ethische Tendenz macht sie noch verdächtiger, aber die Art, wie er den Act als feierliche Staatsaction beschreibt, darf nicht übersehen werden. Auf einer Pentekontaetere fährt der Fürst mit grossem Gefolge auf die hohe See, dort wirft er den Ring πάντων ὁρώντων τῶν συμπλόων in die Wogen und segelt froh zurück. Wem fällt hier nicht die Vermählung des Dogen von Venedig mit dem Meere ein? und wenn er diesen Gedanken abweist, er kommt wieder, wenn er Cap. 122 liest: Πολυκράτης γὰρ ἐστὶ πρῶτος τῶν ἡμεῖς ἴδμεν Ἑλλήνων ὃς θαλασσοκρατέειν ἐπενοήθη κ. τ. λ. Dass die Wiederfindung des Ringes nichts gegen die Realität beweist, lehrt die Wiederkehr dieses Zuges gerade beim Dogenbrauch. Aber der Gedanke der Ehe mit dem Meere ist doch unmöglich antik? Gewiss, aber das ist auch nicht der ursprüngliche Sinn dieser Ceremonie. Der Thalassokrator drückt das Siegel auf das ihm unterworfene Element, das ist antik-verständlich und grandios gedacht, die venetianische Version hat den Ring der Braut vergessen. Dass es aber auch im Geiste der Zeit gedacht ist, dafür möchte ich die Bestrafung des Gyndes (Diala) anführen, den Kyros nach Herodot in 360 Kanäle zertheilen lässt, und die allbekannte des Hellespontes durch Xerxes, zu welchen Grote III S. 15 der deutschen Uebersetzung eine Reihe von Analogien beibringt. Auch dem Sinne des Polykrates war eine solche Symbolik nicht fremd. Er hat ja Rhenea, das er dem Apoll von Delos schenkte, mit Ketten an diese Insel gefesselt.

Mag es nun Wahrheit, mag es Dichtung sein, der Zug bleibt gleich bedeutungsvoll, dass die samische Seeherrschaft besiegelt war mit dem Ringe des Theodoros, des Sohnes des Telekles.

Wien   WILHELM KLEIN

Das Gebiet von Aperlai

Ein Beitrag zur historischen Topographie Lykiens

(Hierzu eine Kartenskizze Tafel V)

Der *stadiasmus maris magni*, in welchem der Kern der Beschreibung Kleinasiens nicht unter das erste Jahrh. vor Chr. herab-
zugehen scheint[1]), hat an der Südküste Lykiens, jenseits des La-
myros und des Isischen Thurmes, folgende Angaben (239 F. Müller):

ἀπὸ Ἀνδριακῆς εἰς Σόμηνα στάδιοι δ' — 4 Stadien,

ἀπὸ Σομήνων εἰς Ἀπέρλας στάδιοι ξ' — 60 „

ἀπὸ ἀκρωτηρίου εἰς Ἀντίφελλον στάδιοι ν' — 50 „

Diese Stelle kann aus zwei Gründen nicht in Ordnung sein: denn
einmal beträgt schon die directe Fahrt von Andriake nach Antiphellos, deren Lagen bei den heutigen Andraki und Andifilo unzweifelhaft sind, nicht 114 Stadien, sondern ungefähr 200; und dann
fehlt die nach dem System des Stadiasmus unumgängliche Entfer-
nungsangabe von Aperlai nach dem Akroterion, das einen besonderen Namen, den Müller vorauszusetzen scheint, ebensowenig gehabt zu haben braucht, wie so manche der heutigen Akrotiria[2]),
um so weniger, als es wirklich nach seiner Bildung und Lage als
südlichstes Lykiens ein Akroterion κατ' ἐξοχήν ist.

C. Müller hat recht gethan, die Angabe einzuschieben:

ἀπὸ Ἀπερλῶν ἐπὶ ἀκρωτήριον,

und er hat auch recht gethan, nur e i n e Angabe einzuschieben, da
die Anlage des Stadiasmus wohl das Ausfallen e i n e s Postens begünstigte, aber das Ausfallen zweier auf einander folgender kaum
zuliess: das erstere kommt bekanntlich nicht selten, das letztere,
so viel ich sehe, nie vor. Müller, der das Akroterion ebenfalls für
den charakteristischen, weit ausladenden Tughburnu südöstlich von
Antiphellos hält, gibt der Fahrt von da bis Aperlai 50 Stadien, er
erhöht die unerhört kleine Angabe von Δ beim ersten Curs auf
Π = 80 und erhält so für die Fahrt von Andriake nach Antiphellos
die Gesammtsumme von 240 Stadien, eine durchaus erträgliche
Zahl. Somena hat Müller im Grunde des Hafens Tristomo angesetzt, Aperlai auf Grund einer Cockerellschen Inschrift, die Leake
citirt (*Asia Minor* S. 188), über der Assarbai; letzteres glaubt wohl

---

[1]) *Geographi Graeci Minores*, ed. C. Müller, prolegomena S. CXXV.

[2]) Z. B. auf Zante, Kephallenia, Kreta.

auch Ritter, dessen Darstellung durch Schuld der ihm vorliegenden Berichte nicht überall klar ist (Erdkunde XIX S. 1081 ff.), und der Somena bei Kekova setzen möchte, das Ross und vor ihm Texier aber vielmehr, ebenfalls auf Grund von Inschriften, auf Aperlai bezogen. Waddington (zu Lebas 1290) hat sich mit grosser Bestimmtheit angeschlossen, und nun hat das auch Kiepert auf der Karte zu Benndorfs Reisen gethan, während er Aperlai früher nach dem Vorgange Leake's ebenfalls über der Assarbai gesucht hatte. Dies ist offenbar unter Zustimmung Benndorfs geschehen, der Müllers Veränderung von δ' in π' nicht ohne Weiteres als richtig anzuerkennen scheint, wozu er auch vollkommen berechtigt ist. Vielmehr sucht er Somena zwischen Andraki und Kekova, ohne es zu finden[3]). Bei der Autorität, auf welche die österreichischen Arbeiten über Lykien Anspruch haben, läuft aber das vorliegende eigenthümliche kleine Problem Gefahr, als gelöst zu erscheinen, während wir nach so vielen verworrenen Angaben doch erst der treuen Berichterstattung Benndorfs und der Seinigen neben so vielem Anderen und Grösseren auch das verdanken, dies Problem seiner Lösung entgegen führen zu können.

Mit der Stadt Somena des Stadiasmus ist die Stadt Simena identificirt worden, welche Stephanos erwähnt[4]) und die bei Plinius im Beginn der Beschreibung Lykiens — will sagen, im Periplus, dessen Material mit dem des Stadiasmus vielleicht identisch ist — als erster Ort vor Chimaera, Hephaestium, Olympus aufgeführt wird[5]). Im Uebrigen ist Somena und Simena nirgends genannt, weder bei Ptolemaios[6]), noch bei Hierokles oder in den Notitien, so ausführliche Listen lykischer Städte diese auch zu geben scheinen[7]).

---

[3]) Benndorf u. Niemann, Reisen in Lykien u. Karien S. 29 Anm. 3: „Mir bleibt unerfindlich, wo das... zwischen Andriake und Aperlai genannte Somena zu suchen ist. Antike Ruinen finden sich an den Ufern zwischen diesen beiden Orten nicht, und die Bildung der Ufer erlaubt meines Wissens nirgends, einen antiken Ort an dieser Stelle vorauszusetzen."

[4]) Σίμηνα, πόλις Λυκίας, οὐδετέρως. οἱ κατοικοῦντες Σιμηνεῖς ὡς Σιδυμεῖς.

[5]) V, 100: *in Lycia igitur a promontorio eius oppidum Simena, mons Chimaera noctibus flagrans, Hephaestium civitas et ipsa saepe flagrantibus iugis* (ἱερὸν Ἡφαίστου Skyl. §. 100; *urbs Hephaestia* Solin cap. 72). *oppidum Olympus ibi fuit* u. s. f.

[6]) Grashof bei Wilberg vermuthet zu Ptol. V, 3 für Σύμβρα vielmehr Σύμηνα oder Σίμηνα, das ist aber um so unsicherer, als da πόλεις μεσόγειοι um den Kragos aufgezählt werden.

[7]) Plin. V, 101: *Lycia LXX quondam oppida habuit, nunc XXXVI habet.* Einige siebzig nennt wirklich Stephanos, Ptolemaios 33 oder 34 (mit den Inseln

Dass Somena und Simena identisch sind, kann auch nicht wohl bezweifelt werden: ich will mich freilich nicht verleiten lassen, ein übermässiges Gewicht darauf zu legen, dass die Aufzählung der lykischen Städte bei Stephanos, der ein Somena neben Simena nicht nennt, anscheinend vollständig ist (s. Anm. 7), denn er vereinigt keineswegs zugleich alle auch sonsther bekannten lykischen Stadtnamen — was allerdings auf mehrfache Art zu begründen und abzuschwächen wäre [8]); aber entscheidend ist es, dass, wie der Stadiasmus sein Somena in die Nähe von Aperlai verweist, so auch für Simena inschriftlich ein Zusammenhang — ein räumlicher, wie politischer — mit Aperlai erwiesen ist. Es muss also die Geographie des Plinius auch hier wieder eines Irrthums oder eines Missverständnisses geziehen werden.

Die Inschriften, in welchen Simena vorkommt, sind sämmtlich in Kekova gefunden worden; es ist eine Grabschrift (Waddington-Lebas n. 1296): Βερνείκη Ἀλκί[μ]ου Ἀπερλ[ῖτ]ις ἀπὸ Σιμήνων... und eine Ehreninschrift (a. O. n. 1290):

ἐτείμησαν Ἀπερλειτῶν ὁ δῆμος καὶ οἱ συνπολιτευόμενοι αὐτῷ Σιμηνέων καὶ Ἀπολλωνειτῶν καὶ Ἰσινδέων δῆμοι Ἱππόλοχον Ἀπελλέους [Μ]υ[ρέα] καὶ Ἀπερλείτην ἀπὸ Σιμήνων χρυσῷ στεφάνῳ καὶ εἰκόνι χαλκῇ....

ἱερατεύσαντα [Τιβερίου] Κλαυδίου Καίσαρος Σεβαστοῦ u. s. f...

und nur 30—40 Jahre später, nämlich in das Jahr 80 n. Chr. fällt eine dritte Inschrift von Kekova (Leb. n. 1292), nach welcher Ἀπερλειτῶν καὶ τῶν συνπολειτευομένων ἡ βουλὴ καὶ ὁ δῆμος Bad und Prostoon dem Vespasian (im achten Consulat) widmen; endlich hat Fr. Studniczka in Kekova „eine Sarkophaginschrift mit dem Stadtnamen Σιμηνέων" abgeschrieben, auf welchen in der That auch Stephanos schon vorbereitet hatte.

Die eigenthümliche Gemeinschaft, in welcher wir Aperlai mit drei anderen Ortschaften im ersten Jahrh. n. Chr. finden, steht in

---

36 oder 37), Hierokles 32, von denen aber nur 23 solchen des Ptolemaios sicher entsprechen; die Notitien haben 37 bis 38 Namen; vier oder fünf von diesen können aber mit Namen bei Hierokles nicht identificirt werden, so wenig wie zwei allerdings ganz singuläre bei Hierokles (Ῥεγκυλιάς und Κομιστάραος) in den Notitien vorkommen.

[8]) Ich meine, wir können nicht wissen, welche Städte trotz der verschiedenen Namen, die sie etwa bei Stephanos und den Anderen führen, doch identisch sind; die neue Zeit kündigte sich so vielfach in Umnennungen, resp. Umsiedelungen an. Ein Somena kommt allerdings weder bei Stephanos noch bei den Uebrigen vor.

Lykien nicht vereinzelt da: zwar ist der Wortlaut der Inschrift von Rhodiapolis, welche diese Stadt mit Gagae und Korydalla in gleicher Weise vereinigt zeigen soll (Spratt und Forbes T. 183), leider nicht bekannt geworden; doch finden sich im Limyrosthale zu Idebessos zwei Inschriften an Sarkophagen, deren Inhaber Ἀκαλισσεὺς ἀπὸ Ἰδεβησσοῦ genannt wird (Leb. 1333 f.); daneben aber kommt analog den Σιμηνεῖς auf einer Inschrift doch auch ein Ἰδεβησσεύς, auf einer andern Ἰδεβησσέων vor (Spratt und Forbes II S. 281). Es ist zu bedauern, dass diese Inschriften nicht fixirbar sind; nur ist eine der Grabschriften wegen der Schreibung Εἰδεβησσοῦ vielleicht für jünger zu halten, als die übrigen. In der That ist es kaum denkbar, dass beide Bezeichnungen zu gleicher Zeit und etwa *promiscue* gebraucht wurden, denn die Anwendung des Ethnikons ist dem Zustande, welchen die andere Ausdrucksweise in sich schliesst, durchaus entgegengesetzt: diese bedeutet vielmehr einen Zusammenschluss der Orte unter Entäusserung der politischen Rechte aller zu Gunsten Eines unter ihnen, d. h. die übrigen werden zu Gauen. Es scheint sich vorläufig in Erwägung der Schriftsteller, welche Somena, Simena erwähnen und ihrer Quellen, die Annahme zu empfehlen, dass der Zusammenschluss um Aperlai im ersten Jahrh. n. Chr. stattfand; vielleicht darf man daran erinnern, dass Lykien im Jahre 44 n. Chr. — definitiv freilich wohl erst im Jahre 74 (vgl. Marquardt, Staatsv. I S. 217) — römische Provinz wurde. Ob diese Vereine überall von Dauer waren, darf man bezweifeln: Simena, Isinda (= Sindia Steph. s. unten), Apollonia aber sind jedenfalls nicht wieder zum Vorschein gekommen. Der eine Name Aperlai erscheint bei Ptolemaios, bei Hierokles und in den Notitien, und das muss einem thatsächlichen Verhältniss entsprochen haben, wie das auch umgekehrt der Fall sein muss, wenn uns Akalissos und Idebessos, Gagai, Korydalla, Rhodiapolis wieder bei Hierokles und in den Notitien begegnen. Bei Ptolemaios sind nur Korydalla und Rhodia (Rhodiapolis) aufgeführt, nicht Gagai und auch nicht Idebessos, während für sein Σαγαλασσός höchst wahrscheinlich Ἀκαλισσός zu lesen ist.

Es wird sich unten zeigen, dass auch dieser Umweg nach Simena führt, dessen Oertlichkeit von Andriake an zu suchen wir uns nun anschicken. In der Westecke der Bucht von Andriake, nicht weit vom Dorfe Kapaklü, bei welchem man schon Spratt und Forbes Ruinen genannt hatte (I S. 85), haben die österreichischen Reisenden das Glück gehabt, die Ruinen eines Ortes Istlada zu finden und dabei an einem Sarkophag eine Grabschrift, die ich vorläufig — d. h. ohne eingehendere Kenntniss der griechischen Schriftentwickelung in Lykien — nur allgemein der Kaiserzeit zuzuweisen wüsste. Am Schlusse derselben wird die, wie hier vielfach üblich, angedrohte eventuelle Zahlung einer Busse an Μυρέων τῇ γερουσίᾳ vorgeschrieben. Der Herausgeber hat daraus geschlossen, dass „der Inhaber des Grabes nach dem über drei Stunden (O.) entfernten Myra zuständig war". Er durfte weiter gehen und bündig aus der Zahlungsanweisung nach Myra schliessen, dass das Grab auch auf Grund und Boden von Myra stand. Ein solches Verhältniss ergiebt sich meiner Ansicht nach aus den übrigen analogen Grabschriften auf dem Boden Kleinasiens und Thrakiens[9]); dass es auch hier nicht anders war, lehrt obenein eine sehr interessante Inschrift aus dem Gebiet von Kyaneai (Leb. 1303 aus Tristomo): der Sclave eines Mannes, der Bürger von Myra und Aperlai war, kauft διὰ τῶν ἐν Μύροις ἀρχείων von Sclaven (?) eines anderen Bürgers von Myra den Platz eines Begräbnisses; aber die Busse für etwaigen Grabfrevel geht an τῇ Κυανειτῶν [γε]ρου[σίᾳ] und mit Recht: denn es ist Boden von Kyaneai, wie wir sicher wissen. Was hätte auch unter bewandten Umständen sonst veranlassen können, die Zahlung nach Kyaneai zu weisen?

Nur nebenher erwähne ich, dass auch wenig NNW. von Istlada in den Ruinen von Hoiran Benndorf an einem aufgebauten, besonders grossen Sarkophage die Inschrift eines Tlepolemos von Myra aus dem vierten oder dritten Jahrhundert v o r Chr. gefunden hat. Denn aus der ersten Inschrift allein geht schon hervor, was freilich von vornherein wahrscheinlich war, dass die mächtigste Stadt des Gebietes sich den Besitz der g a n z e n Bucht von Andriake gesichert hatte, einer Bucht, mit welcher sie eben über

---

[9]) Die gegenüber den römischen gleichartige Besonderheit der bez. griechischen Grabschriften erlaubt auch eine auf sie beschränkte zusammenfassende Untersuchung; eine solche, die ich ein anderes Mal vorzulegen gedenke, ist auch für die Topographie von Bedeutung und für Lykien von besonderem Interesse, wo eigenthümliche Verhältnisse z. B. in der häufigen Angabe von δῆμος u. πόλις als Empfänger der Strafsumme (anderswo vielfach φίσκος u. ταμιεῖον) klar sich widerspiegeln. Huschke, Die Multa und das Sacramentum S. 315 f. kann nicht befriedigen. P. Vidal-Lablache hat in seiner Schrift *de titulis funebribus Graecis in Asia Minore* an die Frage überhaupt nicht gedacht. — Ich bemerke beiläufig, dass die e i n z i g e bis jetzt anzuführende Ausnahme von dem oben im Text angegebenen Verbreitungsgebiet C. I. Gr. 1933 mir eben deswegen in ihrer kephallenischen Herkunft nicht ganz gesichert scheint. (Einst im Mus. Nanian. „aetatis infimae").

Andriake auf einem Strandwege in leichter Verbindung steht. Es ist derselbe Grund, aus welchem jede grössere, dem Festlande nahe Insel sich einer Peraia versichert.

Dann aber ist die Zahl Δ zwischen Andriake und Simena vollends unmöglich: auch wenn ein geeigneter Platz an der Bucht vorhanden wäre, was Benndorf verneint, so könnte doch ein Simena, das zum Gebiete von Aperlai gehörte, nimmermehr dort gelegen haben. Dasselbe ist vielmehr jenseits von Istlada zu suchen und nach der Sachlage bleibt keine andere Wahl als — Kekova selber. Die Fahrt von Andraki bis in die innere Bucht von Kekova beträgt etwa 60 Stadien, wir dürfen also annehmen, dass etwa aus einem $\overline{Z}$ über 2 ein Δ geworden sei.

Die Gründe, aus welchen in Kekova das ursprüngliche Aperlai angesetzt ward, sind in der That nicht stark: man hat wohl ausser einer im Anfang beschädigten Inschrift, welche mindestens ebenso gut das Gegentheil beweisen kann [10]), besonders die zwei schon oben angeführten Inschriften (Leb. 1290. 1292) für beweiskräftig gehalten, weil sie ihrem Inhalte nach am ehesten dem Hauptorte zukämen; allein in dem einen Falle wird ausdrücklich ein 'Aπερλείτης ἀπὸ Σιμήνων geehrt und auch die Anlage eines Bades (1292) braucht doch nicht bloss dem Orte zu Gute gekommen zu sein, auf welchen die Uebrigen aus irgend einem Grunde, z. B. der Lage wegen, ihre Stadtrechte übertragen hatten. Auch die Ruinen von Idebessos sind augenscheinlich viel bedeutender, als .die von Akalissos (Spratt I S. 167 f.), das freilich bequemer zu liegen scheint.

---

[10]) C. I. Gr. n. 4300 o. Leb. 1291. Es mag die älteste griechische Inschrift in Kekova sein, Benndorf nennt sie schön geschrieben und mit durchgängigem Α (S. 29, 1); es ist eine Liste von Männern, welche [φ]ιλοδόξως καὶ ε[ὐν]ο[ϊκ]ῶς διακείμενοι πρὸς τὸν δῆμον ἐπηνγείλαντο χρῆ[μα ἀ]ναπόδοτον εἰς τὴν ἀπ[όδ]οσιν τῶν δανείων, dann folgen fünf Männer mit Vaternamen, aber ohne Ethnikon aufgeführt und mit sehr bedeutenden Beiträgen (800, 500, dreimal 300 Dr.), den Beschluss macht ein als 'Aπερλείτης bezeichneter mit nur 50 Drachmen. Es liegt nahe, die fünf ersten — aber nicht den letzten — als Bürger des Ortes anzusehen, dem die Wohlthat erwiesen und in welchem die Inschrift gefunden ward. Dem widersprach die frühere Ergänzung im Anfang zu Λιμυ]ρέων (Franz) oder Μυ]ρέων (Lebas), welche auch sachlich befremden musste. Bei erneuter Nachprüfung haben aber Waddington wie Benndorf das ρε im Anfang nicht gefunden, der erste gibt ωνδ und als vierten Buchstaben zweifelnd Ρ; Benndorf liest ωνδη. Nach der Copie im C. I. ist dann vorher Raum für 6 Buchstaben, also Σιμηνέ]ων an sich genau so möglich wie Λιμυρέ]ων. Doch ist fraglich, ob da überhaupt ein Ethnikon stand. Was nach Massgabe der dann folgenden Namen verlangt wird, ist vielmehr die Angabe einer Amtsführung als Datirung.

Man darf die Inschriften ausnahmslos vielmehr zu Gunsten der
Lage von Simena bei Kekova geltend machen: abgesehen von dem
negativen Zeugniss der Inschrift 1291 Leb. (s. Anm. 10) wird hier
ein Ἀπερλείτης ἀπὸ Σιμήνων geehrt (1290), eine Ἀπερλ[ῖτ]ις ἀπὸ
Σιμήνων bestattet (1296), hier der Ausdruck Σιμηνέων gebraucht.
Simena wird nur in Kekova genannt, an keinem anderen
Punkte der Küste.

Dass bei dem so engen Zusammenhang der Gebiete von Myra,
Aperlai, Kyaneai in Kekova auch zwei Grabschriften von Kyaniten,
oder besser — und noch erklärlicher — von Kyanitinnen gefunden
sind, bedarf keiner Erörterung; aber das grösste Befremden musste
erregen und unsern, wie ich hoffe, bisher bündigen Schluss scheint
zu erschüttern, dass Kekova als Fundort einer Grabschrift angegeben wird, welche anscheinend Kyaniten als Empfänger einer even-
tuellen Busse nennt [11]); ich gestehe, dass diese Inschrift mich lange
beirrt hat, bis ich darauf aufmerksam wurde, dass im C. I. Gr.,
welches die Inschrift aus Irrthum zweimal, eigentlich dreimal bringt,
nach Texier als Fundort Aperlai (4300 *p* S. 1131), nach Bailie *apud
portum Kakova vicinum Aperlis, Myris, Cyaneis* angegeben ist (p. 1140),
wogegen der zuverlässigste Berichterstatter, Schönborn, schrieb: *in
loco Siguda* (4303 *g* S. 158). Damit aber bezeichnete Schönborn,
wir wir bestimmt wissen (Ritter XIX S. 1090), die innerste Küste
westwärts von Kekova, die sonst auch Tristomo genannt wird [12]).
Dass aber dies zu Kyaneai gehörte, werden wir alsbald sehen. So
erscheint mir Simena an der Stelle von Kekova vollkommen gesichert.

Es war ein Vorurtheil, die anscheinend ansehnlichsten Ruinen
dieses Küstenstriches, zu Kekova, auch gleich mit dem Namen
Aperlai zu belegen; *oppida* heissen bei Plinius beide, Simena wie
Aperlai; bedeutend war keine der beiden. Auch den Eindruck der
Ruinen zu Kekova hat Benndorf auf das richtige Maass zurück-
geführt: „die Stadt kann nur einen kleinen Umfang gehabt haben"
(S. 28). Die Ruinen über der Assarbai aber sind seit Beaufort
nicht wieder besucht worden.

---

[11]) Es ist Lebas 1307 (denn in 1302 = C. I. 4303 *h*⁴ ist Alles bis auf das
υ ergänzt); Z. 4 am Schluss steht ὀφειλέτω Κυαν..., nach dem Abschreiber, Ross
v. Bladensburg, wäre auch Κυὸν.. möglich; ich halte das erstere für richtig
(s. auch oben); auch in des Ptolemaios' (V, 3) Κύϋνα steckt Κυάνεϋι.

[12]) Ob auch Studniczka das grosse Ruinenfeld von Tristomo, das er richtig
Siguda gleich setzt, noch so hat bezeichnen hören, entnehme ich seinen Angaben
nicht (bei Benndorf, Vorl. Ber. S. 87).

Der Name von Aperlai kommt in dem Kekova westlich ganz nahe gelegenen Küstendorfe Evassari [13]) mehrfach in Grabschriften vor (Leb. 1297—99. 1308) und zweimal so, dass an der Zugehörigkeit des Gebietes zu Aperlai kein Zweifel sein kann (Busse an Ἀπερλειτῶν τῷ δήμῳ 1299 vgl. 1308). Eine Ehreninschrift an die Kaiser Diocletian und Maximian und die Cäsaren Constantius und Galerius — also zwischen 292 und 305 — geht aus von Ἀπ[ε]ρ-[λ]ειτῶν [ἡ] πό[λις]. Tief ins zweite Jahrhundert unserer Zeitrechnung führen auch die zusammengehörigen Grabschriften von Evassari (Lebas 1297—1299), falls man der oben (S. 195) ausgesprochenen Ansicht beipflichtet, dass der Zusammenschluss der Ortschaften mit Aperlai im ersten Jahrh. n. Chr. erfolgt sei: denn in einer dieser Inschriften (1297) bezeichnet eine Ἐρπιδασῆ ἡ καὶ Σαρπηδονὶς Λυσάνδρου Ἀπερλεῖτις schon ihren Urgrossvater als Ἀπερλείτην ἀπὸ Ἀπολλωνίας.

Wenig jenseits dieser Stelle, welche wohl noch zu dem engeren Gebiet von Kekova gehört hat, woher vielleicht die rothe, in einen Festungsthurm eingemauerte Granitsäule mit der Inschrift an die Kaiser verschleppt ist — also wenig jenseits von Evassari betrat man in dem innersten Hintergrunde des Hafens ein Stück Land, das schon genannte Tristomo oder Siguda, das zu dem nördlich gelegenen Kyaneai gehörte: denn dies beweist die ebenfalls schon angeführte Grabschrift, welche die Busse der Κυανειτῶν γερουσίᾳ zuweist (Leb. 1303); ein anderer Kyanit bezeichnet sein dortiges μνημεῖον als προγονικόν (Leb. 1306); weniger will besagen, dass auch die dritte von dort bekannt gewordene Grabschrift von einer Kyanitin ausgeht. Leider ist ein directer Marsch von hier nach dem nördlichen Kyaneai nie gemacht worden; Studniczka (S. 86) nennt das Vorland „steil bewegt". Erst dann würden wir beurtheilen können, ob es auf grösserer Bodenschwierigkeit beruht, dass Kyaneai das Meer nicht lieber im SO., in der Jalibai gesucht hat, oder ob nicht vielmehr, wie ich glaube, die Scheu vor Myra, der mächtigen Besitzerin des ganzen Andrakibusens, nach W. an den

---

[13]) Studniczka, der den Ort im Binnenlande suchte (Vorl. Ber. S. 87), hat die Bemerkung Waddingtons zu Lebas 1290 übersehen, der als Augenzeuge angibt: *le village d'Evassari est situé aussi au bord de la mer un peu à l'ouest de Kekowa, dont il n'est séparé que par un petit promontoire, et à l'est de Tristomo;* da er letzteres (in der Bemerkung zu 1285) bezeichnet als *à peu près à une heure de marche à l'ouest de Kekowa,* so wird Evassari gewiss nicht eine halbe Stunde fern von Kekova liegen.

Hafen Tristomo trieb. Hier war freilich das Gebiet von Aperlai quer
vorgelagert, was recht unbequem werden konnte, indessen bei der
geringeren Bedeutung von Aperlai wohl weniger ins Gewicht fiel,
als die etwaige Feindschaft Myras. Wir würden darin zugleich
einen neuen, wenn auch indirecten Beweis für die Zugehörigkeit
des Andrakibusens zu Myra erhalten.

Es wäre sogar möglich, dass Kyaneai die ganze Westseite
der inneren Bucht besetzt hielt, vielleicht sammt dem Vorgebirge,
das Simena gegenüber liegt. Immer dringlicher wird die Frage und
der Raum begrenzter, wo wir das Aperlai des Stadiasmus zu suchen
haben; 60 Stadien gibt derselbe als Entfernung von Simena; etwa
70 Stadien Umfahrt führen von Kekova in die nach W. geöffnete
Assarbai hinein, wo schon Beaufort Trümmer bemerkt [14]), Cockerell
nach einer Angabe Leake's die Inschrift Ἀπερλειτῶν gefunden hatte
(*Asia Minor* S. 188). Diese Reste sind nicht wieder besucht worden;
die neue Kiepert'sche Karte merkt sie gar nicht an. Dennoch muss
hier Aperlai des Stadiasmus gelegen haben, in welchem die aus-
gefallene Entfernung von Aperlai zum Akroterion nun auf 50 Stadien
bestimmt werden kann. Damit steigt die Gesammtsumme der
Stadien von Andriake bis Antiphellos auf 220, ein durchaus be-
friedigendes Resultat.

Apollonia, der dritte Ort der Aperliten, wird wohl mit Recht
in der vorgelagerten langgestreckten Insel Kekova erkannt, nach
Stephanos, der Apollonia eine Insel Lykiens nennt. Isinda, das
mit dem Σινδία des Stephanos ebenso sicher identisch ist, wie wir
neben dem Namen der pisidischen Stadt Isinda, Isionda bei Strabo
(p. 570 u. 630) gewiss nicht irrthümlich Σίνδα finden, wird auch
in dem schmalen Küstenstriche zu suchen sein, auf welchen, so
weit wir sehen können, das Gebiet von Aperlai beschränkt war.
Ob diese beiden Orte, wie Simena, ehemals eine selbstständige
Existenz gehabt haben, wissen wir nicht, aber wir vermuthen es
wegen der Angaben des Stephanos.

In einer Zeit, in welcher die angrenzenden und zwar unbequem angrenzenden Stadtgebiete noch als solche von Bedeutung
waren, schliessen sich die vier Ortschaften zusammen; nicht der

---

[14]) Die kurze Beschreibung bei Beaufort Karamania S. 22 lautet: *this deep
inlet is divided by a low isthmus from another arm of the see that fronts Kastelorizo
bay* (dieser Arm ist die Assarbai). *On a rocky hill, which rises from the isthmus
stand the ruins of a town, containing a profusion of half-destroyed dwelling-houses,
towers, walls and sarcophagi. Though beautifully situated, it is entirely deserted.*

sicherste und versteckteste, sondern der am freiesten und zugäng-
lichsten gelegene und am weitesten vorgeschobene Ort wird ihr
Vorort, Aperlai über der Assarbai. Im Laufe der Zeiten aber, im
zweiten oder dritten Jahrhundert, da die Nachbarschaft Kyaneais
nichts mehr zu sagen hat, und die Frage der Sicherheit immer
mehr in den Vordergrund tritt, erhält die Stelle von Simena haupt-
sächliche Bedeutung. Mittlerweile aber ist der Name Aperlai als
politischer Ausdruck der Küstenansiedelung hier so fest und ge-
läufig geworden, dass er mit der Bedeutung ohne Weiteres auf
Simena übergeht; so erklären wir uns die Inschriften von Evassari
und vor Allem die wohl verschleppte Ehreninschrift aus der Zeit um
300 n. Chr. Späterhin also wird Simena und seine Umgebung einfach
Aperlai geheissen haben, und soweit hätten auch diejenigen Recht,
welche Kekova Aperlai nennen. Nun erst erscheint es uns im
rechten Lichte, wenn Ptolemaios und vollends Hierokles und die
Notitiae hier keinen anderen Namen kennen als Aperlai. So steckt
hier in unscheinbarer Ueberlieferung ein ganzes Stück localer
und allgemeiner Geschichte, was hoffentlich auch in den obigen
kurzen und mehr andeutenden Bemerkungen hinreichend zum Ausdruck gekommen ist.

Königsberg in Pr., Februar 1885

GUSTAV HIRSCHFELD

Der geehrte Herr Verfasser wird mir gestatten zusätzlich auszusprechen,
dass mir sein Nachweis eines Synoikismos in Aperlai gelungen, seine Verschiebung
von Aperlai selbst aber nicht gerechtfertigt erscheint. Dass Kekova = Aperlai
ist, betrachte ich als gesichert: 1. hauptsächlich durch Lebas n. 1292, die officielle
Dedicationsinschrift des in Kekova errichteten Bades; 2. durch den Umstand,
dass Kekova zwischen Myra und Antiphellos die bedeutendste Ruinenstätte der
Küste ist, und dass wir auf dieser Küstenstrecke Münzen nur von Aperlai besitzen. Wo das kleine, nur ein oder zwei Mal genannte Somena lag, werden
genauere Erforschungen des Landes als uns möglich gewesen sind, gewiss noch
einmal zeigen. Inzwischen wird sich mit den scharfsinnigen Vermuthungen des
Herrn Verfassers der zweite Band des lykischen Reisewerkes näher auseinander
zu setzen haben. O. B.

Wälle und Chausseen im südlichen und östlichen Dacien

(Hierzu die Karte auf Tafel VI)*)

Dass es mir möglich war, nach dem mehrfachen Besuche der Dobrugea im Laufe dieses Jahres auch die Moldau und Walachei noch in einer Weise zu bereisen, dass kaum zwei oder drei Distrikte unberührt geblieben sind, verdanke ich in erster Linie der ausserordentlichen Güte S. D. des Fürsten Alexander Bibesco, der mir den Aufenthalt in seinem Hause zu dem denkbar freiesten und freundschaftlichsten gestaltete und bei seinem eigenen hervorragenden Interesse für die Wissenschaft alle meine derartigen Bestrebungen auf das Wärmste begünstigte.

Sodann bin ich der rumänischen Regierung, speciell S. E. dem Minister für Cultus und Unterricht, Dem. Sturdza, zu lebhaftem Danke verpflichtet für den obrigkeitlichen Schutz und die Mitwirkung der Behörden, welche mir allerorten gesichert war.

I

Die Ergebnisse meiner Nachforschung bestehen besonders in der Feststellung von bisher unbekannten Wall- und Chausseelinien.

Eine Besprechung mit Herrn Prof. Torma in Pest hatte mich schon bei der Herreise nach Rumänien auf die Frage geführt, ob die dacischen Grenzwälle, welche im Banat in dreifacher Linie sichtbar sind, und deren Fortsetzung der genannte Gelehrte am nordw. Rande Siebenbürgens von Tiho bis Kis Sebes aufgefunden hatte, nicht auch im Osten der Provinz, durch die Moldau hin noch vorhanden sein sollten. Lange blieben meine Erkundigungen erfolglos, bis ich endlich im Frühling dieses Jahres von dem Berlader Präfekten die Angabe erhielt, dass an seinem Gute Nicoresci in der Nähe von Tekutsch ein Wall vorbeiziehe, der noch in ziemlicher Höhe erhalten sei und von den Bauern allgemein Trojan genannt werde. Bei einem bald darauf vorgenommenen Besuche jener Gegend konnte ich den Wall in der That feststellen und auf eine weite Strecke hin verfolgen. Zu seiner Beschreibung

---

[*) In Folge eines Versehens haben die mit punktirten Linien angegebenen, von dem Verfasser vorausgesetzten römischen Chausseen von Urlueni bis Campolung und von *ad Aquas* bis gegen Craiova nicht dieselbe Farbe erhalten wie die sicheren römischen Chausseen. A. d. R.]

will ich Nicoresci als Ausgangspunkt beibehalten und von hier erst nach der einen und dann nach der andern Seite hin fortschreiten. Der Begehung zu Grunde gelegt ist die österreichische General-karte (Masstab 1 : 300.000), Blatt P 9 (Galatz), Ausg. 1880.

Nicoresci liegt in der unteren Moldau, 16 Kil. nordw. von Tekutsch, auf dem hügeligen Plateau, welches das Berlad- vom Sereththale trennt. Von hier aus liess ich mich zum Walle führen und fand denselben 6 Kilom. östlich von dem Städtchen an einem Waldesrande entlang ziehend. Das Profil dieser Stelle ist in Fig. 1

Fig. 1

dargestellt. Es zeigt eine zwar flache, aber ausserordentlich breite Erdschanze, deren Gesammtausdehnung durch Wall und Graben 34 M. misst. Der Graben liegt auffallender Weise nach Süden vor. Schon dieser Umstand erinnerte sofort an den kleinen Erd-wall in der Dobrugea (S. 91 ff.) und die Aehnlichkeit beider in Form und Verlauf trat in der weiteren Begehung nur noch stärker hervor.

Mit einem Begleiter, der als Jäger die ganze Gegend durch-streift hatte, folgte ich der Walllinie zu Fuss bis an den Sereth. Die Stelle, von der wir ausgingen und an der auch Profil 1 auf-genommen ist, liegt etwa $1/4$ St. nördlich von jenem markanten Punkte, an dem der Wall plötzlich in rechtem Winkel von seiner n.-s. Richtung abbiegt, um gerade auf Ziganesci los in das Berlad-thal hinunterzulaufen. Jene viertelstündige Strecke ist durchaus mit Wald bedeckt, bei Profil 1 aber tritt der Wall ins Freie, indem nur auf der Ostseite die Bäume noch an ihn heranreichen, während im Westen Ackerfelder sich öffnen. An dieser Stelle nun mar-schirten wir Punkt 9 Uhr ab. Der Wall zieht hier direkt nach Norden. 15 Min. weiter nimmt er die Richtung NNW z. W (330°) und zeigt eine stärkere Erhebung, in die oben ein neuer Graben eingeschnitten ist (Fig. 2). Um 9 Uhr 35 Min. kam uns ein Wald

Fig. 2

in die Quere, den wir in 10 Min. durchschritten. Dahinter zeigten sich dann auf eine weite Strecke nur Felder und Weingärten. Der

Wall läuft 7 Min. lang (500 M.) deutlich sichtbar über ein Acker-
feld, bildet dann für eine gleiche Strecke die Westgrenze eines
viereckigen Weingartens, immer seine Richtung NNW z. W bei-
behaltend, und trifft nach weiteren 400 M. (10 Uhr 5 Min.) bei
einem Gehöft Visuresci ein, das von W her dicht an ihn heran-
tritt. Der Fahrweg, welcher bisher immer neben dem Graben entlang lief, geht hier auf den Wall über und hat diesen bedeutend
abgeplattet. Weiterhin bildet der Wall wieder die Umfriedung eines
ostwärts sich ausdehnenden Gartens, wobei er 1 M. hoch bleibt
und mit Bäumen bestanden ist. Um 10 Uhr 15 Min. jedoch sahen
wir ihn beim Betreten ausgedehnter Ackerfelder völlig dem Boden
gleich gemacht. Nur an einzelnen Stellen waren kleine, mit ein
paar Büschen bestandene Häufchen übergeblieben, an denen man
die weitere Linie verfolgen konnte. Gegen das Ende des Feldes
hin zeigte sich, wenn auch leise, allmählich wieder eine fort-
laufende Schwellung des Bodens. In diesem Zustande zog der
Wall gleich darauf (10 Uhr 30 Min.) an einem westlich liegenden
Gehöft hin und 10 Min. später durch die Vorderpartie eines Wein-
berges. Das genannte Gehöft, neben welchem noch ein halb Dutzend
anderer Wohnungen sichtbar waren, bildete den Anfang des Dorfes
Tecucel. Der Wall hat hier eine rein nördliche Richtung genommen
und biegt gleich darauf (10 Uhr 50 Min.) noch weiter um nach
NNO z. N (10⁰). An diesem Punkte läuft er auch zum ersten
Male eine sanfte Neigung des Terrains hinab, der bisherige Weg
war durchaus eben. Seine Gestalt bleibt noch dieselbe, kaum erkennbare, da wir uns immer noch in Ackerfeldern befinden. Um
11 Uhr jedoch erreichten wir einen Waldesrand, und hier trat der
Wall sofort wieder in weit stärkerem Profile auf. Wir suchten ihm,
obgleich kein Weg mehr nebenherlief, noch weiter zu folgen, durchschritten nach 10 Min. eine etwa 10 M. tiefe, ziemlich breite Schlucht,
konnten aber jenseits derselben wegen des zum völligen Dickicht
werdenden Unterholzes nicht weiter vordringen und liessen uns von
einem östlich abgehenden Fusswege in ein reizendes Waldthal führen,
in dem bis ½1 Uhr Mittagsrast gehalten wurde.

Nachher durchschritten wir das Holz nach verschiedenen Richtungen, ohne jedoch eine Spur des Walles wiederfinden zu können.
Waldhüter sagten uns, dass derselbe hier überall nicht mehr zu
erkennen sei und erst vor dem Dorfe Tofla in einem Weinberge
wieder zu Tage komme. Dorthin uns wendend, konnten wir noch
mehrfach hören, dass im Walde jede Spur verschwunden sei,

aber der Weg, hiess es, auf dem wir uns befänden, werde noch heute Trojan genannt. Dieser Weg vermeidet sehr geschickt Senkungen und Abhänge, indem er sich in vielfachen Windungen am Waldesrande hinschlängelt, hält aber im Ganzen nordöstl. Richtung.

Erst nach 2 Stunden, um $\frac{1}{2}$3 Uhr, kamen wir zu dem besprochenen Weinberg vor Tofla und fanden hier auch richtig den Wall. Derselbe fängt schon ein Stück vorher im Ackerfelde an, durchzieht dann zwei Weingärten und ist im Ganzen auf eine Strecke von etwa 1 Kilom. sichtbar. Sein Profil ist schwach, an welcher Seite der Graben lag, wäre hier kaum zu unterscheiden (s. Fig. 3). Die Richtung ist Anfangs NO, wird im ersten Wein-

Fig. 3

berge sogar ONO, dreht im zweiten aber herum bis auf NNO. Dieser zweite Weingarten liegt auf einer Höhe, von der man ziemlich steil auf Tofla hinabblickt und in weitem Kranze die ganzen Dörfer des Berhetsch-Thales vor sich ausgebreitet sieht. Eine Fortsetzung der Walllinie ist nicht zu entdecken, sie wird aber jedesfalls scharf nach Westen umbiegend zu denken sein. Der Gutsverwalter von Tofla, bei dem wir uns erkundigten, bestätigte diese Vermuthung, die der lokalen Tradition entspreche, und fügte als Beweis bei, dass sich auf dem Wege zwischen Tofla und Ploskutzeni oben am Rande des Serethufers noch ein gutes Stück vom Wall erkennen lasse.

Wir gingen nach jener Gegend hinüber, fragten bei einem griechischen Gutsbesitzer, der gerade dem Einfluss des Trotusch in den Sereth gegenüber wohnt, noch einmal nach und fanden dann kaum eine Viertelstunde von seinem Hause entfernt, die Wallspuren. Die Hochebene, auf der wir den ganzen Tag marschirt waren, fällt hier schroff zum Sereth ab, erst eine halbe Stunde flussaufwärts wird die Neigung sanfter, Wasserrinnen führen hinunter und runde Kuppen haben sich gebildet, die den Uebergang vermitteln. Der ganze Abhang ist abwechselnd mit Wald und Wein bewachsen und hat die grösste Aehnlichkeit mit dem Gelände der Bergstrasse zwischen Darmstadt und Heidelberg. Oben an diesem Höhenrande nun läuft der Wall entlang, meist zwar vernichtet durch die Fahrstrasse, die denselben Weg gewählt hat, aber oft doch noch in seiner gewölbten Form erkennbar. Wie weit er so dahinzieht, habe ich nicht ausmachen können; wir hatten schon eine Zeit lang keine Spuren mehr gesehen, als wir uns bei einbrechendem Abend in das Thal wandten und ein Stück Weges zurück gingen, um in Ploskutzeni zu übernachten.

Am folgenden Morgen fuhr ich zu Wagen nach Homocea, 6 Kilom. aufwärts am Sereth, konnte aber dort schon nichts mehr vom „Trojan" erfahren. Nur eine kurze alte Schanze, Cetatzuia (Festung) genannt, zeigte man mir oben auf der Höhe des Uferberges. Dieselbe bestand aus einem hohen Wall mit tiefem Graben

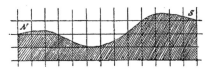

Fig. 4

davor, auf den noch ein zweiter Aufwurf folgte (s. Fig. 4), war circa 30 M. lang und lief in ostwestl. Richtung.

Auch am rechten Serethufer, wo sich vielleicht die Fortsetzung des Walles gegen die Karpathen hin finden konnte, waren meine Erkundigungen vergeblich. Der Priester von Alt-Agiud (A. vechiu) der einen grossen Kreis Bauern zur Befragung zusammen gerufen hatte, versicherte, dass in der ganzen Gegend nichts dergleichen vorhanden sei.

Ich kehrte dann nach Nicoresci zurück und verfolgte den Wall nach der andern Seite, gegen Osten hin. Wenige Schritte nördlich von dem schon oben erwähnten Winkelpunkte habe ich Profil 5 aufgenommen. Die Linie läuft hier nach SSO z. O (150°)

Fig. 5

und biegt nachher um auf ONO z. O (80°), bildet also einen Winkel von 110°, der auch durchaus nicht gerundet, sondern ganz scharf geschnitten ist. Diese Stelle tritt etwas aus dem Walde heraus; im weiteren Laufe, nach Ziganesci hinab, zieht sich der Wall indess wieder unter die Bäume zurück, bis er den hohen Rand des Berladthales erreicht, wo der Wald überhaupt aufhört, ja sogar für den ganzen Rest des Weges aufhört; zunächst folgt eine breite Niederung und dann dehnen sich bis zum Pruth hin endlose Ackerfelder aus.

Der Wall erreicht das Thal bei dem südlicheren der beiden Ziganesci: Alt-Ziganesci (*Tz. vechiu*), ist in der Niederung aber nicht mehr erkennbar und auch weiterhin in Folge der langen und regelmässigen Feldarbeit nur selten und dann recht schwach wahrzunehmen. Um so mehr habe ich die zähe Tradition bewundert, die sich unter den Landleuten vom Trojan erhalten hat. Jeder Pflugknecht kann Auskunft geben, wie die Linie gelaufen ist; er zeigt oft im Acker auf eine Schwellung des Bodens, so klein, dass man niemals wagen würde, darin eine Wallspur zu erkennen, und sagt: gehen Sie in dieser Richtung weiter, so werden Sie da und da noch einen ganz deutlichen Rest des Trojans finden; und die Angabe erweist sich jedesmal als richtig. Nur auf diese Weise, durch beständig weitertastendes Fragen war ich im Stande, die Linie festzustellen. Ich fuhr mit kundigen Führern und hielt sie an, dem Walle immer möglichst nahe zu bleiben.

Am östlichen Ufer des Berladthales beginnt der Wall bei zwei grossen Tumuli über Ziganesci vechiu. Von da fuhr ich direct nach Matka. Der Wall bleibt nördlich von diesem Dorfe, wird aber nachher von dem von Matka nach Putzeni führenden Wege mehrmals durchschnitten. Er ist an diesen Stellen etwa 30 Cm. hoch und verfolgt die Richtung OSO (120°). In und hinter Putzeni konnte ich nichts Sicheres erfahren, der Wall muss hier ziemlich weit nach Norden entfernt sein. Auf Baleni, das bei der Beschreibung der Linie in Aller Munde gewesen war, hatte ich um so mehr Hoffnung gesetzt. Hier sagte man mir denn auch, vom Wall sei zwar heute so gut wie gar nichts mehr zu erkennen, derselbe sei aber über die Dörfer Firtzenesci, Kiraftei, Mastukani bis an den Pruth gelaufen. Besonders ein steinalter Hirt Namens Ion Nistru diente mir als wahrhaftes topographisches Lexikon.

Die Verhältnisse brachten es mit sich, dass ich dieser Angabe nicht weiter nachgehen konnte, sondern am andern Morgen nach Galatz fuhr. Wenn sie richtig ist, stösst der Wall gerade an dem Punkte auf den Pruth, wo drüben die bekannte bessarabische „Römerschanze" (*Vadu lui Issak — Tartarpunar*) beginnt.—Es ist ja denkbar, dass die Tradition ihn nur deshalb hier ausmünden lässt, um ihn mit jener Schanze in Verbindung zu setzen. Aber es ist

auch zu bedenken, erstens, dass der Wall doch nicht mitten im
Felde aufgehört haben kann, und zweitens, dass die gerade Linie,
welche ich von dem Winkel bei Nicoresci bis hinter Matka festgestellt habe, in ihrer Fortsetzung genau auf die von den Baleniern
angegebene Pruthstelle trifft.

Was sich etwa über den Ursprung und die Bestimmung dieses
Walles sagen lässt, soll weiter unten im Zusammenhang mit anderen
ähnlichen Erdwerken der hiesigen Gegenden erörtert werden.

II

Auf der Suche nach topographischem Material, das weitere
Nachforschungen fördern könnte, stiess ich in Bukarest auf das
Dossar einer grossen archäologischen Enquête, die im Jahre 1871
vom Cultusministerium veranlasst, jetzt in sieben starken Folio-
bänden in der Bibliothek der rumänischen Akademie aufbewahrt
wird. Die Berichte, von den Schullehrern aller Stadt- und Land-
gemeinden verfasst, sind oft recht kraus und unerfreulich aus-
gefallen, besonders wo sie in rasend machender Breite all die Thor-
heiten wiedergeben, die das Volk sich von dem oder jenem historischen Reste erzählt. Aber die aus eigener Anschauung stammende
Beschreibung des Thatsächlichen, besonders was Wälle und Chausseen betraf, machte sie mir werthvoll genug, um das Ganze einmal einer genauen Durchsicht zu unterziehen. Eine solche war
nämlich noch nie vorgenommen. Nur zwei Distrikte, Romanatzi[1])
westlich vom Unterlaufe der Aluta, und Dorohoi[2]), die oberste
Spitze der Moldau, hatte Alex. Odobescu, der Urheber der ganzen
Enquête, verarbeitet.

Vor Allem war es ein grosser, nach Cantemir's *descriptio
Moldaviae* (1716) und der moldauischen Chronik Miron Costin's
(1726), lang durch die ganze Walachei und noch ein Stück Moldau
ziehender Wall, über den ich ins Klare kommen wollte.

Ich halte es nicht für überflüssig, jene zwei schwer zugänglichen Quellen, auf die, wie ich gesehen habe, die Angaben aller
späteren rumänischen Geschichtswerke und Wörterbücher zurückgehen, hier wiederzugeben, zumal sie einer Zeit angehören, in der
noch weit mehr vom Walle vorhanden sein konnte, als heutzutage.

---

[1]) *Annal. societatei academice Romane* X 2 (1877) p. 173—339.
[2]) *Monitorul official al Romaniei* 13/25. Juli 1871, Nr. 152.

Cantemir schreibt[3]): *Fossa Trajani imperatoris hodie etiam sui conditoris nomen retinens de qua miror neminem, neque veterum, nec recentiorum historicorum quidquam tradidisse memoriae. Haec ut ipse αὐτόπτης testis sum, duplici aggere a Petrivaradino in Hungaria incipit, ad montes Demarkapu, ferream portam, descendit, inde simplici vallo per totam Valachiam et Moldaviam transit, Hierasum (bei Cant. = Pruth) ad pagum Trajan dictum, Botnam ad oppidum Causzen secat transactaque tota Tartaria ad Tanaim flumen desinit. Ipsa ultra 12 cubitos hodie adhuc profunda est, unde forsitan haud sine ratione colligere possemus ipsius spatium, dum strueretur, altero tanto latius profundiusque atque adeo egregium adversus barbarorum irruptiones munimentum. fuisse.*

Die Stelle in Miron Costin's Chronik[4]) lautet in der Uebersetzung: „Dieser berühmte Kaiser (Trajan) hat auch die Schanze „Trojan" graben lassen, von seinen Soldaten, wie es gewöhnlich heisst, von der Walachei an über alle die Flüsse, von denen wir gesprochen haben, Sereth, Pruth, Dniestr, Bug und Dniepr hinweg, bis an den Don. An dieser selben Schanze, die wir bei uns sehen, bin ich in der Nähe des Dniepr vorbeigekommen, ganz dicht bei einer Stadt Namens Vciorasnoia, nicht weit von Kiew. Kiew liegt am Dniepr und nach dem Lauf der Schanze hat also der Kaiser Trajan mit seiner Armee den Dniepr oberhalb Kiew überschritten". Die letztere Bemerkung erklärt sich aus der noch heute im Volke verbreiteten Anschauung, dass alle diese Wälle römische Militärstrassen gewesen seien.

Durch die Worte Cantemirs ist dann auch Sulzer auf den Wall aufmerksam geworden, hat ihn nach langem Fragen in der Gegend von Slatina gefunden, sich von seinem weiteren Verlaufe unterrichten lassen und in einem besonderen, „Vermeinter Trajanischer Graben" betitelten Capitel seines Buches[5]) darüber geschrieben. Allein, was er auf diesen 10 Seiten behauptet, liest sich geradezu komisch. Er erklärt den Wall zuerst für „avarische Ringe", entschuldigt sich dann aber, dass er ihn auf seiner Karte trotzdem als eine gerade Linie gezeichnet habe, und sagt, dies käme daher, weil nach Allem, was er gehört und gesehen, thatsächlich doch nichts Anderes als eine gerade Linie vorhanden sei. Die Ringe

---

[3]) *Descriptio Moldaviae* c. 4 fin.
[4]) Cogalniceanu: *Letopisetele* etc. I p. 21.
[5]) Sulzer, Gesch. d. transalpin. Daciens, Wien 1781 I p. 216—225.

seien also augenscheinlich verschwunden und nur die Befestigungslinie, welche zu ihrer „Gemeinschaft und Communication" diente,
übrig geblieben.

Sulzer's Walllinie ist ausserdem nur durch drei Punkte gesichert; die zwei, welche schon Cantemir angibt, das eiserne Thor
am Anfang und Trajan am Ende Rumäniens, und Slatina beim
Alutaübergang. Alles Uebrige, Petroja, Tirgovischte, Plojesci,
Buzeu, Maxineni stammt vom Hörensagen und ist sogar grösstentheils Conjectur seiner Gewährsmänner.

In der Bukarester Enquête nun fand ich eine grosse Menge
von Dörfern, die berichten, dass der Wall in ihrer Nähe vorbeiziehe. Für gewisse Gegenden, besonders für die kleine Walachei,
ergab sich damit gleich eine sichere und ununterbrochene Linie, in
anderen jedoch waren entweder die Gewährsorte so bunt gewürfelt
oder auch die Berichte so lückenhaft, dass sich aus ihnen allein keine
Klarheit gewinnen liess. An eine Begehung der ganzen Strecke war
bei ihrer enormen Ausdehnung nicht zu denken. Es musste mir
desshalb darauf ankommen, durch einen Besuch der zweifelhaften
Punkte den weiteren Verlauf des Walles sicherzustellen, speciell in
das Chaos der Angaben über die Partie östlich von der Aluta
(Distrikte Teleorman, Oltu und Argesch) Licht und Ordnung zu
bringen. Letzteres ist mir vollständig gelungen durch die an Ort
und Stelle gemachte Entdeckung, dass in dieser Gegend zwei Wälle
ziemlich weit von einander laufen: von Slatina gegen NW der von
Cantemir und Sulzer besprochene, weiter südlich von der Aluta bei
Roschi de Vede vorbei bis gegen Giurgiu hin ein kleinerer; und dass
beide durchschnitten werden durch eine von Turn Magurele herauf-
führende und vom Volke, eben so wie jene, „Trojan" genannte
Chaussee.

Im Folgenden stelle ich zunächst das auf den grossen Wall
Bezügliche zusammen, indem ich dessen ganzer Länge von Westen
nach Osten folge.

Der Wall wird vom Volke wie schon erwähnt Trojan, noch
häufiger aber „Brazda lui Novac", „die Novaksfurche" genannt. Ueber
die Entstehung dieses Namens hat sich bis jetzt durchaus nichts
feststellen lassen, auch Odobescu weiss keine Erklärung dafür.

Cantemir's Bemerkung, der Wall beginne bei Peterwardein,
ist natürlich eine Verwechslung mit der dort befindlichen längst
bekannten Banater Schanze. Der walachische Wall hat seinen
Anfang bei der scharfen Donaubiegung unterhalb Turn-Severin.

Rogova ist der erste Ort, an dem er vorbeizieht[6]), und zwar jedenfalls nördlich von diesem Dorfe laufend, denn aus dem 6 Kilom.
nordöstl. gelegenen Broscari[7]) wird berichtet, dass er auch das
Territorium dieser Gemeinde berühre, auf einer Anhöhe im SO
besonders gut zu erkennen sei, und dann nach Orevitza weitergehe.
In gerader Fortsetzung der bisherigen Linie erreicht er dann das
17 Kilom. entfernte Balacitza, aus dem zwar in der Enquête kein
Bericht vorliegt, wo ihn aber der Ingenieur Popowitsch[8]), der von
den dreissiger Jahren ab in Rumänien reiste, gesehen hat.

Von da ab giebt es keinen Anhaltspunkt mehr bis zu dem
35 Kilom. nach OSO liegenden Terpesitza. Aus dieser Gemeinde
wird berichtet, dass der Wall mitten durch ihr Gebiet ziehe, auch
in den Nachbargemeinden sichtbar sei und der Richtung von West
nach Ost folge[9]). Auch habe ich selbst auf dem Gute Breasta bei
Craiova mir erzählen lassen, dass der Wall am südwestl. Ende
dieser sehr ausgedehnten Besitzung, bei Lazu, ca. 5 Kilom. von
Terpesitza, vorhanden sei.

In Craiova soll der Wall nach Laurian[10]) in der Vorstadt
Belli-vaca zu Tage treten. Ungünstige Umstände hinderten mich
bei dem kurzen dortigen Aufenthalt persönlich nachzusehen. Die
Enquête berichtet, dass der Wall nördlich von der Stadt hinziehe.
Sie bietet uns hier auch zum ersten Male einen Aufschluss über
seine Structur, indem sie bemerkt, der ausgehobene Boden sei gegen

---

[6]) So berichtet V. Dimitrescu aus Turn-Severin in Tocilescu's *Revista pentru
filologie* etc. I p. 167 (Ueber die Alterthümer des Distr. Mehedintzi). An derselben
Stelle wird auch von einer römischen Chaussee gesprochen, die „von Isvor frumos
über Burila, Devesel, Batotzi, Rogova nach Orevitza läuft, wo die Cetata Latinilor
ist und römische Ruinen sich zeigen, dann nach Padina mica, Slasoma, Balacitza,
Cleanov weiterzieht, schliesslich in den Distr. Doljiu eintritt und zu dem auf der
Marsigli'schen Karte Frateria, heute Trapesitza (soll wohl heissen Terpesitza) genannten Orte führt“.

[7]) Bukar. Enquête, Distr. Mehendizti, Fol. 436.

[8]) Die Tagebücher Popowitsch's, dem Cogalniceanu schon im Jahre 1840
das Lob des tüchtigsten Kenners der rumänischen Vorzeit spendete, wurden lange
nach dem Tode ihres Verfassers von Herrn Al. Odobescu bei einem Trödler entdeckt und theilweise publiciert in der Zeitung *Trompetta Carpatilor* Nr. 869 (12./24.
November 1870). Die Notiz über Balacitza fehlt aber dort; sie ist erst in den An-
hängen zu Odobescu's Aufsatz über Romanatzi (a. a. O. p. 217) nachgetragen. Wir
werden Popowitsch noch öfter zu citieren haben.

[9]) B. E. Distr. Doljiu Fol. 311.

[10]) A. Treb. Laurian: *Istriana* im *Magazinu istoricu pentru Dacia* 1864
Tom. II p. 102.

Süden aufgeworfen und der Wall erhebe sich 1 Stanjin = 2·23 M. hoch [11]).

Hinter Craiova hat der Wall eine südöstliche Richtung, wie der Bericht aus Ghercesci [12]) angibt, kann dieselbe aber wohl nicht lange beibehalten, denn bald darauf finden wir ihn bei dem fast direct östlich von Craiova gelegenen Popinzelesci [13]), wo er 6 Kilom. östlich vom Dorfe deutlich sichtbar ist. Weiterhin zeigt er sich auf einer Anhöhe westlich von Dobrun [14]), zieht dann mitten durch diese Gemeinde und die Oltetza überschreitend nach Schoperlitza hinüber. Hier muss er sehr gut erhalten sein. Der Bericht aus Schoperlitza [15]) gibt seine Maasse auf 4 Stj. (9 M.) Breite und 3 Stj. (6·7 M.) Tiefe an. Für die Tiefe scheint dabei allerdings nicht die verticale, sondern die schräge Linie der Absenkung genommen zu sein. Die Maassangaben sind überhaupt in diesen Berichten das Unzuverlässigste, wesshalb ich sie auch durchweg nicht berücksichtige.

Der Wall zieht nördlich von Schoperlitza hin und schneidet oberhalb des Dorfes Vladuleni die am Alautaufer zum Rothenthurmpass hinauflaufende „Trajansstrasse". Dies ist die einzige Stelle in der westlichen Walachei, wo ich ihn selbst gesehen und ge-

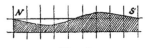

Fig. 6

messen habe (s. Fig. 6). Der Graben ist 1 M. tief und liegt nördlich vor, der Aufwurf erhebt sich 0·8 M. über die Bodenlinie.

Der Wall zieht beständig durch Maisfelder und hat die Richtung O (100°, also mit 10° Abweichung nach S). Ich hatte darauf gehalten, gerade diese Stelle zu besuchen, um zu sehen, wie Wall und Chaussee bei ihrer Kreuzung sich zu einander stellen. Popowitsch berichtet [16]), dass der Wall von der Chausse durchschnitten

[11]) B. E. Distr. Doljiu Fol. 220.

[12]) B. E. Distr. Doljiu Fol. 253 u. 393.

[13]) Da die Berichte von Romanatzi in Odobescu's Aufsatz über diesen Distrikt herausgegeben sind, citiere ich den Druck: *Ann. soc. acad. Rom.* X 2 p. 187 Anm. 41. S. auch Anm. 40 Ber. aus Viisoara.

[14]) Odobescu a. a. O. p. 187 Anm. 39.

[15]) Odob. p. 185 Anm. 32.

[16]) Odob. a. a. O. p. 218 Popowitsch: „Es lässt sich bei dem Dorfe Greci mit Sicherheit erkennen, dass die Chaussee des Kaisers Trajan später angelegt ist als der Trojan, weil die Strasse durch die Schanze hindurchläuft, wo sie sich bei dem Dorfe Greci kreuzen."

werde, was sich heute nicht mehr constatieren lassen würde, da
die 1871 gebaute rumänische Chaussee, wie an vielen anderen
Stellen, so gerade auch hier auf die alte römische aufgelegt ist.
Popowitsch folgert aus jenem passiven Verhalten des Walles ein
höheres Alter desselben, ein Schluss, der sonderbarer Weise von
Odobescu [17]) angenommen und dahin präcisiert worden ist, dass
also der Wall vorrömisch sein müsse. Das ist indessen ein
Trugschluss. Wall und Chaussee können sehr wohl gleichzeitig
angelegt sein; wenn jener eine römische Grenze bildete, mussten doch
immer Wege offen bleiben, die den Verkehr mit dem Aussenlande
vermittelten; wie viele solcher Wallausschnitte, durch welche
Chausseen führten, sind nicht im germanischen Limes constatiert.
Ausserdem aber liesse sich auch denken, dass der Wall jünger sei
als die Chaussee, denn die letztere, deren gute Erhaltung noch heute
Staunen erregt, hat gewiss noch lange nach den Römern die Ver-
kehrsader im Alutathale gebildet und konnte daher absichtlich verschont werden, als man den Wall anlegte. Ein strikter Beweis wäre
aus der Kreuzung nur in dem einen Falle zu gewinnen gewesen, wenn
der Wall die Chaussee zerstört hätte, dann würde die letztere natürlich älter sein; so aber, wo die Chaussee den Wall unterbrochen
hat, bleiben nach wie vor alle Möglichkeiten offen.

Der Wall zieht zwischen Vladuleni und Greci durch gegen
die Aluta hin, überschreitet den Fluss und läuft drüben zunächst
durch die Gemeinde Coteana (österr. K. Kotiana), aus welcher ein
Bericht in der Enquête vorhanden ist [18]). Wahrscheinlich befindet
er sich nördlich vom Dorfe und hat schon hier die nordöstliche
Richtung eingeschlagen, in Folge deren er laut des folgenden Berichtes [19]) zwischen den Dörfern Catana und Mosteni gesehen wird.
Der dritte Gewährsort in diesem Distrikte, Urschoia [20]) (30 Kilom.
nordöstl. von Mosteni), führt ausdrücklich an, dass der Wall mit
dem einen Ende nach SW und mit dem andern nach NO gerichtet
sei. Alle drei Berichte erwähnen, dass der Wallaufwurf gegen
Süden (der Graben also im Norden) liege.

Der Wall muss in seinem weiteren Laufe die äusserste Nord-
westspitze des Distrikts Teleorman abschneiden. Eine Nachricht

---

[17]) Odob. a. a. O. p. 187.
[18]) B. E. Distr. Oltu Fol. 487.
[19]) Aus Mierlesci B. E. Distr. Oltu Fol. 482 v.
[20]) B. E. Distr. Oltu Fol. 493.

bekommen wir erst wieder aus dem Dorfe Negraschi[21]) (österr. K. Adunatzi Negrasi) im Distrikt Argesch. Der Wall soll hier ½ Kilom. nordöstl. vom Dorfe in einem Thale gegen 200 M. lang sichtbar sein. Es wird hinzugefügt, dass er von Osten nach Westen laufe und die aufgeworfene Höhe gegen Süden liege.

Kaum 15 Kilom. weiter gegen NO hin, werden wir dagegen aus drei nahe bei einander liegenden Dörfern, Morteni, Greci und Punta de Greci[22]), wieder aufs Sicherste orientirt. Aus Morteni wird geschrieben, dass der Wall von SW herziehe, aus Punta de Greci und Greci, dass er gegen Süden aufgeworfen sei, und aus allen dreien, dass er Brazda lui Novac heisse. Nicht weit von diesen Ortschaften, 8 Kilom. nördlich von Morteni, befindet sich auch „der Markt Petroja", den Sulzer sich als am Wall liegend hat nennen lassen.

Mit dieser Feststellung des Walles bei Morteni, Punta de Greci und Greci endet aber auch Alles, was ich über den Lauf der Linie mit Sicherheit habe ermitteln können. Wir befinden uns hier 60 Kilom. westnordwestlich von Bukarest. Sulzer berichtet von einem Weiterlauf über Tirgowischte, Ploiesci, Buzeu bis an den Sereth (*Maxineni*); das ist dasselbe, was man noch heute in jenen Gegenden von den Bauern — denn nur diese wissen überhaupt vom Wall — erzählen hören kann. Dass es Conjectur ist, geht schon daraus hervor, dass immer nur die grössten Orte genannt werden, die in der bisher verfolgten Richtung nach Osten liegen. Allerdings ist es ja die natürlichste Conjectur, die man machen kann, und ich habe nicht verfehlt, an verschiedenen Punkten jener vermuthlichen Fortsetzung nach thatsächlichen Anhaltspunkten zu suchen.

Die Enquête berichtet über ein 134 M. langes Wallstück bei dem Orte Lipia[23]), 34 Kilom. nördlich von Bukarest, wo auch auf der österr. Karte die Beischrift „La Santz" (bei der Schanze) sich findet. Dessen Zugehörigkeit zu unserem Walle ist indessen zweifelhaft, denn es führt nicht wie jener immer den Namen Novaksfurche, sondern heisst einfach „die Schanze"; auch soll die aus

---

[21]) B. E. Distr. Argesch Fol. 281.

[22]) B. E. Distr. Dambovitza Fol. 148. 150. 147.

[23]) B. E. Distr. Ilfov, Com. Lipia - Bojdani (österr. K. Bosduni) Fol. 54: „Schanze, nördlich vom Dorfe, von Westen nach Osten laufend in einer Länge von 60 Stj. (= 134 M.). Der Boden zeigt sich nach beiden Seiten hin aufgeworfen. Breite 6 Stj. (13·38 M.), Tiefe ½ Stj. (1·12 M.)".

dem Graben ausgehobene Erde nach beiden Seiten aufgeworfen sein. An diesem Orte bin ich nicht gewesen. Dagegen habe ich weiter östlich in der Gegend von Buzeu nach verschiedenen Richtungen hin Ausflüge gemacht. Nach einer persönlichen Mittheilung Herrn Al. Odobescu's sollte der Wall bei Petroasa, 20 Kilom. westsüdwestlich von Buzeu vorbeiziehen. Ich ging hin, konnte aber nur in Erfahrung bringen, dass in der Gegend weder Wall, Trojan noch Schanze oder Brazda bekannt sei. Der Director des Buzeuer Gymnasiums, Herr B. Jorgulescu, der den ganzen Distrikt Buzeu auf Alterthümer durchreist hat, sprach mir dann von einem bei Gura Nischcovului (12 Kilom. nordwestl. von der Stadt) befindlichen und Tartarenschanze genannten Walle, derselbe sei indess nur etwa 3 M. breit und ziemlich kurz [24]).

Ein sehr hoch erhaltenes und in mancher Beziehung interessantes Wallstück fand ich dann aber in Folge einer Notiz der Enquête am Südufer des Buzeuflusses bei dem Dorfe Sutzesci [25]), in der Mitte zwischen Buzeu und Braila. Der in seiner Hauptrichtung nach NO fliessende Buzeu macht hier eine viereckige Ausbiegung nach links (NW). Der hohe Rand des rechten Ufers tritt in ebenfalls viereckiger Form in diese Bucht hinein, aber nicht ganz bis an den Fluss vor, da dieser bei Ueberschwemmungen offenbar viel von ihr weggefressen hat und sich daher in unmittelbarer Nähe nur von seichtem Sande begrenzt sieht. Auf der Basis nun jenes vorgestreckten Vierecks — das übrigens auf der österr. Gen.-Karte [26]) durch eine feine Terrainlinie sehr getreu wiedergegeben ist — hat sich ein Wall erhalten, der in der ganzen Umgegend nicht mehr

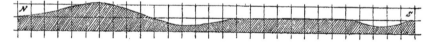

Fig. 7

existiert. Er hat die Richtung NNO, ist genau 900 M. lang und zeigt das in Fig. 7 dargestellte Profil. Der Aufwurf liegt im

[24]) Eine Notiz über dieses Wallstück findet sich in B. Jorgulescu's kleiner „Geographie des Distrikts Buzeu" p. 84 und lautet in der Uebersetzung: „Tartarenschanze (Santu Tatarilor). Eine lange Schanze in der Gemeinde Gura Niscovului, welche auf den waldigen Höhen von Mierea beginnt, herunterzieht, den Fluss Niscov überschreitet und die gegenüberliegenden waldigen Hänge von Filiti hinaufsteigt. Ihre Tiefe lässt sich wegen der Aufflössung nicht mehr feststellen; die Breite beträgt 3 M."

[25]) B. E. Distr. Braila Fol. 264.

[26]) Blatt P9 Galatz.

Westen, gegen den Fluss hin und erhebt sich auf 19 M. breiter
Basis 2·2 M. hoch über die Bodenlinie; auf ihn folgt ein 11·5 M.
breiter und 1·5 M. tiefer Graben, auf diesen sonderbarer Weise
noch eine 18 M. breite ebene Fläche, und der Abschluss der ganzen
Linie wird durch einen Graben bewirkt, der meist zwar sehr verwischt, an manchen Stellen aber doch noch 8 M. breit und 1 M.
tief ist. Dieses Erdwerk wird nicht nur, wie der Enquêtenbericht
angibt, „Trajanswall" (Valul lui Trajan), sondern, wie ich an Ort
und Stelle mir mehrfach sagen liess, gewöhnlich „Trajanschaussee"
(Sosea lui Trajan) und da, wo er an den Fluss stösst (im N),
„Trajansfurt" (Vadu lui Trajan) genannt. Das Volk erkennt also
in der Anlage eine Chaussee und in der That legt das Aussehen
der zwischen den beiden Gräben eingeschlossenen Fläche und der
völlig ebene Lauf des Ganzen eine solche Auffassung sehr nahe.
Mit dem vorher beschriebenen Walle der westlichen Walachei
scheint dies Stück nichts zu thun zu haben; die grössere Stärke
des Baues liesse sich zwar daraus erklären, dass bei einer so langen
Linie die Arbeit jedenfalls auf mehrere Ingenieure vertheilt war,
aber der Umstand, dass der Graben hier gegen Süden liegt, während er sich dort immer im Norden befand, ist doch wohl eine zu
starke Abweichung:

III

Ich komme jetzt zu einem Walle, der in den hiesigen Gegenden ziemlich bekannt[27]), durch seine Lage dicht bei Galatz eigentlich die meiste Veranlassung gegeben hat zu der Hypothese, dass
die walachische Brazda dorthin ausmünden müsse. Dieser Wall

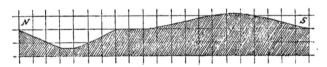

Fig. 8

beginnt am Sereth, 12 Kilom. oberhalb der Mündung des Flusses'
bei Alt-Serbesci (Serb. vechi), zieht von da gegen NNO (20°),
wendet sich aber nachher mehr gegen Osten und endet schliesslich
mit rein östlicher Richtung bei Tulucesci an der Nordostspitze

---

[27]) Auch auf der Handtke'schen Specialkarte von Rumänien in 6 Blättern
ist er angegeben.

des Bratesch-See's, 15 Kilom. nördlich von Galatz. Ich habe ihn zuerst gesehen auf der Höhe von Tulucesci, wo die neue Chaussee durchschneidet und ein Wirthshaus liegt, das officiell Monostireaska, im Volksmunde aber stets Trojan heisst. Das hier gemessene Profil (s. Fig. 8) zeigt einen Aufwurf, der sich auf einer Basis von 24 M. 2·5 M. hoch erhebt, nördlich davor zunächst eine Bärme von 4·5 M. Breite und dann einen scharf geschnittenen, 14 M. breiten und 2·7 M. tiefen Graben. Auf dem zwischen Wall und Graben freigelassenen ebenen Bodenstreifen läuft jetzt ein Fahrweg entlang. Am andern Ende des Walles bei Serbesci ist das Profil verwaschener (Fig. 9):

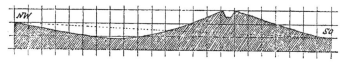

Fig. 9

die Bärme ist verschwunden, der Graben, der hier als Fahrweg benutzt wird, völlig ausgerundet. Das Terrain liegt im Westen 2 M. höher als im Osten; nach der somit schräg zu ziehenden Niveaulinie hat der Graben noch eine Tiefe von 2 M., der Wall eine Höhe von 3 M. Der Einschnitt, welcher in die Krone des letzteren gemacht ist, umgrenzt eine Viehweide.

Dieser Wall nun wird, wie in den Chroniken, bei Cantemir und bei Sulzer, so noch heute in der Phantasie der Bauern stets in Verbindung gebracht mit der langen walachischen Linie. Wenn dieselbe auch auf eine weite Strecke hin verschwunden sei, heisst es, so tauche sie doch bei Galatz wieder auf und durchziehe von da noch ganz Bessarabien. Trotzdem ich mir jedoch alle mögliche Mühe gegeben, am Südufer des Sereth, Serbesci gegenüber, eine Fortsetzung des Galatzer Walles zu finden, ein gutes Stück in's Land hinein und dann östlich bis Barbosch gegangen bin, konnte ich doch nicht das Geringste mehr entdecken. Ob demnach der von Turn-Severin ausgehende Wall mit dem Galatzer Stück etwas zu thun hat, ist ausserordentlich zweifelhaft, zumal da die neue Linie eine ganz andere Construction aufweist.

Ich bin dann auch nach Bessarabien hineingefahren und wollte die dortigen „Trajanswälle" begehen, erfuhr jedoch schon bei den Grenzbehörden derartige Unannehmlichkeiten, dass ich mich auf das allergeringste Maass der Besichtigung beschränken musste. Der Grenzcontroleur an der Pruthmündung, der in meinen russischen

Generalstabskarten den hinreichenden Beweis für meine Eigenschaft
als rumänischer oder österreichischer Spion sah, schickte sich sofort
an, mich verhaften und durch zwei Gendarmen nach Reni trans-
portiren zu lassen. Und ich wäre diesem Schicksale wohl auch
nicht entgangen — besonders da im ganzen Bureau nur Russisch
gesprochen wurde! — wenn nicht ein deutscher Arzt von Galatz,
der auch gerade über den Pruth kam, sich in's Mittel gelegt und
eine Vereinbarung herbeigeführt hätte. Ich wurde entlassen auf
das bestimmte Versprechen hin, dass ich mit der Bahn direct nach
Kischnew durchfahren und mich dort sofort bei der Polizei melden
wollte. Weitere Erkundigungen machten mir dann klar, dass man
ohne einen speciellen Erlaubnissbrief von der russischen Regierung
an eine Unternehmung, wie ich sie vorhatte, wohl nicht wird denken
dürfen.

Nun fährt die bessarabische Bahn aber ausserordentlich langsam, macht auf jeder Station eine halbe und bei Trojanski Val
neben Bolgrad sogar dreiviertel Stunden Aufenthalt. Somit hatte
ich hier Zeit, den Wall, der ganz dicht am Bahnhof liegt, zu besuchen, zu messen und noch bis auf die nächste Anhöhe zu verfolgen. Die Bahn schneidet die Walllinie dreimal: indem sie zuerst
von Reni aus gerade nach Norden hinaufläuft, dann nach Süden
zurückbiegt, schliesslich aber, und das ist bei Bolgrad, wieder in
ihre nördliche Hauptrichtung einlenkt. Ich hatte den Wall daher
schon vor jenem Stationsaufenthalt im Vorbeifahren gesehen und
dort bemerkt, dass er genau dieselbe Anlage zeigt, wie das Galatzer
Stück: dieselbe Stärke, dieselbe Lage des Grabens gegen Norden
und, was das Charakteristischste ist, sogar dieselbe freigelassene
Fläche zwischen Wall und Graben. Bei der Station Trojanski Val

Fig. 10

ist das Profil viel verwischter, ähnlich dem des moldauischen Stücks
bei Serbesci; es zeigt einen 1·7 M. hohen Wall und 1·5 M. tiefen
Graben nördlich davor, die Gesammtbreite der Anlage beläuft sich
auf 39 M. (Fig. 10).

Der zweite bessarabische Wall, der weiter nördlich von
Leowa bis Bender zieht, ist viel schwächer gebaut. Ich habe denselben zwar nur aus dem Wagenfenster gesehen, aber, da der Zug

sich zur Feier des Ostertages ganz processionsmässig fortbewegte,
doch lange genug beobachtet, um seine grosse Aehnlichkeit mit
dem kleinen Erdwalle der Dobrugea feststellen zu können, von dem
er sich nur dadurch unterscheidet, dass sein Graben im Norden liegt.

An Wällen habe ich jetzt nur noch einen in der südlichen
Walachei von der Aluta aus gegen Giurgiu ziehenden und zwei
ganz kleine oben in der Moldau zu verzeichnen. Auf den ersteren
stiess ich in Folge mehrerer Angaben der Enquête, die eine Brazda
lui Novac an Ortschaften gesehen haben wollten, die der von Cantemir und Sulzer erwähnte Wall unmöglich berühren konnte. Der
Besuch der betreffenden Gegend ergab dann, dass thatsächlich zwei
Schanzen vorhanden sind.

Diese zweite „Novaksfurche“ beginnt bei dem Dorfe Vaspesci [28]),
circa 50 Kilom. oberhalb der Alutamündung. In dem breiten Thale
dieses Flusses ist nichts vom Walle sichtbar, die erste Spur zeigt
sich auf dem weit nach Osten zurückgedrängten Rande des Plateaus,
gleich hinter der Serpentine, die von den Thaldörfern aus in einer
breiten Schlucht hinaufführt. Der Wall zieht hier durch unab-
sehbare Maisfelder und ist daher so verwischt, dass sich kaum
entscheiden lässt, an welcher Seite der Graben lag. Seine Erhebung
beträgt im besten Falle 0·5 M., und die Senkung scheint bald auf
der einen, bald auf der andern Seite stärker zu sein. Es wäre
desshalb nutzlos, eins von den Profilen, die ich dort aufgenommen,
wiederzugeben. Der Wall zieht direct gegen NO und läuft zunächst
durch die Gemeinde Calinesci [29]), wendet dann aber gegen Osten
und weiter sogar gegen Südosten um und ist so besonders einige
Kilometer südlich von Roschi de Vede [30]) in sehr wohl erhaltenem

Fig. 11

Zustande sichtbar. Das Profil, das ich hier gemessen habe (siehe
Fig. 11) zeigt einen 1·2 M. hohen Aufwurf, dem gegen Süden

[28]) Dasselbe ist auf der österr. Gen.-Karte nicht angegeben, es liegt 2 Kilom.
südlich von den dort verzeichneten Ghilmei und Sbrincenata. Bericht aus Vaspesci-
Birsesci B. E. Distr. Oltu Fol. 473.

[29]) Auch dieses Dorf fehlt auf der österr. Gen.-Karte, es liegt etwa 5 Kilom
nordöstl. von Sbrincenata, südlich von Soaka leci.

[30]) Bericht aus diesem Orte B. E. Distr. Teleorman Fol. 406.

hin ein 1·5 M. tiefer Graben folgt. Die ganze Anlage ist 28 M. breit. Der Wall setzt seinen Lauf noch eine Strecke weit in südöstlicher Richtung fort, zieht auf der Höhe neben dem Dorfe Peretu entlang, wie die Enquête berichtet und mir auch der Gemeindevorsteher jenes Dorfes, den ich in Roschi traf, bestätigte, muss aber wohl bald darauf den Vede - Fluss überschreiten. Für eine längere Strecke fehlen dann zwar die Nachrichten, aber bei Ciolanu-Pangal und Frasinu, etwa 20 Kilom. nördlich von Giurgiu, treten sie wieder ein[31]). Da Frasinu schon unmittelbar am Rande des Donauthales liegt, da wo die Seitenarme, Sümpfe und Seen beginnen, dürfen wir wohl annehmen, dass der Wall hier sein Ende erreichte.

Auf die obere Moldau hatte ich besondere Hoffnungen gesetzt, indem ich dort die Fortsetzung der um den Nordwestrand Siebenbürgens laufenden Befestigungslinie zu finden erwartete. Ich habe indess nur zwei kurze Wälle feststellen können, die beide in nord-nordöstl. Richtung laufen. Der erste davon war in der Enquête erwähnt[32]) und befindet sich 20 Kilom. nördlich von Jassy. Er beginnt oberhalb des Dorfes Sorca am Pruth, vor dem auf der österr. Karte angegebenen Wäldchen, und zieht von da quer über die Niederung bis an den Fluss Jijia, in gerader Richtung gegen das Dorf Papricani. Jenseits des Flusses ist nichts mehr zu entdecken. Die Profile, welche ich am Anfang und am

Fig. 12

Ende gemessen, sind einander ziemlich gleich. Fig. 12 stellt das in der Nähe des Pruth aufgenommene dar. Die Länge des ganzen Walles, der den Namen „Trojan" führt, beträgt 5 Kilom.; ein Bauer behauptete freilich, derselbe setze sich drüben über den Pruth hin fort; man kann aber auf solche Aussagen wenig geben, und da der Pruth die russische Grenze bildet, zog ich es vor, nicht hinüberzugehen.

Das zweite Wallstück fand ich nach einer Bemerkung in Popowitsch's Tagebuche, 25 Kilom. nordöstlich von Botoschani, bei dem Dorfe Dangeni. Dasselbe ist ausserordentlich verwischt,

[31]) Bericht aus Stoinesci B. E. Distr. Vlasca Fol. 447ᵛ.

[32]) B. E. Distr. Jassy, Com. Sculeni Fol. 285ᵛ und Carniceni Fol. 303.

zeigt nur eine leichte Schwellung des Bodens, aber eigentlich gar
keinen Graben (Fig. 13); der Wall heisst ebenfalls Trojan. Er
beginnt wenige Minuten von dem Gutshofe der Familie Mavrocordat,
zieht über eine kleine Anhöhe hin, dann durch eine Senkung und
abermals über eine Anhöhe und verliert sich nach 3 Kilom. vor
dem Hügel, welcher Dangeni und Hanesci scheidet. Jenseits von
Hanesci, bei Barole, soll er indess wieder bis zum Pruth hin sicht-

Fig. 13

bar sein. Damit würden 20 — 25 Kilom. gesichert werden. Ich
habe diese Stelle nicht aufgesucht, sondern wandte mich nach Süden,
um vielleicht nach dem Sereth zu eine Fortsetzung zu finden. Aber
alle Streifereien, die ich in jener Gegend mit dem Gutsbesitzer von
Sokrugeni (7 Kilom. südsüdwestl. von Dangeni) unternahm, waren
vergeblich.

Die Notiz Popowitsch's[33]) liess mehr vermuthen. Ich will
dieselbe hier in der Uebersetzung anfügen. Wenn auch Manches
darin offenbar nur vom Hörensagen stammt, so ist doch Anderes
von dem weit umhergekommenen Ingenieur jedenfalls selbst gesehen
und kann künftiger Nachforschung als Handhabe dienen. Dass
Popowitsch den Wall noch in besserem Zustande oder an anderen
Stellen sah als ich, beweist seine Bemerkung, die Erde sei gegen
Mitternacht aufgeworfen. Der ganze Abschnitt lautet: „Der Wall
oder Trojan der oberen Moldau hat den Erdaufwurf gegen Mitternacht, also gegen die Berge und Wälder. Dieser Trojan, indem er
einerseits von der Jijia aus nach Osten läuft, zieht durch den
Distrikt Dorohoi, kommt an dem Gute Dangeni vorbei und bildet
die Grenzscheide zwischen Hanesci, Brateni und Foldesci (Distrikt
Botoschani, Amt Jijia)[34]); parallel mit dem unteren Trojan des
Distrikts Covurlui [bei Galatz] überschreitet er den Pruth und den
Dniester nach Osten hin und zieht über Camenitza weiter. Von

---

[33]) In Odobescu's Aufsatz über die Alterthümer des Distr. Dorohoi im
Monitorul official al Romaniei, Nr. 152, 13./25. Juli 1871.

[34]) Diesen Ort habe ich in jener Gegend nicht erfragen können, auch in
Frunzescu's *Dict. topogr.* ist er nicht angegeben. Es muss wohl ein alter, heute
geänderter und vergessener Name sein.

der Jijia abwärts in der westlichen Moldau sind nur einzelne Reste vom Trojan zu sehen, wie besonders diejenigen unterhalb des Gutes von Herrn Donici auf Cismanesci, ferner bei Trusesci auf dem Gebiete des Dreikönigsklosters (Trei - Erarchi) und noch an anderen Stellen.‟

IV

Wie die vorstehenden Besprechungen zeigen, sind Wälle und Schanzen in den hiesigen Gegenden ausserordentlich zahlreich. Es kann daher wohl mit Recht Zweifel erhoben werden, ob dieselben alle römisch seien, zumal wenn man bedenkt, dass auch in Ländern, die von den Römern nie betreten wurden, z. B. im Dniepergebiet bei Kiew, ferner durch Grosspolen, Schlesien und die Lausitz hin ähnliche Wälle sich finden sollen[35]). Die slavischen Völker scheinen solche Befestigungswerke geliebt zu haben, und dass auch schon die Barbaren, mit denen die Römer in Berührung kamen, sie kannten, beweist die Angabe des Tacitus[36]), nach der die Treverer in ihrem Kampfe gegen die Germanen eine Brustwehr durch ihr Gebiet zogen. Wir werden daher, um über die Entstehung unserer Wälle in's Klare zu kommen, nicht bloss die Römer als Urheber in's Auge zu fassen haben, sondern eben so gut die Dacier, die sich gegen jene vertheidigten, und nicht minder die vielen Nationen, welche nach den Römern den hiesigen Boden betraten, besonders die Germanenstämme, welche die ersten grossen Kämpfe der Völkerwanderung an der unteren Donau geliefert haben.

Sprechen wir zunächst von dem grossen walachischen Walle, der zwar nur bis zur Mitte der Walachei festgestellt werden konnte, aber sicherlich dort nicht im Leeren abbrach, sondern weiter nach Osten hin einen festen Anschluss finden musste. Dass er dies that, indem er am Buzeuflusse entlang bis zum Sereth lief, ist die gewöhnlichste und allerdings auch ansprechendste Vermuthung.

Dacisch kann der Wall nicht sein, sonst würde seine Vertheidigungsfront, der Graben, jedenfalls gegen Süden liegen. Auch römisch ist er schwerlich. Denn selbst in die zwei einzigen Perioden, denen er in diesem Falle angehören könnte, Anfang oder Ende der römischen Herrschaft in Dacien, passt er wenig.

---

[35]) Siehe die oben angeführte Stelle Miron Costin's und Schaffarik, Slav. Alterthümer I p. 520 f.

[36]) Tac. Hist. IV 37: *quin et loricam vallumque per fines suos Treveri struxere magnisque invicem cladibus cum Germanis certabant.*

Aus dem Anfang könnte er stammen, wenn er den Gebietstheil abgegrenzt hätte, den Trajan als Siegespreis·des ersten dacischen
Krieges einverleibte. Dieser Gebietstheil aber war jedenfalls nicht
die walachische Ebene, sondern das Banat von der Donau bis
nach Sarmizegethusa hinauf. In der Königsstadt des Decebalus
liess Trajan sein Heer zurück und bei Turn-Severin baute er zwischen dem ersten und zweiten Kriege die grosse steinerne Brücke.
Beide Punkte liegen ausserhalb unseres Walles.

Aehnlich steht es mit dem anderen Zeitpunkte. Die Römer
haben zwar um die Zeit Constantins des Grossen mehrfache Kriege
jenseits der Donau geführt[37]), aber gewiss nur, um die Grenze an
der Donau zu sichern, nicht um sie weiter nach Norden vorzu-
schieben.

Um so grösseres Gewicht bekommt daher eine Stelle des
Ammianus Marcellinus über den ersten Vorstoss der Hunnen
gegen die Gothen. Athanarich, vom Dniester vertrieben, zieht sich
zunächst in die *effugia montium praeruptorum*, wohl einfach die
hügelige Moldau, zurück und errichtet dann eine grosse Schanz-
linie, um die Feinde abzuwehren: *qua rei novitate maioreque venturi
pavore constrictus, a superciliis Gerasi fluminis ad usque Danubium
Taifalorum terras praestringens, muros altius erigebat: hac lorica
diligentia celeri consummata in tuto locandam securitatem suam existi-
mans et salutem*[38]). Der Gerasus kann nur der Hierasus des Ptolemaeus, also der Sereth[39]) sein, und wo die Taifalen wohnten, sagt
uns sehr deutlich derselbe Ammianus in der Erzählung eines
Krieges des Constantius gegen verschiedene Völkerschaften an der
Theissmündung[40]): nämlich Obermösien gegenüber, also im heutigen
Banat. Wenn daher die Schutzwehr Athanarich's „vom Rande des
Sereth bis ganz an die Donau, bis vor das Gebiet der Taifalen
hin" lief, so ist das genau die Linie unseres Walles.

---

[37]) S. z. B. Julian. Caesares p. 329 B.

[38]) Amm. Marc. XXXI 3, 7.

[39]) Ptol. III 8, 2 sagt, dass der Hierasus bei Dinogetia münde, er kann also
nicht den Pruth meinen, wie Einige angenommen haben, sondern nur den Sereth.
Was sonst in Betracht gezogen ist, entscheidet nichts.

[40]) Amm. Marc. XVII 13, 19 f.: *ad quos (Picenses) opprimendos Taifalorum
auxilium et Liberorum adaeque Sarmatarum adsumptum est. cumque auxiliorum agmina
locorum ratio separaret, tractus contiguos Moesiae sibi miles elegit; Taifali proxima
suis sedibus obtinebant, Liberi terras occupaverant e regione sibi opposita.* Siehe
auch XVII 13, 4 und Spruner-Menke, *Atlas antiquus* Karte XVI.

Es mag erstaunlich scheinen, dass die Gothen ein so riesiges Werk von 600 Kilom. Länge errichtet haben sollen. Aber wenn es nicht erstaunlich gewesen wäre, hätte es Ammianus wohl gar nicht erwähnt und seine Ausdehnung nicht so genau angegeben.

Dass Athanarich sich wirklich gleich nach seinem Zurückweichen vor den Hunnen in der walachischen Ebene festsetzte, beweist die bekannte Thatsache, dass mehrere westgothische Stämme, welche bisher jene Striche bewohnt hatten, von ihren östlichen Brüdern gedrängt, die Donau überschritten und den Kaiser Valens um Wohnsitze in Thracien baten[41]). Wir werden nicht umhin können, den walachischen Wall dem Ostgothenkönig und dem Jahre 376 n. Chr. zuzuschreiben.

Dieses Resultat wird allerdings von denjenigen, welche in allen Befestigungsresten der hiesigen Gegenden Römerwerke sehen möchten, als ein negatives empfunden werden. Aber auch diese negative Seite, die es neben seinem doch unbestreitbar sehr positiven historischen Werthe aufweist, ist ausserordentlich heilsam. Die Tradition hat hier einen so starken Zug, Alles zu romanisieren, dass es für die Erkenntniss des echt Römischen ein grosser Gewinn ist, wenn einmal etwas Unechtes mit Sicherheit ausgeschieden werden kann.

Wer weiss, ob nun auch im Banate Alles getreulich weiter für römisch gelten wird, was dort bisher dafür gegolten hat?

Jedenfalls mahnt uns das eben Erfahrene, in der Beurtheilung der übrigen oben beschriebenen Wälle sehr vorsichtig zu sein. Der in der Moldau bei Nicoresci vorbeiziehende sieht allerdings aus, als wenn er eine römische Chaussee gedeckt haben könnte. Er knüpft am Pruth an die bessarabische Linie an und erreicht den Sereth gerade da, wo der Trotusch einfliesst. Den Trotusch hinauf gelangt man aber geraden Weges zum Oitoschpass, dem bequemsten Uebergang nach Siebenbürgen, der ohne Zweifel auch in römischer Zeit schon fleissig benutzt wurde. Gooss zeichnete schon auf seiner Karte von Dacien[42]) in punktierter Linie eine Chaussee, die auf siebenbürgischer Seite zum Oitosch führte, und fand bald darauf bei Beretzk das Castell, welches den Ueber-

---

[41]) Amm. Marc. XXXI 3, 8 ff.

[42]) Studien zur Geographie und Geschichte des trajanischen Daciens, Schässburger Gymn. Progr. 1874.

gang gedeckt hat[43]). Diese ganze Linie könnte. identisch sein mit dem beim anonymen Geographen von Ravenna erwähnten Strassenzuge von Porolissum nach Tyras[44]). Von Porolissum zum Oitosch, den Trotusch hinunter, quer durch die Moldau zum Pruth und am bessarabischen Limes entlang bekämen wir die directeste Verbindung zwischen dem nördlichen Dacien und dem Schwarzen Meere.

Weiter könnte man dann vermuthen, dass diese moldauische Strasse die Grenzstrasse (*limes* im eigentlichen Sinne) gewesen sei, dass die Römer im Ganzen den Hierasus-Sereth als Grenze genommen hätten, wie Ptolemaeus es angibt, dass sie nur im Süden darüber hinausgriffen, soweit der Verkehr mit dem Pontus es nöthig erscheinen liess, und dass von der Linie, die als oberster Theil der Ostgrenze den Sereth mit der Dniesterbiegung verband[45]), vielleicht der Wall bei Botoschani ein Ueberrest sei, den Popowitsch viel weiter gesehen hat als ich.

Aber ich will diese Möglichkeit nur andeuten und nicht weiter ausführen, da mir, wie gesagt, der römische Charakter dieser Wälle zu zweifelhaft erscheint.

Römische Münzen werden sehr viel in der Moldau gefunden, aber so weit ich beobachten konnte nur Silber. So kamen vorigen Winter in Avramesci, 40 Kilom. östlich von Bacau, 88 Denare zu Tage, die jetzt dem Berlader Gymnasium geschenkt sind und von mir catalogisiert wurden. Es ergab sich folgende Zusammensetzung:

---

[43]) Arch.-epigr. Mitth. I p. 33 u. 113.

[44]) Beim Rav. IV 5 p. 177 f. ed. Pinder et Parthey steht zwar Phira in den Handschriften, da aber vom Schwarzen Meere die Rede ist und der Rav. von Namensverstümmelungen wimmelt, so wird zweifellos Thira (Tyras) zu schreiben sein. Die ganze Route lautet: Phira, Tirepsum, Iscina, Capora, Alincum, Ermerium, Urgum, Sturum, Congri, Porolissum, Certie. Gooss, Stud. p. 52 vermuthet in Iscina das Physce, in Capora das Harpis, in Ermerium das Hermonactus des Ptolemaeus III 10, 7.

[45]) Ptol. III 8, 2: ἀπὸ δὲ ἀνατολῶν (ἡ Δακία περιορίζεται) τῷ τε ἐντεῦθεν Ἴστρῳ ποταμῷ μέχρι τῆς κατὰ Διογέτειαν πόλιν ἐπιστροφῆς ... καὶ ἔτι τῷ Ἱεράσῳ ποταμῷ, ὃς κατὰ Διογέτειαν ἐκτραπεὶς ἀπὸ τοῦ Ἴστρου πρὸς ἄρκτους καὶ ἀνατολὰς φέρεται, μέχρι τῆς εἰρημένης τοῦ Τύρα ποταμοῦ ἐπιστροφῆς. Auch Jordanis nennt, wie mir scheint, den Hierasus als Ostgrenze von Dacien; denn in seiner Angabe (p. 26 Closs = 5, 33 p. 62 ed. M.) *ab africo vero magnus ipse Danubius, ab eoo Flutausis secat*, ist das thörichte *Flutausis*, das bisher im besten Falle in *fluvius Aluta* corrigiert wurde, doch wohl durch die einfache Verschreibung: Hierasus Flutausis zu erklären.

1 Nero, 2 Vitellius, 11 Vespasian, 8 Trajan, 14 Hadrian, 2 L. Aelius, 20 Antoninus Pius, 13 Faustina I, 12 M. Aurel, 1 Faustina II, 1 L. Verus, 1 Lucilla, 1 Commodus, 1 Sept. Severus. Auf meine Besprechung des Fundes in der Presse wurde im *Romanul* vom 10./22. Juni d. J. mitgetheilt, dass an demselben Orte vor mehreren Jahren 100 römische Silbermünzen und ein anderes Mal sogar 800 Stück (von welchem Metall, war nicht angegeben) gefunden und theils an Privatleute, theils ins Bukarester Museum gekommen seien. Leider wird aber im Bukarester Museum gar kein Provenienzregister geführt, so dass sich jene früheren Funde nicht mehr zusammenstellen liessen.

Zu den Wällen zurückkehrend, möchte ich nur noch für einen derselben, nämlich den bei Galatz, entschieden römischen Ursprung in Anspruch nehmen. Dieser zeigt, wie oben dargelegt wurde, genau die gleiche Construction wie die südliche bessarabische Anlage, stammt also augenscheinlich aus derselben Zeit und diente vermuthlich einem ähnlichen Zwecke. Beide jedoch als ein und dieselbe Linie zu betrachten verbietet der weite Zwischenraum am Pruth, den der Galatzer Wall bei Tulucesci erreicht, während der bessarabische erst 25 Kilom. weiter nördlich bei Vadu lui Issak beginnt.

Der bessarabische Wall war wohl sicher dazu bestimmt, die römische Pontusküste gegen das sarmatische Binnenland zu schützen; er begrenzte somit das Gebiet, das zwar keiner Provinz einverleibt, aber bekanntlich administrativ zu Untermösien gezogen wurde. Was dann das kurze Galatzer Stück bezweckte, ist, glaube ich, nicht minder klar.

Die Stadt Dinogetia, die von Ptolemaeus zu Niedermösien gerechnet wird und auf der Ptolemaeischen Karte auf dem rechten Donauufer verzeichnet steht, ist trotzdem mit Mommsen und Kiepert [45a] unbedingt auf das linke Ufer, an die Serethmündung zu verlegen, und das aus einer ganzen Reihe von Gründen. Zunächst wird die Stadt in der rechtsuferigen Chaussee der *Tabula Peutingeriana* nicht aufgeführt. Sie müsste zwischen Arrubium und Noviodunum genannt sein; für eine Corruptel liegt keinerlei Anzeichen vor, die Auslassung lässt sich also nur daraus erklären, dass sich thatsächlich auf dieser Seite kein Dinogetia befand. Ferner sagt Ptolemaeus, dass der Hierasus (Sereth) bei Dinogetia münde und

---

[45a]) C. I. L. III Karte II.

benennt das grosse Donauknie bei dem heutigen Galatz immer nach Dinogetia[46]); die Stadt muss also scharf an jener Biegung und dicht an der Donau gelegen haben. Für eine solche Lage bietet sich aber am rechten Ufer gar keine Möglichkeit, wegen der 5 Kilom. breiten Versumpfung, die der Fluss hier angerichtet hat. Und in der That sind auch zwischen Arrubium (Macin) und Noviodunum (Isaccea) durchaus keine Spuren einer einstigen Ansiedlung vorhanden.

Am gegenüberliegenden Ufer dagegen befindet sich, nördlich vom Einfluss des Sereth, ein grosser Ruinencomplex, der vom Volke Gertina oder Gergina genannt wird und der durch jede neue Spende uns der Gewissheit näher bringt, dass eben dort Dinogetia gestanden habe.

Ptolemaeus zählt Dinogetia zu Niedermösien. Die zwei Hauptinschriften, die bis jetzt aus Gertina veröffentlicht sind, zeigen beide, dass dieser Punkt des linken Ufers von drüben, von Niedermösien aus, seine Besatzung erhielt[47]), zur Zeit Trajans sowohl, aus der die erste, wie zu der des Marcus Aurelius, aus der die zweite stammt. Im Jassyer naturhistorischen Museum fand ich jetzt noch mehrere Gegenstände aus Gertina, die fast 40 Jahre in einem Kellerwinkel versteckt gewesen und zufällig vorigen Herbst hervorgezogen waren. Ausser ein paar unbedeutenden Inschriftenfragmenten und einer Lampe waren das zwei Ziegel mit dem Stempel: COH·II·WV·II·[48]) und ein dritter von der *leg. V Mac.*; ferner aber, sehr merkwürdig, ein halbes Dutzend griechischer Lekythen, darunter zwei schwarzfigurige, mit der gleichen Darstellung eines zum Abfahren bereiten Viergespanns. Der Krieger auf dem Wagen hat die Zügel ergriffen, vor den Pferden steht ein Mann mit erhobenem Stabe, hinter ihnen ein anderer leierspielend. Daneben fiel mir noch die hübsch gearbeitete, wenn auch sehr verwaschene, 12 Cm. hohe Terracottafigur eines bärtigen Mannes auf, der mit gesenkten Armen in ein langes Gewand gekleidet ist. Ich wollte nicht glauben, dass diese Dinge aus Gertina stammten, aber Herr Prof. Beldiceanu, der mich führte, versicherte, dass nie etwas nach Jassy gekommen sei ausser von dort und zeigte mir nachher in seiner Wohnung die ganz gleiche

---

[46]) Ptol. III 8, 2; 10, 1.

[47]) C. I. L. III 777 (s. Mommsen's Anm. dazu) u. 778.

[48]) Die C. I. L. III 785, 2 nach Vaillant wiedergegebene Lesung ist danach zu corrigieren.

Thonfigur und eine rothfigurige Lekythos mit einer Bacchantin darauf, die er erst vorigen Herbst selbst aus jenen Ruinen mitgebracht hatte.

Es geht daraus hervor, dass der Ort an der Serethmündung schon in sehr früher Zeit griechischen Import erfuhr und jedenfalls den Handel der Pontusstädte mit dem Binnenlande vermittelte. Vielleicht war er sogar von dort aus colonisiert, die griechische Färbung des Namens Dinogeteia legt eine solche Annahme nahe. Und besonders wenn man bedenkt, dass das direkte Hinterland von Kallatis, Tomi und Istropolis die dürre Dobrugea war, dass die Hauptproducte des Landes ebenso wie noch heute tiefer aus dem Innern geholt werden mussten, so erscheint die Errichtung einer Handelsstation an dem Punkte, wo Moldau und Walachei beginnen, geradezu als Nothwendigkeit.

Die Römer mussten einen so wichtigen Posten natürlich occupieren, sobald die Pontusküste und Niedermösien in ihre Hand kamen. Das geschah im Jahre 57 n. Chr. Dacien war damals noch Barbarenland. Das einverleibte Gebiet von Dinogetia musste also nach Norden hin geschützt werden, und als diese Schutzlinie möchte ich den uns erhaltenen Wall betrachten. Derselbe würde damit die eigentliche Grenze der Provinz Niedermösien bilden.

V

Die Berichte der Bukarester Enquête und eigene Nachforschungen an Ort und Stelle führten mich zur Feststellung einer bisher unbekannten, aber allem Anscheine nach römischen Chaussee, in der grossen Walachei. Dieselbe beginnt bei Flamanda an der Donau, 10 Kilom. östlich von der Alutamündung, und zieht direct nördlich über Putineu, Adincate nach Roschi de Vede. Bis hierher habe ich sie selbst verfolgt. Sie heisst ebenso wie die westlich von der Aluta laufende Drumul lui Trajan, „die Trajansstrasse", oder auch einfach „Trojan", ist 11 M. breit und erhebt sich gewöhnlich 0·3 bis 1 M. über den Boden. Die Bedeckung mit Grand, die die rechtsufrige Römerstrasse überall kenntlich macht, fehlt hier; wohl deshalb, weil der Fluss, der die Fundgrube für jenes Material abgab, zu weit entfernt liegt. Dafür aber wissen die Bauern und auch die Enquêteberichte überall zu erzählen von der röthlichen Thonerde, die besonders bei Regenwetter auf der Chaussee zu Tage trete. Sie versichern, dass bei gelegentlichen Grabungen noch compacte Ziegelstücke hervorgezogen würden, und dass der

ganze Weg daher einst mit Ziegeln gepflastert gewesen sein müsse.
Es würde das seine Analogie finden in der Art, wie man noch
heute in Gegenden, die über kein natürliches Hartmaterial verfügen,
z. B. im Oldenburgischen, Chausseen aus Ziegeln, die auf die hohe
Kante gestellt werden, baut.

Die Strasse zieht von Roschi de Vede über Scrioschte[49]) und
Cucuetzi[50]). Dann werden die Nachrichten spärlich. Erst 40 Kilom.
weiter bei Urlueni[51]), kurz vor dem Eintritt in den Distrikt Argesch
macht sie wieder von sich reden und setzt dann ihren Weg jedenfalls immer direkt nach Norden fort. Eine Urkunde des walachischen Fürsten Constantin Brancovan spricht, wie Popowitsch angibt[52]), von einem „Trojan" bei Godeni in der Nähe von Campolung. Das wird wohl unsere Chaussee sein, denn allen Anzeichen
zufolge zog dieselbe nach Campolung, wo die neuesten Grabungen
ein römisches Lager wahrscheinlich gemacht haben. Herr Butcu-
lescu in Bukarest soll daselbst Ziegel mit lateinischer Cursivschrift
gefunden haben, deren Publication Herr Prof. Tocilescu vorbereitet.

Sodann habe ich zu der in früherer Zeit oft besprochenen
Brückenfrage von Celei in rumänischen Quellen mancherlei Neues
und Interessantes aufgefunden. Dass die grosse Trajansbrücke,
welche Dio Cassius beschreibt[53]), nicht bei Celei, sondern bei Turn-
Severin gestanden hat, ist zwar von Aschbach[54]) sicher erwiesen
worden; aber der löbliche Eifer, dieser Wahrheit Geltung zu verschaffen, hätte ihn nicht bis zu der Behauptung führen sollen,
dass bei Celei überhaupt gar keine steinerne Brücke existiert habe.
Schon Popowitsch berichtet[55]), dass die Steintrümmer vom Brückenbau in grosser Menge oberhalb Celei umherlägen, dass der Brückenkopf des bulgarischen Ufers an der rechten Seite der Iscrusmündung
sichtbar sei und dass die Bevölkerung die Brücke „die eherne"
nenne, weil ein grosser, 3 Fuss langer, viereckiger, an den Enden
umgebogener Bronzekrampen, der zur Verbindung des Steinwerks

---

[49]) B. E. Distr. Teleorman Fol. 422.

[50]) B. E. a. a. O. Fol. 406.

[51]) B. E. a. a. O. Fol. 512.

[52]) *Trompetta Carpatilor* Nr. 869 12./24. Nov. 1870 „die Urkunde Constantin
Brancovan's (4. März 1205), für den Gutsbesitzer Radu Golescu auf Godeni aus-
gestellt, spricht von dem Trojan, der sich auf dem rechten Ufer des Baches Bugea
befinden soll".

[53]) Dio Cass. LXVIII 13 f.

[54]) Aschbach, Ueber Trajans steinerne Donaubrücke, Wien 1858.

[55]) Bei Odobescu *Ann. soc. acad. Rom.* X 2 p. 216.

gedient habe, in der Donau gefunden wurde. Im Jahre 1872 hat dann Bolliac [56]) „an der linken Seite der Brücke, da wo dieselbe zur Chaussee — d. i. zur Alutastrasse — hinaufsteigt“, gegraben, ist nach Auffindung von Ziegeln und Statuenfragmenten auf ein 3·2 M. breites, 1 M. tiefes und 1 M. dickes Mauerstück gestossen, das aus grossen behauenen Steinen, Cement und Ziegeln zusammengesetzt war, und hat aus diesem die Arch.-epigr. Mitth. III p. 41 publicierte, dem Commodus gewidmete Inschrift hervorgezogen. Wenn Bolliac Recht hat, jenes Gemäuer als zum Brückenkopf gehörig zu betrachten, so würde sein Fund allerdings beweisen, dass die Brücke aus spätrömischer Zeit stammt. Und sie könnte dann sehr wohl mit derjenigen identisch sein, welche Constantin der Grosse über die Donau schlug [57]). Die Münzfunde von Celei weisen ganz auffällig darauf hin, welch starker römischer Verkehr in der Zeit von Constantin ab in dieser Gegend war. So berichtet Laurian [58]) über einen Besuch in Celei (1846): „Es werden hier sehr viele antike Münzen gefunden, ich kaufte von den Bauern gegen 200 Stück, meist Bronze, sehr wenig Silber. Aber was am meisten Beachtung verdient, ist, dass der grössere Theil davon Constantine, Constanze, Juliane und Joviane sind; neben ihnen finden sich immer auch ältere, aber seltener.“

Und ganz ähnlich Bolliac [59]) (1869): „In meinen mehrfachen Ausgrabungen (in Celei) fand ich viele Bronze- und einige Silber·münzen, besonders immer aus zwei Epochen: von Septimius Severus bis Alexander Severus und von Constantin bis Gratianus; sehr wenige aus der früheren Zeit und diese ganz verwischt.... Die Münzen von Constantin bis Gratian sind hier im Ueberfluss und hier war es auch, wo vor drei Jahren die 6000 Silberstücke aus jener Periode gefunden wurden.“

Selbst bis nach Recica (Romula) hinauf, 50 Kilom. vom Donauufer entfernt, lässt sich der lebhafte Verkehr jener späten Zeit verfolgen. Bolliac sagt [60]), dass dort „Münzen aus den beiden Epochen von Septimius Severus bis Aurelian und wieder von Constantin bis Honorius gefunden werden.“

---

[56]) Trompetta Carpatilor Nr. 1010 20. Aug./1. Sept. 1872, wieder abgedr. bei Odobescu a. a. O. p. 244 f.

[57]) Siehe die Literatur bei Aschbach p. 23 Anm. 3.

[58]) Aus dem *Magazinul istor. pentru Dacia* II wieder abgedruckt bei Odobescu a. a. O. p. 219.

[59]) Aus dem *Monit. off.* 1869 Nr. 222 f. abgedr. bei Odobescu a. a. O. p. 241.

[60]) In demselben Artikel, bei Odobescu p. 262.

Von regelrechten Ausgrabungen in Celei, von dem wir noch nicht einmal den römischen Namen wissen, und besonders auch in Recica ist noch viel Aufschluss über die Geschichte Daciens zu hoffen. In Recica, dem ich zusammen mit Hrn. Dr. v. Domaszewski einen flüchtigen Besuch abstattete, fanden wir die Bauinschrift der römischen Festung, welche die schon mehrfach ausgesprochene Vermuthung, dass dort Romula zu suchen sei, endgültig bestätigt. Die Inschrift ist stellenweise sehr verwischt, in den ersten neun Zeilen konnte nur der Name des Kaisers *M.* (*Jul. Philippus*), nebst dem des Sohnes *M. Jul.* (*Philippus*) und seiner Gemalin *Otacilia* festgestellt werden. Die letzten drei Zeilen aber sind völlig klar, sie lauten: *ob tutelam civit(atis) coloniae suae | Romul(ensium) circuitum muri manu | militari a solo fecerunt.* Hoffentlich wird das vielfach interessante Stück, das jetzt in die Obhut des Herrn Prof. Tocilescu in Bukarest gekommen ist, bald ganz publiciert.

Ich bin durch diese Entdeckung veranlasst worden, die von der *Tabula Peutingeriana* genannte Chaussee Drubetis - Romula-Apulum in einer Hinsicht anders zu ziehen, als es bisher üblich war. Ich habe dieselbe nämlich von Drubetis über Amutria Pelendova Castra nova in gerader Linie bis Romula durchgeführt, während man sie bisher zwischen Castra nova und Romula im spitzen Winkel den Umweg über Celei machen liess. Von Drubetis bis Castra nova sind im Ganzen 91 m. p. = 136·5 Kilom. angegeben; Castra nova muss also gleich hinter Craiova liegen. Von da bis Romula sollen nach der *Peutingeriana* LXX m. p. sein. Diese Zahl wird allgemein für 70 gelesen und würde also 105 Kilom. ausmachen. Das wäre für die directe Entfernung der beiden Orte zu viel und deshalb kam man eben auf jenen Umweg über Celei. Aber für diesen Umweg ist es wieder unbedingt zu wenig: selbst wenn man Castra nova etwa nach Cacaletzi setzen wollte — wie Gooss thut[61]) — was schon sehr weit über Craiova hinaus wäre, würde noch die Luftlinie bis Celei und von da nach Recica mehr betragen als jene 105 Kilometer. Und gesetzt, die Chaussee wäre wirklich so gelaufen, wäre es dann wohl denkbar, dass sie die Station bei Celei, die nach den dort befindlichen Ruinen und nach ihrer einzigen, aber vielversprechenden Inschrift[62]) vielleicht der

---

[61]) Gooss, Studien etc., Schässburg 1874 p. 42.
[62]) Die oben erwähnte des Commodus. Siehe Hirschfeld Arch.-epigr. Mitth. III p. 41.

wichtigste Ort im ganzen südlichen Dacien war, gar nicht erwähnt hätte?

Man hat sich diese Schwierigkeiten nicht verhehlt und desshalb eine stärkere Verderbniss jener Stelle der *Peutingeriana* angenommen [63]). Aber ich glaube, die Frage lässt sich durch eine kleine Correctur vollständig lösen und diese dürfen wir jetzt getrost wagen, da wir über die Lage von Romula völlig im Sicheren sind. Das Zeichen, womit die *Peutingeriana* die Entfernung zwischen Castra nova und Romula angiebt, ist eben nicht als 70 zu lesen. Sie hat für die Zahl 50 sonst immer ein langes L, das ganz anders aussieht als jener curiose Haken vor XX. Ich vermuthe in diesem Haken einfach den Rest eines X. Die 30 m. p. = 45 Kilom., die so entständen, würden für die directe Entfernung von Castra nova nach Romula vortrefflich passen. Es wäre auch ganz unbegreiflich, wenn von dem recht bedeutenden Romula kein directer Weg nach dem Westen hin existiert hätte. Dass aber das Chausseestück von Romula nach Celei auf diese Weise auf der *Peutingeriana* nicht erwähnt war, darf uns nicht wundern: gab es doch gar mancherlei Strassen in Dacien, wie z. B. die grosse an der Marosch entlang [64]), oder die eben beschriebene von Flamanda hinauf, von denen sich auf jener Karte keine Spur findet.

Ja, gleich neben der von Romula nach Celei führenden lief von derselben Stadt aus noch eine Strasse dicht am Alutaufer nach Islaz hinunter, die auch auf der Peutinger'schen Karte nicht verzeichnet steht, über deren Vorhandensein uns aber die Enquêteberichte [65]) aus den Dörfern Recica, Farcasch, Stoinesci, Slaveni, Gostavetzi, Scarischora völlig vergewissern.

---

[63]) Mommsen im C. I. L. III p. 252: *Peutingeranae itinera per eas partes perplexa sunt et turbata.*

[64]) Gooss, Stud. p. 45.

[65]) Gedruckt bei Odobescu a. a. O. p. 182 f., Scarischora aus den Reisenotizen Dem. Sturdza's p. 232.

Epureni   C. SCHUCHHARDT

Das Amphitheater zu Aquincum *)

(Zu Band VIII Taf. IV)

Im Herbste des Jahres 1880 beschloss die Commission für Kunstdenkmäler, auf dem sogenannten Schneckenberge, in der Nähe der nördlich von Altofen gelegenen Krempelmühle Ausgrabungen vorzunehmen. Schon die ersten Versuche lieferten den Beweis, dass unter dem Schneckenberge das Amphitheater der Stadt Aquincum verborgen lag. In jener ersten Campagne wurden jedoch nur die nördliche Hälfte, sowie die unmittelbar an die Thore anstossenden Theile der südlichen Hälfte aufgedeckt. Obwohl das hervortretende Grundwasser die vollständige Blosslegung des Bodens der Arena verhinderte, so liessen sich doch die Masse mit Sicherheit feststellen. Die Länge der grossen Axe in der Richtung vom Westthore (K) zum Ostthore (I) gerechnet, beträgt 53·36 M., die Länge der kleinen Axe von der Kammer 2 zu Kammer 5 beträgt 45·54 M., der Flächeninhalt 1908·53 Quadratm.

Ein tiefer Einschnitt vor der Kammer 2 lieferte den Beweis, dass der Boden der Arena aus festgestampftem Mergelthone bestand, welcher mit einer Schichte von Kieselsand überzogen war.

Die Arena war ringsum von einer circa 0·7 M. dicken Mauer umschlossen (A, I, G, H, K, B). Diese Mauer erhob sich auf einem Fundament aus Bruchsteinen, welches in dem schon genannten Einschnitte vor Kammer 2 zu Tage trat, und bestand aus zwei Theilen, einem äusseren Ringe von 0·38 Br. aus Bruchsteinen, die durch Kalkmörtel verbunden waren, gebaut, und einem inneren aus Steinquadern von 0·32 Dicke und verschiedener Länge, welche in Schichten von gleicher Höhe übereinander lagen. Die Höhe dieser Mauer betrug an der best erhaltenen Stelle der Bruchsteinmauer 2·57. Diese Podiummauer wurde durch Decksteine von 0·6 H., 0·59 Br. und wechselnder Länge gekrönt. Die oberste Schichte des inneren Ringes der Podiummauer scheint 0·15 unter diesen Decksteinen hervorgeragt zu haben. Demgemäss betrug die Höhe der Podiummauer mit den Decksteinen, die zugleich als Schranken für die Cavea dienten, 3·17.

---

*) Nach Torma Károly. Az Aquincumi Amphiteatrum éjszaki fele (der nördliche Theil des Amphitheaters von Aquincum). Budapest 1881. Der Auszug beschränkt sich im Wesentlichen auf eine Erläuterung des Grundrisses. — Die im Amphitheater gefundenen Inschriften sind nach derselben Monographie abgedruckt in dieser Zeitschrift VII S. 93—98.

Fast auf allen Quadern der Podiummauern, sowie auf diesen Decksteinen sieht man Spuren einstiger Malerei und zwar einer wiederholten Bemalung. So folgen Schichten von pompejiroth, weiss, blassgrün, blassgelb und zuletzt wieder pompejiroth.

An den nördlichen Theil der Podiummauer sind drei Kammern angebaut (1, 2, 3). Die Entfernung der Mitte des Ostthores (I) von der Mitte der Thür der Kammer 1 beträgt im elliptischen Bogen der Podiummauer gerechnet 19·26; die Entfernung der Mitte der Thüren der Kammern 1 und 2 19·09; die ebenso bestimmte Entfernung der Kammern 2 und 3 18·62 und endlich die Entfernung der Kammer 3 von der Mitte des Westthores (K) 19·86. Die Kammer 1 ist im Lichten 2·43 br. und 2·7 tief; die Thüre ist 0·57 breit, die Dicke der Mauern beträgt 0·6, die höchste erhaltene Höhe 1·54.

Die Breite der zweiten Kammer misst im Lichten 3·26, die Tiefe 2·8, die Thüre ist 0·48 br. Die Mauer ist ebenfalls 0·6 breit und die höchste erhaltene Höhe beträgt 2·52. An der Rückwand befindet sich eine zweite Thür, welche 1·11 br. ist. Die Schwelle dieser Thür liegt höher als der Boden der Kammer, zu welchem Stufen hinabführen.

Die dritte Kammer hat 2 M. Breite, 2·48 Tiefe, die Thüre ist 0·46 br. Die Mauerdicke ist 0·6 und die höchste erhaltene Höhe 2 M. In die Oberseite der Seitenmauern dieser Kammer sind fünf Stufen eingeschnitten, deren Höhe 0·26 beträgt. Auf diesen Stufen ruhten unmittelbar die Sitzstufen und bildeten so die Dicke der Kammer. Sie wurden zum Theile noch in der Arena aufgefunden. Eine mass 2·3 in der Länge, 0·57 in der Breite und 0·26 in der Höhe.

Die Kammer 5 an der Südseite ist 3·42 br., 3·50 tief. Die Mauerhöhe beträgt 2·02, die Stärke 0·6 — 0·7. Die Schwelle wurde noch *in situ* gefunden. Es scheint, dass diese Kammer gewölbt war. Die Bestimmung der Mauertheile *a* und *b* ist unklar.

Die Kammer 4 ist an die südliche Mauer des Ostthores angelehnt. Die Breite beträgt 2·6 und 3·5, die Tiefe 2·7 und 3·45; die Dicke der Mauer 0·6; die höchste erhaltene Stelle 2·47. Die Wände waren bemalt.

Parallel mit dem Podium läuft die Aussenmauer in einer Entfernung von 13·82—14·24. Unweit des Westthores, zwischen den Strebepfeilern 16 und 20, springt die Aussenmauer um 3·22—3·85 vor. Sie ist an dieser Stelle gleichfalls elliptisch gekrümmt. Die Stärke der Mauer wechselt zwischen 0·9 und 1·7. An die Innenseite der Aussenmauern setzen im rechten Winkel Mauerfortsätze an, von welchen im Ganzen 25 aufgedeckt sind.

Die Länge ist verschieden von 4·75 (12 und 14) bis 7·9 (5). Die ungewöhnliche Länge des Mauerfortsatzes 21 (8·75) erklärt sich daraus, dass er als Fundament für eine Stiege diente. Die Breite wechselt zwischen 0·6 und 1·2. Auch der Abstand zwischen je zwei Mauerfortsätzen ist sehr verschieden. Die Strebepfeiler der Aussenwand sind nicht minder unregelmässig angebracht. Die kleinste Entfernung zwischen Strebepfeiler 15 und 16 beträgt 2·1, die grösste zwischen 17 und 18 11·45. Der Strebepfeiler 21 ist bis zu einer Höhe von 2·5 erhalten, sonst beträgt die Höhe durchschnittlich nicht mehr als 0·9. Es scheint, dass auch die Aussenwand, und zwar gleichfalls wiederholt, bemalt war, worauf Reste von bemaltem Stuck, welche zwischen Strebepfeiler 5 und 6 und 20 und 21 gefunden wurden, hindeuten.

Die nördlichen Seitenmauern der beiden Thore verschmälern sich in der Richtung gegen die Arena zu, und zwar beträgt die Länge dieser schmäleren Mauertheile beidemale 4·21. Dieses Mass mag die Breite des untersten Theiles der Cavea, welcher dann durch eine Präcinction von dem oberen Theile getrennt war, bezeichnen.

Den Haupteingang bildete das Ostthor, dessen nördliche Seitenmauer 16·2, dessen südliche Seitenmauer 17·58 lang ist. Neben der nördlichen Seitenmauer läuft eine zweite Mauer in der Entfernung von 1·48 (c—d), welche auf diese Weise einen Gang im Thorweg bildet. An dem Ausgange dieses Ganges in die Arena ist noch die Thürschwelle erhalten.

Die Breite des äusseren Thoreinganges beträgt 4·37, die des inneren 4·09. Die Dicke der Südmauer wechselt zwischen 1·5 (am äusseren Eingang) und 1·03 (am inneren), die der Nordmauer zwischen 1·48 (bei 2) und 1·1 (bei der Arena). Das Thor scheint nach den Bruchstücken des Schuttes, welcher den Thoreingang füllte, gewölbt gewesen zu sein. Zu beiden Seiten des äusseren Thoreinganges führen Stiegen zur Cavea empor. Und zwar an der Südwand an jener Stelle, wo der Sockel des Strebepfeilers die Mauer um 0·7—1·0 verbreitert (1—2). Die Höhe der Stufen beträgt 0·32—0·33, die Breite 0·36, die Länge 0·7. Die Stiege an der Nordmauer hatte Stufen von 0·68 Länge, 0·22 Höhe, 0·4 Breite. An der südlichen Seitenmauer, 3·55 von der Stiege entfernt, befindet sich eine Nische, im Halbkreis 0·46 tief, welche durch einen Bogen geschlossen wurde (e); unten springt ein Gesimse vor. An der Wand, welche mit Stuck bekleidet war, findet sich keine Spur von Malerei. Die südliche Seitenmauer war Rustica.

Westliches Thor (K—II). Länge der Südmauer 16·15, der Nordmauer 15·9. Die Dicke der Südmauer beträgt 1·58, der Nordmauer bei der Stiege (6) 1·52, bei der Arena 1·08. Der äussere Thoreingang ist 3·95 breit, der innere 3·47. Am inneren Thoreingang (K) wurden Reste der Schwelle gefunden. Die Stiege (6) ist bis zu einer Höhe von 2·95 erhalten, die Stufen sind 0·58 lang, 0·34 hoch, 0·37 breit. Die starke Zerstörung der Südmauer am äusseren Thoreingange ist wohl der Grund, dass hier keine Reste der Stiege aufgefunden wurden.

In der Südmauer, 2·78 vom inneren Thoreingang (K) entfernt, finden sich drei Nischen: eine 0·43 breite, 0·7 hohe, 0·31 tiefe viereckige; hierauf 0·73 weiter nach Westen eine zweite halbkreisförmige, in einem Bogen geschlossene, welche 0·5 breit, 0·65 hoch, 0·34 tief ist und 0·38 höher als die erste lag; endlich eine dritte, wieder halbkreisförmige und in einem Bogen geschlossene, von 0·61 Breite, 0·75 Höhe und 0·38 Tiefe. Die Decoration der ersten Nische ist zum Theile erhalten: Weisser Grund mit einem pompeianisch-rothen Randstreifen.

Auf dieses Thor bezieht Torma die Inschrift, gefunden beim Strebepfeiler 22, welche in diesen Mittheilungen VII S. 95 n. 29 veröffentlicht ist. In der Aussenmauer zwischen den Strebepfeilern 21 und 20 (bei 5—b) ist eine Thüröffnung über dem Boden erhalten; die Schwelle ist 1·4 lang, 0·5 breit. Zu dieser Thür wird eine Holzstiege emporgeführt haben. Hier ist die Inschrift Eph. epigr. II p. 127 n. 131 gefunden worden. An der südlichen Ecke des vorspringenden Theiles der Aussenwand (bei a) sind Reste einer Stiege erhalten, welche über den Mauerfortsatz 21 in die Cavea führte. Zwischen dem Strebepfeiler 16 und der nördlichen Ecke des vorspringenden Theiles der Aussenmauer befindet sich ein 1·39 breiter Eingang, welcher zu Gemächern führte, die unter der Cavea lagen. Darauf weist auch die Thür hin, welche aus der Kammer 2 ins Innere führte, und die Reste zweier Fenster in der Aussenmauer (α, β), dieser Thüre gegenüber.

Diese Fenster (Fenster α ist 1·21 breit) liegen 1·52 und 1·84 über dem Boden der hier 2·8 hohen Aussenmauer.

An die südliche Aussenmauer des Amphitheaters ist ein kleines Heiligthum angebaut, welches, wie die Inschrift des *in situ* gefundenen Altars (2) lehrt (vgl. Mitth. VII S. 93 n. 23), der Nemesis geweiht war. Die Cella (1) hat eine Breite von 3·15. Da die Rückwand von der elliptisch gekrümmten Aussenmauer des Amphitheaters gebildet wird, so ist die Länge der Seitenmauern verschieden, 3·10 und 3·35. Die Mauerdicke beträgt 0·47. Eine Vorhalle (3) hat ebenfalls 3·15 Breite und 1 M. Tiefe. In dieser Halle wurden Bruchstücke einer Statue der Nemesis aufgefunden. Die Rückwand der Cella war mit geometrischen Mustern in grellen und bunten Farben bemalt.

Den kleinen Tempel scheinen mehrere Höfe umschlossen zu haben. Von der Aussenmauer des Amphitheaters geht 0·65 südlich vom Westthor eine Mauer aus, welche bis auf eine Länge von 16·13 erhalten ist; ihre Breite nimmt allmählich zu von 0·55—1·75.

Senkrecht auf diese Mauer stehen zwei Quermauern, deren Abschluss nach Süden hin, wie es scheint, nicht aufgefunden wurde. Durch diese Quermauern wurden zwei dem Heiligthum vorliegende Höfe gebildet. Der innere Hof ist 6·35 breit, 6·77 lang. Links von der Thüre (5) wurde die Inschrift Mitth. VII S. 94 n. 24 aufgefunden. Der äussere Hof hat jetzt 4·25 Länge und 3·4 Breite. Hier lag bei Punkt 8 des Planes das Bruchstück einer Ara Mitth. VII p. 96 n. 33.

Inschriften aus Dacien

I

Im Folgenden theile ich die Inschriften mit, welche ich in den letzten zwei Jahren auf Reisen nach dem Strelthal und in das siebenbürgische Erzgebirge, sowie bei Ausflügen nach Veczel und Várhely auffand und zum Theile für das Museum des archäologisch-historischen Vereines des Hunyader Comitates in Déva erwarb [1]).

*1. **Kis-Kalán.** Ara von weissem Marmor.

ᵀ · O · M

A · ELICO

V · L · S · M

Z. 2: A(elius) oder A(urelius).

---

[1]) Die mit Sternchen bezeichneten Inschriften befinden sich im Dévaer Museum und zwar sind Geschenke: Nr. 1 des Herrn Ludwig Istvanffy; Nr. 2 des Herrn Christian Grausam, Hoteliers in Puszta-Kalán; Nr. 5 der Herren Nikolaus und Géza v. Buda. [Zu den Nummern 1—5. 8. 9. 11. 16 und den Ziegelstempeln 2—16 konnten Abklatsche verglichen werden.]

*2. Ebendort. Halbsäule aus bukovaer Kalk, ein Gestein, welches sich in jener Gegend vorfindet. H. 0·4, br. 0·3, d. 0·12.

DIOGENES
*l)*APIDARIV̇

3. **Sztrigy Szent-György**[2]). In der gr.-or. Kirche, aus bukovaer weissem Marmor. H. 0·52, br. 0·35. Wahrscheinlich aus der Gegend von Sztrigy-Szacsal hieher verschleppt.

D   M
M VLPIERIo
DEC COI
VIX AN XXI
5 VLP//AV̇
FILIO
P P

Z. 2 u 3: *M. Ulp(io)* [*T*]*èr*[*ti*]*o dec. co*[*l*].

*4. **Sztrigy-Szacsal.** Am Fusse jenes Gebirgszuges, in welchem die Römer Bausteine für Veczel, Várhely, Apulum gewannen. Vom Dorfrichter beim Ackern (1883) aufgefunden. Tafel aus mergeligem Sandstein. H. 1·0, br. 0·7.

Ɔ MI
C · A · DEDALO
VIX · ANI · LX ·
VALERI · CARA ·
5 VIX · ANI · XXXV
C · O
A · TETVLA · VIX
ANI · L · A · AVGVS
VIX · ANIS · XXX
10 C · A · CARVS ·
C · A · VALERIANVS
VETERANVS
PARETIBVS   *sic*
SORORIBVS
15 FECERV *n t*
FA · CRISPINA · VET III/
MAXIMABVTESEORV/

---

[1]) Die Oertlichkeiten, aus denen diese und die beiden folgenden Inschriften stammen, waren bisher als Fundorte römischer Denkmäler nicht bekannt.

Z. 6: *C(oniux?) o(ptima)*. Ob in dieser Zeile noch etwas folgte, ist bei dem Zustande des Steins nicht mit Sicherheit zu entscheiden. — Z. 16 u. 17: *f(ilii) A(urelii?) Crispina, Vet[illa?], Maxima, Butes eoru[m]*.

*5. Sztrigy Szent-György-Valya. Grabstein aus mergeligem Sandstein. H. 1·5, br. 0·76, d. 0·20. Eine halbe Stunde oberhalb des Dorfes in einem Graben Pereu Bereza gefunden. Oben etwas beschädigt. Die Inschrift zwischen zwei Halbsäulen.

```
        D           M
      I V · M A X I
      M V S ·  V I X
      A N · X X X V ⌀
  5   H E · VA L E N T I N
        C    ⌀   C
```

Z. 5 u. 6: *He(rennia?) Valentina c(oniugi) c(arissimo)*.

Ausserdem fand sich ein rohgearbeitetes Grabrelief aus mergeligem Sandstein, h. 0·75, br. 0·36: Ein Kind zwischen einem Manne und einer Frau. Andere Funde, wie ein schön gearbeiteter Statuenkopf, Reste von Wasserleitungsröhren und Ziegeln deuten auf eine grössere Niederlassung.

6. Bretyelin. Im Hofe des Popovits Petru, gr.-or. Diakons. Ára aus rothem Augit-Andesit, welcher in der Nähe von Arany gebrochen wird. Jedenfalls veczeler Provenienz.

```
      D ⁓O M E R C V R I
      O M̶ C V S N T O
      N I V S S A B N̄ I
      N V S P R I N C E P
  5       V · S · L · M
```

7. Veczel. Bei Peter Szolnokay im Kellerthor eingemauert. Fragment aus rothem Augit-Andesit. H. 0·012, br. 0·06.

```
  N A V C V
  M N N E T
  ⁓ E O R V M
```

*8. Ebendort. Augit-Andesit. H. 0·4, br. 0.2. Sehr schlecht erhalten.

silvano|o D O M
|T·ΓIAV
/|B F CoS

Z 2 unsicher,

*9. Ebendort. Aranyer Augit - Andesit. H. 0·45, br. 0·4.

*10. Ebendort. In einem Bronzestreifen die rund ausgearbeiteten Buchstaben:

|R Y|

*11. **Várhely.** Säulenfragment mit schönen Buchstaben. Bukovaer Marmor.

ᴜ L
N N ·
A R C E L
S · D ·
5   o

Wahrscheinlich Votivsäule wie Mitth VI S. 105 Nr. 34. 35; VIII S. 45 Nr. 2; S. 53 Nr. 5.

*12. Ebendort. Rund gearbeitete Gruppe der Libera und des Liber aus weissem Marmor. Genaue Replik des Reliefs Eph. ep. II, 433, nur dass die Nebenfiguren des Reliefs, Pan und Silen, fehlen. Auf dem Sockel[1]):

T · FL· *ʌpe*R EX VOTO

13. Ebendort. Im Hofe des Johann Vida, in der Nähe der Ruinen des Mithraeums. Fragment aus Sandstein.

S O R
I N A E
S · V I L

---

[1]) Nach einer Copie A. v. Domaszewski's, vgl. C. I. L. III, 1512 und Arch.-epigr. Mitth. VI S. 99 Nr. 3.

*14. Ebendort. Fragment einer Platte.

*15. Ebendort. Fragment aus Marmor.

*16. Ebendort. Am Rand einer kleinen Votivtafel

aesculapio ⟍ΓT HYGIAE

17. **Zalatna.** Beim Gemeinderichter Stefan Roska eingemauert. Ara aus breasaer röthl. Sandstein. H. 0·48, br. 0·33.

```
        SILVANO
        DOMESTIⒸ
        SACRVM
        EX VOTO PO
5         ⌀ SVIT ⌀
```

18. **Petrosány,** bei Zalatna. In der Dorfkirche. Ara aus breasaer Sandstein. H. 0·90, br. 0·46.

```
        I · O · M
     IVNONI REGINAE
        MINERVAE
     PRO SALVTE ET VICTORIA
5    ET INCOLVMITATE
     MARCI AVRELI ANTONII
     FELICIS AVGVSTI ET
     IVLIAE AVG MATRIS EIVS
     CASTRORVM SENATVS
10      ET PATRIAE
     AELIVS SOSTAIS P PO
```

[So die Abschrift; doch ist in Z. 6 ohne Zweifel ANTONINI, in Zeile 11 vielleicht COSTNS zu lesen.]

Bei dem gr. - or. Geistlichen Georg Popovitz ein Sarkophag ohne Inschrift.

19. Zwischen Zalatna und Petrosány an der Strasse gefunden. Grabstein aus Nummulitenkalk. H. 1·12, br. 0·80, d. 0·60. Fast unleserlich.

```
      D         M
    A N T . . . . . . . . . .
    N O I . . . . . . . A C
    V I O . . . . . . . . . .
```

20. **Nagy-Enyed.** Im Besitze des reformirten Collegiums befindet sich jetzt die Inschrift C. I. L. III, 979:

```
DEO · AESCVL · ET HYGIAE AVR ETERNLIS
```

21. Ebendort. Auf einem Bronzehelm: ΧΛΠΙΙ

22. Zu C. I. L. III p. 857: Beim Niederreissen des Schulgebäudes wurde in den Fundamenten ein Bruchstück des im Jahre 1849 gestohlenen Militärdiplomes XIV aufgefunden. Das erhaltene Bruchstück — die linke untere Ecke der zweiten Tafel — stimmt genau mit dem Texte des *Corpus inscriptionum.*

23. **Torda.** Bei Herrn Director Carl von Palfy. Wahrscheinlich Basis einer kleinen Statue. Gelblicher Mergel. H. 0·2, br. 0·3.

```
    BAL Έ · IVNOΓ
    ARIVS · VET LEG
               P.
```

24. Ebendort. Fragment aus Mergel. H. 0·65, br. 0·5, d. 0·2. Schöne Buchstaben.

```
    A · FIL VIX /
    A EL · AR
    CON · B
```

25. Ebendort. Fragment aus gelblichem Mergel. H. 0 35, br. 0·25, d. 0·2.

```
       L
    VIL
      M A
    b M P
```

26. Ebendort Fragment aus Mergel. H. 0·3, br. 0·3.

```
      S V
      V A
    I S X L
      N V
 5    S E
```

27. Ebendoit. Fragment aus Mergel. H. 0·25, br. 0·35.

```
    L
  A' I / \
  A'R E L
  ᴏ  M I
```

28. **Várfalva.** Vor dem Hause des Balthasar Vargyasi. Kalkstein. H. 0·5, br. 0·35.

```
      D     M
    T · F L A V
    L A V L · L I
    V I X  A N I I I I ·
 5  DI͜ES X I I I I
    T F L · P I N
```

[In Zeile 6 giebt die Abschrift ᴛᴇʟ].

Ziegelinschriften [1]).

1. Szent-György-Válya.

   C(ohors) I U(biorum)

2. Ebendort. Incus.

3. **Csigmo.** = C. I. L. III, 1629, 11. Retrograd:

```
L E G X I I I I G
ᴧ V R E · C O Nᴏ
```

---

[1]) Die Ziegelstempel befinden sich, wenn nicht anders angegeben, sämmtlich im Dévaer Museum.

4. Veczel.

MO

5. Ebendort.

ATENVS

6. Ebendort. = C. I. L. III, 1629, 20.

⌐LCXIII GE
IⅢLAELIO

7. Ebendort. Incus: LS
8. = Eph. epigr. II, 458.

LEXIIIGE⳦
IVDEIOTARI

9. = C. I. L. III, 1629, 21.

leg XIII ᴄ *em*
fl MAR *tinus*

10.   [IILCOW = *coh. II*] *Fl. Com.*

11. Várhely. Bei den letzten Ausgrabungen (1884) gefunden:

R P A⌐

12. Ebendort. = C. I. L. III, 1629, 20. In einem Bauernhause gefunden.

LEG XIII GE
ʀ *l a* ɐLIO

13. Eingeritzt: ʙ X III
14. Apulum.

LEG XIII GE
A V E V D O X

15. Ebendort.

LEG XIII GE
IVL.MARCIA

16. = C. I. L. III, 1629, 2.

LEG XIII GEM
ΛΗΤΟΗΙΗΙ·

17. **Torda.** = C. I. L. III, 1630.

LEG · MAC

18. **Vizakna** (Salzburg), nördl. von Hermannstadt. Be
Pfarrer Andreas von Beck. Form für Ziegelstempel.

þONOINII

Lampenstempel

1. **Várhely.**

a) LVPATı   b) IAVIDO

2. **Nagy-Enyed.** Im ref. Collegium, aus Apulum. Schwer

/ PT / TI = *Optati?*

Déva 1885   GABRIEL TÉG

II

1. **Karlsburg.** In der Festung, im Hause des Domherrn
Ara aus weissem Marmor.

C·NVMMIVS·
VERVS · EQVES
ROMANVS·
IIVIΓΛL·ᄃL·ᄊL·
5 ET · SACERDS·
NVM·AESCV
LAPI· ᄃNSECR·

2. = Arch.-epigr. Mitth. III S. 104 n. 45.

AETERNo
GΛLICA
ᄃ EXBFCoS
ΛVIESⱯ
5 VMQᵢIOS

Deo] *aeterno* .. [*Ju*]*l*(*ius*) *Gal*(*l*)*ica*[*nus*] *ve*[*t.*] *ex b*(*ene*)*f*(*iciario*) *co*(*n*)*s*(*ularis*) [*pro s*]*alu*[*t*]*e sua* [*suor*]*umq*(*ue*) [*p*]*os*(*uit*).

3. Bei Hrn. Löw. Ara aus Kalkstein. H. 0·6, br. 0·33, d. 0·25.

	D I A N E Λ V G
	C · I V L · VALE
	R I V S · VEṪ
sic	L E L · XĪĪĪ G
. 5	D E C · C O L
	S A R M I S
	E X P⊦C O S

Z. 7 *ex* [*b*(*ene*)*f*(*iciario*)] *co*(*n*)*s*(*ularis*).

4. Bei Hrn. Löw. Ara aus Kalkstein. H. 0·57, br. 0·24, d. 0·23.

	/ ⊦R C V L I	
	A V G	
Schale	// R E G I N V S	Schale
	S // E R D O S	
5	/ N / ⫶ITV I V S · A⊮	
	⫶HEL · PERTINAⒼ	
	/ O S	

[*H*]*erculi Aug*(*usto*) .. *Reginus s*[*ac*]*erdos* [*i*]*n*[*st*]*itutus ab Hel*(*vio*) *Pertinace* [*c*]*o*(*n*)*s*(*ulari*).

Helvius Pertinax ist der spätere Kaiser. Dass er Statthalter von Dacien gewesen, berichtet auch seine Vita 2, 10: *Cassiano motu composito e Syria ad Danuvii tutelam profectus est atque inde Moesiae utriusque mox Daciae regimen accepit.* Der von dem Statthalter eingesetzte *sacerdos* ist ohne Zweifel der *sacerdos provinciae*. Vgl. Marquardt Eph. epigr. I p. 210.

5. In der Festung, Garten des Geniecommandanten. Ara aus weissem Marmor.

	S Λ R Λ P I Ð
	I O V I · S O L I ·
	I S I D I · L V N A E
	⊙ D I A N A E ⊙
5	D I S D E A B V S Q
	C O N S E R V A T o R I B
	L A E M I L C A R⸝S
	L E G Λ V G P R PR
	Ⅲ D A C I Λ R V M

L. Aemilius Carus als Statthalter von Dacien auch in den Inschriften C. I. L. III, 1153. 1415. Ich bemerke gelegentlich, dass der in der fragmentirten Inschrift C. I. L. III, 1461 und Mitth. III S. 191 genannte Statthalter, auf letzterem von mir gesehenen Steine Tib. Julius Flaccinus heisst, nicht Junius, wie Gooss den Namen nach einer fehlerhaften Copie gibt.

Hermannstadt. Zu den im Bruckenthalischen Museum auf- bewahrten Inschriften gebe ich hier einige Nachträge:

6. = Arch.-epigr. Mitth. I S. 120.

deo

AE I ER\ *no*

CLODIA

MAXIMA

· *e*T · ELA ·   *sic*

5 VALERIA

7. = C. I. L. III, 1619.

M̄R̄ ———— L· \

COH II FL ©ı

CVIPREEST)

CVETTIVS (

5 SABININVS R F\

Mar[*ti Gra*]*d*[*ivo?*] *coh*(*ors*) *II Fl*(*avia*) *Co*[*m*(*magenorum*)]*, cui praeest C. Vettius Sabinianus praef*(*ectus*).

Da die Herkunft des Steines nicht feststeht, so darf man viel- leicht vermuthen, dass er aus Veczel nach Freck gebracht wurde. Denn in Veczel war die *cohors II Flavia Commagenorum* stationirt, und dort haben sich eine Reihe ähnlicher Dedicationen gefunden C. I. L. III p. 220 und Mitth. III p. 108. C. Vettius Sabinianus ist vielleicht identisch mit dem gleichnamigen Statthalter von *Pannonia superior* C. I. L. III 4426 u. Eph. epigr. II 897.

8. Aus Várhely. Ara aus weissem Marmor. = Korrespondenz- blatt d. Ver. f. siebenb. Landesk. 1882 (Jahrg. 5) p. 116.

Q·AXIVSAE

LIANVS·IVNI

OR·VOTVMPRo

PATRISINCO

5 LVMITATESVSCEP

TVM·CVMGRATVLA

TIONELIBENS·SOL

VIT ʊ IONſ IONIVS

Ueber Q. Axius Aelianus, Vater und Sohn, vergleiche Mommsen zu C. I. L. III, 1422. 1423 u. 1456. Unsere Inschrift scheint mir zu beweisen, dass Mommsen a. a. O. mit Recht in dem Zusatz *Joni* am Schlusse von n. 1422 u. 1423, sowie in dem Ἰόνιος der eben dort angeführten griechischen Inschrift (Ἀσκληπιῷ καὶ Ὑγιείᾳ θεοῖς| φιλανθρώποις Ἄξιος Αἰλιαν[ὸ]ς ὁ|νεώτερος εὐχαριστήριον, Ἰόνιος) ein Signum, *Jonius*, erkannt hat. *Joni* unserer Inschrift bezieht sich offenbar auf den Vater, *Jonius* auf den Sohn. Am Anfang ist wohl nach Analogie der angeführten griechischen Inschrift: *Aesculapio et Hygiae dis conservatoribus* zu ergänzen.

Wien   A. v. DOMASZEWSKI

Inschriftfunde in dem Gebiet von Aquileja

(Aus einer Mittheilung der k. k. Central-Commission für Kunst- und historische Denkmale)

Folgende Inschriften wurden auf dem Grunde des Herrn Ed. Prister auf der Strecke zwischen Croccara und Stazzonara entdeckt:

1. Cippus aus Kalkstein, h. 1·2, br. 0·87, d. 0·73. Zeit des Antoninus Pius.

```
        Q · DELLIVS · Q · F · POL
               SVPER
        VETER · LEG · XV  APOL
        Q · DELLIVS · CLEMENS
   5           FILIVS
        DELLIA · FALERNA · VXOR
        ALBANVS      ·      L I B
        PVSILLA      ·      L I B

        E T       ·       T V
```

2. Cippus aus Kalkstein mit Aschenbehälter, h. 1·4, br. 1·07, d. 0·73. Zeit des Antoninus Pius.

```
        C · IVLIVS
        PRIMIGENIVS
        IIIII · VIR · ET
        VALERIA · ↄ · L · SYRTIS
```

```
5      V · F · SIBI · ET
      C · IVLIO · ALEXAE
      VALERIAE · OPTATAE
      VALERIAE · SALVIAE
      VALERIO  ·  VITVLO
10 STATIAE  ·  NYMPHE
```

3. Tafel aus Kalkstein mit Umrahmung, h. 0·71, br. 1·35, d. 0·17. Zeit des Vespasian.

```
      Q· GAVIVS · Q· L· SECVNDVS
      ET · VETTIDIA · AMOENA
      VIVI ·  FECERVNT
      SIBI · ET · COMMVNI · L
5    SECVNDO · L· OPTATO · L
```

4. Cippus aus Kalkstein mit Aschenbehälter, h. 0·87, br. 0·46, d. 0·30. Zeit des Antoninus. Der Stein ist vom Wasser angefressen und daher schwer leserlich. Die punctirten Lettern sind unsicher.

```
      L  ·  TITIVS
      FLAEMIVS
      VETTIAE
      L· F· MANSVETAE
5      CONIVGI
      H · M · H · N · S
```

5. Cippus aus Kalkstein, oben rund, unten gebrochen, jetzt h. 0·4, br. 0·32, d. 0·13. Zeit des Claudius.

```
      L ·  M
      SAL · VARI
      SATVRNIN
      IN · F · P  XVI
5   IN · A · P · XXVII
```

6. Grabstein aus Kalkstein, h. 1·85, br. 0·62, d. 0·21. Oben Giebel mit einer Rose in der Mitte, und je ein Delphin in beiden Ecken. Buchstaben aus der Zeit des Antoninus Pius, stark abgenutzt. Mit Ausnahme der einen Zeile ist die Tafel unbeschrieben. Unten Zapfen (h. 0·14, br. 0·25) zum Einlassen.

```
      LOC · MON
```

7. Basis aus Kalkstein, h. 0·22, br. 1·16, d. 1·06. Höhe der Buchstaben 0·09. Zeit des Antoninus Pius.

L · M · IN · F · P · XX · IN · AG · P · XXXII

8. Fragment einer Basis aus Kalkstein, h. 0·2, br. 0·69, d. 0·5. Höhe der Buchstaben 0·17. Zeit des Claudius.

\N . IN . FR/

9. Basis aus Kalkstein, h. 0·49, br. 1·33, d. 0·99. Zeit des Antoninus Pius.

H · M · H · N · S

Fiumicello   Dr. GREGORUTTI

Epigraphischer Bericht aus Oesterreich
(Schluss)

Sissek. Revidirt.
ad *Ephem. epigr.* IV 471 (C. I. L. III n. 3950):
    Z. 4: B Der Adler befindet sich rechts, der Bogen links.
ad *Ephem. epigr.* IV 472:
    Z. 1: am Ende von R keine Spur, da der Stein rechts sehr beschädigt ist.
    Z. 2: S undeutlich, nur der mittlere tiefe Strich davon erhalten, könnte auch V sein, daneben I deutlich, hinter dieser geraden Hasta kein Platz für G.
    Z. 3: kein Platz für T, der Strich hinter S geht schief, könnte eher von einem Y sein; ob am Schlusse B oder P, unsicher, weil hier der Bruch und nur der obere Theil erhalten.
    Z. 5: das L in IVL deutlich, am Schlusse deutlich CRI
    Z. 6: die Buchstaben enger zusammen, das zweite M scheint IA zu sein, statt C ein deutliches G, am Schlusse nach R noch A, also: CO-MACIA GRA////
    Z. 7: das M verwischt aber sicher.
    In Z. 1 und 2 grössere Buchstaben.
ad *Ephem. epigr.* IV 474:
    Z. 2: zwischen N und I ein Grübchen, von Buchstaben keine Spur, vor und hinter S Punkte, sonst nicht.
    Z. 3: Buchstaben ziemlich deutlich, von F keine Spur, das letzte C kann auch G sein.
Ljub. *Viestn.* I p. 66 ff.

Die Doppelinschrift C. I. L. n. 4008 + 4013 in Velica Gorica erhalten, jetzt im Agramer Museum; sie war lange Zeit in Vel. Gor. vergraben, weil die Edlen von Turopolje in dem Steine das Fundament ihrer Rechte sahen.

C. I. L. III n. 4009 jetzt im Agramer Museum.

C. I. L. III n. 4010 jetzt im Agramer Museum; ein Abklatsch dieser Inschrift befindet sich in der Sammlung des hiesigen arch. epigr. Seminars.

Ljub. *Viestn.* V p. 1 ff.

Warasdin-Töplitz (Aquae Jasae).

344. Gef. September 1867 im Hofe des Hauses, das gegenüber dem Eingang in den herrschaftlichen Garten liegt.

$$
\begin{array}{c}
\text{N } y \text{ } m \text{ } p \text{ } h \text{ } i \text{ } s\\
\text{AVG} \cdot \textit{Sac}\\
\text{FL} \cdot \text{VALENTINVS}\\
\dots \cdot \text{E} \dots \dots\\
\dots \cdot \dots \text{S T I L L I}\\
u \cdot s \cdot l \cdot \text{M}
\end{array}
$$

5

Ljub. *Viestn.* I p. 41 n. 5.

Warasdiner Thermen.

345. Im September 1882 kam man beim Graben eines Brunnens in einem Bauernhause in der Nähe des Eingangs in den Badepark auf die Spur eines altröm. Gebäudes, das grösstentheils aus weissem Marmor gebaut war; die Inschrift steht auf einer 2 M. br. und 1 M. h. Tafel von weissem Marmor und ist sehr gut erhalten.

$$
\begin{array}{c}
\text{NYMPHAS} \cdot \text{SALVTARES}\\
\text{M} \cdot \text{RVTILIVS} \cdot \text{LVPVS} \cdot \text{TR} \cdot \text{MIL}\\
\text{LEG} \cdot \overline{\text{XXII}} \cdot \text{Q} \cdot \text{TR} \cdot \text{PL}\\
\text{LEG} \cdot \text{AVG} \cdot \text{LEG} \cdot \text{XIII} \cdot \text{GEM} \cdot
\end{array}
$$

Bojničić in *Viestn.* IV p. 107.

Töplitz (Aqua viva). Revidirt.

ad C. I. L. III n. 4117: (Marmor) oberhalb der Inschrift die Büste der Nymphe, die abgebr. und ins Agramer Museum geschafft wurde. Die Nymphe hält mit den Händen ihr fallendes Haar, jederseits hat sie einen Löwen mit Drachenkörper und Fischschwanz.

Z. 4 auf dem Stein GEMNIO, für das eingeschobene I kein Platz. Z. 3 und 4 zwischen Nomen und Cognomen keine Punkte zu setzen.

ad C. I. L. n. 4118 in der letzten Zeile grössere Buchstaben.

ad C. I. L. n. 4119 eingemauert in der Mauer des Ganges in der Kaptol-Stadt, wo die Bäder sind. Keine Punkte zu setzen. Z. 2: AVG eng in der Mitte.

ad C. I. L. n. 4120:

Z. 3: CILONIS — Z. 5: EIvs

ad C. I. L. n. 4121 vgl. Arch.-epigr. Mitth. III p. 164 und 177.

Neue Inschriften: *Viestn.* I p. 41 n. 4, p. 42 n. 7, bereits veröffentlicht in diesen Mitth. III p. 164 u. 176 f.

Ljub. *Viestn.* I p. 34 ff.

ad *Ephem. epigr.* IV 473. Die Inschrift lautet:

```
       S ʊ S ʊ S
       S V R / /
       /O/r/I M I · SER
       u s L ʊ M ʊ
```

Ljub. *Viestn.* I p. 69 n. 4.

ad *Ephem. epigr.* IV 478:

```
//·////!//////Vsɪ
AEL · VALERIVS
AEL· SECVNDINV
MAG ·      D· D·
```

Oben rechts ein Adler auf einer Kugel stehend.

Viestn. I p. 69 n. 5.

ad *Ephem. epigr.* IV 479:

Z. 1: ////////ɔEᴗ · ΛCRI

Z. 4 a. E.: keine Spur von T, es scheint N zu sein.

Z. 5 a. E. wohl: VE ENS TE SANTE

Z. 8 deutlich: REQVIRES

Viestn. I p. 71 n. 7.

ad C. I. L. III 3972 u. *Ephem. epigr.* II 833:

Z. 2: A · XXXXI   Z. 3: IᴌA

Viestn. I p. 70 n. 6.

346. Kleine viereckige Marmorara, h. 0·19, br. 0·12, d. 0·095. Oben eine Vertiefung zur Aufnahme einer Statuette des Gottes. Gef. am 7. Aug. 1879 in der Nähe des Sisseker Bahnhofes; jetzt im Agramer Museum.

```
HERCVLENI
AVG · SAC
L · SPVRIVS
RESTVTIANVS
```

Nach einem von Bojničić an Prof. Hirschfeld geschickten Abklatsch; vgl. Ljub. *Viestn.* II p. 74 n. 10. Der anomale Dativ *Herculeni* hat seine Analogie an den auf Inschriften so häufigen Dativen auf —*eni* von Namen auf —*e*, wie *Tycheni*.

347. Bruchstück, am Rande beschädigt, gef. von der archäol. Gesellschaft „Siscia", jetzt in Agram.

```
in sta\TVM · PRISTII um
u/RBIS · SPLEND rest.
cur ANTE· FL SEVERO
```

Nach einem von Bojničić an Prof. Hirschfeld geschickten Abklatsch; vgl. Ljub. *Viestn.* II p. 72 n. 7:

„Der hier genannte Fl(avius) Severus wohl identisch mit dem im J. 305 zum Caesar erhobenen Flavius Valerius Severus, geb. in Illyrien von unbekanntem

Geschlechte, von dessen Leben die alten Schriftsteller wenig erwähnen. Nach unserer Inschrift wäre er vor seiner Erhebung Procurator in Pann. sup. gewesen. Wie er Caesar wurde und Würde und Leben bald einbüsste, erzählt Lactantius *de mortib. persecut.* c. 18. c. 26, er starb in Ravenna".

348—350. Gef. bei den Ausgrabungen des Vereines „Siscia" in den Jahren 1875/6.

348. Bruchstück einer Platte, rund herum beschädigt. Buchstaben ziemlich deutlich, Höhe derselben 0 045. [Hier nach einer Abschrift von Domaszewski].

S A C R

T·ATTIVS

TERNVS

I O N I

Die Inschrift lautete wohl: ...*sacr*[*um*] *T. Attius* [*Pa*] | *ternus* [*ex*] | *mon*[*itu*].

349. Platte aus weissem Marmor, h. 0·19, oben br. 0·11, unten br. 0·145, d. 0·035. Rechts und theilweise oben vollständig. In der letzten Zeile fehlt der unter Theile der Buchstaben.

I L

I B

P · P ·

Q V I L E I Æ

Z. 4 A]*quileiae.*

350. Bruchstück, h. 0·28, br. 0·11, Buchstabenh. 0·055; gef. im Garten des Pfarrers:

M̄

V S

P O S

Dazu ein kleines Fragment, das nur Buchstabenreste enthält.
Ljub. *Viestn.* I p. 71 n. 8—11.

Šćitarjevo (Andautonia). Revidirte Inschriften.

Zu C. I. L. n. 3679 = Desjardins *Acta nova musei nationalis Hungarici.* Tom. I. *Inscriptiones monumentorum Romanorum* Budap. 1873 p. 91 n. 166: nur die beiden ersten Zeilen mit grösseren Buchstaben.

Z. 9 fin. bei Mommsen richtig P (Desj. R)

C. I. L. III 4007 nach Kukuljevich „*nunc Agrami in museo*", dies jedoch falsch, die Inschrift ist nicht in demselben und war wahrscheinlich auch nie daselbst.

ad C. I. L. III 4008: der ganze rechte Rand eben, dort fehlt nichts; am Anfang von Z. 3 kein Platz für *c*(*ivis*), das Mommsen ergänzen will; ebenda nicht C V M, sondern C W. Die Buchstaben der letzten Zeile nur zur Hälfte deutlich.

C. I. L. III p. 522 n. 4116:

Čakovce bei Warasdin im Schlosshof des Grafen Festetics, 1 M. über dem Erdboden eingemauert, ca. 2 M. l., 1 M. br.

Z. 2: TAVORIS, bei Mommsen FAVORIS

Z. 3: ANN „ „ NN

Der Stein endet unten in einem Halbkreis, in welchem ein unbewaffneter Mann auf einem Pferde sitzt.

Martin Ljubić *Viestn.* IV p. 88.

Ebreichsdorf. September 1882 fand man am Ende des Schlossparkes von Frau Mathilde Gräfin Pongracz zwei röm. Grabsteine, von denen der eine schon früher bekannt war und im C. I. L. III n. 4594 nach Clusius als im Besitze Becks ehemals befindlich publicirt ist; sie waren in älterer Zeit daselbst als Materiale beim Bau einer Brücke verwendet worden und sind wahrscheinlich in der Nähe gefunden. 'Der Punkt des neuen Fundes markirt eine Stelle der von Vindobona nach Scarabantia führenden Strasse, deren Zug auch durch die zahlreichen Ueberreste römischer Denkmale im nahen Weigelsdorf bezeichnet wird.'

Der zweite, bisher unbekannte, 'war für ein Ehepaar bestimmt; sehr beschädigt. Oben sieht man einen Mann in Halbfigur mit der Tunica bekleidet, die r. Hand der Frau zu seiner Rechten reichend; diese hat in den Nacken fallendes Haar. Die Gesichtszüge beider sind unkenntlich. Diese Gürtelbilder sind fast lebensgross und ziemlich gut gearbeitet. Unter ihnen die äusserst verwitterte Inschrift, in der nur einzelne Buchstaben mehr halbwegs deutlich sind. Unten wie es scheint ein Delphin. Die Steine sind jetzt von der Gräfin an geschützter Stelle im Schlosse gut sichtbar aufgestellt.'

351.
        D   M

    A VRL VRSVLVS

    CARISSIM·AN

sic XLV HSI·P·ERNI

5 C VIVS · SIBI

    P · SVIT

Nach v. Sacken Mitth. d. Centralcomm. VIII (1882) p. CXXXVIII f. Z. 1: *Aur*[e]*l*(*ius*). Z. 4 — 6 vielleicht zu lesen: *h*(*ic*) *s*(*itus*) [*e*](*st*) *p*[*at*]*er* [*fil*]*i*[*o*] *vi*(*v*)*us* (scil. *et*) *sibi* *p*(*o*)*suit*.

Mitth. d. Centralcomm. VI p. CXVII f. (Inschriften aus Carnuntum) = Arch - epigr. Mitth. Bd. V p. 203 f. u. IV p. 128.

Wien. 352. 'Inschriftstein, gefunden bei den Erdarbeiten, welche durch die Herstellung der Gartenanlage vor dem neuen Rathhause veranlasst wurden (1879). Jetzt im städtischen Museum. H. 0·30, br. 0·14, d. 0·10, oben und unten mit Gesimsen versehen, die aus einfachen Rundstäben von verschiedener Stärke gebildet werden Die obere ebene Fläche wird von einem aufstehenden Rande eingefasst, so dass eine seichte viereckige Vertiefung entsteht, in welche ein Bildwerk hineingestellt werden konnte (*ara cum sigillo* oder *signo*).

    S S S

    HE M II

    QINTI   *sic*

    LIAN

5 VSVS

Kenner in Mitth. d. Centralcomm. 5 (1879) p. 32. S(ancto) S(ilvano) s(acrum) Hemii.. Q(u)intilianus v(otum) s(olvit).

'Die Endbuchstaben des Namens des Widmenden sind nicht deutlich genug; die Schriftfläche ist stellenweise sehr rauh in Folge der Verwitterung, so dass nicht sicher, ob ᴴEMIL oder ᴴEMID zu lesen ist.'

Mitth. d. Centralcomm. X p. CVI (Inschrift aus Mödling) = diese Mitth. VIII p 94.

Instrumentum

Sissek. 353. Jetzt in Agram. Lampenstempel:

CERIALIS — CRESCE und CRESCES — LIC — FORTIS — PROBVS
S

Bei Tkalčić eine erwähnt mit: $\begin{matrix}\text{INGE}\\\text{NVC}\end{matrix}$

Eine Kugel, flachgedrückt, einerseits convex, anderseits flach, auf dieser Seite: A Ljubić Viestn. I p. 74.

Ebenda. 354. Jetzt im Agramer Museum. Auf dem Halse einer gebrannten Tonröhre (Durchm. 0·21, am Halse 0·16):

Ljub. Viestn. I p. 72.

Ebenda. 355. Jetzt in Agram. Tegulae:

a) In der Mitte von oben nach unten gebrochen, h. 0·43, br. 0·305, d. 0·055, Buchstaben cursiv, aber deutlich:

pri(die) idus iunj
Felicio CCXX

b) Bruchstück, l. 0·26, br. 0·15, d. 0·06, enthält nur die Zahl: CCCXCI

c) Bruchstück, h. 0·14, br. 0·315, d. 0·065 mit der eingeritzten Inschrift:

IN =|= U

d) H. 0·44, br. 0·29, d. 0·055, eingeritzt: CXVI
e) H. 0·43, br. 0·23, d. 0·05, eingeritzt:

VIC

f) Bruchstück, eingeritzt: AH
g) APPIANI l. 0·12, br. 0·03
h) SISC l. 0·85, br. 0·26 } Fabriksstempel mit erhabenen Buchstaben.
i) ƨIƨC l. 0·75, br. 0·25
Ljubić Viestn. I p. 72

Ebenda. 356. Ziegelstück mit abgebrochenen Rändern, h. 0·17, br. 0·16, d. 0·05. Ausgegraben 1878 vom archäol. Verein Siscia'; mit einem Stilus eingeschnitten:

ꟼ E

E E C I

Q⊔ I L F G E I

Ljubić *Viestn.* II (1880) p. 12.

Ebenda. Jetzt in Agram. Terra sigillata:

1. Stempel an der äusseren Fläche einer Räucherpfanne, l. 0·55, br. 0·02:
IVN PATN, die letzten Buchstaben unsicher.

2. Dsgl., l. 0·75, br. 0·02: COSTINI

3. Dsgl., l. 0·96, br. 0·16: M · MAFSI

4. Am Halse einer Räucherpfanne, l. 0·75, br. 0·02: L- TARI RFI

5. Am Boden der Pfanne, aussen: PRIM*arius?*, innen: P· ATTI

6. Dsgl. aussen: P E, innen: $\dfrac{\text{SOLI}}{\text{MARI}}$

7. Dsgl. aussen: ꟾILO

8. Dsgl. doppelt aufgedrückt: P · ATTI

9. Dsgl. aussen: $\dfrac{\text{M·VE}}{\text{T T } \overline{\text{I}}}$

10. Dsgl.: C · CESABE

11. Dsgl.: $\dfrac{\text{HILA}}{\text{R V S}}$

12. Dsgl.: Q₋ I · C

13. Dsgl.: $\dfrac{\text{SOLI}}{\text{MARI}}$ (etwas anders als n. 6).

14. Dsgl.: $\dfrac{\text{ORA}}{\text{SARI}}$

15. Dsgl.: ᴧRI Glasur fast ganz abgefallen, daher von Buchstaben fast
keine Spur.

16. Dsgl.: PRITANII

17. Dsgl.: L·GELLIᴇ

18. Bruchstück dsgl.: $\dfrac{\text{I C}}{\text{A E}}$

19. Dsgl.: $\dfrac{\text{SO}}{\text{M}}$

20. Dsgl.: SIPA

21. Undeutlich, da der Stempel mehrmal aufgedrückt, scheint RAMI zu sein.
Ljubić *Viestn.* I p. 73.

357. Auf dem Boden von innen roth gefärbten, dünnen, aber sehr hübsch
ausgestatteten Gefässchen:

1. $\dfrac{\text{HIL}}{\text{ARI}}$ vgl. *Viestn.* I tab. I u. II.   2. $\dfrac{\text{ACA}}{\text{STVS}}$

3. In einer einem Fusse ähnlichen Zeichnung: ᴧVRI

4. Ebenso: MRR'

5.

6. SO◯LO⧸

Auf dem Grunde eines Leuchters aussen in erhabener Schrift:

ATIME

Ljubić *Viestn.* II (1880) p. 12.

358. Drei sehr schöne Ziegel mit bis jetzt unbekannten Stempeln aus zwei Fabriken; aus der besseren Zeit des römischen Gewerbes; ausgegraben in **Ščitarjevo** (Andautonia):

a) CCON *b)* I · RVCCON *c)* L · LVSI · RVCCO

d) L · LVSI · RVCCON *e)* P · ER · P

Viestn. V (1883) p. 13.

Varasdin-Töplitz. 359. Ziegel, gef. 1867 in der Nähe von Tuhovac.

a) L X G F L◦R *b)* CAS · CRI *c)* Fragment von *b*): MRI
Gefäss mit dem Stempel: IVIN

Ljub. *Viestn.* I p. 43 n. 4. 5.

Wien. 360. Ziegel, gefunden bei den Erdarbeiten vor dem neuen Rathhause; derselbe bildet ein Viereck von 0·205 und zeigt in schönen schmalen Lettern den Stempel:

VIB VAL VI

Das letzte Zeichen leicht verwetzt. Der Name *Vib(ii) Val(eriani) (centuria?)* auf Wiener Ziegeln noch nicht vertreten; jetzt im städtischen Museum.

Kenner, Mitth. d. Centralcomm. V (1879) p. 32.

Klosterneuburg. 361. Beim Ausheben des Grundes für einen Zubau des Hauses Nr. 9 in der Buchberggasse stiess man in einer Tiefe von ca. 2·8 auf drei römische Gräber. Zwei derselben bestanden aus Ziegeln, die mit kleinen Varianten die Stempel: OF · ARNMAXENTIAVIN und OF · ARN BONO MAG aufweisen; zwei davon im Besitze des k. k. Antiken-Cabinets, die andern im Museum des Stifts.

v. Sacken, Mitth. d. Centralcomm. VII (1881) p. CXXXIII.

NORICUM

362. **Saifnitz** in Kärnten. Um 1854 ausgegraben im Felde hinter dem Hausstadel, jetzt im Museum in Klagenfurt, h. 0·15, br. 0·13.

VLPI
NINI
/ · S

Nach meiner Abschrift im Sommer 1884, vgl. Pichler *Carinthia* 73 (1882) p. 157.

363. Ebenda. Grosser Block, Gesims einer Ara, jetzt im Klagenfurter Museum, h. 0·70, br. 0·38.

Nach meiner Abschrift im Sommer 1884, vgl. Pichler *Carinthia* 73 (1883) p. 158; ebenda zwei kleinere Fragmente mit wenigen Buchstaben.

Zu C. I. L. **III** n. 4715:

Im Boden des Hauptschiffes der Filialkirche St. Dorothea bei Saifnitz das Bruchstück des Römersteines, der bei Apianus mit der Ortsangabe 'apud Tarvisium' steht.

A

SECVNDIN*us*

SECVND*i f*

ETBRVTTI*a*

5   FALANDIN*a*

C O

Pichler, *Carinthia* 73 (1883) p. 158. Mangelhaft Karl Lind Mitth. d. Centralcomm. IX p. LXVI. Bei Lind fehlen Z. 1 u. 6, ebenso Z. 4 der erste Buchstabe. Mitth. d. Centralcomm. X p. LXXI (Inschriften aus Lienz) = diese Mitth. VIII p. 89.

364. **St. Michael** bei Villach, zwischen Zauchen und Gratschach, Pfarre St. Ruprecht. An der Filialkirche, Westseite, neben der Pforte, vormals höher über derselben.

BA·CA·CV·AT·V

NI·F·VIVA FECIT

S·IBI·ET·ARIMA

NO FILIO ARI

5   O·NIS·Γ·COTV

NI MESSICI F

CONIVGI CAR

VIVA

Fr. Pichler, nach einem Abklatsch des epigraphisch-numismatischen Cabinets des Grazer Universitätsmus., *Carinthia* Jg. 73 (1883) p. 154:

„Die sieben ersten A haben den schrägen Mittelstrich, die drei ersten F sind abgeartet. Z. 5 S·Γ undeutlich, wahrscheinlich ·F·E. Für die eigenartige überflüssige Interpunktion innerhalb der Namen vgl. C. I. L. III n. 5505 u. 4781. Die Namen Bacacu und Messicus sind neu, die andern Namen kommen auch sonst in Noricum vor, vgl. Index zu C. I. L. III.“

Zollfeld. 365. Ara, ausgegraben 1881 in Adams Brache, im Wäldchen nächst dem Unterwirthe, jetzt im Landesmuseum in Klagenfurt.

GENI*o*

PRO SALVTE

SVCC*es* SI·Ñ

ᵟ ET · ᵟ

5   PROXIMINAE

EIVS

PRIMITI*uu*S LIB

· V · *s. l.* M ·

Nach meiner Abschrift, die ich im Sommer 1884 von dem Steine genommen habe; vgl. Pichler Mitth. d. Centralcomm. VIII p. CXIV.

366. **Zollfeld.** Unedirtes Marmorfragment im Museum zu Klagenfurt n. 210.

ᗡ I M P R O
ι TONINI

Nach meiner Abschrift im Sommer 1884: *d(eo) I(nvicto) M(ithrae) pro [sal(ute)*
mp. Caes. An]tonini...

367. Kleine Platte, wenig wahrscheinlich von einer Ara, gef. 1881 im sogen.
Friedel-Hause, Wiesendreieck zwischen Prunnerkreuz, Sulzmühle, Waldbrunnen
nächst dem Döchmannsdorfer Wege; jetzt im Landesmuseum in Klagenfurt.

d. i. m.

*p*RO *salute*

s VA · . E T ·

*i*VLIVS·

ιⲥⲥ

Pichler Mitth. d. Centralcomm. VIII p. CXIV n. 2. — Z. 3: *et [s](uorum)*.

368. Zwei Ara - Obertheile, ausgegraben 1881 in Adams Brache; jetzt im
Landesmuseum in Klagenfurt.

a) D I O (?)   *b)* O V I ꞋI꜒ sehr vernutzt

Pichler Mitth. d. Centralcomm. VIII p. CXIV n. 3.

369. Fragment, ausgegraben 1881 im Friedel-Hause; jetzt im Landesmuseum
in Klagenfurt.

? *iuni* ᴧ

cand I D A

· · · ·

Pichler Mitth. d. Centralcomm. VIII p. CXIV n. 5.

370. Bruchstück mit Kleinschrift, ausgegraben 1881 in Adams Brache; jetzt
im Landesmuseum in Klagenfurt.

Ⲥ		
E	und davon	
F	rechts wie	I I
T	die Schlüsse	I
ᴧⲤ	von Zeilenreihen	ᴧⲤ
F I		

Pichler Mitth. d. Centralcomm. VIII p. CXIV n. 4.

371. **Brantlhof** im Zollfeld. 'An der Capelle befindet sich das, Fragment NON mit den 10 Cm. hohen Buchstaben und das bisher nicht bekannte SEQ gestürzt, hoch oben im Rundbau. Dieser ganze Stein, br. 0·82, h. 0·13, gehört zu einem Grabdenkmal mit der Formel: *hoc monumentum heredem non seq(uetur)*'.

Pichler *Carinthia* 73 (1883) p. 151. Ebenda ein kleines Fragment aus Raka-saal bei der Fostel-Hube.

372. Sandsteinfragment, unten vollständig, im Museum zu Klagenfurt.

$$\boxed{\text{O C T A V}}$$

Nach meiner Abschrift im Sommer 1884.

Magdalenenberg. 373. Votivstein, gef. bei den Ausgrabungen des Bauers Gradischnigg während des Winters 1880 und Frühjahrs 1881.

ATVCO · MÆON S · F ·
AEIA · L · VIVA · FECT
SIBI · ET · S VIS

Ich gebe die Inschrift nach einem Abklatsch, der vom Geschichtsverein an das arch.-epigr. Seminar eingeschickt wurde, und einer Abschrift, die ich im Sommer 1884 vom Steine genommen habe; vgl. Jabornegg *Carinthia* Bd. 71 (1881) p. 195, und Klagenfurter Zeitung 1881 p. 1052; eine richtige Lesung von Franz Pichler mitgetheilt von Heinrich, Mitth. d. Centralcomm. VII p. CI.

Ein zweiter Stein enthielt nur einzelne unzusammenhängende Buchstaben, an einem dritten war die Schrift so verwischt, dass nur die erste Zeile mühsam entziffert werden konnte, sie enthielt den Namen:

PRIVATIVS

Jabornegg *Carinthia* Bd. 71 (1881) p. 195.

Lamprechtsberg. Mitth. d. Centralcomm. VII p. C. CI = Arch.-epigr. Mitth. aus Oesterr. VI p. 95 n. 2.

St. Peter am Wallersberg. Zu Arch.-epigr. Mitth. aus Oesterr. Bd. IV p. 209 n. 5.

Die kleine Votivara beginnt mit

ASCVKEPIO

Pichler nach dem Abklatsch W. Semens Mitth. d. Centralcomm. VIII . CXIV n. 6.

Deinsberg. In der alten Pfarrkirche fand Pfarrer Gröszer von Gutaring, zur Ummauerung der Sacraments-Nische verwendet, vier bisher unbekannte römische Grabsteine, von denen nur der Stein, der die Decke bildete, ganz war. Die Orts-sage weiss auch hier von einem Heidentempel zu erzählen.

374. Grösse der Schriftfläche: 0·27 h., 0·30 br. Klare tief eingemeisselte Buchstaben.

d | I ʊ M ʊ
? *uib*|E N V S
? *qua*|R T I · E
qui|N T I L L A
5 ? *quin*|T I A N I · V I V I
fecr|R V N T · S I B I

Die Ergänzungen von Gröszer u. F. Kenner. — Z. 1: [*d*](*iis*) i(*nferis*) m(*anibus*).

375. Grösse der Schriftfläche: 0·26 h., 0·28 br. Klare tief eingemeisselte Buchstaben, etwas ungleich, gut erhalten.

D M · S A T V R I O|*ni*?
*Y*O R T I O N I S V|*iu*?
*Y*E C I T S I B I · E(*t*
V I B E N E C O N I*i*|*gi*
5 E T*Y*O R T I O N|*i fil*?

Dass der Stein rechts gebrochen, wird zwar nicht direkt angegeben, geht aber aus der Inschrift und den Ergänzungen Kenner's hervor.

376. Grösse der Schriftfläche: 0·30 h., jetzt 0·36 br. Stark verwetzt, schlechte Buchstaben.

D M V A K E N|*ti*
N A S A M
M A R C E // V S
F E C I T C O //
5 V I / / / /

Z. 2 vermuthet Kenner: *Sam*[*mi f*(*ilia*)]. — Z. 3: *Marce*[*llin*]*us*. — Z. 4—5: *co*[*niugi d*]*u*[*lcissimae*].

377. H. 0·30, l. 0·40. Schöne regelmässige Buchstaben, schmal und seicht eingemeisselt.

V I C T O R|
V L P L · . . . I V S|
F E C I T S I B I E T
S E C V N D I N E
5 CoN I V G I I|

Kenner vermuthet: *Victor*[*inus*] *Ulp*(*ii*?) *l*(*ibertus*) .. *vi*(*v*)*us fecit sibi et Secundin*(*a*)*e coniugi p*(?). . . .; Z. 2 kaum richtig, zum Schluss nach dem Raum wahrscheinlicher *b*(*ene*) *m*(*erenti*).

Fr. Kenner nach Bericht und Papierabdruck des Pfarrers Gröszer in Mitth. d. Centralcomm. X (1884) p. CIV f.

Hrastnigg. 378. Ziemlich wohl erhaltener Altarstein, gef. (vor 18. Juni 1881) auf der Besitzung des Herrn F. C. Burger vom Director der Glasfabrik, mit der Inschrift:

A D S A
L V T E A V G
C C A

Mitth. d. Centralcomm. VIII (1882) p. CXIII.

Zeile 3 dieser Ara der *Adsal*(*l*)*uta Aug*(*usta*) enthielt vielleicht die drei Namen des Dedicanten.

Stein in Oberkrain. 379. Im Stallgebäude des Herrn Hostnik in Stein ist ein Monument so eingemauert, dass die Schriftfläche und die rechte sculpturbedeckte Seite sichtbar ist; 1·0 h., 0·85 br., 0·55 d.; rechts von der Inschrift ein stilisirter Acanthus-Busch, der eine Vase mit einer Rebe trägt, jederseits ein Delphin.

C · D I N D I O
B L A N D O E T
O C T A V I A E · P · F

QVARTAE

5   C DINDIO BLANDO F

AN · VIII

Müllner, Mitth. d. Centralcomm. V (1879) p. CXXXVII.

Haus am Pacher. 380. In dem Gemäuer des Schlosses anlässlich einer Adaptirung, welche der vorige Besitzer Herr v. Feyrer vornehmen liess, gefunden:

a) Fragment aus Marmor, h. 0·52, br. 0·40.

A E D

A V

M A

CONI

b) Fragment eines Grabsteines, Marmor; oben ein Mann, welcher eine Guirlande hält, darunter als Rest einer Inschrift:

N I O

Müllner Mitth. d. Centralcomm. V (1879) S. CXXXVI f.

Eiersdorf. 381. Nächst dem Kreuzerhofe an der Kirche.

QVARTO

L·VRBINES

LIB·ET·SEXE

CON·F·F

Nach einem Abklatsch von W. Semen Pichler Mitth. d. Centralcomm. VIII (1882) p. CXIV. Z. 4: con(iugi) f(ieri) f(ecit).

Ad C. I. L. III 5721 (Meilenstein, gef. in der Mitte der Dreissiger Jahre in einem steil ansteigenden Hohlwege [Spur der alten Tauernstrasse] oberhalb des Johannes-Falles in der 'Drischübelhalt', 1·36 h. über dem Boden, d. 0·50.

//IX

X / /

S/////S

/////////

5   C O S

N Ⱶ \

/\EPV

O///

//T ·

E. Richter Mitth. d. Centralcomm. VII (1881) p. CXII. Vgl. „Befund über die Begehung der Radstätter Tauern, Pongauer Seite, zur Erhebung des Zuges der Römerstrasse und ihrer Denkzeichen" in Mitth. d. Ges. f. Salzburger Landeskunde XXI, 1881, p. 80 ff.

Strass bei Spielfeld. 382. Am 15. Juli 1881 wurde auf dem Acker des Herrn Plentner ein Römerstein aus weissem Marmor, 0·55 br., 0·48 h., ziemlich erhalten ausgegraben und für das Leibnizer Museum erworben; unregelmässige, theils stehende, theils liegende Schrift'.

<pre>
        NOIIBIO
        DOCNIM
        ARI
        ANXXXV
    5   SE
</pre>

Mitth. d. Centralcomm. VIII p. CXIV. — Z. 5 wohl: ⌊H⌋(ic) s(itus) e(st).

Cilli. 383. Votivstein aus weissem Bacher-Marmor, 0·75 h., 0·58 br., 0·09 d., gef. beim Fundamentgraben unmittelbar am nordwestlichsten jener Rundthürme, welche einst Cilli umgaben und zwischen welchen die Ringmauer hinlief, 1 M. tief unter dem Erdboden.

<pre>
        VINDV
        COMATILLAE
        VT SIBI ET
        SATVLLAE F
    5   ANN XXX
</pre>

Riedl, Mitth. d. Centralcomm. X (1884) p. CCXV. — Z. 3 in. wohl VF (= *viva fecit*).

384. Im Mai 1884 wurde bei der Villa „Mina Biger" in Lava ein weissmarmorner Römerstein gefunden. Die wenigen Buchstaben der nicht lesbaren Inschrift sind rein, aber einfach und genau gemeisselt. Die Reliefs sind stark beschädigt und lassen auf einen Grabstein eines Kriegers schliessen. Das im unteren Theil zeigt die Darstellung des die Leiche des gefallenen Achill bergenden Aias, am Giebel ist eine Victoria-Büste. Das Monument dürfte aus dem 2., wenn nicht Anfange des 3. Jahrh. stammen.

Riedl, Mitth. d. Centralcomm. X p. CLIV.

385. **St. Martin** im Schallthale in Südsteiermark. Gef. Frühling 1880 beim Pflügen auf der Ackerparzelle Nr. 156 zwischen dem pfarrlichen Wirthschaftshofe und dem Flüsschen Pack, 0·54 h. u. br., links unten und rechts oben gebrochen, sonst gut erhalten; befindet sich noch an dem erwähnten pfarrlichen Wirthschaftshofe.

<pre>
        D · M
        BABB · SPERATI
        NVS OBIT A · lx
        SPERATVS FILIVS
    5   ET CANDIDE VXORI
</pre>

Jgn. Orožen in Mittheil. d. hist. Vereins f. Steiermark, Heft XXXI p. 66.

Mitth. d. hist. Vereins f. Steiermark, Heft XXXI p. 63 (Inschrift aus Cilli) = Kenner Mitth. d. Centralcomm. VI p. CXX u. Heinrich Arch.-epigr. Mitth. aus Oest. IV 1880 p. 127.

Buchbach. 386. 'In der Umgebung von Köflach bei Graz hat man gelegentlich einer neuen Strassenanlage von Piberstein bei Greifeneck weg u. zw. in der Gemeinde Buchbach, Pfarre Lankowitz, Waldparzelle des Franz Krug, vulgo Dittmar (Nr. 389) im Jahre 1878 eine Schriftsteinplatte gefunden. Sie lag in südwestl. Richtung von der Kirche Lankowitz, an 1233 M. von derselben entfernt, 0·47 unter der Erde. In der Nähe heisst eine Stelle der Friedhof - Acker; da nun hier seit Jahrhunderten keine Grabstelle war, so darf man hier eine römische oder vor-römische Gräberhalde vermuthen. Der Stein, ein sehr quarzreicher Kalk, stark verwittert, ist 0·90 h., 0·58 br., 0·10 d. Die Inschrift befindet sich im Lapidarium des hist. Museums in Graz und lautet:

CABALIO
SAVRI·*fi*·ET
DRESIAE·BVSTV
RI·FI·CONIVGI

Pichler, Mitth. d. Centralcomm. V (1879) p. CXXI f. — Z. 2 überliefert FI.

Maxglan bei Salzburg. 387. Bei einer Reparatur der Kirche wurde in dem Thurmgemach ein sehr schöner römischer Grabstein eingemauert gefunden; es ist eine Platte rothen Adneter Marmors, oben und unten beschädigt, sonst aber leidlich erhalten; darauf die wenig verstümmelte Darstellung eines Jünglingskopfes in einer Nische, dann Epheuranken in den Randleisten und die verwitterte, aber deutliche Inschrift:

PEREGRINO
IVL MODERA†
SER ANN XXI
SPERATVS
5   ET·PEREGRINA
PARENTES
V·F

Nach einem Berichte und Facsim. Richter's in Mitth. d. Centralcomm. VIII (1882) p. CIV. Z. 7 am F wohl nur zufällig ein Querstrich unten, so dass es einem E gleichsieht. — *Peregrino Jul(ii) Moderati ser(vo) ann(orum) XXI Speratus et Peregrina parentes v(ivi) f(ecerunt).*

Mitth. d. Centralcomm. V (1879) p. CLXVII (Inschrift aus Salzburg) = Arch.-epigr. Mitth. Bd. III (1870) p. 192.

Wels. Rev. Inschr. zu Arch.-epigr. Mitth. aus Oesterr. VI p. 96.

'Z. 1: nach C folgen vier Hastae, so dass an ein Zusammenfallen der beiden mittleren in ein D nicht gedacht werden kann; die Querstriche an E und L sind sehr kurz gerathen. Herr v. Kolb hat am vierten Buchstaben einen Querstrich wahrgenommen; vielleicht ist es nicht allzugewagt, an den Namen SACILLIA oder SACRETIA zu denken (vgl. C. I. L. III n. 5512. 5516. 5517)'.

Kenner Mitth. d. Centralcomm. VIII p. CII.

Unedirt:

388. Prismatischer Sandsteinblock, gef. Westbahnstrasse, Werkplatz des Steinmetzmeisters Stadlbauer, stark beschädigt; h. 0·50, d. ca. 0·23.

Das Inschriftfeld vertieft und durch doppelten (aus einfachen Rinnen bestehenden) Rand abgegrenzt, h. 0·28, l. 0·52. Die letzte (6.) Zeile auf der inneren Randlinie.

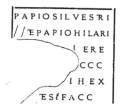

Nach Abschrift und Abklatsch des Herrn cand. phil. E. Novotny. Der Stein ist sehr rissig, daher von Z. 3 an schwer zu lesen und auch aus dem Abklatsch nicht viel zu gewinnen.

Z. 5—6: *h(eres) ex tes[t](amento) fac(iendum) c(uravit)*.

389. Rohr am r. Ufer der Krems. Zunächst dem Portal der Kirche in Oberrohr ist an der Aussenseite des Gebäudes nahe beim Erdboden ein Römerstein eingemauert, an dem man jedoch nur die Buchstaben D M und einige Zeichen wie XIII erkennen kann.

Wimmer in Mitth. d. Centralcomm. VI (1880) p. XLIII.

Tulbing. ad C. I. L. 5651. Der Stein ist im Hause Nr. 87 an der Mauerecke bei dem Garten eingefügt. H. 1 M., br. 0·72. Z. 3 fin. Æ. — Z. 4 st. XXX das Zeichen ⅩⅩ — Z. 8 fin. blos E

Karlstetten. ad C. I. L. 5658, h. 1·08, br. oben 0·45, unten 0·57, d. 0·43. Die am Anfang der Zeilen ergänzten Buchstaben zum Theil erhalten, so Z. 1: \ — Z. 4: ⌐ — Z. 9: ⅼⅼ Ebenda Ϸ — Z. 3—10 am Ende ein Punkt.

Grafendorf. ad C. I. L. 5661, an der äusseren Kirchenmauer, h. 0·47, br. 0·28, und lautet so:

```
        / / / / / / /
        / / ᴏ ᴅ ᴉ ᴊ ᴗ
        / / PART · AN
        / / V·ET · T·AEL·
        / / AEL · VRSAE
  5     / E· VERINO · VIV
        /EX·B·P·A·FL·V·E
        /VI · AQVILIN · F
        / OPT ·
```

Z. 6: ʿex *b(eneficiario)* *p(raefecti)* *a(lae)* *Fl(aviae)* I. *v(eterano)*ʾ Dungl.

St. Leonhard am Forst. ad C. I. L. 5663. Der Stein stark verwittert, so dass eine vollständige Entzifferung, bes. der unteren Hälfte, unmöglich. Die Lesung im Corpus unrichtig, was schon daraus hervorgeht, dass der Stein nur ·17 Zeilen aufweist, während im C. I. L. 18 sind. Der Stein ist 1·7 h., 0·90 br. und hat noch erkennbar von Z. 10 an folgende Inschrift:

```
  10    ET · AVVAE · MAXSIMI
        F · CON · AN · LXX
        M · S · SE…V
        Æ L · GETIE……TA·
```

E · M · S · S · · · · · · ·

15 / / / / / II T / / IXIII

E · SEX · SA - MINO

MI · L · II · SEV · A · XXV

Z. 12—13 vielleicht mit Zugrundelegung der Lesung des Corpus zu lesen: [*quaest(ori) mun(icipii)*] *Ael(ii)* [*C]eti(i)*. — Z. 17: *mi(liti) l(egionis) II. Sev(erianae)*.

C. I. L. 5664 neben dem vorigen in der äusseren Kirchenmauer befestigt, ist so stark verwittert, dass nur mehr einzelne Buchstaben zu erkennen sind.

390. 'Diente als Pflasterstein vor dem Thore des Hauses Nr. 38; soll neben den beiden schon bekannten an der äusseren Kirchenmauer seine Stelle finden. H. 0·67, br. 0·84, stark verwittert, so dass nur einige Reste zu erkennen sind.

/ / / / / / / / / / / / /

/ / ITI · F · VIVI · F · SIBI

E · \ / / ' / / / / / /

/ / / / / i / ' / / / / / /

391. 'Ein Bruchstück eines röm. Inschriftsteins findet sich nebst mehreren anderen Fundstücken bei dem Hausbesitzer Franz Ertl auf der Hub in der Nähe von St. Leonhard. Dieselben sollen in der Nähe des Hauses zugleich mit Urnen und röm. Münzen gelegentlich eines Baues ausgegraben worden sein.' Der Stein, h. 0·62, br. 0·55, d. 0·30, ist mit einer auf der einen Seite noch vorhandenen, 0·21 br. Bordure aus Hohlkehlen verziert.

/ Ɔ M

/ / CVN · D I ·

/ / SANCIVS T

/ / S I VS ΛG

5 / / / / FE C·

Nach Dungl: [*J(ovi)*] *O(ptimo)* *M(aximo)* [*et*] *cun(ctis) di(is)* [*deabusque?*] *Sancius T(itus)* . . . .*sius Augustalis* . . . . *fecit;* wenn die Lesung richtig ist, dürfte von Z. 3 vielleicht zu ergänzen sein: [*Ti.*]? *Sancius T. .sius Aug(ustalis)* [*s(ua) pec(unia)* oder ähnlich] *fec(it)*.

C. I. L. 5669 in **Gossam** noch vorhanden (eingemauert in der Capelle des heil. Pancratius auf der Epistelseite des Altars), aber zum Theile mit diesem in die neu aufgeführte Mauer eingelassen, so dass nur die erste Hälfte der Inschrift sichtbar.

Dungl, Mitth. d. Centralcomm. VI (1880) p. XCIV ff.: „Bericht über röm. Alterthümer im V. O. W. W."

Instrumentum

392. **Cilli.** Bei Bloslegung einer Grabstätte in der Nähe des Dorfes Gomilsko, ca. 7 Km. ober Franz, gelegentlich des Baues der Strasse von Franz über Sachsenfeld nach Cilli fand man in einem gewölbten Raume, behufs Verschlusses namentlich im Scheitel verwendet, Trümmer von röm. Dachziegeln von 0·03 Stärke mit dem mehr weniger deutlichen Stempel:

| REGANO |

Riedl, Mitth. d. Centralcomm. X p. CLVI f.

393. Im Februar 1884 wurden gelegentlich einer Hopfenbauanlage auf den bisherigen Ackergründen der Villa „Minna Stiger" in Lava bei Cilli auf ca. 0·85 Tiefe in einem Grabe ausser anderen Gegenständen 4 Thonlampen gefunden mit den Stempeln: ATIME — FORTIS — VIBIANI — VRS

Riedl, Mitth. d. Centralcomm. IX p. LXXII.

394. Im Jahre 1881 stiess man bei Erdarbeiten in der Grazergasse in Cilli auf die Reste eines römischen Hauses. Ausser anderen Stücken fand man einen silbernen Ring, aussen mit der Ornamentik einer wellenförmigen Linie, begleitet von Punkten. Innen trägt er die Buchstaben: .I.AO.IAC.O.A.I.O Anfang und Ende stossen auf der Innenseite nicht zusammen, sondern sind durch einen leeren Zwischenraum getrennt, wo der Ring gelöthet erscheint, auch ist an der entsprechenden Stelle der Aussenseite die Ornamentik verschoben.

Ebenda eine Lucerna (ohne Sculptur), auf deren Unterseite: OCTA FI *Oct(avi) fi(glina?)*

A. Heinrich, Mitth. d. Centralcomm. VII (1881) p. CI.

395. Gelegentlich der 1880 vorgenommenen Abtragung eines Hügels bei Bernardin nächst **Wels** wurden verschiedene Funde gemacht. In einem röm. Kindergrabe, dessen ganzer Inhalt ins Museum Francisco-Carolinum kam, eine Thonlampe gewöhnlicher Form mit CRESCE|S.

An der westlichen Seite des Hügels eine Lampe gewöhnlicher Form mit C DESSI

An der östlichen Seite des Hügels ein Bodenfragment einer Lampe mit der Inschrift: NERI.

Kolb in Mitth. d. Centralcomm. VII p. LXXI f.

Wels. 396. Bei Aufdeckung des Coemeteriums fand man Thonlampen mit den Töpferstempeln: OCTAVI — PAT(*erni*) — VIBIANI

Ebenda einen geschnittenen Stein mit den Buchstaben P A D

Diese Stücke sämmtlich im Museum Francisco-Carolinum in Linź.

Kenner, Mitth. d. Centralcomm. VIII (1882) p. CH.

397. Im Museum Francisco - Carolinum (Linz) wurde die keramische Abtheilung neu aufgestellt; dabei ergaben sich als bisher in diesem Museum (vgl. C. I. L. III 6010 ff.) noch nicht als vorhanden bekannte Töpfersiglen:

AVRELIVSI — IVLI·MAN — IVSTS FE — 〖NVMNI〗 — OPRASF (C. I. L. 6010, 264 ohne F am Schlusse, Fundort Linz) — POLIAN/ (Fundort Enns) — QVA/ — Retrograd: RECIN/ — RECVILVS FEC — RIISTVTVS — /RICIAA (Fundort Schlögen) — SIIVIIRIAИS F *Severianus f(ecit)* (Fundort Schlögen), von ebendaher stammt das Exemplar C. I. L. n. 6010, 206 *b* — VICTOR FEC (Fundort Enns) — VICTOR F (Fundort Enns) — Retrograd: VICTORINVS F ad C. I. L. 6010, 234 — Retrograd: VRBO FE

Nach Kolb, Mitth. d. Centralcomm. IX p. CXXIII.

398. In **Mauer an der Url** wurden im Umfange des röm. Gestelles drei Bruchstücke von Ziegeln mit Stempeln gefunden und zwar zwei Exemplare mit MVR·D und eines mit FI, welche in den Besitz des k. k. Antiken-Cabinets in Wien gelangten.

Dungl, Mitth. d. Centralcomm. VI (1880) p. XCVI.

RAETIEN

Bregenz. 399. Bruchstück einer Bronzetafel, 1840 in Bregenz auf dem Aurat-Plateau ausgegraben, neuestens dem Landesmuseum abgegeben; nur der Anfang der Inschrift, in sogenannter Pinselschrift, erhalten.

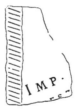

Jenny Mitth. d. Centralcomm. V (1879) S. CXXII. In Z. 2 Reste von E SP, also offenbar des Namens Vespasian.

400. Auf beiden Seiten beschriebenes Bleitäfelchen, im J. 1865 auf der römischen Begräbnissstätte zu Bregenz gefunden. Es lag in einem Grabe, welches sich durch die Beigaben (ein Metallspiegel, ein Armband) als das einer Frau kennzeichnete. Der Inhalt der Aussenseite (*a*) ergibt, dass das Täfelchen für eine *defixio* bestimmt war. Doch wurde es nicht wie gewöhnlich mit Nägeln befestigt (*defixa*), sondern nach der Beschreibung auf einen runden Gegenstand mit ebener Fläche aufgeschlagen (das Blei so eingebogen, dass es auf der Aussenseite ungefähr rechtwinkelig nach unten, auf der Innenseite nach oben geneigt ist). Die Schrift der Innenseite ist von anderer Hand als die der Aussenseite und hat so sehr gelitten, dass sie nicht zu entziffern ist. Von dem Plättchen fehlt nur wenig an den oberen Ecken.

a) Inschrift der Aussenseite:

DOMITIVS· NIGIIR · IIT · ‖ (*l*)OLLIVS · IIT IVLIVS SIIVIIRVS ‖ *ii*TSII*v*IIRVS · NIGRI SIIRVS
ADVIIr*s* ‖ ARI BRVTTAII · IIT · QVISQVIS ADVII ‖ RSVS ILAM LOQVT OMNIIS ‖ PIIRDIIS.

Domitius Niger et [L]ollius et Julius Severus et Severus Nigri ser(v)us, adve[rs]ari(i) Bruttae, et quisquis adversus il(l)am loqut(us est), omnes perdes.

b) Inschrift der Innenseite:

Z. 6: VALIIRIVM — Z. 4 vielleicht MINOR (oder MINORII). — Wahrscheinlich enthielt auch diese Seite eine (früher geschriebene) Defixio.

Facsimile, Lesung und Deutung von K. Zangemeister in Mitth. d. Centralcomm. VIII (1882) p. 57 f.

Einige andere kleinere Reste von Sgraffiti in Bregenz werden mit Erklärung von Zangemeister mitgetheilt von Jenny in Mitth. d. Centralcomm. X (1884) p. 14 f. u. XXIII. Jahresbericht d. Museums-Vereins in Bregenz p. 2 ff.

Instrumentum.

401. Stempelfunde (Grabungen im Jahre 1880) in **Bregenz**. Auf einem Reibschalenrand aus hartem gelben Thon:

FIRM*i*

FAVORI

Auf Henkeln von Amphoren: T·V·B und S·N·P

Auf Terra sigillata. Töpferstempel: *Jul. Primi o(ficina)* — *Polinus ofi. Maximi* — *Of. Se* (vielleicht *of. Severi*) — *Patrici* — *Jullini* und Stempelschneider *Imanni* inmitten einer Scene aus der Arena mit gut modellirten Thieren (Löwe, Löwin, Panther, Antilope).

Jenny, Mitth. d. Centralcomm. VIII (1882) p. 101.

Wien S. FRANKFURTER

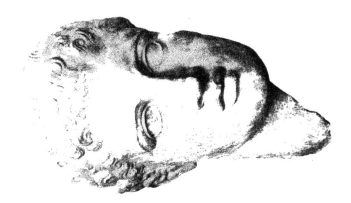

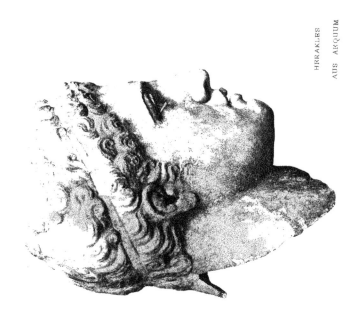

HERAKLES

AUS AEQUUM

Torso aus Salona
im Museum zu Agram

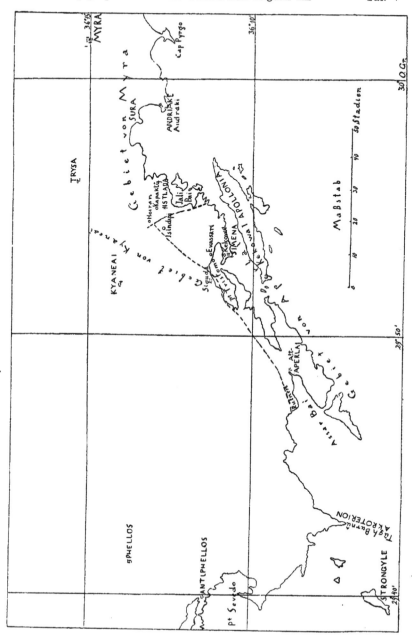

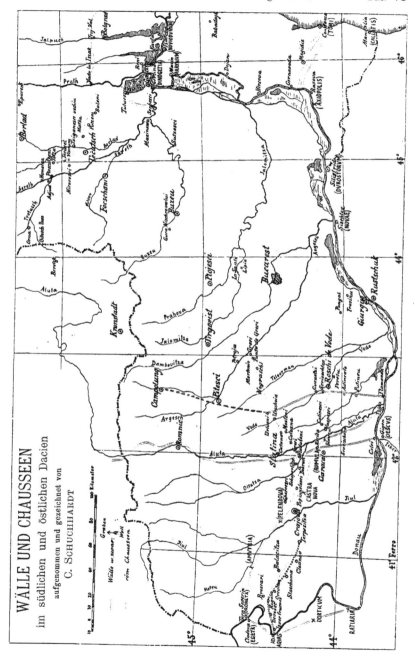

ARCHAEOLOGISCH-EPIGRAPHISCHE

MITTHEILUNGEN

AUS

OESTERREICH-UNGARN

HERAUSGEGEBEN

VON

O. BENNDORF UND E. BORMANN

JAHRGANG X

MIT 8 TAFELN

WIEN

DRUCK UND VERLAG VON CARL GEROLD'S SOHN

1886

INHALT

Seite

Bormann Die Tribus Pollia . . . . , ... 226—230

Domaszewski, Hauser, Schneider Ausgrabungen in Carnuntum . 12—41

Domaszewski Griechische Inschriften aus Moesien und Thrakien . . 238—244

    Zu griechischen Inschriften 244

Dürr Zu der Inschrift von Samothrake . . . . 119—120

Gomperz Zu attischen Grab-Epigrammen 41. 42

    Zu den neu entdeckten Grabinschriften der jüdischen Kata-
    komben nächst der Via Appia 231. 232

K. Baron Hauser Epigraphisches aus Kärnten . . „ . . . . . 232—234

Jireček Archäologische Fragmente aus Bulgarien . . . 43—104 u. 129—209

Löwy Inschriften aus Rhodos . . . . 216—221

Masner Ein Spiegelrelief aus Caere . . . . „ . 222—225

Th. Mommsen Zu Domaszewski's Abhandlung über die römischen Fahnen 1—11

v. Premerstein Römischer Votivstein aus Unter-Haidin nächst Pettau 120—123

    Neugefundene römische Inschriften aus Poetovio . . 234—237

Rollet Die antiken Schrift-Gemmen meiner Sammlung . . . . . 123—128

Schön, Weisshäupl Denkmäler aus Brigetio . . . . 105—119

Studniczka Aus Serbien . . . . 209—215

Zu Domaszewski's Abhandlung über die römischen Fahnen

Alfred von Domaszewski's Untersuchung über 'die Fahnen im römischen Heere' (Wien 1885. 8) füllt eine längst empfundene Lücke in unserer Forschung in dankenswerthester Weise aus; die gleichmässige Beherrschung des philologischen sowie des epigraphischen und des archäologischen Materials verbindet sich hier mit einer Kenntniss der militärischen Technik, wie sie auf dieses Gebiet schwerlich bisher Anwendung gefunden hat. Wenn ich dieser Anerkennung einer vorzüglichen Leistung Ausdruck gebe durch Einspruch gegen mehrere der darin gezogenen Consequenzen, so wird dies hoffentlich auf keiner Seite missverstanden werden. *Erat, quod tollere velles* — insbesondere manche überkühne und allzu weit ausgreifende Aufstellung; aber nur um so mehr habe ich mich von dem bleibenden Werth zahlreicher Ausführungen überzeugt.

I. Feldzeichen und Offiziere

Die allerdings nie verkannte taktische Bedeutung der Feldzeichen hat Domaszewski in überzeugender Deutlichkeit entwickelt, insbesondere gezeigt, dass auf ihnen in Verbindung mit den durch Blasinstrumente gegebenen Signalen die gesammte Gefechtleitung beruht. Aber kaum wird man ihm darin zustimmen können, dass er dem Adler in seiner späteren Verwendung und überhaupt dem Corps-Feldzeichen eine 'lediglich symbolische' Bedeutung vindicirt (S. 24). Was dem einen recht, ist dem anderen billig; und es ist wenig glaublich, dass auch in der späteren Entwickelung des römischen Militärwesens man zu praktisch werthloser Symbolisirung gegriffen hat. 'Dass dem einen Adler', sagt der Verfasser, 'für die sechstausend Mann starke Legion keine taktische Bedeutung zukommen kann, bedarf wohl keines Beweises'. Gewiss in dem Sinne nicht, als hätten ihn die Legionare so im Auge zu behalten gehabt,

wie die Manipulare ihre Standarte. Aber war es nicht taktisch
von Wichtigkeit, den Standort des Befehlshabers der Legion und
überhaupt des Corps in einer Weise zu markiren, die doch immer
weit mehr in Sicht war als die persönlichen Abzeichen der Offi-
ziere? Die Meldungen an die commandirenden Legionstribune oder
den Legionslegaten wurden wesentlich erleichtert, wenn die Ordon-
nanzen sicher waren sie da zu finden, wo der Adlerträger stand.
Mir scheint vielmehr gerade im Gegentheil zwischen Corpsführern
und Feldzeichen ein correlates Verhältniss zu bestehen: keinem
Abtheilungsführer fehlt ein entsprechendes Feldzeichen, und umgekehrt findet da, wo eine taktische Einheit ohne eigenen Führer ist,
dies in dem Mangel des Feldzeichens seinen Ausdruck. Es wird
angemessen sein, diesen Satz in einigen Einzelheiten näher zu belegen.

1. Vor allem erklärt sich hieraus die Bezeichnung des Detache-
ments als *vexillatio*[1]): jede zeitweilig aus einem Corps herausgenom-
mene und bis weiter unter einen Sonderführer gestellte Truppe erhält nothwendig für die Zeit ihres Bestehens ihr Feldzeichen, das
vexillum.

2. Eine der wichtigsten Nachweisungen, die wir Domaszewski
verdanken, ist die Beseitigung der Feldzeichen der Legionar-
cohorten[2]). Ihre Erklärung findet sie darin, dass die Legions-
cohorte keinen eigenen Commandanten hatte.

3. Umgekehrt verhält es sich mit den übrigen Cohorten und
den Alen. Unbestritten hatten ihre eigenen Feldzeichen die republikanischen Auxiliarcohorten[3]), sowie die Alen der Kaiserzeit[4]).
Auch dass die Prätorianer Cohortenstandarten gehabt haben, scheint

---

[1]) Die späterhin übliche Verwendung des Wortes für die Reitertruppe ist
wahrscheinlich daraus hervorgegangen, dass die Auflösung der aus beiden Waffen
gemischten Corps, der Legionen und der *cohortes equitatae*, sich durch ständige
Detachirung der Reiterei vollzog. Ueberhaupt dürfte wohl nur darum das *vexillum*
so besonders häufig bei der Reiterei vorkommen, weil diese besonders oft als de-
tachirte Truppe verwendet wird.

[2]) S. 23; die gegentheilige Meinung vertritt Marquardt Staatsverw. 2, 439.
Die einzige Stelle, welche wirklich Schwierigkeit macht, Caesars Worte *bell. Gall.*
2, 25: *quartae cohortis omnibus centurionibus occisis signiferoque interfecto signo
amisso* wird wohl dahin aufzufassen sein, dass der Ton auf den Schlussworten
liegt und allerdings der Verlust eines der drei Feldzeichen nach dem Fall des
Trägers noch schwerer ins Gewicht fallen mochte, als der Fall aller Rottenführer.

[3]) Marquardt S. 398 A. 1; Domaszewski S. 17 A. 2.

[4]) Tacitus *hist.* 2, 89; Domaszewski S. 71.

mir ausser Zweifel[5]). Für die Auxiliarcohorten der Kaiserzeit fehlt es an Zeugnissen[6]); aber die Analogie theils der republikanischen Socialcohorten, theils der Alen ist kaum abzuweisen. Sollten dennoch die Cohortenstandarten gemangelt haben, so würde dafür bei den Auxiliarcohorten, ebenso wie bei den städtischen und denen der *vigiles,* die *imaginiferi* eintreten, von denen es sicher nur je einen in jeder dieser Cohorten gab[7]) und der factisch dieselben Dienste leistete. Alle die bisher genannten Abtheilungen aber haben eigene Führer und unterscheiden sich dadurch von den Cohorten der Legion.

Nach oben hinauf, über die Legion hinaus, hat der Gebrauch des einheitlichen Feldzeichens sich nicht erstreckt: wohl die Abtheilung, aber nicht die Armee führt eine Fahne.

Von diesem Gesichtspunkte aus wird auch die Nachricht beurtheilt werden müssen, dass die römische Legion bis gegen die Mitte des siebenten Jahrhunderts fünf Feldzeichen führte: den Adler, den Löwen, den menschköpfigen Stier[8]), das Pferd und den Eber[9]). Ist das Feldzeichen das Kriterium der unter Einzelführung

[5]) Domaszewski S. 23. 56 fg. leugnet dies freilich; aber wenn auch die Existenz von Manipel- und später Centurienzeichen nicht zu bestreiten ist, so kann doch die mit der Aufschrift COH·III·PR ohne weiteren Beisatz versehene Standarte (das. S. 31) ein solches nicht sein. Auch findet sich unter den inschriftlich bekannten *signiferi* der Prätorianer (Cauer *eph.* IV p. 358) bei einem (C. I. L. II, 2610) der Zusatz *in (centuria),* welcher nicht wohl anders verstanden werden kann, als dass es auch *signiferi cohortis* gab. Dass wir keinen mit diesem Beisatz bezeichneten haben, ist auffallend, aber nicht entscheidend; der Rangunterschied zwischen beiden Kategorien war vermuthlich nicht beträchtlich und begnügte man sich daher meist mit dem einfachen *signifer.*

[6]) Wenn Tacitus *hist.* 2, 89 bei dem Einzug der Vitellianer in Rom die *aquilae* und die *vexilla* der Legionarier und *duodecim alarum signa et ... equites,* dagegen bloss die *quattuor et triginta cohortes* aufführt, so kann doch daraus unmöglich mit Domaszewski (S. 71) geschlossen werden, dass den letzteren die Cohortenstandarten fehlten. Noch weniger beweisen Stellen, wie *hist.* 4, 16: *Tungrorum cohors signa ad Civilem transtulit*; es war nur correct das Cohortenfeldzeichen und die der Manipel zusammenzufassen.

[7]) Domaszewski S. 69 fg.

[8]) Denn dieses auf campanischen Münzen so geläufige Bild ist sicher der Minotaurus des Festus und des Plinius.

[9]) Plinius 10, 4, 16: *Romanis eam (aquilam) legionibus Gaius Marius in secundo consulatu suo (J. 650) proprie dicavit: erat et antea prima cum quattuor aliis: lupi, minotauri, equi aprique singulos ordines anteibant. paucis ante annis sola in aciem portari coepta erat, reliqua in castris relinquebantur.* Andere Stellen Marquardt S. 355 A. 4. Bei einem Schriftsteller, wie Plinius ist, kann *ordo* jeden Truppentheil bezeichnen; der Manipel kann unmöglich gemeint sein. Domaszewski's Com-

stehenden Truppe, so muss die Legion, als diese Zeichen auf-
kamen, in fünf oder, da das eine derselben der ganzen Legion hat
angehören können, in vier Haufen mit besonderer Führung zerfallen
sein. Da nun aber etwa um dieselbe Zeit die Beseitigung der vier
Ordnungen der Legionarier stattfand, so ist die Frage nicht ohne
Berechtigung, ob nicht der Adler von jeher die ganze Legion
repräsentirt und den Standpunkt ihres Stabes bezeichnet, die übrigen
Standarten aber den drei Treffen nebst den *velites* zukommen.
Die Ausgleichung der sämmtlichen Legionare würde also in der
Beseitigung dieser Zeichen unter alleiniger Festhaltung des Adlers
einen sehr angemessenen Ausdruck finden. Auch werden diese
Abtheilungen oftmals bei den Operationen als besondere Abthei-
lungen verwendet [10]).

Freilich, über Sonderführung eines jeden dieser Treffen ist
nicht nur nichts bekannt, sondern dieselbe auch mit der wohlbekannten Offiziersordnung schwer vereinbar [11]). Aber wir werden
uns billig erinnern, dass wir von der ursprünglichen militärischen
Verwendung der drei Treffen in der That nichts wissen, die drei
Benennungen *hastati*, *principes*, *pilani*, so klar sie nach ihrem Wort-
sinne sind, in Einklang mit diesem zu erklären nicht vermögen;
wir werden es darum auch als möglich gelten lassen müssen, dass
sie bei ihrer Einführung für gesonderte Verwendung bestimmt
worden sind und daher gesonderte Feldzeichen erhalten haben.

Dass die fünf Feldzeichen zu der Legion, die Polybios beschreibt,
nicht passen, ist unbestreitbar; aber wenn sie im J. 650 definitiv
abgeschafft und eine Weile vorher, wie Plinius sagt, wohl noch geführt, aber bei dem Gefecht im Lager gelassen wurden, so können

---

bination der Träger dieser Zeichen mit den zweiten *signiferi* bei Polybios ist mir
unverständlich geblieben. — Dies sind wohl die *signa*, die im Aerarium aufbewahrt
wurden (Staatsrecht 2, 531) und die also dauernd waren, obwohl die Legionen
selbst jährlich neu gebildet wurden. Die Bundesgenossen führen nach strengem
Sprachgebrauch nicht *signa*, sondern nur *vexilla* (Liv. 39, 20, 7; vgl. 25, 14, 4. 7);
diese wurden schwerlich als ständige betrachtet und sicher nicht im römischen
Aerarium aufbewahrt.

[10]) Die Belege bei Domaszewski S. 20 A. 4.

[11]) Denkbar ist es, dass die Kriegstribune hiefür verwendet worden sind.
Man vergesse nicht, dass die fünf Feldzeichen, wenn sie mit den drei Treffen zusammengehören, keineswegs der ursprünglichen römischen Legion eigen sein können,
die die *hastati*, *principes* und *triarii* nicht gehabt hat, also die Institution der sechs
Tribune wohl für die Führung der Treffen gedient haben kann, aber nicht daraus
erklärt werden darf.

sie füglich schon zur Zeit des hannibalischen Krieges praktisch
ausser Gebrauch gewesen sein, wenn sie auch damals vielleicht
noch zur Schlacht mit ausrückten; und in diesem Falle hatte Polybios keine Veranlassung dieser Antiquität zu gedenken.

II. Aufstellung der Feldzeichen im Gefecht

Dass das Feldzeichen bei der Abtheilung Aufstellung findet,
zu der es gehört, versteht sich von selbst; aber keineswegs wird
man Domaszewski einräumen dürfen, dass dasselbe, um allen dazu
gehörigen Kämpfern sichtbar zu bleiben, gerade im ersten Glied
sich aufzustellen hat (S. 2). Leider fehlt uns, um über diese Verhältnisse mit Sicherheit urtheilen zu können, ein wesentliches Moment: für die ältere Manipularstellung die normale Zahl der Glieder
des Manipels und für die Cohortenstellung sogar Aufschluss über
die normale Stellung der Manipel und der Halbmanipel neben oder
hinter einander. Die gangbaren Annahmen, dass in der älteren
Zeit die Manipel der Hastaten und der Principes, abgesehen von
den Velites, sechs Mann tief[1]), in der späteren der Halbmanipel
zehn Mann oder vielmehr, da die beiden Halbmanipel hinter einander gestanden haben sollen, der Manipel zwanzig Mann tief gestanden habe[2]), sind moderne und durchaus unzuverlässige Combinationen. Indess, welche Tiefe immer das Rechteck gehabt
haben mag, das der Manipel in der Schlachtordnung nach der gewöhnlichen — natürlich nach Umständen wechselnden — Aufstellung
einnimmt, die Zusammengehörigkeit der Manipulare und ihres Feldzeichens wird nicht darin gefunden werden dürfen, dass jene dieses
jederzeit im Auge hatten; es genügt, wenn sie im Handgemenge
sich nach demselben jederzeit orientieren konnten, und dafür reicht
es aus, dass dasselbe unmittelbar hinter dem letzten Gliede seinen
Platz fand. Auch wird erinnert werden dürfen an die von Doma-

---

[1]) Marquardt S. 352. H. Delbrück (im Hermes Bd. 21 S. 77) hat kürzlich
die Annahme vertreten, dass die reguläre Tiefe des Manipels 12 Mann war. Ohne
das Gewicht der Gründe zu verkennen, welche dieser Forscher für die Fortdauer
der phalangitischen Ordnung (denn darauf läuft diese Ansicht ja im Wesentlichen
hinaus) bis in die Zeit des hannibalischen Krieges hinein geltend macht, kann ich
mich doch von der Richtigkeit der Grundanschauung nicht überzeugen. Seit man
hastati, *principes* und *triarii* unterschied, muss das Wehrsystem eingerichtet gewesen sein auf Ablösung des ersten Treffens durch ein zweites und Bereitstellung
einer Reserve und damit ist die phalangitische Ordnung aufgegeben. Es gilt nicht
jene Ablösung zu leugnen, sondern ihre praktische Durchführbarkeit zu erweisen.

[2]) Marquardt S. 437.

szewski selbst so schön nachgewiesene enge Beziehung zwischen den Feldzeichen und den Signalbläsern; sicher standen beide wie auf dem Marsch (Domaszewski S. 7 A. 1) so auch im Gefecht zusammen und es mag wohl für die Gefechtsleitung mehr noch auf das Ohr gerechnet worden sein als auf das Auge.

Dass das Signum in der That hinter dem letzten Gliede des zugehörigen Manipels stand, bestätigt in unwiderleglicher Weise die Bezeichnung des ersten Treffens als der *antesignani*. Allerdings konnte, nach dem eben Gesagten, in Beziehung auf das eigene Signum jede Abtheilung mit diesem Namen genannt werden; aber begreiflicher Weise wird die Bezeichnung allein verwendet für diejenigen Soldaten, die überhaupt keine Feldzeichen, weder der eigenen noch einer anderen Abtheilung, vor sich haben und unmittelbar dem Feind gegenüber stehen. Der Versuch Domaszewski's (S. 11), die *signa*, von denen die *antesignani* den Namen führen, von den gewöhnlichen manipularen zu unterscheiden, ist so gänzlich misslungen, dass er keiner besonderen Widerlegung bedarf.

Ueberdies ist es praktisch undenkbar, dass während des Gefechts dem Standartenträger der Platz unmittelbar am Feind angewiesen worden sein soll. Damit ist auch die Ueberlieferung im besten Einklang[3]). Wenn Caesar im afrikanischen Krieg[4]) den Seinigen befahl nicht über vier Fuss (5 Fuss = 1 Schritt) sich von den Feldzeichen zu entfernen, so ist diese Distanz natürlich nicht von dem Punkte aus zu messen, an dem das Feldzeichen steht, sondern von dem Quadrat, das der Manipel in der Schlachtordnung einnimmt; es ist einfach das Verbot, aus dem Gliede zu treten. Es wird also bei dem zu bleiben haben, was bisher angenommen worden ist[5]): das Feldzeichen geht auf dem Marsch, wie auch bei dem Vormarsch zum Kampfe der Abtheilung vorauf, nimmt aber in der Schlachtstellung hinter derselben seinen Stand.

---

[3]) Die Worte des Livius 30, 33, 1: *non confertas autem cohortes ante sua quamque signa instruebat, sed manipulos aliquantum inter se distantes* ziehen allerdings incorrect die Cohorte herein (S. 7 A. 1), zeigen aber dennoch, dass das Feldzeichen hinter, nicht vor der Truppe stand.

[4]) b. *Afr.* 15: *Caesar ... cum animum adverteret ordines suorum in procurrendo turbari (pedites enim, dum equites longius ab signis persequuntur, latere nudato ... iaculis vulnerabantur ...) edicit per ordines, ne quis miles ab signis IIII pedes longius procederet.*

[5]) Marquardt a. a. O. S. 353 fg.

III. Die Bildung der Legionscohorte

Dass die Cohorte erst im Laufe des siebenten Jahrhunderts zur ständigen Unterabtheilung der Legion geworden ist, ist bekannt und unbestritten. Aber wenn Domaszewski das Vorkommen von legionaren Cohorten in älterer Zeit überhaupt leugnet und die entgegenstehenden Angaben bei Polybios und den Späteren als Fehler der Abschreiber oder Anachronismen der Schriftsteller behandelt, so wird man ihm darin nicht beistimmen können. Da an dieser Frage manche andere hängt, so wird es zweckmässig sein, eingehender dabei zu verweilen. Die bei späteren römischen Schriftstellern begegnenden Nachrichten über Legionscohorten aus älterer Zeit kommen wenig in Betracht[1]); alles kommt hier auf die Angaben des Polybios an. Was nun diesen anlangt, so ist es zunächst nicht richtig, dass er der Cohorte 'in seiner Schilderung der Bildung und Zusammensetzung der Legion nach dem Zusammenhang seiner Darstellung hätte erwähnen müssen' (S. 20). Dies hätte er thun müssen, wenn sie schon damals statarisch gewesen wäre; aber eine wenn auch gewöhnliche, doch nur für den einzelnen Fall eintretende Combination gehörte in jene Darstellung überall nicht. Er spricht von ihr denn auch nur in Beziehung auf einzelne Schlachtmanöver, bei denen jene Combination zur Anwendung kam. In der Schilderung der Schlacht von Baecula[2]) führen die Commandanten der beiden Flügel die einzelnen römischen Abtheilungen gegen den Feind vor: τρεῖς ἴλας ἱππέων .... καὶ πρὸ τούτων γροσφομάχους τοὺς εἰθισμένους καὶ τρεῖς σπείρας· τοῦτο δὲ καλεῖται τὸ σύνταγμα τῶν πεζῶν παρὰ Ῥωμαίοις κοόρτις. Diesen erklärenden Beisatz betrachtet Domaszewski als interpolirt. Ob Livius[3]), der diese Stelle also wiedergiebt: *cum ternis peditum cohortibus ternisque equitum turmis, ad hoc velitibus*, ihn gelesen hat, ist aus den Worten nicht zu entnehmen. Aber wenn es bei Polybios[4]) bald darauf, in der Beschreibung der

---

[1]) Livius 30, 33, 1 sind allerdings die *cohortes* ein falscher Zusatz zu dem polybianischen Text 15, 9, 6; und Frontinus *strat.* 1, 6, 1 ist ohne Beweiskraft. Domaszewski S. 10 A. 3. S. 20 A. 6. Aber andere von ihm nicht angeführte Stellen des Livius 32, 17, 11: *cohortes in vicem ... emittebat* und besonders 34, 28, 7: *primae legionariae cohortes ibant* haben grössere Bedeutung, wenn gleich auch sie nicht entscheiden.

[2]) 11, 23, 1.

[3]) 28, 14, 17.

[4]) 11, 33, 1. Die Worte τοῦτο δ' ἐστὶ σπεῖρα hat Casaubonus gestrichen, weil sie mit der hergebrachten Auffassung des Wortes sich nicht vertragen; dass

Schlacht am Ebro heisst: ἄγων ἐκ τῆς παρεμβολῆς ἐπὶ τέτταρας κοόρτις (τοῦτο δ' ἐστὶ σπεῖρα) προσέβαλε τοῖς πεζοῖς τῶν ὑπεναντίων, was Livius [5]) wiedergiebt mit den Worten: *quattuor cohortes in fronte statuit, quia latius pandere aciem non poterat*, so ist durch diese in jeder Hinsicht unverdächtige und unmöglich auf Auxiliarcohorten zu beziehende Notiz, die Domaszewski übersehen hat, das Vorkommen von legionaren Cohorten schon zur Zeit des hannibalischen Krieges vollständig gesichert und die verwegene Athetese durch ein zweites unabhängiges Zeugniss beseitigt.

Ueber die Bedeutung jener erklärenden Worte wird gestritten: ist τοῦτο τὸ σύνταγμα die σπεῖρα oder die τρεῖς σπεῖραι? und, was dasselbe ist, versteht Polybios hier unter der σπεῖρα die aus drei Manipeln gebildete Cohorte oder vielmehr den Manipel? Wenn die an der zweiten Stelle überlieferten Worte echt sind, so heisst σπεῖρα hier die Cohorte; und genügende Gründe für die Tilgung derselben sind nicht beigebracht. Aber auch wenn diese interpolirt sein sollten, wird man zu demselben Ergebniss kommen müssen. Das Wort σπεῖρα wird bei Polybios zwar mehrfach für den Manipel gesetzt [6]), aber es kommt auch in anderer Verwendung selbst in Beziehung auf römische Verhältnisse vor [7]) und hat überhaupt einen allgemeinen Werth, etwa wie bei uns Schaar [8]), so dass Polybios

---

sie bei Suidas fehlen, will nichts bedeuten und mir erscheinen sie der vorsichtigen Weise des Schreibers ganz angemessen. Uebrigens bleibt der Beweis für die κοόρτις bestehen, auch wenn man sie tilgt.

[5]) 28, 33, 12.

[6]) 6, 24, 5: τὸ μὲν μέρος ἕκαστον ἐκάλεσαν καὶ τάγμα (= *ordo*) καὶ σπεῖραν καὶ σημαίαν (= *signum*), τοὺς δ' ἡγεμόνας κεντυρίωνας καὶ ταξιάρχους (= *ordines*). 15, 9, 7: πρῶτον μὲν τοὺς ἀστάτους καὶ τὰς τούτων·σημαίας ἐν διαστήμασιν, ἐπὶ δὲ τούτοις τοὺς πρίγκιπας, τιθεὶς τὰς σπείρας οὐ κατὰ τὸ τῶν πρώτων σημαιῶν διάστημα. Wo sonst σπεῖρα von römischen Abtheilungen gebraucht wird 2, 30, 6; 3, 110, 6; c. 113, 3; c. 115, 12, scheint ebenfalls der Manipel gemeint. Uebrigens heisst derselbe noch häufiger σημαία (1, 40, 10; 3, 113, 3; 11, 22, 10; 15, 9, 7; c. 13, 7 und sonst), womit aber auch (15, 4, 4) im allgemeineren Sinne Turmen und Manipel zusammengefasst werden, zuweilen auch τάξις (15, 13, 7). Dass Polybios *ordo* und *manipulus* ausdrücklich gleichsetzt, stellt sich zu den Beweisen für die von Domaszewski S. 12 fg. meines Erachtens mit Unrecht bestrittene ursprüngliche Identität von *manipulus* und *centuria*.

[7]) 15, 9, 9: τὰ δὲ διαστήματα τῶν πρώτων σημαιῶν ἀνεπλήρωσε ταῖς τῶν γροσφομάχων σπείραις. Manipel der Velites gibt es nicht.

[8]) Vgl. besonders 18, 28, 10 von Pyrrhos: τιθεὶς ἐναλλὰξ σημαίαν (d. h. einen römisch geordneten Manipel) καὶ σπεῖραν φαλαγγιτικὴν ἐν τοῖς πρὸς Ῥωμαίους ἀγῶσιν.

wohl befugt war dasselbe unter Beifügung des entsprechenden lateinischen Ausdrucks in verschiedener Bedeutung zu verwenden. Dass grammatisch die Beziehung der Erklärung auf σπεῖρα die nächstliegende ist, ergiebt sich schon daraus, dass Reiske ihr den Vorzug giebt, so wie aus der zweiten angeführten Stelle, selbst wenn man diese als interpolirt betrachtet. Entscheidend aber ist meines Erachtens die Beschreibung des Manövers selbst. Domaszewski hat aus derselben freilich entnommen, dass die τρεῖς σπεῖραι drei Manipel sind; mir scheint sie im Gegentheil nur verständlich, wenn darunter drei Cohorten verstanden werden.

Scipio stellt seine Truppen — zusammen 45.000 Mann zu Fuss und 3000 Reiter, grösstentheils aber unzuverlässige spanische Mannschaften — in der Weise auf, dass die Spanier im Centrum, die Römer auf beiden Flügeln stehen und während jenes zurückgehalten wird, die beiden Flügel an den Feind heran und über seine Flügel hinaus vorrücken und die Schlacht entscheiden sollen. Die römischen Reiter nebst der leichten Infanterie beginnen das Gefecht, werden aber dann zurückgenommen und, die Velites vor den Reitern, hinter der schweren Infanterie aufgestellt. Dann setzen die beiden Flügel sich in Bewegung. Nachdem sie in die Nähe des Feindes gelangt sind, rücken sie diesem entgegen in der Weise, dass gleichzeitig die ersten (αἱ ἡγούμεναι), das heisst die auf dem äussersten Flügel stehenden drei Reiterturmen nebst den dazu gehörigen Velites in der einen und die drei vor ihnen aufgestellten σπεῖραι in einer anderen Richtung an die ihnen in der Angriffslinie angewiesenen Plätze abrücken, alsdann die übrigen Turmen und σπεῖραι in gleicher Weise je drei und drei nachfolgen und so die neue Schlachtreihe sich bildet, in welcher die römische Infanterie der feindlichen gegenüber, die Reiter über diese hinaus stehen, um dieselbe im Rücken zu fassen. Einleuchtend beruht dies Manöver auf der Gleichzahl der Turmen und der σπεῖραι, die zu Anfang hinter einander stehen und dann in verschiedener Richtung vorgehen. Dies aber fordert nothwendig die Cohorte; denn in der Legion entspricht die Zahl der Turmen der der Cohorten, und in den Alen der Bundesgenossen muss annähernd ein gleiches Verhältniss stattgefunden haben [9]), nimmermehr aber können die zehn

---

· [9]) Genaueres über die römischen und italischen Truppen Scipios ist nicht überliefert. Aber nach den sonstigen Zahlenverhältnissen wird angenommen werden dürfen, dass die Infanterie und die Reiterei der Italiker nicht oder nicht beträcht-

Turmen und die dreissig Manipel der Legion in dieser Weise operiren. Darum leuchtet auch ein, dass Polybios für die Schilderung dieses Manövers, bei welchem allem Anschein nach die legionaren und die Auxiliarcohorten neben einander zur Verwendung kamen, die *cohors* nicht entbehren konnte und daher sich veranlasst fand den für seine allgemeine Darstellung überflüssigen Terminus hier zu verwenden und zu erläutern [10]).

Trifft diese Auseinandersetzung das Richtige, so kann die Stelle des Polybios nicht ferner als directes Zeugniss dafür gelten, dass die *cohors* schon zu seiner Zeit aus drei Manipeln bestanden habe; Polybios bezeichnet sie vielmehr lediglich als eine combinirte Infanterietruppe (σύνταγμα τῶν πεζῶν). Indirect freilich ergiebt sich aus seiner Darstellung eben dasselbe, da sie nur verständlich ist, wenn die drei hintereinander stehenden Manipel die für dies Manöver zu Grunde gelegte Einheit bilden. Ueberdies versteht es sich von selbst, dass der älteren und der neueren *cohors* derselbe Begriff beiwohnt und ihr Unterschied nur darin besteht, dass jene eine ausserordentliche, diese eine ordentliche Formation ist.

Weiter folgt daraus, dass Domaszewski mit Unrecht die Einführung der Cohorte als der ordentlichen Formation dem Marius abgesprochen hat, weil bereits im jugurthinischen Krieg von *cohortes legionariae* die Rede sei [11]); es hindert nichts diese ebenso aufzufassen, wie die Cohorten in der Schlacht von Baecula.

Endlich giebt uns dieser Nachweis einen Einblick in die Bundesgenossencohorte der Republik. Denn es liegt auf der Hand, dass die ausserordentliche legionare Cohorte ihre Benennung nur desswegen erhalten haben kann, weil sie der ordentlichen Auxiliarcohorte wesentlich gleichartig war. Demnach war auch diese aus mehr oder minder Schwerbewaffneten und Leichtgerüsteten zusammengesetzt. Wenn Domaszewski (S. 16) Nissen in scharfer Weise tadelt, dass

---

lich die der Bürgertruppen überstieg (C. Marcks *de alis* Leipzig 1886 p. 23), also im Grossen und Ganzen auch hier eine Cohorte auf eine Turme kam.

[10]) Nach Domaszewski's Auffassung (S. 18) stehen die drei σπεῖραι, nach ihm Manipel, in der gewöhnlichen Ordnung hinter einander und hinter diesen ebenfalls in drei Treffen die Reiterei; alsdann rückt jede dieser sechsgliedrigen Colonnen einzeln gegen den Feind vor. Aber wie die Reiter dazu kommen, sich in drei Treffen aufzustellen und vor jedem dazu noch die Velites, ist nicht abzusehen, und der successive Anmarsch einzelner Abtheilungen von je 300 Mann eine militärisch bedenkliche Conception. Vor allem aber kommen dabei auf drei Manipel drei Turmen.

[11]) Sallust *Jug.* 51.

er die Gliederung und die Ziffern der römischen Cohorte auf die der Bundesgenossen einfach überträgt, so ist das wohl insofern berechtigt, als die Ungleichheit der Contingente und selbst die ziffermässige Unbestimmtheit des Wortes *cohors* dabei nicht genügend berücksichtigt sind; aber im Wesentlichen wird man Nissen lediglich Recht geben müssen. Es erhellt dies auch auf einem andern Weg. Die römische Wehrverfassung beruht auf dem Zusammentreten des ordentlichen Aufgebotes der sämmtlichen Bundesstaaten; und wie Rom zu Präneste verhält sich die römische *legio* (im ursprünglichen Sinn) zu der *cohors* der Pränestiner [12]. Nun aber ist es doch ganz undenkbar, dass die durch das Vermögen bedingten Verschiedenheiten der Dienstpflicht nicht in jeder Bundesstadt bei der Truppenbildung ähnliche Consequenzen herbeigeführt haben wie in Rom [13]; ebenso undenkbar, dass militärische Fortschritte, wie die Gliederung der Phalanx in mehrere Treffen und die Bildung einer Reserve, nicht ebenso wie im Bürger- so auch im Italikerheer durchgeführt worden sind. Die Gleichartigkeit der militärischen Einrichtung ist für die gleichartige Gestaltung der italischen Nation vielmehr die Ursache gewesen als die Wirkung. Von welcher Seite also man die Sache betrachtet, alles führt darauf, dass die Auxiliarcohorte die Legion im Kleinen gewesen ist, und die Bestätigung dieses Satzes durch die Thatsache, dass die legionare Cohorte ebenfalls nichts ist als die Legion im Kleinen, steht nach wie vor unerschüttert.

---

[12] Gewisse Unterschiede treten allerdings hervor; insbesondere ist die Reiterei Bestandtheil der Legion, nicht aber Bestandtheil der bundesgenössischen Cohorte. Aber diese wahrscheinlich erst im Laufe der Entwickelung entstandenen Abweichungen können über den Grundcharakter nicht täuschen. Eine unglücklichere Parallele ist schwer zu finden, als die Domaszewskische der Auxiliarcohorte und des römischen Manipulus. Soll man wirklich Varros (5, 88) Definition: *manipulus exercitus minima manus, quod unum sequitur signum* auf die Auxiliarcohorte von durchschnittlich 500 Mann übertragen?

[13] Eben dahin führt, was Polybios 6, 21, 5 über die der römischen analoge Aushebung (παραπλησίαν τῇ προειρημένῃ τὴν ἐκλογήν) der Bundesgenossen sagt und Livius 29, 15, 7 fg. über die Beziehung dieser Aushebung zu dem städtischen Ganzen sehr verständlich andeutet.

Charlottenburg   TH. MOMMSEN

Ausgrabungen in Carnuntum 1885

Am Ostausgange des Wiener Beckens liegt zwischen den Dörfern Deutsch-Altenburg und Petronell die Ruinenstätte Carnuntums. Wer je die Anhöhe betreten, welche noch heute im Volksmunde die Burg heisst und einst das römische Lager trug, dem ist das grossartige Landschaftsbild unvergesslich eingeprägt. Wie von einer Warte überschaut das Auge die weite Ebene an der March bis zu den fern am Horizont sich abhebenden Bergen des mährischen Gesenkes. Zu den Füssen liegt der Donaustrom, dessen ganzen Lauf vom Durchbruch bei Wien bis zur Enge von Hainburg jene Höhe beherrscht; und auch nach Süden hin findet der Blick erst eine Grenze in meilenweiter Ferne an den blauen Bergzügen des Leithagebirges. So bewährt sich an dieser Stelle der wunderbare Scharfblick, welcher die Römer bei der Wahl der Plätze für die Anlage ihrer Städte und Lager leitete, und in dieser Gunst der örtlichen Lage war die militärische Bedeutung Carnuntums begründet, eine Zwingburg zu sein für die stets kampflustigen, unruhigen Germanenstämme jenseits der Donau.

Wie verheerend die Völkerzüge auch seit dem Ausgange des Alterthums über diese Stätte dahingegangen und wenn sie auch die Reste jener einst so bedeutenden Anlagen bis auf das einsam ragende Heidenthor hinweggetilgt, so sind doch zahllose Fundstücke von Bildwerken und Inschriften, Münzen und geschnittenen Steinen, wie sie die Feldarbeit des Landmanns meist zufällig zu Tage brachte, lebendige Zeugen einer grossen Vergangenheit und seit Jahrhunderten ein Mahnruf, welche Schätze für die Erkenntniss des Alterthums hier noch in der Erde verborgen lagen. In unserer Zeit eines lebendig gesteigerten Interesses für alle Zweige der Alterthumskunde hat es daher auch nicht an Stimmen gefehlt, welche auf den beschämenden Zustand trauriger Verwahrlosung eines so wichtigen Fundgebietes mit Nachdruck hinwiesen. Wenn im Jahre 1852 Freiherr von Sacken in seiner Monographie über Carnuntum die Forderung systematischer Ausgrabungen in Carnuntum stellte, so kehrt doch zwanzig Jahre später in Mommsens grosser, auch für die Kenntniss der römischen Alterthümer Oesterreichs epochemachender Inschriftensammlung die bittere Klage wieder über die Vernachlässigung jener wichtigen Fundstätte, und erst Otto Hirschfeld ist es zu danken, dass die Alterthümer Carnuntums jene Pflege erfuhren, welche ihrer Bedeutung entsprach. Zwar hatten Graf Traun und Baron Ludwigstorff, die Grundherren jener Gegend, in dem letzten Jahrzehnt mit liebevoller Umsicht in ihren Privatsammlungen vereinigt, was bei gelegentlichen Ausgrabungen oder auch zufällig zu Tage trat, und sich so den Dank der Alterthumsfreunde für alle Zeiten gesichert, aber erst die auf Hirschfelds Anregung hin vom Ministerium für Cultus und Unterricht durch die k. k. Central-Commission für Erforschung und Erhaltung der Kunst- und historischen Denkmale unter Leitung Alois Hausers auf der Burg durchgeführten Ausgrabungen haben zum erstenmal Licht verbreitet über die Anlage des Standlagers und den Weg gewiesen für eine planmässige Erforschung des Ruinenfeldes.

Die wichtigen Ergebnisse dieser Ausgrabungen, welche in weiten Kreisen Theilnahme erweckten, wurden die Veranlassung, zur Gründung eines Privatvereines zu schreiten, welcher sich die Aufgabe setzte, das Fundgebiet von Carnuntum durch systematische Ausgrabungen zu erforschen.

Im Winter des Jahres 1884 constituirte sich der Verein. Seine kaiserliche und königliche Hoheit der durchlauchtigste Kronprinz Rudolf geruhte den Verein durch Uebernahme des Protectorates auszuzeichnen. An die Spitze traten Seine Excellenz Alfred Ritter von Arneth und Herr Nikolaus Dumba, und ihrem Wirken namentlich ist es zu danken, dass der Verein bereits im Sommer des Jahres 1885 mit Erfolg die ersten Ausgrabungen in Carnuntum eröffnen konnte.

Indem hier zum erstenmale ein wissenschaftlicher Bericht über die Thätigkeit des Vereines erstattet wird, erscheint es angemessen, ihn mit einer kurzen Skizze zu eröffnen, welche die historische Bedeutung Carnuntums erläutern soll.

Die Herrschaft über das Mittelmeerbecken, welche die Republik gewonnen, zu einem festen, in sich geschlossenen Reichsganzen ausgebildet zu haben, ist die welthistorische That der ersten Kaiserzeit. Den ersten Schritt, das Reich auf seine natürlichen Grenzen zu erweitern und zugleich den Ländern alter Cultur einen dauernden Schutz zu schaffen vor den Einfällen der Barbaren, that Caesar durch die Eroberung Galliens. Schon als Triumvir folgte Augustus auch in diesen Plänen der Bahn, die ihm sein grösserer Oheim gewiesen. Die Kämpfe in Illyricum hatten vor allem den Zweck, die Verbindung zwischen Italien und Makedonien sicher zu stellen, und der günstige Ausgang der Schlacht bei Aktium ist nicht zum geringsten Theile ein Resultat dieser weitsichtigen Politik gewesen.

Aber erst nach der Unterwerfung Raetiens und Noricums wurden diese Pläne im grossen Stile wieder aufgenommen. Tiberius Nero, des Kaisers Stiefsohn, vollendete in den Jahren 11—9 v. Chr. unter gewaltigen Kämpfen die Unterwerfung Illyricums bis an die Ufer der Donau. Die friedliche Tendenz dieser Eroberungen spricht sich vor allem in der Anlage der Standlager aus; im oberen Drauthale, in der Umgebung von Poetovio (Pettau), war die Armee in einer Stärke von drei Legionen, mit ihren Auxilia etwa 40.000 Mann, dauernd stationirt. Der Schutz der Nordausgänge der Alpenpässe und die Sicherung der über Dalmatien nach Makedonien führenden Reichsstrassen war also ihre nächste Aufgabe.

Kurz nachher tritt uns der Name Carnuntums zum erstenmale in der Ueberlieferung entgegen. Velleius Paterculus berichtet, dass Tiberius sein grosses Heer, mit welchem er Marbod zu bekriegen gedachte, in Carnuntum, der äussersten Stadt des Königreichs Noricum sammelte. Man wird daraus schliessen dürfen, dass Carnuntum bereits damals ein ansehnlicher Ort gewesen, und die Vermuthung bestätigt eine Nachricht, die wir bei Plinius finden. Er nennt Carnuntum als einen Haupthandelsplatz an der Strasse, auf welcher der Bernstein von den Gestaden der Ostsee durch das freie Germanien und durch Pannonien bis nach Aquileja verführt wurde.

Eine historische Bedeutung gewinnt der Ort erst in jener Zeit, als ein römisches Legionslager dorthin verlegt wurde. Wann dies geschehen, ist streitig. Nach einer weitverbreiteten Ansicht, soll erst Vespasian diesen Schritt gethan haben. Und es ist durchaus richtig, dass erst dieser Kaiser das Donauufer zu einer Vertheidigungslinie umschuf. Er verlegte die Legionen aus Dalmatien nach dem oberen Mösien in die Standlager längs der Donau, nach Singidunum (Belgrad) und Viminacium (Kostolatz), die dreizehnte Legion kam unter seiner Regierung nach Vindobona, und Carnuntum wurde sicher erst damals das Hauptquartier der pannonischen Armee; er endlich errichtete die Donauflotillen, die nach ihm die Namen führen, die *classis Flavia Pannonica* und *classis Flavia Moesica*. Doch hat Otto Hirschfeld dagegen geltend gemacht, dass die Grabschriften der Soldaten der *legio XV Apollinaris*, welche im ersten Jahrhundert in Carnuntum lag, durch ihre Namensformen darauf hinweisen, dass sie unmöglich alle der Flavischen Zeit angebören können. Dieser Grund erscheint mir so entscheidend, dass ich ebenfalls der Meinung bin, diese Legion sei schon unter Claudius nach Carnuntum verlegt worden, und die Ansicht erhält eine Stütze durch die grosse Zahl von Denkmälern, welche diese Legion hier hinterlassen hat.

Im Gefolge der Legion erschienen auch zahlreiche römische Kaufleute und Marketender in dem Donaulager. Noch ist uns die Grabschrift eines solchen *lixa* erhalten, der als seine Heimat Patavium, das heutige Padua in Italien, nennt. Sie siedelten sich mit ihren Buden, den *canabae*, vor den Thoren des Lagers im Schutze des Walles an. Der eigenthümliche Zug des römischen Wesens nach straffer Gemeindeordnung und Selbstverwaltung brachte es hier, wie in allen römischen Standlagern, mit sich, dass diese *cives Romani ad Canabas legionis consistentes*, wie der technische Name lautete, sich eine eigenthümliche Ordnung schufen, die die Mitte hält zwischen Gemeinde und blosser Corporation. Wir finden einen *ordo* und *decuriones* und an der Spitze *magistri*, wie sie den unselbständigen Gemeinwesen, den *pagi* und *vici* eigenthümlich sind.

Der syrische Krieg unter Nero führte die XV. Legion nach dem Orient. Damals wurden, wie Tacitus berichtet, zahlreiche Galater und Cappadoker in das Heer eingestellt, um die Lücken zu ergänzen, die der lange blutige Krieg in die Reihen der Legionen gerissen. Als Vespasian die Legion wieder in das Donaulager zurückverlegte, da werden diese Asiaten ein neues Element in der werdenden römischen Stadt gebildet haben, die vor den Thoren des Lagers emporblühte. Vielleicht dass auch in jener Zeit die Verehrung des persischen Sonnengottes, des Mithras, in Carnuntum zum erstenmale Wurzel fasste. Wenigstens besitzen wir einen Votivstein an den Gott, der dieser Epoche der Stadtgeschichte angehört.

Allmählich wird in Flavischer Zeit das römische Element in der Lagerstadt bei weitem das Uebergewicht gewonnen haben. Denn die zahlreichen Grabsteine der Veteranen südfranzösischer und italischer Heimat beweisen, dass die Soldaten den Ort, an welchem sie die Blüte ihres Lebens während einer zwanzigjährigen Dienstzeit verbracht, im Alter nicht wieder verlassen wollten. Wie also die römische Bevölkerung mit jedem Jahre wuchs, so hat ohne Zweifel in jener Zeit auch die Romanisirung der alten Keltenstadt immer weiter gegriffen. So ist es begreiflich, dass Hadrian wohl während seines Aufenthaltes in Carnuntum die *canabae* als ein römisches Gemeinwesen unter dem Namen *municipium Aelium* constituirte.

Die dürftigen Spuren, welche die Inschriften von der Organisation dieses Gemeinwesens bieten, zeigen nur wenige eigenthümliche, von der gewöhnlichen Ordnung römischer Landstädte verschiedene Züge. So finden wir *curatores thermarum* und es ist bekannt, dass heute noch auf dem Boden Carnuntums heisse Quellen entspringen. Andererseits erhellt die Bedeutung der Veteranen in dem Leben dieser Stadt aus der Thatsache, dass die Feuerwehr ganz aus Veteranen gebildet war. Es ist das *collegium veteranorum centonariorum*.

Unter Hadrian vollzog sich ein wichtiger Garnisonswechsel, indem an die Stelle der XV. Legion die *XIV Gemina Martia Victrix* trat. Eine erhöhte Bedeutung als Waffenplatz gewann Carnuntum durch die Anlage eines Legionslagers in Brigetio (bei Komorn), entsprechend dem Lager von Vindobona im Westen, so dass es nun das Centrum der Vertheidigungslinie gegen die Quaden und Markomannen bildete.

Auch der Nachfolger Hadrians, Antoninus Pius, scheint Carnuntum besucht zu haben. Wir besitzen aus seiner Regierungszeit die in Italien gefundene Grabschrift eines Freigelassenen des kaiserlichen Hofstaates, in welcher Carnuntum als Ort seines Todes genannt wird. Wenn wir aber sehen, dass Antoninus Pius auf Münzen mit der Aufschrift *rex Quadis datus* gefeiert wird, wie er einem Fürsten der Quaden, die in der Ebene an der Donau und March Carnuntum gegenüber wohnten, die Hand reicht, so wird man aus dem Zusammentreffen dieser beiden Thatsachen vielleicht schliessen dürfen, dass der Ort, wo jene feierliche Ceremonie sich abspielte, eben Carnuntum gewesen.

Als unter Marc Aurels Regierung die Barbaren von allen Seiten in die Donauprovinzen einbrachen und bis Italien streiften, so dass der Kaiser sich genöthigt sah, persönlich auf dem Kriegsschauplatze zu erscheinen und den Heeresbefehl zu übernehmen, verweilte dieser während dreier Jahre in Carnuntum und leitete von hier aus die Operationen der Armeen. In dem rauhen Waffenlärm des Feldlagers fand der Kaiser noch Musse, seine bekannten tiefsinnigen Selbstgespräche auszuarbeiten, deren zweiter Theil in Carnuntum geschrieben ist.

Keine Inschrift, kein Denkmal irgend welcher Art hat sich bisher in Carnuntum gefunden, das die Erinnerung an jene grosse

Zeit aufbewahrte und geeignet wäre, das Dunkel, welches jene Ereignisse verhüllt, aufzuhellen. Nur ein unscheinbarer Grabstein fällt in jene Epoche, nach welchem ein *M. Naevius Primigenius domo Naristus* in Carnuntum bestattet wurde. Es ist dies ohne Zweifel einer jener 3000 Naristi, welchen Marc Aurel, wie so manchen anderen Barbaren, während des Markomannenkrieges Landsitze in Pannonien anwies, um die verödeten Provinzen neu zu bevölkern.

Im Jahre 193 rief in Carnuntum die XIV. Legion den Statthalter Oberpannoniens, L. Septimius Severus, zum Kaiser aus. Bevor der neue Herrscher seinen Siegeszug nach Italien antrat, hatte er noch, wie es scheint, den Widerstand der X. Legion in Vindobona zu brechen, die, obwohl unter seinem directen Commando, ihm die Anerkennung versagte. Man möchte gerne glauben, dass die Bürgerschaft von Carnuntum in entschiedener Weise Partei ergriffen habe für die Sache ihres Statthalters. Denn in Zusammenhang mit diesen Ereignissen steht es ohne Zweifel, dass Septimius Severus die Stadt zum Rang einer römischen Colonie erhob. Einen bemerkenswerthen Zug aus der Stadtgeschichte jener Zeit hat uns wieder ein einfacher Grabstein aufbewahrt. Er lautet: *Dis manibus Septimio Aistomodio regi Germanorum. Septimii Philippus et Heliodorus fratri incomparabali* (den Manen des Septimius Aistomodius, des Germanenkönigs; Septimius Philippus und Heliodorus, dem unvergleichlichen Bruder). Es ist also gewiss ein landflüchtiger Mann gewesen, wie so mancher Germanenfürst vor und nach ihm, dem der Kaiser, von dem er den Namen führt, eine Freistatt in seinem Reiche einräumte und Carnuntum als Wohnsitz anwies.

Die glanzvollsten Tage sah Carnuntum, als Kaiser Galerius in dieser Stadt am 11. November 307 seinen alten Waffengefährten Licinius zum Augustus erhob. Um dem bedeutungsvollen Akte Würde und Ansehen zu verleihen, hatte er die beiden alternden Augusti Diocletianus und Maximianus nach Carnuntum geladen. In jene Tage fällt ohne Zweifel die Wiederherstellung des Mithrastempels durch diese Kaiser, deren eine Inschrift gedenkt: *Deo Soli Invicto Mithrae, fautori imperii sui Jovii et Herculii religiosissimi Augusti et Caesares sacrarium restituerunt* (dem Sonnengotte, dem unbesiegten Mithras, dem Schützer ihrer Herrschaft haben die Jovii und Herculii, die gottesfürchtigen Augusti und Caesares das Heiligthum wiedergestellt). Die Jovii und Herculii sind eben jene Kaiser.

In den Stürmen des vierten Jahrhunderts ging die Stadt einem raschen Verfalle entgegen. So sagt Ammianus Marcellinus von ihr im Jahre 375 unter der Regierung Valentians: *Carnuntum Illy-riorum oppidum — desertum quidem et squalens, sed ductori exercitus perquam opportunum.* Die Bedeutung als Waffenplatz hat es also bis in die späteste Zeit behauptet. Und so verlegt noch der unter Honorius geschriebene Amtskalender, die *notitia dignitatum,* nach Carnuntum einen Theil der XIV. Legion und eine Station der Donauflotte.

Der nun folgende Ausgrabungsbericht ist in drei Theile ge-gliedert, von welchen der erste die Inschriften behandelt.

I

1. Ara aus Sandstein. H. 0·53, br. 0·25, d. 0·21. Die Zeilen sind vorgerissen. Gef. in dem Gebäude östl. vom Forum.

```
            D I S L e
          A B V S Q
           V E · G E N
           I O · L O C I
     5     G · C · PRIM
           VS · V · S · L·
```

2. Bruchstück einer Tafel aus Sandstein. H. 0·60, br. 0·39, d. 0·12. Gef. im Forum.

```
             I
           P A G
           P E R L
           L I C I N
     5     E T A L L I
```

J. [o. m.] pagu[s .....] per Li[cinium] Licini[anum] et Alli[um ..... magg?

3. Ara aus Sandstein, links Blitzbündel, rechts abgearbeitet. H. 0·55, br. 0·17, d. 0·17. Gef. auf dem Begräbnissplatze.

```
         I   O   M
           V · S
           L · L M
```

4. Pilaster aus Sandstein, in drei Stücke gebrochen, die an-einander passen. H. 1·20, br. 0·30, d. 0·8. Gef. in dem Gebäude östl. vom Forum.

```
            D O I      C
          PRO · SAL
          / / / / / /  ç
          / / / / / / ⌃X
    5     / / / / / / / ⫶
          / / / / / / / G
          / / / / / / / / V
          /// M ꟽ I N ꞈS
          M I L   L E G
   10     X I I I I · G
          L I B R A R I ꞈ
          N V ꟿ R I S
          C V S A R M
          S I G N I I / /
   15     O P ⸗ L C
          O / / / V /
          P R      P R
          C ꟽ I D A T ꞈS
          N V M I N I
   20     C V M · ꞌ P I O
          A M A ꟽ O
          // T · L E / S · S
```

[J. o. m.] Dol[i]c(heno) pro sal(ute) [imp(eratoris) Caes(aris)]
C(ai) [Jul(ii) Ver(i) M]ax[imini p(ii)] f(elicis) [invic(ti) Au]g(usti) ..
[Ulpi]u[s? A]m[a]ndianus mil(es) leg(ionis) XIIII G(eminae) librari[u]s
numeri s..., cus(tos) arm(orum), signif[er], optio o[cta]v[i?] pr(incipis)
pr(ioris) candidatus numini cum U[l]pio Amando [ve]t(erano) le[g(ionis)]
s(upra) s(criptae) p(osuit?).

Diese eigenthümliche Carriere bietet der Erklärung viele Schwierigkeiten. Es ist zunächst klar, dass der *optio octavi principis
prioris* von einem *optio legionis* verstanden werden muss. Dann
kann aber der Dedicant als *signifer* nicht in der Legion gedient
haben, da die Stelle eines *signifer legionis* nothwendig nach der
eines *optio* bekleidet wird [1]). Man wird demnach nicht bloss den

---

[1]) Ausdrücklich bezeugt das Avancement C. I. L. VIII 217: ...*militavit
L annis, IV in leg. III A[ug.] librar., tesser., optio, signifer,* und bestätigt wird
die Angabe dieser Inschrift durch die Analogie des in zahlreichen Beispielen überlieferten Avancements der hauptstädtischen Truppenkörper. Vgl. Cauer *Ephem.
epigr.* IV p. 470.

librarius, sondern auch den *custos armorum* und *signifer* auf den *numerus* beziehen müssen. Es ist dies um so weniger bedenklich, als *signiferi* der *numeri* auch sonst nachweisbar sind[2]), der *custos armorum* aber wohl in keinem Truppenkörper der Provinzialarmeen gefehlt haben wird[3]). Für das Avancement innerhalb des *numerus* finde ich nur eine Analogie C. I. L. VIII 2094: *C. Julius Dexter vet., mil. in ala eq(ues), cur(ator) tur(mae), armor(um) custos, signifer tur(mae).* Das Befremdende liegt darin, dass der *armorum custos* zu den niedersten *principales* gehört, welche an Rang unter dem *tesserarius* stehen[4]), so dass ein Avancement des *armorum custos* zum *signifer*, der an Rang über *tesserarius* und *optio* steht, jeder Regel zu widersprechen scheint. Für die Inschrift des *veteranus alae* lässt es sich zeigen, dass das abweichende Avancement in der Organisation der Alen begründet ist. Der *signifer* dieser Inschrift ist ein *signifer* einer *turma*[5]). Diejenigen *principales* der *turma*,

---

[2]) Arch.-epigr. Mitth. VIII S. 34 n. 4: *Genio cent. Fl. Januari Fl. Avitianus sig. n. Surorum*, ebenso C. I. L. III 1396 und Mitth. VIII S. 82 n. 4. Die beiden *signiferi numeri* C. I. L. V, 5823. 8752 gehören dem 4. Jahrhundert an, kommen also hier nicht in Betracht.

[3]) Vgl. Cauer *Ephem. epigr.* IV p. 437. Vielleicht aus einer Auxiliarcohorte C. I. L. VIII 2787. Das Fehlen der *armorum custodes* in den hauptstädtischen Cohorten ist eigenthümlich und vielleicht kein Zufall, wie die Vorgänge bei der Ermordung des Kaisers Galba erkennen lassen. Tac. *hist.* 1, 38: *nec una c o h o r s t o g a t a defendit nunc Galbam, sed detinet. — aperiri deinde armamentarium iussit. rapta statim arma, sine more et ordine militiae, ut praetorianus aut legionarius insignibus suis distingueretur: miscentur auxiliaribus galeis scutisque.* Ebenso heisst es von der *cohors XVII* (wahrscheinlich doch eine *cohors urbana*, vgl. Mommsen, Hermes XVI S. 643—647) Tac. *hist.* 1, 80: *septumam decumam cohortem e colonia Ostiensi in urbem acciri Otho iusserat; armandae eius cura Vario Crispino tribuno e praetorianis data. is quo magis vacuus quietis castris iussa exsequeretur, vehicula cohortis incipiente nocte onerari, aperto armamentario, iubet.* Demgemäss haben die Soldaten der *cohortes praetoriae* und *urbanae* ihre volle Rüstung regelmässig nicht getragen, auch befanden sich diese Waffen nicht bei den Truppen, sondern wurden in dem grossen Zeughaus im Prätorianerlager aufbewahrt. Auf dieses *armamentarium* möchte ich die *scribae armamentarii* der Inschrift C. I. L. VI 999 beziehen.

[4]) In dem Verzeichniss der *duplarii* der *legio III Aug.* C. I. L. VIII 2564 ist ohne Zweifel AR (*b*, 16) = *ar(morum)*, welcher Ausdruck eine Verkürzung ist des gewöhnlichen *armorum custos*, wie die Inschriften C. I. L. VIII, 2912 vgl. mit 2983, sowie 2908 u. 2909 vgl. mit 2910 zeigen. Die *principales* dieses Verzeichnisses sind nach ihrem Range geordnet, worauf ich in meiner Schrift „die Fahnen im römischen Heere" S. 8 Anm. 5 aufmerksam gemacht habe. Der *armorum* steht hier ganz entsprechend der Angabe des Tarruntenius Paternus Dig. 50, 6, 7 mitten unter den *immunes.* Vgl. auch E. E. II, 693. Ein *armorum custos et duplarius* auch in der Inschrift C. I. L. III 3556.

[5]) Vgl. „Die Fahnen im römischen Heere" S. 27.

welche dem *optio* und *tesserarius* der Fusstruppen entsprechen, stehen im Range, wie eine Stelle in der Lagerbeschreibung des sog. Hyginus erkennen lässt [6]), unmittelbar unter dem *decurio*, dem Commandanten der *turma*. Der *signifer turmae* ist demnach diesen *principales* untergeordnet, und dies ist der Grund, weshalb der *custos armorum* unmittelbar zum *signifer* avancirt. Dass diese Erklärung zweifellos das Richtige trifft, zeigt eine Liste einer *turma* der *equites singulares imperatoris* C. I. L. VI 224c *nomina turmae: dec(urio), dup(licarius), sesquiplicarius*, 2 Namen von *gregales, sig(nifer), arm(orum custos), cur(ator), b(eneficiarius), lib(rarius), b(eneficiarius)*. Das Avancement in der Inschrift aus Carnuntum bietet demnach eine vollständige Uebereinstimmung mit dem Avancement der Cavallerie [7]), so dass man zu dem Schlusse gedrängt wird, dieser *numerus* selbst sei eine Reitertruppe gewesen. Wenn sich auf diese Weise für das abweichende Avancement eine befriedigende Erklärung finden lässt, so liegt eine weitere Schwierigkeit in dem Umstande vor, dass ein *miles legionis* in den *numerus* übertrat und dann als *principalis* in der Legion weiter diente. Denn die wenigen Fälle, in welchen Legionare in die Auxilia eintreten, zeigen, dass man sie als Abtheilungscommandanten, als Decurionen und Centurionen verwendete [8]), wiewohl auch diese Stellen regelmässig aus den *principales*

---

[6]) §. 16: *habent equos singuli decuriones ternos, duplicarii et sesquiplicarii binos, fiunt super numerum equorum mille, deductis singulis qui in numerum computantur nonaginta sex.* Demnach hatte der *signifer turmae* nur ein Pferd und die beiden anderen *principales* mit zwei Pferden sind ihm sicher übergeordnet gewesen. Den Rang des *duplicarius* unmittelbar unter dem *decurio* bestätigt auch die gleich anzuführende Inschrift C. I. L. VIII 2354.

[7]) Auch der Rang des *librarius* unter dem *custos armorum* findet sich in dem Verzeichniss der *turma*.

[8]) C. I. L. III 647: *C. Vibius C. f. Cor. Quartus mil. leg. V Macedonic., decur. alae Scubulor., praef. coh. III Cyreneic.* VIII 2354[: *M. Anni M. f. Quir. Martialis mil. leg. III Aug., duplic. alae Pann., dec. al. eiusdem, 7 leg. III Aug. et XXX Ulpiae Victric. missi honesta missione ab imp. Traiano.* — *Ephem. epigr.* IV 236: *...Front?]o Arimin(o) mil. leg. XIII donat. torq. armill. phal. et 7 coh. 1 Camp. an. LX.* — Im wesentlichen gleichartig ist auch C. I. L. V 522: *L. Arnius L. f. Pup. Bassus mil. leg. XV Apol., mil. coh. I pr., 7 coh. II c. R., 7 leg. XIII Ge.* C. I. L. VIII 9391 (nach meiner Ergänzung Mitth. V S. 205 Anm. 10): *L. Terentius Secun[dus ....natio]ne Noricus h. s. es[t; in leg...... mil. ann. ..., inde] translatus in praetorio [mil. ... ann. ..., 7] coh. II Breucorum mil. [ann. ..* Denn das Eigenthümliche liegt in dem Uebertritt aus einer von römischen Bürgern gebildeten Truppe in die *auxilia*.

der Auxiliartruppen selbst besetzt wurden[9]). Ist es demnach unmöglich, dass der Legionar unter die niedersten *principales* eines
gewöhnlichen, aus Peregrinen gebildeten *numerus* eintrat[10]), so gibt
es doch einen *numerus* in der Provinzialarmee von so eigenthümlicher Zusammensetzung, dass bei ihm diese Schwierigkeiten vielleicht nicht bestehen. Ich meine den *numerus* der *singulares* des
Statthalters[11]). Nach der Organisation dieses Truppenkörpers bleiben
die dazu ausgewählten Leute in dem Stande der Truppen, denen
sie früher angehörten[12]). Danach wäre dieser Mann aus der Legion
überhaupt nicht ausgetreten, und der Verlauf seines Avancements
wird verständlich.

---

[9]) Denn die Decurionen sowohl als die Centurionen sind Peregrine, wie die
Entlassungsdiplome (D. XXI, C. I. L. III p. 864 und D. LXXVIII, *Eph. epigr.* V
p. 611, sowie besonders D. LXXII *Eph. epigr.* IV p. 508) beweisen. Es kommt
hinzu, dass, während der Corpswechsel bei den Centurionen der Bürgertruppen
nicht selten eintritt, die Centurionen der Auxilia in den zahlreichen Carrieren von
Prätorianer- und Legionscenturionen so gut wie ganz fehlen. Das einzige sichere
Beispiel C. I. L. VIII 3005: *⁊ leg. I Adiut. ⁊ leg. XX V. V. ⁊ leg. XI Cl. ⁊ leg. I
Ital. ⁊ coh. III Bra. vix. a. LXII* — denn C. I. L. V 522 ist anderer Art (siehe
Anm. 8) — wird daher so erklärt werden müssen, wie ich es für das ähnliche
Avancement eines *decurio* Mitth. V S. 207 vorgeschlagen habe, dass jener Mann
den Legionscenturionat erst nach seiner *missio* aus der Cohorte erhielt.

[10]) Vgl. über die *numeri* Mommsen im Hermes XIX S. 219.

[11]) Dass diese *equites singulares* einen *numerus* bilden, hat Mommsen mit
Recht bemerkt *Ephem. epigr.* IV p. 404 und beweisen zwei Inschriften *Ephem. epigr.*
IV, 166: *Dasati Cenobarbi eq. alae Batavorum ex n. sing.* — verdorbener Name
de[c]. ex n. eodem. Wohl aus der ersten Hälfte des 2. Jahrhunderts, wie das Fehlen
des Zusatzes *consularis* und auch die Namensform beweist; ebenso VIII, 9292:
duplicarius ex numerum singularium (das vorausgehende *aiutor* ist wohl ein Theil
des Namens). Ob die *pedites singulares* und die *equites singulares* zwei oder nur
einen *numerus* bildeten, lassen die Inschriften nicht erkennen.

[12]) Bramb. 1125: *Januarius Potens decurio alae I Scubulor. sin. cos.* 314:
Ti. Ulpius Acutus du[p]. al. Sulp. sing. cos. 315: *Petitor Pirobori mil. coh. II Ver.
sing. cos.* C. I. L. III, 3272: *M. Ulp. Super dec. alae praetoriae c. R., ex s. c. alae
I c. R., an. XXXII, stip. XVI.* 4812: *Ael. Martius s. c. coh. I Ael. Brit.* und *Fl.
Tacitus s. c. alae Aug.* 5938: *M. Vir. Marcellus dec. al. I F. s. A. sing. cos.* VII, 229:
L. Jul. Maximus s. c. alae Sar. Arch.-epigr. Mitth. VI S. 44 n. 90: *M. Ulp. Marcianus
vet. ex s. c. a. I D.*, ebenso *pedites singulares* Bramb. 914: *Faustinio Faustino
Sennauci Florionis fil. mil. coh. I F. D. ped. sing. cos.* VIII, 9393: *Vereius Victor miles
cohortis quarte Sucambrorum pedis sing. centuria Flori.* Aus einer Legion C. I. L.
III, 1651 add.: *Jul. Bassus m. leg. III P. s. cos.* (allerdings dürfte die Copie wenig
zuverlässig sein), und vielleicht sind auch C. I. L. VI, 3339 u. 3614 darauf zu
beziehen. Die *equites singulares* des Statthalters von Spanien sind gemeint in der
Inschrift C. I. L. II, 4083: *Marti campestri sac. pro sal. imp. M. Aur. Commodi*

Zuletzt bezeichnet sich der Dedicant als *candidatus*. Wie Mommsen gezeigt hat, findet sich *candidatus* sowohl als militärische Charge, als auch als Bezeichnung eines Grades unter den *cultores* des Dolichenus [13]). Beide Bedeutungen erscheinen nach dem Zusammenhang gleich zulässig, und es ist schwierig eine Entscheidung zu treffen. Es wird zunächst nöthig sein, darzulegen, was sich über den *candidatus* im militärischen Sinne ermitteln lässt. In einer Ehreninschrift eines Statthalters von *Moesia inferior* aus der Zeit des Alexander Severus heisst der Dedicant C. I. L. III 6154: *Fl. Severianus dec. alae 1 Atectorum Severiane candidatus eius.* Eine neu gefundene Inschrift aus Afrika hat nun gelehrt, dass der Statthalter das Recht hatte, geeignete Decurionen zur Beförderung zum Centurionate vorzuschlagen [14]), und dieses Avancement findet sich in mehreren Beispielen [15]). Aber nicht nur die *principales* der Auxilia, sondern auch die der Legion sind ganz regelmässig, wie relativ zahlreiche Beispiele erkennen [16]) lassen, zum Centurionat befördert

---

Aug. et equit. sing. T. Aurel. Decimus 7 *leg. VII G. Fel. praep. simul et camp.*, wie der Fundort beweist und das Fehlen des Zusatzes *Aug.* oder *imp. n.*, welcher bei den kaiserlichen *equites singulares* nicht fehlen könnte. Vgl. auch Arch.-epigr. Mitth. VI S. 101 n. 9: *Eponab. et campestrib. sacr. M. Calventius Viator* 7 *leg. IIII F. F. exerc. eq. sing. C. Avidi Nigrini leg. Aug. pr. pr.* Auf den Numerus der Singulares wird sich demnach auch die Inschrift Mitth. VIII S. 82 n. 4 beziehen.

[13]) Vgl. *Ephem. epigr.* IV p. 532 Anm. 2.

[14]) *Ephem. epigr.* V, 1043: ... *pro sal(ute)* [M. Aemi]li Macri l[eg. Aug.] pr. pr. c. v. pr[opter?] cuius suf[frag(ium)] a sacratiss(imo) [imp(eratore)] ordinibu[s adscriptus sum] — eo d[ie ex] dec(urione) sum pro[mo]tus, votum [so]lvi meo no[m(ine)], Catulus 7 [leg(ionis)] III Aug.

[15]) Arch.-epigr. Mitth. V S. 203: *T. Calidius P. Cam. Sever. eq., item optio, decur. coh. I Alpin., item* 7 *leg. XV Apoll.* C. I. L. VIII, 2801: *Alfius Blasius.* 7 *leg. III Aug. Cecilio Cecilio* (sic) *Proculeiano mil. leg. candidato condecurio ex Campania memoria fecit.* 2817: *Aurelius A[man]dus* 7 *leg. III A[ug.] hic situs e[st]; T. fil. ex dec. eq. sing. imp.* 9045: *P. Aelio P. f. Q. Primiano — trib. coh. IIII vig. ex dec. al. Thrac.* (denn die Zwischenstufe des Centurionates muss hier wohl vorausgesetzt werden). C. I. L. II 4147: *M. Aur. M. f. Pap. Lucilio Poetovion(e) ex singularib. imp.,* 7 *leg. I adiut.*

[16]) C. I. L. II, 1681: *C. Julio L. f. Ser. Scaenae decurio[ni] eq., centurioni hastato primo leg. IIII.* C. I. L. III, 2035: *M. Jul. M. f. Vol. Aquis Sextiis mil. leg. VI Victric.* [7] *leg. VIII Aug.* — V, 940: *Val. Aulucentius leg. XI Cl., militagregales ann. XIII et centurio ann. III.* 942: *Val. Longinianus vixit annos XLV, militavit optio leg. XI Clau. ann. XV, centurio ord. ann. VI.* 7004: ...*Ovius L. f. [St]e. Peregrinus [mil. l]eg. XXII pr. p. fid.* — *optio, centurio legi[onis] eiusdem.* 7872: *P. Enistalius P. f. Cl. Paternus Cemenelensis optio ad ordine,* 7 *leg. XXII Primigeniae.* 8278: *Julius centurio supernumerarius leg. XI Claudiae stip. XXIIII annor. circiter XXXX; tiro probitus ann. XVI, postea profecit disces equitum, ordine*

worden, und zwar auch hier, wie ausdrücklich bezeugt ist, über Vorschlag des Statthalters [17]). Es ist daher verständlich, dass ein *centurio legionarius* sich als *candidatus* eines Consulars, also seines ehemaligen Statthalters bezeichnet, *Bull. d. Com. mun.* 1881 p. 15: Τῖτ(ον) Αἴλ(ιον) Ναίβ(ιον) ᾽Αντώνιον Σεβῆρον τὸν λαμπρότατον ὑπατικόν, τὸν εὐεργέτην, ᾽Ιούλιοι ᾽Ιουλιανὸς φρ(ουμεντάριὸς) Οὐαλεντεῖνος (ἑκατόνταρχος) λεγι(ῶνος) κανδιδάτοι αὐτοῦ [18]). Die *candidati* werden daher als die vom Statthalter zur Beförderung zum Centurionat als qualificiert bezeichneten *principales* aufzufassen sein. Dann aber wäre in unserer Inschrift — die Beziehung auf einen militärischen Grad vorausgesetzt [19]) — *candidatus* unmittelbar mit *optio* zu verbinden, und wir haben, wie in der oben angeführten Inschrift einen *decurio candidatus*, so hier einen *optio candidatus* zu erkennen. Wenn in einer Inschrift unter den Mitgliedern eines Veteranencollegiums drei sich als *ex candidato* bezeichnen, so geht hieraus hervor, dass jene Aufnahme in die Expectantenliste noch keinen nothwendigen Anspruch auf Beförderung gab [20]). Fassen wir *can-*

---

factus mag. equitum, positus hic. C. I. L. VI, 3603: *Jul. Crescens ex leg. VII Cl. ordinatus ꟾ in leg. IIII Scyth.* C. I. L. VIII, 702: *Julius Pro[bi]nus obiit in Gallia morte; — la[te]ribus Germaniae meruit specul[a]t. et cornicul[ari]u[s] legionis. Initium vitis vitae fuit finis.* C. I. L. VIII, 2848: *L. Cornelio Catoni ꟾ leg. III Aug. qui et caligatus stip. XIII.* (Denn ich glaube, dass *caligatus* hier nicht als Cognomen verstanden werden darf. Vgl. C. I. L. VIII, 2554 b 22). Bramb. 1559: *C. ... Titi [ꟾ] leg. ex cor.* 1752: *P. Ferrasius Cl. Avitus Savaria ꟾ [l]eg. VIII Aug. p. f. Co. ex aquilifero leg. I adiutricis. Ephem. epigr.* II, 704: *ꟾ leg. VI Ferrat. qui est prob. in leg. II A.* Boissieu, I. L. p. 300: *[ꟾ legionis I Mi]nerviae, qui militavit ꟾ ann. VII ex cornucl.* Rh. I. B. 60 S. 52: *C. Valeri Quirina Titus ꟾ legionis ex corniculario cos.*

[17]) C. I. L. VIII, 217: *militavit L annis, IV in leg. III A[ug.] librar., tesser., optio, signifer, factus ex suffragio leg. [Aug. pr. pr.] ꟾ militavit ꟾ leg. II Ital.* Denn so ist nach Analogie der Inschrift *Ephem. epigr.* V, 1043 (vgl. Anm. 14) zu ergänzen.

[18]) Der *frumentarius* als *candidatus* bestätigt nur diese Auffassung. Der *numerus* der *frumentarii* ist zwar in Rom stationirt, wird aber aus Soldaten der Legionen gebildet (vgl. meine Auseinandersetzung in Marquardt Staatsverw. II² S. 491 ff.). Es ist daher ganz entsprechend, dass der Statthalter die für diesen Dienst geeigneten Leute namhaft machte, wenn auch die Ernennung sicher vom Kaiser geschah.

[19]) Ich glaube nicht, dass *numini* mit *candidatus* zu verbinden ist; die Wiederholung scheint mir durch die Einführung des zweiten Dedicanten veranlasst.

[20]) C. I. L. VIII, 2618. Dass eine solche Einreihung unter die Expectanten thatsächlich stattfand, zeigen auch C. I. L. V, 6423: *Caecili Valentini opt(ionis) spei leg. XIII [G.], qui vixit annis XVIIII menses III dies XVIII.* C. I. L. III, 3445: *L. Sept(imius) Constantinus optio spei leg. II adi. p.f. Antoninianae.* Dass diese Hoffnung nicht immer verwirklicht wurde, ergibt sich aus C. I. L. VIII, 2554: *Pro salute Augg.*

didatus in unserer Inschrift als militärischen Grad, so ist die Veranlassung, welche den Dedicanten zu der ganz singulären Aufzeichnung seiner Carriere bestimmte, klar. Der Mann, der am Ende seines Dienstes als *caligatus* stand und nun in den ehrenvolleren Centurionat übertreten sollte, nannte die ganze Reihe der militärischen Grade, welche er bisher durchlaufen hatte und errichtete das Denkmal zum Heile des Kaisers, von dem er die Beförderung erhoffte.

5. Bruchstück einer umrahmten Tafel, in mehrere Stücke zerbrochen. Gef. iu dem Gebäude östl. vom Forum.

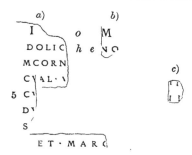

Am Schlusse stand wahrscheinlich die Datirung nach den *sacerdotes.*

6. Votivsäule aus Marmor. H. 0·51, d. 0·36. Gef. in dem Gebäude östl. vom Forum.

```
            i ᴐ   M   H
           V E N E R I
           V I C T R C I
           M · T I T I V S
     5     H L O D O R V S
           A V G · C O L
           KAR · V · S
        S A C E R D O T I B · V J B I O
        C R E S C E N T E · E · H E R E N
    10       N I G R I N I A N O
```

Z. 6: *aug(ustalis).*

optiones scholam suam cum statuis et imaginibus domus [di]vinae item diis conservatorib(us) eorum ex largissimis stipend[ii]s et liberalitatib(us), quae in eos conferunt, fecer(unt) curante L. Egnatio Myrone q(uaestore); ob quam sollemnitatem decreverunt, uti collega proficiscens ad spem suam confirmandam accipiat (sestertium) VIII mil(ia) n(ummum). Vgl. auch Mommsen *Eph. epigr.* IV p. 471 Anm. 1.

7. Ara aus Sandstein. H. 0·45, br. 0·20, d. 0·19. Gef. auf dem Begräbnissplatz.

SILVANO
AVG · C · SAᶜ
IIICAIIA   *sic*
V · S · I · M ·   *sic*

8. Ara aus Sandstein, sehr verwischte Schrift. H. 0·28, br. 0·18, d. 0·13. Gef. auf dem Begräbnissplatz.

SILVANO
AVGSAC
VOTV*m*
*s*o*lv*i*t*
5   T · SV//

9. Ara aus Sandstein. H. 0·34, br. 0·18. Gef. in dem Gebäude östl. vom Forum.

SILVANO
· DOMES

10. Bruchstück einer Ara aus Sandstein. Gef. auf dem Begräbnissplatz.

SILVAI*o*
OM*s*

11. Ara aus Sandstein. H. 0·38, br. 0·20, d. 0·10. Die Buchstaben roth ausgemalt. Gef. auf dem Begräbnissplatz.

SILVAN
SAC ·
PISVE
M

12. Bruchstück einer Ara aus Sandstein. Zeilen vorgerissen. Gef. auf dem Begräbnissplatz.

MINVS
BE_GA
E_G XIIII G
r S · L

13. Bruchstück aus Sandstein. Gef. im Forum in der Nähe der nordöstl. Ecke.

```
  ⌐GERM · SAI⌐
   ⌐IO · SEV⌐
    ⌐ARAP⌐
```

Imp. Caes. divi M. Antonini Pii] Germ. Sar[m. filio L. Septim]io Sev[ero Pio Pertinaci Aug.] Arab. [Adiab. Parthic. max. etc.

14. Grabstele aus Sandstein mit Giebel; die sehr verwitterte Inschrift im umrahmten Felde. H. 1·38, d. 0·68. Gef. auf dem Begräbnissplatz, als Seitenplatte eines Sarkophages verwendet.

```
        C L / V D
        O    P C
        A V V E T
        G X V Æ
    5   C L Λ V D
        S/A/†O P F
```

.. *Cl[a]ud[i]o Po[l. F]av(entia) vet. [le]g. XV Ap(ollinaris)* ...
Die Lesung der letzten Zeile ist unsicher, da schlechte Beleuchtung die Entzifferung der zerstörten Reste sehr erschwerte.

15. Grabstele aus Sandstein. Oben gebrochen, die Inschrift im umrahmten Felde, darunter zwei Delphine, mit den Schwänzen um einen Dreizack geschlungen. Gef. auf dem Begräbnissplatz, als Deckplatte eines Sarkophages verwendet.

```
    C · IVL VALENTI· VET· LEGĪ A D N
    LVII· ET· IVLIAE IVLIAE C O N I
    EIVS· AN XXXVI· ET· IVL· VALEN
    TINAE· FILIAE EORVM AN XX
5   ET IVL· CASSIANO · AN/IC · IVL
    PRAETORINVSPA/renti
    BVS ET SORORI· C/arissimis
          FECĪT
```

Z. 5: *a[n. v?]*

16. Grabstele mit steilem Giebel. Patera im Tympanon, in den Zwickeln ebenfalls Paterae, in den Ecken Festons. Inschrift im umrahmten Felde. H. 1·86, br. 0·80, d. 0·25. Gef. auf dem Begräbnissplatz. Als Seitenplatte jenes Sarkophages verwendet, dessen Deckplatte Nr. 15 bildete.

```
    C · VALERI
    VS · C · F GAL
    PROCVLVS
    CALAGVRR
5   EQ · LEG · XI C F      sic
    7 VINDICIS
    AN · XXX STIX
    H · S · E · T · F · I
```

H · F · C

C(aius) Valerius C(ai) f(ilius) Gal(eria) Proculus Calagurri eq(ues) leg(ionis) XI C(laudiae) [piae] f(idelis) (centuria) Vindicis an(norum) XXX stip(endiorum) IX h(ic) s(itus) e(st) t(estamento) f(ieri) i(ussit), h(eres) f(aciendum) c(uravit).

Ziegel mit dem Stempel der *legio XI C(laudia) p(ia) f(idelis)*, welche in dem Standlager Brigetio zu Tage gekommen sind, hatten bereits früher gezeigt, dass diese Legion vorübergehend in Oberpannonien stationirt war[1]). Es scheint unbedenklich, dieses Zeugniss mit unserer Inschrift zu combiniren, um so eine nähere Bestimmung des Zeitpunktes zu gewinnen, in welchem die *legio XI Claudia* dem Heere von Oberpannonien angehörte. Die Reihenfolge der wechselnden Standquartiere dieser Legion ist im wesentlichen gesichert. Sie stand von Augustus bis auf Vespasian in Dalmatien und gieng von hier nach Obergermanien, wo ihrer noch unter Trajan auf einer Inschrift Erwähnung geschieht; seit Antoninus Pius endlich ist sie in *Moesia inferior* nachweisbar[2]). Da Valerius Proculus aus Calagurris in Hispania Tarraconensis stammt[3]), so muss er ins Heer eingetreten sein vor Hadrians grosser Reform der Aushebungsordnung, nach welcher die Legionen sich aus den Provinzen ergänzen, in welchen sie stationirt sind[4]). Berücksichtigt man ferner, dass das Lager von Brigetio nicht vor Trajan errichtet worden[5]), so ergibt sich als angemessenste Datirung unserer Inschrift der Anfang des zweiten Jahrhunderts. Vielleicht ist das Auftreten der

---

[1]) *Ephem. epigr.* II, 921.

[2]) Vgl. hierüber Mommsen im C. I L. III p. 280 uud *Ephem. epigr.* IV p. 528.

[3]) Die Galeria ist auch sonst als die Tribus von Calagurris nachweisbar; vgl. W. Kubitschek *De Romanarum tribuum origine ac propagatione* p. 168.

[4]) Vgl. Mommsen im Hermes XIX S. 21.

[5]) Vgl. Mommsen C. I. L. III p. 539.

legio XI Claudia in Pannonien mit Trajans dacischen Kriegen in Verbindung zu bringen. Die Armee von Pannonien hat an diesen Feldzügen nachweislich in hervorragender Weise theilgenommen, da ihr Commandant im ersten Kriege die militärischen Decorationen erhielt und auch sonst ausgezeichnet wurde[6]). Eine pannónische Legion, die *XIII Gemina*, wurde dauernd nach Dacien verlegt[7]). Es ist daher durchaus möglich, dass zum Schutze der entblössten Donaugrenze Legionen vom Rhein herangezogen wurden[8]).

Ein besonderes Interesse gewinnt unsere Inschrift jedoch durch den Umstand, dass der *eques legionis* die Centurie nennt, in welcher er gedient hat, wie dies nur noch in einer Inschrift C. I. L. VIII, 2593: *Ael. Severus eques leg. III Aug. 7 Jul. Candidi*, wiederkehrt. Die Analogie der *equites* der Prätorianercohorten bietet ein Mittel, diese Eigenthümlichkeit der Organisation klar zu stellen. Auf den Grabschriften dieser Reiter wird bekanntlich in der überwiegenden Zahl von Fällen die Centurie hinzugefügt. Dass man aber hier nicht besondere Centurien der Reiterei erkennen darf, zeigen die Listen entlassener Prätorianer. Diese sind nach Centurien und Cohorten geordnet und bei den Namen der Chargirten ist der Rang hinzugesetzt[9]). Als ein solcher Zusatz erscheint aber wiederholt auch *eques*[10]). Am lehrreichsten ist in dieser Beziehung eine Liste, welche, wie Bormann wahrscheinlich gemacht hat[11]), das Bruchstück des Standesverzeichnisses einer Centurie enthält. Hier finden wir neben 53 *pedites* und *principales*, 7 *equites*[12]). Diese Art, die *equites* in den Listen zu führen, beweist, dass sie als *principales*

---

[6]) Vgl. Mommsen C. I. L. V p. 785.

[7]) C. I. L. III p. 160.

[8]) So war auch die *I adiutrix*, die zusammen mit der *XI Claudia* unter Traian auf einer rheinischen Inschrift erscheint (Br. 1666 vgl. dazu Zangemeister in der Westdeutschen Zeitschrift 3 S. 246), in den dacischen Kriegen verwendet worden, vgl. C. I. L. III, 1628. Es verdient noch hervorgehoben zu werden, dass die *XI Claudia* zur Zeit von Hadrians britannischem Feldzug nicht mehr in Obergermanien stand, wenn anders die Inschrift C. I. L. X, 5829: *praepositus vexillationibus milliariis tribus expeditione Brittannica leg. VII Gemin., VIII Aug., XXII Primig.* alle Legionen Obergermaniens nennt, wie dies an sich das wahrscheinlichste ist.

[9]) C. I. L. VI p. 651 ff.

[10]) C. I. L. VI 2375 *b* 3, 30. *Ephem. epigr.* IV, 894 *c*, 23. 896 *B*. II, 15. 21.

[11]) *Ephem. epigr.* IV p. 320.

[12]) C. I. L. VI, 2382 *a. b.*

galten und die *equites* einer Cohorte über alle Centurien vertheilt
waren. Den Rang dieser *equites praetoriani* lernen wir aus zwei
Inschriften kennen: C. VI, 2601: *D. M. Aur. Bito eq. cor. VI pr.
natione Trax cives Filopulitanus an. p. m. XXXV qui mil. an. XVII
sic: in legione I Italica an. II, in cor. II pret. munifex an. XIII,
factus eq. mil. menses n. X.* — H. 6771 = Wilm. 1598: *C. Arrio
Corn. Clementi militi coh. IX pr. equiti coh. eiusdem donis donato ab
imp. Traiano torquibus armillis phaleris ob bellum Dacicum, singulari
praefectorum pr., tesserario.* Sie gehören demnach zu jener niedersten Classe von Chargirten, welche im Range zwischen den *gregarii*
und dem *tesserarius* stehen und in der Organisation sowohl als für
das Avancement einen festen geschlossenen Kreis bilden [13]).

Aehnliche Erscheinungen kehren bei der Legionsreiterei wieder.
In den Listen werden sie nicht in besonderen Abtheilungen, sondern
innerhalb der Cohorten geführt [14]). Bei ihnen, wie bei einigen
anderen *principales* finden sich *discentes* [15]). Eine allerdings späte
Inschrift setzt sie ausdrücklich den *munifices* entgegen [16]). Aus ihrer
Stellung als *principales* ist es auch zu erklären, dass sie gleich den
anderen *principales* in der Legion eines jener eigenthümlichen, wahr-
scheinlich von Septimius Severus geschaffenen Collegien bildeten [17]).
Die Centuria des *eques legionis* ist demnach die Bezeichnung der
Abtheilung, in deren Standesliste dieser *eques* geführt wurde.

---

[13]) Eine Erörterung dieser Verhältnisse kann an dieser Stelle nicht gegeben
werden.

[14]) Vgl. C. I. L. III, 6178—6180. VIII, 2565*b*, 6. 2567, 34. Dass sie in
dem Verzeichniss der Vexillatio *Eph. ep.* IV p. 525 ausserhalb der Cohorten am
Ende stehen, spricht bei der eigenthümlichen Anordnung dieser Liste nicht dagegen.
Vgl. Mommsen a. a. O. p. 531.

[15]) C. I. L. VIII, 2882: *Herennius Victorinus disc. eqq. leg. III Aug.* — V, 944:
Val. Quintus disces equitum leg. XI Claudiae. 8278: *Julius centurio supernumerarius
leg. XI Claudiae stip. XXVII, annor. circiter XXXX; tiro probitus ann. XVI, postea
profecit disces equitum* — und dieser Grad wird auch zu ergänzen sein in der Inschrift C. I. L. VI, 3409: *L]aterano et Ru[fino cos. an...] IIII mil. fac. est, di[scens
eq. an.. fa]ctus est, aeques (anno) XI [fact. est* —. Sonst finden sich *discentes* auch
sicher beim *aquilifer* (C. I. L. VIII, 2988. 2568, 22), den *capsarii* (C. I. L. VIII,
2553) und vielleicht dem *signifer* (C. I. L. VIII, 2568, 8. 9. 10. 2569, 4. 5. 25)
und darauf bezieht sich ohne Zweifel Dig. 50, 6, 7 im Verzeichniss der Immunes
librarii quoque qui docere possunt.

[16]) C. I. L. V, 896: *Aurelius Justinus eques e leg. XI Cl. probatus annorum
XVII et militavit munifex annis VII, eques annis IIII* —.

[17]) Denn auf eine solche *schola* hat Wilmanns ohne Zweifel mit Recht die
Inschrift C. I. L. VIII, 2550 bezogen.

17. Bruchstück einer Tafel aus Sandstein.

|A V R|
'P R I N P o|

Z. 2: *prin(ceps) po[st(erior)*.

18. Drei Bruchstücke eines Gitters. Wahrscheinlich von demselben Monumente. Am unteren Rande sind Reste des Gitters
erhalten. Das Bruchstück c) unterscheidet sich in der Grösse der
Buchstaben von den beiden anderen Fragmenten. Gef. auf dem
Begräbnissplatz.

a)   b)   c)

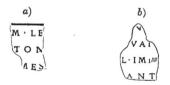

sic R E IΛ I Λ T V M C Λ N C Λ N C E L L V M Ϩ   ////T I S S I////   ʳ O C E S T V O Ɩ Vɪ
T R V Λ L E N T I N V S P R E F S ʳ ///I V S O R Λ M   N T I V S M E S T P   Ϸ P R O I E C T V S A C T M A X

a) Z. 1: *reparatum cancellum*.

c) Z. 1 vielleicht *h]oc est votu[m*.

19. Bruchstücke aus Sandstein. Die Zusammengehörigkeit
scheint durch das gleiche Material, gleiche Grösse und Form der
Buchstaben gesichert. Gef. innerhalb des Forums, in der Nähe der
Mitte der Westmauer.

a)   b)

M · L E
T O N
Λ E Ϩ

V Λ I
L · I M ɪ////
Λ N T

20. Bruchstück einer umrahmten Tafel aus Sandstein; gefunden
beim Wartthurm.

|N · M|

21. Bruchstück aus Sandstein. Gef. im Forum, 7 Meter östl.
von Nr. 19.

Λ X I M C
ΙΙ V S · C A
Ε I V S
ɪ C

22. Bruchstück einer Tafel aus Sandstein. Gef. in dem Gebäude östl. vom Forum.

```
/N V S\
|I V S S V|
```

23. Bruchstück einer Tafel aus Sandstein. Gef. auf dem Begräbnissplatz.

```
|A R C|
```

24. Fragment aus Sandstein. Gef. auf dem Begräbnissplatz.

```
   a)              b)
QVAE·E·IS      /N I V I\
LENS·Ɔ·LI      |R C O N|
SANC·TIS·S     \//I N/
```

... *quae et Is[me]n[e v. ann.. Va]lens (mulieris) l[be]r(tus) con[iugi] sanctiss[imae]*.

25. Bruchstück einer Tafel aus Sandstein. Gef. auf dem Begräbnissplatz.

```
        /U L\
leg. |< IIII · H|  s. e.
        \P P A E/
```

26. Bruchstück aus Sandstein. Gef. in dem Gebäude östl. vom Forum.

```
   a)          b)
  Ō N         |S E|
 /P R O|      |A V|
```

A. DOMASZEWSKI

II

Die Grabungen begannen in diesem Jahre mit der weiteren Bloslegung des im Jahre 1883 zum grössten Theile aufgedeckten Forums (vergl. Jahrg. VIII Taf. III dieser Zeitschrift S. 55—59). Das Innere desselben wurde vollständig von Erde und Schutt befreit und es bestärkte das gewonnene Resultat dieser Arbeit neuerdings die schon früher ausgesprochene Meinung, dass man es hier mit einem offenen, ungetheilten Raume von 41·85 M. Länge und 37·85 M. Breite zu thun habe, der von einer Mauer ringsumher begrenzt war. Der Raum (Taf. II u. III) war, wie aus den Resten zu erkennen, mit Steinplatten gepflastert und mit Rinnsteinen den Umfassungsmauern entlang versehen. In der südöstlichen Ecke desselben stiess man auf einen runden ausgemauerten Brunnen von 0·9 M. lichter Weite. Die Ausräumung desselben bis zur Tiefe von 4 Meter ergab keine bemerkenswerthen Resultate oder Fundstücke. Nicht weit von diesem Brunnen gegen Westen zu lag ein stark verstümmeltes dreieckiges Werkstück, auf dem die sehr abgescheuerte Darstellung eines Bogenschützen und eines grossen Kranzes mit Schleifen zu erkennen war. Die Südmauer des Forums war mit zwölf Mauervorsprüngen versehen, welche attische Basen trugen, somit die Annahme rechtfertigen, dass hier eine reichere Säulen- und Gebälk-, vielleicht auch Bogenarchitektur ausgeführt war. Für eine weitere Ergänzung dieser monumentalen Anlage in Mitte des Lagers wurde die Aufdeckung einer Anzahl Pfeiler, die parallel zur Süd- und Ostseite des Forums sich hinzogen, von Bedeutung. An der Südseite ziehen sich in der Entfernung von 10·4 Meter von der Mauer sechs Pfeiler, an der Ostseite in der Entfernung von 5·45 M. sechzehn theils freistehende, theils mit einer durchlaufenden Mauer verbundene Pfeiler hin. Es ist wohl kein Zweifel, dass diese Pfeilerreihen in einem bestimmten Bezug zum Forum standen und auf eine Halle rings um dasselbe schliessen lassen. Leider fehlen die weiteren Pfeiler in der Westhälfte der Südseite gänzlich, und es ist auch bei dieser Grabung kein Stückchen des Aufbaues, kein Fragment irgend eines Gesimses, Capitäls oder Quaders gefunden worden, somit die Möglichkeit ausgeschlossen, irgend eine verlässliche Reconstruction vornehmen zu können.

Die Aufdeckung jener Stelle an der Südwestseite des Forums, wo am letzten Tage der Grabung des Jahres 1883 zwei Statuen gefunden wurden (vergl. Studniczka in Jahrg. VIII dieser Zeitschrift Taf. I. II S. 59—74), hat die erwarteten weiteren Theile dieser Statuen, namentlich die erhofften Köpfe derselben, nicht zu Tage gefördert und überhaupt kein nennenswerthes Resultat gebracht. Es dürfte demnach die Annahme nicht ausgeschlossen sein, dass diese Statuen nicht an ursprünglicher Stelle gefunden wurden, sondern bei der gewaltigen Zerstörung, welche im Lager allerwärts platzgriff, hierher verschleppt wurden.

An der Südseite des Forums, ausserhalb der Säulenhalle, stiessen wir auf eine Anzahl kleinerer Räume, welche theils mit Hypokausten versehen waren, theils einfach betonirte Böden zeigten. Diese Räume reihen sich den in früheren Jahren aufgedeckten, als Lagerheiligthümer bezeichneten an. An der Nordseite des Forums wurde ebenfalls ein Theil der ganzen Anlage, wie Alles nur als Fundamentmauerwerk erhalten, aufgedeckt; es sind hier circa acht kleine Räume, deren Anordnung im Bezuge zum Forum und mit dem einen grossen Pfeiler die Anlage der Halle auch an dieser Seite des Forums nicht ausschliesst. Im übrigen wurden nördlich des Forums keine weiteren Mauerreste gefunden, da das Niveau des Feldbodens hier bis auf die Sohle der Fundamentmauern reicht.

Nachdem die Umgebung des Forums blosgelegt war, wurden die Arbeiten östlich von demselben fortgesetzt. Die beträchtliche Erhöhung des Terrains liess hier auf besser erhaltene Baureste schliessen und die Vermuthung war nicht unbegründet. Eine grosse Zahl von Räumlichkeiten trat hier zu Tage. Gut erhaltene Fundamentmauern grenzen die Räume ab, lassen aber, da nur sehr wenige Schwellensteine oder Thüröffnungen erhalten sind, den Zusammenhang derselben nicht genau erkennen. Viele dieser Räume waren mit Hypokausten versehen, die meisten aber unheizbar.

Besonders zu erwähnen ist, dass die ganze Anlage dieses Theiles des Lagers grosse Regelmässigkeit zeigt. Die Mauerzüge haben entweder die Richtung der Lang- oder Querachse des Lagers; nur ein Raum ist vollständig schräg in die übrige Anlage hineingestellt, liegt bedeutend tiefer als die übrigen, war über eine Stiege zu betreten und scheint mit der sonstigen Disposition der Räume in keinem Bezuge zu stehen. Würde die Construction der Umfassungsmauern desselben und die Betonirung seines Fussbodens nicht dieselben Merkmale zeigen, wie sie allerwärts im Lager auftreten, so wäre man gewillt, diese Baulichkeit als eine in nachrömischer Zeit ausgeführte zu betrachten.

Ueber die specielle Bestimmung aller hier aufgedeckten Räume lässt sich ein Urtheil nicht abgeben, da keinerlei Anhaltspunkte hierfür vorhanden sind und die reichlichen, aber nicht baulichen Fundstücke darüber keinen Aufschluss geben, auch für die durch die erhaltenen Basen bezeichnete, nach Süden gekehrte, siebensäulige kleine Halle lässt sich keine Bestimmung angeben. Da aber auch

ausserdem unmittelbar in Mitte und senkrecht auf diese Halle eine
Mauer gegen Süden abzweigt, scheint es sich hier um verschieden-
zeitige Anlagen zu handeln, welche in dem gegenwärtigen Zustande
der Erhaltung schwer von einander zu scheiden sind. Muss die
Fortsetzung der Grabungen allmälig erst grössere Klarheit in die
Anlage des Lagers bringen, so war hier doch neben der Aufdeckung
des Forums ein weiteres wichtiges Resultat gewonnen. Aus dem
beiliegenden Plane geht deutlich hervor, dass die zuletzt besprochenen Räumlichkeiten an der Westseite durch eine Mauer gegen
das Forum scharf abgegrenzt sind. Ueber diese in südnördlicher
Richtung laufende Abschlussmauer reichen keine weiteren Quermauern hinaus. In dem Zwischenraum zwischen dieser Mauer und
der Pfeilerstellung, an der Ostseite des Forums, haben die Son-
dirungsgräben nur auf Steinplatten geführt. Es liegt demnach die
Vermuthung nahe, dass hier zur Seite des Forums eine Strasse
lief und es wird die Aufgabe der weiteren Untersuchung sein, die
Strasse in südlicher Richtung zu verfolgen.

Gleichzeitig mit der früher besprochenen Grabung liess ich
südwestlich und in einer Entfernung von 600 Meter vom Lager auf
dem Acker des Herrn Matle eine probeweise Sondirung vornehmen.
Wir stiessen auf Mauerwerk, das ich in seinem vollen Umfange
bloslegen liess. Die beifolgende Tafel IV gibt Grundrisse und
Durchschnitte des Baurestes, der als Substruction eines Thurmes
bezeichnet werden darf. Die vier Umfassungsmauern bilden nahezu
ein Quadrat von 9 zu 9·1 Meter äusserer Seitenlänge. Der innere,
von diesen Mauern umschlossene Raum hat 3·3 zu 4·1 Meter
Ausdehnung. Die Mauern erheben sich bis nahe an das gegenwärtige Feldniveau und reichen 3·0 Meter in den Boden hinab
Im Aeusseren zieht sich ein wenig vorspringender Sockel von 0·75 M.
Höhe, im Inneren an der oberen Kante der Substruction eine ge-
simsartige Vorlage herum. Bemerkenswerth ist, dass sich die genauen Merkmale der Ausführung des Mauerwerkes erhalten haben.
Das Mauerwerk ist nämlich nicht aus Quadern oder Bruchsteinen
gebildet, sondern ein festes Gusswerk. Zur Ausführung desselben
wurden aussen und innen in der Flucht der Mauer und in bestimmten Abständen Holzbalken aufgestellt, welchen in horizontaler
Richtung Bretter der ganzen Höhe der Mauer nach vorgenagelt
waren. Als Pölzwerk gegen die zunächstliegenden Erdmassen waren
diese Holzwände mit schräggestellten Streben versehen. In diese so
gebildeten Kasten, welche genau den Dimensionen und Formen der

Mauern entsprechen, wurde der Beton eingegossen und festgestampft. Heute, nachdem dieses Holzgerüste bis auf wenige Reste verschwunden ist, sieht man aber noch deutlich sowohl die Nuten oder Vertiefungen, an deren Stelle die Balken und Streben standen, wie auch die durch das Einquellen des Betons in die Bretterfugen entstandenen horizontalen Linien. Diese Construction, welche zum ersten Male hier in Carnuntum an einem Bauwerke nachgewiesen wird, dient als neuerlicher Beleg dafür, wie die Römer ihre bautechnischen Proceduren von Italien bis nach den äussersten Grenzen des weiten Reiches übertrugen, denn genau dieselbe Technik finden wir an römischen Substructionen in Rom zur Ausführung gebracht*).

Zunächst des Mauerviereckes wurde an der Südseite desselben eine aus festgestampftem Schotter gebildete Böschung blossgelegt, über deren Bestimmung ich keine Vermuthung ausspreche, wie es auch nicht möglich ist, über den weiteren Aufbau des Thurmes einen Schluss zu ziehen, da neben Pfeilspitzen und einem Inschriftfragmente (oben S. 31 n. 20) nicht das geringste Fragment eines Werkstückes dieses Aufbaues gefunden wurde. Die ganze Form des Baurestes aber und die isolirte Lage desselben ausserhalb des Lagers lassen einerseits vermuthen, dass wir es mit einem festgemauerten Wachtthurme zu thun haben, und stellen andererseits die Aufgabe, zu erforschen, ob dieser Thurm nicht einer ganzen Kette solcher Wachtthürme angehört habe und was von Resten derselben noch erhalten ist.

Mittheilungen einheimischer Bauern über Funde in früheren Jahren ermunterten mich, noch an einer dritten Stelle eine Sondirung vorzunehmen. Es war dies auf den Aeckern der Herren Wimmer und Krems, ebenfalls südwestlich des Lagers und von diesem 350 Meter entfernt. Die Grabungen führten hier auf ein, wie es scheint, sehr ausgedehntes Gräberfeld. Wir stiessen zuerst auf einen mit Mauern umgebenen rechteckigen Raum von 6·8 zu 8·1 M. Grösse und darin auf vier Sarkophage. Von diesen lagen zwei, ein ganzer und ein zur Hälfte gebrochener, auf tieferem Niveau als die beiden übrigen. Der eine der letzteren war aus Ziegeln aufgebaut und mit Dachziegeln abgedeckt. In dem tiefer liegenden, gut erhaltenen Sarkophage von einfacher Form wurde neben Knochen ein doppeltkegelförmiges Zinngefäss und ein hübsches Glasfläschchen gefunden. Im weiteren Verfolge der Grabung stiessen wir auf einen zweiten rechteckig ummauerten Raum und auf eine Anzahl ganz

---

*) A. Choisy, L'art de batir chez les Romains. Paris 1873, pag. 16, Fig. 2.

unregelmässig geführter Mauerzüge, gleicherzeit wurden an dieser Stelle im Ganzen 24 Steinsarkophage und zwei Ziegelgräber aufgedeckt. Die Stellung der Sarkophage zeigt nur zunächst den beiden rechteckigen Räumen eine gewisse Regelmässigkeit, die übrigen Gräber sind planlos vertheilt, ein Sarkophag sogar unmittelbar auf die darunter durchgehende Mauer gestellt. Unter allen diesen Steinsärgen, welche wenigstens durch ihre Zahl der Oertlichkeit erhöhte Bedeutung geben, ragten aber zwei durch reichere Ausstattung und bedeutungsvolle Merkmale vor den übrigen hervor. Es sind dies die auf Taf. V mit I und II bezeichneten. Während die übrigen je aus einem Stücke Stein ausgehöhlt, schmuck- und inschriftlos sind, waren die beiden bezeichneten aus Steinen zusammengestellt, welche sichtlich andere Bestimmung hatten und sei es als Grabsteine oder Reliefstücke vor ihrer Verwendung zur Bildung dieser Sarkophage schon anderwärts Verwendung fanden. Sarkophag I war an seiner östlichen Stirnseite von einer Platte gebildet, an deren nach aussen gekehrten Seite Brustbilder en face in Relief ausgearbeitet sind (unten S. 38 n. 1). Bei der Blosslegung dieses Steines trat die ganze Arbeit reich polychromirt zu Tage, doch verschwanden die Farben, nachdem der Stein kurze Zeit der Luft ausgesetzt war. Die nördliche Seitenwand wurde von einem Schriftsteine gebildet (oben S. 27 n. 14). Sarkophag II bestand ausser aus glatten Steinen aus zwei Inschriftsteinen (oben S. 27 n. 15. 16) und einem Relieffragmente, der Darstellung eines löwenköpfigen Seeungeheuers und einer Nereide (unten S. 39 n. 4). Auch an dieser Gräberstätte werden die Grabungen im nächsten Sommer fortgesetzt werden, um das ganze Todtenfeld aufzudecken und nach der eventuell vorbeiziehenden Strasse, die bis jetzt nicht gefunden wurde, zu suchen.

An allen drei Grabungsstellen wurden über 400 lose liegende Fundstücke, wie Inschriftsteine, Inschriftfragmente, Sculpturreste, Münzen, Waffen, Terrasigillatascherben, Thon- und Glasgefässe, eine goldene Spange, Würfel und Brettspielsteine u. s. w. gesammelt und in das Museum des Vereines „Carnuntum" in Deutsch-Altenburg gebracht.

ALOIS HAUSER

III

Folgende Bildwerke sind von den Ausgrabungen des letzten Jahres zu Tage gefördert worden:

1. Oberer Theil eines Grabsteines, ursprünglich mit drei Brustbildern, von welchen aber jenes zur Linken abgebrochen ist, Kalkstein, 0·58 hoch, 0·8 breit (so weit erhalten). Rechts die Protome eines Soldaten; derselbe ist mit der Aermeltunica und der Paenula bekleidet und hält in der Linken die Schriftrolle, während er in typischer Geberde Zeige- und Mittelfinger der rechten Hand vorstreckt, die anderen Finger derselben aber einzieht. An seiner linken Seite wird der Griff seines Schwertes sichtbar. Ihm zur Rechten die kleinere Protome seines Sohnes, den die jetzt fehlende Figur der Frau mit ihrem linken Arme umfasst hielt; ihre Hand liegt auf seiner linken Schulter. Bei der Auffindung des Steines waren deutliche, seither leider verschwundene Reste von Farbe erhalten, und zwar von rother an den Fleischtheilen, von gelber am Gewande; der Hintergrund war grün.

2. Ikarus, Reliefblock aus Sandstein, rechts und links gebrochen, 0·35 hoch, 0·84 breit; der glatte Rand unten ist erhalten. Wie auf pompejanischen Wandgemälden ist Ikarus hier als ans Land geschwemmte Leiche dargestellt. Völlig nackt liegt er auf

der linken Seite und streckt den linken Arm nach vorne; der rechte schmiegt sich dem Körper an. Die künstlichen Flügel sind gleich einem Schilde innen mit Spangen versehen, in welchen die Arme stecken. Es fehlen an der Figur nur die Füsse und der linke Vorderarm.

3. Zwei Relieffragmente aus Sandstein stellen den Genius loci vor. Auf dem einen sieht man den jugendlichen, mit dem Modius bedeckten Kopf und das Bruststück; über die linke Schulter ist

ein Mantel geworfen. Auf dem andern ist er mit Chiton und Chlamys bekleidet. Beidemale hält er in der Linken das Füllhorn.

4. Der Rest eines Frieses etwa von einem Grabmale ist wohl der Block (0·95 lang, 0·72 hoch, 0·3 dick) mit der Darstellung

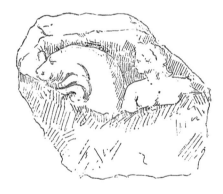

eines löwenköpfigen Seeungeheuers und einer Nereide. Letztere ist neben demselben schwebend zu denken. Gleich den oben erwähnten war dieser Stein zum Bau eines Sarkophages verwendet.

5. Von besserer Arbeit ist der Torso einer weiblichen Figur aus Marmor, 0·2 hoch. Ihr über dem Ueberschlag gegürteter Chiton ist an der rechten Schulter gelöst und lässt die rechte Brust frei. Ein schärpenartig zusammengelegtes Gewandstück ist rechts in den Gürtel gesteckt. Am Nacken ist ein Rest des aufgebundenen Haares sichtbar. Die Figur war in rascher Bewegung nach vorne begriffen, erhob den rechten Arm und senkte den linken. Sie ist flügellos, desshalb keine Victoria, sondern eher eine Tänzerin. Getrennt gefunden wurde ihre rechte Hand, die das flatternde Obergewand fasste, und ein Stückchen dieses letzteren.

6. Ausser einem Thonmodelle mit dem Bilde der Victoria (Fig. 1; 0·07 breit, jetzt 0·085 hoch) seien aus der Anzahl der kleineren Fundstücke (Griffeln, Spateln, Löffeln, Glöckchen u. a.) nur die Fibeln, welche in vier Arten vorkommen, hervorgehoben. Die erste (0·07 lang) stellt die gewöhnliche spätrömische Form dar

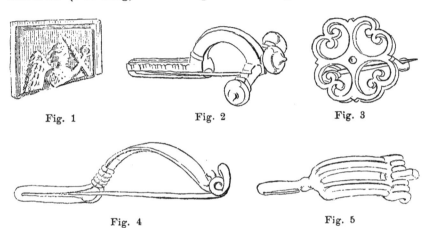

Fig. 1   Fig. 2   Fig. 3

Fig. 4   Fig. 5

(Fig. 2); ähnliche besitzt die Wiener Sammlung aus Dalmatien, Ofen, St. Pölten und Wien; eine ausgezeichnet schöne aus Hörn-stein (Niederösterreich) mit verschiebbarer Hülse, die die Nadel fest-hält. Die zweite (Fig. 3; 0·03 lang) hat die Form einer Rosette. Der ursprünglichen Form der Fibel, die Nadel und Bügel aus einem zweckentsprechend gebogenen Draht bildete, nähert sich die dritte (Fig. 4; 0·076 lang). Die vierte (Fig. 5; 0·058 lang) hat einen breiten durchbrochenen Bügel.

7. Bruchstück einer Gewandspange aus Goldblech in Gestalt eines Kreissegmentes, L. 0·09. Taf. I Fig. 1. Das rechte Ende ist mit einem scharfen Instrument abgeschnitten, so dass auch die Inschrift FELICESTVN zweifellos unvollständig ist. Der Rand ist durch Kreise und Striche geziert, welche mit der Bunze eingeschlagen sind. Die Bestimmung des Gegenstandes als Gewandspange scheint besonders aus dem am l. Ende eingeschnittenen Schlitze hervor-zugehen, dessen kreisförmige Erweiterung wahrscheinlich den Knopf des zweiten Stückes der Spange aufnahm, der dann in den Schlitz geschoben festgehalten wurde.

8. Bruchstück eines bronzenen Dreifusses. Taf. I Fig. 2. Im Besitze des Herrn Baron Ludwigstorff, während dieses Sommers in Carnuntum gefunden. H. 0·13, br. 0·1. Die Schale ist mit

den tragenden Stäben aus einem Stücke gefertigt. Diese Stäbe sind unmittelbar unter der Stelle, wo die sie verbindenden Querstreben entspringen, bogenförmig ausgebaucht. Ein Kelchornament schmückt das untere Ende der Ausbauchung und aus ihm scheint der Pantherkopf emporzuwachsen. Das untere Ende der Stäbe wird nach vielen Analogien eine Thierkralle gebildet haben. Genau dieselbe Form hat ein Geräthfuss im Wiener Antikenkabinet, Sacken u. Kenner S. 295 Nr. 1121.

ROBERT SCHNEIDER

Zu attischen Grab-Epigrammen

Ulrich Köhler hat kürzlich (Ath. Mitth. X, 405) ein neu aufgefundenes attisches Grab-Epigramm ('nicht viel jünger als die Mitte des vierten Jahrhunderts'), an welches er lehrreiche Betrachtungen knüpft, bekannt gemacht:

Γηραιὰν ἄνοσον παῖδας παίδων ἐπιδοῦσαν
Λυσίλλαν κατέχει κοινοταφὴς θάλαμος.

Es ist vielleicht nicht unnütz, dem für griechische Lebensanschauung so charakteristischen Hauptvers zwei gleichfalls attische und demselben Zeitalter (viertes oder drittes Jahrhundert) angehörige Grabverse gegenüberzustellen, zunächst nämlich seinen Doppelgänger 44, 4 Kaibel:

φῶς δ' ἔλιπ' εὐδαίμων παῖδας παίδων ἐπιδοῦσα,

eine in ihrer runden Gedrungenheit geradezu unvergleichliche Schilderung eines schlichten Frauenglücks. (Vgl. auch Kaibel 67; 81; 279 und 43 mit den Zusätzen bei Löwy Inschr. griech. Bildhauer n. 64).

Allein auch die ersten zwei Worte jenes Hexameters erinnern an eine vielleicht noch bezeichnendere und mit der herodoteischen Glücks- und Güterschätzung, an welche auch Köhler durch den obigen Doppelvers gemahnt ward, sich noch genauer berührende Darstellung. Das ungemein merkwürdige Epigramm, auf dessen weitergehende Restitution Kaibel verzichtet hat (n. 68), mag etwa wie folgt gelautet haben:

Ὄλβιον, εὔγηρων ἄνο[σον καλὸν εὔτεκνον ἐσθλόν,
τύμβος ὅδ' εὐθάν[ατον κρύπτει ᾿Αριστόβιον.

Dieser Herstellung liegt die Erwägung zu Grunde, dass das nachdrücklich vorangestellte ὄλβιος (das höchste Glücks-Prädicat, über
welches die griechische Sprache verfügt) eine Gesammt-Bezeichnung
ist, deren Inhalt sich aus mehreren Elementen zusammensetzt, die
wie mit häufender Hast angereihten Adjective aber (hierin anders als
in n. 67) eine vollständige Aufzählung der Glückseligkeits-Elemente
erwarten lassen. Es empfahl sich daher der Versuch, in dem Rest
des Verses die übrigen Glücks-Erfordernisse aus griechischer Lebens-
auffassung und Güterschätzung heraus zu suchen und zu finden. Nun
vergleiche man hiermit Solon's Darlegung bei Herodot (I, 32), wie
ich dieselbe, Herodot. Stud. I, 26—28, zu berichtigen und zu erläutern versucht habe: ταῦτα δὲ ἡ εὐτυχίη οἱ ἀπερύκει· ἄπηρός ἐστιν
ἄνουσος ἀπαθὴς κακῶν, εὔπαις εὐειδής· εἰ δὲ πρὸς τούτοισιν ἔτι
τελευτήσει τὸν βίον εὖ, οὗτος ἐκεῖνος τὸν σὺ ζητέεις, ὄλβιος κεκλῆσθαι
ἄξιός ἐστιν. Man beachte wohl, dass das glückliche Lebensende
beidemale nicht nur wie natürlich den Schluss der Reihe bildet, sondern auch von den übrigen Elementen der Glückseligkeit scharf
gesondert, gleichsam als ihr krönender Gipfel mit Nachdruck hervorgehoben wird; desgleichen dass auch der Beginn der Aufzählung
hier und dort, wenn nicht den Worten, so doch der Sache nach
der gleiche ist. Denn der εὔγηρως, zumal wenn er vom ἄνοσος
unterschieden wird, ist ja eben derjenige, der bis ins Greisenalter
von Gebrechen jeder Art verschont bleibt, der sich 'im Vollbesitz
seiner Gliedmassen und im Vollgenuss seiner geistigen und leib-
lichen Fähigkeiten' befindet, d. h. wer ἄπηρος (= ὁλόκληρος) ist bis
ans Ende. So darf denn, gleichwie meiner Auslegung der herodoteischen Stelle (soweit diese einer Auslegung bedarf) aus dem
Epigramm eine erwünschte Bekräftigung erwächst, so auch die Ergänzung des letzteren als durch die erstere im Wesentlichen gesichert gelten ·— bis auf den Eigennamen, der selbstverständlich
nur eine unter mehreren Möglichkeiten darstellt, aber freilich eine
solche, die, wenn sie zufällig Wirklichkeit war, zur Abfassung des
Gedichtchens den entscheidenden Anstoss zu geben geeignet war,
auf Grund der Erwägung: der Verstorbene trug seinen Namen mit
Recht.

Wien, im April 1886   TH. GOMPERZ

Archäologische Fragmente aus Bulgarien

(Tafel VI)

Ein fünfjähriger Aufenthalt in Bulgarien bot mir vielfach Gelegenheit, Materialien zur Kenntniss der Alterthümer des Haemusgebietes zu sammeln, vor Allem geographische Daten über alte Castelle, Städte, Bergwerke und Strassen, sowie antike Inschriften, die theils in abgelegenen Gegenden den bisherigen Untersuchungen entgangen, theils bei verschiedenen neuen Bauten zum Vorschein gekommen waren.

Vor einigen Jahren hatte ich die Ehre, einen kurzen Bericht als „Beiträge zur antiken Geographie und Epigraphik von Bulgarien und Rumelien" in den Monatsberichten der kgl. Akademie der Wissenschaften zu Berlin zu veröffentlichen (Sitzung vom 12. Mai 1881 S. 434—469). Im Folgenden erlaube ich mir, einen Nachtrag dazu zu liefern, der etwas umfangreicher ausfiel, da ich seitdem (besonders 1883 und 1884) den grössten Theil Bulgariens und Ostrumeliens neuerdings durchwandert habe.

Das Hauptaugenmerk war auf die historische Geographie gerichtet, weshalb auf den folgenden Seiten auch manche mittelalterliche Denkmäler in Betracht gezogen wurden. Da es mir auf Streifzügen durch das Land in der Regel nicht möglich war, einen grösseren Apparat mitzuführen, kann ich bei Inschriften keine Lesungen von Abklatschen oder Photographien bieten, sondern nur Abschriften oder Zeichnungen, so genau sie mir möglich waren.

Die Abhandlung zerfällt in vier Theile: I. Dacia mediterranea, II. Alte Bergwerke, III. Römische Strassen, IV. Das Pontusgebiet und der östliche Haemus [1]).

I. Dacia mediterranea

Der Umfang der spätrömischen, gegen Ende des 3. Jahrhunderts errichteten Provinz Dacia mediterranea ist durch die Angabe des Hierocles (ed. Parthey p. 16) sichergestellt, denn die Lage der fünf von ihm genannten Hauptorte derselben unterliegt keinem

---

[1]) Die bulgarischen Ortsnamen gebe ich in der in philologischen Schriften üblichen genauen Transscription wieder (das cyrillische ъ = engl. u in *church*, *but*); bei manchen Namen ist auch der Accent angegeben, insbesondere wo derselbe nicht (wie es sonst im Westen des Sprachgebietes Regel ist) auf die drittletzte Silbe fällt.

Zweifel: S e r d i c a als μητρόπολις (jetzt Sofia), P a u t a l i a (Küstendil), G e r m a n i a (Banja bei Dupnica, wie ich näher darlegen werde), N a i s s u s (Niš) und R e m e s i a n a (Bela Palanka zwischen Niš und Pirot). Sie umfasste demnach die Kreise von Sofia, Küstendil und Trn des heutigen Fürstenthums Bulgarien, sowie den grössten Theil der neuen (seit 1878) Bezirke des Königreiches Serbien.

Die Provinz in dieser Ausdehnung bestand indessen aus zwei geographisch und ethnographisch verschiedenen Theilen. Der Norden mit Naissus und Remesiana war ursprünglich ein Theil von M o e s i a s u p e r i o r und gehörte, wie die Inschriften zeigen, ebenso wie das angrenzende Dardanien, ganz in den Bereich der aus Dalmatien und aus den Militärcolonien an der Donau vordringenden lateinischen Sprache. Der Süden, Serdica und Pautalia, erscheint bei Ptolemaeus sowie auf den Münzen des 2. und 3. Jahrh. als Theil der Provinz T h r a c i a und war vorwiegend griechisch; die letzten Spuren des Hellenismus reichen bis an die Wasserscheide zwischen dem Strymon und Oescus einerseits und dem Margus andererseits.

Es ist ein Gebirgsland, dessen Gipfel zu den höchsten der Halbinsel gehören (Ryla an 3000 M., Vitoša[2]) an 2300 M., Osogov an 2200 M., Ruj an 1750 M., dazu die Balkangipfel Murgaš, Kom u. s. w.). Zwischen den Gebirgszügen liegen zahlreiche alluviale, wohl bebaute und gut bewohnte Rundbecken von verschiedener Grösse, in welchen sich das alte und neue Culturleben concentrirte. Charakteristisch sind die vielen heissen Quellen, die z. B. in Serdica, Pautalia und Germania in das Weichbild der Städte einbezogen waren und bei Naissus von der Stadtmauer nur wenig entfernt blieben.

Im Folgenden will ich einige Bemerkungen über die Alterthümer der Landschaften von Serdica, Pautalia und Germania, sowie der umliegenden Bergthäler vorlegen. Die Ueberreste der übrigen beiden Hauptorte Naissus und Remesiana nebst den umliegenden Gauen und den Städten des benachbarten Dardaniens sind jüngst von Arthur J. Evans untersucht und ausführlich beschrieben worden[3].

---

[2]) Ryla und Vitoša (fem.) lauten die landesüblichen Formen; Ryl, Rylo, Vitoš (masc.) der Karten und Bücher sind nicht richtig.

[3]) Evans *Antiquarian Researches in Illyricum*, Parts III u. IV. Westminster 1885 (*Archaeologia* Bd. 49). Von besonderem Interesse ist darin die Beschreibung der Denkmäler des alten S c u p i (Dorf Zlokučan, 1½ engl. Meilen gegen NW. von dem mittelalterlichen und jetzigen Skopje), dessen Inschriften sämmtlich lateinisch sind.

Die alte Provinzialhauptstadt der binnenländischen Dacier habe ich fünf Jahre lang bewohnt. Bei den vielen Neubauten, durch welche das trotz seiner grossen Ausdehnung zuletzt arg verkommene türkische Sofia der einstigen „*civitas ampla et nobilis*" des Ammianus (21, 10, 3) in seinem Aeusseren allmählich wieder näher gebracht wird, bot sich oft Gelegenheit nach den Ueberresten der antiken Stadt zu fahnden, die einst Kaiser Constantin, selbst aus dem nahen Naissus stammend, eine Zeit lang zur neuen Hauptstadt des römischen Reiches erheben wollte, bis er am Bosporus einen jedenfalls besseren Platz dazu entdeckte [1]).

Das antike S e r d i c a (oder Sardica) hatte ohne Zweifel einen kleineren Umfang als das moderne Sofia. In sein Weichbild gehörten die Thermen, die Čaršija (Bazarstrasse) mit den Ruinen des alten Bezestan und Karavanserai, sowie das anstossende heutige Quartier der spanischen Juden, nebst dem ehemaligen Bulgarenviertel um die jetzige, vor etwa 25 Jahren (an der Stelle einer älteren Capelle) erbaute Metropolitankirche, also das Centrum des heutigen Sofia. Dieses ganze Gebiet ist unterminirt von grossen gewölbten Kellerräumen aus gut gebrannten Ziegeln, zu deren fester Construction die jetzt darüber stehenden Holz - und Lehmhäuser nur schlecht passen. Die Nordseite der antiken Stadt bildete ein jetzt an 10 M. hoher Abhang, an dessen Rand sich auch die heissen Quellen befinden. Dort stiess man 1881 zwischen den Thermen und der St. Sophienkirche, wenige Schritte nördlich von dem fürstlichen Palais, auf dem Abhang selbst auf ein Stück der alten, aus grossen Backsteinen solid erbauten Stadtmauer; dasselbe ist seitdem durch das Haus des Militärclubs wieder verbaut und unsichtbar gemacht worden. Der Kern der alten Stadt lag zwischen der Bazarstrasse und der Metropolitankirche und ist durch eine Menge nahe an einander gelegener kleiner Kirchen aus dem Mittelalter klar bezeichnet, deren Vertheilung zugleich auch den Plan der mittelalterlichen Stadt angibt.

Von diesen Kirchenbauten verdient die sogenannte G ü l - d ž a m i (türk. „Rosenmoschee") eine besondere Beachtung. Von Aussen erscheint dieselbe als ein ungefähr 10 M. hoher Rundthurm

---

[1]) Ὅτι Κωνσταντῖνος ἐβουλεύσατο πρῶτον ἐν Σαρδικῇ μεταγαγεῖν τὰ δημόσια· φιλῶν τε τὴν πόλιν ἐκείνην συνεχῶς ἔλεγεν· „Ἡ ἐμὴ Ῥώμη Σαρδική ἐστιν." *Anonymus, qui Dionis Cassii historias continuavit, Fragm. hist. Graec.* IV p. 199 c. 15, 1. Vgl. die zahlreichen aus Serdica datirten *constitutiones* Constantins im *Cod. Theodos.*

mit einem etwas zugespitzten Ziegeldach, ganz aus flachen, 4 Cm. dicken, gut gebrannten Backsteinen aufgeführt; die 1·45 M. dicke Mauer ist durch acht kleine, sehr hoch liegende Bogenfenster durchbrochen. Das Innere, oberhalb der Fenster leicht überwölbt, ist kreisrund, durch eine Altarnische und drei Thüren symmetrisch in vier Segmente getheilt und hat 9·2 M. im Durchmesser. Der hölzerne Fussboden liegt, wie bei allen alten Kirchen von Sofia, in Folge der durch Jahrhunderte fortgesetzten Anhäufung des Schuttes an 1·5 M. tiefer als das jetzige Niveau des umliegenden Hofraumes, ist aber erst neuerdings über dem ursprünglichen Pflaster hergestellt worden. Die gesammte Mauerfläche war vor Zeiten bis zur Wölbung hinauf mit Fresken bedeckt; zwischen dem abfallenden türkischen Mörtel kommen überall Reste derselben zum Vorschein. Ausserdem sieht man über dem Altare Stücke altslavischer Aufschriften und unterhalb der Fenster die Spur einer einzeiligen, in Gürtelform ringsherum geführten griechischen Inschrift, von der die Worte: ZWΓΡΑΦΘΝΤΟC, gegenüber ΠΡΟCΚVΝΕΙΤΙΚΟΝ (προσκυνητηριον)...CVΝΕΓΡΑΦ...ΑΡΧΑΝΓ... lesbar sind. Der Thurm selbst ist von einem modernen, aber bereits ganz morschen, niedrigen, türkischen Corridorbau umfasst, an den sich der Stumpf eines herabgestürzten Minarets anlehnt. Diese merkwürdige Rundkirche im Centrum des alten Serdica ist jedenfalls das älteste christliche Bauwerk auf dem Boden Bulgariens. Sie war dem heil. Georg geweiht und wird 1469 als Metropolitankirche von Sofia erwähnt. Die Türken setzten sich erst unter Sultan Selim I. (1512—1520) in deren Besitz, als man den Christen die grösseren steinernen Kirchen in den Städten überall wegnahm. Der Tübinger Reisende Gerlach (1578) gibt von ihr eine ganz gute Beschreibung[5]). Gegenwärtig enthält die „Güldžami" das Magazin des bulgarischen obersten Sanitätsrathes. Es wäre wohl am Platze, den ehrwürdigen Bau seiner Bestimmung wiederzugeben und bei dieser Gelegenheit die alten Fresken und Inschriften blosszulegen, aber die Zeit dazu scheint noch nicht gekommen zu sein.

---

[5]) „Bey unserm Hause stehet ein hoher runder Thurm, den die Bulgaren noch vor 40 Jahren zu einer Kirchen gehabt, aber die Türcken haben solchen ihnen genommen, und eine Meschit oder türkische Kirchen daraus gemacht." Stephan Gerlachs des Aelteren Tagebuch der von zween glorwürdigsten röm. Kaysern Maximilian und Rudolpho II. etc. an die ottomanische Pforte abgefertigten etc. Gesandtschafft (1573—1578), Frankfurt 1674 S. 521.

Ausserhalb dieser inneren Stadt besitzt Sofia zwei alte Objecte, welche aber kaum in das Weichbild des römischen Serdica gehörten. Das eine ist eine lange Mauer aus unbehauenen Bruchsteinen mit regelmässig vertheilten Rundthürmen, deren Fundamente im freien Felde gegen Nordwest jenseits der „bunten Brücke" (Šareni most) über den Bach von Vladaja die Strasse nach Lom kreuzen (abgebildet bei Kanitz). Die Ueberreste von zwei zur Stadt abfallenden Flankenmauern zeigen, dass das Ganze ein Viereck bildete. Es war offenbar ein Castell ausserhalb der alten Stadt. Bertrandon de la Brocquière 1433 sagt ausdrücklich, die Stadtmauern von Sofia seien bis auf den Boden zerstört, die Stadt besitze aber ein „petit château", und Gerlach (S. 524) bemerkt bei der Beschreibung von Niš: „es hat auch da, gleichwie zu Sophia, ein Schloss ausserhalb der Stadt gehabt". In dem weiten, jetzt von den ärmeren Stadtvierteln eingenommenen Raum von diesen Mauerresten bis zu den Thermen ist bei neueren Bauten kein antikes Werk zum Vorschein gekommen, mit Ausnahme einer 3·5 M. tiefen mit Ziegeln überwölbten Gruft, in welcher man ungefähr 20 Schädel und Skelette, eine Bronzeagraffe, verschiedene eiserne Stücke und eine Menge von Goldfäden vorfand, die an den Resten von Kleidern hafteten. Es gab dort also in der älteren Zeit nur Begräbnissplätze, natürlich ausserhalb der ursprünglichen Stadtbefestigung.

Der zweite alte Bau, der mit dem Stadtplan des antiken Serdica schwer in Einklang gebracht werden kann, ist die St. Sophienkirche am äussersten Ostende der Stadt, das grösste alte Bauwerk Bulgariens. Der russische Reisende Grigorovič (1845) fand das Gebäude sehr übereinstimmend mit der St. Sophia von Ochrid in Makedonien, die erwiesenermaassen in der Mitte des 11. Jahrhunderts erbaut wurde [6]). Die erste urkundliche Erwähnung, die ich kenne, befindet sich im Epilog einer Handschrift, geschrieben 1329 „in der heil. Sofia, der Metropolie von Srêdec" [7]). Schon im 14. Jahrhundert verdrängte der Name der gewaltigen Metropolitankirche allmählich die alte Benennung der Stadt, das von den Slaven aus dem antiken Serdica umgeformte Srêdec (lies Sreadetz),

---

[6]) Grigorovič, Reise durch die Eur. Türkei (1844—1845), 2. Ausg., Moskau 1877 p. 135 (russ.).

[7]) „V svetêj Sofi metropoli Srêdeč'skoj", Glasnik der serb. gelehrten Gesellschaft Bd. 51 p. 64.

woraus die Byzantiner ihr Triaditza gemacht haben[8]). Den
Türken diente die Kirche als Moschee. Gegenwärtig ist der etwas
schwerfällig angelegte Ziegelbau eine klägliche Ruine; Erdbeben
haben die Apsis und das Portal zerstört, das Längengewölbe des
Hauptschiffes, in welchem alte Fresken unter dem Mörtel hervor-
blicken, hält sich mit Noth, und die erhaltene kleine Kuppel ist
mit Gras und Gestrüpp bewachsen. Das alte Pflaster, regelmässige
Hexagone aus gebrannter Erde, ist zum Theil klar sichtbar; auch
fand man einige kleine glatte Marmorsäulen, die einst wohl zum
Altar gehörten. An der Südseite stand, an der Stelle eines grossen
alten Klosters, ein türkisches Tekké (Derwischkloster), das zuletzt
in eine Caserne umgestaltet war, die 1879 niederbrannte und gegenwärtig bis auf den Grund demolirt ist. An derselben Seite wird
die Kirche von ausgedehnten unterirdischen Gewölben umfasst. An
der Nordseite stiess man im Jänner 1884 bei der Herstellung eines
Eiskellers knapp an der Ruine auf zwei rohe steinerne Sarkophage
(jetzt im nahen Gymnasium); der eine führte die Buchstaben X̣
und Y, der andere enthielt zwei in entgegengesetzter Richtung ge-
bettete Skelette mit vermoderten Holz- und Kleiderstücken, Pfirsich-
kernen und anderen Resten von Blumen und Früchten. Daneben
fand man Münzen aller Zeiten, von Marc Aurel angefangen.

Ob die etwas höher als die Stadt gelegene Sophienkirche ein
isolirtes Kloster war oder sich der einstigen Stadtbefestigung anschloss, ist nicht recht klar. Bis 1880 bezeichnete St. Sophia den
äussersten Rand der Stadt, neben dem Zigeunerviertel (wo jetzt
das Gymnasium erbaut ist) und beim Eintritt in die ausgedehnten
türkischen Grabfelder. Seitdem zog sich der neue „europäische"
Stadttheil bis weit über St. Sophia hinaus. Bei den Erdaushebungen
für die Fundamente des hier errichteten fürstlichen Palais, der
Casernen, Schulen, Amtshäuser und Privatgebäude und beim Nivel-
liren der Strassen stiess man überall auf Gräber, Reste alter Gärten

---

[8]) In dem Privilegium des bulgarischen Caren Šišman an das Rylkloster
1378 lautet das Datum in „Srêdec". In dem Privilegium desselben an die
„Gottesmutter von Vitoša" (Kl. Dragalevci bei Sofia) liest man von dem Kefalia
(Gouverneur) von Srêdec, von der Stadt Sofia (v gradé carstva mi Sofi) und
von der „svętaa Sofia" als kirchlichen Autorität (Metropolie), alles nebeneinander
(Šafařík's Památky, 2. Ausg. p. 108). Ein ragusanischer Act 1376 hat Sophya.
In kirchlichen Denkmälern des 15. und 16. Jahrh. heisst die Stadt Sofia Srê-
dьcěskaa (also adjectivisch) oder etwas gelehrt thuend Sofia Sardakijskaa.
Der Name Srêdec ist jedoch heute noch im Lande allgemein bekannt.

mit thönernen Irrigationsröhren und viele Kupfermünzen, meist aus neuerer Zeit; Substructionen von Mauern und Häusern kamen aber nirgends zum Vorschein.

Zu Anfang meines Aufenthaltes war alles Suchen nach antiken Inschriften in Sofia vergeblich gewesen. In den letzten Jahren war ich etwas glücklicher.

1. Im J. 1882 wurde das Badehaus der Thermen restaurirt. Das Hauptgebäude ist ein Hexagon mit einer guten Steinverkleidung aus regelmässigen Quadern an der Aussenseite und einem vielleicht sehr alten Bassin im Innern. Daran stiess an der Ostseite ein Nebengebäude, die „Bulgarbanjasy", gebaut aus unbehauenen, aus dem Flussgeröll geholten Steinen, jedes Stück eingefasst zwischen vier flachen Ziegeln. Die Fundamente bestanden aus gewaltigen unregelmässigen Blöcken; auf einem derselben (seitdem wieder zugemauert) sah man einige grosse Buchstaben:

ΟΠΟΓ

ΑΑΞΙ

ΝΔΕΣΛΛ

2. Bei dem Baue des Hauses des Herrn Generalsecretärs Petkov fand man 1884 eine zerschlagene lebensgrosse Statue eines Mannes in der Toga und mit einer Schriftrolle in der Hand, sowie einige Säulenfragmente, viele Ziegel und Quadern und einen 72 Cm. hohen und 36 Cm. breiten Inschriftstein:

3. Im Pflaster der Kirche Sveti Spas lag ein Stein (jetzt in der Nationalbibliothek), darauf oben zwei Figuren, eine davon mit Schild und Speer, darunter auf einem zweiten Felde ein Mann zwischen zwei Pferden, und zuletzt die Grabschrift eines *civis Ambianensis* (meine Abschrift ist von Herrn Brožka, Lehrer am Gymnasium zu Sofia, nochmals verglichen):

```
        D · M F I / / /.
       FELIX SIC / / /
       N DIVIT VIXIT //
       AN XXX CIVIS //
   5   BIANENSIS / / / / / 9)
```

4. Südlich von der St. Sophienkirche zwischen türkischen Gräbern gefunden, jetzt in der Bibliothek (Abschrift des Herrn Brožka)[10]):

```
        D        M
       H E L V I
        O P R I S
        O     E     R
   5   VR O LAV O
   L / I I  I T I R I
```

5. Im neuen Hause des Herrn Luka Moravenov, nicht weit von der Nordseite der Sophienkirche, beim Bau gefunden und in einige Stücke zerfallen (Copie des Herrn Brožka). Vgl. zwei Grabsteine von Νεικαεῖς aus Nicopolis ad Haemum in meinem früheren Berichte (a. a. O. S. 459):

```
       APICTOKPA
      /HCAPICTO
       KPATOYC
       NEIKAEYC
       Z H C A C E TI
          Ξ E
```

Ἀριστοκρά[τ]ης Ἀριστοκράτους Νεικαεύς. Ζήσας ἔτη ξέ.

---

9) [Die Abschrift, die neuerdings v. Domaszewski genommen hat, stimmt überein, nur dass er Z. 3 nur VIXI und Z. 4 xx CIV/s gesehen hat. Bemerkt wird dazu, dass die rechte Seite des Schriftfeldes ganz verrieben ist, in der letzten Zeile nach den Buchstaben der Rest eines unbestimmbaren Gegenstandes im Relief folgte, aber sich nicht sagen lässt, ob derselbe noch einen grösseren Theil des Schriftfeldes einnahm. — Zu verstehen ist in Z. 1—3 etwa: F[l(avius)]? Felix si[g(nifer)] n(umeri) Divit(ensium). E. B.]

10) [Hier nach der etwas vollständigeren Copie v. Domaszewski's. — d. m. Helvi[di]o Pris[c]o e(quiti) R(omano), [L]aur(enti) Lav(inati), [IIvir(o)] it[e]r(um) . . . . Unsicher bleibt, in welchem Verhältniss dieser Helvidius Priscus zu dem bekannten Helvidius Priscus der Zeit des Nero und Vespasian gestanden hat, dessen Vater nach Tacitus hist. 4, 5 Primipilar gewesen war. E. B.]

6. In der Nationalbibliothek ein 0·32 h. und 0·27 br., sehr beschädigtes Basrelief, ein Reiter mit Jagdhund, Geschenk des Metropoliten Meletios, angeblich aus der Gegend von Berkovica. Links 2 Cm. hohe ungleiche Buchstaben (Copie desselben):

V I N

V S

V E T

R A N

5   V S

Ein noch unsicherer Name, darauf *vet(e)ranus*.

Die Bergländer westlich und nordwestlich von Sèrdica weisen nur wenige antike Spuren auf, die aber um so werthvoller sind. Diese Landschaften sind ziemlich gut bewohnt; ihre weit und breit in kleineren Häusergruppen zersprengten Dörfer reichen bis in die innersten Winkel des Gebirges hinein, und daneben verrathen zahlreiche „gradište" (Burgstellen), „selište" (Spuren verlassener Dörfer) und „monastirište" (Klosterruinen) nebst vielen Münzfunden, dass diese Hochthäler eine allerdings vergessene, aber jedenfalls weit zurückreichende Geschichte besitzen. Neben den vielen alterthümlichen slavischen Ortsnamen fallen nicht wenige Dorf- und Bergbezeichnungen romanischen Ursprungs auf, die über das ganze Bergland zwischen der Nišava, der oberen Struma und dem Isker zerstreut sind. Im Bezirk (Okolija) von Iskrec im Balkan heisst ein Dorf C e r e c é l (rumänisch čerčel, Ohrring), in der nahen Landschaft Visok gibt es eine Ortschaft B u k ó r o v c i (von Bukor, rum. schön); in dem Bergland zwischen Caribrod, Slivnica und Breznik liegen die Orte K ъ r n u l, R a d ú l o v c i (Nachkommen eines Radul), Č ó r u l, G u r g u l j á t u. s. w. Ein ansehnliches Dorf in den Engen des Sukovoflusses heisst V l a s i und der Felsberg dabei M ú m u l. Ein Berg bei dem Städtchen Trn wird Č i r č i l á t genannt; zwei Dörfer derselben Gegend heissen H é r u l und B á· n i š o r. Im Gebiet vón Izvor (nördlich von Küstendil) begegnen Namen von Häusergruppen: K r é c u l (Theil von Dorf Gorno Ujno), B o r b ú l o v c i (gehört zu Dorf Resen), V i t u r c i (zu Češljanci). Dieselbe Erscheinung trifft man auch in der Sredna Gora zwischen Zlatica und Philippopolis: bei Koprivštica eine Wiese U r s u l i c a (vom Personennamen Ursul), eine Berghalde K r e c u l, ein Thal D ъ l b ó k i V a l (vom bulg. dъlbok, tief, und vom lat. *vallis*), eine

Waldschlucht Č é r b u l (čerbu rum. Hirsch), desgleichen bei Panagjurište ein Bächlein M é r u l (rum. Apfel) u. s. w. Diese Ueberreste einer an Gebirgshöhen und Hochthälern haftenden romanischen
Nomenclatur zeugen von einer jetzt verschwundenen altansässigen
Bevölkerung lateinischer Zunge, welche daselbst gegenwärtig nur
durch wenige walachische Wanderhirten vertreten wird, die jedoch
ihre eigentlichen Sitze am aegaeischen Meere bei Salonich, Seres und
Enos oder auf den Abhängen des Pindus haben und diese Gebirge
des Binnenlandes nur für den Sommer besuchen.

Dem Becken von Sofia zunächst liegt zwischen der Strasse
nach Pirot und dem Kamm des Balkangebirges ein gegen Norden
geneigtes Längsthal mit der Landschaft V i s ó k und den Flüssen
Temska oder Visóčnica und Godečka reka. Zahlreiche Münzfunde,
darunter auch eine römische Silbermünze (zwei Lanzenreiter, ROMA;
Revers: Kopf mit Helm) und eine Kupfermünze ΦΙΛΙΠΠΟΠΟΛΕΙΤΩΝ mit
dem Bildniss des Septimius Geta nebst vielen mittelalterlichen Stücken
(z. B. des venetianischen Dogen Rainerius Geno 1252—1268), sowie
einige Castellruinen zeugen von der Vergangenheit dieses abgelegenen Thales. In einem „gradište" bei dem Dorfe T ú d e n (nicht
weit von der Strasse von Sofia nach Lom) wurden einige rohe Basreliefs gefunden: zwei höchst primitive Figuren des Zeus (mit einem
Adler zur Seite) und der Hera mit den Inschriften (jetzt in der
Bibliothek zu Sofia):

1. ΚΥΡΙΑΗΡΑΗΚΩΜΑ   2. ΚΥΡΙΩΔΙΙΗΚΩΜΑΡΧΙΑ
    ΡΧΙΑΕΥΧΗΝ   ΕΥΧΗΝ

(also ἡ κωμαρχία εὐχήν)

sowie das Postament einer Miniaturstatue, von der nur einige Fuss-
zehen übrig sind, ein viereckiges Stück weissen Calcit, 8 Cm.
Höhe und 4 Cm. Breite (bei dem Herrn Archimandriten Zinovij)
mit der Inschrift:

ȢΛ·ΚΛΑΥΔ
Τ / ヽΛ Ν

Zahlreiche Reste der Vorzeit finden sich in dem Engthale der
Golema, Trnska oder Sukovska Reka zwischen Pirot und Trn, einer
felsigen und sehr unwegsamen Gegend. Bei dem Dorfe S ú k o v o im
Becken von Pirot wurde noch in der türkischen Zeit ein bedeutender
Münzfund gemacht, von dem ich in Caribrod ein Goldstück des

Kaisers Valentinianus zu sehen bekam. In dem in einer herrlichen
Waldschlucht zwischen gewaltigen Felswänden verborgenen Kloster
des St. Johannes Bogoslov (Theologos) bei Po gá n o vo zeigte mir
der Mönch eine ganze Münzsammlung, ausgegraben im Kloster-
garten, hart am Flusse, darunter eine Silbermünze von Julius Caesar
(mit einem Elefanten) und Kupfermünzen von Aurelian, Constantin,
Justinian u. s. w., sowie eine römische Silbermünze mit Quadriga
aus dem nahen, jenseits einer wilden Felsschlucht etwas weiter flussabwärts gelegenen Dorfe Vlasi. Flussaufwärts oberhalb des Klosters
liegen bei den Dörfern Zv ó n c i und O dő r o v c i die Ruinen einer
Burg (Jásenovo Kalé), eines Klosters, einer Brücke (Kováčev most),
Reste eines Pflasterweges über eine Wiese; dabei befindet sich eine
offene warme Quelle von 24⁰ R. ohne Gebäude, und ringsherum
wurden römische Münzen gefunden[11]. Noch weiter flussaufwärts,
eine halbe Stunde vor Trn, steht am linken Ufer hoch oben im
Walde ein ähnliches Klösterlein Sveti Rangel (d. h. Archangel).
Gegenüber am rechten Ufer liegt an der Thallehne eine Localität
Prestol (slav. Thron) in dem Gebiete des Dorfes Lomnica. Neben
einem alten Kreuz aus Travertin steht dort umgestürzt aufgestellt
ein viereckiger antiker Altarstein, 95 Cm. hoch und 40 Cm. breit,
mit Blattverzierungen am oberen Rande, und einer wegen der ver-
kehrten Lage und allerlei.Kritzeleien nicht leicht lesbaren Inschrift:

```
        SANCTO
        CASE BONO
        SACRVM
        PRO·SALVTE  (?)
    5   MANTONINVS  (?)
        FELICISSIMVS
            IIB  [12]
```

Das Städtchen Trn, in einem engen Bergkessel gelegen, enthält nichts Alterthümliches. Eine halbe Stunde westlich öffnet sich

---

[11] Die sehr schwierige Flussstrecke Poganovo - St. Rangel habe ich leider
selbst nicht gesehen. Zvonci erinnert an Σβενέατζος neben Σύκοβος unter den
Kirchen der Diöcese von Sofia im Chrysobull des Kaisers Basilios II. vom J. 1019
(—τζος bei Tomaschek, Zur Kunde der Haemushalbinsel, Wien 1882 p. 28; Golu-
binski's Ausgabe hat —πος).

[12] [Vgl. zu Z. 2 das Castell Κασιβόνων bei Procop de aedif. 4, 11 p. 306,
13 ed..Bonn. — In den letzten Zeilen stand vielleicht: [I]m[p.] Antonin[i] v(otum)
s(olvit) Felicissimus [l]ib(ertus). — Der Verfasser schreibt jetzt, dass er in seinem
Tagebuch Z. 5 so notirt habe: MANTONILIVϜI, eher MANTONINVS. E. B.]

das Hochthal Znépolje, dessen Name sich bis ins 14. Jahrhundert verfolgen lässt [13]). Es ist ein längliches ehemaliges Seebecken, durchflossen von der Golema Reka (so heisst hier die Sukovska Reka), von West nach Ost ungefähr 15 Kilometer lang und an 5 Kilometer breit. Sein alluvialer grüner waldloser Grund ist ganz bebaut, mit vielen Dörfern unter den Abhängen, und wird auf der Nordseite überragt von der (nach Prof. Toula) 1747 Meter hohen Ruj Planina, mit einer der schönsten Aussichten, die ich hier zu Lande kenne; von dem hohen Graskegel sieht man fast die ganze einstige Provinz Dacia mediterranea — die Ryla Planina, die Vitoša sammt den weiss schimmernden Häusern von Sofia, den Balkan vom Gipfel Murgáš bis über Pirot hinaus, die Suha Planina bei Niš, den serbischen Jastrebac jenseits der Morava und im Süden den fernen Osogov bei Küstendil. Waldige Berge (jetzt an der serbisch - bulgarischen Grenze) umgrenzen das Bassin gegen NW., während im Süden zahlreiche hohe Kuppen bis zur charakteristischen Pyramide der Ljubáša im SO. aufragen. Auf dem Thalgrunde stehen drei hohe Tumuli (zwei am Ostende, einer im Westen bei Klisura). Bis in die Reformzeit um 1840 genossen die Einwohner, ein rühriges schön gewachsenes Volk, die Privilegien der „Vojnik's" (christlicher Trainsoldaten); Türken gab es nur in Trn an 18 Häuser, die jetzt alle ausgewandert sind. In den Dörfern der Südseite (Businci, Herul u. s. w.) blüht die Töpferei, Fabrication grünglasirter Gefässe von alterthümlicher Form und Ornamentik; man macht dort u. A. Vasen mit Thierfiguren und hohle Pferde, die ganz an alte Aquamanilien erinnern. Früher führte durch das Thal eine im 15. und 16. Jahrhundert oft benützte Strasse von Sofia nach Vranja; Kuripešić, der 1530 eine kaiserliche Gesandtschaft als Dolmetsch begleitete, kam von dem Schloss „Vraine" (Vranja) über den Berg Čemernik, wo sich nach seiner Bemerkung die Grenze zwischen Serbien und Bulgarien befand, „nach einem schönen wol erpawten Feld, genannt Snepolle" und von dort (Trn erwähnt er nicht) nach Breznik [14]).

---

[13]) Znepolje in der Biographie des Stefan Lazarević, Despoten von Serbien (1389—1427) von dem Zeitgenossen Konstantin dem Philosophen, Glasnik Bd. 42 p. 309; Snepolle im Diarium des Kuripešić 1530; „eine Gerichtsbarkeit Isnebol" bei Hadži Chalfa im 17. Jahrhundert. Trn selbst heisst türkisch Iznebol-Kasabasi (Stadt von Iznebol), ausnahmsweise Taran-Palanka. Die Form Snegpolje (angeblich von slav. sneg, Schnee) entstand nur durch Etymologien von Boué's Reisebegleitern; sein Mt. Snegpolie ist der Ruj.

[14]) *Itinerarium*, Wegrayss Kü May. potschafft gen Constantinopel zu dem

Ausser den Tumuli gibt es in Znepolje noch andere Alterthümer: eine Burgstätte bei dem Dorfe Zelénigrad (slav. „grüne
Burg") an dem Südhang des Ruj, daneben ein ruinirtes Kloster bei
dem Dorfe Zábel, Spuren einer alten Ansiedelung mit Ziegelfragmenten bei dem Dorfe Miloslávci, wo ich eine glatte Säule bemerkte. Das alte Centrum der Landschaft lag aber gerade in der
Mitte des Bassins, bei Jarlovci: eine vorspringende flache, jetzt
kahle Terrasse, die von der Südseite hervortretend das Thal etwas
einengt, und darauf ein weiter Castellplatz, auf welchem beim Ackern
Ziegel, Kellerräume, römische und byzantinische Münzen (kupferne
nummi scyphati der Komnenenzeit) gefunden werden. Ich hörte
auch von ausgeackerten Pfeilspitzen und einem geraden Schwert.
Diese Burgstelle heisst Zémun, nicht zu verwechseln mit der Ruine
Zémen an der Struma bei Küstendil, und die Sage erzählt, es hätten
hier einst „Latini" gewohnt, die später die Stadt Zemun (Semlin)
gegenüber Belgrad gegründet haben sollen, offenbar nur eine der
vielen volksthümlichen Etymologien aus Namensähnlichkeit. Südlich
davon liegt im Gebirge auf dem Wege zur Struma das Dorf Go-
ráčevci, wo man jüngst ein kleines Basrelief mit der Inschrift
ΚΥΡΙΑ ΗΡΑ, nebst Kupfermünzen von Constantin, Licinius, Silbermünzen von Valens u. A. auffand. In Trn zeigte man mir drei
alte Silberstücke von Dyrrhachion, die aus einem Funde irgendwo
in der Gegend von Breznik stammten[15]), und die bekannten Silbermünzen von Thasos. Ob Spuren alten Strassenpflasters vorhanden
seien, habe ich im Znepolje nicht in Erfahrung gebracht.

Südöstlich von der Landschaft von Trn liegt ein zweites, von
Gebirgen umschlossenes Bassin bei Breznik, schon zum Struma-
gebiet gehörig, ein kahler waldloser Kessel zwischen niederen
Bergen. Die Landschaft heisst von altersher Gráchovo („Gra-
chouo polle" des Kuripešić 1530). Ein besonderes Interesse haben
die Reste alter Bergwerke bei der Stadt Breznik selbst, die ich
weiter unten näher besprechen werde.

Türckischen Kayser Soleyman. Anno XXX. MDXXXI (von Benedict Curipeschitz
von Obernburg).

[15]) Diese drei Typen sind folgende, sämmtlich mit Kuh und Kalb auf dem
Avers und dem bekannten Viereck auf dem Revers: 1) ΕΥΝΟΥΣ oberhalb der säu-
genden Gruppe, R.: ringsherum ΔΥΡ - ΧΑΙ - ΡΙΛ - ΛΟΥ; 2) ΜΑΧΑΤΑΣ, R.: ΔΥΡ-
ΑΡΙΣΤ-...-ΧΟΥ; 3) ΚΛΕΩ; R.: ΔΥΡ-...- -...- ΩΝΟΣ. Der Fundort selbst ist
mir leider nicht bekannt.

An der hohen Ljubaša, zwischen den Dörfern Krivonós und Ljálinci, soll sich eine Castellruine befinden. Einige alte Reste liegen in der nahen Landschaft Búrel, welche zwanzig Dörfer[16]) zwischen der Brusnička Planina (nördlich von Breznik) und den Strassen Sofia-Pirot und Trn-Pirot, also das Quellgebiet der Lukávica umfasst: ein Gebäude aus grossen Ziegeln mit zwei Säulen in Neslá, eine Burgruine auf einem hohen Hügel bei Gurguljét oder Bratúškovo u. s. w.[17]).

An dem oberen Lauf der Struma, südlich von Breznik, sind ältere Baureste sehr spärlich. Ein mittelalterlicher Waffenplatz von grosser Bedeutung ist die in byzantinischen und slavischen Quellen des 11. und 12. Jahrhunderts öfters genannte Burg Pernik bei dem gleichnamigen Dorf an der jetzigen Grenze der Kreise von Sofia und Küstendil. Zwischen der in Felsen eingeklemmten Struma und dem tiefen Einschnitt der Strasse liegen dort auf einem flachen Plateau die Rudimente einer weiten, aus Flussgeröll mit rohem Mörtel hergestellten Umfassungsmauer mit zahlreichen Ziegelfragmenten. Die Bauern nennen die Ruine auch „Perin grad". Etwas weiter oberhalb befindet sich im Dorfe Čerkva eine griechische Inschrift[18]).

In dem Becken von Radomir, einem alten, zum Theil sumpfigen Seeboden von ungefähr 25 Kilom. Länge und 15 Kilom. Breite (Seehöhe an 630 M.), hält sich noch der alte Landschaftsname Mraká (fem.)[19]). Derselbe gilt jedoch nur für die Ufer der Struma, während das Innere des Beckens einfach „polé-to" (das Feld) genannt wird. An den Lauf der Struma halten sich auch die wenigen Spuren der Vorzeit, die mir hier bekannt sind; im Inneren des Beckens bemerkt man nur zahlreiche kleine Tumuli derselben Art, wie in dem Bassin von Sofia und von Dupnica. Radomir selbst ist eine dorfartige Ansiedelung von jüngerem Datum, zuerst bei Hadži Chalfa im 17. Jahrhundert genannt. Bei dem nahen Dorfe Vrba ragen auf einer Wiese neben der neuen Strasse zwei räthsel-

---

[16]) Nedéliśte, Neslá, Járlovci, Čorul, Cacúrovci u. s. w.

[17]) Zwischen Caribrod und Vrabča soll es an einem Orte, Kavaci (türk. „Pappeln") genannt, „lateinische beschriebene Steine" geben, worüber ich leider nichts Näheres berichten kann.

[18]) Vgl. Monatsber. der Berl. Akad. 1881 S. 467.

[19]) Mraka, Izvori, Zemlьı u. s. w. 1330 bei dem serbischen Erzbischof Daniel, ed. Daničić p. 193 (s. meine Gesch. der Bulgaren p. 295).

hafte Denkmäler empor: eine runde, an 3 Meter hohe, glatte Säule, in der Mitte etwas eingekerbt, und ein etwas kleinerer viereckiger Pfeiler, der wie ein altes Giebelstück aussieht. Näheres über deren Provenienz liess sich nicht erfragen. In den Sümpfen bei Pocrnenski Han läuft ein Stück altes oder vielleicht der Türkenzeit angehöriges Pflaster neben der jetzigen Strasse [20]). Nördlich davon liegen an der Struma bei dem Dorfe Pčelinci (bulg. pčela, Biene; „Celina" der Karten) die Ruinen eines Castells und einer Kirche; man fand dort beim Graben auch grosse thönerne Gefässe und ein eigenthümliches kupfernes Panzerstück für den Kopf eines Streitrosses (bei Herrn Archimandriten Zinovij). Die Lage von Pčelinci entspricht dem Aelea der Tabula Peutingeriana. Die Entfernung von Küstendil (Pautalia) nach Pčelinci beträgt nämlich ungefähr 30 Kilom. = an 20 röm. Meilen, die von Pčelinci nach Sofia (Serdica) 45 Kilom. = 30 röm. Meilen. Auf der Tabula liest man: „*Peutalia* XX *Aelea IIX* (wohl XXX) *Sertica*".

Die neue Chaussée von Radomir nach Küstendil steigt bei dem alten Dorfe Izvor auf die Konjovska Planina (1200—1500 M. hoch) hinauf, um auf der anderen Seite derselben bei dem Dorfe Konjovo in steilen Serpentinen in das Feld von Küstendil herabzusteigen. Die Struma dagegen erreicht die Ebene von Küstendil auf einem weiten Umweg (gegen NW.) durch grossartige Engpässe. Vor dem Eingange in die Engen liegt links etwas abseits das Dorf Kálište, wo mir die Bauern eine dort gefundene Kupfermünze Justinians zeigten, rechts Lóboš mit den Spuren einer alten Ansiedelung, genannt „Carsko selište" (Carendorf); zwischen beiden soll es einst eine Brücke über die Struma gegeben haben. Der Strymonpass von Kalište bis Stensko ist 10 Stunden lang. Im oberen Theil liegen drei alte Klöster, St. Johann der Täufer von Žábljano (1870 erneuert neben den Resten einer alten Kirche mit glatten, aus weiter Entfernung stammenden Syenitsäulen), St. Nikola von Péštera (wo vor Jahren angeblich eine alte Statue gefunden wurde) und St. Johann Bogoslov von Bélovo. Die Einwohner der hiesigen Dörfer sind ein arbeitsames Volk und betreiben besonders das Maurerhandwerk. Bei Bélovo passirt die Struma ein Giganten-thor zwischen hohen Dolomitfelsen und betritt ein schattiges Eng-thal, in welchem sie sich zwischen waldigen Berghalden und glatten,

---

[20]) „*Des débris d'anciens pavés*" sah hier bei Žedna und Negovanci schon A. Boué 1836 (*Recueil d'itinéraires dans la Turquie d'Europe* I 229).

bis an 600 M. hohen Steilwänden mit zahlreichen Windungen durch-
schlängelt — eine einsame wildschöne Landschaft, nur von Adlern,
Falken und Geiern bewohnt. Nach einem zweistündigen mühevollen
Ritt, wobei man auf einen oft ganz verschwindenden Saumpfad
angewiesen ist und sechsmal durch die Struma waten muss, erscheinen in einem öden Felsamphitheater auf einem langgestreckten
Vorsprung des rechten Ufers, an 100 M. über dem Flussniveau
erhoben und von drei Seiten von steilen Abstürzen eingeschlossen,
die steinernen Substructionen eines alten Castells, das sogenannte
Zémensko Kalé; die ganze Enge von Bélovo bis Ræždávica wird
allgemein gleichfalls Zémen genannt. Das ist die in slavischen
Quellen des 12.—14. Jahrhundert öfters genannte Burg Zemlьn.
Weiter folgen die hohen Wasserfälle eines vom rechten Ufer in
die Felsenge hineinspringenden Gebirgsbaches bei Skakávica, so-
dann auf einem vorspringenden niederen Kegel des linken Ufers
die Reste eines kleinen viereckigen Thurmes und endlich vor dem
Dorf Raždávica das untere Felsthor mit dem Ausblick in das weite
Bassin von Küstendil. In der Ebene vor der letzten Enge ragt
dann bei dem Dorfe Nikoličevci ein glockenförmiger rebenbepflanzter
Hügel empor, gekrönt von der Ruine eines schönen dreikuppligen
Kirchleins, erbaut zum Andenken an die blutige Schlacht von
„Zemlьn“ oder „Velbužd“ zwischen den Bulgaren und Serben am
28. Juni 1330, an der Stelle, wo das Zelt des Serbenkönigs stand[21]).
Die Schlacht würde dafür sprechen, dass diese Strymonpässe im
Mittelalter oder noch früher als gewöhnlicher Weg begangen wurden,
und die Lage von Zemlьn würde diese Ansicht bekräftigen. Es
scheint mir aber, dass die Hauptstrasse damals, wie noch jetzt,
doch nur weiter südlich durchs Gebirge ging, denn der Engpass
selbst wird bei höherem Wasserstand ganz unwegsam, hat keine
Spuren eines gebahnten Weges aufzuweisen und bietet bei seinen
Windungen und brückenlosen Uebergängen nur eine höchst an-
strengende Passage.

In dem Bassin von Küstendil betritt man wieder einen klas-
sischen Boden. Das Becken, welches im Gegensatz zu den früher
genannten keinen besonderen alten Namen hat, ist nicht gross. Es
ist ein Dreieck, von O. nach W. 15—18 Kilom. lang, von N. nach
S. an 10 Kilom. breit. Die Nordostseite bildet die Struma, über
deren Ufer unmittelbar die Höhen der Konjovska oder Crvenjanska

---

21) Gesch. d. Bulgaren S. 295.

Planina (weiter südlich Tavalička Pl. genannt) emporragen; die Nordwestseite begrenzen niedrigere waldige Höhen der Landschaft Krajište, und die Südseite bilden die Abhänge der gewaltigen, über die Waldzone emporragenden Osogovska Planina[22]) mit dem Gipfel Rújen (an 2200 Meter). Den Grund des Beckens (Seehöhe 480—500 M.) bewässern zahlreiche starke Bäche, sämmtlich Zuflüsse des Strymon: zuerst die Dragovištica[23]), deren Ursprung sich weit von da in dem Gebirge gegen Vranja hin birgt, dann die Sovólštica, deren Oberlauf Grljanska Reka heisst und die aus der kleinen Hochebene Kámenica kommt, wo ihr Hauptzufluss Bistrica am Fuss des Rújen selbst entspringt (Fluss Kamenča im J. 1330, Kamena Reka im J. 1566), und endlich die Bánštica oder Žilenska Reka, welche die Gärten der Stadt Küstendil selbst durcheilt. Das ganze Becken, mit Ausnahme gewisser aus Geröll und Alluvium bestehender Höhenzüge zwischen den Flüssen, ist wohlbebaut. Den grössten Raum nehmen Pflaumengärten ein; seit dem Krimkrieg besteht hier ein lebhafter Export gedörrter Pflaumen über Salonich. Daneben versorgt Küstendil die umliegenden Bergländer mit Birnen, Aepfeln, Kirschen, Weichseln, Pfirsichen, Mispeln, Nüssen u. s. w. und besonders mit Wasser- und Zuckermelonen, sowie mit Weintrauben. Der hiesige recht gute Rothwein wird meist nur in der Landschaft selbst getrunken. Die Weinberge ziehen sich längs der Berglehnen, die Obstgärten längs der Flüsse und Bäche hin und den Rest füllen ausgedehnte Getreide-, Mais- und Tabakfelder aus. An warmen Sommertagen machen die alten Nusshaine, das dunkle Grün der Obstpflanzungen und der Weingärten, die goldigen Saaten der Ebene im Verein mit den Wiesen und Wäldern der Berglehnen einen höchst anmuthigen Eindruck, um so mehr als die Landschaft durch die Tageshitze und das Zirpen der Cicaden ein gewisses südliches Gepräge gewinnt. Aber der Winter, obwohl milder als im weinlosen Sofia oder Radomir, ist immer noch rauh, durch den Einfluss der nahen gewaltigen Gebirgsketten. Das Becken von Küstendil ist nur eine wärmere Oase zwischen hohen armseligen Berglandschaften; die umliegenden Gaue

---

[22]) Der Name kommt schon im Mittelalter vor. Dowanica Pl. der Karten ist hier zu Lande nicht zu erfragen; ein Dorf Doganica liegt westlich in der Kamenica.

[23]) Der Name Dobreluka („gute Wiese") der Karten ist hier nicht gebräuchlich. „Dobra Luka" heisst nur ein Bächlein bei Kolonica an der serbisch-bulgarischen Grenze, nördlich von Küstendil.

Krajište im Norden, Kámenica im Westen, Pijanec im Südosten haben wieder ein kälteres Gebirgsklima.

Am Südrand des Beckens liegt (an 560 M. hoch) die Stadt
Küstendil, von den Bauern der Umgebung meist nur Banja
(der bulg. Name für Bad, Therme überhaupt, von lat. *balnea*) oder
höchstens Küstendilska Banja (Einwohner Bánčenin) genannt;
sie zählte im Jahre 1881 1827 Häuser mit 9589 Einwohnern (davon
1572 Türken und 959 spanische Juden). Ihre rothen Dächer mit
vielen weissen Minarets, zwei grauen alten Thürmen und dem dichten
Laub der Stadtgärten liegen gerade vor den Abhängen des mit
Wiesen, Weingärten und Wäldern bedeckten Osogov. Ein leichter
bläulicher Dampf, der vor Sonne und vor Regen nicht zurückweicht,
kleidet das schöne Bild bei jeder Beleuchtung in eine eigenthümliche Farbe. Die Stadt ist überragt von einem oben abgeplatteten,
sehr steil abfallenden, an 100 Meter hohen Gebirgsvorsprung. Das
ist der Hissarlyk mit den Resten einer Akropole von ungefähr
200 Schritt im Durchmesser; man erkennt noch die Fundamente
einer Umfassungsmauer von Stein und Ziegeln, die Stelle eines
Kirchleins in der Mitte und die Substructionen eines Thores an
dem Schlossgraben auf der Südseite, gegen das Gebirge zu. Der
ganze, jetzt von Nussbäumen, Pflaumen, Weichseln und Mispeln
beschattete Raum birgt ausserdem zwischen dem hohen Grase eine
Unzahl Stein- und Ziegelsplitter. Die Aussicht ist grossartig: unten
die Stadt in der Vogelperspective, weiter das ganze Becken mit
seinen Dörfern, Gärten und Fluren, mit den glänzenden Windungen
der Struma im Hintergrund, im Süden der hohe Osogov mit seinen
Wäldern, gegen Südost die gewaltigen Massen des Rylagebirges
und zuletzt in der Ferne die majestätische spitze Schneekuppe der
Perin Planina, des alten Orbelus.

Das Innere der Stadt mit seinen unebenen und engen Gassen
zwischen traurigen Hofmauern und unansehnlichen Lehm- und Holz-
häusern enttäuscht wie jede orientalische Stadt. Die Hauptmerk-
würdigkeit sind die warmen Quellen, welche nur an 20—30 Meter
von dem Fusse des steilen Schlossberges aus acht Schlünden entspringen, die meist mit grossen, stets heissen Steinblöcken zugedeckt
sind. Nach Abwälzung der Blöcke, wobei dichte Dampfwolken mit
starkem Schwefelgeruch aufstiegen, massen wir die höchste Temperatur auf 74—75⁰ C. Zur Mischung mit kaltem Wasser dient eine
Quellenleitung in thönernen Röhren, deren Anfang 3 Stunden süd-

lich im Gebirge bei dem Dorfe Atkoria (türk. „Rosswald") liegt
und die durch das Weichbild der alten Akropole selbst in die Stadt
herabsteigt. Ihre Errichtung wird einem Suleiman Pascha vor
400 Jahren und einem Mehmed Aga zugeschrieben, aber dies kann
auch nur eine türkische Renovirung eines älteren Werkes gewesen
sein. Durch dieses kalte Quellenwasser gemildert, speist die Therme
acht Badehäuser und einige Waschplätze. Ein schwefelhaltiger
unangenehmer Geruch herrscht überall in der Umgebung der Bäder
und der Leitungen. Auf den Gassen sieht man selbst im Sommer
in kühlen Morgenstunden nicht selten die warmen Dämpfe zwischen
dem groben Strassenpflaster wie aus einem vulkanischen Boden
stossweise emporsteigen. Aus der Stadt fliesst das Thermenwasser
gegen Nordost in die Banština ab und dient dort auf den Wiesen
noch zur Hanfreinigung. Erwähnenswerth ist die abergläubische
Furcht der Einwohner, die Quellen könnten einmal stärker hervor-
brechen und sich mit einer siedend warmen Ueberschwemmung über
die Stadt ergiessen. Erdbeben sind hier, wie in Sofia, allerdings
nicht selten.

Küstendil liegt an der Stelle der römischen Stadt P a u t a l i a,
Ulpia Pautalia oder *Pautalia Aurelii*. Die alten Zeugnisse über
deren Lage und Geschichte sind neuerdings von W. Tomaschek in
einer erschöpfenden Zusammenstellung trefflich erläutert worden [24]).
Darunter verdienen eine besondere Beachtung die mannigfaltigen
Producte der Münzstätte Οὐλπίας Παυταλίας oder Παυταλιωτῶν aus
den Zeiten von Hadrian bis Gordian, besonders diejenigen mit den
Emblemen und Aufschriften der hiesigen Erzeugnisse: βότρυς, ἄργυρος, χρυσός, στάχυς, sowie eine Münze des Kaisers Caracalla mit
fünf Tempeln, einem des hier viel verehrten Gottes Asklepios auf
dem Gipfel eines bewaldeten Berges, einem zweiten am Fusse desselben und drei anderen in der Runde, ebenfalls den drei Heilgott-
heiten Asklepios, Hygieia und Telesphoros geweiht. Der obere
Tempel stand wohl auf der Akropole von Pautalia, die übrigen
unten am Fusse, wo die Heilquellen entspringen. In den Denkmälern des 11. — 14. Jahrhunderts erscheint die Stadt unter dem
slavischen Namen V e l b u ž d, im 15. und 16. Jahrhundert als V e l-
b u š k a B a n j a (oder Belbuška B., mit dem serbischen Laut-

---

[24]) W. Tomaschek, Zur Kunde der Haemushalbinsel, Wien 1882 (Sitz.-Ber.
der kais. Akad. d. Wiss. XCIX S. 437), Cap. II, Notizen über Pautalia oder das
heutige Küstendil in Bulgarien, S. 13—32.

wechsel des *o* für *l* B e o b u š k a , B i o b u š k a B.) oder K o n s t a n -
t i n o v a B a n j a . Der letztere Name stammt von dem serbischen
Theilfürsten Konstantin (1379—1394), der hier im Volksmunde
noch nicht vergessen ist. Allerdings verschmolz er mit dem Kaiser
Konstantin, dem Gründer Constantinopels; auf dem Hissarlyk von
Küstendil soll der Palast des „Car Kostandin“, gegenüber auf dem
Hügel von Nikoličevci der des „Car Michail“ gestanden haben und
die Ebene dazwischen soll ein See gewesen sein — eine geologische
Sage, die man auch in anderen hiesigen Bergkesseln wiederfindet.
Von Fürst Konstantin stammt auch der türkische Name K ü s t e n d i l ,
der jetzt allgemein gebräuchlich ist, wiewohl die Bauern der Um-
gebung die Stadt meist nur einfach B a n j a , d. h. das Bad, nennen.

Aus der älteren Türkenzeit haben wir drei Beschreibungen
der Stadt; bei dem rheinischen Ritter Arnold von Harff 1499, welcher
„Wruska Balna“ (*sic*) „eyn gar grosse schöne stat“ nennt und
ausserdem bemerkt, dass hier, ebenso wie zu Adrianopel und Philippopel, ein Theil der Frauen des Sultans wohne [25]; dann in der
Relation eines venetianischen Reisenden um 1559 [26] und bei dem
türkischen Geographen Hadži Chalfa. Im 16. Jahrhundert, ja
noch vor zwei Generationen war Küstendil ganz türkisch, mit
Ausnahme einer kleinen Colonie spanischer Juden (aus Salonich),
die schon der genannte Venetianer hier antraf. Obwohl hier stets
ein Metropolit residirte, wohnten nur wenige Christen in der Stadt;
die meisten hiesigen Christenfamilien sind erst im Laufe der letzten
60—70 Jahre aus den Dörfern der Umgebung eingewandert. Daher
der Mangel an localen Sagen und Traditionen.

Alte Gebäude aus dem Alterthum oder Mittelalter gibt es hier
nicht. Keine von den neun mit bleigedeckten Kuppeln versehenen
Moscheen war früher eine Kirche; ein einzelner viereckiger steinerner
Thurm bei dem Saraj eines Bey's, sowie der Uhrthurm (mit einer
ehemaligen Kirchenglocke mit slavischer Inschrift vom Jahre 1429)
gehörten keineswegs zu der einstigen Stadtbefestigung, die jetzt
spurlos verschwunden ist.

Nichtsdestoweniger fehlt es nicht an Resten der Vorzeit. Die
ausgedehnten türkischen Friedhöfe an der West- und Südseite sind

---

[25] Die Pilgerfahrt des Ritters Arnold von Harff 1496—1499, herausg. von
Groote, Cöln 1860 p. 207. 211.

[26] Herausgegeben von Matković in den „Starine“ (Denkmälern) der südslavischen Akademie X p. 254 (1878).

dicht besäet mit alten bearbeiteten grauen und weissen Steinen. Man sieht hier eine Unzahl glatter Säulen von der verschiedensten Dicke, einzelne so stark, dass man sie mit den Armen kaum umfassen kann (jedoch nirgends ein canellirtes Stück), sowie eine Menge behauener massiver Quadern und eine Masse einfacher antiker Grabsteine ohne Inschriften. In dem Winkel des Gabelpunktes der Sofianer und Constantinopler Chaussée ragen zwei hohe Tumuli empor, das älteste Denkmal der Stadt, jetzt bedeckt von türkischen Grabsteinen, nämlich antiken polirten Säulen und behauenen Quadern. Im Innern der Stadt treten Ueberreste des Alterthums überall zu Tage. Grosse Sarkophage dienen jetzt als Brunnensteine oder Waschbecken; kleine, in der Regel einen Meter hohe inschriftlose Grabsteine stehen und liegen an allen Ecken, und gewaltige Quadern, wuchtige Carniesse, glatte Säulen und ornamentirte Steine aller Grössen bilden die Grundfesten oder Ecksteine der modernen Lehm- und Holzhäuschen. Selbst das Stadtpflaster ist voll alter bearbeiteter Stücke. Auf dem Hofe der Hauptkirche, die kein archäologisches Interesse bietet, deren Fussboden aber 10 Stufen unter dem Niveau der Umgebung liegt, bemerkt man ein colossales, unlängst ausgegrabenes Thongefäss, $1^1/_2$ Meter tief und an der Mündung 58 Cm. breit. Vor dem halb ruinirten türkischen „Deve-Han" (Kameel-Herberge), angeblich von einem Murad Čelebi im 15. Jahrhundert erbaut, stützen zwei mächtige glatte Säulen das Vordach des Peristyls. Die Badehäuser selbst, insgesammt mit türkischen Namen (Alajbanja, Čukurbanja, Derviš-Hamam u. s. w.), enthalten zwar viel altes Baumaterial, scheinen jedoch alle erst in neuerer Zeit hergestellt zu sein. Der merkwürdigste Fund wurde aber im Sommer 1880 gemacht. Auf dem freien Platze zwischen der Staatsrealschule und der Präfectur stiess man, ungefähr 2—3 M. tief, auf die Substructionen eines grossen antiken Gebäudes. Es war eine von West nach Ost streichende breite Mauer aus colossalen Quadern mit anstossenden Ziegelmauern an der Südseite, einigen Eingängen und Gewölben und den Resten vieler thönerner Röhren. Dabei fand man einige Kupfermünzen, darunter eine des Kaisers Ἀντωνῖνος, der Νικοπολιτῶν πρὸς Ἴστρῳ, und eine des Dominus Justinianus. Ohne Zweifel war es die Nordfronte einer Therme, vielleicht verbunden mit einem der auf den Münzen der Pautalioten dargestellten Tempel des Heilgottes Asklepios. Die Municipalität, welche an diesem durch Wegräumung einiger türkischer Häuser entstandenen Platze einen öffentlichen Garten anlegen wollte, liess die Mauer aus Wissbegierde in der Länge von ungefähr 20 Schritt blosslegen und dann wieder zuschütten. Der Fund zeigte, was für Ueberraschungen unter dem Niveau der jetzigen Stadt noch verborgen liegen.

Es gibt hier auch einige Inschriften, leider sämmtlich in verwittertem Granit, so dass die Ausbeute gering ausfiel. Die frisch ausgegrabenen Stücke sind besser erhalten.

1. Auf der Aussenmauer des im Jahre der Hedschra 973 (1566) erbauten Bades Derwisch-Hamam eine Tafel, M. 1·35 breit, 0·49 hoch, mit einem einfachen, 0·17 breiten Rand:

> ΠΑΝΤΑⲤΟⲤΟΙⲤΤΕΙΧΟΥⲤΙΝ
> ΑΠΑⲤΤΕΟⲤΗΔΕΠΡΟⲤΑⲤΤΥ
> ΛΕΥⲤⲤⲰΗΕΙⲤΟΡΟⲰ

Πάντας, ὅσοι στείχουσιν ἀπ᾿ ἄστεος ἠδὲ πρὸς ἄστυ,
λεύσσω ἢ εἰσορόω.

2. Am sogenannten Taschköpri (türk. Steinbrücke) im Strassenpflaster ein Fragment mit grossen Lettern: ΝΤΟⲤ.

3. In der Asparuchgasse im nordöstl. Theile der Stadt im Strassenpflaster eine *inscriptio bilinguis* [27]):

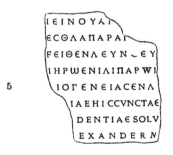

4. Im Jahre 1884 grub man in den türkischen Friedhöfen am Gabelpunkt der Strassen nach Sofia und Dupnica einen Inschriftstein aus, 2 M. lang, 1 M. breit (Copie des Herrn Realschuldirectors Ivančov):

---

[27]) [Es scheinen daktylische Verse zu sein, und einiges erkennt man, wie Z. 2: ἐσθλὰ παρά, Z. 4: ἐνὶ λιπαρῷ, Z. 6: *hic cuncta*, Z. 8: [Al]*exander*, aber die Bedeutung des Ganzen bleibt uns unklar. A. d. R.]

ΕΡΜΟΓΕΝΟΥΣ
ΚΑΙΗΡΑΙΔΟC
ΚΑΙΓΑΙΟΥ
ΧΡ^ιCᵀ'ΑΗc   28)

5. In einem bulgarischen Hause 1884 gefunden, Stück eines zerbrochenen Steines (Copie des H. Ivančov):

ΤΟΥΣΦΙΛΕΤΑΙΡΟΥΣ

ΚΑΙΦΙΛΑΔΕΛΦΟΥΣ

ΑΠΟΛΛΟΔΩΡΟΝΤΑΙ

ΟΥΚΑΙΝΑΤΙΜΗΙΜΙ   29)

6. Vor dem Thore der grossen Moschee in der Marktstrasse im Pflaster der Vorhalle eine Inschrift, an 3 Schritt lang, sehr verwittert und trotz allem, die gläubigen Muselmänner sehr aufregenden Waschen und Kehren doch undeutlich:

Α Ϝ Κ Ϝ Π ΗΚΔΑ Σ Ε Ν΄ΙΜ(?)...ΝΕ..Ν....
.........ΥΝΤΟΥΠΕΔΟΣ...Α..Ο...
.....ΤΙΝΨ..Ν...Ε...ΠΑΤΡΙΔΟΣ...C...
..........ΩΝΤΙΠΙΛ...ΑΧ............

7. Im Hause des Türken Junuz ein Stein, 3 Schritt lang, 1 Schritt breit, mit grossen Buchstaben in vier Zeilen; da derselbe als Pflasterstein vor einem Schöpfbrunnen dient, ist die Inschrift durch das Ausgiessen des Wassers fast ganz verwaschen. Nur der Anfang ist noch zu lesen: ΑΞΙΟΛΟΓΩΚΑΙ, sowie das erste Wort der vierten Zeile: ΕΙΜΩΝ..ΑΙ...

8 In dem Keller eines Hauses am Ausgange des Weges nach Izvor zeigte man mir 1880 bei der Beleuchtung eines Oellämpchens eine das Gewölbe stützende Säule von geringem Umfang, aus den türkischen Friedhöfen hergeholt:

ΜΟΥΛΗ/

ΑΣΕΜΠ/

ΑΔΕΩ (?)

.....Ο   30)

---

28) ‘Ερμογένους καὶ ‘Ηραΐδος καὶ Γαίου χρι[σ]τ[ι]α[νῶν].
29) Was auf τοὺς φιλεταίρους καὶ φιλαδέλφους 'Απολλόδωρον folgte, scheint nicht sicher, zunächst vielleicht [Γ]αίου καὶ....
30) Z. 1 ist wohl der Name M. Οὔλπ[ιος], Z. 2 etwa: Σεμπ[ρωνία] zu verstehen.

66

In der Umgebung der Stadt fehlt es gleichfalls nicht an Inschriftsteinen. Südlich sollen im Gebirge bei dem Dorfe Atkoria, wo die kalte Wasserleitung beginnt, einige grosse Inschriften vorhanden sein, welche die abergläubischen Bauern jedoch allen Erkundigungen zum Trotz sehr geheim halten. In dem Dorfe Koluša, eine Viertelstunde gegen SW. von der Stadt, gibt es eine mittelalterliche St. Georgskirche, bei welcher auf dem Hofe eine arg verwischte, 7 Zeilen lange griechische Inschrift liegt, die ich leider nur einmal vor Jahren bei strömendem Regen gesehen habe. Im Dorfe Lozno, eine Stunde gegen NW. von Küstendil, befindet sich eine grosse Inschrift; eine Copie erhielt ich von dem Herrn Archimandriten Ilia Nikolov, konnte aber dieselbe leider nicht selbst collationiren. Ich wage es dennoch, dieselbe abzudrucken:

NΗΟЖ ΙΙCNΘΥΟΕΝΤΑCΕΔΕΜΑΓΟΤΟ...

...ΑΘΑΝΑΤΟΕⲤ᾿ϞΑΚΑΡΕⲤΟΝΕΧѠΝΘΕΟ...ΗΘΕΑΘ...

...ΓΟΥΤΟΔΕΤΝΗΛΙΒΑΤΟΙΟΠΡΟΑⲤΤΕΟⲤΗΝΧⲤΕΜΕΡΓΟΝ...

...ΚΥΔΙⲤѠΝΤΕΙ†...ΑΙ᾿..ΔΟΡΙⲤΘΕΝ ѠΝ ΗΒΑⲤΙΛΗѠΝ...

....ᴜ...Ν᾿ΑΚΕΝΑΕΤ..ΟⲤΛΤΚΤΟΝΕΧΟΙΠΕΓѠΠΕΛΝΗⲤΝ..Ο

...†ΥΧΗΕΠΗΝΟΟΗϞ¶ᵀΙΘΤΟΥΤΕΛΟⲤΜΦΙΚΑΛΥ..ΗΔ.. [30a])

[30a]) [Νηοὺς μὲν θυόεντας ἐδείματο.....
    ἀθανάτοις μακάρεσσιν ἔχων θεοπειθέα θυμόν·
    τοῦτο δ᾽ ἐπ᾽ ἠλιβάτοιο πρὸ ἄστεος ἤνυσεν ἔργον,
    κυδίστων τείχισμα δορισθενέων βασιλήων,
 5 ὄφρα κεν ἀστυφέλικτον ἔχοι περιωπέα νηόν
    ψυχή, ἐπὴν μοίρη βιότου τέλος ἀμφικαλύψῃ.

So dürfte das interessante Epigramm gelautet haben, von welchem man wohl eine genauere Abschrift, wenn nicht einen Abklatsch zu besitzen wünschte. An der Herstellung haben Benndorf und Dr Szanto sich betheiligt. Ein vielvermögender Mann — denn nur auf einen solchen kann V. 1 gehen — hat (so verstehe ich V. 3—5) ein altes Gemäuer auf steiler Felshöhe, dessen Erbauung ruhmreichen Herrschern der Vorzeit zugeschrieben ward, zur Grabkammer umgestaltet Die Bezeichnung einer solchen als νηός der Seele, die hier durch den Gegensatz zu den in Z. 1 erwähnten νηοί besonders nahegelegt ist, findet an Einigem, was Kaibel's Index s. v. bietet, eine Stütze. Das Wort περιωπής war bisher nicht nachzuweisen, da Orphica, Argon. 48 dieses von den Handschriften dargebotene Epitheton des Eros mit Recht von Ruhnken, G. Hermann und neuestens von Abel als verderbt bezeichnet worden ist. Ob ich V. 6 mit μοίρη 'nach Schicksalsschluss' das Richtige getroffen, steht dahin; ein Objects-Accusativ zu ἀμφικαλύψῃ ist jedenfalls entbehrlich, da sich derselbe aus dem Zusammenhang nicht minder leicht ergänzen lässt als etwa Π 350: θανάτου δὲ μέλαν νέφος ἀμφεκάλυψεν. Th. Gomperz.]

In Skrinjano in der Ebene nordwärts von der Stadt wurde ein kleines Marmortäfelchen gefunden, 16 Cm. hoch, 14 Cm. breit, 2 Cm. dick, darauf drei einander mit den Händen haltende weibliche Figuren im Chiton mit durch Wellenlinien bezeichneten Haaren, dabei die Inschriften, oben: ΚΥΡΙΑΙΣ ΝΥΜΦΑΙΣ, unten in zwei Zeilen:

> . . . . ΟΓΕΝΗΣ . . . .
>
> ΛΟΥΕΥ . . . .

Jetzt befindet sich das Relief bei H. Nojkov in Küstendil.

Vor dem Dorfe Nikoličevci, bei dem erwähnten Hügel mit der Kirche vom Jahre 1330, 4½ Kilometer (51 Minuten zu Fuss) vom Rande der Stadt, liegt am rechten Ufer der Sovolštica ein kleiner türkischer Friedhof, unter dessen Steinen man eine antike, leider durch rothe Oxydirung verfärbte und besonders durch einen Riss undeutlich gewordene Inschrift findet:

A Γ A Θ H I	T Y X H I
. . . . O K A T O	X O K E N
‿ . . . . . H K Δ	I O Y Λ A I
⌐ K E A C O Y Θ	L A T X I I
5 T H I A N N A N	A I A N T
T O Y A M W N I A Π	I Δ I O N
. N Y C K A I A N T I	T H̄ /////
. . . M H . . . X A P	//////

Im Dorfe Konjovo gegen NO., bei der Strumabrücke auf der Strasse nach Radomir, wurden ebenfalls alte Steine, Sarkophage u. s. w. ausgegraben. Darüber fand man (1880) im Gebirge einen Topf rohen Waschgoldes, ein Fund, der ein grosses Aufsehen erregte und von der Regierung mit Beschlag belegt wurde. In Zlokóštica, eine halbe Stunde gegen O. von Küstendil, soll es in den Mühlen alte beschriebene Steine geben, ich konnte jedoch im Dorfe selbst nichts erfragen und sah nur eine kleine mittelalterliche Kirchenruine. Bei Granica liegt ein Tumulus südlich von der Strasse. Bei dem Dorfe Bágrenci soll man unlängst grosse Fundamente von der Art gefunden haben, wie die 1880 in Küstendil selbst ausgegrabenen; in der Umgebung derselben Ortschaft liegen auch einige gewaltige behauene Steine in den Feldern. Von den zahlreichen Münzen, die ich in der hiesigen Gegend zu sehen bekam, war das älteste Stück eine athenische Silbermünze (Pallaskopf, R.: Eule Α, ΚΑΛΛΙΚΡΑΘΕ ΕΠΓΕΝ ΣΩΣΑΔΡΟΣ[31]).

Ein merkwürdiges Bauwerk ist der K a d i n m o s t, die „Kadibrücke" über die Struma auf dem Wege nach Dupnica, 2 Stunden östlich von Küstendil. In den Sagen der Umgebung spielt dieselbe eine grosse Rolle. Man erzählt, dass der Bau erst dann gelungen sei, als man die Frau des jüngsten Meisters einmauerte, eine Geschichte, die sich in der serbischen Sage von der Erbauung der Burg von Scutari, in der griechischen von der Brücke von Arta und in der rumänischen vom Kloster Ardžiš wiederfindet, sowie in den Erzählungen über das Castell am Hissarbad nördlich von Philippopolis. Die Brücke ist 144 Schritt lang, 7 Schritt breit, hat fünf Rundbogen, wovon der mittlere der höchste, die weiteren absteigend niedriger sind, so dass die Mitte an zwei Mannshöhen über die Endpunkte emporragt. Der ganze Bau ist sehr solid aus grossen regelmässigen Granitquadern hergestellt. Die Pfeiler laufen seitwärts in spitze Sporen aus und sind in der Mitte je durch ein kleines Bogenfenster durchbrochen. Auf dem Westende liegt im Brückenpflaster eine unleserliche antike Inschrift. Eine andere dient jetzt als oberster Deckstein auf dem nördlichen Sporn des letzten Pfeilers gegen Osten. Der Stein ist leider zubehauen und von Schnee und Regen ganz schwarz. Die Inschrift zählte wohl an vier Zeilen, wovon nur die Worte klar sind:

$$\ldots\ldots\text{ΕΓΙΟΙΤΕ/ΟΕ}\ldots\ldots$$

$$\ldots\ldots\ldots\text{ΑΠΑΥΤΑΛΙΑΝΕΛΑ}\rangle/$$

Hier tritt der Name ΠΑΥΤΑΛΙΑ klar hervor. Die Brücke selbst gehört nicht zu den antiken Denkmälern. Eine arabische Inschrift am westlichen Eingang gibt darüber einen sicheren Aufschluss. Eine Abschrift davon, die ich von einem Türken herstellen liess, wurde von Herrn Prof. Karabaček in Wien in folgender Weise entziffert: „Es befahl den Bau dieser Brücke unser Herr der Serdâr, der erhabene Wezîr, der Herr der Gross-Emîre und Stifter frommer und guter Werke.... Ishâk Pascha, den Gott der Allerhöchste leben lasse, im Jahre 874" (11. Juli 1469 — 29. Juni 1470). Die Brücke ist demnach ein Denkmal eines auch sonst gut bekannten Grossveziers aus der Zeit Sultan Mohammed's II. Dieselbe ist auch den Reisenden des 16. Jahrhunderts wohl bekannt. Felix Petantius[32]

---

[31]) Vgl. die Münzen bei Beulé *monnaies d' Athènes* S. 282 mit den Namen: ΚΑΛΛΙΚΡΑΤΗΣ, ΕΠΙΓΕΝΗΣ, ΣΩΣΑΝΔΡΟΣ.

[32]) *De itineribus aggrediendi Turcam*, bei Schwandtner, *Script. rer. Hung.* I 869.

erwähnt um 1502 „*Balnea Beobusci pontemque Strymonis, diri-*
mentem Macedones a Triballis sine Bulgaris". Kuripešić kam hier
im Jänner 1531 „zu einer schönen stainen prugken". Die
venetianische Relation um 1559 [33]) erwähnt zwischen „*Buscobagno,*
altramente detto Constantinbagno" und „*Dopnizza*" die Struma und
darüber „*un ponte grande, bello, fatto da un Mustapha bassa*".
Damit ist irrthümlich der 1512 hingerichtete Grossvezier Mustafa
gemeint, der eine andere grosse Brücke, über die Marica zwischen
Adrianopel und Harmanli, erbaut hat.

An 200 Meter vom Ostende der Brücke steht die Ruine einer
12 Schritt langen kleinen Kirche ohne Dach, als deren Altarstein
eine antike Grabstele ohne Inschrift diente. Im Jahre 1883 hörte
ich von einem geheimnissvollen Funde in der Nähe der Brücke:
„ein eherner Wagen" nebst vielen Pferdeschädeln, jedenfalls ein
interessantes Object aus der „prähistorischen" Zeit, das leider nicht
mehr zu retten war.

Bevor wir von der Küstendiler Landschaft Abschied nehmen,
muss ich noch auf zwei mittelalterliche Ueberreste aufmerksam
machen. Das eine sind Spuren einer byzantinischen Nomenclatur,
Dörfer mit griechischen Namen, obwohl die Bewohner von Alters
her slavisch sprechen. Da gibt es im Becken von Küstendil ein
Dorf P e r i v o l (περίβολος, Garten), ein anderes S t e n s k o (στενά,
Engpässe), ein drittes J a m b o r e n i (von ἔμπορος, Kaufmann?). Im
Becken von Radomir liegt ein Dorf K o n d o f r é, das an den byzan-
tinischen Personennamen Κονδοφρέ (aus Gotofredus) erinnert [34]). Der
Berg P a r a m ú n Planina zwischen Trn und Breznik und das Dorf
P o r o m i n o v o an der türkischen Grenze bei der Ryla stammen
von dem byzantinischen παραμονή, Wache. Ein Goldsand führender
Bach an der Südseite der Vitoša heisst P a l a g á r i a und wird
schon im 15. Jahrhundert als P a l i k a r i a genannt [35]). Solche
vereinzelte Spuren reichen bis in das Donaugebiet (z. B. Dorf
K a l a k á s t r a zwischen Pleven und Trnovo) und bilden mit den
obenerwähnten romänischen Namen einen interessanten Beitrag zur
alten Ethnographie des Landes. Der andere Ueberrest sind die
eigenthümlichen Agrarverhältnisse des Küstendiler Gebiets, die der

---

[33]) Starine X 254.
[34]) Κονδοφρέ Ephraem v. 8427. Πρωτοκυνηγὸς Κοντοφρέ, Kantakuzen ed.
Bonn. 1, 341. — Γοντοφρέ heisst bei Anna Comnena Gottfried von Bouillon.
[35]) Palikaria (zum J. 1413), serbische Annalen bei Šafařík, Památky p. 63.

bulgarischen Regierung manche Sorge bereitet haben. Das meiste ist allerdings auf die türkische Lehensverfassung zurückzuführen, die zwar von Sultan Mahmud II. vor einem halben Jahrhundert aufgehoben wurde, aber in den abgelegenen Gebirgslandschaften von Küstendil, Vranja, Niš u. s. w. sich behauptete in der Form von Naturallieferungen (Kesim), welche die Bauern an gewisse Bey's zu leisten verpflichtet waren [36]). Die Halbwirthschaft (bulg. ispolica), wo der Ertrag zwischen dem Grundbesitzer und dem Bauern getheilt wird, ist jedenfalls alt. Dafür spricht auch der Terminus p a r a s p ú r, p a r a s p u r d ž i (ein von dem Grundbesitzer dem Arbeiter oder Pächter als Theil des Lohnes zur Benützung angewiesenes Feldstück und dessen Bebauer), welcher einem byzant. παρασπορά, παρασπορίτης entspricht [37]).

Das Osogovgebiet südlich und südöstlich von Küstendil, die waldige Hügellandschaft P i j a n e c (deren Centrum Cárevo Selo jedoch jenseits der bulgarischen Grenze liegt), ist reich an Ruinen gemauerter Kirchlein und anderen Zeugnissen einer culturell entwickelten Vorzeit. Mitunter kommen rohe antike Basreliefs zum Vorschein. Im Dorfe V a k s o v o (nahe an der Grenze) fand man unlängst das allerdings sehr verwitterte Bildniss einer antiken unbekleideten Göttin; die Bauern sahen in den undeutlichen Zügen eine Heilige und stellten den Stein ehrfurchtsvoll bei der Ortskirche auf. Zahlreiche Spuren mittelalterlicher Bauten liegen in dem unteren Engpass der Struma, von der steinernen Brücke bis Boboševo (an 7 St. lang). Derselbe ist zwar nicht so unwegsam, wie die oberen Engen zwischen den Becken von Radomir und Küstendil, dabei aber dennoch öde und wenig besucht. Ein eigenthümlicher Ort ist das in einem tiefen Kessel gelegene Dorf P a s t u c h, wo gegenüber auf einem hohen Felsen des linken Strumaufers eine alte Burgruine steht, und wo noch drei verfallene Kirchlein nebst den Spuren eines Klosters von der einstigen Bedeutung dieser Stelle sprechen. Die Burg ist vielleicht das im 12.—14. Jahrhundert in dieser Gegend genannte Schloss Ž i t o m i t ь s k, und hier wird wohl die Landschaft

---

[36]) Im J. 1880 war ich mit Herrn Sarafov Regierungscommissär zur Untersuchung dieser Agrarverhältnisse und verdanke diesem Umstande die erste nähere Bekanntschaft mit dieser Gegend. Unser Rapport ist damals in bulg. Sprache (8°, 39 S.) gedruckt worden.

[37]) *Acta graeca* ed. Miklosich IV, 182: τὸ οἰκομοδοπαράσπορον (*sic*). Vgl. den erhaltenen Titel einer Novelle des Ks. Tiberius II. (578—582): περὶ παρασπορɩτῶν (Ersch-Gruber's Enc. Bd. 86 S. 213).

Κάτω Σουνδέασκος, „der untere Engpass" (altsl. sątêska, Pass), zu
suchen sein, einer der Orte des Bisthums von Velbužd in der Urkunde des Ks. Basilios II. vom J. 1019 [38]). Weiter flussabwärts
liegt das von schöner Natur umgebene Dorf S k r i n o, der Geburts-
ort des heil. Johannes von Ryla (lebte im 10. Jahrh.), mit verschiedenen alten Mauerresten. Die malerische Ruine einer kleinen Kirche
überrascht vor dem Eingang in den ansehnlichen Marktflecken
B o b ó š e v o, in dessen Umgebungen sich noch mehrere andere alte
Kirchen und Klöster vorfinden. In Bobóševo selbst fand man eine
in Philippopolis geprägte Kupfermünze des Ks. M. Aurelius Antoninus mit einem Tempel und der Inschrift: ΚΕΝΔΡΕΙΣΕΙΑ ΠΥΘΕΙΑ auf
der Rückseite [39]).

Die Strasse von Küstendil nach Dupnica führt keineswegs
durch diese Pässe, sondern in gerader Linie durch eine wenig an-
sprechende baumlose Hügellandschaft. Bei dem Dorfe G o l e m o
S e l o (etwas gegen Norden von der Strasse) sieht man zwei Tumuli
und die Reste einer Goldwäscherei an dem Bache Razmetánica.
An einer nahen, Caričin genannten Flur lagen noch unlängst einige
alte behauene und beschriebene Steine. Im Jahre 1883 hörte ich
davon in Dupnica und ritt in der drückenden Mittagshitze gleich
hin, aber es war zu spät: die Bauern bauten gerade eine Kirche
und hatten die „beschriebenen Steine" schon zu glatten Pfeilern
zubehauen.

Der Fluss, welcher das längliche, mit zahlreichen hohen Tumuli
gezierte Becken von Dupnica durchfliesst, heisst D ž e r m e n und
wird im 14. und 15. Jahrhundert als G j e r m a n, G e r m a n š t i c a
erwähnt [40]). Dies führt uns zu der antiken Stadt Γερμάνεια oder
Γερμανή, einem der Hauptorte des binnenländischen Daciens und

---

[38]) „Grad Žitomitьsk" in der Biographie des Serbenfürsten Nemanja von
dessen Sohn Kg. Stephan dem Erstgekrönten cap. VII in folgender Reihenfolge:
Stob, Zemlьn, Velbužd, Žitomitьsk, Skopje u. s. w. In einer Urkunde des bulg.
Caren Joannes Alexander von 1347 (Šafařík, Památky, 2. Aufl., p. 98) wird ein
Weinberg in Žitomitьsk neben einem anderen in Skrino, dessen Lage bekannt ist,
angegeben.

[39]) Es ist die Münze des Elagabal, Mionnet I, 418, 355; Suppl. II, 478, 1630.

[40]) Im Chrysobull des Klosters Ryla von Car Šišman 1378 heisst es bei der
Grenzbeschreibung: „von der rechten Seite der Burg Stob zur Ryla, und die Ryla
abwärts zur Struma, und die Struma aufwärts zur Germanštica, und die Germanštica
aufwärts" u. s. w. Šafařík, op. cit., 2. Aufl. S. 106.

überdies dem Geburtsorte Belisars[41]). Γερμάνεια erscheint noch
unter den Kirchen des Bisthums von Velbužd 1019, ja sogar noch
später als eine schöne Stadt Germanija zwischen Weingärten und
fruchtbaren Aeckern in der Geographie des Arabers Edrisi (um
1150). Ich dachte früher[42]) an das Dorf Džermen, ungefähr 5 Kilometer südlich von Dupnica. Aber Džermen ist ein kleiner arm-
seliger Ort, welcher gar keine Alterthümer aufzuweisen hat. Auch
das nahe Dupnica selbst (7500 Einw.) ist ein neuer Marktflecken,
erst seit dem 15. Jahrhundert emporgekommen an dem Kreuzungspunkte der Strassen von Constantinopel nach Skopje und von Sofia
nach Seres oder Salonich. Der älteste Punkt des ganzen Beckens
von Dupnica ist dagegen das Dorf Banja, wegen des benachbarten
Sapárevo (oder Capárevo) oft Saparevska Banja genannt[43]). Es
liegt 1½ Stunden östlich von Dupnica, hart am Fusse des steilen
Rylagebirges, an der Stelle, wo der Džermenfluss aus einer tief
eingeschnittenen Felsschlucht in's Freie tritt. Herumliegende glatte
Säulen und behauene Quadern, Fundamente von alten Gebäuden
und andere Reste der Vorzeit erhalten ein noch höheres Interesse
durch Haufen von alten Eisenschlacken eines verfallenen Berg-
werkes längs des Flusses und besonders durch zwei mit Kuppeln gedeckte steinerne Badehäuser, davon eines bereits in Trümmern, mit einer schwefelhaltigen Thermalquelle, deren Temperatur
(auf dem Hofe des noch benützten Bades) + 69° C. beträgt. In
der Mitte des Dorfes gruppiren sich zahlreiche Trümmer alter Stein-
metzarbeit um eine verfallene kleine Kirche (Sveti Nikola), einen
aus abwechselnden Bruchstein- und Ziegellagen recht gut aufge-
führten Kuppelbau, dessen Inneres jedoch nur 6 Schritt lang und
ebensoviel breit ist; auf den Wänden sieht man Reste von Fresken
in zwei Lagen übereinander, mit altslavischen Aufschriften. Der
Altarstein ist ein antikes Stück mit einer 13 Zeilen langen lateinischen Inschrift, aus welcher der Name des Kaisers Septimius Severus
und des auf den Münzen von Pautalia genannten Legaten Caecina
Largus klar hervortritt. Leider hatte vor Kurzem ein bulgarischer
Kirchenmaler die Lesung durch schwarze Ueberzeichnung vermeint-

---

[41]) Procopius ed. Bonn. 1, 361: ἐκ Γερμανίας, ἢ Θρᾳκῶν τε καὶ Ἰλλυριῶν μεταξὺ κεῖται.

[42]) Heerstrasse von Belgrad nach Constantinopel S. 28.

[43]) Ein warmes Bad mit einer steinernen Kuppel im Dorfe Sijarova (lies: Siparova), 2 Meilen von Dupnica, Hadži Chalfa S. 89.

licher Buchstaben versucht und damit die ganze Oberfläche arg verkleistert. Ich lege die folgende Copie aus meinem Notizbuche nur mit einer grossen Reserve vor; ein zweites Mal habe ich den Ort seitdem nicht besuchen können, wiewohl ich den Stein am liebsten nach Sofia „entführt" hätte.

```
            IMP·CAESARI
            L·SEPTIMIOSEVERO
            ⫶MOPERTINACIAVG
            ARABICO ADIABEN⫶
      5     PARTH⫶⫶⫶ON⫶
            MAXI⫶⫶ TRIBPOT
            VIIIMP⫶COSIIPR
   (?)      COH·II·VLVQ          (?)
            VBCCAECINALARGO
     10     LEGAVGCPRIIↃ         (?)
   (?)      CVRAN⫶⫶TELVCIO      (?)
            POLLIO⫶⫶⫶⫶OPRAE
            TOREVOTM  44)
```

Das Becken von Dupnica steht im oberen Theile dem Bassin von Küstendil an Fruchtbarkeit sehr nach. Die Dörfer liegen nur am Rande unter den Höhen; die Thalsohle, meist von Maisfeldern bedeckt, ist baumlos und monoton, überdies noch durch gewaltige von den Bächen aus dem Rylagebirge heruntergewälzte Geröllmassen arg verwüstet. Dagegen ist die warme Landschaft von Dupnica abwärts mit ihren prächtigen Obstgärten, Weinbergen und Tabakpflanzungen sehr anmuthig. Eine uralte Culturstelle liegt dort am Flusse Ryla. Auf einer Höhe auf der Südseite des Thales liegen die Ruinen der Burg S t o b, welche im 11.—14. Jahrhundert oft erwähnt wird[45]. Dieselben, eine Mauer mit einem Fenster,

---

44) Die Inschrift gehört, wenn in Z. 7 VII richtig ist, in das Jahr 199; zu lesen ist ungefähr: *Imp. Caesari L. Septimio Severo [Pi]o Pertinaci Aug. Arabico Adiaben[ico] Parth(ico) [Max(imo) p]on[t(ifici) maxi[mo] trib. pot. VII imp. [XI] cos. II p(atri) [p(atriae)] coh(ors) II .... [s]ub C. Caecina Largo leg. Aug[g]. pr(o) [pr(aetore)], curan[te] T. [F]l[av]io? Pollio[ne ...*

45) Στοβός im Bisthum von Küstendil 1019, „grad Stob" neben Velbužd u. s. w. im Leben Nemanja's von Kg. Stephan von Serbien, Στούμπιον des Niketas Akominatos ed. Bonn. 568 und des Georgios Akropolita ed. Bonn. 84, „grad Stob" im Chrysobull des Rylaklosters von Car Šišman 1378.

sind in Folge einiger Bergstürze ganz unzugänglich. Unter der Burg liegt ein kleines Dorf Stob (türk. Istop). Drei hohe Tumuli auf den Wiesen des rechten Rylaufers zeugen vom hohen Alter der hiesigen Ansiedelung. Der ganze Raum von Stob bis zu dem ungefähr zwei Kilometer entfernten Dorfe Ryla ist voll von Mauerresten, Ziegelfragmenten, Scherben von grossen Gefässen u. s. w. In dem ansehnlichen, vor dem Eingang in die Schluchten des Rylagebirges malerisch gelegenen Dorfe oder eher Marktflecken R y l a (567 Häuser mit 3052 Einw.) sieht man Halden von Eisenschlacken, welche gegenwärtig zur Pflasterung der Höfe dienen; die Eisenindustrie soll vor hundert Jahren eingegangen sein. Bei den Resten einer St. Nikolauskirche bemerkte ich antike Quadern, Säulenknäufe, Carniesse u. s. w., und auf dem Hofe der Pfarrkirche St. Archangel sogar eine griechische Inschrift, mit altthrakischen Personennamen. Es ist ohne Zweifel eine der beiden Inschriften, die Barth 1862 hier gesehen hat [46]). Der verwitterte, auf der linken Seite durchgehauene Granitstein führt folgende acht Zeilen (ETEI Z. 7 unsicher) [47]):

Später hörte ich, dass in einzelnen Häusern von Ryla noch einige andere Inschriften vorhanden sein sollen.

[46]) Barth, Reise durch das Innere der Eur. Türkei im Herbst 1862, Berlin 1864 S. 92, schreibt von zwei griechischen Inschriften zu Ryla, darunter „eine nicht uninteressante, aber leider verstümmelte, die Weihung eines Altars betreffend, auf der Terrasse, worauf die Dorfkirche steht". Ob die Copien Barth's irgendwo erschienen sind, ist mir nicht bekannt.

[47]) [Von Z. 4 an stehen Namen, regelmässig wie es scheint mit dem gleichen Betrage von etwas über 50 Denaren, der Einer, der nach N gestanden haben wird, ist sowohl Z. 5 wie 7 zerstört; es stand etwa da: Βρ]ούζενις καὶ Δίζα[ς .... ϰ]ν /, Βεῖθυς Μουκα[πόριος? . . ϰν/, Ἐτεί?]κενθος Βεί[θα] ϰ ν /, ...Ἐτει(?)κένθου ϰν/, Μουκ[άπορις? ..... ϰ ν /, Θ?]ήρας καὶ Τάρσας οἱ Βεσ[σοί ... Z. 2 ist deutlich τὸν βωμὸν ἐκ τῶν, vorher und nachher kann etwa gestanden haben: [κατεσκευάσαντ]ο und [ἰδίων]; Z. 3 scheint στήλην zu erkennen. E. B.]

Das Innere des Rylagebirges birgt das berühmte bulgarische Klöster des heil. Johannes von Ryla, jedoch ausser einem Thurm mit einer slavischen Inschrift vom Jahre 1335 ist das jetzige gewaltige Gebäude (mit 300 Kammern) grösstentheils ein Neubau aus unserer Zeit. Eine Reise von der bulgarischen Grenze durch das Strymonthal abwärts nach Džumaja, wo sich Thermen und Inschriften befinden[48]), Melnik u. s. w. würde gewiss eine reiche archäologische Ausbeute bringen, aber bei den bestehenden Grenzverhältnissen und bei dem Umstande, dass ich in bulgarischen Diensten stand, konnte ich so etwas nicht wagen.

II. Alte Bergwerke

In der schriftlichen Ueberlieferung des Alterthums fehlt es keineswegs an Nachrichten über den damaligen Bergbau in den südlichen und östlichen Haemusländern, in Makedonien, Thrakien und dem unteren Donaugebiet, jedoch sind dieselben meist ohne topographisches Detail. Am deutlichsten tritt das küstenländische Minengebiet der Chalkidike und das berühmte Goldland am Berge Pangaios bei Philippi und Amphipolis hervor. Dunkler sind die Angaben über die weiter gegen Norden gelegenen Erzlager des Binnenlandes, über die Eisen- und Bleiminen der makedonischen Stadt Βίνη oder Βίναι[49]), über die Minen des inneren Paeoniens, der Rhodope u. s. w. Von dem einstigen Reichthum der Gruben dieser Gebiete zeugen die zahlreichen mannigfaltigen Münztypen der einzelnen Städte, besonders Thrakiens in der Römerzeit. Ueber die dortige Bergwerksverwaltung in der Kaiserzeit erfahren wir Einiges aus einer *constitutio* des J. 386, welche *„procuratores metallorum*

---

[48]) Barth (S. 99) sah in Džumaja eine grosse griechische Inschrift unter dem Wasser des Badehauses. Von bulgarischen Lehrern, die vor dem Kriege dort gelebt hatten, hörte ich oft von einer lateinischen und griechischen Inschrift des Ks. Gordian, angeblich mit den Worten BONA FORTVNA, welche, in vier Stücke zerschlagen, sich bei der Kirche von Džumaja befinden soll. Aber alle meine Bemühungen, um eine noch so primitive Zeichnung zu erlangen, waren erfolglos. Džumaja ist gegenwärtig ein wichtiger militärischer Waffenplatz der Pforte an der bulgarischen Grenze; eine Menge aus Bulgarien ausgewanderter fanatischer Türken hat sich dort angesiedelt, wogegen die christlichen Džumajoten, ein rühriges und unternehmendes Volk, jetzt meist nach Dupnica gewandert sind.

[49]) Ueber diesen Ort vgl. Tomaschek's „Miscellen aus der alten Geographie", Oest. Gymn. Ztschr. 1867, 695 und desselben „Zur Kunde der Haemushalbinsel", Wien 1882 S. 19.

intra Macedoniam, Daciam mediterraneam, Moesiam seu Dardaniam" nennt. Diese Provinzialbeamten waren wohl dem in der *"Notitia dignitatum"* erwähnten *"comes metallorum per Illyricum"* untergeordnet [50]). Damit sind die erzreichen Provinzen sichergestellt, aber die Localitäten selbst bleiben unbekannt; selbst das an wichtigen Ortsnamen reiche Verzeichniss des Prokopios (*de aedif.*) gibt nur spärlichen Aufschluss über die Lage der alten *"metalla"*.

Dieser alte Bergbau wurde auch im Mittelalter fortgesetzt, worüber wir aber in den byzantinischen und bulgarischen Quellen leider fast gar keinen Aufschluss finden, wie es für den Osten der Halbinsel auch an jenem ragusanischen und italienischen Urkundenmaterial fehlt, welches den Bergbau von Bosnien und Serbien für das 13.—15. Jahrhundert so klar illustrirt [51]). In der Türkenzeit ist dieser Minenbetrieb allmählich eingegangen. Die Angaben des türkischen Geographen Hadži Chalfa aus dem 17. Jahrhundert geben mitunter eine verlässliche Aufklärung über manche dunkle Punkte. Der Betrieb einiger Bergwerke ist jedoch erst in unserem Jahrhundert erloschen, so dass man noch Personen findet, von denen sich über dieselben Einzelnes erfragen lässt.

Die jetzt gebräuchlichen bergmännischen Ausdrücke der Bulgaren, soweit sich dieselben sprachlich analysiren lassen, sind viererlei Ursprungs, was für die Geschichte des hiesigen Bergwesens nicht ohne Interesse ist. Der Römerzeit gehört an die s g o r i a (in Kratovo žgura), Schlacke, von dem lat. s c a u r i a, s c o r i a. Aus dem späteren Mittelalter stammen die deutschen Worte, welche den Sachsen (slav. Sasi) angehören, die wahrscheinlich aus Ungarn und Siebenbürgen berufen, im 14. und 15. Jahrhundert die Bergwerke von Bosnien, Serbien und Bulgarien betrieben. In Bulgarien ist ihre Anwesenheit urkundlich nur in Čiporovci im Balkan von Berkovica beglaubigt [52]), ihre Spuren reichen aber noch weiter. In Čiporovci selbst, in Samokov und in Ryla nennt man die Schlacken noch immer mit dem deutschen Worte š l a k n ó; in Kratovo heissen die Gruben-

---

[50]) *Codex Theodosianus* I, 32, 5. *Notitia dignitatum* ed. Seeck (Berlin 1876) p. 36.

[51]) Vgl. meine Handelsstrassen und Bergwerke von Serbien und Bosnien während des Mittelalters, Prag 1879 (Abhandl. der kgl. böhm. Ges. d. Wiss.).

[52]) *"Est Chiprovacii pars oppidi seu regio, quae etiam hodie appellatur r e g i o S a x o n u m et in privilegiis turcicis .... conceditur S a x o n i b u s renovare partem templi vento deiectam"* in einem Briefe des kath. Erzbischofs von Sophia von 1667, Farlati, *Illyricum sacrum* VIII.

arbeiter ú t m a n i (Hüttenmann) und ein Dorf derselben Gegend wird S a s e genannt. Das dritte Element der hier gebräuchlichen bergmännischen Nomenclatur ist slavisch, darunter z. B. das verbreitete Wort s a m o k o v, durch Wasserkraft getriebenes Hammerwerk, wörtlich der „Selbsthammer", r u d a, Erz u. s. w. Endlich türkischen Ursprungs ist m a d a n, m a d a n i š t e, der Schmelzofen.

Im Folgenden will ich einige Bemerkungen über die Reste der alten Bergwerke vorlegen. Vor Allem fallen uns die oben erwähnten mannigfaltigen Producte der Münzstätte von Pautalia auf, mit der Anführung von χρυσός und ἄργυρος unter den einheimischen Erzeugnissen. Das Gold wurde, wie noch jetzt, in den Flüssen gewaschen, aber woher kam das Silber? Noch in der ersten Hälfte des 17. Jahrhunderts schrieb Hadži Chalfa über den „Berg von Küstendil": „Hie und da finden sich Gold- und Silberminen, und das daraus erhaltene Metall wird in dem Münzhause von Karatova ausgemünzt" [53]. Es unterliegt keinem Zweifel, dass diese Bergwerke irgendwo in der Nähe der Stadt auf der Nordseite des Gebirges liegen mussten und mit dem jenseitigen, von Küstendil aus nicht leicht zugänglichen Minendistrict von Kratovo nicht zu verwechseln sind. Die Existenz alter Minen im Osogovgebirge blieb im Lande wohl bekannt, wurde aber von der Bevölkerung mehr oder weniger geheim gehalten. Boué hörte 1836 nur eine dunkle Andeutung über Silber- und Kupferminen in der Nähe von Küstendil [54]. Im Jahre 1883 habe ich mit Herrn Georg Zlatarski, Geolog der bulgarischen Regierung, die Lage des alten Bergwerks erfragt und den nicht sehr zugänglichen Ort selbst besucht. Am Nordabhang des höchsten Osogovgipfels, des an 2200 M. hohen Rujen, liegen ganz nahe an der bulgarisch-türkischen Genze, in den Urwäldern des Quellgebietes der Bistrica, ungefähr 1580 M. hoch, die Eingänge von sieben sehr tief hinabreichenden alten Schachten, in denen man in dem aus Phyllit bestehenden Fels bis an 30 Cm. dicke Adern silberhältigen Galenit, Chalkopyrit und Pyrit bemerkt. Das Material wurde eine halbe Stunde abwärts an eine jetzt S r e b r n o K o l o (bulg. „Silberkreis") genannte Wiese geschafft, wo am Zusammenflusse von zwei Bächen mitten in dem dichten Buchenwalde

---

[53] Rumeli und Bosna, geographisch beschrieben von Mustafa ben Abdallah Hadschi Chalfa. Aus dem Türk. von J. v. Hammer. Wien 1812, S. 88.

[54] *Près de Kostendil on cite des mines de cuivre et d'argent.* Boué, *La Turquie d'Europe*, Paris 1840, I 378.

Spuren eines Schmelzofens mit einem grossen Kreis vón Silber,
Blei und Kupfer enthaltenden Schlacken sichtbar sind. Von dort
führte ein jetzt mit Bäumen und Gestrüpp überwachsener Weg
über die Dörfer Atkoria und Bogoslov gerade nach Küstendil. Die
Einwohner der nahen Ortschaften besitzen keine Sagen, die über
den Zeitpunkt des Betriebes dieser Werke Aufschluss geben könnten,
und auch die Bäume, die jetzt auf den Fundamenten einer kleinen
Hausruine bei jenen Schachten wuchern, sind keineswegs jung. Die
alten Minen der Pautalioten sind gewiss schon lange eingegangen [55]).

Jenseits des Osogov liegt auf der entgegengesetzten Südseite
des Rujen auf türkischem Boden das Dorf S a s e (120 Häuser) mit
einem verfallenen Bergwerk. Einige Stunden weiter gegen Westen
beginnen die Blei-, Kupfer- und Silberminen von Kratovo, deren
allerdings primitiver Betrieb erst vor wenigen Jahren ins Stocken
gerathen ist. Die Localität und der Betrieb der Minen ist von
Boué ausführlich beschrieben worden. K r a t o v o selbst (620 Häuser
mit ungefähr 6000 Einw.) liegt in einem engen heissen Thalkessel
zwischen abgeholzten Trachytfelsen, hat zahlreiche mittelalterliche
Thürme, Brücken und Kirchen und soll ganz von tiefen „Kellern"
und Gängen unterminirt sein. In der Geschichte erscheint es erst
im 14. Jahrhundert und war auch in der älteren Türkenzeit ein
wichtiger Punkt. Ueber die ältere Vergangenheit der Bergwerke
von Kratovo ist leider nichts Näheres bekannt. Antike Inschriften
soll es dort nicht geben; dagegen zeigte mir ein Kratover eine
daselbst gefundene Münze Kaiser Domitian's, welche für das Alter
der Ansiedelung und wohl auch des Bergbaues zu sprechen scheint.

Alte verfallene Bergwerke liegen auch in der nördlich von
Küstendil sich ausbreitenden Gebirgslandschaft K r a j i š t e. Ich
habe diesen geographisch nur wenig bekannten Winkel am Trifinium
zwischen Bulgarien, Serbien und der Türkei zweimal besucht. Der
alte Hauptort war das jetzige, noch immer ansehnliche Dorf B o -
s i l o v g r a d (oder Bosiligrad) an dem Hauptflusse des Gebietes,
der Dragovištica, mit den Resten eines Castells, in denen grosse
zrdene Gefässe gefunden wurden, und den Spuren eines alten
Marktes am Fusse des Schlossberges. In der Ortskirche befand

---

[55]) Eine bergmännische Beschreibung dieser Stelle von Zlatarski in der
Ztschr. der bulg. lit. Gesellsch. zu Sofia 1885, XVII 191 sq. (bulg.) — Hadži
Chalfa's Nachricht kann sich auch auf das Bergwerk von S a s e beziehen und
nicht auf das am S r e b r n o K o l o, welches, wie es scheint, früher verfallen ist.

sich ein grosser, dicht beschriebener „lateinischer" Stein, wurde
aber 1878 auf Anrathen irgend eines Ignoranten aus Aberglauben
abgeschliffen. Das jetzige administrative Centrum des hiesigen
Bezirks liegt ·eine Stunde östlich im Dorf Izvor, in dessen
Nähe sich die Rudimente einer kleinen, angeblich Slavište genannten Burg befinden. Von Izvor führt ein alter Pfad über das
Dorf Trekljeno, wo gleichfalls alte Mauern und Gefässe gefunden
wurden, über den oben erwähnten Fundort Goračevci in das
Thal von Trn. Nordwestlich von Bosiligrad liegen am Trifinium
bei dem Dorfe Ljubáta die Stollen eines alten Silberbergwerks,
„srebrni dupki" (Silberlöcher) genannt, mit Resten alter Gebäude;
nach Herrn Zlatarski soll das Erz, wie im Osogov, silberhältigen
Galenit, Pyrit und Chalkopyrit enthalten. Jenseits der Grenze
finden sich in Serbien Reste eines grossen Blei- und Silberbergwerkes bei dem Dorfe Rupje, im Bezirk von Vlasotinci, mit vielen
Schachten und der Ruine eines Hammerwerkes. In dem Quellgebiet der Dragovištica liegen sodann, nördlich von Izvor, die erst
seit ungefähr 30 Jahren eingegangenen grossen Eisenwerke von
Božica, die sich jenseits des Grenzgebirges auch auf der serbi-
schen Seite in den Umgebungen des Sumpfsee's von Vlasina und
in den Thälern der Vrla Reka und der Masurica im Kreis von
Vranja weit und breit fortsetzen[56]). Das sind die von Hadži
Chalfa im 17. Jahrhundert erwähnten „berühmten Eisengruben von
Olassina (sic), die unvergleichliche Aexte und Waffen liefern"[57]).
Das zu Božica gewonnene Eisen wurde in dem Orte selbst in
Hammerwerken verarbeitet und sodann in Stäben meist nach Egri
Palanka geführt. Die Gewinnung selbst war ganz primitiv: der
verwitterte Magneteisensand wurde gewaschen, in derselben Art,
wie man es bei der auch im Krajište (bei Božica, Ujno u. s. w.)
früher sehr eifrig betriebenen Goldwäscherei machte.

Jetzt ist eine solche Eisensandwäscherei in Bulgarien nur in
Samokov an der Nordseite des Rylagebirges in Betrieb, wo sie
von vielen Reisenden (Boué, Hochstetter u. A.) gesehen und beschrieben wurde. Diese höchst einfache Industrie, jedenfalls uralten

---

[56]) Ueber diese Bergwerke auf serbischem Boden, jetzt sämmtlich eingegangen,
vgl. Žujević, Materialien zur Geologie des Kgr. Serbien im „Glasnik" Bd. 55 (1884)
184 und Miličević, Kraljevina Srbija, Belgrad 1884 S. 15 (Rupje) und 281—3 (Kreis
von Vranja).

[57]) Rumeli und Bosna, übers. von Hammer S. 94.

Ursprungs, hatte einst auf der Balkanhalbinsel eine grossartige Verbreitung und umfasste ein Gebiet, das sich vom Šar (dem alten Scardus) bis in die Rhodope, ja bis an das Ufer des Schwarzen Meeres erstreckte. Das Eisen, welches in einer geographischen Schrift des 4. Jahrhunderts unter den Landesproducten von Makedonien genannt wird[58]), wurde wohl in derselben primitiven Weise zu Tage gefördert.

Die mir bekannten alten Eisenwerke dieser Länder zerfallen in fünf Gruppen. Ich will dieselben etwas näher besprechen, mit Zuziehung der benachbarten Silber-, Blei- und Kupferminen.

Die erste Gruppe liegt im nordwestlichen Makedonien im oberen Vardargebiet, an der Ostseite des Šargebirges. Ein greiser Arbeiter in Božica, der in . seiner Jugend dort beschäftigt war, nannte mir drei Orte: die Landschaft Poreč an der Treska, Krajišnica zwischen den Städten Gostivar und Kalkandelen und Slatina, unweit der Stadt Kičevo. Mit diesen Eisenwäschereien steht wohl auch der Name eines südlich von Kičevo gelegenen alten Ortes, der slavisch Železnica, türkisch Demirhissar genannt wird (želêzo, demir: Eisen), in Zusammenhang. Der Betrieb scheint jetzt eingestellt zu sein[59]).

Das zweite Gebiet ist das obenerwähnte in den Gebirgen zwischen der oberen Morava und Struma, bei Božica und in den Thälern der Vlasina und Masurica. Es erstreckte sich bis in das Becken von Znepolje, an dessen Westende bei Groznatovci und Strašimirovci, wo auch römische Münzen gefunden werden, ein verfallenes Eisenwerk sichtbar sein soll. In dem Bereich dieser Eisenwäschereien liegen auch die oben genannten Reste alter Blei- und Silbergruben auf dem Berge von Ljubata und bei Rupje. Daran schliesst sich noch ein räthselhaftes Silberbergwerk bei Breznik, zwischen Trn und Sofia. Kuripešić schreibt in seiner „Wegrayss" 1530: „stätlin Pressnick, allda auch vil Silberertzt". Im Orte selbst ist gegenwärtig jede Erinnerung an ein Bergwerk erloschen, ausser einigen Goldwäschereien, die noch vor Kurzem

---

[58]) (Macedonia) eicit *ferrum*, *plumbum*. *Totius orbis descriptio*, verfasst um das J. 350, *Geogr. graeci minores* II 523, 51.

[59]) Bouć (*Turquie d'Europe* I 378) hörte, es gebe im Šar zwei Lieues von Kalkandelen „*d'anciennes mines semblables*", wie die in der Chalkidike, konnte aber nichts Näheres erfahren. In der Markova Reka bei Skopje wird Gold gewaschen. Demir Hissar zählt jetzt nur 45 Häuser; als Burg Želêznec erscheint es schon im 14. Jahrh. (Daniel ed. Daničić 226).

in dem Bache Leskov Dol bei der Stadt betrieben wurden. Nach längerem Suchen fanden wir mit Herrn Zlatarski zwar keine Schlacken oder Reste von Hochöfen, aber einige schwache Adern silberhältigen Galenit auf dem Breznik von der Südseite dominirenden Hügel Visoki Breg. Alle diese Bergwerke scheinen sehr alt zu sein. Prokopios (de aedificiis ed. Bonn. p. 284, 33) nennt eine von Kaiser Justinian befestigte Ansiedelung Ferraria in der χώρα (regio) von Remesiana, welche wohl den grössten Theil dieser Bergländer zwischen Naissus, Pautalia und Serdica umfasste, also auch diese Minengebiete. Und die Silberminen bei Breznik erinnern uns an die Münzprägung der nahen Serdicenser im 2. und 3. Jahrhundert.

Das dritte, grösste und wichtigste Eisengebiet umfasste das Ryla-, Perin- und Rhodopegebirge. Es reiht sich an die „Siderokapsia" oder „Mademochoria", die uralten Eisen- und Silberwerke der Chalkidike an, die noch im 16. Jahrhundert im vollen Gang waren, wie aus der ausführlichen Beschreibung bei Pierre Belon zu sehen ist. Der See zunächst lagen die Eisengruben des Pangaios, die auch in der Türkenzeit eifrig betrieben wurden; 1697 gab es eine grosse Kugelgiesserei in Praviš̌ta bei Kavala[60]), und eine Ortschaft in der Nähe des Meeresufers führt dort noch immer den Namen „Samokov" (Hammerwerk). Daran grenzen nördlich die Eisensandwäschereien und Hammerwerke an zahlreichen Flüssen der Districte von Demir-Hissar, dem Σιδηρόκαστρον der Byzantiner[61]), und von Melnik, z. B. bei den Dörfern Krušovo, Kъrčevo, Kalimanci u. s. w. Diese Industrie vegetirt dort noch bis zum heutigen Tage[62]). Weiter nördlich gibt es, wie schon erwähnt wurde, Halden alter Eisenschlacken am Fuss des Rylagebirges, im Dorfe Ryla auf der Westseite und in Banja und Macakúrevo auf der Nordseite, welche durch die Nachbarschaft antiker und mittelalterlicher Ruinen und durch alte Inschriften ein besonderes Interesse gewinnen. Noch der oftgenannte Hadži Chalfa

---

[60]) Hammer, Gesch. d. osman. Reiches III² 894. Zehn Dörfer arbeiteten damals in den Gruben, Schmelzen und Giessereien, und beförderten die gegossenen Kugeln zum Hafen nach Kavala.

[61]) Kantakuzen l. II c. 38 (allerdings mit der Bemerkung: διὰ τῶν τειχῶν τὸ εὐπαγὲς καὶ λίαν ὀχυρὸν ὠνομασμένον).

[62]) Auf der österr. Generalstabskarte der Türkei ist ein Ort „Samakov-Hanlari" nördlich von Seres ausdrücklich angegeben — Einkehrhäuser bei einem Eisenhammer.

kennt daselbst „an einigen Orten" des stets schneebedeckten wald-
reichen Berges von Dupnica (d. h. der Ryla) „Stahlminen"[63]) und
die Werke von Ryla sollen erst seit 100 Jahren aufgegeben sein.
Unmittelbar daran schliesst sich der Minendistrict von S a m o k o v
am oberen Isker an, dessen Hammerwerke bis in das Quellgebiet
der Marica hinüberreichen. Samokov selbst hat ausser einigen
Tumuli nichts Antikes aufzuweisen. Sein Gebiet erstreckt sich bis
an die Vitoša bei Sofia; die letzten Schlacken sieht man bei V l a -
d a j a und bei G r u b l j a n e in der nächsten Umgebung der bulgarischen Hauptstadt. Der Betrieb der Werke von Samokov ist jedoch
in den letzten Jahren in Folge der Concurrenz ausländischen Eisens
fast am Erlöschen. Die Eisenarbeiter kommen zum Theil bis aus
Božica und anderen umliegenden Dörfern, besonders seitdem die
dortigen Eisengruben verfallen sind. Noch weiter östlich liegt am
Nordfuss der Rhodope das Städtchen P e š t e r a mit ausgedehnten
Ueberresten von ähnlichen Eisenwäschereien, deren Betrieb erst um
1850 eingestellt wurde. Eisenschlacken findet man auch im Innern
der Rhodope, im Hochgebirge zwischen Batak und Nevrokop (auf
der Höhe B e g l i k am Passe Taš - boaz[64]), bei den Hans von
Dospad u. s. w.) und endlich in der Umgebung der Stadt N e v r o -
k o p selbst, des alten Nicopolis ad Nestum. Die Metallurgie ist
noch jetzt eine Hauptbeschäftigung der Einwohner des Mestathales.
Die Einwohner der Landschaft R a z l o g im Quellgebiet der Mesta
sind Kupferschmiede und arbeiten primitive Ringe, Kreuze, Ohrgehänge u. s. w., z. B. für die Wallfahrer des Rylaklosters; eine
ähnliche Bronze- und Messingindustrie betreiben auch ihre Nachbarn
in B e l o v o an den Maricaquellen. Die Bewohner des Kreises
von N e v r o k o p an der mittleren Mesta, besonders der felsigen
und waldigen Theile desselben (Dorf Skrebatno, Baldevo u. s. w.)
sind heute Goldwäscher κατ' ἐξοχήν und trieben bis zu den grossen
ökonomischen und politischen Umwälzungen des letzten russisch-
türkischen Krieges ihr Gewerbe fast in ganz Bulgarien, Rumelien
und Makedonien. Man fand sie jeden Sommer im Balkan bei Kotel,
an der Arda in der Rhodope, an der Topolnica in der Sredna Gora,
an der Palagaria an der Südseite der Vitoša, in den Kreisen von

---

[63]) Rumeli und Bosna S. 89.

[64]) *Mines de fer sur la route de Nevrokop à Despot-Jailak* erwähnt auch Boué,
Turquie d'Europe I 377. *Minerais de fer au plateau de Beïlik* bei Boué's Reise-
begleiter Viquesnel, *Voyage dans la Turquie d'Europe*, Paris 1868, II 365.

Breznik, Dupnica, Küstendil u. s. w. In der alttürkischen Zeit vor
den Reformen genossen dieselben verschiedene Privilegien, vor allem
gewisse Steuerbefreiungen gegen Naturallieferungen von Goldstaub.
Allerdings war das Geschäft sehr mühselig, und das anstrengendste
Durchsieben und Waschen des Flusssandes brachte jährlich in der
Regel kaum 80 bis 120 Francs reines Gold ein. Die Nevrokoper
sind wohl die Nachfolger der thrakischen herumziehenden *auri-
leguli*, welche eine ·*constitutio* des J. 370 (*Cod. Theodos.* X 19, 7)
aus Illyricum und der Dioecesis Macedonia in die Heimat zurück-
zuschicken befiehlt, sowie der „*sequendarum auri venarum periti*",
welche nach Ammian (31, 6, 6) 376 den Gothen in Thrakien die
verborgenen Schlupfwinkel und Getreidelager der Einwohner ver-
riethen, selbst gedrückt und erbittert durch schwere Steuerlast.

Die alte Metallindustrie der Rhodopeländer beschränkte sich
jedoch keineswegs auf Gewinnung von Eisen und Gold aus dem
Sand und Geröll der Gebirgsbäche. In der Rhodope, im alten
Bessenlande, fehlt es nicht an Spuren der „*cuniculi more Bessorum*",
an Bergwerken mit Schachten und Stollen. Bei dem Dorfe L u-
k á v i c a im Bezirk von Rupčos, südlich von Philippopolis auf ost-
rumelischem Boden, wurde jüngst ein altes Silber- und Bleibergwerk
mit tiefen unterirdischen Gängen wieder in Betrieb gesetzt. Von
dort kam einst wohl das Metall, welches in der Münzstätte von
Philippopolis ausgeprägt wurde. Als ich die Ruinen der Eisenöfen
von P e š t e r a besuchte, erzählte man mir von den Schachten
eines alten Kupferbergwerks, eine Stunde südlich von der Stadt.
Auf dem an Schloss- und Kirchenruinen, sowie an alten Grabfeldern
reichen Plateau von D o s p a d, zwischen Tatar - Pazardžik und
Nevrokop, sollen nach den Erzählungen eines dortigen bulgarischen
Mohammedaners an dem Bache G ü m ü š d e r é (türk. Silberbach)
bei einer Burgruine, knapp an der rumelischen Grenze, Reste eines
Silber- und Goldbergwerkes liegen. Ein Eingeborener des Arda-
thales sprach mir von alten Schachten mit Holzstützen bei dem
Dorfe V ъ l č e v o in der Landschaft Achyr - Čelebi, und auf den
meisten Karten ist unweit davon gegen Süden bei dem Städtchen
Dariceré ein Berg M á d e n (türk. „Bergwerk") angegeben. An diese
Bergwerke der Rhodope schliesst sich das wohlbekannte altbe-
rühmte Gold- und Silberminengebiet des Pangaios an der Seeküste
nebst den Eisen- und Goldlagern der gegenüberliegenden Insel
Thasos an. Die Reste alter Bergwerke reichen noch weiter gegen
Westen. In dem Gebirge zwischen Salonich und Strumica gibt es,

angeblich nordöstlich von Avret-Hissar auf dem Berge **Karadagh**, Silbergruben, deren Lage wohl dem von Herodot (V, 17) erwähnten μέταλλον am Berge Dysoros entspricht, aus dem König Alexandros I., des Amyntas Sohn, täglich ein τάλαντον ἀργυρίου gewonnen haben soll. Näheres ist mir leider nicht bekannt. Man erzählt auch von Silberminen bei O c h r i d oder in der D i b r a, doch ohne Angabe einer Localität [65]).

Doch kehren wir zurück zu der Eisenindustrie. Die vierte Gruppe umfasst die Nordseite des westlichen und des centralen Theiles der Balkankette. Das Gebiet derselben beginnt schon in der Timoklandschaft, wo sich westlich von Zajčar (bei L u k o v o, J a b l a n i c a, V a l a k o n j e u. s. w.) in dem langen Thale der Crna Reka zahlreiche Spuren alter Silber-, Blei- und Eisenwerke mit Stollen, Schmelzöfen und Schlacken vorfinden, nebst vielen noch vor Kurzem betriebenen Goldwäschereien [66]). Das alte Ἀργεντάρες (wohl aus der Localform A r g e n t a r i i s), dessen Befestigungen Kaiser Justinian erneuern liess, ist hieher zu versetzen; Procopius (*de aedif.* p. 285, 15) nennt es in dieser Gegend unter den Castellen der Provinz *Dacia ripensis*, in dem Bezirke der Stadt Aquae (Prahovo an der Donau), in der Nähe von Timathochium und Timaciolum. Weiter gegen Osten gab es Eisenwerke bei dem Städtchen Č i p ó r o v c i auf der Nordseite des Balkans von Berkovica im Quellgebiet des Ogost, sowie bei dem nahen Dorfe Ž e l e z n a, in Verbindung mit reichen Silber- und Bleigruben, auch dem Hadži Chalfa bekannt als die Silberminen von „Kirus" (lies: Kiprus) bei Berkovica; dieselben gingen 1688 ein, als die (katholischen) Einwohner bei Annäherung der österreichischen Truppen einen Aufstand versuchten und in Folge dessen in die Walachei und nach Siebenbürgen fliehen mussten. Gegen Nordwest reichte dieses Minengebiet bis zu dem Dorf G o r n i L o m an den Lomquellen, wo gleichfalls Stollen und Schlacken vorhanden sind. Auf der entgegengesetzten Südseite der Gebirgskette fand man Eisenschlacken bei S e n o k o s in der Landschaft Visok. Alte, erst in unserem Jahrhundert eingegangene Eisen- und Bleiglanzgruben gab es bei der Stadt E t r o p o l. Ein altes Eisenbergwerk liegt im

---

[65]) Auf das Bergwerk am Karadagh bezieht sich wohl die Angabe Boué's, bei Ostromdscha (der türk. Name für Strumica) gebe es Kupfer- und Silberminen (*Turquie d'Europe* I, 378). — *Mines argentifères près d'Ochrida* auch bei Boué ib.

[66]) Miličević, Kneževina Srbija, Belgrad 1876, S. 877 (serb.).

Balkan von T r o j a n an den Quellen des Schwarzen Osem[67]). In allen diesen Eisenwerken des Balkans wurde indessen das Material nicht durch Waschen, sondern durch trockene Grubenarbeit zu Tage gefördert[68]).

Das fünfte Eisengebiet lag endlich an der Pontusküste. Der Hauptort war das Dorf M a l k i S a m o k o v (Klein-S.), jetzt auf türkischem Boden in der Nähe des Meeres (zwischen Iniada und Kyrkklisse). Noch im 17. Jahrhundert lieferte dieses pontische Samokov Eisen für die türkischen Arsenale[69]). Der Magneteisensand wurde dort in der erwäbnten Weise gewaschen, der Betrieb ist aber in unserer Zeit eingegangen. Spuren uralter Bergwerke befinden sich auch in der Umgebung von J a m b o l, dem alten C a b y l e, sowie in der Nachbarschaft des römischen D e u l t u m, deren Alterthümer ich noch ausführlich besprechen werde.

III. Römische Strassen

Von den römischen Heerstrassen auf dem Boden Bulgariens ist besonders bemerkenswerth die grosse Route von Sirmium über Serdica nach Byzanz, deren festes Gefüge in unbebauten Gegenden noch immer klar hervortritt; in den Umgebungen grösserer Städte und in dichter bevölkerten Landschaften werden die Reste derselben allerdings in neuerer Zeit meist als Steinbruch ausgebeutet und dadurch rasch zerstört. Die folgenden Bemerkungen können als Nachtrag oder Berichtigung meiner vor neun Jahren über diese alte Verkehrslinie veröffentlichten Studie gelten[70]).

Zwischen Niš und der bulgarischen Grenze kommt der sogenannte L a t i n s k i p u t (Lateinerweg) besonders in dem Gebirge zwischen Naissus und Remesiana (Bela Palanka) zum Vorschein, südlich von der jetzigen Chaussée bei dem Dorfe D o n j a S t u d e n a, wo sich neben der Römerstrasse auch die Substructionen einer

---

[67]) Bulgarisch heisst der alte Asemus O s e m (masc.), nicht Osma (fem.), wie man auf den Karten liest.

[68]) Ueber die Erzlager des Balkans vgl. die Abhandlungen von Zlatarski in der Ztschr. der bulg. lit. Gesellsch. 1882—4, Heft II. IV. VI. X (bulg.). — Auffällig ist der Dorfname Železna (železo, Eisen) in den Bezirken von Teteven und Trojan.

[69]) Marsigli, *Stato militare dell' imperio ottomano*, Amsterdam 1732 p. 56, 151 (*Samacow nel Mar Nero*).

[70]) Dr. Const. Jireček, Die Heerstrasse von Belgrad nach Constantinopel und die Balkanpässe. Prag 1877, 8: 172 S.

„Lateinerburg" (Latinski grad) befinden [71]), welche der Lage nach der *mutatio Ulmo* des *Itinerarium Hierosolymitanum* entspricht. Auf bulgarischem Boden erblickt man die Spur des römischen Weges zuerst bei dem Marktflecken Caribrod. In dem Engthale der Nišava liegen am linken Ufer längs der neuen Chaussée die Häuser des Ortes, und gegenüber am rechten Ufer zieht sich in dem engen Raum zwischen dem Flusse und der steilen, dicht bewaldeten Böschung das alte, stellenweise an 4—5 Schritt breite, noch gut erhaltene Pflaster hin. Einige kleine Burgen (eine nördlich von Caribrod gegenüber der Mündung der Lukavica, eine zweite südlich davon bei Kalotinci u. s. w.) scheinen zum Schutze des Weges gedient zu haben. In dem darauf folgenden Engpasse Ježevica ist die Römerstrasse wahrscheinlich durch die neue Chaussée verdeckt. An der Wasserscheide zwischen dem Isker und der Nišava (726 M. Seehöhe), einer kleinen Hochfläche mit feuchten Wiesen zwischen kahlen Felsbergen, liegt die alte, 4 Schritt breite, gepflasterte *via publica* (südlich von dem Dorf Dragoman) wohlerhalten neben der neuen Strasse, in Begleitung von einigen Tumuli. Von Slivnica, wo man wieder ebenen Boden betritt, führt die moderne Chaussée in gerader Linie, ohne ein Dorf zu berühren, nach Sofia; die Römerstrasse blieb dagegen weiter westlich am Fusse der das Becken von Sofia umschliessenden Höhen, in der Gegend des Dorfes Belica.

In der nächsten Umgebung von Sofia ist der alte Weg nicht sichtbar. Dagegen rettete Herr Ingenieur Prošek auf den alten, jetzt zum Häuserbau ausgebeuteten türkischen Grabfeldern am Rande der Stadt, an der Strasse nach Lom, einen antiken Meilenstein vor dem drohenden Untergang (jetzt in der Nationalbibliothek). Der obere Theil desselben ist zerschlagen und die Oberfläche, besonders durch einen Spalt arg beschädigt. Ein geübteres Auge wird wohl die Inschrift genauer unterscheiden können; ich las in den ersten Zeilen nur einige Worte:

$$\ldots\ldots\ldots KAIN_oIKHC\ldots\ldots\ldots$$
$$\ldots\ldots\ldots\Delta IAMOI\ldots H\Gamma \epsilon MON\epsilon YON\ldots\ldots$$
$$\ldots\Lambda AM\Pi POTAT\text{////}C\Theta PAK\omega N$$
$$\ldots\ldots\ldots\ldots\ldots OY\Lambda \epsilon$$

also etwa [ὑπὲρ]....καὶ ν[ε]ίκης [καὶ....] διαμο[νῆς], ἡγεμονεύον[τος

---

[71]) Miličević, Kraljevina Srbija, Belgrad 1884 p. 17.

τῆς] λαμπροτάτ[η]ς Θρᾳκῶν [ἐπαρχείας...... In der 6. und 7. Zeile sieht man noch ΟΔΩΝ und ΜΙΛΙΟΝ.

Die neue Chaussée von Sofia nach Ichtiman hält sich grösstentheils nahe am Fusse der Berge, welche die Südwestseite des Beckens von Sofia umrahmen. Die Römerstrasse führte etwa eine halbe Stunde weiter nördlich, ungefähr in der Mitte zwischen den modernen Landstrassen von Sofia nach Philippopel und von Sofia nach Orchanié (resp. Pleven), wo ihre Linie von der jetzt im Bau befindlichen Eisenbahn einigemal gekreuzt wird. Noch im 16. Jahrhundert wurde sie benützt und die an derselben gelegenen Dörfer sind bei den damaligen Reisenden ausdrücklich genannt: Slatina nahe bei Sofia (Kuripešić 1530), Kazičane (Kasidscham bei Gerlach 1578), Trnovo (Dernschwamm 1553). Die alte Strasse überschritt hier den Isker, der gegenwärtig in zwei Arme gespalten ist, den starken Hauptarm im Westen und den Stari Isker (den „alten") im Osten. Der römische Oescus floss jedoch, wie es scheint, nur durch einen und zwar den östlichen Arm, der jetzt als der alte und schwächere gilt, denn die Entfernung von acht römischen Meilen von Serdica bis Esco amne (*Itin. Hierosolym.* p. 567) stimmt zu den 12 Kilometern vom heutigen Sofia bis zum „alten" Isker bei Kazičane, wogegen der gegenwärtige westliche Hauptarm von Sofia (über Slatina) längs der Römerstrasse nur 8 Kilom. (ungefähr $5^1/_2$ m. p.) entfernt bleibt. Der Venetianer Ramberti (1534) schreibt schon von einer zweimaligen Ueberschreitung des Isker. Die neue Chaussée weicht diesem Inundationsterrain mit seinen wechselnden Wasserläufen ganz aus und überschreitet den Fluss noch vor dessen Theilung bei dem von Halden eisenhältiger Schlacken erfüllten Eichenwald von Grubljane (10 Kilom. von Sofia). Die einzelnen gepflasterten Stücke, die sich in geraden Linien durch die Felder und Wiesen ziehen, werden jetzt als Steinbruch stark ausgebeutet. Zwei Partien bei Slatina heissen Gorni und Dolni Trojan (Ober- und Unter-Trojan); überhaupt nennt man die Römerstrasse hier bei Sofia, sowie bei Ichtiman, bei Tatar-Pazardžik, bei Čirpan u. s. w., allgemein Trojánov pьt, Trojánski pьt (Trojansweg, selbst türkisch „Trajan jol"). Einen eigenthümlichen Charakter gewinnt die Landschaft durch eine Menge grosser Tumuli. Bei Vraždebna (auf der Strasse von Sofia nach Pleven) z. B. reihen sich am linken Ufer des Isker sechs, am rechten vier gewaltige Grabhügel neben einander, und weiter gegen Osten und Norden liegen viele kleinere zerstreut zu Dutzenden.

Am Oescus scheinen auch antike Ansiedelungen mit steinernen. Gebäuden bestanden zu haben; deren Material ist aber längst zum Bau der vielen kleinen Klöster auf den Abhängen rings um das Becken von Sofia herum verschleppt worden, sowie zur Errichtung der monumentalen türkischen Herberge von Jenihan (oder Novihan), die, obwohl erst 1670 errichtet, jetzt nur mehr als klägliche Ruine dasteht. Ornamentirte Steine, Säulencapitäle u. s. w. finden sich in Kazičane; auf dem Hofe der Ortskirche liegt jetzt auch eine neulateinische Inschrift, der Grabstein eines ragusanischen Kaufmanns des 16. Jahrhunderts, wahrscheinlich von Sofia hieher verschleppt, 0·60 h., 0·40 br. (Copie des Herrn Prošek):

<pre>
        HIC · IACET · SE pult
        VS · NICOLAVS Geo
        R G I V S · C I V I S Ragus
        I N 9 Q V I V I X I t annos
    5   X X I V O H ⫶ ⫶ . . . . ann
        O D O M I N I M
        σ D I E X V
</pre>

An der Wasserscheide zwischen dem Isker und der Marica (840 M. Seehöhe) streift die Strasse die weit zersprengten Häusergruppen des Dorfes Vakarel, das im 16. und 17. Jahrhundert auch als Bela crkva (slav. „weisse Kirche") oder türkisch Alaklissé, Aladžaklissé erwähnt wird[72]). Von dort steigt der Reisende in das von waldigen Bergen umgebene Becken von Ichtiman herab. Die Spur der Römerstrasse zieht sich längs der Ostseite des grünen Kessels knapp am Rande des Waldgebirges hin und geht durch die Stadt Ichtiman selbst hindurch. Die Einwohner erzählen, der gepflasterte Weg sei in alten Zeiten für eine Kaiserstochter errichtet worden, damit dieselbe auf der Reise nirgends auf den blossen Erdboden trete, was ganz an die Geschichten erinnert, die 1577 Salomon Schweigger über den Ursprung dieser „gepflas-

---

[72]) Heerstrasse S. 129 identificirte ich Bela Crkva mit dem Jenihan. Jedoch die Entfernungen bei Verantius, die Beschreibung bei Gerlach und besonders das heute noch als ein weisser Punkt zwischen grünen Wäldern von Weitem sichtbare alte Kirchlein neben dem bulgarisch-rumelischen Grenzzollamt sprechen klar für Vakarel. Die Lage des antiken Bugaraca, das in die Gegend der Wasserscheide fällt, vermochte ich nicht näher zu constatiren. — Die Namen Vákarel, sowie das westlich davon (am Isker) gelegene Pásarel erinnern auch ausser der romanischen Endung unwillkürlich an das lat. vacca, passer.

terten Landstrass" in seiner „Newen Reiss-Beschreibung aus Teutsch-
land nach Constantinopel" (Nürnberg 1639, S. 44) verzeichnete.
Ichtiman (an 3000 Einw.) ist eine moderne dorfartige Ansiedelung
mit Getreideschobern und Dreschtennen auf den Höfen, nur mit
einigen steinernen Bauten aus der älteren türkischen Zeit. Eine
halbe Stunde gegen NO. liegen am Fuss der Waldberge die Reste
einer alten Ansiedelung, von welcher jetzt an der Oberfläche nur
zahllose Ziegelfragmente, aber keine Mauern bemerkbar sind. Man
nennt den Ort bulgarisch Š t i p o n, türkisch Istipon-kalessi;
die Einwohner eines Viertels von Ichtiman, die von dort abstammen
sollen, heissen noch immer Š t i p o n č e n e. Das ist das byzantinische
Στωπόνιον, das Stobuni des Arabers Edrisi (um 1150), Stopon,
Štiponje mittelalterlicher slavischer Quellen. Die Gemeinde von
Ichtiman besitzt einige ältere türkische Urkunden über ihre Grenz-
marken; in einer derselben vom Jahre 1088 (1678) wird das „Dorf
Istipon" ausdrücklich genannt. In der alten Reiseliteratur erscheint
es allein bei Verantius (1553) als „pagus Stippos"; andere Reisende
des 16. Jahrhunderts nennen schon Ichtiman (Kuripešić 1530 u. s. w.[73]).

Unterhalb der Stadt passirt man den Mъtivir, in dessen engem
Waldthal einige Burgruinen liegen, und erreicht 12 Kilometer
(2 St.) von Ichtiman das hohe (809 M.) Joch mit der Stelle des
alten „Trajansthores", die S u c c i der Römer und die Β α σ ι λ ι κ ὴ
Κ λ ε ι σ ο ύ ρ α des Mittelalters. Das in sechs Gruppen (zusammen
305 Häuser) weit zersprengte Dorf V a s i l i c a (türkisch K a p u -
d ž i k) bleibt in dem Waldgebiet westlich von der Chaussée. An
der Strasse stehen auf der Passhöhe nur drei Häuser. Vor einem
derselben, einem bescheidenen Wirthshaus, sieht man im tiefen
Strassengraben auf der Westseite der Chaussée noch die Fundamente
des alten Thores, nämlich die Grundfesten einer drei Schritt breiten
Quermauer aus weissen unbehauenen Bruchsteinen. Die alte Römerstrasse befand sich hier zuletzt in einem tiefen Hohlweg und ist
bei der Errichtung der modernen, von den Türken zu militärischen
Zwecken erbauten Chaussée grösstentheils zugeschüttet worden.
Alte Bauern erinnern sich noch an die 1835 niedergerissene „Markova kapija" (Thor des in der südslavischen Sage berühmten Königs

---

[73]) Für mich waren die Erzählungen der Ichtimaner Bulgaren und Türken
von einem alten „Istipon-kalessi" eine angenehme Ueberraschung; Heerstrasse S. 91
verlegte ich Stoponion nach Ichtiman einzig und allein auf Grund der Erwähnung
des „pagus Stippos" bei Verantius.

Marko) und sind noch als Kinder auf Balken oben über den Thorweg hinübergelaufen. Der Bau, den noch Marsigli zu Anfang des
18. Jahrhunderts mit einer Thorwölbung abbildete, ist also seitdem
durch Einstürz der oberen Theile auf die beiden Seitenpfeiler reducirt
worden und mehr durch langsame Zerbröckelung als durch Men-
schenhand zerfallen. Zu beiden Seiten des Thores gab es kleine
Forts, die auf dem kleinen Plan von Lejean [74]) gut angegeben sind;
auf der Westseite erkennt man gleich über dem Wirthshause auf
einer niederen Höhe die von Gras überwucherten Reste eines viereckigen, an der Seite 25 Schritt langen Gebäudes, das sich ursprünglich an die Quermauer anschloss, und auf der Ostseite zeigt
man ein „čerkovište" (Kirchenruine), desgleichen den ·Ueberrest
eines Castells. Die zwei Holzpfeiler der offenen Vorhalle des Gast-
hauses sind durch kleine, hier ausgegrabene Inschriftsteine gestützt.
Der eine Stein steckt ganz in der Erde; soviel ich bei einem Versuch einer Abgrabung bemerken konnte, trägt er eine griechische
Inschrift (ϹΤΗΝΣ etc.). Der andere, mit kleinen rohen Buchstaben,
ist besser zugänglich:

```
      ΓΤ ΙΙΙ Α Τ Ѡ Κ Τ
      Ꙅ Α Γ Α Μ Ε Κ
      Τ Η Ν Γ Τ Α Τ Ι
      ΙΙΙ Τ Ο Α Γ Α Λ Μ Ε
  5   ΙΙΙ Ε Κ Τ ΙΙΙ Χ̇ Ѡ Γ
      /////////////
```

Ungefähr hundert Schritt südlich von der Passhöhe bemerkt
man links auf einer sehr steilen, dicht bewaldeten Höhe die Reste
eines alten Mauerwerks, jetzt „Márkova meháničка" (Marko's Trink-
häuschen) genannt, wohl den Ueberrest eines gegen Süden vorge-
schobenen Wachtthurmes vor dem Thore [75]). Von dem alten Thore
fährt man 6 Kilometer abwärts zum Bach Javorica, bei welchem sich
ein Wartthurm türkischen Ursprungs mit einem Gensdarmeriepiquet
befindet, und steigt abermals aufwärts zu einem zweiten Joch (710 M.)
mit der südlichen Passbefestigung. Neben einem ähnlichen türkischen Wächterhaus, jetzt Wohnung des die Strassenreparaturen
leitenden Ingenieurs, bemerkt man die Reste eines 15 Häuser starken

---

[74]) Lejean, *Voyage en Bulgarie, Tour du monde* 1873 p. 159.

[75]) Wurde von manchen neueren Reisenden irrthümlich für das alte Trajansthor gehalten.

türkischen Dorfes Pa ḷa n k a, das˙ seit dem Kriege verlassen ist.
Wenige Schritte davon stehen an der Stelle, wo sich ein gross-
artiger Ausblick auf die in der Tiefe sich ausbreitende thrakische
Ebene mit den hohen Kuppen der gegenüber liegenden Rhodope
eröffnet, die Ruinen eines von Verantius und Marsigli gut beschrie-
benen Schlosses Hiss ́ard ̌zik. Aufrecht steht noch ein 5 M. hohes
Stück der 3 M. starken nördlichen Schlossmauer, aus wechselnden
Lagen unbehauener Bruchsteine und je vier Reihen grosser (36 Cm.
langer, 4 Cm. dicker) Ziegel. Das Ganze war ein Viereck, an den
Seiten ungefähr 40 Schritt lang[76]).

Von da beginnt der rasche Abstieg. Sieben Kilometer von
der Ruine (300 M. tiefer) folgt zwischen Weinbergen das grosse
Dorf V e t r e n (türk. Jeniköi). Drei Kilometer weiter gegen Osten
liegen auf einer Höhe neben der Strasse am Bache Asar Deré die
durch die neuen Strassenbauten (als Steinbruch) arg mitgenommenen
Reste eines ganz ähnlichen viereckigen Castells mit Eckthürmen,
genannt A s a r l y k, bei denen ein Meilenstein aus der Zeit des
Kaisers Gordian (Dumont Nr. 3) gefunden wurde. Die alte Strasse,
auch hier „Trojan“ genannt, ein gepflasterter Hohlweg mit Brücken
und Brunnen, ist unterhalb Vetren rechts von der Chaussée und
weiter auch bei Bošulja gut kenntlich. Der Weg nähert sich der
Marica, an deren linken Ufer sich südlich von Vetren eine Gruppe
hoher Tumuli zeigt. Bemerkenswerth ist es, dass einer der Quellbäche der Marica noch immer den antiken Flussnamen führt: I b a r
oder I b ъ r (Ἕβρος)[77]). Die Fortsetzung der Römerstrasse überschreitet dann die Topolnica oberhalb Tatar-Pazard ̌zik ịn der Nähe
von Hadžili, wo sich die Reste einer Brücke und eines in neuerer
Zeit als Steinbruch ausgebeuteten Castells befinden sollen, und
kreuzt sodann die neue Strasse von Tatar-Pazard ̌zik nach Panagju-

---

[76]) Heerstrasse S. 35 habe ich irrthümlich die Ruinen Hissard ̌zik und Asarlyk
östlich und westlich von dem Dorf Vetren (das mitunter türkisch ebenfalls Hissard ̌zik
genannt wird), als e i n e n Ort zusammengefasst.

[77]) Grand Ibar und Petit Ibar auch auf den von Kiepert veröffentlichten
Cartes des nouvelles frontières selon les décisions du congrès de Berlin, Berlin 1881.
— Bemerkenswerth ist auch der Name eines grossen Dorfes an der mittleren
Topolnica zwischen Panagjurište und Ichtiman: P o i b r e n e, wörtlich übersetzt
= „Ad-i b r-enses“. Es ist eher anzunehmen, dass die Einwohner ursprünglich am
wirklichen I b r angesiedelt waren und ihren alten Namen auf einen neuen Wohn-
sitz übertragen haben, als dass die Topolnica je als Quellfluss des Hebrus ge-
golten habe.

rište; weiter durchschnitt sie wahrscheinlich die Ebene links von
der Marica in dem sumpfigen Mündungsgebiet der in drei Arme
getheilten Luda Jana und verlief geradeaus nach Philippopolis
(Strasse Tatar-Pazardžik—Philippopolis jetzt 35 Kilometer).

Das war aber hier nicht die einzige Route. Die Spuren einer
zweiten Römerstrasse führen aus der Umgebung von Pazardžik bis
Philippopel auf dem r e c h t e n Ufer der Marica, längs der jetzigen
Eisenbahn. Die topographisch wichtigste Frage ist hier die Auffindung der antiken Stadt B e s s a p a r a, die nach den Itinerarien
22 röm. Meilen = 32$^1/_2$ Kilom. von Philippopel entfernt war. Die
meisten suchten die alte Bessenburg in T a t a r - P a z a r d ž i k, einer
grossen offenen Stadt (14380 Einw.) am linken Ufer der Marica,
die aber nach türkischen Berichten erst 1485 von Bajezid II. gegründet wurde. Das im Mittelalter öfters erwähnte B a t k u n mit
seinem kleinen Castell, seinem St. Peterskloster und dem bei Akropolita (ed. Bonn. 128) sehr wahrheitsgetreu beschriebenen beschwerlichen Steig durch die Buchenwälder der Rhodope aufwärts zu den
Ruinen der byzantinischen Burg Τζέπαινα und zu der nahen, noch
immer Čepino genannten Gebirgslandschaft, liegt für Bessapara
zu weit westlich und kann schon der Entfernung nach nicht mit
ihm identificirt werden. Im Jahre 1883 besuchte ich die zu Rumelien gehörigen westlichen Rhodopelandschaften, sah eine Anzahl
mittelalterlicher Denkmäler, aber keine Reste einer antiken Stadt,
da ich mehr einwärts im Gebirge blieb und die nächste Umgebung
von Tatar-Pazardžik nicht näher untersuchen konnte. Die genaue
Distanzangabe der Itinerarien führte endlich doch zur Feststellung
der Lage von Bessapara. Im Jahre 1885 fand Herr V. Dobruský,
Lehrer am Gymnasium von Philippopel, die Substructionen der
alten Stadt ungefähr 5 Kilom. gegen SO. von Pazardžik, zwischen
den Dörfern B a š i k a r a und S i m e n t l i, auf der Südseite der
Eisenbahn und am Nordfuss der niederen Vorhügel der Rhodope,
des sogenannten „Baba Bair". Auf einem weiten Raum werden
dort beim Ackern alte Hausmauern, Fundamente von Ziegel- und
Steinbauten, Gräber, römische und makedonische Münzen u. s. w.
gefunden; das Material der oberirdischen Gebäude ist schon längst
für die nahe grosse Stadt ausgebeutet worden und dadurch von
der Oberfläche verschwunden[78]). Jenseits des Baba Bair liegt auf

---

[78]) Ein bulg. Aufsatz über Bessapara von Dobruský in der Philippopeler
Zeitung „Marica" 1885 vom 2. u. 9. Juli, Nr. 727 und 729.

der einzigen gut gangbaren Karavanenstrasse durch die Rhodope zum Aegaeischen Meere, 4¹/₂ Stunden südlich von Pazardžik, die Stadt Peštera (4000 Einw., Bulgaren, Türken und Wlachen) mit einigen grossen Höhlen, einem Castell auf einer isolirten Höhe und alten Eisenwerken, deren Material meist aus der Umgebung von Radilovo und Ali-Chodžaköi (nördlich von der Stadt, gegen Bessapara zu) hergeholt wurde und die sammt den benachbarten verfallenen Kupferbergwerken gewiss schon den alten Bessen bekannt waren.

Zwischen Bessapara und Philippopolis gab es südlich vom Hebrus in dem fruchtbaren Mündungsgebiet der wasserreichen Vъča eine grössere antike Ansiedelung, vielleicht das 12 mp. = 18 Kilom. von Philippopolis entfernte Tugugerum der Itinerarien. An den Vorsprüngen der Rhodope stehen hier die im 12.—14. Jahrhundert oft genannten Burgen von Kričim, Ustina (ἁγία Ἰουστίνα des Kantakuzen) und Peruštica, nebst zahlreichen kleinen, in den Falten des Gebirges verborgenen Klöstern. Zwischen denselben und der Eisenbahn bemerkt man auf den steilen Böschungen des rechten Ufers der Vъča, gegenüber dem Dorf Kurtovo Konare (türk. Inčular), die Rudimente einer ausgedehnten Burg[79]). Die Einwohner der Umgebung erzählen, die ganze Gegend zwischen Konare, Peruštica und dem kleinen Dorf Pastuša (19 Häuser) sei einst eine grosse Stadt gewesen. Dies wird durch eine Menge von Alterthümern bestätigt. Eine Stelle Stara Pastuša (Alt - P.) zwischen dem Dorf und der genannten Burg, ist voll Ziegel, grosser Gefässe u. s. w. An der Südseite von Pastuša, einen Kilometer vor dem Abhang der hier sehr steilen Rhodope, wurde ich durch den Anblick einer malerischen Kirchenruine überrascht, deren ziegelrother, an 9 M. hoher Kuppelbau aus den dunkelgrünen Laubkronen uralter Nussbäume emporragt, deren Geschichte aber in dem Bewusstsein der Einwohner gänzlich verschollen ist. Auf der Nordseite des Ortes erheben sich einige auffallend grosse Tumuli. Neben einem derselben, der sogenannten „Banova mogila", fand man vor wenigen Jahren, noch vor dem russisch-türkischen Kriege, Skelette von Menschen und Pferden, nebst verschiedenen Bronzegeschirren

---

[79]) Der Name Dragovet für diese Burg (Heerstrasse S. 72) war in der Gegend nirgends bekannt und ist wohl nur durch den Versuch einer Feststellung der altbulg. Dragoviči von Seiten irgend eines Localarchäologen von Philippopolis aufgekommen.

und einer Reihe „eiserner Wägen". Herr Luterotti, k. k. Consul in Sofia, erzählte mir, es sei hier damals auch eine Metalltafel mit lateinischer Inschrift gefunden worden, die der damalige französische Consul von Philippopolis nach Paris sandte. Das wird vielleicht das „*ad Philippopolim*" gefundene Militärdiplom des Kaisers Trajan sein, gegeben *Metico Solae f, Besso* (C. I. L. III p. 863). Weiter nördlich fand Herr Dobruský bei den an der Bahnlinie gelegenen Dörfern Karatahir und Kadiköi alte Basreliefs, Säulen, Carniesse, Quadern u. s. w. und in Airanly an der Marica auch einen gut erhaltenen Meilenstein des Kaisers Gordian[80]).

Die Strecke Philippopel-Adrianopel habe ich in der „Heerstrasse", beeinflusst durch die Reisebücher des 15. und 16. Jahrhunderts und noch mehr durch den Mangel an Informationen über die Alterthümer des linksseitigen Maricagebietes, auf das rechte Ufer in die Ausläufer der Rhodope verlegt, wo auch die moderne Chaussée die Verbindung beider Städte über Chasköi und Harmanli vermittelt. Die Römerstrasse lag indessen nach den Untersuchungen des Herrn Dobruský auf der nördlichen, linken Seite des alten Hebrus. Die Spuren des römischen Pflasters führen von Philippopel durch das Mündungsgebiet des antiken, bei Plinius (N. H. IV §. 50) und in den Acta S. Alexandri (Acta SS. Boll. Mai 3, 198) genannten Syrmus, Sermius, der jetzigen Strêma, und sind weiter sichtbar zwischen Skutarevo und Ragoš, bei Manolevo, Geren, Asykarlar, Čeltikdži, Karaorman, bis zur Stadt Čirpan. Von dort erreichen dieselben (über Alipaša Mahala) die von mir bereits in meinem früheren Bericht[81]) erwähnten Ruinen Hissar-Kasabá, an dem Bache Ak Deré zwischen den Dörfern Čakyrlar und Sary Ismail, die, voll von Quadern, Säulen, Ziegeln und reich an Münzfunden, eine Fläche von 100 Dönüm (40 × 40 Schritt) umfassen sollen. Für die Feststellung des Strassenzuges ist entscheidend eine jetzt in Čakyrlar befindliche Inschrift, von der ich damals nur den Anfang aus zweiter Hand bieten konnte. Ich habe den Ort selbst nie besuchen können, erhielt aber durch die Freund-

---

[80]) Näher gegen Philippopolis zu sah ich ein Stück einer gepflasterten, vielleicht nicht sehr alten Strasse inmitten der jetzt aufgegebenen Reisfelder bei Airanly am Ufer der Marica; ein anderes soll es weiter südlich bei dem Dorfe Zlati Trap (bulg. „Goldgraben") geben.

[81]) Monatsber. der Berl. Akad. 1881 S. 447. Ich hielt damals die Ueberreste der Römerstrassen im Bezirk von Čirpan für Stücke der Seitenlinien von der Hauptstrasse nach Beroe.

lichkeit des Herrn Charles Brophy, britischen Consuls in Burgas, eine (nicht von ihm selbst aufgenommene) vollständigere Copie. Jetzt während des Druckes der vorliegenden Seiten erhielt ich durch die Freundlichkeit des Herrn Dobruský, der schon in der „Marica" Nr. 729 von der Inschrift eine Abschrift in Cursiv publicirt hatte, aber nur bis zu den Worten ἐνπόριον Πίζος und ohne Zeilentheilung, eine vollständige von ihm selbst genommene Abschrift. Nach seiner Beschreibung (aus Philippopel, 28. Mai 1885) ist der Marmor 1·16 M. hoch, 1·13 M. breit; die Inschrift selbst nimmt eine 0·89 M. hohe und 0·55 M. breite Fläche ein. Die Schrift ist in den Zeilen 1—7 3 Cm., in Z. 8—11 1½ Cm., im Rest nur 1 Cm. hoch. Oberhalb der Inschrift befindet sich ein dreieckiges Tympanon mit Palmetten an den Ecken und mit einem Pfeil in der Mitte. Noch unlängst war das Denkmal ganz unversehrt. Die Einwohner von Čakyrlar aber meinten, der Stein berge in seinem Innern einen Schatz und spalteten ihn entzwei. Das abgebrochene Stück (links unten) liegt jetzt im Boden vergraben, und die Bauern wollten um keinen Preis einen Spatenstich zu seiner Hebung unternehmen, um das vermeintliche grosse Geld ja nicht einem Fremden in die Hände zu bringen. Die Inschrift berichtet uns über die Gründung des aus den Itinerarien wohlbekannten Pizus in der Zeit des Kaisers Septimius Severus, nennt zwei thrakische Dörfer, sowie zahlreiche Personen mit thrakischen, römischen oder gemischten Namen, wie dieselben auch auf den Inschriften des nahen Beroe (Eski Zagra) vorkommen [82]):

---

[82]) [Die Inschrift fällt nach dem in Z. 9 u. 10 stehenden Datum in das Jahr 202; Z. 4 ist der Name von Geta getilgt. Der Anfang lautet: Ἀγαθῆι τύχηι. Ὑπὲρ τῆς τῶν μεγίστων καὶ θειοτάτων αὐτοκρατόρων Λ. Σεπτιμίου Σεουήρου Περτίνακος κ(αὶ) Μ. Αὐρη(λίου) Ἀντωνείνου Σεβ(αστῶν) [κ(αὶ) Π. Σεπτιμίου Γέτα Καίσαρος] κ(αὶ) Ἰουλίας Δόμνης μητρὸς κάστρων νείκης καὶ αἰωνίου διαμονῆς καὶ τοῦ σύνπαντος αὐτῶν οἴκου καὶ ἱερᾶς συνκλήτου καὶ δήμου τοῦ Ῥωμαίων καὶ ἱερῶν στρατευμάτων ἐκτίσθη κατὰ δωρεὰν τῶν κυρίων ἐνπόριον Πίζος ἐπὶ ὑπάτων τῶν κυρίων αὐτοκρατόρων Λ. Σεπ(τιμίου) Σεουήρου Περτίνακος κ(αὶ) Μ. Αὐρ(ηλίου) Ἀντωνείνου Σεβ(αστῶν) κ(αὶ) μετῴκισαν εἰς αὐτὸ οἱ ὑποτετα[γ]μένοι. Hierauf waren in der Inschrift verzeichnet (ὑποτεταγμένοι = subiecti) die Uebergesiedelten, aber in den geringen Resten ist die Lesung und selbst die Anordnung mehrfach unsicher. Nach der Abschrift kann es scheinen, als sei nach ὑποτεταγμένοι etwas getilgt und es sei das darauf folgende οἱ οἰκήτορες und das darunter stehende Ἀρχέλαος Ἀκύλου, beides anscheinend in kleinerer Schrift, später nachgetragen. In der folgenden Zeile steht zunächst κώμης Σκελαβρίης, κώμης Σκεπτῶν; das Weitere ist mir nicht klar, am Schluss scheint Ἀντωνίου und vielleicht kurz

```
        Α Γ Α Θ Η Ι   Τ Υ Χ Η Ι
   Υ ΓΕ Ρ ΤΣ ΤΛΝ ΜΕ Γ Ι Σ ΤΛΝΚ Α Ι Θ Ε Ι Ο Τ Α ΤΛΝ Α Υ Τ Ο Κ Ρ Α
   Τ Ο Ρ ΥΝ · Λ · ΣΕ Π Τ Ι Μ Ι 8 ΣΕ 8 ΗΡ 8 ΓΕ Ρ Τ Ι Ν Α Κ Ο Ε Κ · Μ · Α Υ Ρ Η
   Α ΝΛΝΕ Ι Ν 8 Σ Ε Β Β / / / / / / / / / / / / / / / / / / / / / / / / / Κ·
 5 Ι 8 Λ Ι Α Ε Δ Ο ΜΝΗ Σ Μ-Τ Ρ Ο Σ Κ Α Σ Τ ΡΛΝΕ Ι Κ ΗΣ Κ Α Ι Α Ι Ω Ν Ι 8
   Δ Ι Α Μ Ο ΝΣ Κ Α Ι Τ 8 Σ Υ ΝΊ Α ΝΟ Σ Α Υ ΤΛΝ Ο Ι Κ 8 Κ Α Ι Ι Ε Ρ Α Σ Σ Υ Ν
   Κ Λ ΗΤ 8 Κ Α Ι Δ ΗΜ 8 Τ 8 ΡΛΜ Α Ι ΩΝ Κ Α Ι Ι Ε ΡΛΣΤ Α Έ Υ Μ Α ΤΛΝ /// /// ///
   Ε Κ Τ Ι Σ Θ ΗΚ Α Τ Α Δ ΩΡ Ε Α ΝΛΝΚ Υ Ρ Ι Ω Ν Ε ΝΤΟ Ρ Ι Ο ΝΤ Ι Ζ Ο Σ Ε Π Ι
   Υ Π Α ΤΛΝΤΛΝΚ Υ Ρ Ι Ω Ν Α Υ Τ Ο Κ Ρ Α Τ Ο ΡΛΝ · Λ · ΣΕ Π · Σ Ε 8 ΗΡ 8 ΠΕΡ
10 Τ ، ΝΟ Ε Κ- Μ · Α Υ Ρ Α Ν ΤΛΝΕ Ι Ν 8 Σ Ε Β Β ΙΕ ΜΕ ΤΛΚ Ι Σ Α Ν Ι Σ Α Υ Τ Ο
                 Ο Ι Υ Π Ο Έ Τ Α Ι ΜΕΝΟ Ι / / / / /   Ι Ο Ι Ο Ι Κ ΗΤΟ Ρ Ε Σ
                                                        Α Ρ Χ Ε Λ Α Ο Σ Α Κ Υ Λ 8
   Κ ΨΗΣ Σ Κ Ε Λ Α Β Ρ Ι ΗΣ Κ ΨΗΣ Σ Κ Ε Π ΤΛΝ / / / / / ΓΕ Ν Ι Κ Ι Λ Ι Ε Α Λ 8 Ο   Μ Α ΝΛΝ Ι Ι Π Α ΝΛΝ Ι 8
   ΟΥ Ξ ΗΣ Μ 8 Κ Α Τ Ρ Α Λ Ε Ο Σ Κ Ε Λ Ε Ο Σ Δ Α Λ Η ΤΟ ΡΕ Ο Σ / / / / / / / Ε Κ 8   Ο Ρ Ε Τ 8 8 Λ Ε Ρ Ι Ο Σ Ρ 8 Φ Ο Σ
       Ι Γ  Γ    Μ 8 Κ Α Τ Γ Α Λ Ι Σ Β Ο Σ Ε Ο⁻  Δ Ο Λ Η Σ Α         Μ Κ Ι Α Ν Ο Σ Μ Κ Α Π Ο Ρ Ε Ο Σ
       Μ 8        Γ Α Π Ε Λ Ρ    Σ Τ   Μ Κ Ι Α Ν Ο Σ Α Κ Υ Λ 8
                                        Λ Ι Ε 8 Α Λ ΕΝ Ο Σ
                                        8 Φ Ο Σ Κ 8
```

Dadurch ist ein fester Punkt für die Strassenlinie gegeben
Das westlich von Pizus genannte Carasura ist wohl mit dem
„Hissarlik“ nördlich von Čirpan identisch[83]). Die weitere Fort-
setzung der Strasse lässt sich gegen SO. von Pizus zwischen den
Dörfern Gurbet und Uzun Hassan, sowie bei Ak-Bunar verfolgen.
Dieselbe erreichte dort die schon von Ptolemaeus genannte Stadt
A r z u s   an dem *fluvius Arzon* der St. Alexanderlegende, dem
jetzt Sazli, Sazlijka genannten Fluss, welcher die Gewässer der
fruchtbaren Ebene von Alt-Zagora nach Seimenli zur Marica führt
Die gepflasterte Strasse soll die Sazlijka oberhalb Seimenli bei
Surut überschreiten und bleibt wahrscheinlich auch weiter östlich
in dem Hügellande nördlich von dem Hebrusthal. Ich kenne zwar
diese Landschaft an der rumelisch - türkischen Grenze nicht aus
eigener Anschauung, aber als ich den nahen Bezirk von Kavakli

---

vorher derselbe Name in etwas anderer Form zu stehen. In den nächsten Zeilen
erkennt man etwa folgende Namen: [Β]ύζης Μουκατράλεος, Κέλσος Δαληπόρεος,
.... εκουορετου (?), Οὐ(α)λέριος Ῥοῦφος, ... Μουκάτραλις Βοσ...., Δόλης Ἀ....,
Μουκιανὸς Μουκαπόρεος, ... Μουκιανὸς Ἀκύλου, ...λις Οὐάλεντος, ...ου
Φόσκου. E. B.]

[83]) Dies ergibt sich aus den überlieferten Distanzen: 40 mp. von Philippopolis,
18 mp. von Beroe (Acta S. Alexandri), 11 mp. von Pizus (nach dem Itin. Hier.).

besuchte, erzählte man mir von einer grossen Burg mit Brunnen und doppelter Mauer auf einer Höhe bei dem Dorfe Glavan, mit einer grossartigen Aussicht, die angeblich bis Philippopel reichen soll. Die Entfernung dieses Ortes von Adrianopel, Eski-Zagra und Čakyrlar entspricht (mit geringer Differenz) der überlieferten Distanz zwischen Subzupara oder Castra Zabra (Jarba, Zarba) und Hadrianopolis, Beroe und Pizus.

Diese römische Strasse von Philippopel nach Adrianopel dürfte erst seit dem 13. Jahrhundert aufgegeben sein. Die Kreuzfahrer 1189 und die Constantinopler Lateiner scheinen sie noch begangen zu haben. Das drei Tage von Philippopel, einen Tag von Beroe entfernte Städtchen Blisnos, Blisimos, Blisme des 11.—13. Jahrhunderts, das schon von Villehardouin (1206) als verlassen erwähnt wird, mag mit dem alten Pizus identisch sein. Die südliche Linie über Chasköi erscheint erst im 13. Jahrhundert, z. B. bei Gelegenheit des an derselben erfochtenen Sieges der Bulgaren bei Klokotnica (j. Semizče) 1230. Im 13. und 14. Jahrhundert, wo Philippopolis z. B. bei Kantakuzen (I, 173) ausdrücklich als Grenzstadt bezeichnet wird, bevorzugten die Byzantiner den strategisch sichereren, durch die Marica von der Nordseite gedeckten Weg über die Vorberge der Rhodope, und diesen übernahmen auch die Türken.

Die antiken Verbindungslinien zwischen dieser Hauptstrasse und der Donau sind an den Uebergängen über den Haemus durch Reihen kleiner Burgen bezeichnet. Die Passhöhen selbst waren wohl ursprünglich alle mit Castellen und Quermauern befestigt, jedoch sind diese antiken Bauten, ebenso wie das alte „Trajansthor", im Laufe unseres Jahrhunderts bei der Herstellung neuer Chausséen und verschiedener Befestigungsarbeiten (z. B. auf der Šipka) meist vollständig verschwunden.

Der Uebergang über den Balkan von Berkovica zwischen Sofia und Lom ist durch einige kleine Burgruinen markirt; unterhalb des von Lejean und Kanitz beschriebenen Castells auf der Nordseite des Joches sieht man neben der jetzigen Strasse im Walde auch ein Stück eines verfallenen engen Pflasters. Desgleichen ist der nächste wichtige Uebergang über den Balkan von Etropol, einerseits über Stъrgel zur alten Bergstadt Etropol, andererseits über das Joch von Araba Konak zu der neuen Kreisstadt Orchanié, durch Castelle vertheidigt gewesen. Einige Kilometer nördlich von Araba

Konak soll der Pass früher durch eine Quermauer mit Burgen gesperrt gewesen sein.

Aehnliche Burgruinen alten Ursprungs bezeichnen die einstigen Wege durch die Sredna Gora, ein mit prachtvollen Buchenwäldern und schönen Wiesen bedecktes Gebirge mit rein bulgarischer Bevölkerung. Nordöstlich von Tatar-Pazardžik ragt noch vor dem Gebirge eine Reihe isolirter Kegel vulkanischen Ursprungs empor, die sogenannten K o j u n t e p e (türk. „Schafshügel"), deren einer (bei Ferezli) von einem Castell gekrönt ist. Der Sage nach führte von dort ein alter Weg durch die Sredna Gora zum Balkan von Etropol, dessen Richtung in der That durch eine Reihe von Burgen angedeutet ist: ein Castell auf einer schroffen Höhe oberhalb einer warmen Quelle bei dem Dorf B a n j a südwestlich von Panagjurište mit der Spur eines gepflasterten Weges, weiter ein P a v l a genanntes Castell bei dem Dorfe M e č k a, wo man mir neben mittelalterlichen Münzen auch ein daselbst gefundenes Silberstück der Kaiserin Faustina zeigte, sodann eine Reihe kleiner Schlösser in den Wäldern am westlichen Fusse der Bratia, von deren Gipfel (an 1600 M.) ich zu meiner Ueberraschung nicht nur die Gebirgsmauern des Haemus einerseits und der Rhodope sammt der Ryla andererseits, sondern auch beide Hauptstädte der umliegenden Länder, Sofia und Philippopel erblickte. Der alte Weg berührte dann eine grosse Burgruine bei P e t r i č (Πετριτζός zwischen Philippopel und Triaditza bei Anna Komnena ed. Reifferscheid II, 41. 256) und traf weiter die Balkanpassage vor Etropol. Vor der Entstehung der beiden modernen Bulgarenstädte der Sredna Gora, Panagjurište und Koprivštica, war das fast zwischen beiden gelegene S t r e l č a das Centrum dieses Landes, jetzt ein Dorf (280 Häuser) mit einer warmen Quelle und einer Castellruine. Für die mittelalterliche Bedeutung des Ortes spricht der Umstand, dass hier die einzige osmanische Colonie in dieser Landschaft gegründet wurde; seit 1877 sind jedoch die Türken ausgewandert[84]). Von

---

[84]) Der Grabstein eines *Aurelius Seutes veteranus ex equitibus singularibus* wird von Lejean (C. I. L. III, 6122, Dumont Nr. 25) als in Lidža Hissar nördlich von Philippopolis, von Zacvariev (vgl. Archäol.-epigr. Mitth. I, 66) als in Strelča befindlich angegeben, ein Räthsel, das ich nicht zu lösen vermag. — In Banja bei Panagjurište soll man vor nicht langer Zeit auch einen „lateinischen Stein" ausgegraben haben, dem ich jedoch trotz allen Nachfragen nicht auf die Spur kommen konnte.

Strelča führten zwei Pfade über die Sredna Gora in das Becken von Zlatica, der eine durch den Pass Meded zu einer von zwei Castellruinen flankirten steinernen Brücke über die Topolnica (wahr- scheinlich dem Endpunkt des Zuges des Königs Wladislaw III. 1443), der andere durch das Quellgebiet der bei Koprivštica entspringenden Topolnica, beide mit einigen kleinen Burgen. Das landschaftlich schöne, zwischen den Steilwänden des Balkan und den Waldbergen der Sredna Gora eingeschlossene Becken von Zlatica mit der gleichnamigen, wohl uralten, jetzt ganz verfallenen Stadt und dem nahen, rasch aufblühenden Pirdop, besitzt zahlreiche grosse und kleine Tumuli — auf dem Gipfel eines der grössten, der „Tartarica" östlich von Pirdop, stand zuletzt die bulgarisch-rumelische Zoll- wache — sowie eine Anzahl mittelalterlicher Burgen, Klöster und Kirchen, aber für das Alterthum konnte ich ausser einigen Münzen (Septimius Geta u. s. w.) nichts erfragen.

Die wichtigste Römerstrasse über den mittleren Haemus, die einzige, deren Pflaster sich jetzt noch gut verfolgen lässt, war die in der *Tabula Peutingeriana* verzeichnete von Philippopolis nach Novae (bei Svištov). Leider gibt die *Tabula* bis zum Haemus selbst keine Ortschaften an. Eine deutliche Spur dieser Route bemerkte ich eine halbe Stunde nördlich von Philippopel auf den steppen- artigen Wiesen zwischen dem Dorfe Strojevo und der neuen Chaussée: ein 3 M. breites, von N. nach S. orientirtes Pflaster neben einem Tumulus und einem Schöpfbrunnen. Die Strasse passirte die schon von Dumont (*Inscriptions et monuments figurés de la Thrace* p. 68) besprochenen Ruinen von Lidža Hissar oder Hissar, in der schattenlosen, von einer Unzahl grosser und kleiner Tumuli erfüllten Ebene am Südfuss der Sredna Gora. Die stellen- weise an 5—6 Meter hoch emporragenden Mauern, aus abwech- selnden Stein- und Ziegellagen ohne Thürme, bilden ein an den Seiten 600 M. langes Quadrat, mit gewölbten Thoren in der Mitte jeder Seite und umschliessen drei warme, in alten steinernen Bade- häusern untergebrachte Quellen ($+ 47^{\circ}$ C.). Bei jedem Spatenstich stösst man auf alte Fundamente, behauene Steine, grosse antike Ziegel, römische und byzantinische Münzen u. s. w. Ausser Obst- und Weingärten gibt es im Burgfrieden jetzt nur ein kleines Dorf, das aber als Badeort und Sommerfrische der Philippopolitaner einer neuen Zukunft entgegensieht [85]). Das ist wahrscheinlich das

---

[85]) An Inschriften sah ich nur eine (Dumont Nr. 26), zur Hälfte eingemauert in der Schwelle des westlichen Thores.

von Alexios Komnenos an der Stelle einer antiken Stadt neuge-
gründete Νεόκαστρον oder 'Αλεξιούπολις, zwischen Feldern und Weinbergen ἀγχοῦ που Φιλιππουπόλεως καὶ πέραν Εὕρου τοῦ ποταμοῦ
errichtet (Anna Komnena ed. Reifferscheid II. 262) für die bekehrten
Παυλικιανοί, deren Nachkommen noch heute in der Umgebung
wohnen, noch immer Paulikiani heissen, aber gegenwärtig bulgarisch
sprechen und sich zum Katholicismus bekennen. Das thrakische
Diokletianopolis (Hierocles ed. Parthey p. 5, Not. episc. ib. 72)
ist eher in der Gegend des alten Pizus zu suchen, da es die Avaren
587 (Theophylakt Simokatta ed. Bonn. p. 102) auf dem Zuge zwischen Beroe und Philippopel berührten.

Vom Hissar zum Balkan lassen sich die Trümmer der gepflasterten Strasse recht gut verfolgen; sie ging geraden Weges
über die östlichsten Ausläufer der Sredna Gora in das oberste Thal
der Strêma zu dem Dorf Karasarly (mit einer Castellruine) und
passirte sodann den Balkan von Trojan. Am Fusse des Balkans
liegt ein Dorf Tekke mit einer kleinen Burgruine, vielleicht das
alte Sub Radice, und auf der Höhe des Joches ein drittes Castell,
wohl das 6 römische Meilen weiter gelegene Monte Emno der
Tabula.

Der Südabhang der inneren Haemuskette ist nicht ohne
archäologisches Interesse, besonders die drei länglichen Thäler
zwischen dem Balkan und der Sredna Gora: das schon erwähnte
Becken von Zlatica, bulgarisch Zlátiško pole (680 M. Seehöhe)
an der oberen Topolnica, das Gjópsa genannte Thal (an 500 M.)
an der oberen Strêma, dem Syrmus der Alten, und das Túlovsko
pole bei Kazanlyk, das niedrigste (an 400 M.) und fruchtbarste
derselben, an der oberen Tundža, dem antiken Tonzus. Gewaltige
Tumuli sind das sichtbarste archäologische Wahrzeichen dieser
sonnigen Hochthäler. Ausser den zur Donau führenden Balkan-
übergängen gab es einen alten Weg, welcher alle diese Landschaften von West nach Ost durchlief, von Serdica bis in die
Gegend von Beroe (Stara Zagora). Ich habe dessen Spur in der
Gjopsa genau erfragt und zum Theil selbst gesehen. Die Einwohner
behaupten, derselbe beginne bei Tekke und ziehe sich bis Eski
Zagra, grösstentheils nahe an dem Fusse des hier sehr steilen und
felsigen Balkans. Er passirte das Städtchen Sópot (türk. Akdže
klissé. „Weisskirche"), bei welchem sich auf einem steilen Gebirgsvorsprung eine viereckige Castellruine, ein (1877 niedergebranntes)
Kloster und in der Ebene vier grosse Tumuli befinden, und berührte

die 4 Kilom. weiter gelegene grössere Stadt K á r l o v o (8190 Einw.).
In dem kleinen Zwischenraum zwischen diesen beiden Orten sah
ich (10 Minuten westlich von Kárlovo) ein in gerader Linie ver-
laufendes, 3—4 Schritt breites Pflaster nebst einem kleinen Brücken-
bogen über einem Giessbach. Daneben liegen auf öden Weide-
plätzen die schwach kenntlichen Fundamente von Häusern und
Mauern einer grossen alten Stadt, jetzt türkisch U z u n - š e h i r
(lange Stadt) genannt, welche angeblich der alte Mittelpunkt der
hiesigen Landschaft war, vor der Entstehung des ganz modernen,
wie man sagt, kaum 200 Jahre alten Karlovo. Das war wohl das
alte Κόψις des 13. und 14. Jahrhunderts, das G h i o p s c i e eines
ragusanischen Comptoirbuches aus dem 16. Jahrhundert, dessen
Namen in dem Landschaftsnamen der G j ó p s a noch fortlebt, welcher
hier mitunter auch dem oberen Laufe der Strêma gegeben wird.
Weiter östlich ritt ich von Karlovo nach Miterizovo zwischen
Feldern und Wiesen fast eine ganze Stunde auf einem gepflasterten,
3 Meter breiten und ziemlich gut erhaltenen alten Weg. Seine
weitere Spur geht knapp am Fuss des Gebirges durch die herrlichen Buchenwälder des Quellgebiets der Tundža, einige Kilometer
nördlich von dem Städtchen K a l ó f e r (etwas unterhalb des Klosters
Sveta Bogorodica) und erreicht das Tulovsko pole bei dem Flüsschen
Tъža (türk. Monastirderessi), wo sich bei dem Dorfe G o l e m o
S e l o die von Barth besuchte Ruine eines aus abwechselnden Stein-
und Ziegellagen erbauten grossen viereckigen Schlosses befindet[86]).
In dieser Ruine wurden unlängst zwei Inscbriftsteine gefunden, die
sich jetzt bei der Bezirksverwaltung in Kazanlyk befinden sollen.
Nach einer mir mitgetheilten Zeichnung eines Kaloferer Autodidakten
lässt sich deren Inhalt annähernd erkennen

1. OLLONIETM . . . .

ACATH. DV . . . .

LVTEM. ARAM . . .

DVM · CVRAV . . . .

. . . . NOES . . .

[86]) Barth, Reise durch das Innere der Europ. Türkei, Berlin 1864, S. 33.
Sein Büyük Obá ist Golemo selo. Er erwähnt (ib. 29. 34) auch die Reste einer
Römerstrasse. — Tъža und Tundža, beides Quellbäche eines und desselben Flusses,
des alten Tonzus, sind phonetisch ein und derselbe Name, mit und ohne Beibehaltung
des Rhinesmus.

```
. . . . NIY · SYO . . .
. . . . ENSA·SYN . . . .  ⁸⁷)
```

```
2.  O Y O Y I O N O Δ E A I
    Γ Y Σ . . . . . . . . . . .
    Γ Δ P O K O N Γ Y I Γ Ω
    N K I Σ T A A I E H Ω N E Γ
5   . . I . . . A E Γ O P O Y Γ E I P I
    . . . . . . Γ Γ N O M H Σ A . . .
    . . . . . . . T Γ . . . . . . . .
```

Diese Burg ist wahrscheinlich identisch mit dem altbulgarischen Krъn, dem Centrum der meist neben Beroe genannten,
von Sliven bis Kopsis reichenden Landschaft Κρηνός, Κρουνός, der
auf einem hohen Berge gelegenen Burg Akarnus des Edrisi auf
einer Route von Stobuni (bei Ichtiman) nach Barwi (Beroe) und
der Stadt Cornus, Corinus, welche man westlich von Stiphinus
(Sliven) und nördlich von Philippopel noch auf Karten des 16. Jahrhunderts (Mercator 1589 u. A.) verzeichnet sieht⁸⁸).

---

⁸⁷) Ob die letzten drei Zeilen mit den ersten vier zusammengehören, ist mir
aus der Copie nicht ganz klar; vielleicht ist dazwischen eine unleserliche Zeile. —
Ruinen einer alten Stadt soll es auch bei Sofular (NW. von Kazanlyk) am Fuss
des Balkan geben.

⁸⁸) Da man Krъn bisher gewöhnlich in dem von hier weit entfernten Karnabad, einem Marktflecken neueren Ursprungs, suchte, muss ich meine Ansicht (cf.
„Periodičesko Spisanie“, Ztschr. der liter. Ges. zu Sofia 1884, IX, 43 — 44) näher
begründen. Kaiser Isaak Angelos (1190) flüchtete nach einer im Balkan verlorenen
Schlacht διὰ τοῦ λεγομένου Κρηνοῦ πρὸς τὴν Βερόην (Niketas Akominatos ed
Bonn. 562). Die Lateiner zogen 1206 nach Niketas p. 852 μέχρι Κρηνοῦ καὶ
Βορέης, nach Villehardouin ed. Wailly p. 267 bis Véroi und Blisme. Eine Urkunde
des bulg. Caren Asên II. aus den Jahren 1230—1241 (Miklosich, Mon. serb. p. 2)
zählt unter den Landschaften des Reiches auf: Trnovo mit ganz Zagorje, Preslav,
Karvuna (j. Balčik), Krъn und Boruj u. s. w. Pachymeres erwähnt öfters Eltimir,
den bulg. Theilfürsten von Κρουνός; der Feldzug des Kaisers Andronikos gegen
denselben (II, 447) ist gerichtet nach Ῥεάχουβις (bei Beroe selbst, cf. Monatsberichte l. c. p. 454) und von dort ἐς Στίλβνου μέχρι καὶ Κόψεως, wodurch er
τὸν Ἐλτιμηρῆν ἀποκλείει. Dabei erscheinen Rosokastro (Pachym. II, 445), Jambol
und Lardea (id. II, 559) ausserhalb des eigentlichen Gebietes des Herrn von
Κρουνός. Barwi heisst in Jaubert's Uebersetzung des Edrisi Karvi; dass aber
nicht etwa an den unbedeutenden Sitz des Bischofs Καράβου in der Metropolie
von Adrianopel (Not. episc. ed. Parthey p. 124), sondern an die grosse Stadt Βερόη,
Boruj der Bulgaren, Berua der Lateiner zu denken ist, zeigt die Beschreibung der

Die anstossende Landschaft der grossen Stadt Eski - Zagra mit den Resten des alten Βερόη habe ich schon einmal ausführlich besprochen[89]). Der Präfect des dortigen Kreises, Herr A. Iliev, hat mich seitdem über die Lage eines Hissarlyk bei der Bahnstation Radne Mahala (gegen SO. von der Stadt) unterrichtet, in welchem viele Münzen von Thasos, sowie Μακεδόνων πρώτης gefunden werden. Demselben verdanke ich die Copien von einigen Inschriften:

1. In Eski-Zagra (1882):

ΩΜΟΝΑΤΕΙΛΙΑΝΩΓΑΜΕΤΙΣ //

ΣΕΓ Η ΚΟ ⵜΜΙΛΕΙΝΕΚΛΚΟΥΡΙΑΓ /

ΜΟΥΤΕ/////ΥΤΕΝΚΛΕΤΡΗ//////

ΗΡΩΙΑ ΞΙΛΙ ΛΥΩΒΩΜΟΝΤΟ /

ΟΥΝΔΑΜ/////ΜΕΝΕΣΕΟΜΕΝΟΙΣ////

5   // Ω ΝΕΚΥΙ   [90])

2. In Eski-Zagra:

ΕΣΠΟΙΝΑΝΤΕΟΙ

ϽΥΜΕΝΗΣΗ϶ΜΟΝΕ

ΥΟΝϹΟΣΤΗΣΘΡΑΚΩΝ

ΕΠΑΡΧΕΙΑΣ////////

5   ΠΙΙ/////////ΣΕΒΣΕΒ

ΑϜΙΣΤΡΑϮΟΥΗΙΕΡ /

ΤΑϮΒΟΥΛΗΚΑΙ /

/ΑΜϮΡΟΤΑΤΟΣΔΜ [91])

Lage am Fuss eines Gebirges, nahe an der Marica, zwei Tage von Adrianopel u. s. w. (*Recueil des voyages* VI, 2, 293. 295. 383). Auf Cornus machte schon Lelewel, *Géogr. du moyen âge* III u. IV, 115 aufmerksam.

[89]) Monatsber. der Berl. Akad. 1881 S. 435—454.

[90]) [Etwa:

Βωμὸν Ἀτειλιανῷ γαμέτις μ' ἔστησε Σεκοῦνδα

. . . .

ἥρωι Ἀτειλιανῷ βωμὸν τόνδ' εἶσε Σεκοῦνδα
μνῆμα μὲν ἐσσομένοις, χάρμα (?) δὲ τῷ νέκυι.

Vgl. Kaibel's Nr. 319, wo die früh verstorbene Gemahlin vom Gatten heroisirt wird. Nach V. 1 folgt (in einem oder in zwei Versen?) die Motivirung, von der man εἵνεκα κουριδ..., dann οὔτ' ἐν ... οὔτ' ἐν erkennt, deren Herstellung aber mit der vorliegenden Abschrift mir nicht hat gelingen wollen.   Th. Gomperz.]

[91]) Ist nach zum Theil vollständigerer Copie bereits *Bull. de corr. héll.* VI (1882) p. 183 u. 5 publicirt, wo Foucart bemerkt, dass der Name Z. 4 und 5 ab-

3. Im Dorfe Avdži-Duvandža (4 St. südlich von Eski-Zagra) am Dorfbrunnen:

AYPMOKIANC

M̅TONBⲰ

MON

EYXHCEN

Αὐρ(ήλιος) Μοκιαν[ὸς ..]τὸν βωμὸν εὐχῆς ἕν[εκα]

4. In der alten Kirche zu Jeni-Zagra (Nova-Zagora):

/ ⱧΙ///////////////////

ΛΗΔΑΜΑΜΗΓΡΙΈΘΗ /

/ΑΙΛΕΥΓΑΛΕΗΝꙖⲤΙΙ

ΔⲰΔΕΚΕ〒ΦΘΙΜΕΝ

5   ΗⰍΛΕΙΝΝⰍΕΥΘΕΙＶ̈/

ΓΑΦΟⲤⲤΥΝΜΗΤΗΕΕ

ΚꙖΝΔΑΝΗΝꙀΑΦΙⲤ

ΚΑΛΛꙖⲤΑⲤῈΡΛΘ

ΚΕΝΕΟΝ

10   ΕΥΤΥΧΙ/   [92]

sichtlich getilgt scheint. In demselben erkennt er zweifelnd noch die Lettern: ΦΛΟΥΛΠΑ|....ΕΙΟΥ und liest daher δέσποιναν τῆς οἰ[κ]ουμένης, ἡγεμονεύοντος τῆς Θρᾳκῶν ἐπαρχείας Φλ(αουίου) Οὐλπ(ίου) Ἀ...είου πρ[ε]σβ(ευτοῦ) Σεβ(αστοῦ) ἀντιστρατήγου, ἡ ἱερωτάτη βουλὴ καὶ [ὁ] λαμπρότατος δῆμ[ος]....

[92] [Lies:

...μηδ' ἅμα μητρὶ τεθῆναι
λευγαλέη νούσῳ δωδεκέτη φθιμένην
κλεινὴν κεύθει τῆδε τάφος σὺν μητρὶ Σεκοῦνδαν,
ἣν Παφίη κάλλους ἀστέρα θῆκε νέον.
εὐτύχι.   Th. Gomperz]

(Fortsetzung folgt)

Prag   CONSTANTIN JIREČEK

Denkmäler aus Brigetio

Wir berichten im Folgenden über zumeist aus Brigetio stammende Denkmäler, welche von uns bei einer Reise, die wir nach Ungarn und Serbien im Sommer 1885 für das archäologisch-epigraphische Seminar unternahmen, theils in O-Szöny (Brigetio), theils in Pest gesehen worden sind. Die wenigen Stücke, die wir an erster Stelle bringen, befanden sich Ende August 1885 noch auf dem Lagerfelde von Brigetio, wo sie im Laufe des Jahres gelegentlich der Schanzarbeiten, die daselbst unter der Leitung des Herrn Hauptmannes Miloš Berkovič-Borota ausgeführt werden, zu Tage gekommen waren. Die kleineren Fundgegenstände befinden sich in Komorn in der Sammlung des Herrn Borota, der sie selbst zu veröffentlichen gedachte [1]). Der Haupttheil der in den letzten Jahren in und um Brigetio gefundenen Denkmäler war bereits ins Pester Nationalmuseum überführt worden, woselbst sie uns freundlichst zugänglich gemacht wurden. — Der epigraphische Theil des Berichtes rührt von G. Schön, der archäologische von R. Weisshäupl her.

Im ersten Jahrgange dieser Zeitschrift haben die Herren Majonica und Schneider ausführlichere Mittheilungen über Monumente von Brigetio gegeben, welche jetzt im Pester Nationalmuseum aufbewahrt werden.

Wir sahen in Brigetio noch folgende Stücke:

1. Block aus Kalkstein, gefunden im Frühjahre 1885 auf dem Lagerfelde. L. 1·14, H. 0·555, T. 0·18. Derselbe bildete vielleicht den oberen Abschluss einer Aedicula, die Jupiter und Juno dedicirt war. An seinem unteren Theile ist er in der Mitte halbkreisförmig durchbrochen. Rechts unten ist eine Zeile abgebrochen.

I · O · M · E · IVNONI ⬥ REGINE ⬥
⬥ PRO · SALVTEM IM PERI ⬥   *sic*
CL· ELT· A· Æ· C· CITANVS · CFELIXMPR·
ELEVThERETOM · OVIIIACL FELICISMA

---

[1]) [Nach freundlicher Mittheilung des Herrn Professor Hampel befinden sich diese Gegenstände ebenso wie die von den Verfassern dieses Berichtes noch in Brigetio gesehenen Denkmäler (unten 1—3) jetzt auch im Nationalmuseum. A. d. R.]

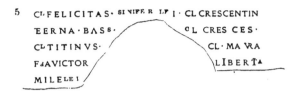

J(ovi) O(ptimo) M(aximo) e(t) Junoni regin(a)e pro salutem imperi. Cl(audius?) Eltia et Cl(audius) Citanus, C(laudius) Felix m(agister) pr(imus), Eleuther et M. Ovilia(?) Cl(audi) Felicis ma(gistri), Cl(audia) Felicitas et Erna (?) Bass(iani?) si(g)nifer(i) le(gionis) I; Cl(audius) Titianus, Fl(avius) Victor mile(s) le(gionis) I; Cl(audius) Crescentin(us), Cl(audius) Cresces, Cl(audia) Maura liberta. [d(e) s(ua) p(ecunia)?]

Obwohl die Inschrift im Ganzen gut erhalten ist, ergeben sich doch bei den barbarischen Namen Schwierigkeiten. Zweifelhaft ist, ob in Z. 4 nach *Eleuther et* der kleine Kreis als Punkt anzusehen ist. Vollständig unklar ist der folgende Name. Nach dem v sind nur drei verticale Striche zu erkennen. Auch in Z. 6 ist der Name *Erna* auffallend und statt dessen vielleicht *(A)eterna* zu verstehen. Die Auflösung des *m. pr.* Zeile 3 in *magister primus* scheint mir durch die folgende Bezeichnung der Gattin dieses Mannes sicher, da hier zu dem Namen des Gatten der Zusatz *ma* tritt. Der auf PR folgende Rest einer gebogenen Linie rührt, wenn er nicht zufällig ist, von einem Punkte her.

In der fehlenden Zeile am Schlusse mag eine Formel gestanden haben, wie: *d(e) s(ua) p(ecunia)* oder *v(otum) s(olverunt)*.

Gewidmet wurde das Heiligthum von einer Genossenschaft, von der ein Mitglied *magister primus*, also der erste war, der das gemeinte *magisterium* bekleidet hat (cf. C. I. L. VI, 188. 445). Welcher Art dasselbe war, lässt sich aus der Inschrift nicht mit Sicherheit erschliessen. Doch da die schönen und einfachen Formen der Buchstaben die Zuweisung der Inschrift an die frühere Kaiserzeit empfehlen, und dazu auch die Namen, meist Claudier und ein Flavier, passen, da ferner unter den Personen zwei Soldaten der *Legio Prima Adiutrix* erscheinen und die Stadt Brigetio aus den Canabae des Lagers dieser Legion entstanden ist, so hat die Annahme wohl einen hohen Grad von Wahrscheinlichkeit, dass unter *magister primus* der erste Magister der Canabae von Brigetio zu verstehen ist. So heisst in einer Inschrift aus Apulum C. I. L. III, 1008 L. Silius Maximus: *magistra(n)s primus in can(abis)*, und

der andere bisher bekannte Magister aus Brigetio (C. I. L. III, 4298),
der Veteran derselben Legion und zugleich Decurio in Brigetio
war, ist bereits mit gutem Grunde auf die Entstehung der Stadt
aus diesen Canabae bezogen worden.

Ich schliesse hier ein Fragment an, welches ebenfalls von
einem grossen Blocke aus Kalkstein, der auf demselben Lagerfelde
von Brigetio gefunden wurde, herstammt. Dasselbe ist bereits im
ersten Jahrgange dieser Mittheilungen S. 151 publicirt.

```
          | S
          | R S
          | P R
          |_CLS M
```

Es ist nur ein geringer Rest, der uns hiermit von der Inschrift
erhalten ist, die Ecke oben rechts. Erwägt man aber, dass die
Baulichkeit, zu der sie gehörte, an derselben Stelle stand, wo die
oben besprochene, fast vollständige Inschrift gefunden wurde, und
dass in beiden Inschriften das Ende von den Zeilen 3 und 4, also
von dem Anfang der Liste der Beitragenden (wenigstens in der
vollständig erhaltenen) so gut wie identisch ist, so drängt sich die
Vermuthung auf, dass wir auch hier die Reste der Namen des Cl.
Felix und seiner Gattin vor uns haben: *Cl. Felix m.*] *pr.* und
Feli]*cis m(agistri)*.

2. Fragment eines rechteckigen Marmorblockes. H. 0·58,
L. 1·2, T. 0·43. Gefunden auf dem Lagerfelde von Brigetio in der
zweiten Hälfte des August 1885.

Die Höhe der Buchstaben beträgt 0·103.

IMP · CAES · M A VRΓ
· COS · III · P · P

3. Ausser diesen Inschriften sahen wir auf dem Ausgrabungs-
felde noch den Torso einer sitzenden Zeusstatue aus weissem
Granit, vom Nabel an abwärts erhalten, l. Fuss abgebrochen.
H. 0·61. Die Statue wurde nach den Angaben der Arbeiter in der
Nähe der jetzigen Schanzen gegen den Bahndamm hin in einer
Tiefe von ungefähr 1 M. gefunden. Der Gott hat um die Beine
ein Himation geschlungen und trägt an den Füssen Sandalen.
Ueber dem Bruche des l. Beines ist noch das Sandalenband sicht-

bar. Der übrige Körper war nackt. Die R. ruht mit dem Blitze, dessen linkes Ende abgesplittert ist, auf dem Schoosse.

Im Hofe des Pester Museums befindet sich jetzt die Inschrift, die Majonica und Schneider in Alt-Szöny vorfanden und Arch.-epigr. Mitth. I, 154 publicirten (daraus Eph. epigr. IV n. 512). Da unsere Abschrift vollständiger und genauer ist, so sei das Fragment hier nochmals gegeben.

Zeile 2 ist der untere Querstrich eines E noch deutlich zu lesen, desgleichen ist ein Punkt rechts von T sichtbar. Am Schluss von Zeile 3 ist nach TV noch der Rest eines Buchstabens vorhanden, doch lässt sich nicht mehr entscheiden, was daselbst gestanden hat. Das Compendium ist aufzulösen: s(it) t(ibi) t(erra) l(evis).

2. Fragment aus Kalkstein, 0·35 h., 0·35 br., 0·3 d.

3. Votivara aus Kalkstein, 0·74 h., 0·43 br., 0·3 d.

CAVTO·P
M·MASICA
MATERN
ANVS
5   V·S·L·M

Z. 2 sind C und A ligirt.

Cauto P(ati) M. Masica Maternianus v. s. l. m.

4. Kalksteinblock, als Baustein zugehauen, 0·8 h., 0·42 br., 0·46 d.

d   m

ILLAE

�›TQVIAETᴠ *s*

RE·F⁻⁻CON*iugi*

et si B ı *u*ı V V S ᐟ F

ı   *d*EC·MV*n brig*

ıSSI*m*

5. Vorderplatte eines Sarkophages aus Marmor, links ge-brochen, h. 0·7. Rechts von dem architektonisch begrenzten In-schriftfelde, von höherem Rahmen umgeben, eine Nische, in welcher in Relief auf einer altarähnlichen Basis ein nackter geflügelter Knabe steht, halb en face, nach links gewendet, l. Standbein. In den Händen hält er eine Fackel, die, schief nach aufwärts gehend, den Körper überschneidet.

*l. antoni sa*ȝINIANI	
c o r n i c u ᴸ·LEG·LEG	
*i. ad p.f. seu. q*ᴠV I V IX	
it a n n o s ᴸ·II·DIES XX	
5 *a u r e l* IA·AELIA	
n a c o n i VGIᴏSIBI·	
*i n c o m p a*ᴿABILI ↔	
f a c i e NDVM·CV	
r AVIT ↔	

Die Ergänzung wird gesichert durch eine Weihinschrift aus Arrabona (C. I. L. III, 4363, genauer Arch.-epigr. Mitth. I S. 148 = Eph. epigr. IV n. 514): *J(ovi) O(ptimo) M(aximo), Junoni regin(ae), Minervae, Neptuno, Libe(ro) Pat(ri), Dianae ceterisq(ue) dibus, L. Anton(ius) Sabinianus corni(cularius) leg(ati) leg(ionis) I. ad(iutricis) p(iae) f(idelis) S[e(verianae)] templum vetus[t(ate)] conlapsum faciun-dum cur(avit) cum Aur(elia) [A]elian(a) con(iuge).*

6. Votivara aus Kalkstein, oben und links fragmentirt, h. 0·7, br. 0·4, d. 0·35.

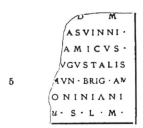

5

[I(nvicto)] D(eo) M(ithrae) ..asuinni[us?] Amicus [A]ugustalis mun(icipii) Brig(etionis) An[t]oniniani [v(otum)] s᷎olvit) l(ibens) m(erito).

Der Beiname Antoninianum für das Municipium Brigetio erscheint hier zum ersten Male. Es fällt demnach die Erhebung von Brigetio zum Municipium in die Zeit des Caracalla, nach dem auch die hier stationirte Legio I adiutrix den Beinamen Antoniniana erhielt, cf. C. I. L. III, 4364.

7. Stele aus Kalkstein. h. 2·27, br. 0·75. Inschriftfläche h. 0·61, br. 0·52. Die Vorderfläche der Stele ist durch einfache horizontale Rahmen in drei Felder getheilt, deren mittleres die Inschrift trägt. Im oberen erhebt sich auf korinthischen Säulen ein mehrfach umrahmter Reliefgiebel. Zwischen den beiden Säulen ist ein mit zwei Bändern verzierter Kranz, der eine Patera umschliesst, dargestellt; im Giebelfelde ein sehr stark abgescheuerter Porträtkopf [?] über einer quer über die Fläche sich ringelnden Schlange. Ueber den beiden Schenkeln des Giebeldreieckes, parallel mit denselben, ist je ein Delphin, mit dem Kopfe nach abwärts gerichtet, angebracht.

Das dritte, untere Feld, das sich an die Inschrift anschliesst, enthält verschiedene Werkzeuge, nämlich (von links nach rechts): ein Winkelmaass, zwei Bohrer, ein Doppelbeil, ein Scrinium mit Rollen, ein Beil mit halbmondförmig gekrümmter Schneide (περιτομεύς, Blümner Technol. I Th. II Fig. 27) und einen Schusterleisten.

Die Inschrift lautet:

```
        D        VI
    /  O N O N I V S
      V·TA L I S A N XL
      I· M QIA VVR I
  5   V SVE I L E G I AD PF
      P ΛC I O N I\JN V₈
```

```
I T A E L ' A I N G E N A
M A R I I O S V O · P I E S
/ I S S I M O · P O S V E R ·
```

d. m. [*B*]*ononius Vitalis an(norum) XLII M. Q(uinctiu*'*) Januarius vet(eranus) leg(ionis) I. ad(iutricis) p(iae) f(idelis) P. Ael(ius) Oni[c]inus et Aelia Ingenua marito suo pien[t]issimo posuer(unt).*

Die Stele ist an der Oberfläche sehr stark verwittert, doch kann die Lesung bis auf wenige Buchstaben als gesichert betrachtet werden. Sehr schwer ist anzugeben, welcher Buchstabe Zeile 6 nach *Oni* gestanden hat, doch dürfte wohl c zu erkennen sein.

8. Stele aus Sandstein, in zwei Felder getheilt, oben und unten gebrochen, h. 1·62, br. 0·9, d. 0·2. Im oberen Felde ist eine Rosette von einem Kranze umschlossen; das untere Feld trägt die Inschrift, an der noch Spuren von rother Bemalung zu sehen sind.

```
      D        M
     C O R N E L I A E
     V A L E N T I N A E
     A N XIX · S A M
  5  M A R C E L L I N A
     F I L  r
```

d. m. Corneliae Valentinae an(norum) XIX Sam(ia?) Marcellina fil(ia) p(osuit).

9. Votivara aus Kalkstein, h. 0·25, br. 0·15. Spuren von rother Bemalung.

```
     S  D  S
     A  V  F
     = E  L  I
     C A V  S
```

S(ilvano) d(omestico) s(acrum) Aur(elia) Felica v(otum) s(olvit).

Meilensteine

1. Meilenstein aus Sandstein, Höhe 2·3, Umfang 1·65. Die Inschrift ist auf einer oblongen Tafel angebracht, h. 0·95, br. 0·5.

```
     I M · C Æ S
     M · AR · S E V R
     V S · A E X D R
```

```
        P · F · A·G P O N
    5   FEX· M · TRBV·
        ⊐IÆ· P O E S
        TAtS · VIIII ⊕S        a  230
        III · P · P · RE
        s t T V I T
   10   a BR · Mᴾ · II
```

Imp(erator) Caes(ar) M. Aur(elius) Severus Alexander P(ius)
F(elix) Aug(ustus), pontifex m(aximus), tribu[ni]ciae potestatis VIIII,
co(n)s(ul) III, p(ater) p(atriae), restituit. [a] Bri(getione) m(ilia) p(as-
suum) II

2. Fragment einer Meilensäule aus Kalkstein, doppelt beschrieben, Höhe 0 8, Umfang 1·8.

        a)   *b)*

```
          IMP CAES
          MARCIVL PHILIpp VS       I M P C A E S
          PFINVICTVS aug
          PON IÉX MX IᴹᴠCSLTACITOPFINVI
a. 245  5 RIB/NICIÆ POES
          COS P P PROCOSAVG PONTI⁀\XI
          et marcilA OACIIT R I B
```

               a)

Imp(erator) Caes(ar) Marc(us) Jul(ius) Phili[pp]us P(ius) F(elix)
invictus [Aug(ustus)], pontifex maximus, tribuniciae potes(tatis), co(n)s(ul),
p(ater) p(atriae), proco(n)s(ul), [et Marci]a Otacil[ia Severa sanctissima
Augusta, coniux Augusti nostri, vias et pontes vetustate conlapsas per
alam III Thracum Philippianam restituerunt: a Brigetione milia
passuum...]. cf. C. I. L. III, 4627.

               b)

Imp(eratori) Caes(ari) Cl. Tacito P(io) F(elici) invi(cto) Aug(usto)
pont(ifici) m[a]xi(mo), trib[uniciae potestatis . . . .

3. Meilensäule aus Kalkstein, in zwei Stücke gebrochen, fragmentirt. *a)* Umfang 0·7, Höhe 1·05; *b)* Umfang 1, Höhe 1.

```
        I Mᴾ c Λ E S
        M A Λ t. g ⊃R D I N V S P F
        A V G p. m. R B P O T E S        a. 238
```

5   PR⸲ COS PP VIA SCVM

P⌐NTibus *netust*AE ⌐ONⱤ8

RⱢS *tituit per alam iii*

THr*a c. gordianam*

a brig. m. p. . . . .

*Imp(erator) [C]aᵉs(ar) M. An[t(onius) G]ordianus P(ius) F(elix)
Aug(ustus), [p(ontifex) m(aximus)], trib(uniciae) potes(tatis), procos.,
p(ater) p(atriae), vias cum pon[tibus vetust]ate c[o]nlaps(as) res[tituit
per alam III] Th[rac(um) Gordianam. a Brigetione m(ilia) p(assuum) . . .]*
Man vergleiche die folgende Inschrift.

4. Meilenstein, publicirt in Eph. epigr. II p. 430 n. 910. Derselbe ist doppelt beschrieben, was Romer, der die Inschrift zuerst
abschrieb, entgangen ist.

a. 268

I M̅P   C ⋀ E S

M · AV R E G L⋀V D I V S P   M · A𝔫 GOR *di* N V S

F A V G · P𝔫 T R I B P O T   P F

C O S F R O C O S   V COS II   a. 242

V I A S V E I V S T A T E C O N   V E T V S T⋀T E C O N L A B

L A B S A S C V M̅ O𝔫I

B V S R E S T I T V I T PER

A L A M III T H R A C C *l a u*

D I ⋀ N M

A B R I G

M̅P V I

*Imp(erator) Caes(ar) M. Aure(lius) Claudius P(ius) F(elix)
Aug(ustus), p(ontifex) [m(aximus)], trib(unicae) pot(estatis), co(n)s(ul),
proco(n)s(ul), vias ve[t]ustate conlabsas cum pon[t]ibus restituit per alam
tertiam Thrac(um) C[lau]dianam. a Brig(etione) m(ilia) p(assuum) VI.*
Ursprünglich stand auf der Säule etwa: *Imp(erator) Caes(ar)
M. Ant(onius) Gordianus P(ius) F(elix) Aug(ustus), p(ontifex) [m](a-
ximus), trib(uniciae) pot(estatis) V, co(n)s(ul) II, proco(n)s(ul), vias
vetustate conlabsas cum pon[t]ibus restituit per alam III Thrac(um)
[Gor]dianam. a Brig(etione) m(ilia) p(assuum) VI.*

Von der ursprünglichen Inschrift sind die meisten Buchstaben
wieder verwendet worden. Dabei ist in Claudius das G von Gordianus stehen geblieben. Ich habe die abweichende Lesung der
ersten Inschrift, soweit sie noch erkenntlich ist, beigesetzt.

Sarkophage

1. Sarkophag aus Kalkstein, gefunden in Brigetio, l. 2 M., br. 0·42, t. 0·92. Spuren von rother Farbe.

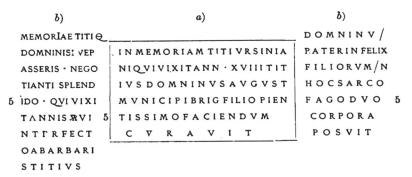

b)	*a)*	*b)*
MEMORIAE TITI Q̶	. IN MEMORIAM TITI VRSINIA	DOMNINV /
DOMNINIS: VEP	NIQ̶VIVI.XITANN · XVIIITIT	P.ATER IN FELIX
ASSERIS · NEGO	IVS DOMNINVS AVGVST	FILIORVM/N
TIANTI SPLEND	MVNICIPI BRIG FILIO PIEN	HOC SARCO
5 IDO · QVI VIXI	TISSIMO FACIENDVM 5	FAGO DVO 5
TANNIS ÆVI 5	CVRAVIT	CORPORA
NT ̄RFECT		POSVIT
O A BARBARI		
STITIVS		

a)

In memoriam Titi Ursiniani, qui vixit ann(is) XVIII, Titius Domninus August(alis) municipi Brig(etionis) filio pientissimo faciendum curavit.

b)

Memoriae Titi q(uondam)[2] Domnini sive Passeris negotianti splendido, qui vixit annis XXV, interfecto a barbaris, Titius Domninu[s] pater infelix filiorum [i]n hoc sarcofago duo corpora posuit.

Der Sarkophag trägt zwei Grabschriften, wovon die frühere in dem vertieften Mittelfelde der Vorderseite angebracht ist. Später wurde im Raume links und rechts von der ersten eine zweite eingegraben, nach welcher der Vater in demselben Sarkophage einen anderen Sohn bestattete. Letzterer hat seinen Tod als Geschäftsreisender bei den Barbaren gefunden. Er führt dasselbe Cognomen wie sein Vater Domninus, wohl als ältester Sohn; zur Unterscheidung dient der hier mit *sive* angeknüpfte Beiname (Signum) *Passer.*

2. Sarkophag aus Kalkstein, gefunden zu Aquincum, l. 2·31, br. 0·86, t. 1·17.

---

[2] Das durchstrichene Q̶ = q(uondam), welches im Gegensatze zu *v(ivus)* den Tod bezeichnet, ist am Rande zum Namen hinzugesetzt, und so sind scheinbar die Theile des Namens *Titi* und *Domnini* auseinander gerissen.

D   M · VR · FLAVO · M⟍   ⌐P L · ·   M
       ⊤ · IN I ERP ̄ERI · GE\   /M ·
       ⊃ FF · COS · ̄E · M · VF\   \ I I I ·
       F IL IO · C O M M V N I · A ̄VRELIA · Q
5   VA ̄EA · ᴀ R I T O · ̄E · F ̄ILIO · DVLCISSIM
       I S SCRIB I · IN · M E M O R I M ̇· I V S S I T

d. m. M(arco) Aur(elio) Flavo m[il(iti)?..... du]pl(ario) [e]t
interpetri Ge[rmanoru]m off(icii) co(n)s(ularis) et M(arco) Aur[elio
....]riti? filio communi Aurelia Qu[i]aeta (?) marito et filio dulcis-
simis scribi in memoriam iussit.

Zeile 2 ist *interpetri* für *interpreti* geschrieben, genau so wie
C. I. L. III, 2880 *interpetrationem* steht. Leider ist die Inschrift
gerade an der interessantesten Stelle verstümmelt, doch geben uns
die Reste zum Theile einen sicheren Anhalt für die Ergänzung:
Wie aus dem Anfang von Z. 3 hervorgeht, ist Flavus im Bureau
(*officium*) des Statthalters beschäftigt gewesen und zwar nach Z. 2
als Dolmetscher. Nun ist nach *interpetri* vor dem Bruche noch GE
erhalten, nach dem Bruche am Schlusse der Zeile M. Ohne Zweifel
steckt in diesen Resten der Name des Volkes, für welches Aurelius
Flavus *interpres* war. Professor Hirschfeld ergänzt *Germanorum*,
das den Raum genau ausfüllt und wohl sicher das Richtige trifft.
Dass der Dolmetscher für ein Volk gewöhnlich demselben ent-
stammte, ist natürlich, und in unserer Inschrift passt das Cognomen
Flavus, das bekanntlich auch der Bruder des Arminius führte (Tacit.
ann. II, 9; XI, 16), sehr gut zu germanischer Abkunft. Interpretes
für Völkerschaften werden erwähnt in der „*Notitia dignitatum*"
im Bureau des Magister Officiorum der beiden Reichshälften:
Or. XI, 52: *interpretes diversarum gentium*, Occ. IX, 46: *interpretes*
omnium gentium. Dolmetscher in der Provinz sind uns bereits aus
Cicero bekannt: *Verr.* 3, 57, 84; *ad fam.* 13, 54; *ad Atticum* 1, 12,
2; 16, 11, 7. Aus Inschriften sind uns bisher nur wenige *interpretes*
bezeugt, wie Orelli 4204 ohne Zusatz, C. I. L. VI, 4871 (Henzen
n. 6319) und 8481 mit dem Zusatz *Aug(usti)*. Etwas mehr entspricht unserer Inschrift eine aus Batanaea in Syrien bei Lebas-
Waddington III, 2143, welche einen ἑρμηνέα ἐπιτρόπων anführt [3]).

---

[3]) Man vergleiche noch hiezu eine Grabschrift aus Rom C. I. L. VI, 5207,
nach welcher zugleich mit einem Gesandten aus Phanagoria im Bosporus ein
ἑρμηνεύς Σαρματῶν bestattet ist, der wohl zum Gefolge des Gesandten gehörte.

Wie dieser zugleich ἀρχιερεύς war, so scheint auch Flavus mit der Stelle des Dolmetschers zugleich eine andere bekleidet zu haben. Es ist nämlich vor *interpetri* der obere Theil eines т erhalten, welcher, da zum Schlusse der vorhergehenden Zeile ein Punkt steht, wohl nur zu ᴇ (*et*) ergänzt werden kann. Da hiernach in Z. 1 eine Charge angegeben war und zum Schlusse PL noch erkennbar ist, so vermuthe ich m[il(iti) .... du]pl(ario). Sicher ist dies natürlich nicht, aber dass der Statthalter einer Grenzprovinz seine Dolmetscher aus den ihm unterstehenden Soldaten nimmt und dass ein solcher doppelten Sold bezieht, scheint durchaus ohne Anstoss[1]).

Zeile 3 fehlt vom Namen des Sohnes das Cognomen. Die Reste von Buchstaben am Schlusse dürften „*riti*" sein.

3. **Sarkophag aus Kalkstein**, l. 2·49, t. 1·31. Erhalten ist nur der untere Theil des Sarkophagkörpers; der Bruch ist unregelmässig.

Die Vorderseite zeigt in der Mitte ein mit unregelmässig geschwungenen Leisten eingefasstes Inschriftfeld. Zu beiden Seiten desselben stand in je einer Nische ein Krieger (?) — der zur L. ist von den Oberschenkeln, der zur R. von der Brust an erhalten — bekleidet mit Chlamys, die im Rücken bis unter die Kniekehlen herabfällt. Die Figur r. trägt in der L. ein Schwert mit der Spitze nach oben. Von der Inschrift ist, unmittelbar unter dem Bruche, nur mehr erhalten:

ᴀRIϽϽIMAF
C

Vor f(aciendum) c(uravit) ist das ꜰ sicher, aber vielleicht vom Steinmetzen verhauen und [c]arissima[e] gemeint.

Linke Nebenseite: In der Mitte ein runder Altar mit brennendem Feuer, l. von demselben stehen Orest und Pylades, rechts Iphigenie. Orestes ist en face gebildet (Kopf fehlt) und mit langer Chlamys bekleidet, die auf der Brust genestelt ist. Die Beine sind gefesselt, die Hände auf den Rücken gebunden. R. von ihm steht Pylades en face. Erhalten ist nur der Unterkörper und ein Theil

---

[1]) Professor Hirschfeld, dem ich diese Inschrift mittheilte, schreibt mir, dass sowohl ihm wie Professor Mommsen die Ergänzung *militi* bedenklich erscheine, Mommsen denke an *medico* (ein solcher wird oft als *duplicarius* bezeichnet, vgl. Marquardt Staatsverwaltung II S. 556 A. 2), er selbst an m[ensori].

des r. Armes. Er ist ebenso bekleidet wie Orestes. Die Hände hat er gefesselt, die Beine scheinen frei zu sein. Seiner Körperhaltung nach wandte er sich vielleicht nach r. gegen Iphigenie hin. Von letzterer ist nur mehr der Unterkörper erhalten. Sie steht r. vom Altare und ist mit langem Chiton, Himation und Schuhen bekleidet.

Rechte Nebenseite: Links steht M a r s y a s halb en face nach r., nackt, die Füsse gefesselt, die Hände hinter dem Rücken an einen Baumstamm gebunden. Kopf und oberer Theil der Brust fehlen. R. von ihm hockt der S k y t h e nach l., bloss mit phrygischer Mütze und zurückflatterndem Chlamydion bekleidet. Mit der L. schleift er auf einem halbkugelförmigen Steine sein Messer, mit der R. weist er auf Marsyas, während er sich zugleich nach A p o l l o n umsieht. Letzterer steht, den Körper en face (r. Standbein; Kopf und oberer Theil der Brust fehlen), nur mit langer, auf der Brust genestelter Chlamys bekleidet, l. von einem altarähnlichen Pfeiler, auf den er mit der ausgestreckten L. (sie ist nicht mehr erhalten) die Leier stützte. Der r. Arm scheint nach Maassgabe eines erhaltenen Restes nach l., gegen Marsyas hin ausgestreckt gewesen zu sein (?).

4. S i t z e n d e A t h e n a s t a t u e aus Kalkstein. H. (mit Basis) 1·33, Br. 0·55. Kopf, r. Arm und l. Hand fehlen. Gef. in O-Szöny. Die Göttin sitzt auf hohem Throne mit Rücken- und Seitenlehne. Die Rückenlehne ist giebelförmig abgeschlossen und trägt als Basis des Giebeldreieckes ein horizontales Reliefband. Ein gleiches zieht sich an der Vorderseite der l. und an den Aussenseiten beider Armlehnen oben hin. Die Göttin sitzt strenge en face da; der l. Vorderarm ruht auf der entsprechenden Armlehne, der r. ging vom Körper weg; der r. Fuss ist etwas zurückgestellt. Die Gewandung besteht in langem jonischem Chiton und Himation. Letzteres ist um Leib und Beine geschlungen, geht dann hinter dem Rücken hinauf und fällt über die l. Schulter und den l. Arm herab, welchen es bis zu der Stelle, wo die Hand abgebrochen ist, verhüllt. Die Füsse sind mit Sandalen bekleidet. Auf der Brust trägt die Göttin die Aegis mit wulstartig umgebogenem Saume und geflügeltem, unter dem Halse mit Schlangen versehenen Gorgoneion. Zur R. Athenens stand auf der Basis, an die Vorderseite der l. Armlehne anschliessend, der Schild, von dem nur mehr die rückwärtige Hälfte erhalten ist. Er war von einem Reliefbande umrahmt. Im Saume des r. herabfallenden Himations, ungefähr in der

Höhe des unteren Aegiswulstes, ist ein mehrere Centimeter tiefes Loch sichtbar, welches möglicher Weise zur Befestigung des Speeres diente.

Die Arbeit ist roh, die Gewandfalten sind nur ganz im Allgemeinen angegeben, die Körperformen nirgends klar herausgeholt. Uebrigens war auch das Material, ein stark sich abblätternder Kalkstein, für die Erhaltung des Werkes nicht besonders günstig.

5. Fragment einer Grabstele (?), rings gebrochen, 0·63 hoch, aus Kalkstein. Gef. in O-Szöny.

Erhalten ist der Oberkörper einer en face gebildeten weiblichen Gestalt, mit Ausnahme eines Theiles des l. Armes. Der obere Theil des Gesichtes und die vorderen Haarpartien sind abgesplittert. Die Figur ist bekleidet mit Chiton und Himation, welches schleierartig das Hinterhaupt bedeckt, den r. Arm bis unter den Ellenbogen verhüllt und von da quer über die Brust gegen die l. Schulter hinaufgeht. Ausserdem trägt sie Haarbinde und Ohrgehänge. Mit der L., deren Finger noch erkennbar, umfasst sie einen länglichen Gegenstand, auf dessen unterem Ende die Finger der R. ausgestreckt aufliegen (Spindel oder Büchse?).

6. Stele aus Kalkstein, oben und unten quer abgebrochen, bezeichnet $\frac{5 \cdot 6}{1 \cdot 8 \cdot 8 \cdot 1}$ 1; H. 1·36, Br. 0·73.

Vorderseite: In dem beiderseits einfach umrahmten Felde steht eine weibliche Figur en face auf einem Felsen (?). So viel bei der sehr starken Absplitterung des Steines zu erkennen, ist sie mit langem, l. geschlitzten Chiton mit Ueberfall bekleidet, aus dem das nackte r. Bein heraustritt. Eine dicke wulstartige Erhebung auf dem rechten Oberarm scheint von dem Saume des Chitonärmels herzurühren. Den r. Arm senkend, den l. hoch erhebend, hält sie über den Kopf bogenförmig ein Gewandstück gespannt, welches l. in stark geknitterten Falten, r. in einer deutlich ausgeprägten Quaste endigt. Zur Haltung vgl. Clarac IV, 563, 1206; Selene auf den Endymionreliefs.

Rückseite: Auf einer stark vorspringenden Leiste als Basis schreitet eine Pannonierin, Gesicht en face, nach l. vor. Sie ist mit doppeltem, um die Mitte gegürteten und auf den Schultern mit riesigen Fibeln genestelten Gewande, mit Haube und Sandalen bekleidet und trägt, die Arme vorstreckend, mit beiden Händen eine längliche Schüssel mit einem Schweinskopfe.

7. Stele aus Sandstein, unten abgebrochen, bez. $\frac{5 \cdot 6}{1 \cdot 8 \cdot 8 \cdot 1}$ 2; H. 0·89, Br. 0·71.

Die Stele ist seitlich durch zwei Anten mit korinthischem Kapitäl begrenzt. Das Kapitäl des r. Pilasters ist bloss vorne ausgearbeitet. Zwischen den Kapitälen grenzt die Bildfläche nach oben ein Rundbogen ab, der auf zwei seitlich von den Anten vorspringenden Consolen aufsitzt und oben das Epistyl berührt. Im Stelenfelde steht eine nackte Frau (Aphrodite?) en face. Sie blickt nach l. auf die bis in Augenhöhe erhobene r. Hand. Die L. liegt an der l. Brust. Die beiden Hände scheinen einen Gegenstand, vielleicht ein gemaltes Band gehalten zu haben. An den Kapitälen und der Figur selbst sind zahlreiche Spuren rother Farbe bemerkbar.

Wien   G. SCHÖN R. WEISSHÄUPL

Zu der Inschrift von Samothrake
Ephem. epigr. IV p. 53

In der samothrakischen Mysteninschrift aus dem J. 124 n. Chr. hat O. Hirschfeld (in dieser Zeitschrift V, 224 f.) die erste Zeile, in der rechts etwa 6—9 Buchstaben fehlen, folgendermassen zu ergänzen vorgeschlagen:

Regibus Jov[e et Augusto] oder
et Imp. n.

Hirschfeld nimmt mit Recht an, dass die für Byzanz durch Münzen der römischen Zeit constatierte Sitte, dass Götter als Beamte der Stadt figurieren, auch an anderen Orten bestanden haben werde, und sieht für Samothrake gerade in dieser Inschrift einen Beleg. Eine Notiz bei Livius bezeugt in der That diese Sitte ausdrücklich für die Stadt Argos und unterstützt weiterhin auch Hirschfelds Vermuthung, dass dem höchsten Gott in Samothrake auf jener Inschrift gewiss kein gewöhnlicher Sterblicher, aber wahrscheinlich auch kein anderer Gott, sondern „Hadrianus, der selbst als Jupiter Olympius verehrte Kaiser" beigesellt gewesen sei [1]. Livius (32, 25) berichtet nämlich: *mos erat (in Argivorum civitate) comitiorum die primo velut ominis causa praetores pronuntiare Jovem Apollinemque*

---

[1] Mommsen (*Eph. epigr.* V p. 81) zieht *Jov[e et Junone]* oder Aehnliches vor.

*et Herculem. additum lege erat, ut his Philippus rex adiceretur. cuius
nomen post pactam cum Romanis societatem quia praeco non adiecit,
fremitus primo multitudinis ortus, deinde clamor subicientium Philippi
nomen iubentiumque legitimum honorem usurpare, donec cum ingenti
adsensu nomen recitatum est.* Zu Argos bestand also im J. 19 i
v. Chr. die Sitte, bei der Wahl der höchsten Beamten jedesmal
zuerst Zeus, Apollon und Herakles gleichsam als ständige Stadt-
vorsteher zu proklamieren, und schon damals hatte der griechische
Servilismus die gleiche Ehre einem fürstlichen Gönner, Philippus V.
von Makedonien, zugetheilt. War nun also auch die nach jener
Vermuthung dem Kaiser Hadrian in Samothrake erwiesene Ehren-
bezeugung keine ganz neue, so erscheint sie doch immerhin bedeutend und ungewöhnlich genug, um die weitere Vermuthung
Hirschfelds noch immer aufrecht zu erhalten, dass diese Ehre mit
einem, auch aus anderen Gründen wahrscheinlichen, persönlichen
Besuch des Kaisers auf Samothrake (vgl. Dürr, Reisen Hadrians
S. 2. 55 f.) im Zusammenhang stehe.

Tübingen   J. DÜRR

Römischer Votivstein aus Unter-Haidin nächst Pettau

(Aus einem an die k. k. Central Commission für Kunst- und historische Denkmale
gerichteten und von derselben mitgetheilten Berichte) *)

Am 11. März l. J. erhielt ich von einer befreundeten Person in
Pettau die Mittheilung von dem Funde eines Römersteines zugleich
mit der von Herrn Professor Rudolf Gaupmann in Pettau angefertigten Abschrift. Danach zog ich weitere Erkundigungen sowohl
über die Inschrift, als auch über Fundort, Material und Dimensionen ein.

---

*) [Ueber dasselbe Denkmal haben wir auch ausführliche Mittheilung von
Herrn Professor Gurlitt in Graz erhalten, mit seiner vor dem Stein genommenen
Abschrift und einem von Herrn Professor Gaupmann sorgfältig angefertigten Ab-
klatsch. Letzterem verdanken wir auch eine vortreffliche Photographie.   A. d. R.]

Der Fundort liegt auf dem Boden des alten Poetovio, nahe der Ortschaft Unter-Haidin, welche eine mässige halbe Stunde von dem östlich davon gelegenen Pettau entfernt ist. Man geht von Pettau aus auf der Marburger Strasse bis zum Beginne der Ortschaft Unter-Haidin; bevor man noch das erste Haus dieses Dorfes erreicht, biegt ein Wiesenweg von der Strasse ab, welchen man noch 300 Schritt weit zu verfolgen hat, um zu der Wiese des Bauers Johann Gracher (Haus Nr. 19 in Unter-Haidin) zu gelangen. Auf dieser Wiese wurde unter Erlenbäumen der Stein in liegender Stellung entdeckt und am 24. Februar l. J. ausgehoben. Unmittelbar vor dieser Wiese befindet sich ein Feld, auf welchem Gefässscherben, zum Theil von Terra sigillata, grosse Ziegelbruchstücke und andere Baureste in Menge zerstreut liegen. Einige wohlerhaltene kleine Fussbodenziegel von da haben meine Bekannten für mich erworben. Der Stein wurde im März vom Magistrat der Stadt Pettau, welcher ein Localmuseum zu gründen beabsichtigt, angekauft und ist vorläufig im Hofe des dortigen landschaftlichen Gymnasiums aufgestellt.

Der Stein besteht aus einem einzigen Stück sogenannten Bacherer Marmors, eines weiss-gelblichen krystallinischen Kalksteins, aus welchem die meisten Römerdenkmale Pettau's gemeisselt sind. Auf einem 0·78 M. breiten, 0·24 hohen und 0·4 dicken Sockel erhebt sich das Mittelstück 0·58 br., 0·44 h., 0·4 tief, auf dessen Vorderseite in einem durch einen schmalen Rand abgegrenzten Felde die Inschrift mit guten Buchstaben, anscheinend der ersten Kaiserzeit, eingehauen ist, deren Höhe in Z. 1—5 allmählich etwa von 7 bis zu 3 Cm. herabgeht. Die Krönung des Steines bildet ein einfacher Aufsatz mit einem Wulst, die zusammen 0·3 hoch sind. Die Inschrift lautet:

VOLCANO
AVG · SACR
EX · IMP · VICVS
FORTVN · A · TEMPL.
5   FORTVNAE · AD HORR
M   P

Volcano Aug(usto) sacr(um). Ex imp(erio) vicus Fortun(ae) a templ(o) Fortunae ad horr(ea) m(erito?) p(osuit) *).

---

*) [Die Lesung ist nach den uns vorliegenden Abklatschen und der Photographie, aus denen wir auch das längere I in Z. 3 aufgenommen haben, völlig

Bei der Erläuterung fragt es sich zunächst, welcher Art der Vicus ist, von dem der Stein errichtet wurde. Ein Vicus ist ein Complex von Gebäuden, in der Stadt eine Strasse oder ein Stadttheil, ausserhalb der Stadt ein Dorf, in welchem die Gehöfte zusammen, nicht wie in dem Pagus zerstreut liegen. Hier ist wohl ein städtischer Vicus zu verstehen, da der Boden von Unter-Haidin in römischer Zeit noch dem Pomerium von Poetovio zugehörte, welches sich am rechten Drauufer in noch weiterem Umkreise über Ober-Haidin, Schloss Thurnisch und St. Veit ausgedehnt zu haben scheint. Auch spricht dafür der Umstand, dass in unserer Inschrift die Grenzen des Vicus angegeben werden (*a templo Fortunae ad horrea*, wobei wohl *pertinens* oder ein ähnliches Participium die ungezwungenste Ergänzung ist), da eine solche Angabe nur beim Vorhandensein mehrerer zu einem Ganzen vereinigten Vici, also in einer Stadt vonnöthen ist und einen Sinn hat, nicht aber bei dem einzelnstehenden ländlichen Vicus. Die Bewohner eines solchen städtischen Vicus fanden, wenigstens in Rom, wo die Stadt seit Augustus in 287 Vici unter je 4 Vicomagistri eingetheilt war, in der Verehrung der gemeinsamen Laren in eigenen Kapellen einen religiösen Einigungs- und Mittelpunkt. Eine ähnliche Einrichtung wie zu Rom mochten denn auch die städtischen Vici in den bedeutenderen Colonialstädten, zu welchen jedenfalls auch die *Colonia Ulpia Traiana Poetovio* zu rechnen ist, gehabt haben, wenn auch eine Eintheilung derselben in Vici meines Wissens in den Donauländern inschriftlich nicht erwähnt wird. Seinen Namen führt der Vicus Fortunae augenscheinlich nach dem in Z. 4. 5 genannten *templum Fortunae*, dessen Stelle also in oder bei dem heutigen Unter-Haidin zu suchen ist. Die Magazine *horrea*, die an dem anderen Ende den Vicus begrenzten, werden wohl militärische gewesen sein, da Poetovio im ersten Jahrhundert n. Chr. das Standlager einer Legion, der *XIII Gemina* war.

Dass der Vicus dem Volcanus, der hier zum ersten Male unter Inschriften aus Steiermark erscheint, den Altar geweiht hat, erklärt

gesichert, mit Ausnahme des ersten Buchstabens in Z. 6. Nach der Angabe des Verfassers haben die ersten Copien, auch die Professor Gaupmann's, м, aber neuerdings schreibt dieser, dass man auf dem Steine eigentlich nichts davon entdecken könne; Professor Gurlitt gibt nur einen unsicheren Rest, und auch auf dem Abklatsch ist nichts mit einiger Sicherheit zu erkennen. Doch passen vielleicht die Spuren mehr zu P, woran Professor Gurlitt gedacht hat, als zu M, und es ist daher vielleicht *p(ecunia) p(ublica)* zu verstehen. E. B.]

sich wohl daraus, dass er vorzüglich zur Abwehr von Bränden und zur Hilfe bei Feuersbrünsten angerufen wurde. Dies tritt klar hervor an einer Stelle der Inschrift C. I. L. VI, 826, die eine Widmung an den Gott Volcanus enthält: *ex voto suscepto ... incendiorum arcendorum causa.* Demgemäss finden sich auch unter den Widmungen der Vorsteher der stadtrömischen Vici zwei an den *Volcanus quietus Augustus* (C. I. L. VI, 801. 802), das eine Mal in Verbindung mit der *Stata Mater Augusta*, die das Feuer zum Stehen bringt.

Dass die Formel *ex imperio* andeutet, dass eine göttliche Weisung die Widmung veranlasst hat, braucht hier kaum gesagt zu werden; in gleicher oder ähnlicher Bedeutung kommt auf anderen Inschriften aus Poetovio vor *ex iussu* (C. I. L. III, 4014) und *ex visu* (C. I. L. III, 4018).

Olmütz, April 1886

ANTON RITTER v. PREMERSTEIN

Die antiken Schrift-Gemmen meiner Sammlung

Die kleine, etwas über 200 Stücke umfassende Gemmen-Sammlung, welche ich nebst mehr als 10.000 Gemmen-Pasten besitze, enthält eine verhältnissmässig nicht geringe, beinahe den vierten Theil derselben erreichende Anzahl von antiken Schrift-Gemmen — diesen im Ganzen nicht sehr häufigen, oft bemerkenswerthen und daher ein besonderes Interesse bietenden geschnittenen Steinen, die mit Schriftzeichen — sowohl in einzelnen Buchstaben, als in Wörtern und in Sätzen — ausgestattet sind. Sie theilen sich im Allgemeinen in eigentliche Inschrift-Gemmen, die bloss eine Inschrift tragen, und in solche, welche eine Darstellung weisen und zugleich eine Aufschrift haben [1]). Da die antiken Schrift-Gemmen meines Besitzes — die ich im Laufe der Jahre grösstentheils durch Geschenk oder Tausch zusammenbrachte und die alle unzweifelhaft echt sind — noch nicht publiciert

---

[1]) Vgl. Francisci Ficoronii *Gemmae antiquae litteratae*, Romae MDCCLVII. — Desgl. meinen Abriss der „Glyptik" in Bucher's „Geschichte der technischen Künste", Stuttgart 1875. I, 319 fg.

wurden, so möge hier ihre kurze Beschreibung in Folgendem mit-getheilt sein.

I. Inschrift-Gemmen

A. Griechische.

1. **Carneol-Onyx-Camee** (die obere Schichte mit dem von einer Randlinie umgebenen Namen ist weiss, die untere röthlich). — Quer-oval: 8 mm hoch, 13 mm. breit.

ΑΛΕΞΑ
ΝΔΡΟΣ

2. **Carneol-Intaglie**, schildförmig. — Quer-oval: 12 mm h., 15 mm. br.

ΘΙΛΙΑ

Oben und unten quer ein Palmenblatt.

3. **Lapis-Lazuli-Intaglie.** — Quer-oval: 10 mm. h., 13 mm. br.

ΙΠΡΔ
ΦΥΖ

4. **Carneol-Intaglie**, schildförmig. — Quer-oval: 6 mm. h., 8 mm. br.

ΨΥΧΗ
ΚΑΛΗ   (ψυχὴ καλή).

B. Römische.

5. **Carneol-Intaglie**, schildförmig, fast rund: 12 mm. h, 15 mm. br.

IV
CVN
DA

6. **Sarder-Intaglie**, bräunlich gelb. — Quer-oval: 10 mm. h., 13 mm. br.

FOLNIVS
APIA

7. **Carneol-Intaglie**, schildförmig. Quer-oval: 9 mm. h., 13 mm. br.

EDISI ///
/// AVIAH
E

II. Aufschrift-Gemmen.

A. Griechische.

8. **Jupiter Serapis.** Kopf nach links. — Umschrift (rechtläufig):
ΕΙΣ ΖΕΥΣ ΣΕΡΑΠΙΣ ΜΕΓΑΛΗ Η ΤΥΧΗ ΤΟΥ /// — Unterhalb des Kopfes: ΟΝΟΣ.

Carneol-Intaglie, schildförmig. Oval: 18 mm. h., ¡15 mm. br. (Im Feld vor dem Kopf eine kleine zarte dendritische Einsprengung.) Oben etwas beschädigt.

Tüchtig mit sicherem Schnitt und mit Schönheitsgefühl ausgeführter Kopf.

9. **Jupiter Serapis.** Halb - Brustbild nach links. — Umschrift (links): κωϲιατοπ; (rechts): ροϲκγνη; unter dem Kopfe: μα (Κωσία τὸ προσκύνημα).

Carneol-Intaglie, schildförmig. Oval: 13 mm. h., 10 mm. br.

10. **Jupiters Adler**, nach rechts schreitend; mit Eichel (?) im Schnabel. — Oben: ζεvϲ; unten: βοvκκιω.

Carneol-Intaglie, schildförmig. Quer-oval: 10 mm. h., 12 mm br.

11. **Minerva**, stehend, nach rechts gewendet, die **Victoria** auf der rechten Hand haltend. — Seitwärts, links: εγτγ. (*Eutyches*).

Carneol-Intaglie, schildförmig. Oval: 16 mm. h., 12 mm. br.

12. **Amor**, im Lauf; mit Fackel (?), nach rechts. — Unten links: φαρ.

Magneteisenstein-Intaglie. Oval: 15 mm. h., 13 mm. br.

13. **Abundantia**, stehend; mit Füllhorn und Ruder; nach rechts. — Oben links: επεοϲ.

Magneteisenstein-Intaglie. Oval: 14 mm. h., 11 mm. br.

14. **Thyrsusstab**, aufrecht, mit flatternden Bändern. — Ueber die Mitte des Stabes: ιΩν, unten links: ιιι.

Amethyst-Intaglie, bohnenförmig, durchbohrt. Oval: 14 mm. h., 10 mm. br.

15. **Palmenzweig**, aufrecht. — In der Mitte links: ν, rechts: ε.

Chalcedon-Intaglie, bohnenförmig; wie die vorhergehende, nach der Länge durchbohrt. Oval: 16 mm. h., 8 mm. br.

16. **Nestor** (?), mit Schild und Speer, aufs linke Knie gesunken, kämpfend. Mit „gekörntem" Rand. — Oben rechts: ν.

Sardonyx-Intaglie. Abgerundetes Viereck: 14 mm. h , 12 mm. br.

(Aeltester griechischer Styl, in grosser Feinheit durchgeführt. Werthvollste Gemme.)

17. **Springendes gezäumtes Pferd**, nach rechts. — Oben (rechtläufig): εινΩ.

Sarder-Intaglie. Quer-oval: 10 mm. h., 13 mm. br.

18. **Abundantia und Fortuna**, über einem Getreidebündel (?) sich die Hände reichend; zwischen den Köpfen beider das Brustbild Sol's. — Unterhalb der Hände (rechtläufig): χαρα.

Sarder-Intaglie. Quer-oval: 12 mm. h., 14 mm. br.

19. **Phallus**, nach rechts; auf der Eichel ein S c h m e t t e r l i n g, darunter eine Schnecke. — Oben: п; links: o ; rechts: т; unten: v. **Sarder-Intaglie** (braun). Quer-oval: 20 mm. h., 25 mm. br.

B. R ö m i s c h e.

20. **Jupiter tonans**, thronend, nach rechts. — Oben, zur Rechten: ivp; zur Linken: ton. **Chalcedon-Intaglie**, schildförmig. Oval: 16 mm. h., 12 mm. br.

21. **Leda**(?), stehend, von rückwärts; rechts unten der S c h w a n, zu dem sie hinablangt. — Links: p·e·f·; rechts: ar·cos. **Achat - Intaglie** (schwarz), schildförmig. Oval: 15 mm. h., 13 mm. br. (Oben ausgesprengt.)

22. **Victoria**, nach rechts schreitend; in der Linken einen P a l m e n z w e i g, in der Rechten einen K r a n z haltend. — Links: sca; rechts: phi. **Carneol-Intaglie.** Oval: 10 mm. h., 9 mm. br.

23. **Apollo**, nach rechts schreitend; die erhobene Lyra spielend. Unten, zu beiden Seiten der Figur: .
a . c | absa· **Carneol-Intaglie**, schildförmig. Oval (fast rund): 15 mm. h., 14 mm. br.

24. **Pferd**, ungezäumt, nach rechts schreitend; vor demselben ein S c h i l d und zwei L a n z e n. — Oben: haprisn; unten: romvl. **Sardonyx-Intaglie** (braun auf weisser Schichte), schildförmig. Quer-oval: 13 mm. h., 18 mm. br.

25. **Komische Maske**, nach rechts. — Unten: l·t· **Sarder-Intaglie.** Oval: 12 mm. h., 9 mm. br.

26. **Zwei Hände**, ineinandergelegt; darüber ein Mohnstengel und zwei Kornähren. — Oben: l·v·; unten: tert*ⁱⁱⁱ* **Carneol-Intaglie.** Quer-oval: 11 mm. h., 13 mm. br.

27. **Pferdekopf**, nach rechts. — Von der rechten Seite nach unten: r p l v. **Jaspis-Intaglie** (roth u. violett). Quer-oval: 7 mm. h., 11 mm. br.

28. **Ochsen-Paar**, nach rechts schreitend; links Spuren eines T r e i b e r s (ausgesprengt), rechts eine verzierte Stange. — Oben: nmd. **Sarder-Intaglie.** Quer-oval: 10 mm. h., 14 mm. br.

29. **Keule**, oben und unten an einem Stengel eine F r u c h t. Unten: c · val. **Sarder-Intaglie.** Quer-oval: 9 mm. h., 12 mm. br.

C. Abraxas.

a) Eigentliche Abraxas.

30. Gott Abraxas, mit Hahnenkopf, Schlangenfüssen, Geissel und Schild; nach rechts. — Rechts, oben: ιαω; links: ΥΑω.

Auf der Rückseite: ΧΡΥΤΒ+Κ
ΑΗΙΟΥωΝ ·
ΓΜΟС

Jaspis-Intaglie, gelbfleckig. Oval: 15 mm. h., 12 mm. br.

31. Gott Abraxas, wie oben. — Auf dem Schild: ιαω

Auf der Rückseite: ΑΒΡΑ
ΓΑΞ

Magneteisenstein-Intaglie. Oval: 20 mm. h., 16 mm. br.

32. Gott Abraxas, gleich den vorigen. Oberhalb: eine stehende Figur, behelmt, in der Rechten eine Kugel, in der Linken einen langen Stab haltend. — Rechts: ιαωΑΒΥχι; links; ΡΕΛΑω
ιαω   ιαω

Carneol-Intaglie. Oval: 26 mm. h., 18 mm. br.

b) Abraxoiden.

33. Gott Abraxas, mit menschlichem, spitzbärtigem, gehörntem Kopf, mit Schlangenfüssen und mit Geissel in der Linken; in der Rechten ein krummes Schwert. Unten ein augenartiges Ornament.

Am Rand die untere Hälfte der folgenden Buchstaben:
LO — LD ⫫

Nephrit-Intaglie (abgesägt). Eckiges Oval: 34 mm. h., 20 mm. br.

34. Chneph (Schlange mit strahlendem Löwenhaupt). — Links:
ΧΝΟΥΒΙС

Auf der Rückseite: ⫫⫫ ΙΑ
ΛΧΜΗ

Plasma-Intaglie, schildförmig. Oval: 16 mm. h., 12 mm. br.

35. Seekrebs, nach links. — Oben: ΟΝΓΕΥΥ

Auf der Rückseite: Sonne und Mond.

Am Rand: ΑΒΡΑСΑΞ→

Magneteisenstein-Intaglie. Quer-oval: 13 mm. h., 17 mm. br.

c) Abraxaster.

36. Jupiter Serapis. Stehende Figur, in der Rechten einen langen Stab haltend, die Linke erhoben. — Links: ι   rechts: Α
Φ   ι (?)

Jaspis-Intaglie (roth u. grün geflammt). — Oval: 32 mm. h., 21 mm. br.

37. **Jupiter** (?) **und die beiden Dioskuren;** mit M o n d und
S t e r n.

Auf der Rückseite, von einer Schlange umgeben: ιωχω.

Am R a n d e: ΕΛΕΝΗ ΗΛΒΑΤΑ.

Magneteisenstein-Intaglie. Quer-oval: 11 mm. h., 14 mm. br.

38. **Harpokrates,** an einer Säule lehnend, mit P a l m z w e i g
in der Linken und einer F r u c h t in der erhobenen Rechten.

Auf der Rückseite: **Kerkopithekos,** auf einer verzierten Schale
sitzend.

Am R a n d e (undeutlich): ωιω — ιωι (?)

Magneteisenstein-Intaglie. Oval: 16 mm. h , 11 mm. br.

39. **Harpokrates,** auf einer Lotosblume sitzend.

Am R a n d e: ΛΗΑΧΙΕΜΛΗΙCΡΥ⌐

Lapis Lazuli-Intaglie. Oval: 12 mm. h., 8 mm. br.

40. **Harpokrates,** sitzend; unterhalb desselben ein laufender
L ö w e. — Rechts: Λ+L; links: Λ+ιL (?)

Achat-Intaglie (schwarz). Oval: 13 mm. h., 10 mm. br.

41. **Anubis,** stehend, mit kurzem S c h w e r t in der Rechten.
Unten: ΚΗCΝΚ

ΛΛΡΜ⁗

Η⁗

Magneteisenstein-Intaglie, Oval: 14 mm. h., 11 mm. br.

42. **Zwei Figuren** (männlich u. weiblich?), stehend, sich die
Hände reichend. — Links: ΙΑω; rechts: ⁗Α⁗

Auf der Rückseite: L ö w e, schreitend; oberhalb: S o n n e u.
M o n d; rundherum: S t e r n e. — Am R a n d e: ΙΕΑΝΟΑΙΙΛΑ.

Blutstein-Intaglie. Oval: 18 mm. h., 14 mm. br.

43. **Diomedes** (?), an einem Baume sitzend, eine geflügelte
Figur auf der vorgestreckten Rechten haltend.

Auf der R ü c k s e i t e: ΙΑΕΝΗΛ⸸

ΡΕΝΛΝΗΥΝ

ΗΕΙΛΑΡΙΚΥ

Ι⸸ΙΛΕΥΕΑΙ⸸

⁗⁗⁗ΛΛΙDO

Jaspis-Intaglie (dunkelgrün mit rothen Flecken). Viereckig:
20 mm. h., 21 mm. br.

Baden bei Wien   Dr. HERMANN ROLLETT

Archäologische Fragmente aus Bulgarien

(Fortsetzung, s. oben S. 43)

IV. Das Pontusgebiet und der östliche Haemus

Der östlichste Theil des Haemusgebirges bis zur Pontusküste hatte zu allen Zeiten eine hervorragende Bedeutung wegen der ihn durchschneidenden wichtigen Verbindungslinien zwischen Byzanz und der Donau, welche die dortigen Landschaften zu dem Schauplatz so vieler Feldzüge von Alexander und Lysimachos angefangen bis zu der ereignissreichen Epoche der Völkerwanderungen, und von den wechselvollen Kriegen zwischen den Byzantinern und Bulgaren bis auf die russischen Operationen unseres Jahrhunderts gemacht haben. Die genannten Routen durchkreuzen dort zwei sehr ausgedehnte, wenig bevölkerte Waldgebiete mit nicht sehr hohen, von West nach Ost sich ausbreitenden Höhen, nämlich die Strandža zwischen dem Tundžathal und der Meeresküste, an der jetzigen rumelisch-türkischen Grenze, und den östlichsten Balkan mit seinen vielen Verzweigungen an der rumelisch-bulgarischen Grenze. Dazwischen liegt am Südabhang des Balkangebirges eine Zone warmer fruchtbarer Niederungen bei Sliven, Jambol, Karnabad, Aitos und am Golf von Burgas. Nördlich von der Balkanlinie folgen die parallel mit ihr verlaufenden Thäler der vereinigten Kamčija und des bei Varna mündenden Flusses von Pravadia. Darauf öffnet sich weiter nordwärts die steppenartige Ebene der Dobrudža. Im Osten schliesst eine Reihe uralter Städte und Burgen das ganze Gebiet von der Seeseite ab.

Obwohl wir von dieser Gegend recht gute, zu militärischen Zwecken aufgenommene Karten besitzen, sind die dortigen historischen Denkmäler bis jetzt nur wenig bekannt geworden. Dies bewog mich im Sommer 1884 zu einer zweimonatlichen Reise, auf der ich das ganze Gebiet von der Sakar-Planina bei Adrianopel bis zum Cap Kaliakra zu beiden Seiten des Balkans durchstreifte.

Im Folgenden will ich die auf antike Geographie und Epigraphik bezüglichen Notizen meines Tagebuches in Kürze vorlegen.

Die Aufgabe der historischen Geographie ist in dieser Gegend erschwert durch zwei Umstände. Einerseits ist das überlieferte Material sehr unvollständig: die Angaben der römischen Itinerarien sind hier sehr spärlich, die byzantinischen Daten lassen sich nicht leicht in geordnete Routen gruppiren, die inhaltsreichen Routiers des Arabers Edrisi (um 1150) werden erst durch genaue Vergleichung der Handschriften und Emendation des Textes eine festere Grundlage erhalten können, und für neuere Zeiten fehlt ausser einigen wenigen Relationen die Literatur der Reisetagebücher des 16. und 17. Jahrhunderts, die für die Wege von Constantinopel nach Belgrad oder Ragusa so viele Anhaltspunkte zur Feststellung alter Ortslagen bietet.

Andererseits ist die historische Ueberlieferung in diesen Gegenden sehr stark geschwunden, und zwar in Folge von gewaltigen ethnographischen Veränderungen in der neuesten Zeit. Altansässig sind nur die Bulgaren im Gebirge von Šumen, Kotel, Sliven, nebst wenigen Dörfern des östlicheren Gebietes (Gulica, Rusokastro u. s. w.) sowie in dem Innern des Strandžagebirges, sodann die türkisch sprechenden Christen wahrscheinlich kumanischen Ursprungs (die sogenannten Gagauzi) im Küstenland nördlich von Varna, und endlich die Griechen der Seestädte Mesembria, Anchialos, Sozopolis u. s. w.[1]). Neueren Ursprungs ist die ausgedehnte türkische Bevölkerung des Ost-Balkans, der Landschaft Tozluk u. s. w., angesiedelt seit dem 16. Jahrhundert, ohne dass wir über die Einzelheiten dieser uns doch der Zeit nach näheren Colonisation eine genauere Kenntniss besässen. Andererseits zeugt die vorwiegend

---

[1]) Auf der Balkanhalbinsel gibt es zwei Gruppen türkisch sprechender Christen, die Gagauzi von Varna und Pravadia bis Silistria und zu den Donaumündungen (besonders bei Balčik und Kavarna), und die Surguči in der Umgebung von Adrianopel. Ohne hier auf die Einzelheiten dieser ethnographischen Frage einzugehen, bemerke ich nur, dass sich dieselben durch ihren Typus von den christlichen Nachbarn unterscheiden und dass das Türkische ihre ursprüngliche Muttersprache ist. Es sind christianisirte Reste mittelalterlicher türkischer Volksstämme. Die Gagauzi stammen wohl von den Kumanen ab, die im 13. Jahrhundert in Bulgarien (wie in Ungarn) einen grossen Einfluss besassen; eine Dynastie kumanischen Ursprungs behauptete sich sogar durch drei Generationen auf dem Thron von Trnovo. Die Surguči sind dagegen auf die in der Komnenenzeit in Thrakien (nachweisbar bei Beroe und an der Arda) colonisirten Türken und „Turkopulen" zurückzuführen.

türkische Nomenclatur der gegenwärtig meist bulgarischen oder griechischen Dörfer des Tundžathales bis Adrianopel von einer compacten, jetzt nicht mehr bestehenden osmanischen Bevölkerung. Nach dem russischen Kriege 1829 wanderten die Bulgaren, besonders des Tundžagebietes, massenhaft nach Bessarabien aus, wo die neuen Colonistendörfer zum Theil noch immer die Namen der alten Heimathsorte in den Gegenden von Jambol, Sliven u. s. w. führen. Ein Theil dieser Emigranten wollte nicht bleiben und zog nach 1830 aus Bessarabien wieder in die Heimath zurück, blieb aber unterwegs in den verlassenen Dörfern nördlich vom Balkan, so dass z. B. ein grosser Theil der jetzigen Bulgaren des Kreises von Varna in zweiter oder dritter Generation aus der Landschaft von Jambol abstammt. Daran schloss sich in neueren Zeiten eine starke, wohl durch agrarische Ursachen bedingte Auswanderung bulgarischer Ackerbauer aus den dicht bevölkerten Landschaften von Eski Zagra und Čirpan in das untere Tundžathal und das Gebiet von Burgas. Daneben kann man eine durch das wechselnde Leben der Wanderhirten, die zwischen dem Balkan und der Donauebene hin- und herzogen, eingeleitete starke Ansiedelung von Bulgaren aus dem Gebirge von Kotel in den Niederungen der Dobrudža (bei Balčik, bei dem jetzt officiell zu Dobrič umgenannten Städtchen Hadži - Oglu - Pazardžik u. s. w. bis Tulča) verfolgen. Der letzte Krieg (1877 — 78) endlich brachte eine starke Auswanderung der Osmanen aus dem ganzen Lande nach Constantinopel und Kleinasien und die Anlage neuer bulgarischer Colonien aus der Gegend von Adrianopel und Kyrkklisse in dem Küstenlande von Varna. Das Resultat aller dieser ethnographischen Umwälzungen war das Schwinden der an alten Ruinen haftenden Traditionen sammt der ehemaligen topographischen Nomenclatur.

Der Ausgangspunkt meiner Reise war die ansehnliche Stadt Jambol (1880 nach der damaligen Volkszählung 745 Häuser mit 8463 Einwohnern), jetzt Endpunkt einer Zweigbahn der ostrumelischen Linie von der Station Tirnovo-Seimenli zum Balkan. Die Stadt liegt zu beiden Seiten der Tundža inmitten einer fruchtbaren Niederung voll schöner Saaten. Den Horizont umschliessen im Norden die östlichsten ganz niedrigen Ausläufer der Sredna Gora, neben welchen die bläulichen Umrisse des Balkans von Sliven emporragen, im Osten zwei an 300 Meter über die Ebene sich erhebende Kegelberge vulkanischen Ursprungs, der grosse und kleine Bakadžik, im Süden das ähnliche Paar der isolirten Kuppen des

grossen und kleinen Monastirberges, hinter denen in weiter Ferne
der lange Rücken der Sakar - Planina hervorblickt. Das linke
Tundžaufer ist hoch und trocken, das rechte niedrig und zum
Theil sumpfig. Das Centrum der alten Stadt, die Burg derselben,
stand auf einem von einer Krümmung des Flusses eingeschlossenen
Vorsprung des linken Ufers, einem gegen Norden schroff abfallenden felsigen Plateau von ungefähr 16 Meter Höhe (über dem Fluss-
ufer) und 130 Schritt Breite. Die von Weitem sichtbare Moscheen-
ruine der „Sofular-Džamisi" ist jetzt das einzige Gebäude des
Platzes; daneben bemerkt man jedoch die Grundfesten eines auf
gewaltigen Quadern ruhenden Gebäudes und zahlreiche türkische
Grabsteine mit Spuren älterer Ornamente. Auch die Substructionen einer Umfassungsmauer sind kenntlich, besonders auf der
Ostseite, wo jetzt elende Zigeunerhütten den Uebergang von der
einstigen Burg zur jetzigen Stadt vermitteln. Die früher meist
mohammedanischen Stadttheile des linksseitigen Ufers mit vielen
grossen Gebäuden aus der älteren Türkenzeit (Bezestan, Bäder,
Moscheen) werden oberhalb und unterhalb der Burghöhe vom Flusse
bespült. Die tiefgelegene, von Gärten angefüllte Vorstadt des rechten
Ufers ist von Alters her rein bulgarisch und wird Kárgona genannt. Zwei alte, 72 Meter lange Brücken vermitteln die Verbindung über die Tundža. Die „Hamamköprüsü" auf der Strasse
nach Sliven ruht auf sechs Pfeilern aus steinernen Quadern alter
Arbeit (auf einigen Steinen bemerkt man Basreliefs von Schlangen),
während die Brücke von Kárgona neben einigen hölzernen nur noch
zwei steinerne Pfeiler aufzuweisen hat; der Oberbau ist bei beiden
aus Holz.

In den Erzählungen der Einwohner der ganzen Umgebung
erscheint Jambol als eine alte Stadt, angeblich älter als das be-
nachbarte, jetzt viel bedeutendere Sliven. Ausser der Burg trifft
man noch zahlreiche Spuren mittelalterlichen und selbst antiken
Lebens. Neben der grossen Eski - Džamissi liegt ein zerschla-
gener Stein mit der Aufschrift ΑΓΑΘΗΙ ΤΥΧΗΙ; ebendaselbst fand
man ein Basrelief mit dem bekannten sogenannten thrakischen
Reiter, das jetzt als ein St. Georgsbild in einer Kirche von Kárgona verwahrt wird. Bei verschiedenen Bauten stiess man auf
gewaltige Grundmauern aus colossalen Quadern, sowie auf altes
Strassenpflaster und zahlreiche gemauerte unterirdische Räume, wie
die alten Keller von Sofia; daneben findet man häufig Thongefässe
und Münzen der verschiedensten Zeiten. An der Ostseite, wo eine

Wasserleitung angeblich türkischen Ursprungs in die Stadt eintritt, bemerkte ich bei einem Brunnen zwei dicke glatte Säulen antiken Ursprungs. Auf den türkischen Friedhöfen auf der Nordostseite, gegen die Weingärten zu, legte man zwischen zahlreichen behauenen Quadern, die jetzt als Grabsteine dienen, unlängst einen glänzend weissen Marmorstein bloss, 1·4 h., 0·52 br., ausgezeichnet erhalten, mit folgender Inschrift in regelmässiger, 4 Cm. hoher Schrift:

ΑΥΡΗΡΑΚΛΙΑΝΟΣ	Αὐρ(ήλιος) Ἡρακλιανὸς
ΖΩΝ ΚΑΙ ΦΡΟΝΩΝ	ζῶν καὶ φρονῶν
ΤΟΥΣΑΝΔΡΙΑΝΤΑΣ	τοὺς ἀνδριάντας
ΑΝΕΣΤΗΣΕΝ ΕΑΥ	ἀνέστησεν ἑαυ-
5 ΤΟΥΚΑΙΤΗΣ ΓΥΝΑΙΚοΣ	τοῦ καὶ τῆς γυναικὸς
ΖΙΑΜΑΡΚΗΣ	Ζιαμάρκης.

Ein anderer, etwas beschädigter Stein ebendaselbst, 0·26 h., 0·21 br., hat folgende Aufschrift (Copie des Herrn Bürgermeisters K. Ikonomov)²):

```
        ΑΕΡΙΔΝΟΦΕΡΚΕΚΑΛΥΝΕΝΟΠΙΕΡΑ
                 ΟΙΚΟΝ
          ΔΥΕΝΗΤΩΝΠΑΝΠΤΟΣΑΝΕΘΚΑ
       ΠΑΙΣΑΠΟΛΙΝΑΡΙΟΣΠΕΤΡΑΝΕΙΡΩΜΗΚ
    5            ΕΥΤΥΧΩΣ
```

In die Gegend von Jambol gehört das alte Cabyle, das nach der Tab. Peut. 52 röm. Meilen von Beroe und nach dem Itinerarium Antonini 79 von Hadrianopolis entfernt war, überdies nach Harpocration πρὸς τῷ Τάξῳ (statt Τόνζῳ) ποταμῷ κατὰ μέσον τῆς Θρᾴκης lag. Strabo (VII p. 320) und Stephanos von Byzanz schreiben den Namen Καλύβη und bezeichnen den Ort als eine makedonische Colonie, ersterer als eine Verbrecher- und Bergwerks-

---

²) Die Inschrift ist jetzt auch in der Anm. 4 angeführten Schrift von Škorpil S. 83 herausgegeben mit folgendem Text: ΑΕΡΙΔΝΟΦΕΘΚΕΚΑΛΥΝΕΝΟΝΠΤΗΡΑ ‖ ΟΙΚΟΝ ‖ ΔΥΤΑΝΤΗΤΩΝΠΑΝΠΤΟΕΑΝΕΘΗΚΑ ‖ ΠΑΙΣΑΠΟΔΙΝΑΠΙΟΣΠΤΡΑΝΕΙΒΟΙΟΙΚ ‖ ΕΥΤΥΧΩ. [Wohl Ἀέρι δνοφερ[ῷ], κεκαλυ[μμ]ένον [ἢ π]ερᾷ οἶκον δυ[σ]άντητον, [κ]άνπτο(υ)σαν ἔθηκα παῖς Ἀπολινάριος Πέτραν ἐ[κ] Ῥώμη[ς. In κάμπτουσσν (freilich befremdlich statt κάμψασαν) liegt ein von der Rennbahn entlehntes Bild. Vgl. Nauck zu Oed. Col. 91. V. 1 scheint eher ein prosodisch fehlerhafter Hexameter sein zu sollen, als ein akatalektischer anapästischer Trimeter, 2 und 3 entziehen sich einer genaueren Bestimmung. Th. Gomperz.]

colonie König Philipp's II. Als Καβύλη erscheint es schon bei
Philipp's II. Zeitgenossen Demosthenes (*oratio de Chers.* §. 44).
Nach Strabo lag der Ort im Lande der Asten selbst, nach Polybios
(XIII, 10, 7) nicht weit von den Sitzen dieses thrakischen Stammes,
der sich über das ganze östliche Thrakien von Apollonia (Sozo-
polis) bis Perinth ausbreitete und sein Centrum in Bizye hatte.
Nach meinen Erkundigungen sind makedonische Münzen, besonders
von Philipp und Lysimachos, in der Gegend von Jambol recht häufig.
Ausserdem wurden jüngst in der Nähe zahlreiche Spuren eines alten
Bergbaues von Herrn H. Škorpil, Lehrer der Naturgeschichte an
der von der ostrumelischen Regierung eröffneten Realschule zu
Sliven, aufgefunden. In der Umgebung der Dörfer Jeni - Mahala
und Türkmen, zwischen den Bergen Gross- und Klein - Bakadžik,
südöstlich von Jambol, gibt es an einer „Maltepe" (türk. „Schatz-
hügel") genannten Anhöhe in der Nähe einer gepflasterten Strasse
nicht nur Galenitadern, sondern auch Reste von alten tiefen Gruben,
jedoch keine Spur von Schmelzöfen. Auf den waldigen Abhängen
des Berges von Gross-Monastir, südlich von Jambol, fanden sich
fünf alte, an 5 M. tiefe Eisengruben mit Resten von Schlackenhalden.
Zwischen den Monastirbergen und Jambol stiess man zwischen
Kuemdži und Cömlekköi auf Spuren eines uralten Kupferbergwerks
mit Gruben. An allen diesen Stellen ist jede Tradition über die
Zeit des Betriebes dieser Werke längst erloschen[3]).

Cabyle ist aber bei alledem kaum in Jambol selbst zu suchen.
Einer solchen Annahme widerspricht nämlich die überlieferte Entfernung von Cabyle bis Adrianopel, die mit 79 römischen Meilen
angegeben ist, während das heutige Jambol von der Hadriansstadt
kaum 68 solche Meilen entfernt liegt. Die antike Distanzangabe
führt uns in die Gegend zwischen Jambol und dem Südabhang des
nahen Haemus. Dort lag ein ausgezeichneter Punkt für eine befestigte Ansiedelung auf dem äussersten Vorgebirge des hier endigenden niedrigen Rückens der Sredna Gora, einem scharf profilirten,
von weitem sichtbaren Hügel, etwa 9 Kilom. nördlich von Jambol,
welcher Taušan-Tepé (türkisch „Hasenhügel") genannt wird.
Die Tundža, welche eben hier ihre östliche Richtung gegen eine
südliche vertauscht und dabei um das Taušan-Tepe einen Halbkreis mit vielen Sümpfen und Seitenarmen beschreibt, deckt die

---

[3]) H. V. Škorpil, Die Naturschätze von Bulgarien. Philippopel 1884 (bulg.).
S. 44. 64. 71. 92.

Position von drei Seiten. Der Hügel trägt in der That die Reste einer ausgedehnten Burg, umgeben von zahlreichen Tumuli. An der Südseite derselben lag bis zum russischen Krieg 1829 ein seitdem verlassenes, aber noch auf der österr. Generalstabskarte angegebenes Dorf K o v e l (oder K o f e l), dessen Namen noch an das alte Καβύλη anklingt⁴).

Cabyle erscheint zuletzt 378 während des Gotheneinfalls (Ammianus 31, 11, 5). Diospolis, eine Stadt der von Philippopolis aus verwalteten *provincia Thracia*, ist mit dem heutigen Jambol kaum identisch gewesen, denn die hiesige Landschaft gehörte der Lage nach eher zur *provincia Haemimontus* (Hauptstadt Hadrianopolis), die ja bis Deultum und Anchialus reichte⁵). Das jetzige Jambol erscheint sicher erst im 11.—14. Jahrhundert als πόλις oder φρούριον Διάμπολις (bei Kedrenos, Anna Komnena und Kantakuzenos), von Pachymeres (II. 558) als φρούριον κάλλιστον in der Form Ύάμπολις erwähnt, wobei ihm vielleicht die gleichnamige homerische Stadt in Phokis (Ilias B 521) vorschwebte. In der

---

⁴) Während des Druckes der vorliegenden Seiten erhielt ich eine inhaltsreiche Schrift der Brüder Škorpil in bulgarischer Sprache: „Einige Bemerkungen über archäologische und historische Untersuchungen in Thrakien" (Philippopel 1885), wo die Ruinen am Taušan-Tepe (S. 33) ausführlich beschrieben werden. Dieselben bedecken angeblich zwei Quadratkilometer und liegen ostwärts von den Resten eines die Höhe krönenden viereckigen, 8 M. breiten Thurmes. Ausser Ziegeln, Quadern, kleinen Säulen von 0·3 M. Durchmesser, Architraven fand man dort Reste eines Mosaiks aus rothen, weissen und blauen Steinchen. Es gibt hier auch eine Wasserleitung mit thönernen Röhren, die aus einer mit Ziegeln ausgemauerten, oben mit Steinplatten gedeckten Cisterne (10 M. lang, 3·5 M. breit, 1·7 hoch) kommt, in welcher viele viereckige kleine Ziegelpfeiler in Reihen stehen. Gegen SO. sollen die Fundamente eines an 120 M. langen und an 20 M. breiten Gebäudes bemerkbar sein, welches das Volk „die Kaserne" (kazarma) nennt. Ausserhalb des Burgplatzes stehen ungefähr 14 Tumuli. Im gleichnamigen Dorfe Taušan-Tepe liegt ein Stück einer Inschrift:

ΝΟΣΕΚΤΩ	..νος ἐκ τῶ[ν]
ΙΔΙΩΝΑΝΕ	ἰδίων ἀνέ-
ΘΗΚΕΝ	θηκεν

Škorpil (S. 47) erwähnt auch die Spur eines gepflasterten Weges östlich von hier, bei dem Dorf Tınava am Nordfuss des Bakadžik, die wohl der in der Tab. Peut. verzeichneten Römerstrasse von Cabyle nach Anchialos angehört. Dabei glaubt er das alte Cabyle nicht hier, sondern bei Bejköi, 25 Kilom. südlich von Jambol, gefunden zu haben, natürlich ohne das Itinerarium Antonini zu kennen.

⁵) Diospolis: Hierocles p. 5, Notit. episc. ed. Parthey p. 72 etc., Theophanes ed. Boor p. 177. Allerdings erstreckte sich die Eparchie von Philippopolis auch in späterer Zeit bis in die Nähe von Adrianopel (cf. Heerstrasse S. 73).

älteren Türkenzeit wird die Stadt schon im 15. und 16. Jahrhundert als ein bedeutender Ort genannt.

Alte Castelle nannte man mir in der Umgebung von Jambol noch zwei: die Substructionen eines Schlosses auf dem Gipfel des grossen Bakadžik und die Reste eines Castells zwischen den Dörfern Bojadžik, Kurfanli und Gübel, 18 Kil. gegen SW., jetzt von Feldern bedeckt; man soll dort Fundamente einer Kirche, eiserne Pfeile und einen alten Streitkolben gefunden haben.

Die nächste Umgebung von Jambol besitzt ein räthselhaftes Denkmal, von dem ich in Bulgarien längst gehört hatte und das mich, als ich es zum ersten Mal erblickte, durch seine Dimensionen sehr überraschte: einen Erdwall, der sich vom Schwarzen Meer an 100 — 110 Kilometer weit gegen West verfolgen lässt und das Tundžathal zwei Stunden südlich von der Stadt durchschneidet. Derselbe wird bulgarisch Erkesíja oder Jerkesíja genannt (jerkesen oder jerkesim, türk. „Erdeinschnitt"). Ueber die Ausdehnung desselben habe ich mit freundschaftlicher Hülfe der rumelischen Beamten in den anliegenden Bezirken folgende Einzelheiten erfragt. Der Wall beginnt in den Sümpfen westlich von der Lagune von Mandra, streicht südlich vom Dorfe Jakyzly, bei dem die Reste des alten Deultum liegen, zieht sich sodann geradeaus nach Westen auf dem Kamme eines waldigen Hügelzuges, zwischen Rusokastro und Aivadžik hindurch (auf der österr. Generalstabskarte ein Hügel „Erkesim Taš" ausdrücklich angegeben), bei Kurudere und Džumali vorbei, zwischen Bašalii und Aftan, durch die Umgebungen von Jeni-Mahala, überschreitet den Sattel zwischen dem grossen und kleinen Bakadžik, lässt Mansarly auf der Nordseite, Gidikli und Osmanli auf der Südseite und erreicht die Tundža etwas nördlich von dem auf dem rechten Ufer liegenden Dorfe Fundukly (bulg. meist Pandakli ausgesprochen; funduk türk. „Haselnuss"). Bis dahin liegt der Wall in dichten, wenig bewohnten Wäldern, ist meist mit Bäumen überwachsen und dabei gut erhalten. In der waldlosen, grösstentheils wohlbebauten Gegend westlich von der Tundža wird seine meist mit Culturen bedeckte Linie zum Theil unkenntlich. Er soll sich aus der Gegend von Fundukly zwischen Čömlekköi auf der Nordseite, Akbunar auf der Südseite, westwärts gegen Balybunar wenden. Von dort zieht seine Linie angeblich gegen Südwest bis in die Umgebung des Dorfes Šefkolare und von dort bis in die Gegend von Harmanli an der Marica. Das Volk behauptet in der Regel, die „Erkesija" reiche vom Schwarzen bis zum „Weissen" (Aegaei-schen) Meer.

Ich habe dieses Denkmal an zwei Stellen gesehen, bei Fundukly und bei Rusokastro; in der Gegend von Akbunar, westlich von der Tundža, konnte ich bei dem Ritt durch hohe Saaten reifen Getreides keine Spur von ihm erspähen und hatte keine Begleiter, die mir dessen Reste zeigen konnten. Der Wall liegt überall auf der ganzen Linie auf der Nordseite, der Graben auf der Südseite. Gegenüber von Fundukly macht das in gerader Linie von den Vorhöhen des Bakadžik herabsteigende mannshohe Erdwerk den Eindruck eines verlassenen Eisenbahndammes. Der fünf Schritt breite Graben an der Südseite des Walles ist dort mit dichtem Gebüsch angefüllt; seine Tiefe genügt einem Manne zu Pferd, um sich hinter dem Wall vollständig ungesehen zu machen, ohne abzusitzen. Eine grossartige Naturscenerie bietet das alte Denkmal in den schattigen Urwäldern ungefähr eine Stunde südlich von Rusokastro. Uralte stämmige Eichen haben auf dem Walle und im Graben ihre Wurzeln geschlagen, umgeben von dichtem Unterholz, das meist aus Büschen von Sumach (*Rhus cotinus*) und Hartriegel (*Cornus mas*) besteht. Nur mit Mühe bahnt sich der Reiter den Weg durch das halbdunkle Walddickicht. Die Breite des Grabens mass ich am Grund mit 10 Schritt; vom Graben aus gesehen, hat der Wall auf der Nordseite ungefähr drei Mannshöhen, die Böschung auf der Südseite nur eine Mannshöhe. Zwei Minuten nördlich vom Walle steht ein hoher, von alten Bäumen bestandener Tumulus, „Sultanska Mogila" genannt. Die Einwohner von Rusokastro erzählten mir, man finde hie und da an dem Walle auch Reste von Backöfen und von Thongefässen; auch Münzen sollen dabei gefunden werden, aber ich bekam keine zu sehen. Ob es am Walle auch Castelle gibt, könnte nur ein Abreiten der ganzen Linie zeigen. Die Burgruinen, von denen ich hörte, liegen sämmtlich abseits; nur bei Jeni-Mahala soll sich an einer Stelle ein halbkreisförmiger Wall an die Südseite der Linie anschliessen.

Sagen über den Wall gibt es in Rusokastro. Die Bauern (das Dorf ist alt und hat die Bewohner nicht gewechselt) meinen, der Wall sei einst *sinor* (aus dem griech. σύνορον), d. h. Grenze gewesen. Männer und Weiber sollen auf eines Caren Befehl daran gearbeitet haben, so dass für je neun unmündige Kinder nur ein Weib zu Hause blieb, eine Geschichte, die in südslavischen Sagen über grosse Bauten auch anderswo vorkommt. Man sang auch ein Lied darüber, das mir aber Niemand mehr ganz recitiren konnte[6]). In dem Hause, in welchem ich übernachtete, erzählte mir ein Greis, die Urgrossmutter eines seiner alten Verwandten hätte an dem Werke mitgearbeitet; die Einwohner scheinen also die Sache nicht für uralt anzusehen. Einer wollte wissen, die Erkesija heisse auch „Trojan", ein Name, der sonst nur für römische gepflasterte Strassen gebraucht wird[7]).

Der Wall ist ohne Zweifel kein Denkmal des Alterthums, sondern gehört erst dem Mittelalter an und wurde, wie seine Construction zeigt, von einem im Norden sitzenden Volke zur Befestigung seiner Südgrenze errichtet. Die Linie des Walles stimmt mit der byzantinisch-bulgarischen Grenze gewisser Zeiten überein. Die Byzantiner behaupteten stets, die wahre Grenzlinie sei der Haemus, eine Anschauung, die bei Theophanes Cont. 163 (Σιδηρᾶ, ταύτης δὴ τότε ὅριον τυγχανούσης Ῥωμαίων καὶ αὐτῶν), bei Nikephoros Gregoras I. 233 (Αἷμον τὸ ὄρος, ὃ δὴ μεθόριον νῦν ἐστὶ Ῥωμαίοις τε καὶ Βουλγάροις), bei den Friedensverhandlungen vor Rusokastro 1331 (Kantakuzenos I. 462 sq.) erscheint und sich auf die im 8. Jahrhundert bestehende und auch später erneuerte Grenzlinie mit Serdica, Beroe, Markellai, Anchialos, Mesembria als Grenzburgen (cf. Theophanes) stützt. Ebenso alt sind aber die Ansprüche der Bulgaren auf das Vorland des Haemus, die von einem Vertrag zwischen dem Fürsten Kormesios und Kaiser Theodosius III., dem Adramyttener, vom Jahre 716 datiren (Theophanes ed. Boor 497), auf den

---

[6]) Ein Lied in achtsilbigen Zeilen, offenbar ein Tanzlied zum „Choró".

[7]) Kurz nach meiner Reise erschien eine Beschreibung dieses Walles von Škorpil in der Prager Monatschrift „Slovanský Sborník" 1884 (September) S. 465. 466. Die dort angegebene Linie stimmt mit den von mir erfragten Daten überein, ausser den Spuren westlich von der Tundža, von denen Škorpil damals noch nichts Näheres erfahren konnte. — In der oben erwähnten neuen Schrift (Einige Bemerkungen u. s. w., S. 1 f. 90) der Brüder Škorpil wird diese Beschreibung vervollständigt. Der Anfang des Walles soll sich an der Südseite der Lagune von Vajaköi, zwischen dem Meere und dem Dorfe Mugres befinden und von dort gegen SW. nach Jakyzly streichen. Westlich von der Tundža ist das erste Stück von Fundukly bis Akbunar ganz unkenntlich. Weiter erscheint der Wall auf der Nordwestseite der Monastir-Berge; die Dörfer Balybunar, Kojunbunar, Bazardžik liegen dort an dessen Nordseite, Talašmanlii, Maca und Deldžileri an der Südseite. Nach einer langen Unterbrechung soll die letzte Spur nahe an der Marica, nördlich von der Station Tirnovo-Seimenli, am Westufer der Sazlijka neben der Eisenbahnlinie sichtbar sein und dort bei dem Dorfe Tekké-Musačevo die Ostseite der Ruinen eines (dem alten Arzus entsprechenden) Castells streifen.

sich später auch Fürst Krum berief. Fürst Boris erhielt im 9. Jahrhundert thatsächlich das Land von dem Haemuspasse Sidera bis zum alten Deultum (Theophanes Cont. l. c.), und seine Nachfolger Symeon (888—927) und Peter besassen auch das tiefer liegende Land bis nahe vor Adrianopel sammt der Stadt Philippopel (cf. Leo Diaconus p. 105). Das spätbulgarische Reich reichte gleichfalls über den Haemus herab: Beroe erscheint bei den Byzantinern und Lateinern des 13. Jahrhunderts als eine bulgarische Stadt, Philippopolis als byzantinische Grenzfestung (Kantakuzenos I. 173 u. s. w.), Sliven als ein stets bulgarischer Ort. Das Territorium genau zwischen dem östlichen Haemus und unserem Walle wird im 13. und 14. Jahrhundert merkwürdiger Weise als der stete Zankapfel der beiden Nachbarn erwähnt, mit den Burgen Diampolis, Lardeas, Rusokastron, Ktenia, Aetos, Anchialos, Mesembria (Pachymeres II. 445. 559 und Kantakuzenos I. 431). In den Zeiten, wo es die Bulgaren beherrschten, wie unter Svętslav (1295—1321), Terterij II. (1321—1323) und Michael (1323—1330), erscheinen Diampolis und Rusokastron ausdrücklich als bulgarische Städte ἐν μεθορίοις zwischen den Bulgaren und Romäern (Kantakuzenos I. 294), beide nahe an dem Erdwall gelegen, der ohne Zweifel die μεθόρια selbst bildete. Auch zur Zeit der türkischen Eroberung bezeichnete der Wall die bulgarische Landesgrenze; es ist bemerkenswerth, dass in der älteren Türkenzeit die subhaemischen Orte Anchialos, Aidos, Umurfaki (Fakia), Karinabad u. s. w. gerade bis zur Erkesija, zum Sandžak von Silistria an der Donau gehörten, wie man aus der Aufzählung bei Hadži Chalfa (Hammer's Uebers. S. 24), aus den Finanzgesetzen des 16. Jahrhunderts (Hammer, Osm. Staatsverfassung I. 296 u. s. w.) und aus manchen im Lande erhaltenen Urkunden (z. B. in einer „Tapia", Grenzurkunde des Dorfes Jakyzly bei Burgas) ersehen kann.

Dass die Bulgaren ihre Grenze sorgfältig zu bewachen und zu befestigen pflegten, dafür gibt es einige bemerkenswerthe Zeugnisse. In den *Responsa Nicolai I papae ad consulta Bulgarorum* (*Labbei et Cossartii Sacr. concilia* VIII. 516 sq.) vom Jahre 866 liest man (Cap. 25): „*consuetudinis esse patriae vestrae perhibetis semper custodes inter patriam vestram et aliorum iuxta terminos invigilare, et si servus aut liber per eandem custodiam quocumque modo fugerit, sine omni intermissione custodes pro ea interimuntur*". Befestigungen an den Ein- und Ausgängen des Bulgarenlandes werden im Jahre 811 ausdrücklich erwähnt: τὰς τῆς χώρας εἰσόδους καὶ ἐξόδους περιπεφραγμένας ξυλίνοις ὀχυρώμασι (Theophanes ed. Boor p. 490), was allerdings an dieser Stelle mehr von den Engpässen als von der Grenzlinie überhaupt gilt. Noch klarer ist die Nachricht des Arabers Masudi aus der ersten Hälfte des 10. Jahrhunderts, das Land der Bordžan (Bulgaren) sei umgeben von einem dornigen Zaun mit Oeffnungen in Gestalt hölzerner Fenster und dieser Zaun sei „wie eine Mauer an einem Graben" (Kremer, Sitzungsber. der Wiener Akad. 1850 S. 210). Der Erdwall der „Erkesija" wurde wohl schon in den Zeiten des Boris und Symeon errichtet, aber später wiederholt erneuert, bis zur Eroberung des Landes durch die Türken; daher die scheinbar so frischen Erinnerungen der altansässigen Rusokastrenser[8]).

Von Jambol unternahm ich einen Ausflug in das Tundžathal südwärts zur rumelischen Grenze gegen Adrianopel hin. Das westliche Ufer nimmt der Bezirk (Okolija, Arrondissement) von Kavakli, das östliche der von Kyzyl-Agač ein. Das westliche Gebiet bietet in geographischer und archäologischer Beziehung manches Interessante. Seine niedrige, grösstentheils ebene, ausser kleinen Eichenbüschen meist gut bebaute Oberfläche (Seehöhe 100—150 M.) wird von zwei isolirten Berggruppen unterbrochen. Sechs Stunden südlich von Jambol ragen die beiden durch einen tiefen Sattel getrennten Berge von Monastir empor, deren Silhouetten an die Monti Euganei bei Venedig erinnern und die als vereinzelte Erhebungen in der weiten thrakischen Ebene selbst den Horizont des fernen Eski Zagra und die Aussicht vieler entfernter Balkangipfel zieren. An 20 Kilometer südlich davon zieht sich von West nach Ost der langgezogene steile Rücken der Sakar-Planina (an 800 M.), welcher hier die rumelische Grenze bildet. Das zwischen beiden Gebirgen liegende Gebiet besitzt einige grosse wohlhabende Dörfer und ist von Griechen bewohnt, welche sich meist mit Gemüsegärtnerei, Hanfcultur, Weinbau und Seidenzucht beschäftigen und von ihren Nachbarn Karioti genannt werden, wahrscheinlich von dem Dorfe Kozludža, griechisch Καρύαις, wo früher das Centrum der Landschaft gewesen sein soll[9]).

---

[8]) Ich hörte auch von einem ähnlichen Walle im Kreise von Rahovo an der Donau, vermag jedoch nichts Näheres darüber mitzutheilen, da mir das Gebiet von Rahovo bis Vraca wenig bekannt ist. Vielleicht stehen diese Rahover Wälle in irgend einem Zusammenhang mit den von Herrn Schuchhardt (Arch.-epigr. Mitth. IX. 210 sq.) beschriebenen Erdwerken in der gegenüberliegenden Kl. Walachei.

[9]) Der Bezirk von Kavakli hat 29.557 Einw., davon 11.844 Griechen, 15.547 Bulgaren, 1237 Türken. Griechisch sind Kavakli, Kozludža, Duganovo, Sinapli,

Von den Monastirbergen ist der höhere westliche (türkisch Büjük-Monastir-Bair) schroff und gipfelt in drei steilen Spitzen; seine Seehöhe beträgt nach der russischen Messung 600 M. Der niedrigere östliche (türkisch Küčük M. B.), 446 M. hoch, ist dagegen nur ein länglicher Rücken mit wenig markanten, flachen Gipfeln. Beide sind mit Resten alter Castelle gekrönt. Die Burgruine auf dem mittleren Gipfel des östlichen Berges oberhalb des Dorfes Klein-Monastir ist ein Viereck, nach der Messung meines Gewährsmannes, eines Beamten der Bezirksverwaltung, 150 Schritt lang und 80 Schritt breit. Ich besuchte nur Büjük Monastir, griech. Μεγάλο Μοναστήρι (1136 Einw.), welches von Weingärten umgeben, am Südostfusse des steilen westlichen Berges gelegen ist. Die kleine dunkle Dorfkirche ist in neuerer Zeit erbaut an der Stelle einer alten, von der noch eine solide, aus wechselnden Stein- und Ziegellagen errichtete Mauer übrig ist, welche die jetzige Nordseite des Kirchleins bildet; in der Umgebung sollen im Walde noch die Substructionen von sechs kleinen Kirchen sichtbar sein. In einer finsteren Ecke links vom Altar zeigte man mir einen cylindrischen Stein, der eben im Frühjahr an der Südseite des Dorfes, wo auch ein 5 M. hoher Tumulus sich erhebt, beim Ackern herausgehoben wurde, 1·09 M. hoch, 0·42 M. im Durchmesser stark, mit der folgenden 0·18 M. hohen, gut erhaltenen Inschrift, die ich bei dem Licht einer Wachskerze copirte [10]):

Gr. und Kl. Monastir, Čukurköi. Ausserdem gibt es Griechen noch in Akbunar (590 Einw.), im Bezirk von Jambol zwischen Monastir uud der Stadt Jambol, sowie in Gr. und Kl. Bojalyk im Bezirk von Kyzyl Agač.

[10]) Die Inschrift soll auch in einer Nummer der Zeitung Φιλιππούπολις (Mai 1884) gedruckt sein, die ich mir jedoch nicht verschaffen konnte. Der Abdruck bei Škorpil (Einige Bemerkungen u. s. w., bulg. S. 80) hat Z. 5 ΕΝΚΕΛΕΤΩΝ, Z. 7 ΔΥΤΑΙΟΙ. [Die Verse lauteten etwa:

τόνδε ποτὲ ἱδρύσαντο θεῷ [π]ερικαλλέι Φοίβῳ
Ἀπολλωνὶς ἠδὲ κασίγνητοι παῖδες Αὐλουζένεω
ἐξ Κελετῶν (?) πατρῷος ἀνὰ Σαπαϊκὴν ἐρίβωλον,
[α]ὐτὰρ οἱ [ἐ]στήσαντο κατὰ χθόνα Δωδοπάροιο.

Aehnlich beginnt das Gedicht Anthol. Pal. IX 786 τόνδε καθιδρύσαντο θεῷ περικαλλέα βωμόν cet. — Der thrakische Name in Z. 4 begegnet auch in der Inschrift von Mesembria C. I. Gr. n. 2054 (Αὐλουξένης Αὐλουξένεος) und in den lateinischen C. I. L. III n. 6050, 2, 13 (*Brilo Auluzani*) und C. I. L. V n. 3509 *A(uluzenes)*. — Wenn zu Anfang von Z. 5 ein Ort zu verstehen ist, so ist derselbe unbekannt; ebenso ist ein Ort Δωδόπαρος nicht bekannt, aber thrakische Stadt- und Gaunamen auf -παρος oder -*para* sind nicht selten. A. d. R.]

```
ΤΟΝΔΕΠΟΤΕΙΔΡΥΣΑΝΟΘΕΩΙΕΡΙΚΑΜΕΙ
        sic        ΦΟΙΒΩ
   ΑΠΘΛΛΩΝΙΣΗΔΕΚΑΣΙΓΝΗΤΟΙΠΑΙΔΕΣ
            ΑΥΛΟΥΖΕΝΩ
5     ΕΞΚΕΛΕΤΩΝΠΑΤΡΩΟΣΑΝΑΣΑΠΑΙΚΗΝ
            ΕΡΙΒΩΛΟΝ
   ΛΥΤΑΡΟΙΣΤΗΣΑΝΤΟΚΑΤΑΧΟΟΝΑ
          ΔΩΔΟΠΑΡΟΙΟ
```

In Kavakli zeigte man mir eine 9 Cm. lange, hohle, der Länge
nach zu öffnende Bronzefigur eines sitzenden Hahnes, gleichfalls
zu Gross-Monastir ausgegraben. Mein sehnlichster Wunsch war,
den waldigen Grossen Monastirberg zu besteigen, um das Castell
auf dem Gipfel und die alten Eisengruben zu sehen, aber ein
heftiges Gewitter vereitelte meinen Plan, umsomehr als die hiesigen
vereinzelten Berge sammt ihrer Umgebung öfters vom Blitzschlag
getroffen werden. In Kavakli hatte ich gehört, nahe am Gipfel sei
von den Monastirer Bauern unlängst ein Gefäss mit 100 Stück
Silbermünzen des Königs Lysimachos gefunden worden, aber im
Dorfe selbst, wo mein antiquarisches Treiben ohnehin den Verdacht
der Schatzgräberei erregte, wolite Niemand von Münzfunden etwas
wissen.

Auch über die Vergangenheit des Ortes war nichts zu erfragen,
nicht einmal über den Ursprung seines klösterlichen Namens; die
Erinnerungen der jetzigen Einwohner reichen nur bis zu den anar-
chischen Zeiten der Kirdžali's zurück, wo (um 1800) Monastir, damals angeblich das Centrum einer Nahia (Gerichtsbezirk), von den
osmanischen Daghli's aus der Gegend von Chasköi ganz eingeäschert
wurde. Ich habe früher einmal (Monatsberichte S. 455) die im
14. Jahrhundert von Eremiten bewohnte öde Landschaft Paroria
oder Mesomilion an der damaligen Grenze zwischen den Bulgaren und Griechen, wahrscheinlich identisch mit den von Theophanes (ed. Boor I. 497) genannten Μηλέωνα τῆς Θράκης des 8. Jahrhunderts, in die Gegend von Monastir verlegt. Der Ort mit den
Resten einer alten Kirche und mit seinen ringsumher im Walde
zerstreuten Capellen passt ganz gut für die Lage des einstigen
Klosters des Gregorios Sinaites und seiner Schüler, das mit einem
vom bulgarischen Caren Joannes Alexander erbauten πύργος befestigt und von kleineren Kirchlein, Eremitenzellen und Höhlen-
wohnungen umgeben war. Die in der Legende überlieferten Namen

Mesomilion, Paroria, Pozova (wohl Бъzova, bulg. бъz Sambucus) und des Berges „Katakriomeni" sind allerdings sämmtlich schon vergessen: die topographische Nomenclatur der einstigen Eremiten-einöde und ihrer ganzen Umgebung ist heute ganz türkisch.

Die Ebene westlich von dem Berge von Gross-Monastir ist reich an Tumuli. In Talašmanli soll man in einem Grabhügel Thon- und Glasgefässe, sowie eine silberne Kette mit einem goldenen Halbmond mit federartigen Zeichnungen und rothen eingesetzten Steinen vorgefunden haben. In den Umgebungen von Deldžileri, wo jetzt grosse Jahrmärkte abgehalten werden, sollen 33 Tumuli nahe bei einander stehen.

Das 2½ Stunden südlich von Gross-Monastir und 2 Stunden nördlich von der rumelischen Grenze gelegene jetzige Bezirks-centrum Kavakli (früher „Kozludžansko Kavakli" genannt; kavak türk. „Pappel") ist ein grosser Ort mit 6067 Einw., der sich erst in neuerer Zeit (seit 1829) entwickelt hat, mit Seidenzucht, Weinbau und Marmorbrüchen. Ungefähr 50 Minuten westlich liegen auf einer isolirten Höhe die Reste einer eigenthümlichen Felsenburg, Paleokastro genannt. Das an 200 Schritt lange und in der Mitte oben nur 60 Schritt breite Castell war ganz der Bodenge-staltung angepasst; die Westseite deckte ein natürlicher, ungefähr 15 M. hoher verticaler Absturz, während die sanfter abfallende, jetzt von Weinbergen bedeckte Ostseite durch eine doppelte Mauer aus platten Steinen geschützt war. Der Eingang war im Norden neben den von dichtem Gebüsch verdeckten Fundamenten eines Rundthurms. Auch am Südende sind Spuren von Thürmen, sowie von inneren Gebäuden sichtbar, von denen auch die zahllosen Ziegel-splitter stammen. Die Aussicht auf die nahe waldige Sakar-Planina, die Berge von Monastir, die Kuppen des Bakadžik, die Strandža und den fernen Balkan ist grossartig. Ein in der Nähe gefundener steinerner Hammer nebst Münzen von Anastasius und Justinian sind die einzigen Zeugen der Vergangenheit dieses wahrscheinlich uralten „Lug in's Land".

Einige merkwürdige Alterthümer zeigten mir die freundlichen Beamten der Bezirksverwaltung von Kavakli in dem 1 Stunde östlich gelegenen, von einigen Tumuli umgebenen Dorfe Doganovo, ungefähr 5 Kilom. westlich von der Tundža. Auf dem Marktplatze liegt dort neben einem Säulenstumpf und anderen bearbeiteten Steinen die linke Seite eines hier gefundenen, entzwei geschlagenen Basreliefs, darauf das Pferd des „thrakischen Reiters" und darunter ein Hund (1·2 h., 0·67 br.). Am unteren Saume liest man ein Stück einer Inschrift (Schrifthöhe 4 Cm.):

ΦΛ · ΒΕΝΔΙC · CΥℕΒΙC · ΕΝΘ*m* (abgeschlagene Seite)
ΠΕΡΙΚ*m*

Φλ(αουία) Βενδῖς σύνβι[ο]ς ἐνθ[άδε.... περικ...

In der Ortskirche lagen drei kleine Antiquitäten. Vor Allem eine in zwei Stücke zerschlagene, 0·34 M. hohe Statuette einer bekleideten, in der Mitte umgürteten, männlichen Gestalt ohne Kopf und Hände, an die sich ein Kind mit kapuzenartiger Kopfbedeckung anlehnt; auf dem 0·31 M. breiten Sockel eine ebenso wie die Figuren roh gearbeitete Inschrift in unregelmässigen Zügen:

ΠΙCΤΟΥCΒΙΘΥΟCΑΠΟΓΙ   Πιστοῦς Βίθυος ἀπὸ Γι-
ΝΟΥΛWΕΥΧΑΡΙCΤΗΡΙΟΝ   νούλων (?) εὐχαριστήριον.

Daneben stand eine 0·37 M. hohe kopflose Statuette einer bekleideten Heilgottheit, unter der nackten Brust umgürtet, mit der rechten Hand auf eine von einer Schlange umschlungene Keule gestützt und links mit dem Fusse einen kugelartigen Gegenstand (Omphalos?) berührend. Das merkwürdigste war aber ein drittes Stück, ein 0·14 M. hohes und ebenso breites Täfelchen von schmutziggelbem Marmor, darauf ein höchst primitives Basrelief: ein gegen rechts gewendeter Reiter auf einem breitbrüstigen Pferde und vor ihm eine undeutliche verhüllte, ihm zugewendete (weibliche?) Person zu Fuss[11].

Von weiter südwärts gelegenen Burgen erfuhr ich, dass jenseits der Grenze in der Adrianopler Gegend besonders zwei Castelle

---

[11]) Škorpil (a. a. O. S. 82) beschreibt ein Marmorrelief (0·58 M. lang, 0·65 hoch), welches im Kloster Sveta Trojica bei dem Dorfe Vakuf, ungefähr 5 Kilom. südlich von Doganovo, über einem Brunnen steht. Oberhalb des Reliefs, welches Zeus mit einem Scepter (oder Lanze) und einer Patera in den Händen, und Hera mit verhülltem Haupt, einem Gefäss in der Rechten und einem undeutlichen Gegenstand in der Linken darstellt, befindet sich eine dreizeilige Inschrift (Schrifthöhe in Z. 1 2 Cm., in Z. 2 kleiner, in Z. 3 1 Cm.):

ΔΙΙΣΩΤΗΡΙΚΑΙΗΡΑΣΑΡΣΗΗΜΞΠΝΑΚΕΝ
ΘΟΣΔΑΙΚΩΣΟΥΦΥΛΑΡΧΟΣΥΠΕΡΤΕΕΑΥΤΟΥΚΑΙ
ΣΥΝΝΟΥΕΠΥΡΕΟΣΒΕΚΟΣΚΑΙΤΕΚΝΩΝΝΕΙΚΗΤΟΥΚΑΙ

Διὶ σωτῆρι καὶ Ἥρᾳ ..... Ξ[η]νάκεν-
θος Δαικώσου φύλαρχος ὑπέρ τε ἑαυτοῦ καὶ
συν|βί]ου Ἐπύρεος Βέκος καὶ τέκνων Νεικήτου καὶ

Die Fortsetzung der Inschrift war unter dem Relief, ist aber nicht erhalten.

erhalten seien, eines am rechten Ufer der Tundža bei Fikel (türk.
Fikla), das byzant. Βούκελλον der *Notitiae episc.* und das Βουκέλου
πόλισμα des Kantakuzenos (I. 324 sq.), das andere 4 St. nordöstlich
von Adrianopel, 2 St. von Vaisal, auf einem Felsen bei dem Fluss
und Dorf von Provadia, das im Mittelalter oft erwähnte Πρόβατον,
nicht zu verwechseln mit der gleichnamigen Burg bei Varna. Bei
Anna Komnena (ed. Reifferscheid II. 71) lesen wir von einem
Marsch des Kaisers Alexios I. Komnenos durch diese Landschaften:
von Adrianopel zuerst in das 18 Stadien entfernte Σκουτάριον, auch
in den *Not. episc.* als Bisthum (unter Philippopolis) erwähnt, jetzt
ein Dorf Üsküdar (20 Kilometer von Adrianopel an der Südseite der
Sakar-Planina, nach der älteren Landeseintheilung noch unter Sultan
Mahmud II. Centrum einer Nahia), und von dort am folgenden
Tage in das wohl nahe Ἀγαθονίκη, wo sich den *Not. episc.* zufolge
gleichfalls ein Bisthum befand. Nicht weit davon nordwärts lag
ein Ort (τόπος) Ἀβριλεβώ, οὐ πορρωτέρω τῶν εἰρημένων πόλεων
κείμενος. Derselbe erscheint schon im 8. Jahrhundert (Theophanes
ed. Boor 470), wo im Jahre 796 während eines Bulgarenkrieges
die Positionen τοῦ δασέως Ἀβρολέβα (mit einem ἄλσος) und τοῦ
γυμνοῦ Ἀβρολέβα genannt werden. Es waren also eine bewaldete
und eine kahle Höhe nahe bei einander. Südöstlich von dem
grünen bewaldeten Rücken der Sakar-Planina steht abseits gegen
die Tundža zu eine isolirte grösstentheils kahle Kuppe von gelb-
brauner Farbe und nicht unbedeutender Höhe, türkisch Derviš-
Tepé (bulgarisch Derviška Mogila) genannt, welche bis zum heutigen Tag als ein strategisch wichtiger Punkt gilt, wesshalb die
Feststellung der Grenzlinie zwischen Rumelien und der Türkei über
deren Gipfel nicht ohne Schwierigkeiten vollzogen wurde. Die
Position dominirt nämlich das Tundžathal und die Aussicht umfasst
die ganze Landschaft von Adrianopel bis nahe vor Jambol. Der
bewaldete Avroleva, auf welchem 796 der Bulgarenfürst Kardam
sein Lager aufschlug, entspricht wohl der Sakar-Planina, der kahle
Avroleva, wo sich damals Kaiser Konstantin VI. aufstellte, dem
gegenüberliegenden Derviš-Tepé, nahe oberhalb des alten Skutarion.
   Im Gegensatz zu den wohlbebauten, meist ebenen Fluren des
Bezirkes von Kavakli ist der jenseits der Tundža an der Ostseite
derselben gelegene Bezirk von Kyzyl-Agač ein monotones waldiges Hügelland mit armseligen, weit von einander entfernten Dörfern
und schlechten Communicationen, das längs der Grenze durch die
Landplage eines permanenten Brigantaggio heimgesucht ist. Au

der einzigen Stelle, wo die sonst zwischen Hügeln eingeklemmte tiefe Tundža ein etwas freieres Feld in zwei Armen durchfliesst, liegt am linken Ufer das Bezirkscentrum, das grosse Dorf Kyzyl-Agač (türk. „Rothbaum"), auch Kyzyl-Jenidže genannt (1247 Einw.), jetzt nur von Bulgaren bewohnt; Reste einer Moschee, eines steinernen Badehauses, eines (3·5 M. br.) Strassenpflasters nebst der Ruine einer alten Brücke über die Tundža zeugen von der ehemaligen Türkenstadt, welche durch Pestkrankheiten und den Krieg 1829 ihre alten Bewohner eingebüsst hat. Antikes gibt es hier nichts. Dagegen besuchte ich nördlich davon, in einer Biegung der Tundža westlich von Mursatli und Bejköi, eine von dichtem Gestrüpp überwucherte alte Burgstelle mit Spuren von Umfassungsmauern, die mit 30 M. hohen Abhängen zum Flusse abfällt; man nennt sie Dermenkalessi (dermen türk. „Mühle"). Oestlich davon ragen einige gewaltige Tumuli empor, in welchen nach der Meinung der hiesigen Bauern „kostbare Wägen" verborgen sein sollen, was von der wirklichen Ausgrabung eines alten Kriegswagens herstammen mag [12]). Durch die hiesigen Waldhügel führte eine jetzt nicht mehr benützte Fahrstrasse von Adrianopel über Büjük- und Küčük-Derbend, Pašaköi, Aftan nach Karnabad und weiter über den Balkan zur Donau, auf der z. B. Carsten Niebuhr 1767 auf der Rückkehr aus Arabien gereist ist. Ein ganz verwaschener, mit ΑΓΑΘΗΙΤΥΧΗΙ beginnender Inschriftstein soll in Ambarli, 1 St. gegen SO. von Kyzyl-Agač, am Dorfbrunnen liegen; ebendaselbst gibt es drei, bei dem nahen Evrenli neun Tumuli (dort auch Heidengräber, „elenski grobišta"). Ich hörte in Kyzyl-Agač auch von Ruinen kleiner Castelle bei den Dörfern Čatalovo, Pašaköi, Kurtbunar, Dereköi (zwei Castelle nahe an der Grenze, auch Münzfunde), Alatli, Topuzlari (gegen NO. von Kyzyl-Agač, nahe an der „Erkesija").

Von Jambol eilte ich in das nur 2½ St. gegen NW. entfernte Sliven, welches bei den späten Byzantinern öfters als eine feste

---

[12]) In dieser Gegend gab es im Alterthum mehrere Niederlassungen, wohl von der Art, wie bei Doganovo. Škorpil (a. a. O. S. 29), der hier zuletzt auch Ausgrabungen betrieben hat, in der Meinung das alte Cabyle entdeckt zu haben, fand in der Umgebung der Dörfer Bejköi, Išikli und Mursatli an weit von einander entfernten Orten viele Tumuli, zwei Sarkophage, Fundamente von Gebäuden, Trümmer von Mosaikböden, irdene Gefässe, thönerne Röhren, eine 7 Cm. hohe Bronzefigur eines laufenden Mannes, hohle Hände aus Bronze, Münzen Alexander des Grossen, der Stadt Anchialus, der Kaiser Antoninus Pius und Septimius Severus u. s. w.

Bulgarenstadt Στίλβνος erscheint. Die jetzige sehr ausgedehnte
Stadt (16.593 Einw.) ist auch nach den Sagen der Einwohner von
neuerem Datum. Die ursprüngliche Ansiedelung bildet das gegenwärtig östlichste dorfartige Viertel Novoselo (bulg. „Neudorf").
Nordöstlich oberhalb Novoselo sieht man auf einem ganz von Weingärten bedeckten Vorsprung des Balkans die „Hissarkalessi" genannten Reste der alten Akropole von Sliven. Der Burgraum ist
ziemlich gross, im Westen gedeckt durch das enge tiefe Thal der
Novoselska Reka, im Osten durch eine trockene Mulde, im Süden
durch den Abhang gegen Novoselo zu; die Nordseite, gegen die
hohen Balkangipfel Čatal und Bolgarka zu, war durch eine 3—4 M.
hohe, künstlich abgegrabene Terrainstufe geschützt, an deren Rand
die Fundamente einer festen steinernen Mauer sichtbar sind. Die
hiesigen Weingärten sind voll alten Baumaterials, Stein und Ziegel.
Auch findet man hier eine Menge von Münzen. Die meisten mir
in Sliven gezeigten Stücke sollen von hier stammen: von Traian,
Antoninus Pius, Diocletian (sehr häufig), Constantin, Justinian,
byzantinische Stücke, altbulgarische Silbermünzen u. s. w. Am
Südfusse des Schlossberges hat man die Fundamente einer kleinen
Kirche blossgelegt. Die in der Gegend gefundenen „geschriebenen" Steine liegen jetzt sämmtlich bei der St. Sofiakirche von
Novoselo, welche noch vor 50 Jahren eine mit Bäumen und Gestrüpp bewachsene Ruine war, seitdem aber (1838) durch einen
neuen Bau ersetzt wurde. Ein 1·27 M. hoher und 0·52 M. breiter
Inschriftstein am Schöpfbrunnen neben der Kirche ist leider durch
das Ausgiessen des Wassers halb verlöscht [13]):

---

[13]) Dieselbe Inschrift ist bei Škorpil S. 79. 80 abgedruckt, dessen Lesung
oben neben der meinigen steht. Nach ihm sollen diese Alterthümer nicht auf der
Burg, sondern in Novoselo am Südostende neben den Fundamenten eines mit
Ziegeln gepflasterten Gebäudes gefunden worden sein. [Möglich erscheint etwa
folgende Herstellung, die grossentheils unserem Collegen v. Hartel verdankt wird:
Ἀγα[θῆι] τύχηι. ['Επειδὴ οἱ] Ἀγχι[αλεῖς ἐν τοῖς νε]ώις καὶ βα[..... ἀν]έθηκαν
Γα .... θεῶν ἀγάλ[ματα κατὰ χρη]ζμοὺς τοὺ[ς ... Ἀπόλλ]ωνος Κολοφω-
[νίου ἐπιμ]ελητοῦ Τίτου [Φλαουίου Ν]εικήτου, διαδε[ξάμενος τὴ]ν ἐπι[μ]έλειαν
[ἀγνοτάτην δ]ι[ὰ] τοῦ πα[τρὸς αὐτοῦ Τίτος] Φλάουιο[ς ......ος κ]ατὰ τὸ τῆς
[λαμπροτάτης β]ουλῆς [δόγμα κ. τ. λ. Mit dem in Z. 6—8 vorausgesetzten Orakel
des kolophonischen Apollon ist das des Apollon Klarios bei Kolophon gemeint, dessen
Ansehen in der Kaiserzeit namentlich durch den Bericht des Tacitus Ann. 2, 54
bezeugt wird. A. d. R.]

<table>
</table>

				Škorpil:		
	ΑΓΑ///ΤΥΧΗΙ			ΑΓΑ		ΤΥΧΗ
	ΑΝΧΙΛΟΥΣ			ΑΗΧΙΛΟΥΣ		
	ΝΩΙΣΚΑΙΒΑ			ΩΙΣΚΑΠΒΑ		
	ΘΗΚΑΝ ΓΑ			ΗΕΟΗΚΑΝΓΑ		
5	ΘΕΩΝΑΓΑΛ			ΘΕΩΝΑΓΑΛ		
	ΖΜΟΥΣΤΟΥ			Μ//ΖΠΟΥΣΤΟΥ		
	ΩΝΟΣΚΟΛΟΦΩ			ΚΟ//ΟΣΚΟΛΟΦΩ		
	ΛΗΤΟΥ ΤΙΤΟΥ			ΕΛΗΤΟΥΤΙΤΟΥ		
	ΕΝΚΗΤΟΥΔΙΑΔΕ			ΕΙΚΗΤΟΥΔΙΑΔΕ		
10	ΕΠΙΗΕΛΕΙΑΝ			ΝΝΕ/ΠΠΕΛΕΙΑΝ		
	ΕΛΙΛΤΟΥΠΑ////			ΕΛΙΛΤΟΥΠΑ		
	Υ..../ΛΟΥΙΟ			ΥΦΛΑΟΥΙΟ		
	....ΤΑΤΟΤΗΣ			ΑΤΛΤΟΤΗΣ		
	....ΦΥΛΗΣ			ΟΥΛΗΣ		
15	........ΜΝ					

Die linke Seite ganz ausgewaschen

An die Kirchenmauer angelehnt liegt ein Stein, 0·67 h. und br., 0·11 dick, auf beiden Seiten mit Basreliefs in eingerahmten Feldern ohne Inschriften. Auf der einen Seite sieht man einen lanzenbewaffneten Reiter einen eben vor einem Baume vorbeilaufenden Hirsch und ein kleineres Thier (Wildschwein?) verfolgen. Die Rückseite zeigt vier Nymphen in gegürtetem Chiton, in Reigenschritt sich an den Händen fassend; eine derselben hält einen runden Gegenstand und darunter sieht man einen Adler (?) mit grossen Krallen und undeutlichem Kopf. Aus demselben Fundort stammen wohl auch ein sehr zerstörtes Basrelief mit einem Reiter (ungefähr 1 M. h. u. br.) auf einem Marktplatze in Sliven, sowie einige glatte Säulen, die bei der Caserne herumliegen. Südlich von Novoselo erheben sich 6—7 Tumuli; an dem Fusse eines derselben hat man unlängst einen schönen kleinen Satyrkopf aus Bronze ausgegraben (jetzt in der Landesbibliothek zu Philippopel) [14].

---

[14]) Nach Škorpil (S. 67) fand man den Satyrkopf in der Grabkammer im Innern des Tumulus, dabei zahlreiche Thon- und Glasgefässe, Ringe u. s. w., sowie eine Kupfermünze des Germanicus consul. — In den Umgebungen von Sliven beschreibt er ausser zahlreichen Burgen an den Vorsprüngen des Balkans (S. 65) die Reste einer grossen Ansiedelung am Fuss des Gebirges, 12 Kilometer gegen SW. von der Stadt, die sich vom Dorf Dermenderó bis zur Tundža er-

Unmittelbar über den Häusern von Sliven ragen die steilen Mauern des Balkan empor, über welchen in dieser Gegend nur beschwerliche Saumpfade führen. Das Gebirge ist hier in mehrere Ketten getheilt, zwischen denen sich die Wässer der ostwärts zum Schwarzen Meere abfliessenden Kamčija sammeln. Die südliche „Wilde Kamčija" (bulg. Luda Kamčija, türk. Deli Kamčik) entsteht aus zwei Quellflüssen, der Kotléšnica, welche die merkwürdige, ganz aus Holz erbaute, aber bei aller Alterthümlichkeit nicht in's Mittelalter zurückreichende Bulgarenstadt Kótel (7481 Einw.) durchfliesst, und der Rákovska Reká, die aus einem von bulgarischen Schafhirten bewohnten Gebirgslande mit schönen Eichen- und Buchenwäldern und Alpentriften herabsteigt. An dem Zusammenflusse beider liegt das Städtchen Gradéc, an dessen Westseite auf einem felsigen, von einer Strombiegung der Rakovska Reka umflossenen Gebirgsvorsprung die Reste eines jetzt von alten Waldbäumen überwucherten Castells zu sehen sind, von dem der Ort auch den Namen hat (gradec bulg. „Schlösschen"). Neben byzantinischen und bulgarischen Münzen zeigte man mir in Gradec auch einige hier gefundene von Septimius Severus und Diocletian. Dass auch die höher gelegenen Waldgebiete im Alterthum nicht unbewohnt waren, beweisen die Funde römischer Kaisermünzen selbst in dem an der oberen Rakovska Reka in einer tiefen Schlucht gelegenen Ičera: Silbermünzen von Hadrian, Philippus und Decius. Den Engpass der Kotlešnica zwischen Gradec und Kotel überragt von der Westseite eine steile isolirte Kuppe, deren Profil man selbst vom Hissar von Karnabad gut unterscheiden kann, Grad (Schloss, Burg), Vida oder türk. Kyztepe („Mädchenhügel") genannt; auf

---

streckte und vielleicht auch jenseits des Flusses die dortige Therme umfasste. Der Ort soll erst mit der türkischen Eroberung eingegangen sein. Ausser Tumuli, drei Kirchenfundamenten, der Spur einer Brücke über die Tundža, Grundmauern von Häusern findet man hier Gefässe, Lanzenspitzen, Skelette und byzantinische Münzen. Bei der Therme grub man auch eine Marmorplatte (20 Cm. h. und br., 1·5 dick) mit dem „thrakischen Reiter" aus, sowie eine Münze der Stadt Parium mit lateinischer Legende. Diese alte Ansiedelung halte ich für das mittelalterliche Auli (ἡ Αὐλή Kedrenos p. 596, Eului, var. Aulin, Eulin bei Villehardouin ed. Wailly p. 293), eine Burg (φρούριον) mit einer an Vieh und Getreide reichen Stadt (ville) am Fusse des Haemus (κατὰ τὰς ὑπωρείας τοῦ Αἵμου; bei Villehardouin sehr anschaulich beschrieben), 4—5 Tagemärsche nördlich von Adrianopel in der Nähe von Diampolis. Im 11. Jahrhundert setzten sich hier einmal die Pečenegen fest und schlugen die anrückenden Byzantiner bei Diampolis; 1207 wurde Auli vom Lateinerkaiser Heinrich von Adrianopel aus erreicht und ausgeplündert.

dem Gipfel soll es nur eine gemauerte Cisterne, aber keine Spuren von Befestigungen geben. Gegenüber auf der flachen Höhe Plešivica gibt es angeblich alte Schanzen, und die Sage erzählt, in alten Zeiten sei der dazwischen liegende Pass, die Demirkapija (Eisernes Thor) von Kotel, durch eine Kette gesperrt gewesen. Eine Stunde nordöstlich von Kotel, gegen Vrbica zu, liegt im Gebirge die Ruine einer grossen, Kózjak genannten Burg, deren Mauern aus wechselnden Stein- und Ziegellagen bestehen sollen.

In den Umgebungen des nahen einsamen Gebirgsdorfes Médven (türk. Papasköi) gibt es ausser drei grossen Tumuli (im W.) eine im Walde verborgene Castellruine (gegen NO.) und die Reste einer grösseren, Novačka genannten Ansiedelung ($^1/_4$ St. gegen O.) auf einer ausgedehnten flachen, von alten Weichselbäumen beschatteten Anhöhe, mit Spuren einer Kirche und alter Hausmauern, wo auch Pfeilspitzen, Münzen, Kreuze u. s. w. gefunden werden. Es soll dort einst 30 Kupferschmiedwerkstätten (nach anderen 80 Kesselschmiede) gegeben haben, und der Sage nach stammen die Einwohner von Kotel und von anderen umliegenden Orten aus dieser erst seit der türkischen Eroberung eingegangenen Stadt. Zwischen Medven und Gradec stehen die Ruinen einer Butovo genannten Burg. Oestlich von Medven liegt an der Kamčija ein türkisches Dorf mit dem bulgarischen Namen Sádovo; 1 St. nördlich soll es an einer Karasu genannten Stelle eine Castellruine geben. Weiter gegen Osten folgt das Dorf Kadyrfakli; $1^1/_2$ St. gegen Norden von ihm ragt auf der Ostseite der zuletzt von der türkischen Regierung gebauten Chaussée über den Centralbalkan nach Vrbica, knapp an der rumelisch-bulgarischen Grenze, aus dem Gebirgskamm ein hoher, von Weitem sichtbarer flacher Gipfel empor, auf welchem sich die angeblich grösste Burgruine der ganzen Gegend befindet, von den Türken Ruspuhissar ("Hurenburg") genannt. Die Position dieser den Balkanübergang in der Richtung gegen Vrbica und Preslav dominirenden Castelle (an das zweite soll sich eine niedere, Düztepe genannte Stelle mit den Spuren einer Ansiedelung und einer Kirche anschliessen) lud wohl zu einem längeren Aufenthalt in den hiesigen Wäldern ein, umsomehr als man mir von einem bei dieser Ruine vorbeiziehenden Wall oder Weg erzählte. Aber das Wetter war sehr ungünstig. Nachdem ich durch starken Regen in Kotel länger als ich wünschte festgehalten war, lernte ich die hiesigen Waldbäche und die Kamčija beim Durchschwimmen zu Pferde (an Brücken fehlt es noch) von der am wenigsten angenehmen Seite kennen und war gezwungen, den Plan aufzugeben. Ich erfragte in Kotel, Medven und Gradec nur so viel, dass jenes merkwürdige Denkmal ein gepflasterter, 9 Spannen breiter Weg sei, jetzt ganz verfallen und an wenig zugänglichen Stellen der Wälder gelegen, und dass derselbe bei der genannten Burg den Balkan zwischen Vrbica einerseits und Sadovo und Kadyrfakli andererseits überschreite [15]). Dass die seit altersher Gerilovo, Gerlovo genannte Landschaft von Vrbica an der Nordseite der Centralkette eine weit zurückreichende Vergangenheit besitzen mag, dafür sprechen einige Münzen von Septimius Severus, Philippus und Theodosius, nebst einem dyrrhachinischen Silberstück (ΞΕΝΩΝ, ᴦ ΔΑΜΟΥ; vgl. Mionnet 2, 42, 135 und Suppl. 3, 343, 228, wo als Lesung ....ΔΑΜΟΥ und ΦΙΛΔΑΜΟΥ angegeben wird), die mir in Kotel aus den dortigen Funden gezeigt wurden.

Der Balkanübergang bei der Burg von Kadyrfakli war von Süden aus leicht zugänglich. Die südliche äussere Kette des

---

[15]) In der Gegend erzählte man mir von einer hiesigen Erkesija, einem Erdeinschnitt, der angeblich von West nach Ost ziehend, den Pass von Kotel mit dem „Grad“, ferner die Burg bei Medven und endlich das Castell oberhalb Kadyrfakli berühren und zum Theil mit einer „ganz niedrigen Mauer“ versehen sein soll. Aber die Erzählung scheint mehr auf Combinationen als auf wirklicher Beobachtung zu beruhen. Ich selbst habe die Sache nur an einer Stelle mit eigenen Augen gesehen, auf dem Berge Vetrila zwischen Žeravna und Kotel, an der Westseite der steilen Kuppe des Grad. Man bemerkt dort unterhalb des Kammes auf dem Nordabhang der Vetrila einen 4 Schritt breiten, von West nach Ost streichenden ebenen verlassenen Weg, an dem von Wall und Graben keine Spur zu merken ist. In Gradec versicherte man mich übrigens, die „Erkesija“ der Medvener sei mit der oben erwähnten gepflasterten Strasse über's Gebirge identisch und die „ganz niedrige Mauer“ sei nichts anderes als altes Strassenpflaster. — Škorpil (a. a. O. S. 88) erwähnt an der Westseite des Passes von Kotel, östlich von dem mir bekannten Stück an der Vetrila, noch einen zweiten Wall (mit Graben an der Südseite) von geringer Ausdehnung. Diese gegrabenen Linien gelten jetzt als Grenze der Gemeinden von Kotel und Žeravna; man sollte die alttürkischen Urkunden einsehen, welche beide Orte, wie ich aus guter Quelle weiss, über ihre Feldmarken besitzen. An dem Uebergang nach Vrbica sah Škorpil (S. 52—53) drei Burgen: links das Karasukalessi, gegenüber rechts Tepegjoz und hinter einer tiefen Schlucht Ruspuhissar. Nach ihm ist die dortige „Erkesija“ das Fundament einer 2 M. breiten Mauer (einer Passsperre? von welcher Ausdehnung?) mit der Spur eines 3 M. breiten Thores darin, bei dem Karasukalessi. Von dem alten Strassenpflaster (kaldyrym, batal pŧt), das mir die Einwohner beschrieben, erwähnt er nichts. Auch ist aus seiner topographisch unzureichenden Schilderung nicht ersichtlich, in welchem Verhältniss diese Ruinen zu der auf den Karten eingetragenen neuen Strasse nach Vrbica stehen.

Balkans ist hier nämlich durchbrochen und zwischen dem Balkan
von Sliven und dem von Aitos gibt es nur einen niedrigen Rücken,
welcher das Thal der Wilden Kamčija von dem Gebiet des südwärts zur Tundža abfliessenden Azmakflusses scheidet. Auf diesem
Plateau liegt östlich von Gradec das armselige Dorf Kajabaš mit
einem 1200 Schritt langen und angeblich zwei Mannshöhen tiefen
See „Kajabaško blato“, längs dessen Nordufers sich ein isolirter,
länglicher, an 50 M. über die Seefläche emporragender Felsberg
mit Resten eines alten Castells von Ost nach West erstreckt[16]). Die
Situation erinnert an das Paleokastro von Kavakli. Die Nordseite
der Befestigung war gegeben durch den scharfkantigen Kamm, auf
welchem sich über dem gegen Norden sehr abschüssigen Abhang
die Fundamente einer 2·5 M. starken Mauer aus grossen Steinen
verfolgen lassen. Die Aussicht von dem Kamm beweist die einstige
grosse strategische Bedeutung des Platzes: man überblickt im
Norden den Centralbalkan von Rakovo bis Čalykavak mit dem
„Grad“ an dem Engpass von Kotel, der Stelle von Novačka, dem
Ruspuhissar u. s. w., ferner links und rechts die hohen Berge des
Balkans von Aitos und Sliven (Matejska Planina), im Süden die
Höhen von Karnabad mit dem dortigen grossen „Hissarlik“, und
in der Ferne erscheinen sogar die Kuppen des Bakadžik und der
Monastirberge. Die Südseite der Burg schützte der See; an
15 Schritt vor seinem schilfreichen Ufer stehen die geradlinigen
Fundamente der einstigen Umfassungsmauer. Die Befestigungen
im Osten und Westen sind kaum kenntlich. Der innere Schloss-
raum zwischen dem Felsenkamm und dem See ist sehr steil und
zum Theil ganz treppenartig; zwischen den dichten Gebüschen und
dem glatten langen Grase, das hier wuchert, sieht man überall
zubehauene Steine, Ziegelfragmente, Topfscherben, die bis in das
Schilf am Ufer hinunterreichen. Die Dorfkirche von Kajabaš ist
ganz aus alten Quadern von hier erbaut; dort sieht man auch eine
Steinplatte mit einem von einer Kreislinie umrahmtem Kreuz, sowie
einen viereckigen alten, canellirten Pfeiler. Eine auf der Burg gefundene glatte Säule dient jetzt als Strassenwalze. Man fand hier
auch Pfeilspitzen, Doppeläxte, Messer, Metallkreuze, byzantinische
und bulgarische Münzen, angeblich auch ein Goldstück des Kaisers

---

[16]) Der See ist als „Hissargöl“ abgebildet bei Kanitz III. 94. Die hiesige
Burg blieb Kanitz unbekannt; dagegen erwähnt er ein Hissartepe 1 St. westlich
von Kajabaš, von dem ich hier nichts gehört habe.

Honorius. Ich hörte von einem Marmorstein mit Inschrift, den man vor dem letzten Kriege nach Constantinopel geschafft haben soll, konnte aber nichts Näheres darüber erfragen.

Die nächste Verbindung dieses Seeschlosses mit Jambol führt durch den Maráš Boaz genannten Pass, in welchem sich, wie man mir erzählte, neben der neuen Chaussée Jambol-Kotel Spuren eines alten Pfades befinden, mit zwei Castellruinen in der Gemarkung des Dorfes Sedlárevo. Ich muss ausdrücklich bemerken, dass ich den Namen in der ganzen Umgebung stets nur als Maráš gehört habe, wie auch ein Dorf am Südausgang des Passes heisst; die Form Marak, die ein neugriechischer Δρομοδείχτης (um 1826) angibt (Heerstrasse S. 150), ist im Lande selbst unbekannt. Indessen ging die mittelalterliche Hauptstrasse nicht diesen Weg, sondern ungefähr 25 Kilometer weiter östlich durch das Azmakdefilé bei dem Hissar von Karnabad vorbei.

Ich wendete mich von Kajabaš in das Azmakthal, passirte die grossen, auch von Kanitz erwähnten Tumuli von Čerkesli, das Dorf Sungurlar, in dessen Nähe am Waldesrand neben einigen ähnlichen alten Grabhügeln eine kalte Mineralquelle entspringt (man zeigte mir eine bei der Quelle gefundene, in Alexandria geprägte Silbermünze des Hadrian), sodann den grossen von Culturen bedeckten Tumulus von Kokordža und gelangte nach Kárnabad. Diese Stadt (4274 Einw.) liegt am Nordabhang eines niederen, von West nach Ost streichenden, eruptiven Höhenzuges, welcher den Lauf des Azmak derartig einschränkt, dass sich nordwestlich von Karnabad ausgedehnte Sümpfe gebildet haben, die man vor dem Eintritte in den Ort auf langen, mit Brücken versehenen, gepflasterten Dämmen (aus der Türkenzeit) überschreitet. Karnabad verdankt seine Bedeutung grossen Jahrmärkten und hat nichts Alterthümliches aufzuweisen. Dagegen befindet sich in der Umgebung, 1½ St. gegen SW., eines der bedeutendsten Castelle der ganzen Landschaft, das als Schlüssel der Communicationen zwischen den Haemusübergängen und Jambol (oder Adrianopel) eine hervorragende Bedeutung haben musste.

An der Stelle, wo der Azmak die enge Mauer des erwähnten Karnabader Höhenzuges durchschneidet, um in offenem Felde der nur 40 Kilom. entfernten Tundža (er mündet oberhalb Jambol) zuzueilen, stehen auf der linken Seite des Flussdurchbruches, nicht weit südlich von der Strasse Sliven-Karnabad, die Reste des Hissar-kalé. Dasselbe besteht aus drei Befestigungen in drei von Nord nach Süd aufeinander folgenden Abstufungen. Der erste und höchste Theil ist ein unregelmässiges Viereck, von Nord nach Süd ungefähr 120 Schritt breit, das von einer 3 M. starken, aus wechselnden Lagen von Stein und je fünf Reihen Ziegel erbauten Mauer umfasst war, von welcher im Süden noch ein mannshohes Stück aufrecht steht. Die Nord- und Südseite decken die steilen Abhänge des Höhenrückens selbst, die Ostseite schützt ein künstlicher tiefer Graben, vor welchem noch die Spur einer zweiten äusseren Schanze sichtbar ist. Die Westseite bildet die enge Schlucht des Azmak, dessen Spiegel an 80 M. unter der Burg liegt. Adler und Eulen nisten in den Felsspalten, während tiefer unten der blaue Flieder (*Syringa*, bulg. „luljak") ganze Büsche bildet, der in Bulgarien überall als ein an Burgruinen haftender Strauch gilt und wohl meist alten Culturen entsprossen ist. Zwei (je 1·5 M. breite) Mauern, die vom Castell aus an Felsvorsprüngen ungefähr 200 Schritt weit gegen das Azmakdefilé vortreten, dienten wohl zur Deckung eines wegen des Wasserholens wichtigen directen Abstiegs. In der Mitte des Burgplatzes bemerkt man auf dem felsigen, von Schutt, Ziegel- und Gefässscherben bedeckten Boden die Fundamente eines grösseren steinernen Gebäudes. Die Rundsicht von der luftigen, den Winden stark ausgesetzten Höhe ist grossartig. Man überblickt die Zinnen und Gipfel der inneren Balkankette mit den Pässen von Kotel, Vrbica, Čalykavak, nebst den steilen Bergen bei Sliven und den niederen bei Aitos, die Sümpfe des Azmak bei Karnabad, die fruchtbaren Niederungen von Jambol, Sliven, bis gegen Jeni Zagra hin; jenseits der glitzernden Fläche des nahen Sumpfes von Streldža [17]) erscheint im Westen das Querprofil der Sredna Gora, während im Südwesten aus der weiten thrakischen Ebene nur einige Hügel der Gegend von Čirpan emportauchen. Der Bakadžik verdeckt die Monastirberge und schliesst sich, von unserem Standpunkt durch ein niederes Terrain getrennt, den Waldbergen im SO. an, in denen die oben beschriebenen Wälle der „Erkesija" verborgen liegen.

Doch das ist noch nicht Alles. An die Südseite der Burg lehnen sich, zwischen dem Azmak und der Fortsetzung des öst-

---

[17]) Die auf den Karten angegebene Ruine bei Saraj am Sumpf von Streldža ist ein Ueberrest der Lusthäuser des Sultans Mohammed IV. (1648 — 1687), der hier noch als „Avdži Mohammed Sultan" (der Jäger) bei den Türken in gutem Gedächtniss geblieben ist.

lichen Burggrabens eingeengt, in zwei Stufen zwei viereckige, mit Wall und Graben umgebene Castra an. Das erste Lager liegt an 50 M. tiefer als die Burg, das zweite an 15 M. tiefer als das erste. Die Form derselben ist wegen des Flusslaufes etwas unregelmässig; die Länge des ersten Castrums (W.—O.) beträgt 550, die Breite 370 Schritt, während das zweite nur 400 Schritt lang und 100 Schritt breit ist. Die Ostseite beider bildet ein an 6 M. hoher Wall mit einem 16 Schritt breiten, trotz seines Gefälles immer feuchten Graben. Die Westseite gegen den Fluss ist ausser dem Wall auch durch die allerdings niedrige Fortsetzung der Felsböschungen des Defilés geschützt. Beide Lager trennt ein (von der Südseite gesehen) fast 10 M. hoher Wall, wogegen das untere Viereck von Süden nur mit einem niederen Erdaufwurf gedeckt wird, vor dem sich jedoch ein breiter, mit stagnirendem Wasser angefüllter Graben befindet. Das obere Castrum hat in der Mitte der Ost- und Westseite einander gegenüberliegende Ausgänge; desgleichen verbindet ein Thor beide Castra untereinander, dem ein Ausgang aus dem unteren Lager südwärts entspricht. Das Innere der beiden Umwallungen, die jetzt als Weideplatz dienen, enthält ausser einzelnen Ziegelfragmenten nicht die geringste Spur von Gebäuden. Zwei Tumuli auf der Nordseite der obersten Burg und die grosse „Popova mogila" gegen Osten auf dem Rücken desselben Höhenzuges vervollständigen das ganze Landschaftsbild. Zum Schlusse muss ich bemerken, dass längs des Azmak ein Fahrweg durch die Schlucht führt, an welchem jüngst bei der Herstellung eines Mühlgrabens viele gewaltige Gefässe gefunden wurden, die, gewöhnlich mit vermodertem Getreide gefüllt, hier zu Lande bei keiner Ruine fehlen. Eine neue Mühle unweit des untersten Lagers ist der einzige bewohnte Punkt in der sonst trostlos öden Umgebung.

Die feste Burg ist ohne Zweifel, wie man aus der Stellung der beiden Castra erkennt, von Jemand errichtet worden, welcher das Azmakdefilé gegen einen nördlichen Feind sperren wollte. Das obere Castell mit seinem weiten Horizont bildet ein Glied derselben Kette, zu welcher auch der Ruspubissar im Balkan, die Burg von Kajabaš und die Stadt Jambol gehören. Sagen über den Ort gibt es nicht, dagegen sah ich einige Münzen von den vielen, die auf der obersten Burg gefunden wurden; es waren byzantinische Kupfermünzen, sämmtlich arg beschädigt (einige mit dem Heiland als „Basileus Basileon", andere concav), und eine gut erhaltene Silbermünze des bulgarischen Caren Svẹtslav († 1321).

Einige Bürger von Karnabad zeigten mir eine Menge antiker
Münzen, Stücke von Thasos, Athen, Alexander d. Gr., römische
Kaisermünzen (von Augustus, Vespasian, Hadrian, Antoninus Pius,
Gordian, Philippus, Decius, Aurelian, Constantin u. s. w.), byzantinische Gold- und Kupfermünzen u. s. w. Als Fundorte gab man
mir das Dorf Aftan im Süden des hiesigen Bezirkes und die Gebirgslandschaft nordwärts gegen den Pass von Čalykavak (23 Kil.
östlich von dem bei Vrbica) an. Ich habe die Gegend an diesem
Passe sowie am Zusammenflusse beider Kamčija's nicht besuchen
können, aber die antiquarischen Daten, die ich erfuhr, sprechen
für eine von altersher stammende Bedeutung dieses Ueberganges,
welcher nach den Itinerarien von Bongars (1585), Boscovich (1762),
Carsten Niebuhr (1767) [18] u. A. in den letzten Jahrhunderten allgemein die Verbindung zwischen Adrianopel und der Donau vermittelte [19]). Bei dem von Karnabad gut sichtbaren bulgarischen
Dorf Kosten gibt es auf einer hohen Kuppe eine grössere Burg
zum Schutze des Weges; in derselben sollen die Bauern einmal
eine Statuette einer unbekleideten sitzenden Göttin und in einem
nahen Tumulus das Skelett einer Frau mit goldenen Ohrgehängen
gefunden haben. Eine grosse Burgruine, angeblich noch mit einigen
erhaltenen Kammern, steht an der Kamčija bei Podvis; von dort
und aus Kišlaköi stammen die mir gezeigten Münzen Alexanders
d. Gr. Reste alter Gebäude gibt es auch bei Komarevo [20]), bei

---

[18]) Bongars Tagebuch, herausg. von Dr. Herm. Hagen, Jacob Bongarsius,
Bern 1874. R. G Boscovich, *Giornale di un viaggio da Costantinopoli in
Polonia.* Bassano 1784. C. Niebuhr, Reisen durch Syrien etc. III (Hamburg
1837) p. 168 sq.

[19]) Der Uebergang über das Gebirge ist bei den drei genannten Reisenden
identisch: Gegend von Karnabad (Tubekoi = Türk Bejköi, Niebuhr), Komarevo
(Niebuhr) oder Bosilkovo (Bongars), Dobral (Boscovich, Niebuhr), Čalykavak
(Zaolcava derven Bongars, Scialikavak Bosc., Tschalikova N.); von dort geht die
Route von Bongars und Niebuhr über Eski Stambul nach Rasgrad, die des Boscovich über Dragojevo nach Šumen. Bongars sah zwischen Eski Stambul und
Čalykavak nur „*bois sans voye ni sentier*"; Boscovich (p. 56) bemerkte ein zerfallenes
Pflaster am nördlichen Abstieg, „*un tratto considerabile lastricato a pietre, le quali
di grandezza erano in circa, come quelle che in Italia troviamo nella Via Appia, e
altre strade Romane antiche, e parimenti di figura irregolare come quelle, ma
più grosse*", und Niebuhr (p. 172) sagt: „da wo es am steilsten berg unter
geht, hatte der Sultan den Weg erst neulich pflastern lassen". Das
Pflaster war also türkischen Ursprungs.

[20]) Nach Škorpil (a. a. O. S. 92) liegen 10 Minuten nördlich von Komarevo
die Fundamente eines viereckigen Castells mit runden Eckthürmen, nebst Resten
einer Ansiedelung, wo man Münzen von der Kaiserin Faustina, Constantin, Justinian, Phocas u. A. gefunden hat.

Keremetli (ursprünglich Gramatikovo genannt) u. s. w. In
der Richtung gegen Aitos zu steht eine Burg auf einem Vorsprung
des Balkans bei Skenderli.

Ueber die Gegend am Zusammenflusse beider Kamčija's erfuhr
ich folgende Einzelheiten. In Čenge und bei Lopušna gibt es
Burgruinen; in Varna sah ich zwei Kupfermünzen aus einer „Monastir" genannten Ruine bei Čenge, die eine König Philipp's (Reiter,
ΦΙΛΙΠΠΟΥ, neben dem Pferde Λ, ℞ ein Kopf), die andere von Alexander (ein undeutliches Ding, ΑΛΕΞΑΝΔΡΟΥ, ℞ ein Kopf im Profil).
Westlich von Novoselo (Jeniköi), in welchem sich jetzt das Centrum eines bulgarischen Bezirkes befindet, liegen nach den Erzählungen der dortigen Beamten bei dem Dorfe Karaburun zu beiden
Seiten der nördlichen Kamčija alte Burgen, rechts eine kleinere
„Monastir" genannt, links eine grössere auf dem Arkovna Bair,
beide wohl zur Deckung einer Brücke errichtet. Dabei bemerkt
man die Ueberreste eines von Norden nach Süden verlaufenden
gepflasterten Weges, über dessen Fortsetzung sich leider nichts
Näheres erfragen liess.

Was die Vergangenheit dieser Wege und Burgen anbelangt,
so zerfallen die Strassen über den Ostbalkan in zwei Gruppen.
Die östliche Gruppe, von dem antiken Marcianopolis und dem mittelalterlichen Provad auslaufend, mit dem südlichen Ausgang gegen
Mesembria und Anchialos, tritt im Alterthum in den Vordergrund
und besteht aus zwei durch alte Itinerarien, und wie ich zeigen werde,
auch durch erhaltene Reste bezeugten Römerstrassen in der Nähe
der Küste. Die zweite Gruppe, die erst im Mittelalter eine grössere
Bedeutung gewinnt, zwischen Preslav und seiner ganzen Umgebung
im Norden und Diampolis im Süden, umfasste vier Uebergänge
über den inneren Balkan zwischen den beiden Kamčija's: bei Kotel,
bei Vrbica, bei Čalykavak und bei Lopušna oder Karaburun. Der
zweite und vierte waren mit gepflasterten Strassen alten Ursprungs
versehen, der letzte ist ausserdem durch das Vorkommen make-
donischer Münzen merkwürdig. Diese Uebergänge, besonders der
zweite, sind wohl die Βερέγαβα, κλεισούρα Βερεγάβων, ἐμβολὴ Βερι-
γάβων[21]) des 8. Jahrhunderts und die Σιδηρᾶ, πύλαι Σιδηραῖ des
9. — 13. Jahrhunderts. Zwischen der Sidera und Jambol werden

---

[21]) Theoph. 359. 431, Nicephorus patr. 73 ed. Boor (die Lesart Βεριγάνων
bei Nicephorus ist nur durch einen Lesefehler des Petavius entstanden, cf. Boor
praef. p. XV).

drei Burgen genannt. Die erste war Γολόη, nach Anna Komnena (ed. Reifferscheid II. 71) περὶ τὴν ἀκρολοφίαν τῆς Σιδηρᾶς Κλεισούρας gelegen, ein wichtiger Waffenplatz zwischen den Donaulandschaften und Diampolis, wohl das den Uebergang beherrschende hochgelegene „Ruspuhissar" bei Kadyrfakli. Die zweite war Λαρδέας, wo Alexios I. Komnenos einmal 40 Tage mit seinen Truppen lagerte, nach Anna Komnena (ed. cit. I. 228. 229 πρὸς τὸν Λαρδέαν) ἐν μεταιχμίῳ τῆς Διαμπόλεως καὶ Γολόης διακείμενος, von Pachymeres in der Form Λαρδαίας (ed. Bonn. II. 559) mit Ὑάμπολις als δύο φρούρια τῶν καλλίστων erwähnt. Diese schöne Burg mit dem grossen Lagerplatz ist vielleicht identisch mit dem Castell bei Karnabad und dessen beiden Castra. Daneben, nach Anna Komnena (ed. cit. I. 244) auch μέσον Γολόης καὶ Διαμπόλεως, lag an der Südseite der Balkanpässe das im 8. und 9. Jahrhundert berühmte byzantinische Grenzcastell gegen die Bulgaren, noch in der Komnenenzeit genannt, τὸ κάστρον Μαρκέλλων oder Μαρκέλλαι (auch Sing.). In der Gegend zwischen beiden genannten Ruinen passt die Lage auf die feste Seeburg von Kajabaš[22]).

Nach einem Ritt von 3½ St. gelangt man von Karnabad in das am Südfuss des Balkans am Ausgange eines von Weinbergen umgebenen Thales zwischen schönen Saaten malerisch gelegene Städtchen Aitos (3220 Einw.), das Centrum eines vorwiegend von Türken bewohnten Bezirkes. Die Burg Ἀετός des Kantakuzenos stand auf einer steilen, auch gegen Norden und Westen durch tiefe Schluchten geschützten Höhe nordwestlich über der jetzigen Stadt, an 200 Meter hoch über der Thalsohle, auf den Karten richtig als „Hissar Bair" angegeben. Das Schloss, dessen Mauern durch Wind und Wetter längst bis auf die Fundamente zerstört sind, ist ungefähr 300 Schritt lang und hat dem Terrain entsprechend eine unebene und

---

[22]) Die Schlacht (um 760) κατὰ τὰς λεγομένας Μαρκέλλας bei Nicephorus patr. p. 66 und die bei Βερέγαβα bei Theophanes p. 431 scheinen schon der chronologischen Reihenfolge wegen identisch zu sein: nur erscheint Kaiser Konstantin V. („Kopronymos") bei Theophanes als der besiegte Theil, während Nicephorus die Bulgaren als geschlagen bezeichnet, was mit der folgenden Entthronung der einheimischen Fürsten durch die Bulgaren selbst mehr übereinstimmt. Nach Anna Komnena lag aber ἡ λεγομένη Μαρκέλλα vor Goloe und diese wieder vor der Sidera, was die von mir (Heerstrasse S. 150) ausgesprochene Vermuthung über die Identität oder Nähe der Βερέγαβα und Σιδηρᾶ noch mehr unterstützt. — Ausser der obigen Identificirung wäre noch eine andere möglich: das Castell bei Karnabad könnten die Markellai, die Burg auf dem Bakadžik der von Pachymeres neben Jambol genannte Lardeas sein.

unregelmässige Form, die sich etwa einem mit der Spitze gegen
Norden gewendeten gleichschenkligen Dreieck nähert. Man erkennt
noch die Fundamente von drei Thürmen; überdies sind in der Mitte
des Platzes noch die mannshohen Reste eines viereckigen länglichen
steinernen Gebäudes sichtbar. Zwischen den vielen keramischen
Splittern und anderem Schutt des Burgfriedens findet man oft
byzantinische und bulgarische Münzen. Die Aussicht umfasst die
hier schon sehr niedrigen Höhen des Balkans, sowie die waldigen
Vorhöhen der Strandža bei Rusokastro und erreicht im Südosten
die glänzenden Spiegelflächen der Lagunen von Burgas [23]).

Im nahen Gebirgslande gilt als Fundort von Alterthümern
das alte bulgarische Dorf Vresovo (31 Häuser) gegen NW. von
Aitos, auf dem Wege zur Kamčija, mit einer Burg- und einer
Kirchenruine, einst angeblich eine grössere Stadt; zwei dort gefundene 40 Cm. hohe Basreliefs des „thrakischen Reiters" kamen
jüngst in das Provinzialmuseum von Philippopolis, und in Aitos
zeigte man mir eine von dort stammende silberne Alexandermünze.

Die beiden über die Balkanübergänge von Karnabad und Aitos
gegen Constantinopel führenden Wege vereinigen sich in dem an
5 Stunden von beiden Städten entfernten Rusokastro, um dort
das Waldgebiet des Strandžagebirges zu betreten. Das Dreieck
zwischen den genannten Orten ist von einem bei aller Fruchtbarkeit öden, wenig bewohnten und meist von niedrigen Eichen-,
Sumach- und Paliurusbüschen bedeckten Hügelland erfüllt. Zwischen
Aitos und Rusokastro ragen zwei vereinzelte Kuppen empor, welche
an die „Kojuntepe" bei Tatar-Pazardžik und an die Berge von
Monastir erinnern. An deren Fuss liegen bei dem Dorfe Küčük
Ali die Reste eines Castells, welches der Lage nach dem Κτένια
des Pachymeres (II. 445) und Kantakuzenos (I. 431) entsprechen mag.

Die im 12.—14. Jahrhundert oft genannte Burg Ῥωσόκαστρον
habe ich von Burgas aus besucht. Sie liegt eine halbe Stunde
westlich von dem armseligen, noch immer Rusokástro genannten
Bulgarendorf (94 Häuser mit 448 Einw.), auf dem rechten Ufer
eines in die Lagune von Mandra abfliessenden Baches, in einer
auch auf der österreichischen Generalstabskarte der Balkanhalbinsel eingezeichneten Krümmung desselben. Man sieht den schroffen,

---

[23]) Herr Consul Brophy sah vor ungefähr 12 Jahren eine lateinische Inschrift auf dem türkischen Friedhof zu Aitos, von der dort jetzt nichts mehr bekannt ist.

an 80 M. hohen Felsen von weiter Ferne, umsomehr als auf demselben jüngst an Stelle eines alten „čerkovište" (Kirchenruine) ein weissgetünchtes Kirchlein errichtet wurde. Die Burg war von drei Seiten durch schroffe Abstürze, auf der Südwestseite überdies noch durch eine gewaltige, mit Thürmen versehene Schlossmauer gedeckt. Ziegelfragmente mit Aschenhaufen, alten Nägeln u. s. w. bilden den Boden des in der Mitte an 250 Schritt breiten Burgplatzes. Auf dem steilen Nordabhang gibt es eine zwischen Bäumen verborgene Höhle. Die Rundsicht umfasst die grossen Urwälder im Süden, in denen, nur eine Stunde von hier, die Wälle der „Erkesia" liegen; im Norden zieht sich ein breites Thal zwischen niedrigen Böschungen zu den Dörfern Balabanly und Kelešköi: der Weg von Rusokastro nach Aitos und Karnabad, und der Schauplatz der von Kantakuzenos (I. 460 sq.) ausführlich beschriebenen Schlacht zwischen den Bulgaren und Byzantinern im Jahre 1331, die sich aus einer von Ἀετός her mündenden στενή τις ἀπόκροτος δίοδος bis zu den Mauern von Ῥωσόκαστρον hinzog und mit einem raschen Friedensschlusse endigte. Unter dem südöstlichen Abhang des Burgfelsens bemerkt man Spuren von Häusern, Fundamente eines Badegebäudes und eines Posthauses (Menzil) aus der türkischen Zeit, sowie eine 2·5 M. lange glatte Säule; wahrscheinlich war das jetzige Dorf Rusokastro ursprünglich ein *suburbium* der Burg selbst und wurde erst in neuerer Zeit von dieser Stelle weiter abwärts verlegt.

In dem Waldland von Rusokastro südwärts bis zur rumelischtürkischen Grenze herrschten zur Zeit meiner Reise wenig einladende Zustände. Banden türkischer und bulgarischer Strassenräuber tauchten abwechselnd zu beiden Seiten der Grenzlinie auf und die wenigen Compagnien rumelischer und türkischer Infanterie, welche sich auf der langen Linie vom Meere bis zur Tundža im Vorpostendienste übten, waren ausser Stande, das Uebel niederzuhalten. Als ich Sozopolis besuchte, wagten sich die Bürger dieser Seestadt gar nicht in ihre Weingärten, um nicht von den Waldrittern zur Erpressung eines ergiebigen Lösegeldes in's Gebirge entführt zu werden. Was ich über die Alterthümer dieses Berglandes erfragen konnte, ist ungefähr Folgendes. Die Reste einer älteren, zum Theil vom Eichenwald überwachsenen, gepflasterten Strasse ziehen sich über das grosse Dorf Fakia (136 Häuser, Bulgaren) und die Höhen von Karakütük nordwärts gegen das Dorf Karabunar; die weitere Spur wendet sich nicht gegen Rusokastro, sondern gegen das weiter östlich gelegene Jakyzly (türk.

früher Ak-jazyly genannt), wo die Ruinen von Deultum liegen. Eine „gute" alte Burg liegt bei Fakia selbst, auf einem schroffen Berg gegen NW. Eine andere, Sarp-Hassan-kalessi genannt, befindet sich östlich von Fakia, eine halbe Stunde gegen SO., nach Madleš-köi zu, am Ufer der Fakijska Reka. Ein grosses Castell, angeblich noch mit aufrecht stehenden Mauern, steht auf dem Gipfel einer hohen, auch von Burgas aus gut sichtbaren waldigen Kuppe weiter unterhalb an der Fakijska Reka, bei dem Dorfe Gerge Bunar, südlich von dem auf der österreichischen Karte eingezeichneten Kyryk Čaly, nahe bei den Resten eines alten Weges. Noch weiter gegen NO. soll es bei Džemeren gleichfalls Trümmer einer Burg geben. Diese Reihe von Castellen in der Gegend von Fakia mit Spuren alter gebahnter Wege entspricht der Route von Deultum nach Ostudizus (bei Hafsa) im *Itinerarium Antonini*. Die 18 römische Meilen von Deultum entfernte Station Sadame fällt ohne Zweifel nach Fakia. Die zweite Station Tarpodizus gehört nach der Distanz sowohl von Fakia als von Hafsa in die Gegend der byzantinischen Burg Σκόπελος, deren Ruinen nördlich von Petra und südwestlich von Erikler liegen [24]).

---

[24]) Das alte Strassenpflaster zwischen Karabunar und Fakia nebst einer Fortsetzung im Wald südlich von dem letzteren Orte erwähnt auch eine russische militärische „Beschreibung des Weges von Constantinopel nach Očakov" (Petersburg 1821), welche auch die angeblich kreisrunde Burg „St. Georg von Fakia" auf einem „zuckerhutförmigen" Berge über dem Dorfe kennt. *Restes d'un ancien pavé* ebendaselbst bei Boué, *Recueil d'itinéraires* I 128. Škorpil (S. 13) sah das Pflaster zuerst 20 Minuten südlich von Karabunar und dann rechts oder links von der Strasse, obwohl es hie und da auch ganz verschwindet, dann südlich von Fakia an der rumelischen Grenze zwischen Kaibilare und Gross-Almali; nach ihm ist es 7·3 M. breit und hat in der Mitte und zu beiden Seiten je eine Reihe grosser und flacher Steine, zwischen denen kleineres Material eingedrängt ist. Ausser den Burgen von Fakia erwähnt er (S. 43. 44) zwei Castelle bei Kisildžik-klisse (unweit südlich davon) und die Reste einer Ansiedelung östlich von Fakia zwischen Madlešköi, Almali und Kodžabuk: die Fundamente eines Gebäudes mit drei Basreliefs (Jäger zu Pferde mit Hund und Hirsch, stehende und sitzende Personen u. s. w.), darunter eines mit 10 Zeilen unleserlicher griechischer Schrift. — Die Burgruine von Skopelos ist auf Kiepert's Generalkarte (1870) gut eingetragen. Zwei alte russische Relationen von Oberst Lehn 1793 und Capitän Duhamel 1827 erwähnen dieselbe am Westufer des Tekederé, nördlich von Petra, als Ruine Skupelos oder Eskipolos-Kalessi, bestehend aus einem Thurm mit Zinnen, desgleichen Boué op. cit. I 128 als *vieille tour grecque* auf einem Berge eine Lieue westlich vom türkischen Dorf „Erekli". — Manche Karten haben Erekli oder Erikler irrthümlich zweimal angegeben, rechts und links vom Thal des Tekederé, oft an beiden Stellen (wie die russische Karte von Artamonov) mit dem eingeklammerten Namen Eskipolos.

Die Pontusküste verfolgte ich von der türkischen bis nahe zu
der rumänischen Grenze und suchte mir die alten Periplen und die
mittelalterlichen Seekarten an Ort und Stelle zu erklären. In den
folgenden Bemerkungen halte ich mich an die geographische Reihenfolge von Süden gegen Norden.

Das alte A p o l l o n i a der Milesier, seit Anfang des Mittelalters S o z o p o l i s genannt, noch von Kantakuzenos (I. 326) als
πολυάνθρωπος καὶ μεγάλη πόλις bezeichnet, an einer andern Stelle
als πόλις οὕτω καλὴ καὶ πᾶσιν ἀγαθοῖς εὐθυνουμένη (III. 215), ist jetzt
eine kleine Stadt mit 2800 griechischen Einwohnern, die meist vom
Fischfang leben[25]). Ihre dicht zusammengedrängten Häuser bedecken eine felsige Halbinsel, welche durch eine niedrige, an 120
Schritt breite Sanddüne mit dem Festland verbunden ist. Dieser
Isthmus scheint sich jedoch erst in neuerer Zeit gebildet zu haben.
Vor der Nordseite der Halbinsel liegt die kleine Felsinsel H a g i o s
J a n n i s mit einem verfallenen Kloster, einem neuen Leuchtthurm und
den Resten eines alten κάστρον. Daneben ragt gegen NO. eine Klippe
H a g i o s P e t r o s aus den Fluthen; auf der Westseite der Stadt be-
merkt man noch zwei kahle Inselchen, M i l o s und G a t t a. Da der
Ort auf einen Punkt fällt, wo die Küste fast im rechten Winkel
einbiegt, ist die Rundsicht sehr ausgedehnt: gegen SO. die waldige
Küste in der Richtung zu dem angeblich noch mit alten Mauern
umgebenen Agathopolis, im NW. der Golf von Burgas, gerade
gegenüber die 12 Kilometer entfernte Stadt Anchialos und dahinter
in der Ferne das Ende des Haemus mit dem Leuchtthurm auf dem
Cap Eminé. Der Hafen (auf der Westseite) gilt als der beste der
ganzen Küste. Von den einstigen starken Umfassungsmauern der
Stadt sind noch grosse Stücke übrig. Neben einer Menge alten
Baumateriales und Münzen von Lysimachos und von römischen
Kaisern des 1. — 3. Jahrhunderts (auch Αὐγούστης Τραιανῆς und

---

[25]) Die Bemerkung bei Boeckh, *Corpus inscr. graec.* II. p. 75: „*Apollonia videtur
sex verstis Russicis a Sozopoli afuisse, ubi arcis et aliorum aedificiorum rudera
supersunt in littore meridionali sinus Sozopolitani*" beruht offenbar auf einer Verwechslung. A p o l l o n i a ist schon wegen seiner insularen Lage (cf. Strabo 7
p. 319 und Steph. Byz.) nur auf dem Boden von Sozopolis selbst zu suchen, dagegen
liegt (s. unten) das alte A n c h i a l o s eine halbe Stunde von der heutigen Stadt
dieses Namens. Apollonia wird zuletzt bei Ammianus Marcellinus (22, 8, 43),
Sozopolis zuerst 431 bei Nennung des dortigen Bischofs erwähnt. Die Identität
beider Orte ist z. B. im Periplus Anonymi ausdrücklich angegeben.

Ἀπολλωνιατεῶν), sowie byzàntinischen Goldstücken, zeigte man mir auch einige Inschriften.

1. In der Vorhalle einer Kirche eingemauert, 0·44 h., 1·24 br., unregelmässige Züge, die Buchstaben schwarz übermalt:

```
        Μ Η Τ Ο Κ Ο Ε Τ Α Ρ Ο Υ Λ Ο Υ Φ Υ Ε Ι Δ Ε ////
        Δ Ε Κ Μ Ο Υ Κ Τ Ι Ε Α Ε Τ Η Ν Π Ο Λ Ι Ν
        Μ Ε Τ Α Τ Η Ν Ε Κ Π Τ Ω Ε Ι Ν Κ Α Ι Ε
        Π Ι Ε Ε Κ Ε Υ Α Ε Α Ε Τ Ο Τ Ρ Ι Π Υ Λ Ο Ν
    5   Κ Α Ι Τ Η Ν Β Α Ρ Ι Ν Α Π Ο Λ Λ Ω Ν Ι Ι Η Τ Ρ
```

Μήτοκος Ταρούλου, φύσι δὲ Δέκμου κτίσας τὴν πόλιν μετὰ τὴν ἔκπτωσιν καὶ ἐπι(σ)κευάσας τὸ τρίπυλον καὶ. τὴν βᾶριν, Ἀπόλλωνι ἰητρ[ῷ].

Also ein Mann mit ganz thrakischem Namen hat die Stadt nach einer Katastrophe erneuert. Das pontische Apollonia war öfters von Umwälzungen heimgesucht. Aristoteles (Politik V, 2, 11; V, 5, 7 oder p. 1303 und 1309) ·erwähnt zwei dortige Revolutionen, die eine bei der Berufung neuer Colonisten in die Stadt, die andere in Folge der Misswirthschaft einheimischer Oligarchen. Ein arger Schlag für Apollonia war die Eroberung durch M. Lucullus (72 vor Chr.), welcher die 30 Ellen hohe Colossalstatue des Apollo, ein Werk des Kalamis, aus dem Stadttempel als Trophäe nach Rom brachte (Strabo 7 p. 319, Plinius h. n. 34 §. 39; *Lucullus "Apolloniam evertit"* schreibt Eutropius 6, 10). Die ἔκπτωσις mag sich auf diese römische Eroberung beziehen.

2. In einem Privathause, Grabstein, 0·55 h., 0·3 br.:

```
        Φ Ι Λ Τ Α Τ Η
        Α Π Ο Λ Λ Ω Ν Ι Δ Ε Ω
```

Φιλτάτη Ἀπολλωνίδεω.

3. In einem anderen Hause, 0·92 h., 0·37 br. :

```
        Α Π Ο Λ Λ Ω Ν Ι Σ
        Δ Η Μ Ε Ι Ο
        Γ Υ Ν Η
```

Ἀπολλωνὶς Δημείο(υ) γυνή.

4. In der Aussenwand des neuen Kirchleins des von hier gebürtigen heil. Zosimos, (Ζώσιμος ἐπὶ τῆς βασιλείας Τραϊανοῦ ἐξ Ἀπολλωνιάδος τῆς ἐν Σωζοπόλει, Menologium des Kaisers Ba-

164

silius II. zum 19. Juni; Migne, *Patrologia graeca*, t. 117 p. 504), auf dem Isthmus, 0·72 h., 0·31 br.:

ΚΡΙΝΟΜΕΝΗΣ

ΟΙΝΟΠΙΛΕΩ

Δ Η Μ Η

ΑΡΙΣΤΟΚΛΕΙΟΥΣ

5   ΑΜΦΙΠΟΛΙΤΙΣ

ΚΡΙΝΟΜΕΝΟΥΣ

Γ Υ Ν Η

Κρινομένης Οἰνοπίλεω. — Δήμη Ἀριστοκλείους Ἀμφιπολῖτις Κρινομένους γυνή.

5. In einer Windmühle ausserhalb der Stadt ein Quaderstein:

ΔΗΜΗΤΡΙΟΣ

ΕΚΑΤΩΝΥΜΟ

Δημήτριος Ἑκατωνύμο(υ).

6. Aus Sozopolis stammend, jetzt im Garten des Herrn Bonal in Burgas, 0·63 h., 0·42 br.[26]):

ΕΔΟΞΕΤΗΒΟΥΛΗΚΑΙΤΩΔΗΜΩΤΩΝ

ΑΠΟΛΛΩΝΙΑΤΩΝΕΚΑΤΑΙΟΣΖΩΠΑ

ΕΙΠΕΝΕΠΕΙΔΗΑΙΣΧΡΙΩΝΠΟΣΕΙΔΙΓ

ΠΟΥΑΝΗΡΑΓΑΘΟΣΚΑΙΕΝΤΕΙΜΟΣ

5   ΑΡΕΤΗΚΑΙΔΟΞΗΚΕΚΟΣΜΗΜΕΝΟΣ

ΕΥΥΠΑΝΤΗΤΟΣΔΗΜΟΣΙΑΤΕ

ΚΑΙΙΔΙΑΕΑΥΤΟΝΤΕΑΠΟΔΕΙΚΝΥ

ΜΕΝΟΣΤΟΙΣΕΝΤΥΝΧΑΝΟΥΣΙ

ΕΥΧΡΗΣΤΟΝΚΑΙΣΥΜΦΟΡΟΝΤΗ

10   ΤΕΠΟΛΕΙΜΗΤΕΚΟΠΟΥΦΕΙΣΑΜΕ

ΝΟΣΜΗΤΕΔΑΠΑΝΗΣΑΛΛΑΠΟΙ

ΩΝΤΑΑΡΙΣΤΑΚΑΙΠΡΑΣΣΩΝ

ΤΗΣΤΕΕΑΥΤΟΥΚΑΛΟΚΑΙΑΓΑΘΙ

ΑΣΛΑΜΒΑΝΩΝΚΑΡΠΟΥΣΓΥΜΝΑ

15   ΣΙΑΡΧΗΣΑΣΔΕΤΕΛΕΙΩΣΚΑΙΑ

ΠΑΝΓΕΜΟΜΕΝΟΣ

---

[26]) Ἔδοξε τῇ βουλῇ καὶ τῷ δήμῳ τῶν Ἀπολλωνιατῶν, Ἑκαταῖος Ζώπα εἶπεν:

Ἐπειδὴ Αἰσχρίων Ποσειδίππου ἀνὴρ ἀγαθὸς καὶ ἔντειμος ἀρετῇ καὶ δόξῃ κεκοσμημένος εὐυπάντητος δημοσίᾳ τε καὶ ἰδίᾳ

In der Gassenfront eines Hauses von Sozopolis sieht man hoch eingemauert ein vom Wetter geschwärztes Basrelief in drei Feldern: oben eine liegende Person auf einem Ruhebette vor einem dreifüssigen Tischchen, darunter ein nach rechts gekehrter Reiter, endlich wieder ein liegender Mann und neben ihm eine sitzende Frau. Ausserhalb des Isthmus, gegen SO. von der Stadt, befand sich die alte Nekropole der Apolloniaten, auf welcher zur Zeit meiner Reise von einigen hiesigen Bürgern Ausgrabungen veranstaltet wurden, angeblich um den Schatz des Lysimachos zu finden. Die dortigen Funde zeigten aber nur den bescheidenen Hausrath einer kleinen Seestadt: an 20 meterhohe zweihenklige Thonkrüge, zum Theil mit Fabriksmarken an der Kehle (ΑΡΧΕΛΑ, ΑΓΑΘΩΝΟ, ΘΕΟΞΕ...), einfache thönerne, bronzene und gläserne Gefässe, kleine Grablampen, eine kleine röthliche Vase mit schwarzen Ornamenten und eine schwarze mit weissen Linien, ein Kranz keramischer vergoldeter Kügelchen an einem Draht u. s. w.

Die Küste westlich von Sozopolis ist unwirthlich und steil, überragt von waldigen Bergen, unter denen sich besonders der hohe Bakar Bair (türk. „Kupferberg") bemerkbar macht, bei welchem Herr Škorpil neben Lagern von Kupfer und Eisen (Haematit) auch Spuren von Gruben nebst Schlacken aufgefunden hat[27]). Die Nähe von Apollonia, Anchialos und der römischen Colonie Deultum, welche sämmtlich Münzen prägten, verleiht diesen Resten eines alten Bergbaues ein doppeltes Interesse. In dieselbe Gebirgsland-schaft fällt die Entrevue des Kaisers Andronikos mit dem bulga-rischen Caren Michael 1328 ἐν τοῖς λεγομένοις Κρημνοῖς zwischen Sozopolis und Anchialos (Kantakuzenos 1. 340).

Die niedrige Westseite des Golfes von Burgas ist von drei grossen Lagunen umgeben. Von Sozopolis aus erreicht man zuerst den See von Mandra (nach einem Dorfe so genannt, bulg. Man-drensko jezero, türk. Mandra-gölü), ungefähr 15 Kilom. lang, aber nur an 2 Kilom. breit, welcher allein unter den genannten Küsten-

---

έαυτόν τε ἀποδεικνύμενος τοῖς ἐντυγχάνουσι εὔχρηστον καὶ
σύμφορον τῇ τε πόλει μήτε κόπου φεισάμενος μήτε δαπάνης
ἀλλὰ ποιῶν τὰ ἄριστα καὶ πράσσων τῆς τε ἑαυτοῦ καλοκ(αι)αγαθίας
λαμβάνων καρπούς, γυμνασιαρ[χή]σας δὲ τελείως καὶ ......
γε[ν]όμενος .....

[27]) Škorpil, Die Naturschätze von Bulgarien (bulg.), Philippopel 1884 S. 66. — In der zweiten Schrift (a. a. O. S. 44) erwähnt er die Reste eines viereckigen, an den Seiten 40 Schritt langen Castells auf dem Gipfel des „Bakar Dag".

seen mit dem Meere communicirt, was sich durch die Stärke seiner Zuflüsse, der Fakijska Reka (Skafida des Mittelalters) und der Flüsse von Karabunar und von Rusokastro erklärt, die in ihm eine permanente, allerdings nur schwache Strömung erzeugen. Der ungefähr 500 M. breite Sund heisst Poros und wird mit diesem Namen schon auf der Seekarte des Pietro Vesconte von Genua (1318) bezeichnet. Jetzt führt über denselben eine während der Occupation von den Russen errichtete schmale Pfahlbrücke, welche jedoch nahe vor dem Ostufer abbricht, um einem Fährschiff Platz zu machen. Neben der Hütte des Fährmannes stehen, bespült vom Seewasser, die 4 M. hohen Ueberreste eines viereckigen, fast 8 M. breiten Uferthurmes aus grossen Steinen, der wohl einst die Einfahrt zu schützen hatte. Eine feierliche Stille ruht über der öden Landschaft, kaum unterbrochen von den vielen Wasservögeln, die an dem sumpfigen, in zahlreiche Buchten und Engen vertheilten Seeufer im dichten Schilf ihr Wesen treiben. Dicht bewaldete Hügel umschliessen die Südseite der Lagune, während sich im Norden eine weite Aussicht bis zum Balkan von Aitos eröffnet. Zwei kleine armselige Dörfer stehen über den Böschungen des Südufers, das türkische Achranli (8 Häuser) und das türkisch-bulgarische Skefa (39 Häuser). Zwischen beiden liegt an einem Kalé-burun (türk. „Burgcap") genannten Vorsprung ein kalé oder κάστρο, auch „monastir" genannt, die Reste eines ausgedehnten Castells, neben dem sich Spuren alten Pflasters unter dem Wasserspiegel verlieren sollen. Die Einwohner graben darin zuweilen nach Schätzen. Die italienischen Seekarten 1318 sq. kennen diese Burg als Skafida; Pachymeres (II. 446) beschreibt eine Niederlage der von Sozopolis 1308 zurückkehrenden Bulgaren an der nahen Brücke des Σκαφιδᾶ ποταμοῦ [28]). Ein „gradište" von viel grösserer Ausdehnung liegt am Westende des Sees, oberhalb der Mündung der Karabunarska Reka, südöstlich von dem bulgarischen Dorfe Jakyzly, bei dem Anfang der Erdwälle der „Erkesija" und am Endpunkt des alten von Fakia durch die Gegend von Karabunar herabsteigenden Strassenpflasters. Dieser jetzt ganz verlassene Platz inmitten melancholischer Sumpflandschaften ist die vespasianische, von Veteranen der achten Legion bewohnte *colonia Flavia Pacis*

---

[28]) Die altfranzösische Beschreibung der Expedition des Grafen Amadeo VI. von Savoyen im Jahre 1366 (*Monum. hist. patr.* Turin 1840, I. 310) erwähnt „*le port de Schaffida .... bon et seur*" mit einem Städtchen dabei.

Deultensium oder *colonia Deultus* einer auf dem Esquilin gefundenen Inschrift aus dem Jahre 82 (C. I. L. VI n. 3828), *colonia
Flavia Deultum* der Münzen, das *Deultum veteranorum cum stagno* des
Plinius, *oppidum Dibaltum* des Ammianus Marcellinus (31, 8, 9),
ἡ Δεβελτός der Byzantiner, zuletzt erwähnt zum Jahre 1203 bei
Niketas Choniates (ed. Bonn. 723). Die im Itinerarium Antonini
überlieferte Distanz von Deultum nach Ostudizus (68 mp.) stimmt,
wie gesagt, sehr gut zu der Entfernung von den Ruinen bei Jakyzly
bis Hafsa bei Adrianopel. Wiewohl mich mehrere Herren, welche
die Gegend am See auf Jagdausflügen kennen gelernt hatten, in
Burgas versicherten, es gäbe dort keine Inschriften, wollte ich der
Stätte der alten Veteranencolonie dennoch einen Besuch abstatten,
wurde aber daran durch unvorhergesehene Zufälligkeiten gehindert[29]).
Seitdem hat Herr Škorpil die Ruinen besucht und in einer unlängst
gedruckten bulgarischen Schrift über die Alterthümer Thrakiens
beschrieben[30]).

---

[29]) Als ich Poros in einer Barke besuchte, war es schon Abend; ausserdem
ist die Lagune seicht und nicht leicht zu befahren. Zwei Tage später verhängte
die Türkei (wegen der Cholera in Frankreich) eine auch für Ostrumelien giltige
fünftägige Quarantaine gegen alle Provenienzen aus Bulgarien; von bulgarischer
Seite war gleichfalls eine Grenzsperre zu befürchten, der Seeverkehr zwischen Varna
und Burgas hörte auf und ich eilte, von einem Ritt nach Rusokastro schneller als
ich wünschte zurückgekehrt, um noch zur rechten Zeit zu Lande über den Balkan
zurückzukommen.

[30]) Die Reste des alten D e u l t u m bestehen nach Škorpil (a. a. O. S. 26. 94)
aus den Rudimenten von zwei Castellen an beiden Ufern des engen und tiefen
Flusses von Karabunar (Karabunarska Reka, nicht Mandra Reka, wie man auf den
Karten liest). Auf dem rechten Ufer steht auf einer einsamen Anhöhe die sogenannte „obere Burg" (G o r n o g r a d i š t e oder K a l é), ein Viereck, ungefähr 3000
Quadratmeter gross, mit zwei 6 M. von einander entfernten, 1·5 M. dicken Mauern
befestigt, die (beide?) an den Ecken mit Rundthürmen von 3 M. Durchmesser versehen waren. Gerade gegenüber liegt am niedrigen linken Ufer die „untere Burg"
(D o l n o g r a d i š t e), ein viereckiger Bau, 350 Schritt lang, 200 Schritt breit, mit
3 M. breiten Mauerfundamenten aus Quadersteinen. Das Innere derselben war
durch Mauern (oder untermauerte Strassen?) in vier gleiche Theile getheilt. Westwärts davon reichen die Reste alter Bauten noch einen Kilometer weit. Eine
Wasserleitung aus thönernen, in einander geschobenen, 3 Cm. dicken und im
Durchmesser 20 Cm. breiten Röhren führte aus der Gegend von Rusokastro zwi-
schen den sumpfigen Ufern der Rusokastrenska Reka und der „Erkesija" 8 Kilo-
meter weit bis in die untere Burg. Um beide Burgen bemerkt man regelmässige
Erdwälle; nördlich von der unteren Burg zieht sich 300 Schritt weit ein mit ihrer
Mauer paralleler Wall, augenscheinlich die Grenze der bis dorthin reichenden
Stadt. Weiter gegen Norden streicht die „Erkesija". Alte Gräber liegen gegen
SO. von der oberen und gegen W. von der unteren Burg. Steine von hier sind

Die beiden folgenden, wegen ihrer Fiebermiasmen verrufenen Lagunen von Vajaköi und Athanasköi sind salzig und haben keine Communication mit dem Meere, von dem sie durch enge sandige Nehrungen getrennt werden. Zwischen beiden Lagunen liegt an einer nicht sehr gesunden Stelle die moderne, meist aus Magazinen und Amtshäusern bestehende Hafenstadt B u r g a s (griech. Πύργος, an 3000 Einw.), welche, kaum in der Türkenzeit erwähnt und erst in den letzten Jahrzehnten durch den Getreideexport aufgewachsen, keine Geschichte, aber dafür eine grosse Zukunft hat[31]).

An der Westseite des Sees von Athanasköi, an 15 Kilom. von der Stadt, sieht man auf einer niedrigen Terrasse zwischen dem blauen Spiegel der Lagune und den Vorhügeln des Balkans in einer trostlos kahlen Umgebung ohne Baum und Strauch, die eher an ein Schlachtfeld als an eine alte Luxusstätte erinnert, ein isolirtes weisses Gebäude, umgeben von einigen elenden Zelten und Bretterbuden. Das ist das „Bad von Aitos", bulg. A i t o š k a l ъ d ž a, noch jetzt berühmt wegen seiner heilkräftigen Quelle und viel besucht von Gästen, selbst von der Donau und von Adrianopel. Der gegenwärtige Zustand des Ortes steht in grellstem Gegensatz zu seiner Vergangenheit. Das sind die altberühmten Thermen von Anchialos,

---

weit in die Umgebung als Baumaterial verschleppt worden (bis Kelešköi, Balabanly u. s. w.). Ausser einem Sarkophagdeckel mit einem Kreuz und dem Wort ЄМВРІ8 fand Škorpil keine Inschriften, dagegen viele römische Münzen (auch COL· DEVLT·). Die Entfernungen der Ruinen von dem Seeufer, von der Flussmündung, sowie von Jakyzly oder Kyryk Čaly in Minuten oder nach Compasswinkeln oder sonstige Behelfe zu einer genauen Einzeichnung der Stelle in die Karte vermisst man bei Škorpil. Ebenso sagt er nicht, ob es zwischen beiden Castellen Reste einer Brücke giebt und bemerkt nichts von den Höhenverhältnissen des Terrains. — Ein Dorf Zagora existirt in der Gegend nicht (noch auf Kiepert's Generalkarte der Europ. Türkei 1870 am Westende des Mandra - See's ersichtlich). Die Identificirung von Deultum mit einem Zagora in neueren Handbüchern entstand wohl nur durch ein Missverständniss der Stelle des Theophanes Cont. 165, der von einer L a n d s c h a f t Zagora spricht (vgl. Georgius monachus 622).

[31]) Die römische Strasse von Anchialos (Paleokastro) nach Deultum (24 röm. Meilen, Itin. Ant.) führte eher über Aquae calidae westlich von den Lagunen als über die Nehrungen und die Stelle des heutigen Burgas; die Entfernung auf beiden Routen ist übrigens gleich. Škorpil sagt an einer Stelle (S. 13), vor Jahren habe es nördlich von Deultum zwischen Karatepe und Sazliköi die Reste einer g e p f l a s t e r t e n Strasse gegeben, welche aber von den umliegenden Dörfern als Baumaterial verbraucht worden seien; an einem anderen Orte (S. 92) meint er die Spur eines alten (gepflasterten?) Weges von Deultum gegen NO. nach Burgas zu gefunden zu haben, von dem bei Mandra-Han ein anderer gegen NW. (?) abzweige.

als *Aquae calidae*, Μεγάλη Θέρμη, Θερμόπολις, Θερμά
u. s. w. im Alterthum und Mittelalter oft erwähnt. Das jetzige
Badehaus, ein Viereck aus wechselnden Lagen von Stein und Ziegel,
mit einer Kuppel überdacht und im halbdunklen akustischen Inneren
ein gleichfalls viereckiges Bassin (Quelle + 42° C.) umfassend, ist
nach Hadži Chalfa's Zeugniss erbaut von Sultan Suleiman dem
Grossen (1520 — 1566). An dieses türkische Badehaus schliessen
sich an der Nordseite die Reste der alten römischen Therme an:
die soliden Fundamente eines viereckigen und daneben eines zweiten
runden Bassins mit vier Seitennischen, durch drei kleine Oeffnungen
miteinander verbunden und ungefähr bis auf Mannshöhe erhalten.
Das äussere runde Bassin ist gefüllt mit Regenwasser, das an der
Oberfläche von grünen Wasserlinsen (*Lemna*) überzogen ist. Hier
waren die πηγαὶ θερμῶν φύσιν ὑδάτων von Anchialos, welche Justinian zur Sicherheit der Kranken befestigen liess (Procopius *de
aedif.* p. 263), die „*aquarum calidarum lavacra, quae ad duodecimo
miliario Anchialitanae civitatis sunt siti, ab imo suae fontis ignei sca-
turrientes et inter reliqua totius mundi thermarum innumerabilium
loca omnino precipua et ad sanitatem infirmorum efficacissima*“ des
Jordanes (*Getica* ed. Mommsen p. 86), die θερμῶν ὑδάτων οἶκοι, in
denen 583 der Harem des Avarenchans während der Belagerung
von Anchialos sich die Zeit vertrieb, die „*sources de bains chauds
les plus beaux du monde entier*“ in der Stadt „La Ferme“ bei „Aquile“
(Anchialos), die 1206 der Lateinerkaiser Heinrich nach der Erzählung Villehardouin's niederbrennen liess. Daneben sieht man Spuren
von vielen Gebäuden nebst schwachen Resten einer Umfassungsmauer, welche das Badehaus in der Gestalt eines an den Seiten
ungefähr 500 M. langen Quadrates einschloss. Der ganze Boden
ist voll alten Baumaterials, behauener Steine, Ziegel u. s. w. Im
17. Jahrhundert waren die Reste viel bedeutender, denn Hadži
Chalfa (Rumeli u. Bosna S. 26) bemerkt: „namhafte Ruinen zeigen,
dass dieser Ort vormals eine ansehnliche Stadt gewesen sein müsse“.
Die Einwohner der Umgebung erzählen, bis zu den Zeiten der
„Kirdžali's“ (um 1800) sei hier bei dem Bade ein Dorf gewesen; jetzt
liegt die nächste Ansiedelung Lidžaköi (nur 7 Häuser, Türken
und Bulgaren) eine Viertelstunde gegen Norden am Fusse der Hügel.
Münzen konnte ich keine zu Gesicht bekommen und auch alles
Nachfragen nach Inschriften war vergeblich. Dagegen zeigte man
mir in dem drei Viertelstunden gegen NW. entfernten griechischen
Dorf Urum-Jeniköi (türk. „Griechisch-Neudorf“) über einem

Brunnen einen gut erhaltenen Marmorstein (0·68 h., 0·58 br.), darauf ein Basrelief mit einem Reiter und die Worte [31a]:

/////////////// ᴅ M A N̅ B V S

(das Basrelief)

L ⸱ T I T O V I O ᴅ L ᴅ L I B · D I A D V ⸱
M E N O ᴅ F L A V I A · V E R A
C O N I V G I B E N E M E R E N T I
E T S I B I E T S V I S V I V A F E Cᵗ

[Dis] manibus. L. Titovio L. lib(erto) Diadumeno Flavia Vera coniugi benemerenti et sibi et suis viva fecit.

Von der alten Therme und den Lagunen von Burgas erstreckt sich bis zum Balkan von Eminé eine an 25 Kilom. lange und an 10 Kilom. breite Küstenebene mit schönen Mais- und Weizensaaten, ausgedehnten Obstgärten und üppigen Weinbergen, die allerdings an vielen Stellen durch Sümpfe oder durch trockene Einöden mit Dornen und Disteln unterbrochen sind, links überragt von dem niederen Balkan („Küčük-Balkan") von Aitos, rechts umsäumt von der weiten blauen Fläche des Pontus und an vielen Stellen durchwühlt von tiefen Wildbächen (z. B. dem Čimos südlich von Mesembria), deren sonst trockenes Bett sich oft unversehens mit gewaltigen, rasch abfliessenden Wassermassen füllt. Der höchste Berg an der Westseite heisst Pepirina (Biberna Tepe der Karten). Das ist der alte, in der byzantinisch-bulgarischen Kriegsgeschichte berühmte κάμπος Ἀγχιάλου (Theophanes ed. Boor I. 376. 433). Das Gebiet bildet jetzt den Bezirk (okolija, ἐπαρχία) von Anchialos mit zwei Städten und 48 Dörfern mit sehr bunter Bevölkerung: 17.728 Einwohner, darunter 7426 Griechen, 5292 Türken, 4065 Bulgaren, 945 Zigeuner. Einige auffallend hohe Tumuli (Madžartepé, Čataltepé u. s. w. genannt), die auch auf der österreichischen Generalstabskarte ersichtlich gemacht sind [32]), ragen zwischen Burgas und Anchialos und weiter z. B. bei Ravda empor.

[31a]) Jetzt auch bei Škorpil S. 78 abgedruckt, der zu Anfang L UTOVIO gelesen hat.

[32]) Dagegen sind die Dörfer Gospoddom, Stančova, Gančova der Karte hier Niemand bekannt; wahrscheinlich waren es nur Čifliks, seit 1829, wo die alte russische Karte gemacht wurde, längst anders umgenannt.

Das alte A n c h i a l o s, welches Strabo nur als ein πολίχνιον der gegenüber wohnenden Apolloniaten kennt, das aber in der Römerzeit zu einer bedeutenden Stadt emporgewachsen ist und im Zeitalter der Völkerwanderungen als Bollwerk des oströmischen Reiches eine grosse Bedeutung hatte, lag keineswegs an der Stelle der heutigen gleichnamigen Stadt, sondern eine halbe Stunde westlich davon an einer jetzt Π α λ α ι ό κ α σ τ ρ ο genannten Stelle, deren Entfernung von der alten Therme auch den gut beglaubigten 12 röm. Meilen zwischen Aquae calidae und Anchialus besser entspricht. Das Paleokastro befindet sich zwischen Weinbergen bei dem Čiflik (Landgut) Beklidžik, ist im Norden begrenzt durch einen grossen Salzsee, reicht im Süden bis zu dem Čiflik Ἀκροτήρι am Golf von Burgas und liegt demnach auf einem kaum 2000 M. breiten Isthmus. Man sieht noch eine Menge gewaltiger Quadern bis zu zwei Schritt Länge und Fundamente grösserer Gebäude; der Boden der Weinberge, ein reicher Fundort alter Münzen, ist förmlich gesättigt mit kleinen Ziegelsplittern. Die vielleicht alte Wasserleitung vom Dorfe Alikaria zur jetzigen Stadt geht mitten durch diese Stätte. Man erzählte mir, eine Masse von Baumaterial sei in neuerer Zeit zur Errichtung der umliegenden Wirthschaftsgebäude, sowie zu Bauten in der jetzigen Stadt verschleppt worden; auf dem Platze vor der Panagiakirche zu Anchialos liegen z. B. zahlreiche glatte Säulen, Architrave, Säulenbasen und andere ornamentirte Steine, sämmtlich vom Paleokastro. Die Anchialenser behaupten, die Kaiserin Irene hätte ein Kloster mit der heutigen, jetzt im Umbau befindlichen Panagiakirche πρὸς τὸν φάρον τῆς Ἀγχιάλου gegründet und die Stadt dorthin übertragen. Dies stimmt mit der Angabe des Theophanes (ed. cit. I. 457), Irene habe im Jahre 784 Philippopolis besucht, Βεροία (Eski Zagra) als Εἰρηνούπολις neu aufgebaut und sei nach Constantinopel zurückgekehrt, κτίσασα καὶ τὴν Ἀγχίαλον. Anna Komnena (ed. Reifferscheid II. 63) beschreibt die Lage des κάστρον ἡ Ἀγχίαλος so, wie es jetzt liegt: rechts hatte es das pontische Meer, links τραχύν τινα τόπον καὶ δύσβατον καὶ ὑπάμπελον καὶ τοῖς ἱππόταις εὔοδον τὸν δρόμον μὴ παρέχοντα — das coupirte Terrain der Weinberge am Paleokastro, das im Westen noch durch einige kleine sumpfige Buchten des Golfes geschützt wird, welche den Weg längs der See erschweren.

Das neue Anchialos (711 Häuser mit 4368 Einw.) hat eine eigenthümliche Lage, besonders von der Nordseite gesehen. Im Vordergrund liegt eine fast' eine Stunde lange, ovale Lagune, links

von ihr eine blendend weisse sandige Nehrung, rechts ein etwas
breiterer Isthmus mit Windmühlen, Bäumen und einzelnen Häusern,
und an der Stelle, wo die beiden schmalen Linien fast im rechten
Winkel zusammentreffen, steht hinter der ruhigen Seefläche die Stadt,
deren Silhouette sich von dem weiten, bis zum Horizont reichenden
blauen Meeresspiegel klar abhebt. Die Lagune ist wohl die Ἱερὰ
λίμνη, τῆς Ἀγχιάλου ἀγχοῦ διακειμένη der Anna Komnena (ed. cit.
II. 61). Heutzutage ist sie berühmt wegen ihres Salzgehaltes; alles
Salz von Rumelien und Bulgarien kommt entweder von den Salinen
von Anchialos oder aus den Steinsalzlagern von Okna in Rumänien.
Die Verdampfung des Salzwassers wird in einer Menge primitiver
viereckiger Bassins bewerkstelligt, deren Gruppen meist griechische
Namen (Παλαιοδρόμος, Ἀκτή, Χωνιάτη, Δέσση u. s. w.) führen. Dieses
Salzgeschäft wird schon im 16. Jahrhundert erwähnt und reicht
wohl noch weiter zurück. Die enggedrängten, meist hölzernen
Stadthäuser liegen auf einer lehmigen Terrasse, die mit einer steilen
Böschung von ungefähr 10—15 M. zur See abfällt und nach den
Erzählungen der Einwohner fortwährend durch die Brandung unter-
wühlt wird. Der einzige, recht unsichere Ankerplatz ist an der
Südseite. Die Anchialenser beschäftigen sich indessen nur wenig mit
Fischerei und Seefahrt; ihr Tagewerk ist getheilt zwischen der
Arbeit in den Weinbergen und der auf den Salinen. Ein Stück
einer offenbar heruntergefallenen steinernen Umfassungsmauer im
Meere unter dem steilen Ufer zeigt man als παλαιολούτρα, an-
geblich das Bad des wegen seines tragischen Todes berühmten
Anchialenser Archonten Michail Kantakuzenos († 1578), dessen
Nachkommen noch in Rumänien und Russland leben. Ausser einigen
Münzen Οὐλπιανῶν Ἀγχιαλέων aus dem 2. und 3. Jahrhundert sah
ich auch vier Inschriften:

1. In der Kirche Χαριτομένη im Inneren rechts eingemauert
ein Marmorstein, 0·27 h., 0·94 br., mit schönen Zügen:

```
ΑΥΤΟΚΡΑΤΟΡΑΚΑΙCΑΡΑ.........ẂΝΕΙΝϹ
ΤΟΝΑΡΑΒΙΚΟΝΑΔΙΑΒΗΝΙΚΟΝΠΑΡΘΙΚΟΝΜΕΓ
ΒΟΥΛΗΚΑΙΟΛΑΜΠΡΟΤΑΤΟCΔΗΜΟCΟΥΛΠΙΑΝѠΝΑΓΧ
ΦΛΚΛΑΥΔΙΑΝΟΥ
```

Αὐτοκράτορα Καίσαρα |Μ. Αὐρ. Ἀντ]ωνεῖνο[ν Εὐσεβῆ Σεβασ]τὸν
Ἀραβικὸν Ἀδιαβηνικὸν Παρθικὸν μέγ[ιστον ἡ] βουλὴ καὶ ὁ λαμπρότατος
δῆμος Οὐλπιανῶν Ἀγχ[ιαλέων διὰ (?)]| Φλ(αουίου) Κλαυδιανοῦ.

2. Ebendaselbst ein antiker Altarstein, von aussen eingemauert, 6 Cm. hohe Buchstaben:

ΔΙΙΟΛΥΜ   Διὶ Ὀλυμ-

ΠΙΩ   πίῳ.

3. Ebendaselbst im Inneren freistehend, 0·44 h., beschädigt [32a]):

ΔΗΥ⳩ΙΣΙΙΔΕΣ⫻

ΓΗΠΟΛΥΠΡΟΣ⫻

⫻ΟΝΤΕΙΙΝΩΝΚΑΙΣ

ΑΥΤΟΥΕΥΧΑΡΙΣΤΗ

ΡΙΟΝ

4. In der griechischen Schule, Stück eines Basreliefs, darauf
ein Mann in Toga, darunter:

ΠΛΑΞΙΑ

/ΥΡΠΑΥΛΟϹ   mit kleiner Schrift auf dem Sockel

ΥΛΕΥΤΑΙ

ΙΓΕΝΟΥϹ

....[Α]ὐρ(ήλιος) Παῦλος ... [βο]υλευταί ... γένους.

Ungefähr 15 Kilometer nordöstlich von Anchialos liegt die
uralte Colonie der dorischen Byzantiner und Chalkedonier, das im
Mittelalter als Grenzfestung des romäischen Reiches am Haemus,
als wichtigster Hafen des oberen bulgarischen Gebirgslandes und
als Zankapfel der Byzantiner und Bulgaren berühmte M e s e m b r i a,
dessen Geschichte ein ganzes Buch füllen könnte. Nur wenige
Wochen vor der Eroberung von Constantinopel, im Februar 1453,
fiel Mesembria mit dem nahen Anchialos in die Hände der Osmanen.
Die Lage ist ganz eigenthümlich. Die rothen Ziegeldächer der
Stadt stehen dicht beisammen auf einer am Rande an 12 M. über
dem Meeresspiegel emporragenden und im Innern noch höheren
Felsinsel, welche mit dem Festland nur durch einen ungefähr vier
Minuten langen, bei Seestürmen oft überflutheten, engen und nie-
drigen Isthmus zusammenhängt (τὸ στενόν, ἐν ᾧ ἡ εἰσβολή des
Kantakuzenos III. 362). In der Mitte des vielleicht künstlich ge-
schaffenen Isthmus bemerkt man an einer Biegung eine Stelle, auf

---

[32a]) Διὶ ὑψίσ[τῳ] ἐ[πόπ]τῃ (?) Πολύ[βι]ος [τ]ῶν τέ[κ]νων καὶ [ἐ]αυτοῦ
εὐχαριστήριον vergl. Hesych. Ἐπόπτης· Ζεὺς und Apollon. Rhod. II 1123—33,
„bei dem in höchster Noth um Beistand gefleht wird" Welcker Götterlehre II 185.
                                             O. B.]

welcher noch 1829 ein isolirter Thurm gestanden hat. Am Eingang in die Stadt erheben sich die Reste einer alten, aus weissen Quadern errichteten πύλη, ebenso wie sich an vielen Stellen des steilen Inselufers grosse Stücke der aus Lagen von Stein und Ziegel gefügten Ringmauer erhalten haben. Die alte Akropole der Mesembrianer befand sich über dem felsigen Ostcap der Stadt, wo im Mittelalter ein Kloster τοῦ Σωτῆρος Χριστοῦ τοῦ 'Ακροπολίτου stand (*Acta patr.* I 502; II. 37), jetzt eine Kirchenruine Χριστὸς 'Ακροτήριος. Heute ist die denkwürdige Stadt halb verfallen und vergessen. Es gibt hier keinen Sitz der Behörden, keine Post- und Telegraphenstation, ja nicht einmal einen Arzt. Die Einwohner (413 Häuser mit 1922 Einw.), sämmtlich Griechen, leben von Fischfang und Weinbau auf der nahen Küste, oder als Krämer in den Balkandörfern. Der Holzexport aus den Wäldern des Balkan, der noch unlängst die an der Südseite der Stadt befindliche Rhede belebte, ist eingegangen. Die Mehrzahl der Einwohner, darunter die ersten Familien der Stadt, ist nach 1829 in die Donaustädte (Galatz, Braila), nach Südrussland u. s. w. ausgewandert, und seitdem hört die Emigration nicht mehr auf.

Der merkwürdigste Ueberrest aus der Vergangenheit sind zehn byzantinische Kirchen, zum Theil bereits in Ruinen. Kanitz hat sie zuerst beschrieben und abgebildet[33]). Manche davon sind auch aus byzantinischen Urkunden des 14. Jahrhunderts bekannt. Viele enthalten antikes Baumaterial, das man auch bei der unvollendeten Hauptkirche sehen kann; die frommen Mesembrioten hatten nämlich an den schönen byzantinischen Kirchenbauten nicht genug und begannen ein neues stilloses Gotteshaus zu bauen, das aber wegen Geldmangel unvollendet dasteht. Da gibt es Säulen und Säulenstücke, canellirt und glatt, schöne jonische und korinthische Capitäle mit Voluten und Akanthos u. s. w. Die hiesigen Inschriften, die man bei Boeckh (n. 2053 sq.) liest, sowie einige Basreliefs und Statuen wurden 1829 von den Russen nach Petersburg weggeführt, und in Mesembria sind nur die durch Heraus-

---

[33]) Der französische Consul zu Burgas, Herr Descloux, besitzt eine Sammlung vorzüglicher, von ihm selbst ausgeführter Photographien aus diesem ganzen Küstenlande, denen ich, sammt seinen geologischen Aufnahmen, eine baldige Publication wünsche. — Situationspläne von Sozopolis, Anchialos und Mesembria, sowie von Varna, Balčik und Kavarna, siehe im Atlas zu Moltke, Der russisch-türkische Feldzug in der Europ. Türkei 1828 u. 1829. Berlin 1845.

nahme dieser Stücke entstandenen Lücken in den Mauern zu sehen [34]). Mir konnte man nur zwei antike Inschriften zeigen. Die eine im Pflaster der Kirche Ἁγία Παρασκευή vor dem Altar, ist ein zerschlagenes Basrelief einer sitzenden Person [Aphrodite?], 0·19 h., 0·33 br., darunter die Aufschrift:

```
   ⫶ ⫶⫶ Ρ Ο Τ Ι Μ ο Σ  Η Ρ Α Κ Λ Ε Ι Δ Α Σ ////
   ⎧ Π·Ρ Ο Μ Α Θ Ι Ω Ν Α /////////////⎸
   ⎪ Μ Α Τ Ρ Ο Ε ι ο Σ ///////// '/////
   ⎨ Α Ρ Τ Ε Μ Ι Δ Ω Ρ ο Σ  Α Ρ Τ Ε Μ ////⎸/
 5 ⎪ Ε Ρ Μ Ο Δ Ω Ρ Ο Σ Χ ////////////⎸
   ⎪ Δ Ι ο Δ Ω Ρ ο Σ Η ////////////
   ⎨ Τ Α Ξ Ι Α Ρ Χ Η Σ Α /////////
   ⎩ Α Φ Ρ Ο Δ Ι Τ ////////////////
```

[Π]ρότιμος Ἡρακλείδας … | Προμαθιών Α….. | Ματρό[β]ιος? ….. | Ἀρτεμίδωρος Ἀρτεμ….. | Ἑρμόδωρος Χ….. | Διόδωρος Η ….. | ταξιαρχήσα[ντες …] Ἀφροδίτ[η….

Das zweite Stück (0·29 h., 0·28 br.), gleichfalls mit der Spur eines Basreliefs, liegt im Fussboden der Vorhalle zur Kirche Ἅγιος Ἰωάννης:

```
Α Ν Ν Ι Ο Ν Γ Υ Ν Α Π Α Ν Χ Α Ρ Ε Ο Σ Χ Α Ι Ρ Ε
Π Α Ρ Μ Ε Ν Ω Ν Π Α Ν Χ Α Ρ Ε Ο Σ Χ Α Ι Ρ Ε
Μ Α Τ Ρ Ι Σ Π Α Ν Χ Α Ρ Ε Ο Σ Χ Α Ι Ρ Ε
Ο Ι Ν Ι Α Σ Π Α Ν Χ Α Ρ Ε Ο Σ Χ Α Ι Ρ Ε
```

Ἄννιον γυνὰ Πανχάρεος χαῖρε. | Παρμένων Πανχάρεος χαῖρε. | Ματρὶς Πανχάρεος χαῖρε. | Οἰνίας Πανχάρεος χαῖρε.

Von mittelalterlichen und neueren Denkmälern sind erwähnenswerth die lange Aufschrift auf einem Bilde in der Metropolitankirche (14. Jahrh.), Inschriften über Erneuerung der Kirchen im

---

[34]) Die Ueberführung der Alterthümer aus dem occupirten Gebiete leitete Viktor Tepljakov, dessen Briefe aus Bulgarien (Pisma iz Bolgarii), allerdings mehr belletristischen als archäologischen Inhalts, in Moskau 1833 (8⁰. 210 pp.) erschienen sind; eine Fortsetzung mit Briefen aus Rumelien (cf. p. XV) ist, so viel ich weiss, nicht publicirt worden. Die ganze Ausbeute zählte (nach p. VIII) 36 Marmorstücke mit Inschriften und Basreliefs, 89 Münzen, 2 Vasen aus Sozopolis, einen Amor aus Bronze, sowie eine weibliche Büste und einen Sarkophag, sämmtlich aus Anchialos.

16. und 17. Jahrhundert (darin erwähnt die hiesigen Archonten-familien der Καντακουζηνοί und Καππαδούκα), und eine Grabschrift aus dem Jahre 1441 (6950), also aus den letzten Jahren des byzantinischen Reiches, in der Kirche Ἀνάληψις auf einer 1·93 l., 0·92 br. Marmorplatte im Fussboden vor dem Altare, mit 6 Cm. hohen Buchstaben [35]).

Die Aussicht aus der meerumschlungenen Stadt auf das Festland ist durch die Abwechslung verschiedener Farben sehr malerisch. Jenseits des tiefblauen Meeresspiegels sieht man am Strande eine Reihe blendend weisser, vegetationsloser Sandhügel von bedeutender Höhe und Ausdehnung aus ganz feinem beweglichem Meeressand; dahinter liegen die hellgrünen Weinberge der Mesembrioten bei dem Landungsplatze (ohne Häuser) Ἁγία Ἄννα und dem kleinen Dorfe (42 Häuser, Griechen) Ἅγιος Βλάσιος (türk. Küčük Monastir), wo sich im 14 Jahrhundert ein Kloster des hl. Blasius befand (*Acta patr.* II. 37), überragt von den Wäldern des kaum 500 M. hohen „Emine-Balkan", in denen sich die gelben Saaten des St. Eliasberges und die Windmühlen des griechischen Dorfes E|mon am steilen äussersten Cap des Haemusgebirges bemerkbar machen. Zahlreiche Reste von Klöstern und Capellen zeugen von den Eremiten, die im Mittelalter auf diesen Höhen bis zur damaligen Burg Emmona zu hausen pflegten. Südwärts sieht man bis über Sozopolis hinaus. Einige historisch denkwürdige Stellen liegen näher bei der Stadt. Am Westende des Isthmus stehen zwei Schöpfbrunnen, welche die sonst nur mit Cisternen und schlechten Quellen versehene Stadt mit Trinkwasser versorgen. Im Mittelalter ging es den Mesembrioten nicht anders; nach Kantakuzenos' Beschreibung ὑδρεύοντο οὐ πολὺ ἄποθεν τῆς πόλεως ἔκ τινος πηγῆς, ausser bei Belagerungen, wo sie τοῖς ἔνδον ὕδασιν ἐχρῶντο, ὀλίγοις τε καὶ φαύλοις οὖσιν. Zwischen der Stadt und dem Balkan mündet ein Bach, jetzt Hadži Deré genannt, welcher an der Mündung einen grossen, mit Schilf überwachsenen Sumpf, λίμνη Καρδίς genannt,

---

[35]) Zu lesen: † Ἐκοιμήθη ἡ δούλα τοῦ Θεοῦ Ματθαῖσα Κατακουζινὴ Παλαιολο-γίνα ἔτους ϛ'-ου Ͱ'-ου ν'-ου μηνὶ Νοεμ(βρίῳ) [ἠνδ](ικτιῶνος) ε' † (6950 ind. V = 1. Sept. 1441 bis 1. Sept. 1442). Vgl. einen Δημήτριος Παλαιολόγος ὁ Καντακουζηνός, ἐξάδελφος des Kaisers Joannes VIII. 1442, *Acta graeca* III. 215; nicht zu verwechseln mit des Kaisers Bruder Demetrios, der eben zu derselben Zeit sich in Mesembria als Usurpator behauptete und den dort im Jänner 6950 (1442) Phrantzes (*Chronicon maius* p. 194) als Gesandter des Kaisers aufsuchte.

durchfliesst. An seinem oberen Laufe liegt ein türkisch-bulgarisches Dorf A c h l i, dessen Namen an den mittelalterlichen 'A χ ε λ ῶ ο ς π ο τ α μ ό ς erinnert (Theoph. Cont. 187), an welchem in der Nähe von Mesembria der bulgarische Fürst Symeon 917 einen blutigen Sieg über die Romäer erfochten hat. Ich hörte, eine Stelle an der Nordseite jenes Sumpfes heisse noch Κ ο κ α λ ο ῦ, wegen der vielen dort ausgegrabenen Knochen.

Von Mesembria nahm ich meinen Weg über den Balkan nach Varna und zwar auf der auch für Wägen brauchbaren Fahrstrasse, welche (mit dem Telegraphen) den niederen Hauptkamm des Gebirges nördlich von Koparani und Gülevca in dem sogenannten A k b o a z (türk. „weisser Pass"), an dem südwärts abfliessenden A k d e r é, bulg. B j a l a R e k a („weisser Fluss") überschreitet. Nach einem schroffen Aufstieg von einer halben Stunde erreicht man den Kamm mit verfallenen türkischen Schanzen, von denen sich eine prachtvolle Aussicht auf den Golf von Burgas, die Küstenebene von Anchialos und die ganze Pontusküste bis zu den gleich weissen Nebelstreifen über der See aufsteigenden Felsufern von Balčik eröffnet. Links liegen die alten bulgarischen Dörfer Erkeč und Gulica (türk. Sudžular). Gegen Norden breitet sich ein waldiges, sehr spärlich bewohntes Hügelland aus, durchschnitten von drei zum Pontus führenden Flussthälern: dem Fluss von Gözeke (Grenze zwischen Bulgarien und Rumelien), der starken, zwischen sumpfigen Wäldern fliessenden Kamčija (P a n y s u s des Alterthums) und dem bei Varna mündenden Flusse von Pravadia. Der Abstieg zum bulgarischen Zollposten in Aivadžik führt durch ausgedehnte dichte Eichenwälder, die noch ganz an die poetische Beschreibung der Haemuswälder bei Theophylaktos Simokattes (ed. Bonn. 89) erinnern.

Ueber diesen Theil des Haemus führten nach dem Zeugniss der römischen Itinerarien zwei Strassen, deren Spuren sich nebst den dabei befindlichen Passbefestigungen noch gut verfolgen lassen: die Küstenstrasse von Mesembria über Templum Jovis nach Odessus (Varna) und die Linie Anchialus - Marcianopolis (Devna). An der ersteren östlichen Linie steht nach meinen Erkundigungen im Walde zwischen Jeniköi und Gözeke eine „Kapia", d. h. eine Mauer mit Thor. In der Nähe liegt an einer Stelle, wo das einförmige Grün der steilen Küste von schmalen weissen Stranddünen unterbrochen ist, das Dorf G ö z e k e (oder G j ó z e k e), an der Südseite überragt von den Ruinen einer Burg, dem K o z j a k des späteren

Mittelalters (Κοζέακος der Byzantiner, Cossacho des venetianischen Geographen Negri). Weiter gegen Norden sollen bei Arnautlar 40—50 Schritt lange Stücke eines gepflasterten Weges in der Richtung gegen Varna verlaufen.

Die andere westliche Linie passirte zwischen Aivadžik und Gulica bei dem (rumelischen) Dorfe Karamandža eine Passsperre mit Thürmen und Thoren, welche, nach der Entfernung von Anchialus und vom Panysus, mit den Scatrae des Alterthums (*It. Ant., Tab. Peut.*) identisch ist. Ich habe diese Bauten in der Eile nicht besuchen können, Herr Consul Brophy aber, der die hiesigen Wälder auf Jagdausflügen in allen Richtungen durchstreift hat, beschreibt sie ganz klar als „*some very perfect remains of a Roman wall, in which may still be traced the gate and flanking towers*" [36]. Die bulgarischen Zollwächter von Aivadžik wollten wissen, die Mauer gehe von Karamandža durch die Wälder bis zum (15 Kilom. entfernten) Meere, eine Combination, welche eine Verbindung der Sperrforts an beiden alten Wegen voraussetzt. Das sind die πύλαι τοῦ Αἵμου südlich von Marcianopolis, im 5. Jahrhundert erwähnt von Malchus (frg. 15). Von hier führen die Trümmer einer gepflasterten Strasse mit einigen Castellen über Džeferli, Gebeš und die Kamčija bis Sultanlar (an der Eisenbahn Rusčuk-Varna) nahe bei Devna.

Die neu aufblühende Hafenstadt Varna (an 25.000 Einw.) hat noch viele Reste des alten Odessos bewahrt. Ein grosser Theil des antiken Baumaterials ist allerdings in dèn neuen türkischen Festungswerken verbaut; indessen findet man bei jeder Grundaushebung im Innern der Stadt stets antike bearbeitete Steine, wie z. B. auf dem Hofe des neuen Hôtel St. Petersburg neu ausgegrabene jonische und korinthische Capitäle feiner Arbeit mit canellirten und glatten Säulenstümpfen zu sehen sind. Es fehlt auch nicht an ausgedehnten alten Kellerräumen. Von der mittelalterlichen Stadtbefestigung steht noch ein ungefähr 8 Meter hoch aufragendes Stück eines festen Thurmes aus grossen Steinquadern und Backsteinen in wechselnden Lagen zu je vier Reihen, nahe bei der höchsten Stelle des Niveaus der inneren Stadt, zwischen den Höfen einiger Privathäuser bei der griechischen Kirche des hl. Georgios. Der Thurm gehörte wohl zur Nordfront der ursprünglichen Akro-

---

[36] St. Clair and Ch. A. Brophy, *A residence in Bulgaria*, London 1869, p. 56 Anm.

polis, die sich auf einer Erhöbung über dem steilen Ufer des nördlichen Stadttheiles befand. An Inschriften sah ich in der Residenz des griechischen Metropoliten an 15 griechische Grabsteine, zum Theil mit Basreliefs. Die Herren der griechischen Gemeinde zeigten mir auch gelungene Photographien dieser Stücke und bemerkten, sie wollten ihre Sammlung in einem eigenen Buche über Varna publiciren. An anderen Orten copirte ich folgende Inschriften:

1. Frisch ausgegraben in einer Ziegelei zwischen alten Gräbern, am südwestlichen Rande der Stadt, nahe am Abfluss des Sees von Devna, 1884 im Gasthaus des H. Kasabov, eine Steinplatte, 0·51 h., 0·39 br., 0 05 dick, oben zugespitzt. Darauf mit kleinen unregelmässigen Schriftzügen die Grabschrift eines apamenischen Kaufmanns vom Jahre 557 nach Chr., bemerkenswerth für die Geschichte des syrischen Handels in der spätrömischen Zeit[36a]):

```
      † Χ ΑΙΡ Ε ΠΙ Ϲ Τ Ε Π ΑΡ Ο
        Δ Ι Τ Α Δ Α Ν Ι Η Λ Ο    ,
        Τ Η Ϲ Μ Α Κ Α Ρ Ι Α Ϲ Μ Ν Η
        Μ Η Ϲ Υ Ι Ο Ϲ Η Λ Ι Ο Δ Ω Ρ 8
   5    Α Π Ο Κ Ω Μ Η Ϲ Τ Α Ρ Ο Υ Τ Ι
        Α Ϲ Ε Μ Π Ο Ρ Ω Ν Τ Η Ϲ Α Π Α Μ Ε
        Ω Ν Ε Ν Ο Ρ Ι Α Ϲ Ζ Η Ϲ Α Ϲ Ε Ν Ϲ
        Ω Φ Ρ Ο Ϲ Υ Ν Η Ε Τ Η Ξ Γ Ε Ν Χ Ω̄
        Ε Τ Ε Λ Ι Ω Θ Η Μ̇ Ο κ Τ Ω Β Ρ Ι 8
  10    Κ Ι Ν Ᾱ Ϲ̄ Η Ζ̄ Β Α Ϲ Ι Λ Ε Υ Ο Ν Τ
        Ο Ϲ Ι Ο Υ Ϲ Τ Ι Ν Ι Α Ν Ο Υ Τ̄ Λ Α Ε Τ Ο
        Υ Ϲ † † †
```

2. Ebendaselbst ein Fragment:

```
        Δ Υ Ο
        Ξ Ε Υ Φ Η
```

[36a] † Χαῖρε πιστέ παροδῖτα. Δανιήλ ὁ τῆς μακαρίας μνήμης, υἱός Ἡλιοδώρου ἀπὸ κώμης Ταρουτίας ἐμπόρων τῆς Ἀπαμέων ἐνορίας ζήσας ἐν σωφροσύνῃ ἔτη ξγ' ἐν Χ(ριστ)ῷ ἐτελίωθη μ(η)ν(ὸς) Ὀκτωβρίου κ' ἰνδ(ικτιῶνος) ϛ' ἢ ζ', βασιλεύοντος Ἰουστινιανοῦ τοῦ λα' ἔτους †††. Es ist wohl der October des Jahres 557 n. Chr. zu verstehen, der in das 31. Jahr Justinians (1. April 557 — 31. März 558) und das 6. Indictionsjahr (1. September 557 — 31. August 558) fällt. Sonderbar aber wohl sicher ist der Ausdruck des Zweifels, ob derzeit das 6. (ϛ') oder das 7. (ζ') Indictionsjahr läuft. E. B.]

3. In der bulgarischen Staatsrealschule, 0·41 h., 0·31 br.:

```
//////////  A · V A R I · R O
//////////  C O N I W X
/////  A V b V S · R O S M V S · F ·
/////  O R W · H · S · S ·  leer
```
5   C L A V b I V S · V A R I V S · T R O Ħ M V S
```
///////////////// I X · P A T E R
```

Etwa: … *a Vari Tro[phimi] coniunx; [Cl]audius Tro[phi]mus f(ilius) [e]orum h(ic) s(iti) s(unt). Claudius Varius Trophimus [infel]ix pater.*

4. Ebendaselbst ein Basrelief, 0·75 h., 0·52 br., ein Mann auf einem Ruhebett, daneben eine sitzende Frau und drei Kinder, darüber:

Δ I ο Γ E N H Z Ω Π Υ Ρ Ι Ω Ν ο Σ Κ Α Ι Η Γ Υ Ν Η

//// Α Ν Α Ε Λ Λ Η Ν //// Θ Υ Γ Α Τ Η Ρ Κ Α Ι Η Ε Τ Ε Ρ Α

//// Γ Ο Υ Θ Η Θ Ε Ι Σ Α Σ Κ Λ Η Π Ι Α Δ Ο Υ Θ Υ Γ Α Τ ////

Διογένης Ζωπυρίωνος καὶ ἡ γυνὴ [αὐτοῦ Ν]άνα Ἑλλην[ος] θυγάτηρ καὶ ἡ ἑτέρα [γυνὴ αὐτ]οῦ (ἡ δεῖνα) Ἀσκληπιάδου θυγάτ[ηρ.

Unter dem Basrelief: ΧΑΙΡΕΤΕ.

5. Ebendaselbst, 0·6 l., 0·29 h., entzweigeschlagen, darunter ursprünglich ein Basrelief:

Ν Α Γ Ε Λ Λ Α Σ · Ζ W Ι ο Υ · Κ Α Ι Η Γ Υ Ν Η

//// Ε Α Υ Τ Ο Υ · Μ Α Μ Α · Μ Η Ρ ο Δ Ψ 8 · Χ Α Ι Ρ Ε Ἑ

… Ἀπέλλας Ζωίλου καὶ ἡ γυνὴ …. ἑαυτοῦ Μάμα Μητροδώρου χαίρετε.

Auf einem der Inschriftsteine in der Metropolie las ich einen ähnlichen Namen: Ἀπέλλας Ζένωνος καὶ ἡ γυνὴ αὐτοῦ Γλυκύτης Χαιρέου χαίρεται.

Die Küste von Varna nordwärts bis Kaliakra zerfällt in zwei Theile. Zuerst folgt oberhalb der Weinberge der Stadt ein geradliniger dicht bewaldeter, zur See steil abfallender Höhenrücken, ungefähr vier Stunden lang, mit der Hauptrichtung von S. nach NNO. Bei Ekrené fällt das Gebirge ab zu dem ungefähr 3 Kilom. breiten, sumpfigen, von dichtem Wald mit üppigem Unterholz bewachsenen Mündungsgebiet des Flusses von Batova. Von dort wendet sich die Küste mit einem kleinen, landeinwärts gekehrten Bogen nach Ost und besteht auf fünf Stunden Weges aus hohen weisslichen Schieferfelsen, über denen sich oben die steppenartige Ebene der

Dobrudža ausbreitet. Gute Zufahrten abwärts zur See gibt es nur an zwei Stellen, welche durch die Städte Balčik und Kavarna bezeichnet sind. Das Felsenufer endigt an dem Cap Kaliakra, um sich dort wieder nach NO. und N. zu wenden. Auf diese Weise entsteht in dem Winkel zwischen den waldigen Höhen der Westseite und dem steilen Ufer der Nordseite ein Golf, der bei Balčik eine geschützte Rhede besitzt.

Ein Ausflug, den ich in Begleitung eines guten Kenners der Gegend und ihrer Alterthümer, des Herrn Schulinspectors M. Radivojev, in diese Küstenlandschaft unternahm, blieb nicht ohne archäologische Ausbeute, obwohl die Russen 1829 und im Krimkriege die Franzosen manches Denkmal weggeführt haben. Der nächste Ort von Varna aus ist Kesterič, mit Resten eines Klosters (Aladža monastir) und einigen Höhlenkirchen. Wir liessen dasselbe rechts und erreichten in drei Stunden (zu Wagen) eine Ansiedelung, die früher als Tscherkessendorf Azizié hiess, jetzt aber (seit 1879) von Bulgaren aus der Gegend von Vaisal bei Adrianopel bewohnt ist und Dišpudak (403 Einw.) genannt wird[37]). An der Westseite des Dorfes liegen im Thalgrund die Ruinen eines viereckigen, an jeder Seite 40 Schritt breiten Castells mit Rundthürmen an den Ecken, wovon die 2 M. starken steinernen Mauern zum Theil bis über Mannshöhe aufrecht stehen; dasselbe bildet jedoch nur eine (östliche) Flanke einer grösseren polygonalen Burg mit sieben sämmtlich je 50 Schritt langen Seiten. Im Innern der Burg liegen die Substructionen einer kleinen Kirche; man fand dabei metallene Kreuze, Thongefässe u. s. w. Halbverwilderte Weinreben bedecken die nahen Abhänge, die erst seit Kurzem wieder bebaut werden, denn vor der Anlage des Tscherkessendorfes (1864) war hier nur eine Waldwüste. Auf einem der vielen Brunnen bei den Ruinen sah ich eingemauert einen Grenzstein der alten Odessitaner, mit schönen, 10·5 Cm. hohen Schriftzeichen:

---

[37]) Azizié ist auf der Karte von Kanitz angegeben. Der Ort fehlt auf der österr. Generalstabskarte; er liegt zwischen Džeferli und Ekrené, südlich von Geikčiköi, südwestlich von Ekrené.

Eine Steinplatte wurde von hier nach Varna gebracht, aber man konnte sie dort nicht finden, um sie mir zu zeigen; eine Ab-schrift des H. Radivojev bietet Folgendes:

☧	[Wohl Χρ(ιστός).
T Ⲱ Ⲛ Δ Ε Ꞓ	τῶν δεσ-
Ꝑ Ο Τ Ⲱ Ⲛ Η	[π]οτῶν ἡ-
Μ Ⲱ Ⲛ Α Ρ Ⲓ Ο Α	μῶν 'Αρ[κ]α-
5 Λ Ⲱ Ⲕ Α Ⲕ Ꞓ Ⲛ Η Ρ Η	[διου κ]α[ὶ 'Ο]ν[ω]ρ[ίου]
Α Υ Ε Ο Υ Ε	Αὐ[γ]ού[στων]. E. B.]

Im Osten ist der Ort überragt von dem Nordende des oben erwähnten Küstengebirges, auf dessen Kamm im Walde eine Burg-ruine liegt, angeblich viel grösser als das Polygon von Dišpudak, mit drei Ellen dicken Mauern. Die Einwohner von Dišpudak, Ekrene, und Balčik nennen dieselbe H a č u k a, die von Kesterič aber K e s t r i č - k a l e s s i. Am Fusse des Berges bemerkt man am Rande des Batovadeltas die wenigen Häuser des armseligen Stranddorfes E k r e n é (287 Einw.). Als C a s t r i, C a s t r i ç i wird die Burg auf allen italienischen Seekarten des 14. und 15. Jahrhunderts erwähnt. Das unten liegende C r a n e a ist nur in einem Portùlan vom Jahre 1408 verzeichnet; dagegen wird es als καστέλλιον von Varna einigemal in byzantinischen Urkunden genannt, in denen wieder Castriçi fehlt, und zwar erscheint es dort in Gesellschaft eines zweiten, ganz ähnlich lautenden Namens: ἡ Κρανέα und τὰ Γεράνια um 1320 *Acta patr.* I 95, τῆς Κρανέας καὶ τῶν Γερανίων 1370 ib. I 528. Dieser zweite Ort wird bereits im Alterthum erwähnt, bei Plinius *h. n.* IV §. 44: *G e r a n i a, ubi Pygmaeorum gens fuisse dicitur* (zwischen Dionysopolis und Odessus). An Krunoi = Dionysopolis ist nicht zu denken, da dieser Ort, wie ich zeigen werde, nach Balčik zu verlegen ist. Castriçi war offenbar die Burg auf der Höhe, Kranea der Landungsplatz an dem Fusse des Berges (jetzt Ekrené) und Gerania vielleicht das polygonale Castell von Dišpudak.

In dem folgenden Thale des Batovaflusses liegt oberhalb des Sumpfes ein berühmtes türkisches Derwischkloster (T e k k é) mit dem Grabe eines muselmännischen Heiligen, welcher als Akjazyly Babá bei den Türken, als St. Athanas bei den Christen eine grosse Autorität besitzt und von Christen und Mohammedanern besonders zur Entdeckung von gestohlenem Vieh angerufen wird. An dem soliden Gebäude des Tekké's aus gut zubehauenen Quadern und unter den nahen Gräbern (am Brunnen eine glatte Marmorsäule u.. s. w.) verräth sich sofort die Benützung antiken Baumaterials. Dasselbe stammt aus der Nähe, aus dem westlich im Batovathal in der Thalsohle selbst liegenden Alaklissé (141 Einw.), wo sich die Substructionen eines grossen, an 100 Dönüm's (zu 40 × 40 Schritt) umfassenden Mauerquadrats mit zahllosen Ziegelfragmenten befinden. Mein Begleiter, der den Ort besucht hat, sah dort keine Inschriften und bemerkte mir, die Mauern seien besonders bei der Errichtung des Tscherkessendorfes Tekké bei dem Derwischkloster sehr stark weggeräumt worden.

Der weitere Weg von Tekké nach Balčik führt dreiviertel Stunden längs der waldigen Sümpfe des Batovadeltas und sodann eine Stunde durch eine anmuthige schmale Küstenlandschaft. Links ragen die weissen Uferfelsen mit mannigfaltigen, bizarr geformten Vorsprüngen steil empor, rechts breitete sich der ruhige Meeresspiegel bis zum fernen Cap Eminé aus. Der kleine, gegen Nordwinde gut geschützte Küstensaum dazwischen ist voll schöner Weinberge mit dichten Hecken üppiger Buschpflanzen und vielen Quellen, durchschnitten von einigen aus der Felsmauer hervorbrechenden Bächen, an denen einige Mühlen klappern. Balčik (680 Häuser mit 3845 Einw.) hat eine ganz eigenthümliche Lage auf dem steil abschüssigen Boden eines nicht sehr breiten Thales, das von dem Plateau der Dobrudža zum Seeufer hinabführt. Die Hauptstrasse steigt vom Landungsplatz in Serpentinen steil hinauf zu den luftigen obersten Stadtvierteln. Der Sage nach soll die Stadt in früherer Zeit durch Erdbeben und Erdabrutschungen gelitten haben. Dass die Ansiedelung alt ist, beweisen feste Grundmauern, welche in oberen und unteren Gegenden der Stadt gefunden wurden, sowie viele Quadern, die man auf den Gassen bemerkt; auch soll es in Balčik selbst ein „Kalé" (Schloss) und ein „Monastir" gegeben haben. Die Identität von Balčik mit dem Carbona der italienischen Karten 1318 sq. (Καρβωνᾶ des Kantakuzenos, Καρβουνᾶ der *Acta patr.*) ist zweifellos. Ebenso stimmen die überlieferten Distanzen[38]

---

[38]) Die Distanzen längs der See sind annähernd folgende: Varna - Balčik 24—25 röm. Meilen (zu 1½ Kil.), Balčik - Kavarna 10, Kavarna - Kaliakra an 8. Die antiken Angaben stimmen gut dazu: von Odessus nach Dionysopolis 26⅔ röm. Meilen (200 Stadien) der griechischen Periplen des Arrian und des Anonymus, 24 It, Aut., 32 (?) Tab. Peut.; von Dionysopolis nach Bizone 10⅔ (80 Stadien) Periplen, 12 Tab. Peut.; von Bizone nach Tiriza Akra 8 (60 Stadien) Periplen, 12 (zu Land) Tab. Peut.

des alten Dionysopolis von Odessos und von dem Vorgebirge
Tiriza oder Akra mit der Entfernung zwischen Balčik, Varna und
dem Cap Kaliakra. Dionysopolis wird in der römischen Kaiserzeit
von Augustus bis auf Justinian oft genug erwähnt. Seine maritime
Lage ist durch viele Zeugnisse, wie z. B. durch die Nachricht von
einer Ueberschwemmung der Stadt bei einem Austritt der See im
Jahre 543 (Theophanes ed. Boor 224) sichergestellt. Man suchte
es bisher meist bei Ekrené, indem man an Krunoi dachte, den
älteren, bei Strabo u. A. erwähnten Namen der Stadt, welche indessen schon von Plinius als eine zu seiner Zeit der Vergangenheit
angehörende Benennung angeführt wird. Ausser den Distanzen
und den quellenreichen Weinbergen an der Westseite von Balčik
bestätigen die Identificirung auch Inschriften, welche den Namen
der *arces dictas nomine, Bacche, tuo* des Ovid (Tristia I, 10, 38)
mit der βουλὴ (Διονυ)σοπολειτῶν und dem δῆμος (Διον)υσοπολιτῶν
ausdrücklich anführen.

1. Auf einem Marktplatz in der unteren Stadt von Balčik,
0·84 h. und br.:

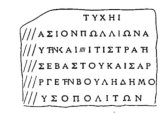

['Αγαθῆι] τύχηι. [Οὐιτρ]άσιον Πωλλίωνα [πρεσβε]υτὴν καὶ [ἀν]τι-
στράτη[γον] Σεβαστοῦ Καίσαρ[ος εὐε]ργέτην βουλὴ δῆμο[ς Διον]υσο-
πολιτῶν. Derselbe T. Vitrasius Pollio, *legatus Aug. pr. pr.* von
Moesia inferior zur Zeit des Kaisers Antoninus Pius, erscheint auf
den Inschriften von Varna und Lompalanka (C. I. L. III n. 762.
6125).

2. In Balčik im Hofe des Han Temelko:

T O N A P X I E	τον ἀρχιε[ρε . . .
T H N Π P Ш T Ш . . .	τὴν πρώτ[ην . . .
Π A P A T O	παρὰ το . . .
Σ Γ O Y H P . . .	Σ[ε]ουηρ . . .

3. Im Dorfe Junuzčilar, Gemeinde Džafer-üč-orman, 23 Kil.
nördlich von Balčik, ein Stein, 1·32 l., 0·68 br., 0·6 d., auf der

rechten Seite zerschlagen (nach einer Zeichnung des dortigen Lehrers):

```
            ⌐⌐⌐⌐⌐ΚΛΣΥΝΚΡΙΤΟΝΑΡΧΙΕΡΕΑΚΑ
      ΔΩΔΕΚΑΚΑΙΓΥΜΝΑΣΙΑΡΧΗΝΚΑΚ
      ΝΩΝΦΙΛΟΤΕΙΜΟΝΚΑΙΑΡΞΑΝΤΑΤΗΣΠΑ
      ΑΓΝΩΣΚΑΙΠΡΕΣΒΕΥΣΑΝΤΑΠΑΡΑΘΕΟΛ
  5   ΑΝΤΩΝΕΙΝΟΝΕΙΣΤΗΝΒΑΣΙΛΙΔΑΡΩΜΠ
      ΚΑΙΕΙΙΕΠΙΔοΣΓΙΧΡΗΜΑΤΩΝΑΡΞΑΝΤΑΤΗΝΠΕ
      ΤΗΝΑΡΧΗΝΚΑΙΕΥΕΡΓΕΤΗΝΤΗΣΠοΛΕΩΣ
      ΤΑΚΑΙΔΙΑΝΟΝΕΤΗΚΡΑΤΙΣΤΗΒοΥΛΗ
      ΑΝΑΣΤΑΣΕΙΤοΥΑΝΔΡΙΑΝΤοΣΜΑΥ
 10   ΔΗΜΗΤΡΟΝΔΙοΓΕΝοΥΣΒοΥΛΗ
      ΣΟΠΟΛΕΙΤΩΝοΤΕΙΜΗΣ
```

[Etwa: ....ἀσύνκριτον ἀρχιερέα κα[ὶ
[ἱερέα θεῶν] δώδεκα, καὶ γυμνασιάρχην, κα[ὶ
.......[ἀγώ]νων φιλότειμον, καὶ ἄρξαντα τῆς πατρίδος ....] ἀγνῶς, καὶ πρεσβεύσαντα παρὰ Θεὸ[ν
..........'Αντωνεῖνον εἰς τὴν βασιλίδα 'Ρώμ[ην
.........., καὶ ἐ[ν] ἐπιδόσ[ε]ι χρημάτων ἄρξαντα τὴν πε-
.... τὴν ἀρχὴν, καὶ εὐεργέτην τῆς πόλεως
.... τα, καὶ διανο[μὴν] (?) τῇ κρατίστῃ βουλῇ
[διανείμαντα (?) ἐν] ἀναστάσει τοῦ ἀνδρίαντος Μ. Αὐ-
ρηλίου] Δημητρ[ί]ου Διογένου [ἡ] βουλὴ
καὶ ὁ δῆμος Διονυ]σοπολειτῶν [ἐ]τείμησ[αν. A. d. R.]

Von Balčik bis Kavarna (2¼ St.) führt der Weg nicht mehr am Meeresstrande, sondern oberhalb der hohen Felsabstürze, wo Weinberge und Weizenfelder bald einer eintönigen Steppenlandschaft Platz machen, in welcher der Reisende durch eine Masse kleiner Tumuli überrascht wird. K a v a r n a (1479 Einw.) liegt auf einem Plateau zwischen zwei tief eingeschnittenen trockenen Thälern, die sich weiter unterhalb vereinigen und als eine enge Schlucht zum Landungsplatz bei dem einsamen Zollhaus hinabführen. Der Ort selbst, umsäumt von eingefriedeten Weingärten und Nusshainen, ist seit der Katastrophe des Jahres 1877 halb zerstört. Ungefähr zwölf sehr hohe Tumuli reihen sich um das Städtchen, besonders an der Ostseite; in einem derselben soll man kurz vor dem Kriege ein Gewölbe aus Ziegeln gefunden haben, darin Menschenknochen und „Kirchengeräth" (wohl Metallgefässe), dessen sich der damalige Kaimakam von Balčik bemächtigte. Auf dem Sporn über der Vereinigung beider Thäler liegen die Substructionen eines Castells, mit Resten breiter Defensivmauern. In den Thälern selbst bemerkt man die Ruinen einer Moschee, eines „Hamam" (Bades) u. s. w., Zeugen einer mohammedanischen Bevölkerung, die heute ganz verschwunden ist. Eine Inschrift ist in der griechischen Schule zwischen den Fenstern des grossen Saales eingemauert, 0·63 h., 0·29 br., rechts und links leider übertüncht:

```
      Α Γ Α Θ Η ⫿ Τ Υ Χ Η Ι
      Ε Ο Γ Ε Ν Η Σ Σ Κ Υ Θ
      Ε Υ Σ Τ Α Υ Ρ Ω Ν
      Σ Κ Υ Θ Η Σ Θ Ε Ο Γ Ε Ν
 5    Ε Ρ Ε Υ Σ Τ Α Υ Ρ Ω Ν Κ
      Ε Ρ Γ Ε Τ Η Σ Π Ο Λ Ε Α
      Κ Ο Σ Π Ο Σ Ε Ι Δ Ν Ο Υ    sic
      Ε Υ Σ Τ Α Υ Ρ Ω Ν Θ Ε Α
      Σ Κ Υ Θ Ο Υ ΙΕΡ Ε Υ Σ Τ Α
10    Ω Ν Π Ρ Ο Κ Λ Ο Σ Σ Κ Υ Θ
      Ε Ρ Ε Υ Σ Τ Α Υ Ρ Ω Ν Μ Π
      Π Ο Λ Ω Ν Ι Ο Υ ΙΕΡ Ε Υ
      Α Υ Ρ Ω Ν Χ Ρ Υ Σ Ι Π Ο
      Α Ι Σ Ι Ο Υ ΙΕΡ Ε Υ Σ
15    Ν Π Ο Σ Ε Ι Δ Ω Ν
      Ο Σ Σ Χ Ο Υ Ε Υ Ε Ρ
      Η Σ
```

Etwa: Ἀγαθῆ[ι] τύχηι. [Θ]εογένης Σκύθ[ου ἱερ]εὺς Ταύρων, Σκύθης Θεογέν[ους] ἱερεὺς Ταύρων κ[αὶ εὐ]εργέτης πόλε[ως], ...κος Ποσειδ[ω]-ν(ί)ου [ἱερ]εὺς Ταύρων, Θεα.... Σκύθου ἱερεὺς Τα[ύρ]ων, Πρόκλος Σκύθ[ου ἱ]ερεὺς Ταύρων, ... [Ἀ]πολ(λ)ωνίου ἱερεὺ[ς Τ]αύρων, Χρύσιπ-(π)ο[ς Δ]αισίου (?) ἱερεὺς [Ταύρω]ν, Ποσειδών[ιος] Μ]όσσχου εὐερ[γέτ]ης.

In demselben Gebäude liegt auf dem Hofe neben einer Cloake ein sehr abgeschliffener Stein mit einer mittelalterlichen lateinischen Inschrift, vielleicht ein Denkmal der italienischen Seefahrer, welche während der Genuesenherrschaft auf der Krim diese Gestade oft besuchten:

```
+ δ ε δ ο ν ι s ᴅ ι ε / / / / /
s̄c̄ι c ο s m α ν δ ε m / /
c ο n s τ / / / / / / / / /
s τ ε ғ / / / s ᴅ / / / / /
```

Die Situation von Kavarna mit dem einzigen guten Zugang zur See auf der ganzen Strecke von Balčik bis Kaliakra (das Ufer besteht sonst aus steilen, an 100 M. hohen Felsen mit horizontalen, oben rothen, unten weissen Schichten) entspricht dem einzigen Orte, welcher in den Periplen des Alterthums und des Mittelalters in dieser Gegend genannt wird. Hier ist wohl das alte B i z o n oder B i z o n e zu suchen, schon vor dem Beginn unserer Zeitrechnung zum grössten Theil durch ein Erdbeben untergesunken: Βιζώνη, ἧς κατεπόθη πολὺ μέρος ὑπὸ σεισμῶν des Strabo VII p. 319, Bizone *„motu terrae intercidit"* bei Pomponius Mela II. 22, *Bizone terrae hiatu rapta* des Plinius *n. h.* IV §. 44, noch von Arrian (Peripl.) als χῶρος ἔρημος erwähnt; dem anonymen Periplus zufolge (B., ἐν ᾧ σάλος) war es nach den Einen von Barbaren, nach Anderen von Mesembrianern bewohnt. Als Station der Küstenstrasse erscheint Bizone noch auf der Peutinger'schen Tafel. Unter dem heutigen Namen taucht der Ort · im 14. Jahrhundert wieder auf, als Κάρναβα der Byzantiner (*Acta patr.* I. 95. 528) und C a u a r n a (Gauarna) der Italiener, mit einem 1444 (bei Callimachus) erwähnten Schloss.

Ungefähr dreiviertel Stunden östlich liegt das grosse Gagauzendorf G j a u r - S u j u t č u k (890 Einw.), mit einer starken Quelle. Von einer Inschrift bei der Kirche kann ich eine Copie des H. Radivojev mittheilen:

```
        Θ Ε Ν Δ Ι Ο Ν Ι
        Λ Υ Ρ Ο Υ Α Λ Ε Ρ Ι Ο
        Τ Ε Ρ Π Α Ν Ο Υ
        Π Ε Σ Α Τ Ο Υ Κ
   5    Ι Ω Ν Ι Δ Ι Κ Ν
        Π Α Ν Τ Ω Ν
```

Durch wüste Strecken mit rothem Boden und niedrigen Eichenbüschen erreicht man 50 Minuten von Gjaur-Sujutčuk das merkwürdige Vorgebirge K a l i a k r a, welches castellartig weit in die See hervortritt und dem Wanderer schon von der Ferne eine scharf profilirte Silhouette bietet. Unterwegs fallen zahlreiche viereckige Plätze auf steinigem Boden auf, offenbar Reste alter Haushöfe oder Weingärten; man bezeichnet sie hier als E s k i - J e n i k ö i (türk. „Altneudorf") [39]). Die Befestigungen von Kaliakra, deren Anfang

---

[39]) Ein Dorf G e l e g r i, welches die österreichische Karte zwischen Gjaur-Sujudžuk und dem Cap angibt, existirt hier (wenigstens jetzt) nicht.

bald sichtbar wird, sind sehr ausgedehnt. Das Cap war von der
Landseite durch eine doppelte Linie gedeckt, von Meer zu Meer.
Die äusseren Werke bildete ein seichter, jetzt von wilden Feigen
bewachsener Graben, an dessen Eingang die Trümmer eines steinernen, 7 Schritt breiten, viereckigen Thurmes stehen; an 350 M.
(nach einem Taschenpodometer) südlich davon folgt ein zweiter, an
zwei Mannshöhen tiefer Graben, dahinter eine Mauer, in welcher
noch die Flanken eines steinernen Thores (3·25 M. breit, 3 M. hoch,
7 Schritt tief) aufrecht stehen. Im Zwischenraume bemerkt man
abermals Spuren von Häusern; vor der äusseren Linie liegen auch
alte türkische Friedhöfe. An 250 M. weiter folgt der eigentliche
Eingang zum Felscap: ein unten an der Basis kaum 50 Schritt
breiter Isthmus, oben mit einem 3 M. breiten, zu beiden Seiten von
tiefen Abgründen eingeschlossenen Weg. Dahinter ragt eine malerische Burgruine in die Lüfte, mit ungefähr 8 M. hohen, auf dem
nackten Felsen fundirten Steinmauern, voll von Löchern des alten
Baugerüstes, mit einem viereckigen Thurm, durch welchen ein
wohlerhaltenes gewölbtes Thor in's Innere hineinführt. Rechts vom
Thore bemerkte ich hoch auf der Aussenmauer einen weissen Stein
mit dem rohen Basrelief eines roth übermalten Reiters. Zu beiden
Seiten des Thorweges sollen steinerne Löwen eingemauert gewesen
sein, welche von den Franzosen im Krimkriege weggeführt wurden.
Hinter dem Thore folgen noch einige winklige Defensivmauern,
ehe sich der Ausblick auf das Innere des Burgraumes eröffnet.
Das Cap selbst ist oben flach, vom Thor bis zum Leuchtthurm an
450 M. lang und auf allen Seiten mit 60—70 M. hohen Abstürzen
umfasst. Ausser den Wächtern des hiesigen Leuchtthurmes ist
es jetzt unbewohnt, jedoch Fundamente von kleinen Häusern, die
Ruine eines türkischen Badehauses, eine tiefe Cisterne u. s. w.
zeigen, dass der Felsen früher ständige Einwohner hatte. Das auf-
fälligste sind ungefähr 20 natürliche, mitunter bis 15 Schritt breite,
dabei aber nur niedrige Höhlen, am Eingang zum Theil mit steinernen Zäunen abgeschlossen und in dem von Rauch geschwärzten
Innern mit Thiermist bedeckt. Dieselben dienen jetzt meist als
Schafställe, in unruhigen Zeiten als Zufluchtsstätte, wie z. B. 1877,
wo sich die Einwohner von Kavarna, Šabla u. s. w. auf dem Cap
gegen plündernde und mordende Tscherkessen vertheidigten. Am
äussersten Ende gibt es neben dem Leuchtthurm vier kleinere,
künstlich ausgeglättete und mit gemeisselten Sitzen versehene Höhlen-
räume, die wie Wohnzimmer untereinander verbunden sind: Eine

mit einer niederen Umfassung zugemauerte Ecke darin gilt den Christen als Grab des heil. Nikola, den Türken als das des „Hadži Baba". Aus dem letzten Raume öffnet sich ein Bogenfenster ohne Brüstung gerade zu dem schwindligen Abgrund, in welchem sich die Wellen des Pontus an den angehäuften Felsblöcken der äussersten Capspitze brechen; das ist das sogenannte Kyrk kyzy kapusú, das „Thor der 40 Jungfrauen", welche der Sage nach bei einer Belagerung hier in das Meer gesprungen sein sollen.

Dieses Vorgebirge mit seinem Schloss besitzt eine weit zurückreichende Geschichte. Bei den Schriftstellern des Alterthums erscheint es unter einem Namen, der in sehr wechselnder Form auftritt: Τίριζις ἄκρα (Strabo), Tiristis promunturium (Mela), Τετρισιάς (Arrian), Τιριστὶς ἄκρα (Ptolemaeus), Τίριζα ἄκρα (Periplus Anon.), Trissa (Tab. Peut.) oder besser Tirissa (Geogr. Ravenn.). Später nahm die einfache Benennung Akra oder Akrai überhand, unter welcher der Ort als eine Stadt der Provinz Scythia genannt wird (Hierocles; Steph. Byz.). Die natürliche Festigkeit des Platzes muss in der frühesten Zeit zu seiner Befestigung geführt haben. Strabo berichtet, König Lysimachos habe hier, vielleicht in jenen ausgeglätteten Höhlenkammern der Südspitze, eine seiner Schatzkammern gehabt (Τίριζις ἄκρα, χωρίον ἐρυμνόν, ᾧ ποτε καὶ Λυσίμαχος ἐχρήσατο γαζοφυλακίῳ, VII p. 319) und in der Zeit des Kaisers Anastasius erscheint Acres castellum als Hauptburg des in Scythien heimischen Rebellengenerals Vitalianus (Marcellinus comes ad a. 515, Roncalli II. 313; Ἀκρίς bei Joannes Antiochenus fragm. hist. Graec. V p. 33 §. 7). Im Mittelalter erhielt das Vorgebirge, welches bei Stürmen einen guten Zufluchtsort gewährt, den Beinamen des „schönen" und wird im 14. Jahrhundert in byzantinischen Quellen ἡ Γαλιάκρα (Acta patr. I. 95. 528), in italienischen Caliacra oder Chaliacra geschrieben. Schiltberger kennt es als Hauptstadt des dritten küstenländischen Theiles von Bulgarien („Kallacercka" in der Ausg. von Neumann 1859 S. 93). Amadeus von Savoyen eroberte es 1366 bei seiner Expedition gegen die Bulgaren, ebenso König Wladislaw auf dem unglücklichen Zuge 1444 nach Varna (Callacrium bei Callimachus, Schwandtner Script. rer. hung. I 512, Καλλιάκρη bei Chalkokondylas p. 172). In der älteren Türkenzeit wird noch das Zollamt von Kilagra zwischen Mankalia und Balčik erwähnt (Hammer, Osm. Staatsverfassung I. 294). Die hiesige türkische Ansiedelung ging wahrscheinlich erst im 18. Jahrhundert ein, theils durch die russischen Kriege, theils aus natür-

licben Ursachen, da der Boden in der nächsten Nähe sehr unfrucht-
bar ist und das Schloss ausserdem an argen Mängeln leidet; es
hat keinen rechten Hafen für grössere Schiffe, zu dem einzig möglichen Landungsplatz führen nur äusserst steile Pfade hinunter,
und überdies bezieht es alles Trinkwasser (ausser den Cisternen)
nur aus zwei Brunnen, welche ausserhalb des alten Schlosses
gegen NW. liegen. Als Capo Calacria ist das Vorgebirge noch
jetzt den Seefahrern allgemein bekannt; auch der griechische Name
Kaliakra lebt noch. Die Türken nennen es Gelaré. Die Form
„Gülgrad" auf vielen modernen Karten ist (wohl aus dem älteren
türkischen Kilagra) durch ein an das slavische „grad" (Burg) an-
klingendes Missverständniss entstanden und hier im Lande unbekannt.

Die Alterthümer der alten Burg sind längst verschleppt. Der
russische Admiral Greigh sah auf dem Cap 1829 noch zwei Marmorstücke mit altgriechischen Inschriften [40]. Mir zeigte man nur einige
hier gefundene Münzen: ein Silberstück Kaiser Hadrians („*Restitutori
Hispaniae*") und zwei unkenntliche, wohl griechische Kupfermünzen.

Ueber die Alterthümer der weiteren Küstenstrecke bis zur
rumänischen Grenze verdanke ich einige Mittheilungen Herrn Radivojev [41]:

1. Im Schulhause von Jaly Üč Orman, 18 Kilom. nördlich
von Kaliakra:

```
        I ᴗ Λ Ι Α Ι
        Α Τ Ο Υ Κ Υ
        Α Ν Ε Ι Κ Η
          Ο Ρ Ο Ɛ
   5      Υ Μ Ρ Ο Υ
        Κ Α Ι Μ Η
        Β Ο Μ Λ Ι
        Α Τ Ι Α Ν Ʌ̱
```

In der letzten Zeile stand wohl sicher Καλλ]ατιανῶ[ν.

---

[40] Tepljakov op. cit. S. 23.

[41] Die Ebene zwischen Balčik und Silistria habe ich nicht besucht. Ein
bulgarischer Beamter erzählte mir, in Hadži-Oglu-Pazardžik (1882 umgenannt in
Dobrič) stehe bei der Kirche eine Säule mit dem Namen des Alexander Severus.
Sonst hörte ich nur von künstlichen Höhlen (mit Kirchen?) bei Bazaurt, türk. „gjaur-
evleri" (Häuser der Ungläubigen) genannt, und von Resten alter Ansiedelungen bei
Gelendžik und Kabasakal in derselben Gegend.

2. In Kalajdžideré, 28 Kilom. von Kaliakra, 12 Kilom. vom Meere, NW. von Šabla, an einem von Westen kommenden trockenen Thale ein „Kalé" (Burgruine) und ein Grenzstein von Callatis (Mangalia), 0·9 h., 0·75 br., die Buchstaben 0·1 hoch:

F T E R R

C A L L

Nach Varna zurückgekehrt, brach ich nach D e v n a auf (auch Devňa ausgesprochen; die ältere Form ist Devino). Die Distanz dieses bulgarischen Dorfes von Varna stimmt mit den 18 röm. Meilen der Linie Odessus-Marcianopolis überein. Im J. 1829 haben die Russen hier eine bilingue Inschrift (Grab eines C. Valerius Alexander) nebst einer Menge römischer Kaisermünzen gefunden [42]). Die darauf gegründete Annahme, das alte M a r c i a n o p o l i s sei hier gewesen, wird durch das von mir Gesehene nur bestätigt. Man betritt ein muldenförmiges, von Norden nach Süden gewendetes Thal, an dessen westlicher Böschung in der Höhe die Häuser von Devna (1255 Einw.) sichtbar sind. In der Thalsohle reihen sich zwischen schönen blumenreichen Wiesen und stämmigen Pappeln und Weiden nicht weniger als 34 Mühlen (1829 waren ihrer 24) nahe bei einander längs der D é v n e n s k a R e k á, welche auf einer 70 Schritt langen steinernen Brücke überschritten wird. Der Fluss entspringt an der Nordseite unter einer niederen Terrasse, in zahlreichen, zum Theil polygonal ummauerten, zum Theil in der Gestalt kleiner schilfreicher Sumpfseen belassener, bis 3—5 M. tiefen Quellbassins mit klarem durchsichtigem Wasser, in welchem periodisch dichte Luftbläschen aufsteigen. Es ist offenbar der unterirdische Abfluss der Niederschläge aus der sonst sehr wasserarmen Ebene, die sich von den hiesigen Kalkterrassen bis zur Donau erstreckt und schon von hier an Dobrudža genannt wird; das Volk glaubt, das Wasser komme von der Donau und erzählt zum Beweis dessen allerlei Geschichten von herausgeschwemmten Hirtenstäben u. dgl. Das sind ohne Zweifel die bei Jordanes (ed. Mommsen p. 82) so anschaulich beschriebenen Quellen von Marcianopolis: *in flumine illo, qui nimii limpiditatis saporisque in media urbe*

---

[42]) Die Inschrift (Boeckh n. 2055b, C. I. L. III, 761) ist von Tepljakov bei den Mühlen von Devna copirt worden (bei ihm S. 134); er hat den Ort allerdings zu einer sehr bewegten Stunde besucht und wurde sogar unfreiwilliger Zeuge der blutigen Schlacht bei dem nahen Eski Arnautlar.

oritur; Potami cognomento. Die Umgebung ist voll Fundamente
alter Mauern, und um die ganze Quellengegend herum gehen die
Spuren einer ausgedehnten, wie es scheint, polygonalen Umfassungsmauer, die in neuerer Zeit als Steinbruch für den Bau der Festungs-
werke von Varna diente und dadurch zum grössten Theil bis zur
Unkenntlichkeit rasirt wurde. Es fehlt auch nicht an grossen
Quadern und Säulenstücken, an gewaltigen Sarkophagen, Thongefässen und namentlich an römischen Münzen. Viel altes Baumaterial ist in den Mühlen und besonders in den Wehren verbaut.
In einem Backofen zu Devna soll ein griechisches Fragment mit
dem Namen des Kaisers Traian eingemauert sein, ist aber jetzt
übertüncht. Herr Lazar Dukov aus Devna, einer der Bauern-
deputirten der bulgarischen Nationalversammlung, hatte die Güte,
für mich die Inschrift eines neu ausgegrabenen Sarkophages ab-
zuzeichnen:

D ⌀ M ⌀

M Y Ř Z M O ⌀ A L ᴡ N O ᑕ

C O S C o Ṅ V S ⌀ I N G E ᴧᴧ V S ⌀

D E C ⌀ P O S V I T ⌀

d. m. Myrizmo alumno Cosconius Ingenuus dec(urio) posuit.

Der Ort an den Quellen gilt jetzt als ein Fieberherd, und selbst
das schöne klare Quellwasser bezeichnete man mir als zum Trinken
ungesund. So viel ich sehen konnte, ist der Platz von Marcianopolis im Mittelalter nicht bewohnt gewesen. Die sanitären Verhältnisse scheinen sich demnach wohl durch Versumpfung des Wassers
seit der Römerzeit sehr geändert zu haben. Man erzählte mir, dass
die Quellen mitunter auch grosse Ueberschwemmungen verursachen,
und in der That hat der Fluss 1883 die Hälfte der Brücke weg-
gerissen.

Die Aussicht durch das Thal südwärts zeigt die Lage der
merkwürdigen, schwer zugänglichen Ruine Petrič-kalessi, welche
auf einem rechtwinkligen Gebirgsvorsprung die Eisenbahn Ruščuk-
Varna zwischen der Station Gebedže und dem Dorfe Avren von
der Südseite überragt. Von dem Bergzuge selbst ist dieselbe durch
einen 10 Schritt breiten, in den Felsen gehauenen Graben getrennt
und im Umkreise von einer angeblich gleichfalls aus dem Felsen
selbst gehauenen Mauer eingeschlossen. Die Aussicht umfasst nach
der Erzählung des H. Radivojev, der den Berg bestiegen hat, den
grössten Theil der Landschaften von Provadia und Varna. Am

Fusse des Burgfelsens fand man eine Menge Pfeilspitzen, steinerne
Grabkreuze, „Töpfe mit Menschenknochen" u. s. w. Das Schloss
wird 1444 bei dem Zuge König Wladislaw's nach Varna genannt,
P e t r u s oder P e t e r s p ü r c k bei Michael Beheim (herausg.
von Karajan, Quellen und Forschungen zur vaterl. Gesch., Wien 1849
S. 41), P e t r e c z bei Dlugosz, in den Ausg. des Callimachus ver-
unstaltet in Pezechium statt „Petrechium". Es ist vielleicht identisch
mit dem byzantinischen τὸ Πετρίν (neben Προβάτους in der Eparchie
von Varna 1369 *Acta patr.* I 502).

Sonst konnte ich über die Umgebung von Marcianopolis nur
wenig erfahren, höchstens dass auf einer bewaldeten Anhöhe bei
dem nahen K o t l u b e j öfters Silbermünzen von Alexander d. Gr.
gefunden wurden. Die Bevölkerung der Gegend hat seit hundert
Jahren ganz gewechselt. Die vier Orte D e v n a, seit 1830 von
Bulgaren aus der Gegend von Jambol, Trjavna u. s. w. colonisirt,
E s k i A r n a u t l a r oder bulg. A r b a n a s i (Türken), D e r e k ö i,
ursprünglich P e t r o v a R e k a (Bulg.), und das heutzutage halb
verödete D i z d a r k ö i, bulg. D o b r i n a genannt, eine Art Vorstadt der Burg von Provadia mit zwei alten Kirchen, gepflasterten
Strassen, Brunnen u. s. w., waren bis 1829 zum Theil von christlichen A l b a n e s e n bewohnt. Die Vorfahren derselben werden schon
1595 in diesen Gegenden genannt, wahrscheinlich nach der Unterwerfung des Epirus von den Türken hieher übergesiedelt; ihre Nachkommen leben jetzt in Volkonešti und Karakurt in Süd-Bessarabien.

Das mittelalterliche Centrum der Landschaft war das von
Marcianopolis nicht sehr entfernte P r o v a d i a (byz. Πρόβατον,
altbulg. Provad), noch im 16. Jahrhundert ein bedeutender Handels-
platz, gegenwärtig der allerdings sehr verfallene Hauptort eines die
Gegend zwischen Varna und Šumen umfassenden Bezirkes. Seine
Felsenburg, die durch ihren Typus bereits an die befestigten Tafel-
berge von Trnovo, Loveč u. s. w. längs der Nordseite des Balkans
erinnert, ist von Kanitz beschrieben und abgebildet worden. Die
zwei von demselben (Donau - Bulgarien III S. 354) nur unvoll-
kommen edirten mittelalterlichen Inschriften auf glatten Säulen
habe ich nochmals copirt. Dieselben beginnen mit dem Namen des
heidnischen Bulgarenfürsten κάνας Ὠμουρτάγ, *rex Bulgarorum
Omortag* in Einhard's Annalen ad a. 824, und bilden mit der
schon längst bekannten Säule des Omortag in der Kirche der heil.
40 Märtyrer zu Trnovo (vgl. Geschichte der Bulgaren S. 148 Anm.),
der jetzt verschollenen Säule aus der Zeit des κάνας Μαλαμήρ, eines

der nächsten Nachfolger Omortag's (1831 in Šumen, C. l. Gr. IV
p. 319 n. 8691 *b*) und noch einigen Fragmenten eine Gruppe von
merkwürdigen, in barbarischem Griechisch verfassten Inschriften
des 9. Jahrhunderts, die ich bei einer besonderen Gelegenheit insgesammt besprechen werde. Zu denselben gehören auch die Säulen
mit den Namen thrakischer Städte, wohl Siegeszeichen von den
Eroberungszügen des Bulgarenfürsten Krum (um 813): κάστρον
Βουρδίζου (von Kanitz III. 242. 356 in Aboba gesehen, jetzt auf dem
Hofe der Präfectur in Šumen), κάστρον Ῥεδεστοῦ (neben der Omortag-
säule in Trnovo, vgl. Monatsberichte a. a. O. S. 460), κάστρον
Θεοδωρουπόλεως (war in Aboba, jetzt verbaut in einem Türken-
hause zu Šumen) u. s. w.

Die Ruinen bei dem türkischen Dorf A b o b a (bedeutet
„Grossvater", 822 Einw.), 7 Kilom. gegen NW. von dem Städtchen Jenipazar und ebensoviel von der Station „Shumla Road",
von denen schon Carsten Niebuhr 1767 hörte (bei Jenipazar „soll
in älteren Zeiten eine grosse Stadt gelegen haben", Reise III. 173)
und die Kanitz (III. 242) für die Wissenschaft entdeckt hat, sind
wie die Trümmer von Marcianopolis in neuerer Zeit als Baumaterial
für die Festungs-, Moscheen- und Häuserbauten von Šumen, für die
Gebäude von Jenipazar und selbst für die hiesigen Bahnstationen
mit deren Magazinen gründlich ausgebeutet worden. Das H i s s a r-
k a l e s s i liegt auf ganz ebenem Terrain, das im Norden von waldigen Terrassen umsäumt ist, durch welche der gerade Weg von
Šumen nach Silistria führt, und besteht aus zwei Theilen: einem
viereckigen Praetorium mit steinernen Mauern und runden Thürmen
an den Ecken und in der Mitte jeder (600 Schritt oder 10 Minuten
langen) Flanke, und ringsherum einem viereckigen Castrum mit
Wall und (12 Schritt breitem) Graben von gewaltigen Dimensionen.
Die Beamten der Behörden von Jenipazar und Šumen behaupten,
das ganze Lager sei (von Norden nach Süden) 6 Kilom. lang und
3 Kilom. breit. Die langen schnurgeraden Linien an der Ost- und
Westseite machen in der That einen überraschenden Eindruck,
aber es war mir leider nicht möglich, das ganze Viereck zu umgehen, da ich mich in diesen Tagen nicht ganz wohl fühlte. Ich
notirte mir nur drei Distanzen von Aboba aus, das selbst innerhalb
des südlichen Walles liegt: zum Ausgang in der Mitte der Ostseite
des Lagers ungefähr eine halbe Stunde, zum Praetorium 12 Minuten
(Trab), zur südwestlichen Ecke des Walles 10 Minuten. Der weite
innere Raum ist bebaut mit Getreide und Gemüse. Die von Kanitz

gesehene Inschrift aus der Zeit des Kaisers Titus ist schon verschwunden; ich sah nur einzelne Säulen und Steine, grosse Ziegel
und einen steinernen Thürbogen aus einem Stück (Spannweite 3·5 M.).
Das merkwürdigste waren aber zwei megalithische Gruppen regelmässig in Reihen aufgestellter, von Weitem hergebrachter, unbehauener und plumper Blöcke verschiedener Grösse bis zur Mannshöhe; die eine liegt ausserhalb der Südseite des Lagers bei Aboba
selbst (9 Reihen zu je 7 Stück), die andere an der Ostseite desselben (7 $\times$ 5). Die Türken nennen dieses Riesenspielzeug „dev-
tašlar". Ausserhalb der Westseite des Castrums bemerkte ich auch
einige Tumuli [43]).

Das Lager von Aboba ist ohne Zweifel identisch mit dem
altbulgarischen Pliskov (Πλίσκοβα) des 10. und 11. Jahrhunderts,
welches Leo Diaconus (p. 138) zwischen Prêslav und Dristra (Silistria), Anna Komnena (ed. Reifferscheid I. 233) zwischen dem
Balkanpass der Σιδηρᾶ und Dristra in der Nähe der ἀκρολοφία
Συμεῶνος (Šumen) nennt. Wie hiess aber der Ort zur Römerzeit?
Die Peutinger'sche Tafel kennt eine Strasse von Marcianopolis nach
Nicopolis, 130 röm. Meilen lang, was auf eine über Aboba geführte
Linie gut passt, erwähnt aber keine Zwischenstationen. Die Gegend
gehörte ohne Zweifel nach Moesia inferior, dessen Ostgrenze von
der Donau unterhalb Durostorum bis zu einem Punkte der Pontus-
küste (wohl zum Batovadelta) zwischen Dionysopolis und Odessus
reichte. Von den sieben bei Hierocles (ed. Parthey p. 5) genannten
Städten der Provinz ist das einzige, durch die Katastrophe des

---

[43]) Eine genaue Belehrung über die Lage und Ausdehnung des ganzen
Lagers von Aboba gibt uns die neue russische Generalstabskarte von Bulgarien
(Blatt V, 8 Šumen), auf welcher sowohl die innere Burg als der äussere Wall
genau eingetragen sind. Das Viereck ist unregelmässig, im Norden breiter als im
Süden. Der Wall auf der Westseite streicht in gerader Linie von Nord nach Süd
und ist beinahe 6 Werst lang (eine Werst = 1067 Meter). Die Ostseite hat dieselbe Länge, biegt aber im südlichen Theile etwas einwärts ein. Die Nord- und
Südseite sind ein wenig auswärts ausgebogen; die erstere ist 4¹/₂ Werst, die zweite
nur 3¹/₃ Werst lang. Die kleine Befestigung im Centrum liegt nicht gerade in der
Mitte; die Entfernung derselben von der Nord- und Südfront des Castrums ist
zwar gleich, jedoch liegt dieselbe näher zur Ostseite desselben. Das Terrain des
ganzen Platzes ist sanft geneigt gegen Süden. Ein Bach entspringt im Nordwest-
winkel des Lagers, fliesst an der Westseite des Praetoriums vorbei und tritt bei
dem Dorfe Aboba, das selbst innerhalb der Südfront des Lagers gelegen ist, in's
Freie (die Karte hat irrthümlich Ak-Baba; ich habe immer nur Aboba gehört, wie
der Name auch in den bulgarischen amtlichen Ortsverzeichnissen gedruckt steht).

Kaisers Decius 251 berühmte **Abrittus** (mit dem **Forum Sempronii** des Dexippus frg. 16 (16 a): ἐν Ἀβρύτῳ, τῷ λεγομένῳ φόρῳ Θεμβρωνίῳ) der Lage nach unbekannt. Man könnte auch an **Zaldapa** des Theophylaktos Simokatta denken (ed. Bonn. p. 48. 87. 270), umsomehr als dasselbe auf einem Marsche von Marcianopolis nach Jatrus erwähnt und auch von Joannes Antiochenus (*Fragm. hist. Graec.* V 32) als ein τῆς κάτω Μυσίας πόλισμα genannt wird, wenn Procopius (*de aedif.* 308, 23) und Hierocles den Ort nicht ausdrücklich nach Scythien verlegten.

Noch an demselben Tage besuchte ich das alte, von Kanitz (III. 112) abgebildete Steinbild bei dem Dorfe **Madara**, 15 Kilom. östlich von Šumen. Oestlich oberhalb der Häuser dieser türkischen Ansiedelung befindet sich in einem Winkel der nahen Felswände eine halbkreisförmige geräumige Höhle, aus welcher ein wasserreicher Quellbach zwischen Steinblöcken zu einigen Mühlen hinabfliesst. Vier steinerne Tröge an der Quelle und einige grosse viereckige Löcher hoch auf der Aussenwand, sowie der Umstand, dass hier noch jetzt am Tage der hl. Marina ein christlicher Gottesdienst gehalten wird, sprechen dafür, dass dieser anmuthige Ort mit seiner schönen Aussicht auf die fruchtbare Landschaft von Šumen in alter Zeit als ein natürliches Heiligthum galt. Wenn man von der Höhle nordwärts längs der Felswand geht, so erblickt man nach wenigen Minuten auf der grauen, mit gelben Horizontallinien gerippten Mauer ungefähr 7 Mannshöhen hoch ein grosses, aber besonders bei grellem Sonnenschein undeutliches und bereits stark verwittertes Basrelief. Es hat keinen Rahmen, und der Fels ist bei dessen Herstellung nur wenig ausgeglichen worden. Es ist ein „thrakischer Reiter“ in Lebensgrösse und in guter Ausführung; der Kopf des Reiters ist undeutlich, dagegen erkennt man ein gut gezeichnetes Pferd, darunter einen Löwen und links hinter dem Pferde einen laufenden Jagdhund. Es scheint, dass der Reiter den Löwen mit einer Lanze durchstach. Unter dem Bilde bemerkt man noch zwei viereckige Löcher von dem zur Arbeit hergerichteten Gerüste. Zu beiden Seiten des Pferdes befand sich eine längere Inschrift, die links sehr verwittert, rechts aber gut erhalten ist. Dieselbe ist nicht, wie Kanitz meint, lateinisch, sondern griechisch. Ich entzifferte mit dem Fernglas links über dem Jagdhund klar das Wort ΧΑΙΡΕ, rechts von dem Rosse die Stellen ΤϨΕΝΑΜ, anderswo ΕΙΛΕ und ΕΜΕΤΕ; das griechische Α ist oft gut kenntlich. Jedoch ist eine Lesung von unten aus nicht möglich, da die Zeilen mitunter in Folge des ungleich vortretenden Bodens für den Beobachter im oberen Theile der Buchstaben tiefer fallen, als im unteren. Einer meiner Begleiter machte den Versuch hinaufzuklettern, kam aber auf Felskanten nur an 3—4 M. unter das Bild auf einen Platz, von wo erst recht nicht hinaufzusehen war. ´ In ganz Madara, wo die Türken eben den Bairam feierten, war keine Leiter aufzutreiben; die Herstellung eines Gerüstes (das Material müsste man aus Šumen holen) hätte wenigstens drei Tage erfordert, meine Zeit war bemessen, und so musste ich jeden Versuch einer Annäherung an das merkwürdige Basrelief zu meinem grössten Leidwesen aufgeben.

Das Felsbild bei Madara ist nicht das einzige in diesen Ländern. In Eski-Džumaja hörte ich, in den Urwäldern zwischen dieser Stadt und Preslav (Eski-Stambul) sei bei Karliköi an einer sehr unzugänglichen Stelle ein in den Felsen gemeisseltes Reiterbild mit einer Inschrift zu sehen.

Die Stadt Šumen (türk. Šumla), im Laufe der letzten hundert Jahre zu einer Festung ersten Ranges erhoben, besitzt die Reste einer mittelalterlichen Burg (Hissar) auf dem Plateau in der äussersten Südwestecke der Position; das unterhalb in einem engen Thale gelegene türkische und jüdische Stadtviertel enthält die ältesten Gebäude der Stadt. In der Residenz des Metropoliten Symeon, eines warmen Freundes der Wissenschaften, sah ich neben einigen mittelalterlichen Denkmälern ein Fragment, wohl gleichfalls aus Aboba (Buchstaben 6 Cm. hoch):

ΡΑΤΟΡΙ
ΕΒΑΣΤω

Αὐτοκ]ράτορι .... [Σ]εβαστῷ ...

Das werthvollste, was die kleine archaeologische Sammlung der Metropolie enthält, ist aber eine Steinplatte mit einer langen dorischen Inschrift, in welcher mich die Namen von Kallatis und Apollonia, sowie die Erwähnung eines βασιλεύς überraschten. Das oben und unten, sowie an der rechten Seite leider zerschlagene Denkmal ist nur 0·6 M. hoch, an der weitesten Stelle 0·33 breit, 0·11 dick, die Schrift klein (1 Cm. hoch) und dicht. Keine einzige Zeile ist vollständig. In den Formen der Schrift sind besonders charakteristisch die Züge des Α, Θ, Κ, Π, ξ, Ω; ausserdem ragen Υ und Β etwas über die Zeile empor. Ueber den Fundort erfuhr ich, der Stein sei unlängst in dem früheren Tscherkessendorfe Kemekči

Deré bei Markovča ausgegraben worden, das jetzt unter dem
Namen Kostena Rjaka von Bulgaren bewohnt ist (196 Einw.,
Gemeinde Markovča, Arrondissement Jenipazar), nicht weit gegen
SO. von dem Felsrelief bei Madara. Jedoch der Inhalt selbst zeigt,
dass die Inschrift keineswegs ursprünglich dort sein konnte. Ich
gebe, in Ermanglung einer Photographie, nur eine sorgfältige Abschrift:

```
                                       ΙΖΕΙ
                            Ο Σ Α Μ Ω
                            Α Ν Κ Α Ι Ε Κ Τ
                            ٧ Α Τ Ο Υ Δ Α
                            Ω Ρ Η Μ Ε Ν Ω Ν            5
                            Α Ν Υ Γ Ε Ρ Τ Ι Θ Ε Μ
                            Τ Ε Κ Α Κ Ο Γ Α Θ Ι Α Ν
                       Ι ۱۱ Ι Δ Α Μ Ω Ι Τ Ι Τ Ω Ν Γ Ο Τ Ι
                       Ο Λ Ι Ι   Ο Ν Η Σ Α Ι Τ Ο Υ Τ Ε Β Α Σ
                       Α Ξ Ι   Ε Ν Τ Ο Σ Υ Γ Ο Α Σ Α Β Ι Є    10
                       Ι Ω Ν Ο Γ Ω Σ Λ Υ Σ Η Τ Ο Ν Γ Ο Τ Ι Σ
                     Ι Ε Ν Ε Σ Τ Α Κ Ο Τ Α Γ Ο Λ Ε Μ Ο Ν Ε Ξ Α Γ
                   Σ Ε Κ Τ Ε Ν Ω Σ Κ Α Ι Γ Ρ Ο Θ Υ Μ Ω Σ Κ Α Ι Μ Ε
                   Ι Ρ Η Σ Ι Α Σ Ε Χ Ρ Η Μ Α Τ Ι Ξ Ε Ν Γ Ε Ρ Ι Τ Ω Ν
                 Ο Λ Ι Ο Σ Δ Ι Κ Α Ι Ω Ν Ο Γ Ω Σ Ο Υ Ν Κ Α Ι Ο Δ Α    15
                 Α Ι Ν Η Τ Α Ι Τ Ο Υ Σ Ε Υ Ν́ Ο Ο Υ Ν Τ Α Σ Ε Α Υ Τ Ω Ι Κ Α
                 Ο   Κ Α Ι Α Γ Α Θ Ο Υ Σ Α Ν Δ Ρ Α Σ Τ Ι Μ Ω Ν Κ Α Θ Η Ι
               Ν   Ω Σ Ε Γ Α Ι Ν Ε Ι Σ Θ Α Ι Μ Ε Ν Ε Γ Ι Τ Ο Υ Τ Ο Ι Σ Τ Ο Ν Τ Ε
               Μ Ο Ν Τ Ο Ν Α Γ ⫶⫶⫶ Λ Λ Ω Ν Ι Α Τ Α Ν Ε Χ Ο Ν Τ Α Τ Ο Ν Γ Γ Ο
               Μ Ω Σ Α Ν Τ Ι Λ Α Μ Β Α Ν Ο Μ Ε Ν Ο Ν Τ Α Σ Κ Α Λ Λ Α Τ    20
               ٧ Ω Ν Σ Ω Τ Η Ρ Ι Α Σ Κ Α Ι Σ Τ Ρ Α Τ Ω Ν Α Κ Τ Α Λ Υ Ι
               Μ Ι Ο Σ Δ Ε Δ Ο Χ Θ Α Ι Τ Α Ι Β Ο Υ Λ Α Ι Κ Α Ι Τ Ω Ι Δ Α Μ
               ⌐ Γ Α Γ Γ Ε Ι Λ Α Σ Θ Α Ι Α Υ Τ Ω Ι Ο Τ Ι Ο Δ Α Μ Ο Σ Α Γ
               Α Σ Τ Α Θ Ε Ν Τ Ω Ν Α Υ Τ Ω Ι Τ Ω Ν Γ Ρ Α Γ Μ Α Ι
               Ι Σ Τ Α Ν Ε Ξ Α Ρ Χ Α Σ Δ Ι Α Θ Ε Σ Ι Ν Κ Α Ι Τ Η Ρ Ο Υ Ν    25
               Ι Τ Ο Υ Τ Α Ν Α Ι Ρ Ε Σ Ι Ν Α Ν Ε Χ Ω Ν Δ Ι Α Τ Ε Λ Ε Ι
               Α Κ Ο Ι Ν Α Α Ξ Ι Ω Σ Α Υ Τ Ο Ν Ε Γ Ι Σ Τ Ρ Α Φ Η Σ Ε
               Ω Ν Γ Ε Γ Ο Ν Ο Τ Ω Ν Ε Ι Σ Α Υ Τ Ο Ν Ε Υ Ε Ρ Γ Ε
               ∟ Ν Α Γ Ο Σ Τ Ε Ι Λ Α Ι Δ Ε Τ Ο Υ Σ Σ Τ Ρ Α Τ Α
               Ν Τ Ι Γ Ρ Α Φ Ο Ν Τ Ο Ι Σ Α Γ Ο Λ Λ Ω Ν Ι Α Τ Α Ν Α    30
               Α Ι Γ Α Ρ Α Κ Α Λ Ε Σ Α Ι Α Υ Τ Ο Υ Σ Τ Ο Ν Ε Γ Α Ι Ι
               Μ Ε Ν Ε Ι Σ Τ Ο Τ Ο Υ Α Γ Ο Λ Λ Ω Ν Ο Σ Ι Ε Ρ Ι
               Ο Ν Ε Γ Ι Τ Α Δ Ε Ι Ο Ν Ε Κ Λ Ε Ξ Α Μ Ε Ν Ο
```

ΛΙΔ ΕΑΥΤΟΝΚΑΙΤΟΝΒΑΣΙΛΕΑΕ

ΑΝΕΙΟΝΤΟΥΣΔΕΓΡΟΒΟΥΛΟΥΣ   35

ΛΕΥΟΝΤΑΣΤΟΝΜΗΝΑΤΟΝ

ΟΔΕΙΞΑΙΤΟΓΟΝΕΝΤ

ΟΝΑΝΑΤΕΘΗΣΕ₁ΤΑᵗ

Ε   ΜΩΝ⁻

     ΠΟΤΕ   40

[Mit Benützung eines von Domaszewski genommenen Ab-
klatsches möchte ich folgende Lesung vorschlagen:

ε

οσαμω

αν καὶ ἐκ τ[ῶν

να τοῦ δά[μου

ωρημένων   5

σωτηρί]αν ὑπερτιθέμ[ενος τῶν

ἰδίων....... οὔ]τε κακοπαθίαν [οὔτε κίν-

δυνον ἐκκλίνων ...τ]ῶι δάμωι τι τῶν ποτί

π]ό[λιν   ]ονῆσαι τοῦ τε βασ[ιλέως

ἀξι[ωθ]έντος ὑπὸ Ἀσαβιθ   10

ιων ὅπως λύσῃ τὸν ποτὶ Σ..

ἐνεστακότα πόλεμον ἐξαπ[οστ-

αλεὶ]ς ἐκτενῶς καὶ προθύμως καὶ με[τὰ

παρ]ρησίας ἐχρημάτιξεν περὶ τῶν [τᾶς

π]όλιος δικαίων, ὅπως οὖν καὶ ὁ δᾶ[μος   15

φ]αίνηται τοὺς εὐνοοῦντας ἑαυτῶι κα-

λ]ο[ὺς] καὶ ἀγαθοὺς ἄνδρας τιμῶν καθη[κό-

ν[τ]ως, ἐπαινεῖσθαι μὲν ἐπὶ τούτοις τόν τε [δᾶ-

μον τὸν Ἀπ[ο]λλωνιατᾶν ἔχοντα τὸν προ[θύ-

μως ἀντιλαμβανόμενον τᾶς Καλλατ[ια-   20

νῶν σωτηρίας καὶ Στρατώνακτα Λυ[γδά-

μιος, δεδόχθαι τᾶι βουλᾶι καὶ τῶι δάμ[ωι,

ἐ]παγγείλασθαι αὐτῶι, ὅτι ὁ δᾶμος ἀπ[οκα-

τ]ασταθέντων αὐτῶι τῶν πραγμά[των

ε]ἰς τὰν ἐξ ἀρχᾶς διάθεσιν καὶ τηροῦν[τος   25

αὐ]τοῦ τὰν αἵρεσιν ἂν ἔχων διατελεῖ [πρὸς

τ]ὰ κοινά, ἀξίως αὐτὸν ἐπιστραφήσε[σθαι

τ]ῶν γεγονότων εἰς αὐτὸν εὐεργε[τημά-

τω]ν, ἀποστεῖλαι δὲ τοὺς στρατα[γοὺς τὸ

ἀ]ντίγραφον τοῖς Ἀπολλωνιατᾶν ἄ[ρχουσιν   30
κ]αὶ παρακαλέσαι αὐτοὺς τὸν ἔπαι[νον
θέ]μεν εἰς τὸ τοῦ Ἀπόλλωνος ἱερὸ[ν, τό-
π]ον ἐπιτάδειον ἐκλεξαμένο[υς, καλέ-
σα]ι δὲ αὐτὸν καὶ τὸν βασιλέα ε[ἰς τὸ πρυτ-
άνειον, τοὺς δὲ προβούλους [τοὺς προβ-   35
ου]λεύοντας τὸν μῆνα τὸν . . . .
ἀπ]οδεῖξαι τόπον ἐν τ[ῆι ἀγορᾶι . . . .
εἰς] ὃν ἀνατεθήσε⟨ι⟩ται [. . . .
     ? τ]ε[λα]μων . . .
       ποτε   40

Das historisch Werthvolle, das diese Inschrift zu bieten ver-
möchte, steckt leider in den oberen, arg zerstörten Zeilen, deren
Reste den Hinweis auf einen im skythischen Gebiete geführten
Krieg zu enthalten scheinen. Schrift und Stil des erhaltenen Theiles
aber lassen die Inschrift mit einiger Wahrscheinlichkeit zeitlich
fixiren. Die Inschrift von Sestos, welche von Carl Curtius (Hermes
VII, 113 ff.) veröffentlicht (= Dittenberger Syll. n. 246) und von
Jerusalem (Wiener Stud. I p. 32 ff.) hinsichtlich ihrer sprachlichen
Uebereinstimmung mit Polybius einer eingehenden Untersuchung
unterzogen wurde, bietet merkwürdige Analogien. Ich citire von
den bei Jerusalem hervorgehobenen Besonderheiten der Inschrift
von Sestos, die sich in unserer Inschrift wiederfinden: κακοπαθία
in der Bedeutung „Anstrengung" Z. 4 u. 32, in unserer Inschrift
Z. 7; den häufigen Gebrauch von ἐκτενής und ἐκτενῶς in der
sestischen Inschrift, die unsrige hat ἐκτενῶς Z. 13; ἐπιστρέφεσθαί
τινος „sich um etwas kümmern" (Inschrift von Sestos Z. 28;
Inschrift von Callatis Z. 27 f.). Die Abfassungszeit der sestischen
Inschrift ist durch die Erwähnung der letzten Attaliden bestimmt
und fällt sicher nach dem Tode Attalos III. Die Buchstaben unserer
Inschrift lassen diese Zeit sehr wohl zu. Eine spätere Zeit scheint
schon dadurch ausgeschlossen, dass im J. 72 Lucullus Apollonia
eroberte und seit dieser Zeit wohl schwerlich mehr das Apollo-
heiligthum, welches in der Inschrift erwähnt wird, bestand, da die
Colossalstatue, das Werk des Kalamis, daraus nach Rom geschleppt
wurde. Aus früherer Zeit (Ende des 4. Jahrhdts.) ist uns über die
Schicksale von Callatis bekannt, was Diodor XIX, 73 und XX, 25
berichtet. — Im Einzelnen bemerke ich Folgendes: Z. 21. Στρατῶ-
ναξ scheint bisher nicht belegt zu sein. — Z. 27. Man hat hier die

Wahl, zu einem Anakoluth zu ergänzen, wie im Texte geschehen ist, oder αὐτὸν ἐπιστραφήσε[ται] τῶν κτλ. unter Annahme der unbelegten Construction von ἐπιστρέφεσθαι mit Acc. der Person zu lesen. — Z. 30 ff. Ueber den Geschäftsgang, der eingehalten wurde, wenn von einem Staate an einen anderen das Gesuch gerichtet wurde, einen Platz zur Aufstellung einer Ehrensäule zu bewilligen, gibt Aufschluss die Inschrift *Bull. de corr. héll.* X (1886) 102 ff. — Z. 35. Neben monatlich wechselnden Probulen lernen wir hier als Beamte von Callatis Strategen (Z. 29) kennen. SZANTO]

In einer schönen warmen Landschaft an der nördlichen Kam-čija (türk. Akylly Kamčik), welche bulgarisch, wie im Mittelalter, noch jetzt allgemein Tiča genannt wird, liegen zwei Stunden südlich von Šumen die Reste der einstigen, wohl auf antiker Grundlage errichteten Hauptstadt Bulgariens, Prêslav, der Μεγάλη Περισθλάβα der Byzantiner und des Edrisi, bei einem noch jetzt Preslav, türk. Eski Stambul genannten grossen Dorfe (2770 Einw.). Die Blüthe-zeit des Ortes fällt in die Zeiten Symeon's (888—927) und seiner nächsten Nachfolger. Noch im Anfang des 13. Jahrhunderts schildert Niketas Akominatos (ed. Bonn. p. 486) Πρισθλάβα als πόλις ὠγυγία, ἐκ πλίνθου πᾶσα ὀπτῆς, καὶ πλείστην ὅσην περὶ τὸν Αἷμον τὴν περί-μετρον ἔχουσα. In der Türkenzeit führte hier die Hauptstrasse von Constantinopel nach Bukarest vorbei. Jacobus Bongarsius erblickte hier 1585 „*un cerne de murailles de pierre quarrée blanche, presque entier de grande estendue*“. Hadži Chalfa beschreibt im 17. Jahr-hundert die Ruinen als eine feste und breite Mauer, die einen grös-seren Raum einschloss als Constantinopel, im Inneren von Feldern und Bergen erfüllt. Carsten Niebuhr (III. 172) sah im Jahre 1767 „an der Südseite des Fleckens ein Stück von einer alten Stadt-mauer“, was ihn zur Vermuthung brachte, „dass dieser Ort die Residenz der ehemaligen Könige von Bulgarien sey“; er hörte auch von den Einwohnern, Eski-Stambul „heisse in der bulgarischen Sprache Praslav“. Seit der Zeit sind die Ruinen arg verwüstet worden, denn sie dienten ebenfalls als Steinbruch und Kalkbrennerei für die Festungsbauten von Šumen. Kanitz (III. 70 ff.), welcher die erste genauere Beschreibung des Ortes gab, war durch ihren Zustand recht enttäuscht.

Die Ruinen von Preslav bestehen, wie die von Aboba, aus einem inneren gemauerten Schloss und einer sehr umfangreichen äusseren Befestigung, welche den ebenen, ganz von Feldern und

Weingärten bedeckten Raum zwischen dem Dorfe und dem Austritt der Tiča aus einem waldigen Defilé ungefähr auf eine halbe Stunde Weges erfüllte. Das entspricht dem äusseren τοῦ ἄστεος περίβολος (oder τεῖχος) mit den ἐπάλξεις und der inneren βασίλειος αὐλή, τειχίον ἐχυρὸν κεκτημένη, ἐν ᾗ καὶ ὁ πλοῦτος Μυσοῖς ἐναπέκειτο in der anschaulichen Beschreibung bei Leo Diaconus (p. 134—138). Das Schloss (Saraj genannt) steht an 600 M. vom linken Ufer des Flusses, an welchem hier auch die Spuren einer alten Brücke bemerkbar sind. Es war ein etwas unregelmässiges Viereck, im Innern von Norden nach Süden 225 Schritt breit; von der 2 M. breiten, auf der Aussenseite durch solide Quaderverkleidung (die einzelnen Quadern 0·9 M. l., 0·45 br.) gedeckten Umfassungsmauer aus Rollsteinen stehen noch vier bis 20 Schritt lange und 5—6 M. hohe Stücke. Alte Bauern erinnern sich sie gesehen zu haben, als sie noch ganz erhalten war und ein Thor hatte. Die Linie der äusseren Umwallung ist kaum kenntlich, soll aber vor Jahren nahe bei dem Dorfe stückweise noch auf Mannshöhe hoch gestanden haben. Im Innern gibt es über der 40 M. tief eingeschnittenen quellenreichen Schlucht des Baches Tunéška Reka eine Stelle, genannt Monastir. Dieselbe gilt als Fundort alten Mosaiks und ich selbst, als ich auf dem geackerten Felde oben am Rande der Böschung mit dem Spaten an's Werk ging, stiess neben einigen Splittern grünen undurchsichtigen Fensterglases auf hübsch geglättete Mosaikstücke verschiedener Form und Grösse in drei Farben, allerdings nicht mehr zusammenhängend, sondern zerstreut unter dem von der Pflugschar Jahr für Jahr umgewendeten Boden. Im Dorfe selbst sind in der Kirche und in dem Amtshause zahlreiche glatte Säulen, Capitäle mit Akanthen, Architrave, thönerne Röhren und viele Quadern zu sehen. Grosse längliche Platten mit schönen Blattornamenten, darin ein Kreuzzeichen, jede in drei Felder (0·39 h. u. br.) getheilt, sind von hier nach Šumen gebracht worden (zwei im Leseverein „Čitalište", fünf bei dem Metropoliten); einen ähnlichen Stein aus Preslav mit blitzartigen Linienornamenten sah ich bei der Kirche von Kotel. Die meisten dieser bearbeiteten Steine sollen aus dem inneren Schloss stammen. Die Preslaver erzählen, vor Jahren habe man grosse „silberne und goldene Handschuhe", bis zum Ellbogen reichend, aufgefunden und eingeschmolzen; auch zeigte man mir eine 15 Cm. lange hohle Froschfigur aus Bronze guter Arbeit, mit einer Miniaturmaus als Deckel. Bei der Schule steht endlich auch eine 16 Zeilen lange, sehr beschädigte lateinische Inschrift (1 M. h., 0·39 br.). Es ist wohl dieselbe, von welcher Kanitz (III. 73) einen Abklatsch mitgebracht hat, aus dem jedoch Mommsen den Inhalt nicht zu entziffern vermochte. Die Schriftzüge sind unregelmässig und stellenweise unkenntlich; ausser einigen Worten (IPSE, VICTOR, PROPATRI, DECVS) konnte ich bei einer allerdings nur flüchtigen Besichtigung nichts Näheres herausbringen.

Die Umgebungen von Preslav haben ebenfalls manche Alterthümer aufzuweisen. Ich erwähne nur eine Burg Bjálgrad, eine Stunde westlich von Preslav, die Reste einer gepflasterten, nach Vrbica im Balkan führenden Strasse bei Dragójevo (von dort sah ich auch eine silberne Alexandermünze), einen neulich (1885) bei Smjádovo gemachten Fund eines bronzenen Helms, ein prachtvolles Paar eiserner Messer mit in Gold und Silber eingelegten Zeichnungen auf der Klinge: Blumen, Blättern, Vögeln, Hasen, Ziegen, Löwen, Schlangen u. s. w., gefunden 1869 bei Divdjádovo (türk. Čengel), jetzt im Palais von Sofia.

Die Reise war zu Ende. Von Preslav kehrte ich längs des Nordfusses des Balkans über Trnovo und Loveč nach Sofia zurück. Zum Schlusse erlaube ich mir noch, zwei Inschriften mitzutheilen, die, so viel ich weiss, noch unedirt sind.

1. In Silistria, früher in der Ak-Kapu-Džamisi, jetzt auf der Präfectur (nach zwei Copien), bemerkenswerth wegen der Erwähnung eines *templum in canabis:*

```
                I · O · M ·
        PRO SALVTE · IMP · CAES · T · AEL · HA
        DRIANI · ANTONINI · AVG · PL · EI · VE
        RI CAES · TEMPLVM · ET · STATVAM
  5     C · R · ET · CONSISSTENTIBVS · IN
        CANABIS · AELIS · LG XI CL ·
        CN · OPPIVS · SOTERICHVS ET
        OPPIVS SEVERVS · FIL · EIVS
        DE SVO · FECERVNT · DEDICA
 10     TVM EST · PER · TIB · CL · SATVRNI
        NVM · LEG · AVG · FR · PR · TIB · CL · IVLI
            ANO · LEG · AVG
```

I(ovi) O(ptimo) M(aximo) pro salute imp. Caes(aris) T. Aeli Hadriani Antonini Aug(usti) P[ii] e[t] Veri Caes(aris) templum et statuam c(ivibus) R(omanis) et consi(s)tentibus in canabis Aelis l(e)g(ionis) XI Cl(audiae) Cn. Oppius Soterichus et Oppius Severus fil(ius) eius de suo fecerunt. Dedicatum est per Tib. Cl(audium) Saturninum leg(atum) Aug(usti) pr(o) pr(aetore), Tib(erio) Cl(audio) Juliano leg(ato) Aug(usti).

2. Im Dorfe R e s e l e c am linken Ufer des Isker zwischen Vraca und Pleven, vom jenseitigen rechten Ufer aus einer „Monastir" genannten Ruine herübergeschafft (Copie des H. Schulinspectors C. Ginčev):

```
        L · PLINIVS · SEX · F
        FAB · DOMO
        TRVMPLIA
        MIL · LEG · XX
   5    ANNORVM XLV
        STIPENDIORVM XVII
        HIC SITVS EST
        TESTAMENTO FIERI
        IVSSIT
  10    SECVNDVS
        L · PLIN · ET · P · MECRI
        LIBERVS FECIT
```

Prag, März 1886   CONST. JIREČEK

Nachtrag

Z u r K a r t e. Da die zum IV. Theil der Abhandlung gehörige Karte früher gedruckt war als der Text, müssen zwei Berichtigungen derselben hier Platz finden: 1. Der Name C a b y l e gehört oberhalb (nicht unterhalb) des Namens Jambol zum Berg Taušan Tepé; 2. der Name D e u l t u m bei den Ruinen von Skefa ist zu entfernen und dafür etwas weiter westlich nebst einer Ruinenstätte zu beiden Seiten der Mündung des Flusses von Karabunar (südlich vom Endpunkt des Walles) einzutragen.

S. 46 Z. 17 l.: ΠΡΟCΚΥΝΗΤΕΙΚΟΝ.

S. 48. Herr Brožka in Sophia unterrichtete mich in einem Schreiben vom 7. (19.) August 1886 über die Reste bedeutender antiker Gebäude, die in diesem Sommer ausserhalb der Ostseite der Stadt gefunden wurden. Oestlich von der Sophienkirche wird der weite, bisher als Hutweide benützte Raum zwischen den Strassen nach Ruščuk und Philippopel allmählich verbaut. Dabei

stiess man knapp am Westufer des Baches von Podujeni auf die
Ueberreste eines an 50 Meter langen Gebäudes mit 1 M. dicken
Mauern aus Rollsteinen und flachen Ziegeln. Die Nordseite desselben enthielt drei Kammern, insgesammt nach dem Innern zu
9·15 M. tief und in der Front 3·75, 7·5, 10 M. breit, je mit einem
Bogenfenster auf der Aussenseite und einer demselben gegenüber
liegenden Thür. Eine Kupfermünze des Kaisers Constantinus, eine
kupferne Vase (jetzt in der Nationalbibliothek) und ein Säulen-
capitäl, die man bei dem Ausheben des Erdreiches in den Kammern
selbst vorfand, zeugen von dem römischen Ursprung dieser Bauten.
Ueber zwei der Kammern hat man heuer ein 150 Quadratmeter
grosses Haus erbaut und dieselben als Keller eingerichtet. An
100 Schritt westlich bemerkt man auf einem brachliegenden Bau-
platz die Substructionen eines viereckigen, 10 M. langen, 8 M.
breiten Gebäudes mit einer bogenförmigen Apsis auf der Ostseite,
wohl einer Kirche. Alles spricht für eine spätrömische Ansiedelung
auf dieser Stelle, die von den Thermen und der inneren Stadt
schon recht entfernt liegt.

S. 84. Grisebach (Reise durch Rumelien 2, 282) sah 1839
in Kalkandelen eine Bleiglanzprobe, die aus den theilweise mit
Wasser gefüllten Gängen eines verfallenen Silberbergwerkes am
Šargebirge in der Dibra stammte. Die Türken hatten kurz zuvor
eine militärische Expedition zu der Auffindung dieser Bergwerke in
das Gebiet der kriegerischen Albanesen der Dibra gesendet. In
diese Gegend gehören die ἀργυρεῖα τὰ ἐν Δαμαστίῳ des Strabo 7
p. 326.

S. 92. Nach der neuesten bulgarischen Schrift der Brüder
Škorpil (a. a. O. S. 96) ist das Pflaster der Römerstrasse zwischen
dem rechten Ufer der Marica und dem Bahnhof von Tatar-Pazardžik
0·5 M. tief gefunden worden. Von dort ging die Strasse bei den
Resten des alten Bessapara vorüber gegen das Dorf Karatahir und
erreichte bei dem Dorf Kadiköi eine Oertlichkeit Namens Ku-
kardži, wo früher eine Menge bearbeiteter Steine sichtbar waren;
Škorpil verlegt das alte Tugugerum dahin und meint, dass die
Marmorsteine, Säulen und Quadern in den nahen Ortschaften insgesammt von dort stammen. Die gepflasterte Strassenspur zieht
sich sodann über Zlatitrap und Mečkür nach Philippopel.

Škorpil bringt zwei Inschriften aus dieser Gegend:

1. Eine Säule (Durchmesser 0·38 M.) auf dem Friedhof südwestlich von Airauli (S. 86). Die Klammern scheinen undeutliche

Stellen zu bezeichnen; der wichtige Name des Legaten Kaiser
Gordians ist leider nicht sorgfältig genug wiedergegeben.

```
        (A Γ A Θ)Η  Τ Υ Χ(Υ)
   A Υ Τ Ο Κ(Ρ)Α Τ Ο Ρ Ι Κ Α Ι Σ Α(Ρ Ι)Μ(Α Ν Τ Ο)
   Ν Ι Ω Γ Ο Ρ Δ Ι Α Ν Ω Ε Υ Τ Υ Χ Ι Ε . . . . . . . . .
   Σ Ε Β Α Σ Τ Ω Κ Α Π Η Ν Θ Ε Ο Φ Ι Λ . . . . . .
 5 Γ Ο Υ Π Α Ν Γ Υ Ν Α Ι Κ Α Α Υ Τ Ο Υ Φ Ο Υ . . . . . .
   Σ Α Β Ι Ν Ι Α Ν Η Ν Τ Ρ Α Ν Κ Υ Λ Λ Ε Ι Ν Α Ν Η(Γ Ε Μ Ο)
   Ν Ε Υ Ο Ν Τ Ο Σ Τ Η Σ Θ Ρ Α Κ Ω Ν Ε Π Α Ρ Χ(Ε)Ι Α(Σ)
   Π Ο Ν Ι Μ Α Π Α Ν Ο Υ Π Ρ Ε Σ Β Ε Β Α Ν Τ Ι(Σ Τ Ρ Α)
   Τ Η Γ Ο Υ Η Λ Α Ν Π(Ρ)Ο Τ Α Τ Η Θ Ρ Α Κ Ω Ν Μ Η(Τ Ρ Ο)
10     Π Ο Λ Ι Σ(Φ Ι Λ Ι)Π Π Ο Π Ο Λ Ι Σ
           Ε Υ Τ Υ Χ Ω Σ
```

[ἀγαθ]ῇ τύχ[η]. Αὐτοκ[ρ]άτορι Καίσα[ρι] Μ. ['Αντω]νίῳ Γορδιανῷ
Εὐτυχ[εῖ Εὐσεβεῖ] Σεβαστῷ κα[ὶ τ]ὴν θεοφιλ[εστάτην . . . .] γυναῖκα
αὐτοῦ Φου[ρίαν] Σαβινί[αν] Τρανκυλλεῖναν ἡ[γεμο]νεύοντος τῆς Θρακῶν
ἐπαρχ[ε]ί[α]ς Πο[μπωνι]ανοῦ (?) πρεσβ(ευτοῦ) Σεβ(αστοῦ) ἀντι[στρα]τή-
γου ἡ λανπ[ρ]οτάτη Θρακῶν μη[τρό]πολις [Φιλι]ππόπολις. εὐτυχῶς.

2. Grabstein in Zlatitrap (S. 83). Die ersten Buchstaben sind
unklar:

```
   (Μ Η Π)Η Ο Φ Ι Ν Υ Ο Σ Τ Ι Ν Κ Α Ι Φ Ρ Ο Ν Ω Ν Ε Α Υ Τ Ο Ν Α Φ Η
   Ρ Ω Ι Σ Ε Ν Ε Ν Ε Υ Τ Υ Χ Ε Ι Π Α Ρ Ο Δ Ε Ι Τ Α Φ Ι Λ Ε
```

[Etwa: ὁ δεῖνα ζῶ]ν (?) καὶ φρονῶν ἑαυτὸν ἀφηρώ[ι]σεν ⟨εν⟩.
εὐτύχει παροδεῖτα φίλε. Ο. Β.]

S. 94. Für die Strasse von Philippopolis nach Adrianopel
gibt Škorpil dieselbe Linie an, wie Dobruský, aber ohne Nachricht
über die geographisch so wichtige Inschrift von P i z o s. Die Station
S y r n o t a verlegt er zwischen die Dörfer Manoli und Geren, wo
an der Ostseite des Baches Karaderé sich ein türkischer Friedhof
mit „bearbeiteten Marmorsteinen von korinthischer Architektur"
(S. 98) befindet. Das Strassenpflaster ist hier nicht erhalten und
der Weg nur als erhöhter Damm kenntlich. Die Inschrift von
Geren bei Dumont (n. 60) soll jetzt zerschlagen und als Bau-
material verbaut sein; in Geren wurde auch die 22 Cm. lange
Hand einer grossen Bronzestatue gefunden. P a r e m b o l e verlegt
Škorpil (S. 99) auf eine 300 Schritt lange und 100 Schritt breite
Anhöhe westlich von Ašiklare, mit den Resten einer alten Ansiede-

lung; daneben ist das 4 M. breite Strassenpflaster auf einer 100
Schritt langen Strecke sichtbar. Ranilum glaubt er (S. 101)
westlich von Karaorman gefunden zu haben, wo sich eine Oertlichkeit, Kumbaklyk genannt, mit Spuren von Häusern, Ziegeln u. s. w.
vorfindet. Von dort zweigt die Spur eines alten Weges nordwestlich gegen Hissar ab (S. 101 ff.), über Türkmen, Bulgar Čoba,
Bekirli, zwischen Jutaklar und Kirekǒi, gegen Salalii zu.

S. 96. Nicht weit nördlich von dem Zusammenfluss der
Sazlijka und Marica gibt es am Westufer des ersteren Flusses,
südlich vom Dorf Tekké-Musačevo ein jetzt von der Eisenbahn
Seimenli-Jambol durchschnittenes Doppelcastell, das Škorpil (S. 17)
ausführlich beschreibt. Das nördliche Castell (Mauern 3 M. dick)
bedeckt einen Flächenraum von 25, das südliche von 40 bulgarischen „uvrat" oder türkischen „dönüm" (40 × 40 Schritt). Das
Innere der Burgen ist in Kammern (die nördliche in 18—20) eingetheilt gewesen. In dem Zwischenraum, 15 „uvrat" gross (aber
wie breit von Burg zu Burg?), bemerkt man Reste von Häusern
und eine alte Strasse, die von W nach O quer hindurch geht und
in der Nähe die Fundamente einer 6 M. breiten Brücke über die
Sazlijka erreicht. Längs der Ostseite der Burgen, die knapp am
Rande des Inundationsterrains der Sazlijka stehen, zieht sich das
Ende der Wälle der „Jerkesija". Škorpil erkennt in diesen Burgen
ganz richtig das alte Arzus. Bei dem Bahnbau sollen hier ausser
Münzen Constantin's und Justinian's auch Statuen und Inschriften
gefunden worden sein. Das Volk sagt, die Burg hätte einst Bosna
grad geheissen (S. 19). Dieser Name erinnert mich an das aus
Anna Komnena, Ansbert und Villehardouin bekannte Blisnos,
Blisimos des späten Mittelalters, das, wie ich oben (S. 97)
bemerkte, in dieser Gegend zu suchen ist.

Verschieden von diesem Burgenpaar ist das Castell bei Sei-
menli am linken Ufer der Marica, westlich von der Mündung der
Sazlijka (eine Inschrift von dort siehe Monatsberichte a. a. O. S. 449).
Die Fortsetzung der Strasse gegen Adrianopel zu geht nach Škorpil
(S. 19) von der Doppelburg durch das Gebiet des gegenüber liegen-
den Dorfes Surut zu einer Burgstelle Devebargan zwischen
Seimenli, Sadukli und Kujunli, und hält sich demnach an das linke
Ufer der Marica. Die Burg von Glavan kann also nicht, wie
ich meinte, an der Strasse selbst gelegen sein.

S. 99. Zur Römerstrasse von Philippopel nordwärts erwähnt
Škorpil S. 99 ein Hissarlyk zwischen Čonluk und Seldžikovo

(in welchem Verhältniss zu dem dortigen Gabelpunkt der Chausséen von Philippopel nach dem Hissarbad und Kalofer?). Es ist ein viereckiger Lagerplatz, mit den 100 Schritt langen Flanken nach den Himmelsrichtungen orientirt, umgeben von einem 5 M. hohen Wall (ohne Graben?). An 150 Schritt nördlich davon stehen vier Tumuli in einer Reihe; in Seldžikovo gibt es Säulenbasen und Capitäle, die angeblich von dort stammen. Ein zweiter solcher Lagerwall um die Reste einer Ansiedelung befindet sich südlich davon, nordöstlich von Strojevo. Einen dritten Wall von ähnlichen Dimensionen sah Škorpil nordwestlich von Achievo am Fuss des Balkans (zwischen Tekké und Sopot), an einer „Staro Teke" oder „Assarlyk" genannten Anhöhe.

S. 104. Die Inschrift von Jeni - Zagra ist auch bei Škorpil S. 84 zu lesen, ohne bemerkenswerthe Abweichungen, ausser Z. 1:

ΜΗΣΝΑΚΟΣΙ.......

S. 135. Die Burg am Taušantepé bestand noch zur Zeit der türkischen Eroberung des Landes. Leunclavius, *Historiae musulmanae Turcorum* etc. (Frankfurt 1591) S. 276 erzählt nach einer türkischen Chronik, Sultan Murad I. habe während des Feldzuges Ali's nach Bulgarien in Jambol und auf der Burg verweilt und in der letzteren von seinem Feldherrn den Bericht von dessen Siegen entgegengenommen: „*quum ad aliquid tempus in urbe Jamboli substitisset, ex eo loco discedens, ad arcem Tausonlu nominatam se contulerat*" (Hammer, Gesch. d. osm. Reiches I² 174 schreibt Tausli).

S. 136 ff. Der östliche Theil des Walles der „Jerkesija" von Jakyzly bis zur Tundža ist mittelst einer braunen Linie genau eingezeichnet in der neuen russischen Generalstabskarte von Bulgarien und Rumelien in 54 Blättern im Massstab 1 : 210.000 (Blatt VII 7 Jambol und VII 8 Burgas), wo der geradlinige Charakter der einzelnen Partien klar hervortritt. Ich bin leider erst, als die vorliegenden Seiten sich unter der Presse befanden, in den Besitz eines Exemplares dieses schönen Kartenwerkes gelangt.   C. J.

Herr Professor Pomialowsky von der St. Petersburger Universität hat die grosse Freundlichkeit gehabt, mich brieflich davon zu unterrichten, dass die oben S. 103 von mir behandelte metrische Inschrift kurz vorher schon in der russischen Zeitschrift

„Bulletin der kaiserlich-russischen archäologischen Gesellschaft zu St. Petersburg", Neue Serie, Bd. I (1885), auf Grund einer von Hrn. Montani in Philippopel mitgetheilten Copie von Hrn. Socoloff — Professor der Petersburger Universität — herausgegeben worden ist. Jene Copie hat dieses Aussehen:

ΡΩΜΟΝΑΤΕΙΛΙΑΝΩΓΑΜΕΤΙ·Ι////
ΓΕΓΕΚΟΥΝΔΑΕΙΝΕΚΑΚΟΥΡΙΔΙ(
ΜΟΥΙΕΚΟΙ/ΥΤΕΝΙΓΑΓΤΡΙ
ΠΡΩΙΑΕΙΛΙΑΝΩΡΩΜΟΝΤΟΙΩ
(ΟΥΝΔΑΜ·ΜΑΜΕΝΕΓΓΟΜΕΝΟΙΓΓΕ
ο ////Ι Ω ΝΕ Κ Υ Ι ο

Danach gewinnt die ganze Inschrift, deren zweiten Vers Hr. Socoloff in evident richtiger Weise ergänzt hat, während im Schlussvers das von mir zweifelnd vorgeschlagene χάρμα durch σῆμα zu ersetzen ist, die folgende Gestalt:

Βωμὸν 'Ατειλιανῷ γαμέτις [μ' ἔστη]σε [Σ]εκοῦνδα,
εἴνεκα κουριδίο[υ θαλά]μου τέκ[νο]υ τ' ἐνὶ γαστρί.
ἥρωι 'Ατειλιανῷ βωμὸν τό[νδ' εἶσε Σε]κοῦνδα,
μ[νῆ]μα μὲν ἐσσομένοις, σ[ῆμα δὲ τ]ῷ νέκυι.

Eine dritte Copie derselben Inschrift endlich, welche derjenigen des Hrn. Montani sehr ähnlich ist, hat jüngst S. Reinach von Herrn Tacchella in Philippopel erhalten und in der *Revue d'Archéologie* III sér. Tom. VIII (1886) p. 88 bekannt gemacht. Th. G.

[Zu S. 203. Die Inschrift aus Silistria ist bereits in dieser Zeitschrift VI S. 3 publicirt. D. R.]

Aus Serbien

Im September vorigen Jahres wollte ich im Anschlusse an meinen Freund Alfred v. Domaszewski, der für das Supplement zu *C. I. L.* III die Donauländer zu bereisen übernommen hatte, einen grösseren Streifzug durch dieses archäologisch wenig erforschte Gebiet unternehmen. Die plötzlich hereinbrechenden Kriegsunruhen vereitelten die Ausführung dieses Vorsatzes, bis auf eine zehntägige Tour durch Serbien, von Belgrad nach Kragujevac, dann über Gorni-Milanovac, Čáčak, Požega, Karan, Užice, Kremna nach

Bajina - Bašta im Drinathal, welches die Grenze gegen Bosnien bildet, weiter flussabwärts bis Ljubovje und über Krupanj nach Šabac an der Sawe. Durch die unfreiwillige Hast, mit der wir von Užice an reisten, wurde meine Ausbeute noch spärlicher, als sie bei den schlechten Verkehrsmitteln des Landes und bei dem geringen Interesse, das man, rühmliche Ausnahmen abgerechnet[1]), den Resten der Römerzeit entgegenbringt, auch sonst gewesen wäre. Das Wenige dürfte aber immerhin als Beispiel dessen, was von diesem Boden zu erwarten ist, Interesse haben und trotz des rohen Charakters der meisten von diesen Denkmälern theilweise auch mehr als locale Bedeutung beanspruchen. Wo es halbwegs angeht, gebe ich Zinkdrucke nach meinen Skizzen, welche trotz ihrer Mängel immerhin eine bessere Anschauung vermitteln werden, als blosse Beschreibungen. Auf die wissenschaftliche Verarbeitung des Stoffes einzugehen bin ich hier nicht in der Lage, schon weil mir die einschlägige Litteratur fast ganz unzugänglich ist.

Die hervorragendsten Sculpturen, welche uns begegneten, sind zwei zusammengehörige Kolossalstatuen im Garten des militär-technischen Laboratoriums zu Kragujevac, welche ebenda beim Konak, der einstigen Residenz der serbischen Fürsten, ausgegraben wurden, Apollo und Minerva, nach Art von Giebeleckenfiguren auf dem Boden gelagert, mit halb erhobenem Oberkörper, welchem der eine auf eine Felserhebung gestützte Arm zur Stütze dient, der Gott links-, die Göttin rechtshin. Die beiden reliefartig componierten Figuren waren aus je drei Blöcken eines, wie man uns sagte, in der Nähe brechenden Sandsteins zusammengesetzt und von nicht ganz ungeschickter decorativer Arbeit. Minerva, im eng anliegen-den Schuppenpanzer, die Beine ganz in den Mantel gehüllt, welcher auch über den vorgestreckten Arm herüberhängt, hat den Kopf und mit der l. Hand und dem r. Unterarm ihre Attribute verloren. Mehr ist vom Apoll erhalten, obzwar er, besonders an den Glied-massen, zum Zwecke der Erbauung eines Bleischmelzofens in wohl an die zwanzig Stücke zerschlagen worden war, um deren Zu-sammenfügung sich besonders Domaszewski verdient machte; nur der rechte Arm war nicht aufzufinden. Bekleidet ist er mit vorn

---

[1]) Die königliche Regierung unterstützte Domaszewski's Unternehmen auf das nachdrücklichste. Unter den einsichtigen Privatmännern, denen wir für För-derung unserer Arbeiten verpflichtet sind, sei vor Allen Herr Ingenieur Luka Ivkovič in Kragujevac, von Geburt ein Oesterreicher, hervorgehoben.

am Halse von rosettenförmiger Fibula zusammengehaltener Chlamys, die ihm beim Sitzen und beim Aufstützen des linken Ellenbogens zur Unterlage dient; ein Zipfel bedeckt den Schoss. Hier scheint die Rechte geruht zu haben oder ein Gegenstand, den sie hielt. Der Köcher, welchen das von der linken Schulter oberhalb der Chlamys quer über die Brust gelegte Band bezeugt, fehlt — wenn meine eiligen Notizen nicht trügen — auf dem angelegten Rücken, hieng also wohl zur Seite herab. Die übereinandergeschlagenen Füsse tragen einfache Riemenschuhe, der ziemlich wohlerhaltene langgelockte Kopf ist von einem anliegenden Lorbeerkranz umgeben. Er gemahnt mit den etwas in die Höhe gezogenen Brauen an hellenistische Typen und erinnerte mich insbesondere etwas an den Helios des pergamenischen Altars. Die Länge der Figur beträgt ungefähr 1·7, die Höhe an 1·3, die Dicke 0·33 M. Die Statuen bildeten ohne Zweifel den Schmuck eines Gebäudes, vielleicht eines Tempelgiebels.

Irgend einem architektonischen Zusammenhange gehörte auch das charakterlose Gorgoneion (Fig. 1) in wahrscheinlich sechseckigem vertieften Felde an, welches ich in der Abenddämmerung zu Bajina-Bašťa skizzierte, wo es in der Stützmauer der Röhren-

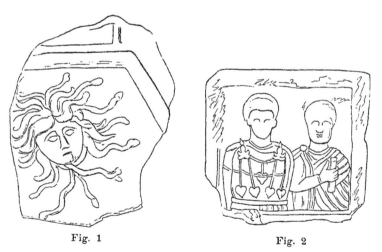

Fig. 1   Fig. 2

leitung an der Mühle des Cvětko Jeftič verbaut ist und immerwährend vom Wasser berieselt wird. Der Stein ist etwa 0·55 breit. Moos und Schlamm machten das Materiale unkenntlich. In der Nähe lag ein leidlich gearbeitetes Pilasterkapitell. In jener Mauer verbaut war auch das etwa 0·6 M. im Geviert messende Relief Fig. 2, zwei Brustbilder nebeneinander darstellend, rechts dasjenige eines Mannes in langärmligem Rock und Chlamys, der eine Schriftrolle hält, links wahrscheinlich dasjenige seiner Frau, welche weinblattförmige Fibulae und einen daran befestigten an Phalerae erinnernden Brustschmuck trägt. Die herzblattförmigen Gehänge kommen auf Denkmälern der Kaiserzeit in verschiedener Verwendung häufig vor. Wir haben ohne Zweifel den Obertheil einer Grabstele vor uns, welcher durch die am unteren Bruchrand erhaltene Leiste gegen das Hauptfeld, das die Inschrift trug, abgegrenzt wurde.

Auf Grabsteinen wesentlich gleicher Form erscheinen die Verstorbenen auch in ganzer Gestalt, wie Fig. 3 zeigt, von einer über 1·6 h., 0·65 br. Kalksteinplatte auf dem Friedhof zu Karan mit der Inschrift: *D(is) M(anibus) Fl. Tattae libertae et nutrici def(unctae) an(nis) L Fl. Prisca C(ai) f(ilia) et Dazieri vil(lico) vivo p(osuit)*. Die Dargestellten scheinen beide Schlüssel zu halten. Der Stil stimmt zu dem barbarischen Charakter der Namen.

Fig. 3

Fig. 4

Ein ähnliches Reliefbild als einziger Grabschmuck, ohne beigefügte Inschrift, fand sich auf dem Ruinenfelde von Gorobilje bei Požega. Eine etwa 1 M. br., 0·7 h., 0·25 d. Platte aus hartem grauen, weiss und rosenfarben geäderten Kalk trägt in breiter einfacher Umrahmung die beiden unter Fig. 4 abgebildeten Gestalten. Die Frau scheint mit aegisähnlichem Kragen geschmückt und in der Rechten ein situlaartiges Gefäss zu tragen. Den Mann hielt ich für bartlos. Er steht auf einem in Relief gebildeten Stück Erdboden.

Neben solchen Bildern der Verstorbenen findet sich auch mythologischer und symbolischer Gräberschmuck. Den liegenden Löwen mit auf einen Widderkopf gelegter Tatze, wie er in Dacien und Pannonien ganz gewöhnlich ist, fand ich in einem sehr rohen, nur 0·58 langen Exemplar aus Sandstein vor dem Konak zu Kragujevac. Ein grösserer, mit weggebrochener Tatze, bewacht den Eingang zur Kirche von Karan.

Am ersteren Orte steht auch einer von den araähnlichen Grabsteinen, wie sie in den erwähnten Ländern ebenfalls vorkommen, ein etwa 1·6 h., 0·9 br., 0·7 d. Kalksteinpfeiler, der an der Stirnseite in feston - und rankenumrahmtem Felde die Inschrift *C. I. L.* III 1672, *Addit.* p. 1023, trägt, auf den Nebenseiten mit den sog. Attisbrüdern in Relief geschmückt ist, zwei mit Chiton Chlamys und phrygischer Mütze gekleideten Jünglingen, die in correspondirender Haltung je den einen Ellenbogen auf einen dicken Stab stützen, welchen die andere Hand am oberen Ende fasst. Dieselbe Darstellung zeigt ein pyramidal nach oben verjüngter Kalksteinpfeiler, welcher ungefähr mit seinem oberen Drittel in die Erde eingesenkt auf dem Friedhof zu Karan steht; nur sind hier die 'Attisbrüder' ganz klein gebildet und hinauf gerückt, um grossen Delphinen Platz zu machen. Die Hauptseite nimmt eine breite, unten canellierte Amphora ein, aus der eine stilisierte Rebe emporwächst, auch diess ein wohlbekannter Gräberschmuck.

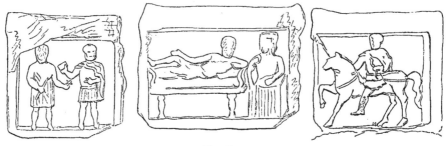

Fig. 5

Zu den Grabdenkmälern ist ohne Zweifel auch eine Art parallelepipedförmiger, architektonisch nicht gegliederter, aber an der einen Breit- und zwei Schmalseiten mit Reliefs verzierter Steine zu rechnen, von denen ich drei Exemplare gesehen habe.

A Fig. 5. Kalkstein, auf dem Marktplatze in Požega, nach der zuverlässigsten Angabe aus der Ruinenstätte von Vissi-Baba herrührend, 0·75 l., 0·52 br., 0·67 h. Die Kline des Mannes im Hauptfeld hat ganz gleiche geschwungene Seitenlehnen. Was der Reiter in der L. hält, sieht einem Bogen eher als einer Gerte gleich. Von den beiden Männern auf der anderen Schmalseite hält der zur Rechten in der l. Hand einen Stift, in der andern eine Schreibtafel. Die Attribute des Anderen waren mir trotz ihrer deutlichen Form unverständlich.

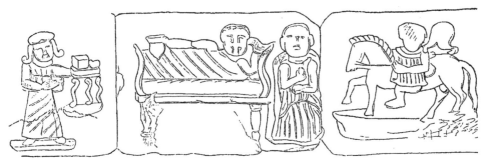

Fig. 6.

B Fig. 6, röthlicher marmorartiger Stein, in der Kirche zu Karan als Sitz verwendet, wodurch die Oberfläche glänzende Politur erhalten hat, 0·64 l., 0·53 br., 0·51 h. Ein viereckiges Dübelloch mit Gusscanal zeigt, dass die Oberfläche einen Aufsatz trug. Der gelagerte Mann hält in der R. einen Trinknapf, in der L. vielleicht ein zweites trinkhornartiges Gefäss. Die sitzende Frau scheint mit der r. Hand einen eigrossen Gegenstand zu halten. Dem Reiter flattert im Rücken die Chlamys.

C Fig. 7. Kalkstein, als Untersatz eines Haupttragbalkens des Stalles bei der Mehane (Wegschenke) von Kremna verwendet, mit der Hauptseite, die vielleicht abgearbeitet, auf dem Boden liegend; die linke Seite, welche hier den Reiter trägt, nach aussen, die rechte nach innen gekehrt, so dass ich sie nur sehen konnte, indem ich mit einer Laterne unter den Boden des Gebäudes kroch. Die davon aus dem Gedächtniss gemachte Skizze dürfte dennoch im Wesentlichen treu sein. Die Erhebung links neben der Hand des Mannes schien mir eher von der Randleiste als von einem Attribut seiner Rechten herzurühren. 0·53 l., 0·51 br., 0·77 h.

Dieser so viel ich weiss neue Typus ist in mancher Hinsicht merkwürdig. Zunächst als weiteres Beispiel der seltenen Verbindung des Reiterheros mit dem Totenmahl, welche in anderer Anordnung in Thrakien und Kleinasien vorkömmt, vergl. Dumont *Inscr. et mon. fig. de la Thrace* in *Archives des missions scientif.* 3. sér.

Fig. 7.

t. III p. 125 n. 20; 137, 57; 140, 61; Conze Thasos T. 10, 2; Archäol. Zeitg. 1864 S. 172; ebenda 1872 S. 105; Milchhöfer Mitth. d. arch. Inst. Athen 1879 S. 165. Neu war mir ferner die Darstellung der Zurüstung zum Male, wie sie auf *B* und *C* erscheint: der vor dem gelagerten Manne der Hauptseite fehlende Tisch wird nebst anderem Geräth von einer Dienerin auf einer Nebenseite herbeigetragen. Endlich scheint auf *A* mit den symbolischen Darstellungen ein realistisches Todtenrelief nach Art der unter Fig. 3 und 4 abgebildeten verbunden zu sein; wenigstens weiss ich die beiden Männer nicht anders aufzufassen. Vielleicht ist der Mann neben der Tischträgerin auf *C* ebenso aufzufassen.

Noch möchte ich ein Stück primitiver Kunst der neuesten Zeit verzeichnen, welches in überraschender Weise Erscheinungen des antiken Archaismus wiederholt. Den Gefallenen der letzten Türkenkriege sind, wenn ich mich recht erinnere, besonders in den westlichen Landestheilen, vielfach an den Wegen Denkmäler errichtet, in Gestalt von einfachen Steinpfeilern, welche an der Vorderseite das etwas weniger als lebensgrosse Bild eines serbischen Infanteristen in vollem Farbenschmucke zeigen. Die Grundlage der Bemalung aber ist ein flaches Relief, in ganz ähnlicher Technik,

wie die älteste griechische und ägyptische, in die Vorderfläche eingemeisselt. Die Beine sind in mässigem Ausschreiten von der Seite,
der Oberkörper und Kopf von vorne dargestellt. Die Zeichnung
ist von kindischer Unbeholfenheit und Stillosigkeit. Unter dem
Relief steht meist eine längere Inschrift, abwechselnd mit verschiedenen Farben gefüllt, was ja im griechischen Archaismus auch
vorkömmt. Ueber Herkunft und Verbreitung dieser merkwürdigen
Kunstweise vermochte ich leider nichts zu erfahren.

Athen, April 1886   FRANZ STUDNICZKA

Inschriften aus Rhodos

Bereits seit längerer Zeit befindet sich eine grössere Anzahl
von Simon Georgiadis herrührender Copien rhodischer Inschriften
in meinen Händen, mit deren Veröffentlichung ich bisher zögerte,
hauptsächlich darum, weil ich bei der vielfach offenbaren Unvoll-
kommenheit derselben doch lieber abwarten wollte, ob die bezüglichen Inschriften nicht von anderer Seite in besseren Abschriften
veröffentlicht werden würden, wie diess bei einigen nach derselben
Quelle von mir in dieser Zeitschrift (VII 1883 S. 135 ff.) mitgetheilten der Fall war. Da jedoch die zahlreichen seitherigen
Publicationen rhodischer Inschriften von dem mir vorliegenden
Material immerhin noch einen ziemlichen Rest unberührt gelassen
haben, welcher des Interesses nach der einen oder anderen Richtung nicht entbehrt, möchte ich mit der Veröffentlichung desselben
nunmehr nicht zurückhalten, wobei ich nur einige unverständliche
Fragmente ausgeschieden habe und mich auch sonst meist auf die
Mittheilung des Textes beschränken zu sollen glaube. Bei n. 14.
15. 17. 18. 23. 24. 25. 28. 29. 30 liegen Copien von Simons Bruder
Emmanuil zu Grunde*).

---

*) Ich benutze den Anlass zu der Bemerkung, dass, wie Herr Viceadmiral
T. A. Spratt mir gelegentlich mittheilte, die amorginische Inschrift Kaibel *epigr.*
n. 277 sich jetzt in seinem Besitze befindet. Das Fragment ist ungefähr 0·13 hoch
und 0·2 breit.

Rhodos

1. ΟΔΑΜΟΣΟΡΟΔΙΩΝΕΤΙΜΑΣΕ   Ὁ δᾶμος ὁ Ῥοδίων ἐτίμασε
ΓΡΑΤΑΓΟΡΑΝΧΑΡΙΔΑΜΟΥ   Πραταγόραν Χαριδάμου
ΕΓΑΙΝΩΙΧΡΥΣΕΩΙΣΤΕΦΑΝΩΙ   ἐπαίνωι, χρυσέωι στεφάνωι
ΑΡΕΤΑΣΕΝΕΚΑΚΑΙΕΥ   ἀρετᾶς ἕνεκα καὶ εὐ[νοίας,
ΛΝΕΧΩΝΔΙΕΤΕΛΕΙΕΙΣ   5   ἇν ἔχων διετέλει εἰς [αὑτόν.

2. ΤΙΜΟΝΑΛΕΞΙΜΕΝΕΥΣ   ......τιμον Ἀλεξιμένευς,
ΚΑΘΥΟΘΕΣΙΑΝΔΕΛΙΝΔΩΝΟΣ   καθ᾽ ὑοθεσίαν δὲ Λίνδωνος,
ΛΑΡΩΤΑΝΓΕΝΩΜΕΝΩΝ   κ]λαρωτὰν γεν[ό]μεν[ο]ν
ΤΩΝΑΙΚΑΣΤΑΝ ΚΑΙ   τῶν [δ]ικαστᾶν καὶ
ˋΣΤΥΝΟΜΗΣΑΝΤΑ ΚΑΙ   5   ἀ]στυνομήσαντα καὶ
ΓΙΣΤΑΤΑΝΓΕΝΟΜΕΝΟΝΤΩΝΓΑΙΔΩΝ   ἐ]πιστάταν γενόμενον τῶν παίδων,
ΑΓΩΝΟΘΕΓᵘˋΑΝΤΑ   ἀγωνοθετήσαντα

3. ΓΟΛΙΚΛΙΤᴗˉΥΘΣΙΟΥ   Πολ[ύ]κλιτο[ς Ε]ὐθ[έτ]ου,
ΙΕΡΑΤΕΥΣᴧ−Αˊ LI   ἱερατεύσ[ας] Ἀ[λίῳ

4. ΓΥΘΙΟΝΚΑΡΙΝΑ   Πύθιον Καρίνα,
ΓΥΝΑΔΕΣΦΑΙΡΟΥ   γυνὰ δὲ Σφαίρου,
ΧΡΗΣΤΑΧΑΙΡΕ   χρηστὰ χαῖρε.

5. ΣΩΤΗΡΙΔΑ   Σωτηρίδα
ΚΑΙ   καὶ
ΝΙΚΑΣΙΩΝΟΣ   Νικασίωνος
ΤΕΛΜΕΣΣΕΩΝ   Τελμ[η]σσέων.

6. ΑΡΑΧΘΕΩΣΚΑΙΝΥΣΑ−ᶜ   Ἀραχθέως καὶ Νυσα[έως
ΑΙΓΥΓΤΙΩΝ   Αἰγυπτίων
ΕΥΣΕΒΩΝ   εὐσεβῶν.

7. ΕΡΜΩΝΓΕΡΣΗΣ   Ἕρμων Πέρσης,
ΧΡΗΣΤΟΣΧΑΙΡΕ   χρηστὸς χαῖρε.

Vgl. Arch.-epigr. Mitth. VII S. 120 n. 35.

8. ΔΑΜΟΚΛΗΣ   Δαμοκλῆς
ΞΕΝΟΔΑΜΟΥ   Ξενοδάμου
ΑΡΙΟΣ   Π-?, Ἰκ-?]άριος.

9.   H. Anargyri. Cippus mit Guirlanden.

ΑΓΗ   Ἀγη...
ΔΑΜΟΚΛΕΥΣ   Δαμοκλεῦς
ΑΡΙΟΣ   Π-?, Ἰκ-?]άριος.

Anscheinend ein Verwandter (Sohn?) des in n. 8 genannten Damokles.

10.   ΘΙϹΝΟΡΟΥ   ....
          ΤΡΑΛΛ.ΑΝΟΥ   Τραλ[λι]ανοῦ
          ΓΑΙˉΑΞΓΥΝΛΗΟΣ   καὶ [τ]ᾶ[ς] γυνα[ι]κὸς
          ΑΓΑΘΑΜΟΗΙϹΣ   ᾿Αγαθαμό[ριο]ς.

11.   ΤΑΛΥΣΑΝΙΟΥ   ...τα Λυσανίου
          ΥΓΑΣΙΣ   Ὑγασίς,
          ΑΔΕΚΛΓΙΤΟΥ   γυν]ὰ δὲ Κλ[εί]του
          ΣΑΧΟΥ   ......

12. H. Anargyri.

          ΚΑΛΛΙΚΡΑΤΕΥΣ
          ϹΑΛΛΙΚΡΑΤΕΥΣ
          Γ.ΝΑΙΕΟΣ

13.   ΑΡΙΣΤΟΜΕΝΕΥΣ
          ΑΡΙΣΤΙΓΓΟΥ
          ΙΟΥΛΙΔΑΜΙΑ

14. ΝΙΚΑΣΙΒΟΥΛΑ   Νικασιβούλα
     ΝΙΚΟΦΩΝΤΟΣ   Νικοφῶντος
     ΛΑΛΑΡΜΙΑ   Λα[δ]αρμία.

15. ΣΩΣΘΙΑΠΟΛΙΣΛΟΝΙ...ΙΟ
     ΑΜΝΗΣΤΙΟΥ

Ein ᾿Αμνήστιος auch Mitth. d. arch. Inst. X S. 74 n. 12; ᾿Αμνίστιος (so) *Bull. de corr. hellén.* IX S. 118 n. 18.

16. ΑΓΗΣΙΛ   ᾿Αγησιλ...
     ΤΙΜϹΛΕϹ   Τιμολέο[ντος,
     ΚΑ.ΥΟΘΕΣΙΛΝΖ   κα[θ᾿] ὑοθεσίαν δ[ὲ
     ΤΙΜΑΠϹΛΙΓΣ   Τιμαπόλιος.

17. ΚΛΗΝΑΓΟΡΑΣ   Κληναγόρας
     ΚΑΛΛΙΚΡΑΤΕΥΣ   Καλλικράτευς.

18. ΑΡΤΕΜΙΣΙΑ   ᾿Αρτεμισία
     ΑΘΗΝΑΙΟΥ   ᾿Αθηναίου,
     ΑΞΕΛΡΙΟΝΧΡΗΣΤΗ   ᾿Ασσάριον (?) χρηστὴ
        ΧΑΙΡΕ   χαῖρε.

19. Ζ Ω Σ Ι Μ Ο Σ Ζ Ω _ . Ϲ ι

A Ρ Χ Ι Π Ο Λ Ι Ϲ Φ Λ Ε . . . . Ϲ

Α Ι Ϫ Κ Α Λ Λ Α Ι Ϲ

20. Λ Ο Δ Ο . Ο Σ Α Ν Τ Ι Ν Ε Κ Ε Υ Σ   Ἀπολ]λόδο[τ]ος Ἀντι[γ]έ[νε]υς

Ι Ε Ρ Α Τ Ε Υ ꓫ Α Σ Δ Ι Ο Ν Υ Σ Ι Ο ι   ἱερατεύ[σ]ας Διονύσ⟨ι⟩ο[υ

21.

> Ο Υ Θ Ε Μ Ι Σ Τ Ο Κ Λ Ε Υ Σ
> Α ι
> Κ Α Λ Λ Ι Σ Θ Ε Ν Ε Υ Σ
> Ω Ν

22. Ε Ρ Ω Τ Ι Δ Ο Σ

Lardos

23.

Guirlande mit Bukranien

ΤΟΚΟΙΝΟΝ		//////// Ο Σ
ΤΟΜΗΝΙΑΣΤΑΝ	Kranz	// Ν ⁻ ι / ΧΗΣ
ΕΤΙΜΑΣΕ		Υ Ι Ο Σ
ΗΦΑΙΣΤΙΩΝΑ		ΗΦΑΙΣΤΙΩΝΟΣ

Α Ν Τ Ι Ο Χ Η Θ Α Λ Α Ι Ν Ω Ι Σ Τ Ε Φ Α Ν Ω Ι

Χ Ρ Η Σ Τ Ο Ι   Χ Α Ι Ρ Ε Τ Ε

Τὸ κοινὸν   . . . . . . ος
τὸ Μηνιαστᾶν   [Ἀ]ν[τιο]χ[εὺ]ς,
ἐτίμασε   υἱὸς
Ἡφαιστίωνα   Ἡφαιστίωνος.
Ἀντιοχῆ θαλαΐνωι στεφάνωι.
Χρηστοὶ   χαίρετε.

Für ein sonst noch nicht belegtes Collegium der Meniasten auf Rhodos beruft sich Foucart *Bull. de corr. hellén.* X 1886 S. 203 auf eine noch unedirte Inschrift.

24. „Ἕν τέταρτον τῆς ὥρας μακρὰν τῆς κώμης Λάρδου μέσα εἰς περιβόλιον καὶ μοναστήριον νεόκτιστον Ἁγίας Μαρίνης.“

Α Π Ο Χ Ο Δ Ε Ι Α Χ Α Π Α Σ Γ Υ Ν Α Ι Α Ι Κ Ο Σ   . . . . καὶ τὰς γυναικὸς

Α Υ Τ Ο Υ Δ Ι Ο Ν Υ Σ Ι Μ Σ Π Ε Ο Γ Α Μ Η Ν   αὐτοῦ Διονυσίας Περγαμηνᾶς.

Α Σ

25. ΑΠΟΛΛΟΝΙΟΥΠΕΡΙΑ ΜΗΝΟ
ΣΤΕΦΑΝΩΘΕΝΤΟΣ ΥΠΟ
ΩΝΛΟΛΑΕΙΩΝΠΑΙΔΕΥΤΑΝΤΩΝ
ΣΥΝΣΥΛΛΑΧΡΥΣΕΩΙΣΓΕΦΑΝΩΙ

Ἀπολλ[ω]νίου Περ[γ]αμηνο[ῦ
στεφανωθέντος ὑπὸ [τ-
ῶν Λολλείων παιδευτᾶν τῶν
σὺν Σύλλᾳ χρυσέωι σ[τ]εφάνωι

Lindos

26. „Ἐν τῷ κάστρῳ.“

ΠΥΘΟΣ
ΒΟΚΟΠΙΘΙΣ

27. „Ἐν τῷ κάστρῳ.“

```
   ΑΙΤΕ
   ΔΟΤΟΣ
   ΕΛΕΥΘ
   ΚΑΙΑΥΤ
 5 ΕΚΤΑΛ⁻
   ΤΑΥΤΑ
   ΚΕΤΩΛCΣ
   ϽΥΔΕΝΟΣ
   ΟΠΑΙϽ ΙΙ
10 Γ ΙΘΕΩΙΠΑ
   ΤΟΥ
   ⁻ΘΥ
   ΣΑΝΥ
   ΘΣ
15 ΑΝ
   ΠΙΟΥ
```

Marino

28. ο///////ΔΑ//   . . . .
ΕΥΦΡΑΓΟΡΑΓΑΛΛΙΟΠΟΛΙΤΑΣ   Εὐφραγόρα Παλαιοπολίτας
////ΤΑΓΕΝΕΣΙΝΚΑΘΥΟΘΕΣΙΑΝΔΕ   κα]τὰ γένεσιν, καθ' ὑοθεσίαν δὲ
ΑΘΗΝΟΔΩΡΟΥ ΘΥΔΙΛΛΑΣ   Ἀθηνοδώρου Θυδίλλας (?).

Zu Παλαιοπολίτας vgl. Mitth. d. arch. Inst. IX S. 385 f. n. 2
und 7.

29. ΑΠΟΛΛΟΔΩΡΟΣ
ΑΓΗΣΑΝΔΡΟΥΤΩΙΠΑΤΡΙ
ΚΑΙΚΑΛΛΙΣΤΗ ΤΑΙΜΑΤΡΙ

Ἀπολλόδωρος
Ἀγησάνδρου τῷ πατρὶ
καὶ Καλλίστ[ᾳ] τᾷ ματρί.

30. „Εἰς μίαν μικρὰν μαρμαρίνην στέρναν.“

ΚΤΗΣΩΝ   Κτήσων.

Massari

31.

ΜΟΣΑΠΟΛΛΩΝΙΟΥ	ΔΙΟΝΥΣΙΟΣ ΑΠΟΛΛΩΝΙΟΥ
ΣΙΟΣΑΠΟΛΛΩΝΙΟΥ	ΧΑΡΙΔΑΜΟΣ ΔΙΟΝΥΣΙΟΥ
ΤΟΥ ΑΔΕΛΦΟΥ	ΥΠΕΡΤΟΥΓΑΤΡΟΣ
ΣΑΝΤΟΣ	ΑΡΙΣΤΟΙ· Ϲ·ΗΝΕΙ
5 ΣΑΤ	

Χαρίδα]μος Ἀπολλωνίου ·   Διονύσιος Ἀπολλωνίου ·
Διονύ]σιος Ἀπολλωνίου   Χαρίδαμος Διονυσίου
ὑπὲρ] τοῦ ἀδελφοῦ   ὑπὲρ τοῦ πατρὸς
ἱερατεύ?]σαντος   ἀριστο.......
......

Anscheinend trug die Basis die Bilder der zwei Brüder Charidamos und Dionysios; die Weihung des Ersteren rührt von seinem Bruder her, dem selbst dann wieder sein Sohn den gleichen Act der Pietät widmete.

32. „Ἐπὶ κίονος, ἧς· ἡ τετραγωνικὴ πλευρὰ ἔχει πλάτος 0·35 καὶ μῆκος 0·45.“

ΡΟΔΙΠΠΟΣ   Ῥόδιππος
ΧΡΗΣΤΟΣΧΑΙΡΕ   χρηστὸς χαῖρε ·
ΚΑΙΣΥΓΕ   καὶ σύ γε.

33. Gleichfalls aus Massari, und zwar von der Akropolis unterhalb der Festung (von den Archangeliten jetzt Φαρακλιανοῦ genannt), stammt endlich die folgende, jetzt in einem Privathause zu M a l o n a befindliche Inschrift. Marmor, l. 0·48, br. 0·45.

ΝΩΣΑΙΧΡΥΣΕΩΙΣΤΕΦΑΝΩΙ.Α.
ΛΣ ΑΝΔΡΟΝΚΛΕΥΣΤΡΑΤΟΥΔΑΔΑΡΜΙΟΝ
ΑΡΕΤΑΣΕΝΕΚΑΚΑ·ΕΥΝΟΙΑΣΑΝΠΑΡΕΙΣΧΗΤΑΙΕΙΣΤΑΝΔΙΑΓ
ΟΝΙΑΝΤΑΝΑΓΗΤΟΡΙΔΑΝΚΑΙΟΓΩΣΤΑΔΕΔΟΓΜΕΝΑΣΥΝΤΕΛ
5 ΙΤΟΙΕΠΙΣΤΑΤΑΙΜ ΕΤΑΤΑΝΚΥ.ΩΣΙΝΤΟΥΔΕΤΟΥΨΑΦΙΣΜΑ
ΟΣΕΛΕΣ...ΑΝΔΡΑΟΔΕΑΙΡΕΘΕΙΣΚΑΤΑΣΚΕΥΑΞΑΤΩΡ
ΣΤΕΦΑΝΟΝΧΡΥΣΕΟΝΑΠΟΧΡΥΣΟΝΔΕΓΑΑΙΤΗΣΑΣ
ΟΔΕΚΑΙΥΓΕΡΤΑ ι   ΙΑΣΤΑΣΑΓΗΤΟΡ
ΔΑΝΤΑΝΒΟΥΛ   ΣΤΕΦΑΝΩΣΡ

10	ΥΣΓ·ΙΣΤΓ	ΚΛΕΥΣΤΡΑΤΌ
	ΑΔΑΡΜΙΟΝ	ΑΣΑΝΓΑΡΕΙΣ..
	ΗΤΑΙΕΙΣΤ	ΝΤΟΙΔΕΕΓΙ
	ΤΑΤΑΙΓ/ . Zerstört	ΙΡΕΘΕΝΤΟΣ.ΙΝ
	ΡΟΣΤΟΝΞ	ΝΤΩΕΝΛΙΝΔΩΙ
15	ΝΤΩΙΣΥΝΙ	ΞΑΝΔΡΟΝΚΛΕ
	ΝΕΙΓΑΝΤ	ΑΓΟΊΔΕΓΑΙΝΓ
	ΑΊΣΤΕΦΑΝ	ΝΟΙΑΛΕΞΑΝΔΡϹ ◁
	ΚΛΕΥΣΤΡΑΤΟΊ ᴧᴧ	ΑΡΕΤΑΣΕΝΕΚ.ᴋΑΙ
	ΓΊΝϽΙΛΣᴧΝΓΑΡ-ΙΣ	ΣΤΟΓΛΗΘΟ.ΤΟΛΙΝ
20	ΟᴺΜ..Λ...ΑΦΙΘ..ᵡΑᴋΙΔΑΣΚΛΕΥΣΤΡΑΤΟΥ ·	
	ΔΑΔΑΡΜΙΟΣ	

Wien   E. LOEWY

Ein Spiegelrelief aus Cacre
(Tafel VIII)

Im Jahre 1867 erwarb das österreichische Museum für Kunst
und Industrie durch W. Helbig's Vermittelung von Augusto Castellani eine Reihe antiker Bronzegefässe und Spiegel, darunter drei
aus Cervetri stammende Klappspiegel mit Reliefs. Zwei dieser
Reliefs sind gegossen und schlecht erhalten. Das eine zeigt die
bekannte Darstellung des Dionysos, der auf Eros gestützt und von
einer leierspielenden Mänade geleitet, trunken einherschreitet[1], das
andere einen nackten Mann, der auf einem Pferde nach rechts
reitet, während er mit der Rechten einen undeutlichen Gegenstand
umfasst. Interessanter ist das dritte, das Tafel VIII etwas verkleinert durch Heliogravure wiedergibt.

Sammt der Kranzumrahmung misst dies letztere 0·13 M. im
Durchmesser. Es ist sehr dünn getrieben und auf einen Spiegeldeckel aufgelöthet, der am äussersten Rande umgebogen und auf
der Unterseite mit concentrischen Kreisen verziert ist. Das Scharnier,
welches ihn mit dem Spiegel verband, ist mit zwei Nägeln befestigt
und mit zwei Oesen für den Verbindungsstift versehen. Mit dem

---

[1] Vgl. Stephani *C. R.* 1865 p. 163, 4; Friederichs, Berlins A. B. II 3 *a b*
und Benndorf Vasenb. LXI 4.

Relief wurde als zugehörig ein Spiegel erworben, der indessen seiner völlig verschiedenen Patinirung halber von einem anderen Exemplare herrühren dürfte.

Das Relief muss sich bei seiner Auffindung in einem desolaten Zustande befunden haben und dankt seine gegenwärtige Gestalt einer gründlichen Restauration. Die ursprüngliche Arbeit liegt nur an wenig Stellen mehr zu Tage und zeigt an diesen eine sehr schöne Patinirung. Die ruinirten Stellen hat der Ergänzer mit einer dickflüssigen Masse, deren grüne Farbe sich durch ihre Stumpfheit von dem Glanze der echten alten Patina unterscheidet, ausgefüllt und das Relief, wo es sich vom Grunde losgelöst hatte, mit demselben verbunden. Den Kopf der sitzenden Figur hat er dabei zwei Centimeter hoch über die Fläche erhoben, weit über die sonstige Höhe des Reliefs heraus. Von ihm rührt die Umrahmung her, die nach den geringen erhaltenen Spuren zu schliessen, aus einem palmettenartigen Ornament bestand, ferner fast der ganze Oberleib, der rechte Arm, das rechte Bein und das Gewand an der sitzenden Figur, der rechte Arm, der rechte Fuss und bis auf den obersten Rand das Gewand sammt hängendem Zipfel an der stehenden Figur. Die Restaurirung wird manches nicht unwichtige Detail zerstört haben, in der Hauptsache aber ist die Composition gesichert und nicht etwa durch Contamination mit Ueberresten anderer Exemplare gefälscht, wie man auf den ersten Blick vermuthen könnte. Im Vereine mit Prof. Macht von der Kunstgewerbeschule des Museums habe ich auf diesen Verdacht hin alle Einzelheiten genau untersucht und mit ihm die Ueberzeugung gewonnen, dass kein Pasticcio vorliegt. Nur der Kof der stehenden Figur, dessen braune Bronzefarbe auffällig von den anderen alten Partien absticht, ist vielleicht nicht zugehörig.

In der Figur zur Linken erkennt man sofort Dionysos. Ungewöhnlich ist sein Sitz gestaltet. Auf den mit Volutencapitellen und gravierten Palmetten verzierten, in der Mitte in üblicher Weise eingezogenen Beinen liegt über einem Mittelgliede mit eierstabartigem Ornament eine geschwungene Lehne mit spiralförmigen Endigungen (die vordere ergänzt). Eine derartige Armlehne ist mir an antikem Sitzmöbel nicht bekannt. Nur die Betten haben, meist in der späteren Zeit, auf unteritalischen Vasen und römischen Sarkophagen[2], aufsteigende Kopflehnen von ähnlicher Form. Die

---

[2] Vgl. z. B. Lenormant u. De Witte, *Él. cer.* II 23 *a*; Conze, Vorlegebl. S. I 3; Bouillon, *Musée Nap. III.* Rel. pl. 19.

canellirte Säule hinter dem Sitze hat mit diesem nichts zu schaffen, sie ist etwas Selbstständiges, etwa ein Untersatz, unbestimmbar freilich wofür, da die Stelle über dem Abschlusse zerstört ist. — Der jugendliche Gott ist bekränzt und unbekleidet. Das Gewand, auf dem er hier wie so oft in Darstellungen der späteren Zeit sitzt, ist wohl richtig ergänzt. Mit der linken Hand hat er den mit Pinienzapfen und flatternden Bändern geschmückten Thyrsus oben erfasst, während die gesenkte Rechte jetzt auf einer formlosen Erhebung ruht, in der wir Reste des Kantharos anzunehmen haben. Rechts von dem Gotte, dessen Blick in's Leere gerichtet ist, steht in Vorderansicht mit zurückgesetztem linken Beine eine Figur, welche um die Hüften ein am oberen antiken Rand wellenförmig gefälteltes Gewand, sonst aber nur einen (vielleicht in Schlangenköpfe endigenden) Torques um den Hals und ein Armband über der linken Handwurzel trägt. Das Haar ist gewellt und fiel, wie einzelne Stellen erkennen lassen, in Locken auf die Schultern herab. Diese Haartracht, der hervorgehobene Schmuck und der Umstand, dass an dem sonst unverletzten Oberkörper gerade nur das Relief der linken Brust abgestossen ist — die rechte ist von dem restaurirten Arme zum Theile verdeckt — lassen eine weibliche Figur erkennen. Weiblich ist auch die Bewegung der linken Hand, welche das Gewand gefasst hält, wie der Ergänzer mit augenscheinlichem Recht annahm, während die leere nichtssagende Geberde, die er dem rechten Arme gab, so nicht richtig sein kann.

Compositionellen Zusammenhang in diese beiden Figuren bringt erst das Kind zwischen ihnen, welches von dem Gotte her der Frau zustrebt: ein nackter Knabe mit Amuletband um die Brust, der ihr mit beiden erhobenen Armen einen wulstigen Kranz entgegenreicht. Auffällig ist allerdings der Platz, den er einnimmt, unmittelbar über den Beinen des Gottes wie in Darstellungen der Schenkelgeburt, und in der That bleibt unklar, wie er im Raume gedacht ist, ob auf dem Stuhle des Dionysos sitzend, kniend oder hinter ihm irgendwie hervorkommend, da er nur im Oberkörper erhalten und die angrenzende Partie des Sitzes ergänzt ist. Allein seine Gestalt und die Vermittlerrolle, die sich in seiner Action ausspricht, insbesondere das charakteristische Motiv des Kranzüberreichens setzen die Hauptsache ausser Zweifel, dass Eros zu erkennen ist. Dass er keine Flügel hat, wird Zufall sein, da die Conturen seines Rückens vom Grunde losgelöst und erst vom Restaurator wieder mit demselben verbunden worden sind.

Das Schema der Composition erinnert an die berühmte Zeus-
metope von Selinunt, auf der dem sitzenden Gotte gleichfalls eine
Frau in Liebe naht. Die Situation aber, welche dort in der Bewegung, dem individuellen Affecte, kurz in der Haltung der Personen selbst sich ausspricht, ist hier im Grunde nur accessorisch
durch eine Personification, durch Eros, zum Ausdruck gekommen.
Die Figuren bilden ein gleichgiltiges Nebeneinander und sind nur
lose zu einer Gruppe vereinigt. Dieser lockere Charakter der Composition hängt zum Theile mit ihrer Bestimmung zusammen. Ero-
tische Gegenstände lagen den Verfertigern der Spiegelreliefs begreiflicher Weise so bequem wie den Malern der zierlichen vergol-
deten Aryballen und Lekythen, die für den Putztisch der Frauen
bestimmt waren, und in der Art ihrer Ausführung und Vervielfälti-
gung tritt ein verwandtes kunsthistorisches Sachverhältniss zu Tage.
Wie in den Malereien der Goldschmuckvasen das rein Gefällige
immer entschiedener auf Kosten des Bedeutsamen sich geltend
macht, indem wohldurchdachte Compositionen durch fortwährende
Verwerthung sich nach und nach zu Ornament verflüchtigen, so
entarten auch die Spiegelreliefs in Nebeneinanderstellungen von
Figuren, ja ihre Verfertiger sind bekanntlich decorativ mitunter so
weit gegangen, ein und dieselbe Figur im Gegensinne auf ein und
demselben Exemplare zu wiederholen.

Innerhalb der Gattung der Spiegelreliefs ist dem Gegenstande
nach ein schönes, in der Krim gefundenes Exemplar der k. Ere-
mitage in St. Petersburg[3]) dem unseren am nächsten verwandt.
Hier lehnt sich Dionysos in den Schooss seiner Geliebten zurück;
sie umschlingt mit der einen Hand seinen Leib, mit der anderen
hebt sie das Himation empor, um sich und ihn, während sie ihn
küsst, zu verhüllen. In Bezug auf künstlerischen Werth aber lassen
sich die beiden Reliefs in keinen Vergleich mit einander bringen.
Jenes athmet bei grossartiger und ernster Auffassung glühendes
Leben, das unsrige ist, auch wenn man seinen jetzigen unerfreu-
lichen Zustand gänzlich auf Rechnung des Restaurators setzt, nicht
mehr als eine frostige Figurenzusammenstellung. Der Spiegel aus
der Krim ist griechische Arbeit, wahrscheinlich noch des 4. Jahrhunderts; der unsrige verräth das gesunkene Können der späteren
Zeit und stammt aus Etrurien.   K. MASNER

---

[3]) *Antiq. du Bosph. Cim.* 43.

Die Tribus Pollia

Gustav Wilmanns hatte in seiner Abhandlung über 'die römische Lagerstadt Afrikas' in den *commentationes Mommsenianae* S. 201 bemerkt, dass in den zu Lambaesis gefundenen Listen von Soldaten alle diejenigen, die als ihre Heimat das Lager nennen, zur Tribus Pollia gehören. Die Erklärung hiefür machte Wilmanns Schwierigkeit. Seit den neuerlichen Funden von Soldatenlisten in Aegypten und der sofort erfolgenden umfassenden Verwerthung derselben durch Mommsen im Hermes 19 (1884), durch die unsere Kenntnis von der Aushebungsordnung in der römischen Kaiserzeit völlig umgewandelt wird, ist auch das zweifellos geworden, dass die pollische Tribus nach Mommsens Worten a. a. O. S. 11 'als personale und zur Erlangung der Dienstfähigkeit in der Legion den an sich derselben ermangelnden Rekruten verliehen zu betrachten' ist. Weshalb ist hierzu aber gerade die pollische Tribus gewählt worden? Eine ernstliche Bedeutung hatte, so viel wir sehen, die Verschiedenheit der Tribus nicht mehr. Dass die Zugehörigkeit zu einer städtischen Tribus wenig ehrenvoll war, war geblieben, aber ob der Einzelne zu dieser ländlichen Tribus oder einer anderen gehörte, machte sachlich wohl wenig aus. Dass man nun diejenigen, die das Bürgerrecht erhielten, um als Bürgersoldaten Kriegsdienste zu thun, in die pollische Tribus aufnahm, hat vielleicht darin seinen Grund, dass diese Tribus nach der Bedeutung ihres Namens die für die Kriegsmänner passendste zu sein schien[*]. Von den Tribus haben die städtischen bekanntlich ihre Namen nach Oertlichkeiten der Stadt, von den ländlichen die älteren nach patricischen Gentes, die jüngeren nach Oertlichkeiten. So ist fast kein Tribusname derart, dass er anscheinend eine Eigenschaft ausdrückte. Die einzige Ausnahme bildet, so viel ich sehe, die Pollia, die wegen des Zusammenhangs mit *pollere* die 'starke', die 'kraftvolle' zu bedeuten schien[1]. Wir wissen, dass bei der Aufstellung der Liste der zu

---

[*] Erst jetzt, da der Bogen abgezogen werden soll und ich den Satz nicht stärker ändern kann, sehe ich, dass dies von Mommsen selbst in einer beiläufigen Bemerkung vermuthet worden ist (im Anschluss an die Publication der einen Liste aus Aegypten, *Eph. epigr.* V p. 15 mit Note 1). Seine von mir übersehenen Worte sind: '*non aliam ob causam opinor quam boni ominis*'.

[1] Natürlich soll damit nicht gesagt sein, dass wirklich *Pollia* als Tribus- und Gentilnamen mit *pollere* zusammenhängt.

einer Tribus gehörenden Bürger diejenigen, die Namen mit guter Vorbedeutung hatten, wie Valerius, Salvius, Statorius, an erster Stelle verzeichnet wurden. Aehnlich und mithin römischer Weise entsprechend ist es, wenn man auch bei der Zutheilung an die Tribus auf die Bedeutung des Namens achtete und in die 'kraftvolle' Tribus diejenigen einzeichnete, deren Kraft das Vaterland schützen sollte.

Diese Erklärung ist zunächst nur eine mögliche, vielleicht wird sie dadurch mehr, dass sie auf einem anscheinend sehr verschiedenen Gebiete sich bewährt. Nach welchen Grundsätzen die Römer, seit im J. 241 v. Chr. zuletzt neue Tribus geschaffen waren, bei Erweiterung des römischen Gebiets die Städte, die Bürgerrecht erhielten, den bestehenden Tribus zugetheilt haben, ist bisher wenig ermittelt. Hierbei tritt die pollische Tribus hervor. Als von dem wesentlich von Kelten bewohnten Oberitalien der an Mittelitalien angrenzende Theil von den Römern unterworfen wurde, diente zur Sicherung dieses Gebietes, das auch jetzt noch nach den alten Bewohnern *ager Gallicus* genannt wurde, namentlich die Anlage der dasselbe durchschneidenden Heerstrasse (des nördlichen Theils der *via Flaminia* bis Ariminum und der Fortsetzung derselben, der *via Aemilia* von Ariminum nach Placentia) und die Gründung städtischer Niederlassungen an dieser Strasse. Einige derselben haben zunächst latinisches Recht erhalten: Ariminum (Rimini), Bononia (Bologna), Placentia (Piacenza); als diese später das römische Bürgerrecht gewannen, sind sie verschiedenen Tribus zugetheilt worden, Ariminum der Aniensis, Bononia der Lemonia, Placentia der Voturia. Dagegen diejenigen Städte oder stadtähnlichen Niederlassungen, die sofort mit römischem Bürgerrecht ausgestattet wurden, scheinen regelmässig der pollischen Tribus zugetheilt worden zu sein. Nachweisen lässt es sich bis jetzt, wenn wir mit den Rom zunächst gelegenen beginnen, von Forum Sempronii (Fossombrone), Fanum Fortunae (Fano), Faventia (Faenza), Forum Cornelii (Imola), Claternae (gelegen in geringer Entfernung östlich von Bologna), Mutina (Modena), Regium Lepidum (Reggio), Parma (Parma), Fidentia (Borgo S. Donnino). Ebenso findet man die Städte, die jenseits von Placentia, der südwestlichen Kette der Alpen gegenüber, etwa bis zum J. 100 v. Chr. gegründet wurden, regelmässig in dieselbe Tribus aufgenommen. Es sind dies von Süden nach Norden aufgezählt: Pollentia (Polenzo), Hasta (Asti), Forum Fulvii oder Valentia (Valenza), Industria (bei Monteù), Eporedia (Ivrea). Alle

diese Städte von Fossombrone bis Ivrea, angelegt im Gebiet von
eben bezwungenen, überwiegend keltischen Stämmen, und das römische Gebiet gegen die unbezwungenen keltischen Stämme be-
grenzend, haben die Stellung von Festungen, die die nicht durch
das Meer gebildeten Grenzen gegen den gefürchteten stammfremden
Nationalfeind schirmen. Wenn nun die römischen Bürger, die in
diesen Plätzen angesiedelt wurden, regelmässig in der Tribus Pollia
verzeichnet worden sind, so passt hiefür dieselbe Erklärung, die
ich oben vorgeschlagen habe: wie in der Kaiserzeit für diejenigen,
die als Bürger Kriegsdienste thun sollten, so erschien in der Zeit
der Republik für die Bürger, die die gefährdeten Grenzfestungen
halten sollten, als gegebene Bürgerabtheilung die 'kraftvolle' [2]).

Dass diese Anschauung oder Empfindung das Bestimmende
gewesen ist, wird, täusche ich mich nicht völlig, durch eine Betrachtung der Namen der besprochenen Städte bestätigt. Einige
derselben sind nach ihren Gründern genannt worden: Forum Sempronii, Forum Cornelii, Regium Lepidum und Forum Fulvii (der eine
Name von den beiden, welche die Stadt hatte); Fanum Fortunae
heisst so nach einem Heiligthum; die aus lateinischer Sprache anscheinend nicht erklärlichen Claternae, Mutina und Eporedia mögen
Ortsnamen entsprechen, die von den Römern vorgefunden wurden.
Es bleiben übrig die Namen: Faventia, Parma, Fidentia, Industria,
Hasta, Valentia, Pollentia. Von diesen sind Faventia, Fidentia,
Valentia, Pollentia gleichartig und in ihrer Bedeutung klar: es sind
die Städte der Gutgesinnten (*Faventes*), der Beherzten (*Fidentes*), der
Starken (*Valentes*), der Kraftvollen (*Pollentes*). Mehr oder weniger
bestimmt, aber doch wohl unverkennbar, gelten diese Namen solchen,
deren Muth und Kraft den Besitz gewährleistet. Von den drei
letzten ist Industria ('Thätigkeit') zwar weniger charakteristisch,
passt aber auch in diesen Gedankenkreis hinein. Und wenn man
nun die beiden letzten betrachtet, Parma und Hasta, und in ihnen
Hauptwaffen der römischen Krieger findet: Schild (*parma*) und Speer
(*hasta*), und zwar die beiden Hauptwaffen, deren Bezeichnungen
weiblich sind und daher für Stadtnamen verwerthbar waren, so

---

[2]) In der Städteliste habe ich Aesis (Jesi) auslassen müssen, das anscheinend
schon vor 241 mit römischem Bürgerrecht ausgestattet wurde und nicht im eigentlichen *ager Gallicus*, sondern an der Grenze desselben und der Landschaft Picenum
lag. Auch diese Stadt gehörte zur Tribus Pollia, und vielleicht haben bei ihr zum
ersten Male die römischen Staatsmänner sich von dem oben angegebenen Gedanken
leiten lassen.

leuchtet wohl ein, dass in den Namen die Bestimmung der Städte zu Schutz und Trutz ausgedrückt sein sollte.

Anhangsweise möge hier eine Inschrift abgedruckt werden, durch die das bis jetzt sehr geringfügige Material für die Frage nach der Zutheilung einer sehr zahlreichen Classe von Menschen zu den Tribus nicht unwesentlich vermehrt wird, und die auch ausserdem einiges Interesse hat. Ich sah dieselbe im Frühjahr dieses Jahres in Nazzano im Gebiet des antiken Capena, östlich vom Soracte. Sie befindet sich auf einem nicht grossen, mit mehrfachen Reliefs guter Arbeit geschmückten Cippus [3]) und war bisher, da die Enden mehrerer Zeilen verscheuert sind, nicht genügend gelesen worden [4]). Meine Abschrift lautet:

DIIS · MANIBVS

M · VOLCI · PAL

HERMAE · EBORAR

NEGOTIATORIS

5   BENEMERENTI

FECIT

M · VOLCIVS · PAL

ABASCANTVS

LIB · ISDEM · GENI Γ

Das ist also die Grabschrift eines *M. Volcius Pal(atina) Hermes*, der *eborar(ius) negotiator* gewesen war, gesetzt von einem *M. Volcius Pal(atina) Abascantus*, der der Freigelassene und zugleich der Schwiegersohn des Verstorbenen war. Ein *eborarius negotiator* erscheint meines Wissens hier zum ersten Male; zu verstehen ist sicherlich nicht ein Händler mit rohem Elfenbein, sondern mit aus Elfenbein gefertigten Arbeiten. Dem widerspricht wohl auch nicht die auf den beiden Nebenseiten wiederkehrende Darstellung eines Elephanten, die ohne Zweifel sich auf das Gewerbe bezieht. Dass

----

[3]) Eine vom Grafen Cozza angefertigte Zeichnung sah ich unter den Tafeln, die für die Sammlung archäologischer Karten von Etrurien bestimmt sind. Das Werk ist vom italienischen Unterrichtsministerium veranlasst worden, die Ausführung haben der Ingenieur Graf Cozza und der Archäologe Fr. Gamurrini übernommen.

[4]) Lanciani, der sie *bull. dell' Inst.* 1870 S. 32 herausgegeben hat, las: DIIS MANIBVS ‖ M VOLCIO ‖ HERMAET... ‖ NEGOTIATORI ‖ BENEMERENTI ‖ FECIT ‖ M VOLCIVS..... ‖ ABASCANTVS ‖ LIB · ISDEM.....

die Grabschrift eines Händlers dieser Gattung sich hier, in bedeutender Entfernung von Rom und überhaupt von einer grösseren Stadt, gefunden hat, erklärt sich wohl durch das dortige berühmte Heiligthum der Feronia. Mit den grossen jährlich bei demselben gefeierten Festen war ein viel besuchter Markt verbunden, und mancherlei Gegenstände aus Elfenbein werden dort zu frommer Verwendung, vielleicht auch zu weltlicher, Käufer gefunden haben [5].

Wichtig scheint die Inschrift nun auch für die Frage zu sein, in wie weit und in welcher Form die Freigelassenen in Tribus aufgenommen sind. Der *M. Volcius Pal. Abascantus* ist ausdrücklich als Freigelassener bezeichnet; dass aber sein Freilasser und Schwiegervater *M. Volcius Pal. Hermes* selbst diesem Stande angehört, beweist, abgesehen vom Gewerbe, der Name Hermes, und dass bei ihm wie bei seinem Freigelassenen in ungewöhnlicher Weise zwischen Namen und Cognomen nur die Bezeichnung der Tribus steht. Offenbar ist bei beiden die erforderliche aber wenig ehrenvolle Bezeichnung als *M(arci) l(ibertus)* absichtlich weggelassen. Die Inschriften, in denen Freigelassene mit einer Tribus erscheinen, sind nach der mir von Prof. Kubitschek ertheilten Auskunft an Zahl sehr geringfügig, und unter ihnen sind verschwindend wenige, die uns über die Verhältnisse des Freigelassenen oder die seiner Verwandten oder seines Patronus, namentlich über deren Zugehörigkeit zu einer Tribus unterrichten. So ist unsere Inschrift, die das Gewerbe des einen Freigelassenen, sein Familienverhältniss zu dem von ihm Freigelassenen und bei beiden die Tribus angibt, besonders inhaltreich. Auf die Erörterung der Frage selbst will ich indess hier nicht eingehen; wir haben ja hierüber wie über alle die Tribus betreffenden Fragen binnen kurzem die von der Vorführung des gesammten Materials begleitete Erörterung Kubitschek's zu erwarten.

---

[5] Vgl. bes. die Beschreibung dieses Festes, die Dionysius von Halic. 3, 32 zwar in frühere Zeit verlegt, aber wohl nach seiner Zeit gestaltet hat: εἰς δὴ τὸ ἱερὸν τοῦτο συνήεσαν... κατὰ τὰς ἀποδεδειγμένας ἑορτὰς πολλοὶ μὲν εὐχὰς ἀποδιδόντες καὶ θυσίας τῇ θεῷ, πολλοὶ δὲ χρηματιούμενοι διὰ τὴν πανήγυριν ἔμποροί τε καὶ χειροτέχναι καὶ γεωργοί, ἀγοραί τε αὐτόθι λαμπρόταται τῶν ἐν ἄλλοις τισὶ τόποις τῆς Ἰταλίας ἀγομένων ἐγίνοντο.

Wien   **E. BORMANN**

Zu den neu entdeckten Grabinschriften
der jüdischen Katakomben nächst der Via Appia

(Mittheilungen des kais. deutschen archäolog. Instituts, röm. Abtheil. I 1 S. 56.)

'Wie verstehen Sie κιτοῦντε? Wie lässt sich die mittlere Inschrift ergänzen?' Auf diese jüngst an mich gelangte Anfrage eines Orientalisten darf ich vielleicht öffentlich wie folgt antworten.

Die Worte ὧδε κιτοῦντε mit nachfolgendem Plural können am Eingang einer Grabschrift der Natur der Sache nach und angesichts der in den gleichartigen Inschriften unablässig wiederkehrenden Wendungen ὧδε κεῖτε, ἐνθάδε κῖτε und dergleichen mehr, unmöglich etwas anderes bedeuten als 'hier ruhen'. Der verwahrloste Vocalismus dieser Grabschriften aber, in welchen nicht nur der Itacismus fast unbedingt herrscht, sondern auch kurze und lange Vocale und nicht minder der O- und U-Laut einer festen Abgrenzung entbehren (vgl. z. B. C. I. G. 9918: ἐνθάδε κῖτεν 'Ιούδας νίπιους· ἐν εἴρνε κύμυσες ἀοτοῦ) gestattet aber und gebietet zugleich in κιτοῦντε nichts anderes zu erblicken als κοιτῶνται. Es ist das ein Verbum, welches bisher freilich nur aus Glossen und aus byzantinischer Zeit nachzuweisen war, von dessen Seitensprossen aber mindestens einer bereits in der Septuaginta erscheint (Levit. 20, 15: καὶ ὃς ἂν δῷ κοιτασίαν αὐτοῦ κτέ).

Jene 'mittlere', von Hrn. N. Müller a. a. O. mitgetheilte, aber nur in ihrer letzten Hälfte ergänzte Grabschrift eines Oberhauptes der jüdischen Gemeinde der Subura lässt sich in plausibler Weise also lesen und vervollständigen: 'Ενθάδε κῖτε Μαρῶνις ὁ κὲ [Φίλ]ητος, ἔγγων(ος) (sic) 'Αλεξάνδρο[υ το]ῦ κὲ Μα[θ]ίου, ἄρχων Σ[ιβου]ρησίων, ἐτῶ[ν] ⲕⲇ καὶ μηνῶν ⲅ. ἐν [εἰρήν]ηι ἡ κ[οί]μη[σις αὐτοῦ].

Zu bemerken ist hierüber Folgendes. Μαρῶνις ist augenscheinlich die verkürzte Vulgärform des C. I. G. 8829 (auf einer dem Libanon angehörigen christlichen Grabschrift) vorkommenden männlichen Personennamens Μαρώνιος. Man vergleiche, um in diesem Kreise zu bleiben, Σαββάτις = Σαββάτιος, oder 'Αλῦπις = 'Αλύπιος (C. I. G. 9910 und 9922). Für den Doppelnamen aber und seine Einführung durch ὁ καὶ sei allenfalls auf Dittenberger's Index zu C. I. A. III, 2, 388 oder auf Reinach's *Traité d'Épigraphie* p. 507 verwiesen. Die Namensform Μαθίος — in unserer Inschrift liest man ein Є, welches ich zu Θ ergänzte — begegnet in einer palästinensischen Inschrift C. I. G. 4593. Das einigermassen anspruchsvolle ἔγγονος (= ἔκγονος) statt υἱός erscheint mehrfach in jüdischen Grabschriften, nämlich C. I. G. 9912, 9919 und 9900 = C. I. A. III 3547, während die Ersetzung von o durch ω nicht selten begegnet; so ἡρηνοποιώς und υἱώς C. I. G. 9897, τάφως und υἱώς auch bei Ascoli, *Iscrizioni di sepolcri giudaici* p. 52 und 57. Nicht unmöglich, aber minder wahrscheinlich wäre die Deutung von εγγων = ἐκ τῶν, etwa wie Μάρωνι ἐκ τῶν Μάρωνος bei Dumont, *Inscript. de la Thrace* p. 36 (= Kaibel n. 533). Das jugendliche Alter des Synagogen-Vorstandes ist auffallend und lässt wohl auf relativ vornehme Abkunft desselben oder auf einen regelmässigen Turnus unter den Gemeindegliedern schliessen; auf Letzteres könnte C. I. G. 9910 zu weisen scheinen, wo ein im Alter von 35 Jahren Verstorbener δὶς ἄρχων genannt wird.

Th. GOMPERZ

Epigraphisches aus Kärnten

(Aus mehreren an die k. k. Central-Commission für Kunst- und historische Denkmale gerichteten und von derselben mitgetheilten Berichten.)

Infolge einer Mittheilung des Pfarrers Martin Krabath von St. Urban, dass in den Ruinen des Schlosses K r e u g ein bisher noch nicht bekannter römischer Inschriftstein sei, wurde der Vereinsdiener Kaiser dahin entsendet, um denselben zu suchen. Der fragliche Stein ist 2·04 M. lang, 55 Cm. breit und 27 Cm. stark und in sechs Theile gebrochen. Derselbe scheint als Ueberlage eines Thores gedient zu haben, weil die untere Kante mit Ausnahme der beiden Enden, wo er aufgelegen sein dürfte, ornamentirt ist. Er lag mit der Schriftseite in der Erde und bildete die Einfassung einer Düngergrube. Von der einzeiligen Inschrift in schönen, reichlich 10 Cm. hohen Buchstaben ist erhalten[1]):

|VS · VRBICVS · PROC·AVGVST|

---

[1]) [Nach dem Abklatsch, der ein eigenthümliches Volutenornament vortrefflicher Arbeit zeigt, war der Marmorbalken ein freischwebender Epistylblock eines

In St. Andrä ist ein von Hrn. Prof. Jäger gefundener Inschriftstein jetzt innerhalb des Schwibbogens der Stadtmauer an der Bahnhofstrasse zweckmässig eingemauert und sichergestellt. Zu lesen ist:

ᴠ E P O N I ᴀᴇ ʟ	*Veponiae [Va]-*
E R I A E · A T T O · M	*[l]eriae Atto m[ar(itus)]*
F E C · E · S I B · E · Q V	*fec(it) et sib(i) et Qu[a]-*
R T I L L Æ · S O R O	*rtillae soro[ri]*
E · T · R T N O · E · A P	*et Tertino et Ap[o]-*
L I N A R I · N E P O	*[l]linari nepo[tib(us)]*
T · O P T A T A E	*et Optatae ....*

Professor Jäger zeigte mir auch· einen zweiten römischen Inschriftstein, der im Fussboden der Sacristei der Pfarrkirche liegt, aber durch die Tritte der darüber Hinwegschreitenden so abgeschliffen ist, dass nur noch wenige Buchstaben kenntlich sind.

Von einem in den Ruinen des Petersberges zu Friesach gefundenen Römerstein übergab mir der Architekt und k. k. Conservator A. Stipperger einen Papierabklatsch. Danach ist zu erkennen[2]):

Bauwerkes ionischer oder korinthischer Ordnung. Der in der Bauinschrift genannte *proc(urator) August[i* Urbicus ist, wie auch schon Domaszewski bemerkt hatte, wohl sicher identisch mit dem bei Tacitus *hist.* 1, 70 erwähnten *Petronius Urbicus procurator*, der im J. 69 n. Chr. Anstalten traf, um Noricum für Otho zu sichern. Die Form der Buchstaben weist bestimmt auf eben diese Zeit hin, und dass kurz nach einander zwei verschiedene Personen mit dem recht seltenen Cognomen Urbicus die Verwaltung von Noricum gehabt haben sollten, ist nicht glaublich. Allerdings ist bei Tacitus die Form *Urbicus* nicht unmittelbar überliefert. Aber die Ergänzung des sinnlosen *urbi* der Handschriften, die hier das verloren gegangene Doppelblatt des Mediceus ersetzen, in *urbicum*, die von Freinsheim herrührt, war schon bisher fast sicher und ist mit Recht in den neuesten Ausgaben aufgenommen; durch den neuen Fund hat sie ihre urkundliche Bestätigung erhalten. Wir haben also das Stück eines Bauwerkes, das im J. 69 oder kurz vorher von dem kaiserlichen Procurator, der das *regnum Noricum* verwaltete, in der Nähe von Virunum errichtet wurde. Vielleicht darf man hierin auch eine Andeutung dafür sehen, dass in dieser Zeit Virunum die Residenz des Procurators von Noricum war: eine Annahme, die wohl überhaupt durch die Beschaffenheit der monumentalen Zeugnisse nahegelegt wird. A. d. R.]

[2]) [Nach Mittheilung des Herrn Studiosus Binn, Mitglied unseres Seminars, wurde der Stein am 4. September 1886 in der Friedhofsmauer des Petersberges gegenüber dem Chor der Kirche bei Ausbesserung der Mauer gefunden. Seine Copie

⌐ī o n	Etwa: *Quin]tioni*
⌐ː R · E T	*bene m]er. et*
⌐N D A E	*Verecu]ndae*
⌐ʰ G ɪ	*coni]ugi*
⌐V ɪ N o	*et Sil]vino*
⌐͵	*fil. an.]* X

In St. Veit in Kärnten ist kürzlich durch den Friseur Seiller ein Localmuseum eingerichtet worden. In demselben befindet sich jetzt auch die Inschrift C. I. L. III n. 4901, doch ist es bei dem Zustand des Steins nicht möglich mehr zu lesen, als früher Jabornegg gelesen hat.

Herr Seiller zeigte mir auch einen in der Vorderseite des Hauses Nr. 45 am unteren Platz eingemauerten Stein mit der Inschrift [3]):

S T A T V T A E

ı · D · A N · X V ı ı ı

S T A T V T V S · F R F

Klagenfurt   KARL Baron HAUSER

Neugefundene römische Inschriften aus Poetovio

(Nach Mittheilungen an die k. k. Central-Commission

---

1. Bruchstück aus sogenanntem Pacherer Marmor (grösste Höhe 34, Br. 41, D. 12 Ctm.; Höhe der Buchstaben im Allgemeinen 3·5 Ctm., Z. 2 ᴍ 2·9, ı 3·7, ᴛ 4·3 Ctm.). Der links (vom Beschauer) erhaltene Rand zeigt Spuren einer geschuppten Relief-Säule. Von mir am 7. August 1886 im Pflaster inmitten der Strasse, welche von Pettau nach Kartschovina führt, in der Nähe der Dominikaner-

zeigt noch einen im Abklatsch nicht erkennbaren Rest zu Anfang von Z. 1, der vielleicht zum unteren Ende eines ᴛ gehört. — Die oben neben die Copie gesetzte Herstellung soll natürlich nur etwas Denkbares geben. E. B.]

[3]) [Sollte das auffallende ı · D · in Z. 2 etwa *i(uveni) d(efunctae)* zu lesen sein?]

Kaserne entdeckt. Der Stein war als Baustein bei Herstellung der (aus der Mitte des 13. Jahrh. stammenden) mittelalterlichen Stadtmauer verwendet worden, welche bis in die ersten Jahrzehnte unseres Jahrhunderts vom westlichen Theile des Schlossberges schräg über die jetzige Fabrstrasse nach dem ehemaligen Dominikaner-Kloster (jetzt Kaserne) lief, und deren Spuren noch gegenwärtig deutlich erkennbar sind. Der auf meine Veranlassung hin aus der Erde gehobene Stein befindet sich jetzt im Hofe des landschaftlichen Gymnasiums zu Pettau und soll in dem zu errichtenden Localmuseum Aufnahme finden.

Vielleicht zu ergänzen:

De[o Soli invicto]
Mithra[e .... Sec]
und[us pro Secund]
ino f[ilio ....
....

Falls die Lesung richtig, hätten wir also zu den bekannten Mithrasdenkmälern von Poetovio (C. I. L. III n. 4039—4042) ein neues hinzugewonnen. Die Stelle des in der Inschrift C. I. L. III n. 4039 genannten, von einem *dux* hergestellten *templum* des Sonnengottes dürfte vielleicht gegenüber dem ehemaligen Dominikaner-Kloster zu suchen sein, wo Substructionen von 10 Klafter Länge und Breite, aus Blöcken rothen Marmors von 6—8 Fuss bestehend (Kenner, Mitth. d. Alterth.-Ver. zu Wien XI S. 94 Anm. 2) vor Alters aufgedeckt worden waren. Die hier befindlichen Votivsteine wurden beim Baue des Dominikaner-Klosters im J. 1230 (n. 4041) und der Stadtmauer (ausser unserem Fragment auch n. 4040)[1]) als Baumaterial verwendet.

2. Im Nordwesten der Pfarrkirche St. Martin in Ober-Haidin bei Pettau, nur wenige Schritte von derselben entfernt, war noch in den letzten Jahrzehnten dieses Jahrhunderts ein in weitem Bogen sich hinziehender Erdwall, begleitet von einem angeblich mannstiefen Graben sichtbar, der vom Volke als „Schanze" bezeichnet wurde. In ihm hatte bereits 1682 der Vicarius von Haidin, Georg

---

[1]) Unter dem von Pococke als Ort genannten Thurme ist nämlich nicht, wie Mommsen annahm, der Stadtthurm zu St. Georg zu verstehen, sondern ein Thurm der Stadtmauer, da der Stein nach Somenzari (Stadt-Archiv zu Pettau 1830) „in der westlichen Stadtmauer" sich befand, von wo er im J. 1817 an seinen gegenwärtigen Ort gebracht wurde.

Haubtmann (1677—1691), in seinem *»Chronicon seu commentarius historicus Pettouiensis«* (Manuscript im Besitze der Stadtgemeinde Pettau) die Ueberreste eines befestigten Zollhauses des römischen Poetovio erkennen wollen (a. a. O. S. 7): »das Plokh, oder Zollhauss mit seinen tieffen Schanzgräben, welche annoch zu ober Haydin zwischen denen Kirchen St. Martini und Stae. Rosaliae neben einer geschribenen Säullen zu sehen«. Wie aus dem Folgenden erhellt, ist unter der »geschriebenen Säule« C. I. L. III n. 4015 zu verstehen, wo allerdings Subalternbeamte eines *conduc(tor) portori Illyrici* genannt sind· Bei der Restauration und Vergrösserung der genannten Kirche St. Martin im J. 1874 wurde das umliegende Areal einschliesslich des Walles planirt. Bei dieser Gelegenheit wurde in dem Erdwalle ausser anderen nicht beschriebenen Platten aus sogenanntem Pacherer Marmor in einer Tiefe von ungefähr 2 M. auch das Fragment einer römischen Grabschrift aus demselben Stein ausgehoben, welches wahrscheinlich bei Anlage des Walles als Baumaterial benützt worden war. Der Bauer Veit Muhič verwendete nebst anderen nicht beschriebenen Platten auch diesen Inschriftstein beim Neubau seines abgebrannten Hauses (Ober-Haidin Nr. 109), und derselbe wurde (im J. 1874) mit der Rückseite nach aussen in die Kellermauer eingefügt. Doch erhielt sich das Gerücht von dem Funde dieses »Römersteines«, und darauf aufmerksam gemacht, liess ich denselben am 3. August 1886 herausheben. Die grösste Höhe des Steines beträgt 63 Ctm., die grösste Breite 67 Ctm., die Dicke 23—24 Ctm. Das Inschriftfeld, soweit erhalten, ist hoch 38 Ctm., breit 57 Ctm.; Höhe der Buchstaben 6·5 Ctm. Ueber der Inschrift befindet sich ein (besonders an den Seiten beschädigtes) Basrelief: in der Mitte eine Muschel, mit der concaven Seite nach vorn; dieselbe wird umschlossen von zwei unten gekreuzten Füllhörnern, deren jedes oben drei apfelförmige Früchte trägt und von einem (nur theilweise erhaltenen) Delphin im Maule gehalten wird. Das Inschriftfeld, beiderseits von je einer flachen Reliefsäule mit korinthischem Kapitäl und spiralförmig canellirtem Schafte abgeschlossen, zeigt folgende Inschrift:

```
        L · ANTONIVS ·
      L · POL · MODES
      TVS · INDVSTRIA ·
     VET · LEC · XIII · GEM ·
```

L(*ucius*) Antonius L(*uci filius*) Pol(*lia*) Modestus Industria vet(*eranus*) leg(*ionis*) XIII gem(*inae*) . . . . .

Die Inschrift ist, wie Mommsen mir brieflich mittheilte, ein weiterer Beleg für die gräcisirende Auslassung von *filius* im illyrischen Gebiete, welche daselbst weit häufiger sei, als man bisher glaubte.

Was die Zeit der Inschrift anlangt, so weisen sie u. A. die zierliche Form der Buchstaben und des Reliefs der ersten Kaiserzeit zu. Obgleich nun aber Poetovio als Winterquartier der *legio XIII gemina* im Jahre 69 n. Chr. bezeugt ist (Tac. *hist*. 3, 1), von wo sie vielleicht schon unter Vespasian nach Vindobona verlegt wurde (C. I. L. III S. 510), und daher die Annahme nahe liegt, dass unser Veteran sich damals in den Canabae seiner Legion niedergelassen habe, so möchte ich doch vielmehr wegen der grossen Aehnlichkeit in Schrift und Ausführung der Ornamente unsere Inschrift für gleichzeitig halten mit n. 4057 u. 4058, also (wegen 4057) in die nächste Zeit nach der Begründung der Colonie durch Traian setzen. Es werden nämlich von Veteranen auf Inschriften aus Poetovio, abgesehen von der unserigen, genannt C. I. L. III n. 4056 ein *C. Cassius Silvester vet(eranus) leg(ionis) IIII Fl(aviae)*, d. h. einer Legion, die niemals nach Oberpannonien gekommen ist, und n. 4057 ein *C. Cornelius C. f. Pom. Dert(ona) Verus vet(eranus) leg(ionis) II adi(utricis) deduct(us) c(oloniam) U(lpiam) T(raianam) P(oetovionem) mission(e) agr(aria? altera)* u. s. w. Dazu wird noch n. 4058 hinzuzufügen und zu ergänzen sein: *[vet(eranus)] leg(ionis) XII[I]*, deren Aehnlichkeit in Schrift und Ausführung der Ornamente mit n. 4057 und unserer neuen Inschrift bereits erwähnt wurde. Diese vier Inschriften von Veteranen berechtigen vielleicht zu der Folgerung, dass zur Gründung der Colonie Poetovio von Traian Veteranen jener Legionen verwendet wurden, welche an den dakischen Kriegen (J. 101—107) theilgenommen hatten, wozu eben auch die Legionen *IV Flavia, XIII gemina*, und wahrscheinlich auch die *II adiutrix* gehörten. Dass der Veteran der neugefundenen Inschrift die Tribus seiner Heimat, nicht aber die von Poetovio (*Papiria*) führt, ist bemerkenswerth, findet sich aber auch bei dem Veteranen der Inschrift n. 4057, dessen Ansiedelung in der Colonie Poetovio ausdrücklich angegeben ist. Ob der Umstand, dass beide Veteranen aus der neunten Region Italiens stammen, zufällig ist, denke ich an anderer Stelle zu erörtern.

Wien, October 1886   ANTON Ritter von PREMERSTEIN

Griechische Inschriften aus Moesien und Thrakien

Die im Folgenden veröffentlichten Inschriften habe ich im Laufe dieses Sommers gesammelt, als ich im Auftrage der k. Akademie der Wissenschaften zu Berlin Serbien und Donaubulgarien bereiste *).

*1. Pirot. Im Hofe vor der alten Kirche. Altar aus Kalkstein, h. 1 M., d. 0·45, br. 0·48.

ΚΟΡΝΗΛΙΑΝ	Κορνηλίαν
ΠΑΥΛΑΝΑΥ	Παῦλαν Αὐ-
ΓΟΥΕΤΑΝΗΕ	γοῦσταν ἡ Σ[έρ]-
ΔΩΝΠΟΛΙ	δων πόλι[ς]
5 ΕΠΙΝΑΥΓ	5 ἐπὶ Μ(άρκου) Αὐρ(ηλίου)
ΗΡΩΔΟΥΚΑΙ	Ἡρώδου καὶ
ΠΡΟΚΛΟΥ	Πρόκλου

Wenn die Ergänzung in Zeile 3, wie kaum zu bezweifeln, richtig ist, so reichte das Gebiet der thrakischen Serder (Dio Cass. 51, 25) bis nach Pirot in Serbien. Der nächste Ort auf der Strasse nach Nisch (Naissus) ist Bela Palanka, welcher sicher bereits zu Moesia superior gehörte (C. I. L. 1688, jetzt besser bei Evans *Antiquarian researches in Illyricum*, parts III u. IV, London 1885 p. 162). Demnach wird man die Grenze zwischen Thrakia und Moesia superior, weiter westlich als bisher, auf den Höhen zwischen Bela Palanka und Pirot ansetzen müssen. Es entspricht, dass die Grenzen des lateinischen und griechischen Sprachgebietes mit den Provinzialgrenzen zusammenfallen. Denn in Bela Palanka (wahrscheinlich Remesiana) sind nur lateinische, in Pirot die beiden von mir hier veröffentlichten griechischen Inschriften gefunden worden. Ἡ Σέρδων πόλις ist wohl wie in Nr. 5 Serdica.

*2. Ebendort. Altar aus Kalkstein, h. 0·81, br. 0·6, d. 0·4.

ΑΓΑΘΗ //x/	Ἀγαθῇ [τύ]χ[η]
ΘΕΩΕΠΗΚΟΩΥΨΙΣΤΩ	Θεῷ ἐπηκόῳ ὑψίστῳ
ΕΥΧΗΝΑΝΕΣΤΗΣΑΝ	εὐχὴν ἀνέστησαν
.ΤΟΚΟΙΝΟΝΕΚΤΩΝΙ	τὸ κοινὸν ἐκ τῶν ἰ-
5 ΔΙΩΝΔΙΑΙΕΡΕΩΣ	5 δίων διὰ ἱερέως

*) Zu den mit einem Stern versehenen Inschriften konnte ein Abklatsch verglichen werden.

```
    Ε Ρ Μ ο  Γ Ε Ν 8 Ϲ Κ Α Ι Π Ρ Ο          Ἑρμογένους καὶ προ-
    Ϲ Τ Α Τ 8 Α Υ Γ 8 Ϲ Τ Ι Α Ν Ο Υ        στάτου Αὐγουστιανοῦ
    Α Χ Ι Λ Λ Ε Υ Ϲ Α Υ Ρ Η Λ Ι Ε Δ Ι Ο Α Λ Ε    Ἀχιλλεύς, Αὐρῆλις, Δῖο(ς), Ἀλέ-
    Ξ Α Ν Δ Ρ Ο Ϲ Μ Ο Κ Α Ϲ Μ Ο . . Α Ν ο Ε    ξανδρος, Μόκας, Μο[κι]ανός,
10  Δ Ο Μ Η Τ Ι Ϲ Ϲ Ο Φ Ε Ι Ν Ο Ε Π Χ     10 Δομῆτις, Σοφεῖνος, Παυ-
    Λ Ε Ι Ν Ο Ε Π Υ Ρ Ο Ϲ Α Π Ο Λ Ι Ν Α    λεῖνος, Πύρος, Ἀπολινά-
    Ρ Ι Ε Μ Ο Κ Ι Α Ν Ο Ϲ . Η Λ Υ Ϲ        ρις, Μοκιανός, [Σ?]ῆλυς
    Κ Α Ι Α Λ Ε Ξ Α Ν Δ Ρ Ο Ε Α Ϲ Κ        καὶ Ἀλέξανδρος Ἀσκ-
    Λ Η Π Ι Α Δ Ο Υ Θ Ι Α . . . Ϲ Ε Β Α Ζ Ι     ληπιάδου· θία[σος?] Σεβαζι-
15  Α Ν Ο Ϲ Θ Η . . . Τ Ο Υ Τ Α Ϲ        15 ανός . . . . . . . . . . . . . . .
```

Die Lesung der Zeilen 13—15 beruht nur auf dem Abklatsch, da ein heftiges Gewitter mich hinderte, die Copie vor dem Steine zu Ende zu bringen. Es scheint, dass das κοινόν ein θίασος zu Ehren des Σεβάζιος gewesen ist.

3. **Dragomanski-Tepnik.** „Nicht weit vom Dorfe Dragoman — auf dem Wege nach Bulgarien — ist eine Anhöhe „Dragomanski-Tepnik" genannt, auf deren Plateau die kleine Kirche St. Peter steht. Am Eingange in dieselbe steht eine steinerne Platte, die 2 M. hoch, 1 M. breit und 0·5 M. dick ist und folgende Inschrift trägt" [1]):

```
    Α Γ Α Θ Η Ι · Τ Υ Α Υ Ρ · Μ Ε Ϲ Τ Ρ Ι Α    Ἀγαθῆι τύ[χηι] Αὐρ(ήλιος) Μεστρια[νὸς]
    Ϲ Τ Ρ Α Τ · Λ Ε Τ · Β Ι Τ Λ        στρατ(ιώτης) λε[γ](ιῶνος) β′ Ἰτα(λικῆς)
    Κ Υ Ρ Ι Ω  Ϲ Α Β Α Ζ Ι Ω  Ε        κυρίῳ Σαβαζίῳ ἐ[κ]
    Π Ρ Ο Ν Ο Ι Α Ϲ Ε Υ Χ Α Ρ Ι Ϲ        προνοίας εὐχαρισ[τή]·
5   Ρ Ι Ο Ν Ε Ϲ Τ Η Ϲ Ε        ριον ἔστησε[ν].
```

Das Vorkommen eines Soldaten der *legio II Italica* in Thrakien ist befremdend. Man erwartet *I Italica*, die Legion von Moesia inferior.

*4. „Aus Sorlyik im Knaževazer Kreise, wo noch zwei Thürme einer römischen oder mittelalterlichen Befestigung stehen, stammt eine Plinthe von weissem Marmor, die auf ihrer oberen Fläche eine ovale Vertiefung hat, deren Durchmesser 20·5 und 14 Cm. betragen. Die Plinthe selbst misst in der Länge 24·5, in der Breite 20½, in der Höhe 9 Cm. Auf einer Langseite trägt sie folgende Inschrift" [2]):

---

[1]) Aus einem Briefe des Hrn. Prof. Waltrovitz in Belgrad. Die Abschrift nahm ein serbischer Officier während des letzten Krieges.

[2]) Aus demselben Briefe des genannten Herrn. Die Inschrift befindet sich jetzt im Belgrader Museum, wo ich sie abgeschrieben habe.

ΗΡΑΣΟΝΚΗΤΗΝΗΤΙ·ΚΛΑΥΔΙ(
ΚΥΡΕΙΝΑΘΕΟΠΟΜΓΟΣΘΕΟΠΟΜΓ
ΣΤΡΑΤΗΓΟΣΑΣΤΙΚΗΣΤΗΣΠΕΡΙΠΙ
ΡΙΝΘΟΝΣΗΛΗΤΙΚΗΣΟΡΕΙΝΗΣΔΕΝΘΙ
/ΗΤΙΚΗΣΠΕ//ΛΣΙ/ΣΧΑΡΙΣΤΗΡΙΟΝ

Ἥρᾳ Σονκητηνῇ Τι(βέριος) Κλαύδιο[ς] || Κυρείνᾳ Θεόπομπος Θεο-
πόμπ[ου] || στρατηγὸς Ἀστικῆς περὶ Πέ||ρινθον, Σηλητικῆς ὀρεινῆς, Δεν-
θε||[λ]ητικῆς πε[δι]ασίας· χαριστήριον.

Von dem Worte πεδιασίας sind noch Reste aller Buchstaben
auf dem Abklatsch zu erkennen. Die Ἥρα Σονκητηνή lässt sich
vergleichen mit der Ἥρα Ἀρτακηνή Dumont Nr. 33. Die Strategien
Thrakiens zählt Ptolemaeus auf 3, 11 §. 6: Στρατηγίαι δὲ εἰσὶν ἐν τῇ
ἐπαρχίᾳ πρὸς μὲν ταῖς Μυσίαις καὶ περὶ τὸν Αἷμον το ὄρος ἀρχομένοις
ἀπὸ δυσμῶν Δενθηλητική, Σαρδική, Οὐσδικησική, Σελλητική — dann
folgen weitere neun in der Richtung von Westen nach Osten, zuletzt
— παρὰ δὲ τὴν ἀπὸ Περίνθου πόλεως μέχρις Ἀπολλωνίας παράλιον ἡ
Ἀστικὴ στρατηγία. Wenn Plinius (n. h. 4, 40) im Widerspruch damit 50 Strategien in Thrakien zählt, so erklärt dies unsere Inschrift
in erfreulicher Weise. Sie gehört sicher dem ersten Jahrhundert
an, wahrscheinlich ist sie, wie der Name des Strategen und die
Buchstabenformen zeigen, unter der Regierung des Claudischen
Hauses geschrieben, steht also zeitlich dem von Plinius geschil-
derten Zustande sehr nahe. Es zerfiel nach unserer Inschrift die
στρατηγία Ἀστική in mehrere Theile, von welchen einer das Gebiet
um Perinth umfasste. Diese Strategie ebenso in der Inschrift: Eph.
epigr. II p. 252 = Dumont 62 f.: Τιβέριος Ἰ[ο]ύλιος [Τ?]ουλ[λ]ος
στρατηγὸς Ἀστικῆς περὶ Πέρινθον. Ebenso zerfiel die Δενθελητική
und die Σηλητική, wie die neue Inschrift zeigt, in mindestens zwei
Theile. Die grössere Zahl der Strategien des Plinius erklärt sich
demnach wahrscheinlich daraus, dass er die Unterabtheilungen der
Strategien des Ptolemaeus als selbständige Glieder zählte. Eine
gleichzeitige Verwaltung der drei Strategien ist bei der Lage dieser
Bezirke nicht denkbar. Vielmehr scheint es, dass Claudius Theopompos die Dentheletike zuletzt verwaltet und als Stratege dieses
nordwestlichsten Districtes an dem weit von den späteren Grenzen
Thrakiens entfernten Orte das Denkmal errichtet hat. Man wird ferner
in Anbetracht des Fundortes die Frage aufwerfen dürfen, ob nicht
der südöstlichste Theil der Provinz Moesia superior, das Becken
von Nisch, vor Errichtung dieser Provinz zu Thrakien gerechnet

wurde. Wahrscheinlich bezeichnet der Fundort auch einen Punkt der römischen Strasse, welche aus dem Thale der Nischawa in das Thal des Timok führte und Naissus mit Ratiaria verband.

*5. Sophia, gefunden auf dem türkischen Friedhof; jetzt in der Bibliothek. Säule aus Kalkstein.

[ἀγαθῇ τύχῃ ‖ ὑπὲρ τῆς τοῦ αὐτοκρ]άτορο[ς ‖ ///////////////////// ‖ Σ]εβ. [τύ]χης τε καὶ νείκης καὶ αἰ‖ωνίου διαμονῆς ἡγεμονεύον‖[τος] τῆς λαμπροτάτης Θρακῶν ‖ [ἐπαρχείας ...] τιλίου Πούδεν‖[τος ὑπατικοῦ? πρ]εσβ. Σεβ. ἀντι‖[στ]ρατήγου [ἡ Σ]έρδων πόλις ἀ‖[νέστ]η[σε τ]ὸ Μ[ε]ίλιον. Vergl. zu den Ergänzungen C. I. Gr. 2047 und Dumont Nr. 3. Von Zeile 5 ab ist die linke Hälfte der Schrift durch den Einfluss des Wassers abgewittert.

Z. 7 habe ich ὑπατικοῦ ergänzt, da ich nicht weiss, was sonst zwischen Namen und Titel treten könnte. Dass der Statthalter von Thrakien während seiner Verwaltung zum Consulate gelangen konnte, unterliegt keinem Zweifel.

6. Jeni-Nikup, in einem Hause. Altar.

Θεᾶς] Ἰδείας μεγάλης
μητρ]ὸ[ς] Διὶ Ἡλίῳ μεγά[λῳ
κυρί]ῳ Σεβαζίῳ ἁγ[ίῳ
.....νῳ Φλ. Ἀσια[νός
.....ου βουλ(ευτὴς?) ὑπ[ὲρ τῆς
ἑαυτ]οῦ σωτηρ[ίας τὸ
εὐχα]ρ[ι]στ[ήριον
[ἀνέστησεν]

Es scheint, dass der Altar nur einer Gottheit, dem Σεβάζιος ...weiht war, der wie auch sonst dem Zeus (Schneider, Jahrb. d. Kunstsamml., Wien II S. 52 Anm. 8) und dem Helios (Macrobius Sat. I, 8, 11) geglichen wird. In welche Verbindung er zur

Göttermutter gebracht wird, ist mir nicht klar. Aber es wäre denkbar, dass er als ihr Sohn bezeichnet wurde, und dem entsprechend habe ich oben zu ergänzen versucht (vgl. Diodor 4, 4).

7. Ebendort, in einem Hause. Altar.

]HI TYXHI	[ἀγαθ]ῆι τύχηι
ΔIIΚΕΡΑΥΝΙW	Διὶ Κεραυνίῳ
ΕΥΧΑΡΙΣΤΟΥ	εὐχαρίστου (sic)
ΗπΟΛΙΣΑΝΕΣΤΉΣΕΝ	ἡ πόλις ἀνέστησεν
ρΡο·Ιῂ·Κ·ΑΥΓΟΥΣΤϢ	πρὸ ις´ κ(αλανδῶν) Αὐγουστῶ(ν)
ΜΑΞΙΜϢΚΕΠΛΈΡΝϢ·ΥΠ	Μαξίμῳ κὲ Πατέρνῳ ὑπ(άτοις)
	a. 233 p. Chr.

8. Ebendort, bei der Kirche als Grabstein.

Θ　　　　Κ	θ(εοῖς) κ(αταχθονίοις)
ΓΑΙΟΣΒΙΑΝΟΡΟΣΝΕΙΚΑΕΥΣ	Γάιος Βιάνορος Νεικαεὺς
ΔΟΜΟΈΚΤϢΠΟΛΕΙΤΉΣΦΥΛΉΣ	δόμο Τεκτωπολείτης φυλῆς
ΚΑΠΙΤϢΛΕΙΝΈΖΗΣΑΣΚΑΛΩΣ	Καπιτωλείνης ζήσας καλῶς
ΕΉΕΒΛΟΜΚΟΝΤΛ_ΛΝΈΦΡΟ	ἔτη ἑβδομήκοντα [ζ]ῶν κὲ φρό-
	[νῶν . . . .

Auch in zwei anderen Inschriften aus Nikopolis, Monatsber. d. Berl. Akad. 1881 S. 459, werden Asiaten aus Nikaea genannt. Es scheint demnach, dass Traianus in Nikopolis am Ister, wie auch in Dacien, Asiaten als städtebildendes Element ansiedelte.

9. Bei der Brücke über die Rušica, unweit Stari-Nikup. Aus den Ruinen von Stari-Nikup dorthin als Baumaterial verschleppt. Basis aus weissem Marmor, h. 1·19, br. 1·08, d. 0·15.

ΔιΙ·ΟΛιΜΙΙ ΩΚΑΙΗΡΑΚΑΙΑΘΗΝΑϐ

Τ//ΚΛ·ΓΡΕΙΣΚΕΙΝΟΣΑΡΓΥΡΟΤΑΜΙΑΣΚΑΙ·Γ·ΑΡ

Ϝι_Τ-Ν·Α·ΑΡΧΗΝΤΑΑΓΑΛΜΑΤΑΥΓΕΡΉΣΠοΛΕΩΣ

ΕΚΤΩΝΙΔΙΩΝΑΝΕΣΉΣΑϐ

Διὶ Ὀλυμπίῳ καὶ Ἥρᾳ καὶ Ἀθηνᾷ ‖ Τ[ιβ.] Κλ. Πρεισκεῖνος ἀργυροταμίας καὶ (τρὶς) ἄρ‖[ξας] τὴν (πρώτην) ἀρχὴν τὰ ἀγάλματα ὑπὲρ τῆς πόλεως ‖ ἐκ τῶν ἰδίων ἀνέστησα.

Die Capitolinische Trias, denn diese scheint mir gemeint, ebenso in der Inschrift aus Nikopolis Berl. Monatsb. 1881 p. 459: Διὶ Ὀλυμπίῳ καὶ Ἥρᾳ Ζυγίᾳ καὶ Ἀθηνᾷ Πολιάδι, ist charakteristisch für die Griechenstadt, welche ein Machtwort des römischen Kaisers geschaffen.

*10. P o l i k r a s t e, nördlich von Tirnova, bei der Kirche. Ohne Zweifel aus den Ruinen von Stari-Nikup dorthin verschleppt. Altar.

```
  M / / / / / / / / / /  Λ Ε Γ
    Φ Α Ν Ε Σ Τ Α Τ Ο Ν Κ Α Ι Ε Υ Ϲ
    Ϲ Ε Β · Υ Π Α Ε Υ Ο Ν Τ Ο Σ Ε
    Π Α Ρ Χ Ι Α Σ Ꝟ Ι Τ Ε Ν Ν Ι Ꝟ
5   Ι Ꝟ Β Ε Ν Ι Ο Υ Α Ν Τ Ε Τ Ρ
    Ε Π Ι Μ Ε Λ Ο Υ Μ Ε Ν Ο Υ
    Ι Ꝟ Λ Ι Ο Υ Ε Υ Τ Ꜽ Υ Ϲ
    Α Ρ Χ Ι Ε Ρ Α Τ Ι Κ Ꝟ Ε Κ ΤꟿΝ
    Ι Δ Ι Μ Ν Α Ν Ϲ Ῐ Ε Υ Π Ε Ρ Φ Ι
      Λ Ο Τ Ι Μ Ι Α Σ
```

M / / / / / / / / / / ἐπ[ι]
φανέστατον καὶ εὐσ(εβέστατον)
Σεβ(αστὸν) ὑπατεύοντος ἐ-
παρχίας Οὐιτεννίου
Ἰουβενίου ἀντ[ι]στρ(ατήγου),
ἐπιμελουμένου
Ἰουλίου Εὐτύχους
ἀρχιερατικοῦ ἐκ τῶν
ἰδίων ἀνέστησε ὑπὲρ φι-
λοτιμίας

*11. = Kanitz, Bulgarien III 8. 342, XIII; jetzt in Tirnova vor der Präfectur.

```
    Α  Γ Α Θ Η | Τ Υ Χ Η |
    Ι Ο Υ Λ Ι Α Ν Δ Ο Μ Ν Α Ν Θ Ε Α Ν Ϲ Ε Β · ΜꞋ Ε
    Ρ Α Κ Α Ϲ Ϝ Ω Ν · Α Υ Τ Ο Κ Ρ Α Τ Ο Ρ Ο Ϲ · Λ · Ϲ Ε Π Μ Ι
    Ο Υ Ϲ Ε Υ Ⱶ Ρ Ο Υ Ͳ Ε Ρ Τ Ι Ν Α Κ Ο Ϲ · Ϲ Ε Β · Ε Υ Ϲ Ε Β Ο Υ Ϲ ·
5   Π Α Ρ Θ Κ Ο Υ · Β Ρ Ε Τ Α Ν Ν Ι Κ Ο Υ · Α Ρ Α Β Ι Κ Ο Υ · Α Δ Ι Α Β Ⱶ
    Ͳ Ι Κ Ο Υ · Α Ρ Χ Ι Ε Ρ Ω Ϲ Μ Ε Γ Ε Τ Ο Υ · Δ Η Μ Α Ρ Χ Ι Κ Ⱨ · Ε
    Ξ Ο Υ Ϲ Ι Α Ϲ · Τ Ο · Ϛ · Α Υ Τ Ο Κ Ρ Α Τ Ο Ρ Ο Ϲ · Τ Ο · Ι Α · Υ Π Α
    Τ Ο Υ · Τ Ο · Η · Ⅱ Α Ϝ Ο Ϲ Π Α Ϝ Ι Δ Ο Ϲ · Γ Υ Ν Α Ι Κ Α · Κ · Α Υ Τ Ο
    Κ Ρ Α Τ Ο Ρ Ο Ϲ Κ Α Ι Ϲ Α Ρ Ο Ϲ · Μ Α Ρ Κ Ο Υ · Α Υ Ⱨ Λ · Α Ν Ω Ν Ν Ο Υ
10  Ϲ Ε Β · Κ · Λ Ϲ Ε Π Τ Ⅿ Ι Ο Υ Γ Ε Τ Α Κ Α Ι Ϲ Α Ρ Ο Ϲ Μ Ⱥ Ρ Α Υ Π Α
    Ε Υ Ο Ν Ο Ϲ Ͳ Ε Π Α Ρ Χ Ε Ι Α Ϲ · Γ · Ο Ο Υ Ε Ι Ν Ο Υ Ε Ρ Τ Υ Λ
    Λ Ο Υ · Ͳ Ρ Ε Ϲ Β · Ϲ Ε Β Β · Α Ν Τ Ι Ϲ Ϝ · Η Ι Ε Ρ Ω Τ Α Ⱨ Β Ο Υ Η
    Κ · · Ο Κ Ρ Α Τ Ε Τ Ο Ϲ Δ Η Μ Ο Ϲ Ο Υ Λ Π Ι Α Ϲ · Ⱨ Κ Ο Π Ο Λ Ε

    Ω Σ Η Σ Π Ρ Ο Σ Ι Ϲ Ρ Ο Ν Α Ν Ε Ϲ Ⱨ Ε Ν
```

Ἀγαθῆι τύχηι ‖ Ἰουλίαν Δόμναν θεὰν Σεβ(αστήν), μητέ ‖ ρα κάστρων, αὐτοκράτορος Α. Σεπτιμί ‖ ου Σευήρου Περτίνακος Σεβ(αστοῦ), Εὐσεβοῦς, ‖ Παρθικοῦ, Βρεταννικοῦ, Ἀραβικοῦ, Ἀδιαβη ‖ νικοῦ, ἀρχιερέως μεγίστου, ἡμαρχικῆς ἐ ‖ ξουσίας τὸ ϛ', αὐτοκράτορος τὸ ια', ὑπά ‖ του τὸ η', πρὸς πατρίδος, γυναῖκα, κ(αὶ) αὐτο ‖ κράτορος Καίσαρος Μάρκου Ἀυρηλ(ίου) Ἀντωνίνου ‖ Σεβ(αστοῦ) κ(αὶ) Α. Σεπτιμίου Γέτα Καίσαρος μητέρα, ὑπα‖τεύοντος τῆς ἐπαρχείας Γ. 'Οουεινίου Τερτύλ‖λου. πρεσβ. Σεββ. ἀντιστρ. ἡ ἱερωτάτη βουλὴ ‖ κ(αὶ) ὁ κράτιστος δῆμος Οὐλπίας Νικοπόλε‖ως τῆς πρὸς "Ιστρον ἀνέστησεν.

Wien   A. v. DOMASZEWSKI

Zu griechischen Inschriften

C. I. A. II, 476 v. 21 heisst es, dass beim Verkauf gewisser Früchte gemessen werden soll μέτρῳ χωροῦντ[ι] ΑΠΟΥΗΣΤΑ σιτηρὰ ἡ[μ]ιχ[ο]ινίκια τρία. Böckh, dem Köhler folgt, las κορυστά, ohne sich zu verhehlen, dass die Entstehung der Verderbnis schwer zu begreifen ist. Aus den von Böckh selbst angeführten Zeugnissen geht jedoch hervor, dass vielmehr zu lesen ist: ἀπο[ψ]ηστά = abgestrichen, wie es auch der Sinn fordert. Denn nur ein gestrichenes Maass kann als Maasstab für ein anderes Maass dienen.

Bull. de corr. héll. B. X p. 112. Zeile 12 u. 13 ist zu lesen: οἱ πει‖[ρατεύ]οντες τοὺς πολεμίους. Die Caperschiffe, die gewiss von der eigentlichen Kriegsflotte zu unterscheiden sind, werden auch auf Seiten des Gegners erwähnt Liv. 31, 22: *et praedonum a Chalcide naves, quae non mare solum infestum sed etiam omnis maritumos agros Atheniensibus fecerant* (vgl, auch Diodor 28, 1). Diese sollen nicht aus dem Hafen von Delos auslaufen, um nicht die Wiedervergeltung der Feinde herauszufordern.

A. v. DOMASZEWSKI

Funde

von Carnuntum

Heliogr. Victor Angerer

Druck von A. Pisani

Lightning Source UK Ltd.
Milton Keynes UK
UKHW022216140219
337291UK00006B/436/P